ISBN 978-0-260-95969-0
PIBN 10994238

Neue allgemeine

deutsche

ibliothek.

Des drey und funfzigsten Bandes
Erstes Stück.

Erstes bis Viertes Heft.

Kiel,

verle ts Carl Ern B n. 1800.

Verzeichniß

der

im ersten Stücke des drey und funfzigsten Bandes recensirten Bücher.

I. Protestantische Gottesgelahrheit.

Chr. B.

IV. Schöne Wissenschaften und Gedichte.

V. Theater.

VI. Romane.

VII. Weltweisheit.

a 2   J. G.

VIII. Mathematik.

IX. Naturlehre und Naturgeschichte.

X. Chemie.

XI. Botanik und Gartenkunst.

XII. Haushaltungswissenschaft.

XIII. Technologie.

XIV. Geschichte.

XV. Kirchengeschichte.

XVI. Gelehrtengeschichte.

XVII. Erdbeschreibung, und Reisebeschreibung.

XVIII. Biblische, hebr., griech. und überhaupt oriental. Philologie, ꝛc.

G. L.

XIX. Klassische, griechische und lateinische Philologie, nebst den dahin gehörigen Alterth.

XX. Deutsche und andere lebende Sprachen.

XXI. Erziehungsschriften.

Aus•

XXII. Staatswissenschaft.

XXIII. Vermischte Schriften.

Neue Allgemeine
Deutsche Bibliothek.

Drey und Funfzigsten Bandes Erstes Stück.

Erstes Heft.

Intelligenzblatt, Nr. 27. 1800.

Protestantische Gottesgelahrheit.

Kurzgefaßtes Lehrbuch der Moral, oder Anleitung
für die Jugend zum eignen Nachdenken über die
menschlichen Verhältnisse, Angelegenheiten, Rechte
und Pflichten auf Erden. Vornehmlich zum Gebrauche bey Katechisationen, von F. W. Wedag,
Prediger der reformirten Gemeine zu Leipzig.
Leipzig, 1799. 142 S. in gr. 8. Vorrede und
Inhaltsverzeichniß XVI. 10 X.

Diese Schrift ist gleichsam der Schwänengesang des zu
früh verstorbenen Verfassers, und sie schärft den Schmerz
über den Verlust eines Mannes, der noch so viel für aufge-
klärte Religiosität hätte leisten können. Das vorliegende
Buch zeugt von gesundem Urtheil und von heller Einsicht in
dasjenige, was jedem denkenden Menschen das Wichtigste
und Angelegentlichste seyn muß. Der Verf. hatte oft darüber nachgedacht, wie es wohl am besten anzufangen sey, um
die Jugend bey dem katechetischen Unterrichte in das Gebiet
der Sittenlehre und der Religion dergestalt einzuführen,
daß die gewöhnlichen Fehler des gedankenlosen Auswendig-
lernens und des baldigen Vergessens des Gelernten nicht allein vermieden; sondern, daß auch im Gegentheil eignes
Denken und Urtheilen und Entwickelung des moralischen
A 2   Sinns

Sinns und Gefühls sicherer befördert werde. So sehr ein
eigentliches Lehrbuch, worin die Sachen im Zusammenhange
vorgetragen werden, für den schon im Nachdenken Geübten
das zweckmäßigste ist, um ihn mit einer Wissenschaft bekannt
zu machen, oder weiter darin fortzuhelfen: so sehr fühlte
auch der Verf., daß das bey der Jugend zweckwidrig seyn
würde. Daher glaubte er, daß ein solches Lehrbuch für die
Jugend in Fragen und Antworten abgefaßt werden müßte,
wenn es Nutzen stiften sollte. Indessen wußte er auch wohl,
daß es wieder große Nachtheile habe, wenn ein solches Buch
in bestimmten Fragen und Antworten abgefaßt sey. Daher
schien ihm folgende Einrichtung, welche auch schon in den
Zullkoferschen und mehrern Lehrbüchern gebraucht worden,
die schicklichste zu seyn; nämlich: die vorzutragenden Lehr-
wahrheiten in Sätzen abzufassen, die nicht getrennt und unterbrochen werden, und die auf den Inhalt des Satzes aufmerksam machende Frage bloß am Rande zu bemerken. Jedoch suchte er auch in jeden Paragraph Stoff zur Beantwortung mehrerer Fragen hineinzulegen, um Nachdenken
und Scharfsinn zu üben. Denn er wollte mit den beygefügten Fragen weder dem Lehrer vorgreifen, noch den Inhalt
damit erschöpfen, oder den katechetischen Uebungen Gränzen
setzen. Der Schüler muß also nicht nur eine Anweisung
erhalten, um sich den jedesmaligen Inhalt des Unterrichts
bekannt zu machen; sondern der Lehrer muß auch selbst die
Materie allemal reiflich durchdenken, um theils nichts zu
übersehen, was zur Sache gehört; theils um in Fragen,
wodurch dem Verstande des Schülers auf die Spur geholfen
werden soll, bey der Uebung selbst desto gewandter zu seyn.
Eigentlich soll nichts buchstäblich auswendig gelernt werden,
als solche Sätze, bey welchen auf einen ganz bestimmten
Ausdruck viel ankömmt, z. B. der Begriff Mensch, S. 6,
oder die Bestimmung des Menschen S. 7. — Rec.
hat mit Vergnügen gefunden, daß der Verf. viel geleistet
und wenig zu wünschen übrig gelassen hat, wenn man sich
den Zweck denkt, den er eigentlich vor Augen hatte. Er
läßt in diesem Lehrbuche den jungen Bürger der moralischen
Welt die vornehmsten Situationen und Verhältnisse im
menschlichen Leben durchgehen, um ihm dadurch die nöthigen
Kenntnisse von den gegenseitigen Rechten und Pflichten der
Menschen, von ihren Angelegenheiten und Obliegenheiten
beyzubringen. Er wollte ihnen nicht moralische Begriffe
und

und Gefühle einzuträufen; sondern der moralischen Anlage
des Menschen den erforderlichen Stoff zu ihrer Entwickelung darbieten. Sehr wahr ist es, und Rec. aus der Seele
geschrieben, wenn der Verf. sagt: »Man stelle den jungen
»Weltbürger nur auf den rechten Standpunkt, und veran-
»lasse ihn, seine Lage und seine Verhältnisse gegen die Men-
»schen und Dinge zu betrachten: so wird seine Vernunft
»und sein Gefühl alsbald ansprechen. Hier ist der Fleck,
»wo es der Menschheit gebricht, nämlich: es werden ihr
»die rechten Ansichten nicht dargeboten, und das hat schon
»verkehrt und widrig auf sie eingewirkt, ehe sie von selbst
»zu urtheilen anfängt.« — Eigentliche Religionslehren
findet man in diesem Buche nicht, weil es nur eine Vorbereitung auf den christlichen Religionsunterricht seyn sollte.
Daher würde auch der Verf. ein Lehrbuch der Religion auf
dieses haben folgen lassen, wenn ihn nicht der Tod übereilt
hätte. Uebrigens zeigt Ton und Inhalt dieser Schrift von
selbst, daß es nur für Jünglinge von einiger Bildung bestimmt sey. Das Verzeichniß des ungemein fruchtbaren
Inhalts und die genaue logische Ordnung wird hinlänglich
beweisen, wie sehr dieses Buch empfohlen zu werden verdiene, und wie vortheilhaft es sich von ähnlichen Schriften
auszeichne. — Die Einleitung handelt von den Menschen, und seinen Vorzügen vor den übrigen Geschöpfen der
Erde, wobey der Begriff Mensch, sein Zweck auf Erden
und seine Bestimmung entwickelt wird. Erster Abschnitt. Von der häuslichen Gesellschaft. Von dem Menschen, als einem geselligen Wesen. Von den Verhältnissen
in der häuslichen Gesellschaft, und von dem ehelichen Verhältnisse, von dem Verhältnisse zwischen Eltern und Kindern,
zwischen Geschwistern, zwischen den gesammten Mitgliedern
der Familie und den dienenden Personen des Hauses, so wie
von den gegenseitigen Obliegenheiten, Pflichten und Rechten gehandelt wird. — Zweyter Abschnitt. Von der bürgerlichen Gesellschaft, ihrem Zweck und Vortheilen. Von
der Obrigkeit und ihren Pflichten. Von dem Verhältnisse
und den Pflichten der Bürger und Unterthanen gegen die
Obrigkeit. Von der kirchlichen Gesellschaft. Von den verschiedenen Ständen in der bürgerlichen Gesellschaft, des
Landmanns, der Handwerker, der Künstler, des Kaufmanns,
der Gelehrten. Von dem Soldatenstande. Von den unnützen und lästigen Gliedern in der bürgerlichen Gesellschaft.

A 3 Ueber

Ueber das Verhältniß des weiblichen Geschlechts zu der bürgerlichen Gesellschaft. Von der Gleichheit und Ungleichheit der Stände. Von einigen allgemeinen Pflichten, und von der Verbindlichkeit zu einem gewissen Beruf. — Dritter Abschnitt. Von der menschlichen Gesellschaft, und den Verhältnissen und Pflichten der Menschen als Menschen gegen einander. Begriff der menschlichen Gesellschaft. Von den allgemeinen Menschenpflichten, als: von der Achtung des Menschen, dem Wohlwollen, der Gerechtigkeit, dem bescheidenen und klugen Betragen gegen die Menschen, und von den entgegengesetzten Fehlern. — Von den besondern Pflichten und Verhältnissen, die oft im menschlichen Leben eintreten, nämlich: über das Verhalten gegen Arme, Kranke, Einfältige und Schwache, Heftige und Zornige, Feinde, Einsichts- und Verdienstvolle; Ehrerbietung gegen das höhere Alter. — Vierter Abschnitt. Von den Angelegenheiten und Pflichten des Menschen in Beziehung auf ihn selbst. Von der leiblichen Gesundheit, den zeitlichen Glücksgütern, der Ehre, den Vergnügungen, den Widerwärtigkeiten und Leiden, den Leidenschaften. Von der Pflicht und dem rechten Verhalten des Menschen in Absicht auf die Bildung seines Geistes. — Fünfter Abschnitt. Moralische Grundsätze und Lehren, nebst einigen Wahrheiten und Zweifeln zur Vorbereitung des Gemüths auf die Religionslehre.

Bs.

Moral in Beyspielen für Familien, herausgegeben von Johann Carl Pischon, zweytem Prediger der evangelisch-reformirten Domgemeine in Halle. Erster Theil. Leipzig, bey Barth. 1799. 8. 1 Alph. 4 B.

Auch unter dem Titel:

Philotkos zur Beförderung der häuslichen Tugend und Glückseligkeit ꝛc. — — Dritte Abtheilung. 1 Rk. 4 ꝛc.

Im Jahr 1797 gab der Verf. den ersten, und 1798 den andern Theil seines Philotkos heraus, welche beyde bereits

in unserer Bibliothek angezeigt sind. Gegenwärtige Beyspielsammlung hat mit demselben einerley Bestimmung, und
der Verf. hatte sie bereits in der Vorrede zu seinem ersten
Theile versprochen, um durch diese noch manches anschaulich
zu machen, was sich dort nicht anbringen ließ, und was doch
zur Beförderung der häuslichen Glückseligkeit mitwirkt.
Der Plan geht dahin, hier zuerst Vorsichtigkeitsregeln
zu empfehlen, die jeder zu beobachten hat, der ins häusliche
Leben tritt. Dann folgen Schilderungen der Größe der
häuslichen Glückseligkeit, und Empfehlung der Mittel,
dazu zu gelangen. Die Fortsetzung wird sich über die
gegenseitigen Verhältnisse der Eltern, Kinder u. s. w.
verbreiten, und dann eine specielle Anweisung den Schluß
machen, wie sich Familienglieder unter mancherley Bedürfnissen und Leiden zu verhalten haben. — Die Beyspiele
selbst sind nicht erdichtet, sondern historisch, und der Verf.
hat sie mehrentheils aus neuern Schriften entlehnt. Als
von Becker, Demme, Ewald, Heine, Hoche, Lenz,
Möser, Jung, Starke, Zöllner u. s. w. Manche haben
dem Verf. seine eignen Erfahrungen dargeboten. Ob er
gleich die mehresten aus Büchern genommenen hin und wieder umgearbeitet hat: so findet man doch noch manche Spuren von der verschiedenen Manier der Schriftsteller, aus
denen er geschöpft hat. In diesem Theile sind 76 Numern
geliefert, deren Rubriken wir hier nicht sämmtlich abschreiben mögen. Die Beyspiele selbst sind freylich nicht alle von
gleich gutem innern Gehalt, auch nicht immer so ausgezeichnet, daß sie gerade zum Ziel treffen. Indessen ist die Arbeit
im Ganzen genommen nutzbar, und wird denen eine lehrreiche Unterhaltung geben, welche die ersten Theile besitzen,
und mit Nutzen gelesen haben.

Se.

Gedichte und Lieder für Leidende. Von M. Friedrich
Traugott Wettengel, Superintendenten in Greiz.
Greiz, bey Hennig. 1799. 106 S. in 8. 7 K.

Der Verf. bestimmt selbst den Charakter dieser Lieder, indem er sie für nichts weiter als poetische Versuche angesehen
wissen will, die sich weder durch dichterischen Schwung,
noch durch Neuheit der Gedanken auszeichneten. Das Ge-

A 4   dicht

dicht auf den Tod des Herzogs Leopold von Braunschweig,
der 1785 sein Leben in den Oderfluthen verlor, so wie die
letzten sieben Lieder, fanden Beyfall, so daß er sich bewogen
fand, sie nochmals abdrucken zu lassen, und sie mit den Liedern für Leidende, die hier zum erstenmal erscheinen, zu
vermehren. — Jeder Liederbeytrag für die öffentliche und
häusliche Andacht verdient Dank, und Rec. hat diese Sammlung mit Vergnügen gelesen; doch giebt er den eigentlichen
Liedern den Vorzug vor den Gedichten, die er in mehrern Stellen matt und schleppend gefunden hat. Die Lieder
hingegen zeichnen sich mehr durch die herzliche Simplicität
eines G. lerts aus, denen sie auch nachgebildet zu seyn scheinen. Ein Gedicht ist dem Rec. anstößig gewesen, welches
die Ueberschrift hat: Gott starb! Wie kennte der sonst
richtigdenkende Verf. auf diese sonderbare Idee kommen?
Er nennt ihn zwar am Ende des Gedichts den schrecklichsten
und unmenschlichsten der Träume; aber wer läßt denn auch
einen solchen wunderbaren Traum drucken? — Die ganze
Sammlung zerfällt in zwey Theile, in Gedichte, deren 17,
und in Lieder, deren 26 sind. Beyde Gattungen enthalten auch manche poetische Reminiscenzen aus bekannten Dichtern, welches den Liederdichter, der nicht originell ist, so leicht
beschleichen kann. Indessen sind doch mehrere dem Verf. so
gut gelungen, daß sie verdienen, in neuen Gesangbüchern
aufgenommen zu werden.

Vernunftgründe für die Unsterblichkeit der Seele,
und über den Selbstmord. Zwey Beylagen zu
der Schrift: Lazarus von Bethanien. Von Jacob Elias Troschel. Für die Besitzer der zweyten
Auflage besonders abgedruckt. Berlin, bey Him-
burg. 1798. 6 gr.

Je wichtiger diese hier abgehandelten Materien vorzüglich
auch in unsern Tagen sind, desto mehr verdienten sie, durch
einen besondern Abdruck weiter verbreitet zu werden. Da
das größere Werk, dem sie zur Beylage dienen, in unserer
Bibliothek bereits recensirt worden: so bedarf es nur dieser
Anzeige.

Vß.

Unter-

Unterhaltungen auf dem Krankenbette. Zweyter
Theil. Breslau. 1799, bey Meyer. 130 S. 8.
16 gr.

Der Verf. sagt viel Lehrreiches und Tröstendes für die Leidenden; nur hätte er sich der Ueberspannungen enthalten
müssen, als es die sind: S. 2, wenn ich mich im Ernste
beschweren könnte, daß ich zu viel leide: so habe ich noch
viel zu wenig gelitten, so bin ich noch lange nicht tief genug
gedemüthiget, und S. 57, daß mir doch zuletzt der sinnliche
Genuß so unschmackhaft werden möchte, mich nach den un-
vergänglichen Gütern desto inniger zu sehnen.

Der Trost, daß unsichtbare Engel uns umschweben, ist
nicht für jedermann.

Kmh. J.

Rechtsgelahrheit.

Ueber Dienstentlassung und Dienstaufkündigung,
von D. Jacob Friedrich Rönneberg, Hofr. und
Prof. zu Rostock. Berlin, bey Fröhlich. 1799.
150 und XXVI S. in 8. 14 gr.

Hr. Hofr. R. hat bekanntlich selbst das Schicksal gehabt,
vom Syndicatamte im zweyten Quartier des Hundertmän-
nercollegiums entlassen zu werden. Er hat sich deswegen
verglichen, und versichert, daß die Unpartheylichkeit seiner
Untersuchung durch ein ihr so nahe angehendes Ereigniß
nicht gelitten habe. Wer sein Buch lieset, wird es gerne
glauben. Es sey, sagt er, vorzüglich nach innerm Drange
und Mitgefühl für die leidende Menschheit geschrieben; wir
hätten gewünscht — für Wahrheit und Recht.

Das Buch zerfällt, oder wie Hr. R. sich ausdrückt —
zweigt sich ab, in vier Hauptabtheilungen: 1. über Dienstentlassungen nach der Vernunft, mithin nach den Grundsätzen des Natur- und allgemeinen Staatsrechts; 2. nach
den Römischen Gesetzen, und nach den Meinungen der vorzüglich auf sie sich beziehenden Rechtsgelehrten; 3. nach

A 5   deuts

teutschen Gesetzen; 4. von der Sitte und Gewohnheit einer
halbjährigen Dienstaufkündigung.

    Die erste Hauptabtheilung ist unstreitig die wichtigste,
da es an allgemeinen positiven Entscheidungsgründen fehlt.
Hr. R. sucht gleich durch den Begriff der Dienstentlassung
für seine Meinung einen guten Grund zu legen. »Sie sey,
sagt er, diejenige Handlung, wodurch ein Beamter im
Staate eigenwillkührlich, d. h. ohne rechtshinlängliche
Ursache, seines Amts entlassen werde.« Man sieht wohl,
daß der Begriff schon die Verdammung mit sich führen soll.
Wird Einem sein Amt ohne rechtshinlängliche Ursache ge=
nommen: so ist die Handlung widerrechtlich, die Dienstent=
lassung folglich unerlaubt. Wie aber, wenn die Natur des
Dienstvertrages eine Befugniß der gegenseitigen beliebigen
Aufkündigung enthielte? Läge nicht darin schon eine rechts=
hinlängliche Ursache zur Dienstentlassung? und sonach schon in
der Rönnebergischen Definition eine petitio principii? Al=
les kömmt also auf den Beweis an, daß in der Natur des
Dienstvertrages eine solche Befugniß nicht liege. Hr. R.
will ihn aus dem Rechte der Natur und aus dem allgemei=
nen Staatsrechte führen. Rec. muß gestehen, daß ihm eine
so verkehrte Anwendung der Kantischen Principien noch nie
vorgekommen ist, als gerade hier. Hr. R. vermischt und
vermengt die alten Gründe der sogenannten Glückseligkeits=
lehre mit den Grundsätzen der Kritik der praktischen Ver=
nunft auf eine so sonderbare Weise, daß, um sich seines eige=
nen Ausdruckes zu bedienen, seine eigenwillkührliche Resul=
tate nothwendig herauskommen müssen. Das Ganze seines
philosophischen Beweises dreht sich um dieß sein Lieblings=
wort: eigenwillkührlich —. Kein Mensch darf den an=
dern eigenwillkührlich, d. h. als bloßes Mittel für seinen
Zweck gebrauchen, also kein Regent seinen Diener entlassen.
Wie, wenn man das umkehrte? Das Amt, welches der
Staatsdiener behalten will, wäre nach Hrn. R. Mittel für
dessen Zweck; wenn er sich nun dem Regenten eigenwillkühr=
lich aufdringen wollte, würde er dadurch nicht ihn als bloßes
Mittel zu seinem Zwecke gebrauchen? Es fällt in die Augen,
daß Hr. R. den eigentlichen Gesichtspunkt ganz außer Acht
gelassen hat. Die Vorfrage ist die: Hat der Staatsdiener
ein Zwangsrecht auf die lebenslängliche Beybehaltung seines
Amtes vermöge der Natur des mit ihm eingegangenen

Dienst=

Dienstvertrages, wenn er sich nur selbst durch vertragswidrige Handlungen oder durch andre Vergehungen dessen nicht verlustig macht? Nur wenn er ein solches Recht hat, kann man sagen, daß der Regent ihn eigenwillkührlich behandle, wenn er ihn ohne rechtliche Ursache und ohne deren vorgängige Untersuchung und gerichtliche Entscheidung entläßt. Ist hingegen die lebenslängliche Dauer eines Amtes in dem Dienstvertrage nicht gegründet: so folgt von selbst, daß jeder Theil ohne Beleidigung des andern aufkündigen kann, sobald er es für gut findet, und wenn der Regent dieses Rechtes der Aufkündigung oder Entlassung sich bedient, ohne daß gerade Ursachen zur Cassation vorhanden sind: so kann man ja nicht sagen, daß er eigenwillkührlich und widerrechtlich handle. Was Hr. R. von Verlust des Brodes, Unglück der Familie u. s. w. anführt, werden seine Gewährsmänner, Kant und dessen Nachfolger, am wenigsten billigen. Moralische und politische Gründe gehören nicht hieher, so gern auch Rec. einräumt, daß Dienstentlassungen nach bloßer Laune moralisch schlecht und politisch unklug sind. Nur wünschte er, daß man Laune und Gutbefinden mehr unterscheiden wollte. — Hr. R. bekennt übrigens selbst am Schlusse seiner auf die Dienstentlassung angewandten Rechtsphilosophie, die ohnehin überall sichtbare Vermischung der Moral mit dem Rechte, wenn er seinen Uebergang von den allgemeinen Grundsätzen zu den positiven so einleitet: » weil aber das goldene Zeitalter noch ferne, sehr ferne seyn dürfte, wo, statt aller gegebenen Gesetze, bloß das von der wohlthätigen Hand der Natur in unser aller Herzen geschriebene Sittengesetz nur allein über alle unsere Handlungen richten wird: so müssen wir nun auch noch eine solche eigenwillkührliche Behandlung nach den positiven Gesetzen prüfen « u. s. w.

Diese positiven Gesetze entscheiden nun gar nichts im Allgemeinen. Denn von besondern Landesgesetzen ist hier noch nicht die Rede. Die römischen Gesetze, wovon in der zweyten Hauptabtheilung gehandelt wird, sind auf unsere heutigen öffentlichen Aemter nicht anwendbar, als nur in sofern sie etwa allgemeine Grundsätze enthalten, die auch ohne sie gültig und verbindlich seyn würden. Aber genau genommen enthalten sie gar nichts Brauchbares für uns; wenn gleich ältere Rechtsgelehrte nach bekannter Sitte sich auf sie bald für, bald wider die Dienstentlassung berufen haben.

haben. Indessen verwahrt sich Hr. R. auf alle Fälle gegen
sie durch den vorausgeschickten allgemeinen Grundsatz: die
positiven Gesetze können zu nichts verbinden, wozu ein vernünftiger allgemeiner Volkswille der Staatsgewalt keinen
Auftrag hat geben können. Schon andere haben diese Behauptung hinlänglich gewürdiget, und die wichtige Frage,
wer denn hier das Urtheil fällen soll? ist bis jetzt noch unbe-
antwortet geblieben. Allein Hr. R. glaubt, dieses Satzes
gegen das römische Recht auch nicht einmal zu bedürfen,
weil es für einen durch eigenwillkührliche Entlassung so
schuldlos gekränkt werden sollenden Beamten eben so laut
spreche, wie das Recht der Vernunft. Und er hat vollkommen Recht, wenn er erst beweiset, daß die Dienstentlassung
eigenwillkührlich, d. h. widerrechtlich, ist. Denn allerdings
will das römische Recht durchaus, daß Niemanden Unrecht
geschehe. In den von Hrn. R. angeführten Gesetzstellen
l. 6. §. 4. 6. D. de except. (ist offenbar falsch allegirt), l. 2.
C. de profess. et med. l. 38. C. de Decur. und l. 3. C. de
praef. Orient. et Ill. (soll heißen de offic. praef. praet.
u. s. w.) steht nichts von dem, was er darin finden will, und
alles, was am Ende herauskömmt, beruht wieder auf der
schon oft berührten Vorfrage. Wenn Hr. R. zuletzt noch
zu dem Satze: quod semel ordo decrevit, non oportere
rescindi, nisi ex causa, id est, si *ad publicam utilitatem*
respiciat rescissio prioris decreti (l. 5. D. de pollicit.): so
ist das eher gegen, als für seine Meinung. Uebrigens bringt
er für diese noch die Behauptungen von Schilter, Stryk,
Leyser (der später seine Meinung geändert hat), Cramer
und Reinhard bey. Der zweyte Abschnitt ist der Prüfung
der Meinungen verschiedener Rechtsgelehrten, vorzüglich
Böhmers, und dann des Mevius und Strubens, die das
Gegentheil behauptet haben, gewidmet. - Gelegenheitlich
wird auch der Hr. Reichshofrath von Rießel (Rißler nennt
ihn Hr. R.), der gleicher Meinung ist, zu widerlegen gesucht. Es ist unglaublich, wie viel Nebendinge Hr. R. hier
überall einmischt, und wie weit er mit Hülfe alter und neuer
Philosophen ausholt, ohne dem noch immer unberichtigten
Hauptpunkte im geringsten näher zu kommen. Es sind im
Ganzen immer die ersten schon angeführten Ideen, von welchen er ausgeht, und Rec. verschont die Leser gern mit einem weitläufigen Auszuge.

Die

Die dritte Hauptabtheilung handelt von der Dienstent-
ledigung nach deutschen Gesetzen, und zwar zuerst nach den
allgemeinen deutschen Reichsgesetzen. Der bekannte Zusatz,
den 1790 die kaiserl. Wahlcapitulation wegen willkührlicher
Entlassung der Reichshofräthe erhalten hat, soll analogisch
auch in den Territorien gelten. Aber die Reichshofräthe
stehen nicht blos in des Kaisers, sondern auch in des Reichs
Pflichten; die Disposition der Wahlcap.. hat folglich ihren
ganz besondern Grund. Der Hr. Verf. beruft sich auch auf
die Kammergerichtsordnung; allein, wenn diese vom Hin-
wegschaffen der untauglichen und vom Strafen der ungerechten Gerichtspersonen spricht: so bezeichnet sie selbst
einen großen Unterschied zwischen dem in beyden Fällen zu
beobachtenden Verfahren. Und vielleicht ist gerade dieser Unterschied kein unwichtiger Grund der beym Kammergericht
angenommenen Grundsätze gegen simple Dienstentlassungen.
In dem zweyten Abschnitte dieser Abth. werden die Landesgesetze über diesen Gegenstand angeführt — hauptsächlich
Beyspiele, die dem Hrn. Verf. günstig sind, und die doch
zum Theil manchen Widersprüchen ausgesetzt seyn dürften.
Weit mehrere gerade entgegengesetzte Beyspiele könnten sehr
leicht beygebracht werden. Im dritten Abschnitte sucht der
Hr. Verf. zu zeigen, daß selbst, wenn ein Beamter ad bene-
placitum angestellt sey, die Dienstentlassung nach Gutbefinden nicht Statt habe. Neue Gründe werden nicht aufgestellt.

Die vierte Hauptabtheilung, von der halbjährigen Aufkündigung, enthält manche gute, besonders politische Bemerkung; aber auch keine neue Ansicht der Sache. Es kommt
natürlich alles auf die Worte des Dienstvertrages an. Indessen ist die von mehreren Rechtsgelehrten, und so auch von
Hrn. R. angenommene Auslegung, daß die bedungene halb-
jährige Aufkündigung nur von dem Falle einer verschuldeten
Entlassung zu verstehen sey, gewiß höchst willkührlich. Auch
hier hat sich übrigens Hr. R. auf mancherley Nebenerörte-
rungen eingelassen, die eben so viele überflüßige Auswüchse
sind. Wozu z. E. S. 131 eine nicht einmal auserlesene
Literatur über die unclausulirten Gebotsbriefe? Vieles, das
zwar zur Sache gehört, aber unter der Ueberschrift der Abtheilung nicht mit begriffen ist, ist hier eingeschoben. Ueberhaupt fehlt es, bey aller scheinbaren Regelmäßigkeit, doch
fast

fast überall an einer zweckmäßigen Anordnung der einzelnen
Abtheilungen und Abschnitte.

Of.

Beyträge zur Kenntniß der Justizverfassung und juristischen Literatur in den Preußischen Staaten,
herausgegeben von F. P. Eisenberg und C. L.
Stengel. Fünfter Band, bey Nauk. XX und
450 Seiten. Sechster Band, in der Voßischen
Buchhandlung. XVIII und 409 Seiten. 5ter und
6ter Band 3 Rß.

Neue Beyträge zur Kenntniß der Justizverfassung
und juristischen Literatur in den Preußischen Staaten, herausgegeben von C. L. Stengel. Erster
Band. Halle, in der Waisenhausbuchhandlung.
1799. 370 Seiten, gr. 8. (Auch als Fortsetzung
des vorigen Werks unter dem bisherigen Titel:
Beyträge u. s. w. Siebenter Band.) 1 Rß. 12 x.

Mit dem siebenten Bande hat Hr. Stengel angefangen,
dieses so nützliche und verdienstliche Werk allein herauszugeben. Bey dieser Gelegenheit geht für neu hinzutretende
Käufer eine frische Reihe von Bänden an. Zu den ersten
sechs Bänden soll noch ein Register geliefert werden, welches
einen eigenen Band ausmachen wird. Bey dieser neuen
Periode des Werks bleibt übrigens der bisherige Plan unverändert. Der Stoff zur Ausführung desselben kann auch
bey der großen Thätigkeit und Publicität, welche in Rücksicht des Justizwesens im Preußischen herrscht, nicht ausgehen. Vielmehr haben sich dem Herausgeber dadurch neue
Quellen von Hülfsmitteln eröffnet, daß ihm von Seiten
des Justizdepartements die abschriftliche Mittheilung aller
einzelnen Rescripte, wodurch Declarationen des allgemeinen
Landrechts, der allgemeinen Gerichtsordnung u. s. w. erfolgen, nebst den Anfragen zugesichert worden ist.

Inhalt des fünften Bandes: 1. Abweichungen der
Erbfolge im Cottbusischen Kreise von der in der Neumark
statt

statthabenden gemeinten Erbfolge, aus den Cottbußischen
Justiz-Visitations-Acten vom Jahre 1793. Diese Abweichungen gründen sich auf die Cottbuser Willkühr vom Jahre
1409, welche zwar bereits in den Constitutionibus Marchi-
cis und in Hofmanns Dissertation ad Constit. Ioach. in not.
ad prooem. sect. qu. II. zu finden ist; aber hier in einem
richtigeren, nach einer vidimirten Copey aus dem Archiv des
Magistrats zu Cottbus geliefert wird. Sie verdient in das
Neumärkische Provinzial-Gesetzbuch übergetragen zu werden.
II. Eine Abhandlung über den Satz, daß Kirchenländereyen,
auch nach den ältern Landes- und nach den kurmärkischen
Provinzialgesetzen, ohne vorhergegangene öffentliche Ausbie-
tung, weder in Zeit- noch in Erbpacht gegeben werden können; auch daß der Erbpacht-Vertrag mit Zuziehung des
Kirchenpatrons und der Kirchenvorsteher, auch unter Genehmigung der geistlichen Behörde zu vollziehen sey; daß es
also nichts Neues sey, was das allgemeine Landrecht in dieser Hinsicht verordne. Der Aufsatz ist unbedeutend. III.
Unter der Rubrik: Süd- und Neu-Ostpreußen, findet
man hier drey Verordnungen ihrem wesentlichen Inhalte
nach extrahirt; erstlich wegen Vertheilung der Geschäffte
zwischen den Neuostpreußischen Landescollegien; zweytens
wegen der den Südpreußischen Städten verliehenen Rechts-
wohlthat der Competenz; drittens wegen Einrichtung der
Untergerichte in der Provinz Neu-Ostpreußen. IV. Vier
interessante Erkenntnisse. V. Die kurzen Rechtssätze aus
Revisionserkenntnissen werden hier fortgesetzt. Sie werden
zusammen eine Art Repertorium iuris consultatorium für
Preußen bilden, so wie das Schröter'sche Repertorium für
die gemeinen Rechte ist. VI. Anfragen, Resolutionen und
Rescripte u. s. w., welche sich näher oder entfernter auf das
Hypothekenwesen beziehen; namentlich: über die Eintragung des Besitztitels bey adjudicirten, aber noch nicht über-
gebenen und bezahlten Grundstücken; über die Zwanggerech-
tigkeiten, daß sich selbige nicht zur Eintragung in die Hypo-
thekenbücher qualificiren; über die Berichtigung des Besitztitels von Grundstücken aus Testamenten; über die Zulässigkeit eines Bevollmächtigten zur Abgebung des vor dem Richter der Sache zu wiederholenden Anerkenntnisses eines die
Verpfändung, Veräußerung, oder sonstige Belastung eines
Grundstücks betreffenden Vertrages; über die auch im Mag-
deburgischen schon jetzt, vor geschehener Publication des

Provinzial-Gesetzbuches, stattfindende Anwendbarkeit der
Vorschrift des allgemeinen Landrechts wegen Eintragung der
gesetzlichen und stillschweigenden Hypotheken; über die bey
Prästationen der Kämmereyen, welche diese an Kirchen,
Pfarren, Schulen oder andere milde Stiftungen als eine
unveränderliche Abgabe jährlich zu leisten haben, zur Sicherheit der Empfänger zu treffenden Vorkehrungen; über die
in Ostpreußen zu beobachtende Form bey hypothekarischen
Schuldverschreibungen solcher Eheleute, welche in Gemeinschaft der Güter leben; über das Recht eines Personal-
Gläubigers, zur Sicherheit seiner Forderung; in Ermangelung anderer Gegenstände der Execution, eine Protestation
auf das Grundstück des Schuldners eintragen zu lassen;
über die Frage: müssen bey hypothekarisch versicherten
Schulden die Kosten der Quittung, und besonders die Kosten
des erforderlichen Stempelbogens, imgleichen der gerichtlichen, oder vor einem Justiz-Commissarius als
Notarius geschehenen Recognition von dem Gläubiger,
oder von dem Schuldner getragen werden? VII. Entscheidung der Gesetzcommission auf die Anfrage der Ost-
preußischen Regierung darüber: ob ein mündlich eingegan-
gener, und von beyden Seiten völlig erfüllter Vertrag über
ein Grundstück, welches einen größern Werth als 50 Thaler Currant hat, dennoch unverbindlich sey, weil die Scrip-
tur oder sonstige im Edicte von 1770 bey Lesens und Schreibens unerfahrenen Personen gegebenen Vorschriften nicht
beobachtet werden, und der Verkäufer das mündlich ver-
kaufte, übergebene und bezahlte Gut deßhalb vindiciren
könne? VIII. Rescripte und Entscheidungen, welche die
Ressort-Verfassung zum Gegenstande haben. Sie betreffen: 1) den Streit zwischen den Spandauischen Amtsfische-
rey-Pächtern und Kleinfischern, und der Nutzholz-Admini-
stration, wegen des den erstern durch Anlegung einer
Schneide-Mühle erwachsenen Schadens. Er wird zur
Cognition des Justiz-Collegii verwiesen. 2) Den Streit
über die Schuldigkeit, zur Ersetzung eines Feuerschadens mit
beyzutragen. Er gehört, weil hierbey bloß von einem Pri-
vatinteresse die Rede ist, zur Entscheidung des Justiz-Collegii. 3) Streitigkeiten zwischen den Bewohnern längst
angelegter Colonieen über ihr Privateigenthum. Sie gehören zur Cognition der Justiz-Collegien. 4) Die Frage:
ob Jemand nach den Kammeral-Verfassungen zu den Vor-
spann-

spannfuhren concurriren müsse? Sie gehört zur Beurtheilung der Kammern. 5) Streitigkeiten über die Ansetzung,
selbst adlicher, Colonisten. Sie gehören zur Cognition der
Kammern. 6) Den Streit eines Gutsbesitzers mit dem
Fiscus, wegen der dem Dorfkrüger des ersteren zuzuerken-
nenden Befugniß, mit Victual- und Material-Waaren
über die Straße zu handeln. Er gehört zur Entscheidung
der Kammer. 7) Hutungs-Streitigkeiten derer von Adel
und Anderer, selbst Amtsunterthanen mit den Aemtern.
Sie gehören zur Cognition des Justiz-Collegii. 8) Streit-
tigkeiten zwischen einem Erbpächter eines ursprünglich steuer-
pflichtigen Grundstücks, und einer, wenn gleich unter öffentlicher Aufsicht stehenden Privat-Casse, über die Befreyung
von Deich- und Sial-Lasten. Sie gehören zur Cognition
des Justiz-Collegii, wobey die Adcitation des Fiscus, der
jenes Grundstück erworben, und demnächst in Erbpacht aus-
gegeben hat, nichts ändert. 9) Die Cognition gegen einen
Polizey-Bürgermeister, wegen widerrechtlich angemaßter
Entscheidung einer Injurien-Sache. Sie gebührt der
Kammer. 10) Streitigkeiten, die durch ein Privilegium
veranlaßt worden sind. Sie gehören nur in dem Fall zur
Erörterung der Kammer, wenn sie Gegenstände betreffen,
die auf Beförderung des Handels, der Manufakturen oder
Bevölkerung abzwecken, und über den Sinn des Privilegii
zwischen ganzen Corporationen obschweben. IX. Juden-
Sachen. Ueber die nach jüdischen Gesetzen erforderliche
Form schiedsrichterlicher Aussprüche. — Ueber die Form
der Juden-Testamente. — Ueber das Recht desjenigen,
dem eine freye Beköstigung zugesichert wird, den Natural-
Genuß abzulehnen, und dafür einen Gelderfatz zu fordern;
auch über verschiedene andere jüdische Observanzen. — Ueber die Ausstattung einer Geschwächten nach Mosaischen Gesetzen, besonders über den gegenwärtigen Geldbetrag der in
demselben bestimmten 50 Seckel Silber. — Daß für die
von den Juden-Aeltesten zum Behufe der Synagoge contra-
hirten Schulden alle Mitglieder der Judenschaft aus eigenen
Mitteln haften müssen, auch ohne Beweis der nützlichen
Verwendung. X. Anfragen, Resolutionen, Rescripte
u. s. w., welche Criminal-Gesetze und Criminal-
Justiz-Verfassung zum Gegenstande haben. In welchem Falle ist gegen einen Inquisiten mit der Special-In-
quisition zu verfahren? — Rescripte des Justiz-Ministerii

an

an das Kammergericht, wodurch bestimmt wird, wie es mit
Ertheilung des Willkommens und Abschiedes gehalten werden soll. — Rescript an das Berlinische Polizey-Directo-
rium, die Bestrafung des Wahrsagens durch Kartenlegen
und andere solche Künste betreffend. — Publicandum
wegen Bestrafung der Fisch-, und besonders der Karpfen-
Diebstähle aus den zum Amte Cottbus gehörigen Karpfenteichen und den damit zusammenhängenden Fischhältern und
Kanälen. — Rescript des Justiz-Ministerii an das Kammergericht darüber, wie es mit der Verpflegung der nicht
zur Festungs-Arbeit, sondern zum Festungs-Arrest verurtheilten Inquisiten zu halten. — Ist gegen Stiefkinder
wegen der ihren Eltern zugefügten Realinjurien eine Crimi-
nal-Untersuchung zu verfügen, oder nur das gewöhnliche
Civilverfahren einzuleiten? — Gutachten der Gesetz-Kom-
mission über die Bestrafung solcher körperlicher Verletzungen,
wodurch kein besonderes grobes Verbrechen beabsichtigt wird.
— Rescript des Justiz-Ministerii an das Kammergericht,
wodurch bestimmt wird, welcher Verkäufer eines Pferdes
für verdächtig zu halten sey. XI. Anfragen, Resolutionen und Rescripte, welche das Vormundschaftswe-
sen zum Gegenstande haben. Ueber die Vormundschafts-
Behörde der Kinder niederer Königlicher Officianten und
Subalternen. — Rescript des Justiz-Ministerii an das
Kurmärkische Pupillen-Collegium, das Verfahren bey Ma-
jorennitäts-Erklärungen betreffend. — Rescript des Justiz-Ministerii an das Kurmärkische Pupillen-Collegium,
die Delegation kleiner Vormundschaften der Untergerichte
betreffend. — Kann das Vermögen der Pflegebefohlnen
auf Tobaks-Actien untergebracht werden? — Der §. 563
Tit. 18. Th. 2. des allgemeinen Landrechts, welcher darüber
disponirt, in welchem Falle die Veräußerung des einem Pflegebefohlnen zugehörigen Grundstücks für nützlich zu halten
sey, findet bloß auf Landgüter Anwendung. — In wie
fern muß von einem Justizbedienten, der kein eigentlicher
Cassenbedienter ist, für das seiner Verwaltung anvertraute
Vermögen seiner Kinder Sicherheit bestellt werden? XII.
Anfragen, Resolutionen und Rescripte, welche sich
auf das allgemeine Landrecht beziehen. Ist das Privilegium des Fiscus, keine Verzugs-Zinsen geben zu dürfen, durch das allgemeine Landrecht aufgehoben? — Ueber
die Unzuläßigkeit des Vertrags zwischen einem Schwänge-
rer

rer und der Geschwängerten, nach welchem zwar die Hey=
rath in der gesetzmäßigen Form erfolgen; die Ehe aber so=
fort nach erfolgter Copulation, ohne alle sonst erforderlichen
Gründe, wieder getrennt werden soll. — Ueber den Be=
griff der donationis simplicis und ihre Wiederruflichkeit we=
gen der Verletzung im Pflichttheile. — Die Disposition,
daß die bey der Königlichen Hofkapelle angestellten Perso=
nen aufgenommener Darlehen wegen nicht belangt werden
können, ist auch auf die bey der Kapelle der Königinn ange=
stellte Personen anzuwenden. — Ueber die Gültigkeit der
von den Gutsbesitzern bey ihren Patrimonial=Gerichten er=
richteten, und auf ihr Verlangen an das Obergericht der
Provinz zur Aufbewahrung eingesandten Testamente. —
Kann eine nach den Gesetzen des Staats gültige Ehe, wenn
auch dazu die nach kirchlichen Gesetzen erforderliche Dispen=
sation von den geistlichen Obern versagt wird, dennoch mit
rechtlicher bürgerlicher Wirkung vollzogen werden, wenn
beyde Theile der katholischen Confession zugethan sind? —
Rescript des Justiz=Departements an das Berlinische
Stadtgericht, nach welchem auch Buchhändler wechselfähig
sind. — Ueber die bey Veräußerung der Kirchengüter zu
beobachtende Form. — Ist bey einem eingestandenen Ehe=
bruch der beleidigte Ehemann auch dann, wenn er seiner
Frau den Fehltritt verzeiht, berechtiget, auf Bestrafung des
Ehebrechers anzutragen? XIII. Anfragen, Resolutio=
nen, Rescripte und Berichte, welche sich auf die all=
gemeine Gerichtsordnung beziehen. Ueber die Be=
rechnung der dreymonatlichen Frist zur Erklärung über die
Wahl des Gerichtsstandes der Emigrirten. — Unterge=
richts=Referendarien und Auscultatoren sind der Gerichts=
barkeit desjenigen Untergerichts, bey welchem sie angestellt
sind, unterworfen. — Ueber die von den Justiz=Commis=
sarien zu entrichtende Stempel=Strafe, wenn sie Vollmach=
ten nicht mit dem gesetzlichen Stempel eingereicht haben. —
Der Justiz=Commissarius ist nicht ohne Unterschied der
Fälle verbunden, über die von seiner Partey erhaltene In=
formation ein förmliches Protokoll aufzunehmen. — Darf
in erster Instanz die Deduction der damit bereits präcludir=
ten Partey noch zu den Acten verstattet werden? — In
wie fern findet die in der Appellations=Instanz durch §. 34.
Tit. 14. Th. 1. der allgemeinen Gerichtsordnung nachgelas=
sene Restitutions=Frist auch in der Revisions=Instanz Statt?

B 3 — Kön=

— Können Juden zum Armenrechte verstattet werden? — Die Disposition der Gerichtsordnung darüber, welchem Richter die Succumbenz-Gelder in zweyter Instanz gebühren, derogirt dem Rescripte vom 5. May 1788. — Ist ein Gläubiger verpflichtet, auch die Kinder des von ihm zum Arrest gebrachten Gläubigers zu verpflegen? — Ueber die Beweisaufnahme bey Verbal- oder leichten Real-Injurien zwischen Personen gemeinen Standes. — Muß das in der allgemeinen Gerichtsordnung vorgeschriebene Verfahren wegen der öffentlichen Genugthuung auch alsdann noch zuvörderst beobachtet werden, wenn die Beschwerden gegen das Erkenntniß die öffentliche und Privatgenugthuung zugleich zum Gegenstande haben, oder ist in diesem Falle bloß dem Appellations-Erkenntnisse die Prüfung und Entscheidung der Beschwerden wegen der öffentlichen Genugthuung zugleich vorbehalten? — Muß in dem Th. 1. Tit. 34. §. 21. bestimmten Falle, sobald nur Beleidigter von Adel oder Officier-Stände u. s. w. ist, ein Injurienproceß oder eine fiscalische Untersuchung eingeleitet werden? — Ueber die Vollstreckung der Execution gegen untergeordnete Finanzbehörden.— Ueber die bey persönlichen Vorladungen der Accise- und Zoll-officianten zu erlassenden Notificationen. — In der zweyten Instanz fiscalischer Forstprozesse wird zur Legitimation des fiskalischen Bedienten niemals eine neue Information des Forstdepartements erfordert. — Findet die Confiscations-Klage gegen ein ausgetretenes, dem Kanton nicht unterworfenes Soldaten-Kind überhaupt, und in welcher Art, Statt? und muß sie, wenn sie Statt findet, von den Civilgerichten angenommen, oder bey den Regimentsgerichten angestellet werden? — Ueber die Gebühren des Predigers für den Termin zum Versuch der Aussöhnung. — Finden die Vorschriften der Classifications-Ordnung auf solche Ansprüche, welche vor Publikation der allgemeinen Gerichts-Ordnung entstanden sind, Anwendung? — Ueber die Befreyung der Banke von dem Beytrage zu dem Commun-Kosten im Concurse. — Sind bey einem durch Behandlung geendigtem Concurse die im Liquidations-Termine nicht erschienenen Gläubiger neben der Präclusion zugleich zu verurtheilen, sich ihrer Ansprüche an den Gemeinschuldner zu begeben, und der Stimmenmehrheit beyzutreten? — Auf welche Art kann ein auf jeden Inhaber zahlbarer Wechsel, von dem jedoch Jahr und Tag der Ausstellung nicht bekannt

kannt ist, Behufs seiner Amortisation, öffentlich aufgeboten
werden? — Bey dem Aufgebote verloren gegangener Instrumente ist es gleichgültig, ob die Quittung und der Mortifications-Schein des letzten Inhabers vor oder nach ergangenem Präclusions-Urtheil ausgestellet wird. — In wie
fern sind Pertinenzen eines Grundstücks, welche nicht mit
zur Taxe gezogen worden, dennoch für mit verkauft zu achten? — Ueber die Verlautbarung der Kaufcontracte über
Grundstücke vor dem Richter der Sache. — Können während der Gerichtsferien Liquidations-Termine ad effectum
praeclusionis angesetzet werden? — Ueber das Votiren
der Mitglieder eines Justiz-Collegii in Sachen ihrer Verwandten. — Ueber die Observanz in der Kurmark bey Introduction der Justizbedienten in den Städten. XIV. Hofrescripte an das Kammergericht, nebst Auszügen aus
der Kabinetsordre vom 8. März 1798, auf den Bericht vom 27. Decbr. 1797, über den gegenwärtigen
Zustand des Justizwesens; betreffen die Anfragen bey
der Gesetz-Commission und die Reform der Patrimonial-
Gerichte. XV. Anzeige derjenigen durch den Druck bekannt
gemachten Verordnungen, welche nicht Süd- und Neuost-
preußen insbesondere angehen. XVI. Literarische Anzeigen; diesesmal von Terlindens Theorie der gerichtlichen
Civilpraxis, und von dem vierten Fascikel der Paalzowischen
Observationum ad ius Porussicum. XVII. Ueber die Verträge, und über die bey Bürgschaften und Expromissionen
verehelichter und unverehelichter Frauenspersonen in West-
preußen zu beobachtende Form.

Inhalt des sechsten Bandes. I. Kurze Nachricht
von Neumärkischen Statuten. II. Unter der Rubrik: Süd-
und Neuostpreußen, findet man 1) Edict wegen der Abschoß- und Abzugssachen in den Provinzen Süd- und Neu-
Ostpreußen. 2) Publicandum wegen der nach der Peters-
burger Convention vom 26. Jan. 1797 nicht mehr Statt
findenden Ansäßigkeit unter verschiedenen Landeshoheiten.
3) Hofrescript an die Regierung zu Posen, wonach auch in
Südpreußen die Vorschriften des allgemeinen Landrechts wegen der Verzögerungs-Zinsen gelten sollen. 4) Kurze Notizen von Polnischen Rechten. III. Rescripte und Entscheidungen, welche die Ressort-Verfassung zum Gegenstande
haben: 1) wegen des Ressorts der Untersuchungen gegen
unbe
B 4

unbefugte Schriftsteller und Aufwiegler der Amtsunterthanen. 2) Ueber den Streit, der bloß die Art der Benutzung eines gemeinen städtischen Grundstückes betrifft. Er gehört zur Entscheidung der Kammer. 3) Ueber die Untersuchung und Entscheidung wegen verbotenen Hazardspiels. Sie gebührt dem Justiz-Collegio. 4) Ueber das Ressort der bey der Justiz-Visitation eines Justiz-Amts zur nähern Untersuchung und Entscheidung qualificirt befundenen Gegenstände. 5) In wie fern gebührt die Leitung des Schuldenwesens eines verstorbenen Hüttenbedienten und Hammer-Besitzers der Regierung oder der Kammer? 6, Hüthungs-streitigkeiten zwischen Amtsunterthanen und Aemtern gehören zur Entscheidung der Kammer. 7) Streitigkeiten aus Contracten zwischen Privatpersonen und der Kammer in Sachen ihres Ressorts gehören zur Kammeral-Entscheidung. 8) Die Entscheidung darüber: ob die einem Gute zustehende Holzungs-Gerechtigkeit auf den Bau in Fachwerk auszudehnen, oder auf den Bau von Lehmpatzen oder von Steinen einzuschränken? Desgleichen ob für die Anweisung des Holzes Gebühren der Canzleyen anzusetzen? gebührt der Regierung. IV. Die Sammlung kurzer Rechtssätze wird fortgesetzt. V. Beantwortung der Fragen: giebt es nach Märkischen Rechten keine andere Receptitien, als welche durch Vertrag konstituirt worden? Findet gegen eine Märkische Ehefrau nur dann, wenn sie Handlung in sensu strictissimo treibt, Personal-Execution Statt? VI. Gutachten, Anfragen, Rescripte u. s. w., welche Criminal-Gesetze und Criminal-Justizverfassung zum Gegenstande haben. 1) Läßt sich der Gebrauch von Zwangsmitteln bey Criminal-Untersuchungen, um Geständnisse zu erhalten, rechtfertigen? 2) Die Bestrafung des Auflaufs der Wolle betreffend. 3) Ueber den Begriff der Verheimlichung der Entbindung. 4) Kann gegen einen Brodherrn wegen angeblicher Verführung seines Dienstmädchens eine peinliche Untersuchung verhängt werden? und ist die Ansteckung mit einer venerischen Krankheit ein Gegenstand einer solchen Untersuchung? 5) Ist der durch Eröffnung eines verschlossenen Behältnisses begangene Diebstahl auch dann für einen gewaltsamen zu achten, wenn der Dieb sich zu diesem Behufe einen besondern Schlüssel nicht angefertiget hat, oder anfertigen lassen, sondern wenn er dazu einen andern passenden Schlüssel gebraucht, der ihm zu anderem Behufe

von

von dem Bestohlnen anvertrauet gewesen ist? 6) Bedarf es bey den gegen Prediger und Schullehrer wegen schlechter Amtsführung, übler Lebensart oder anderer Vergehungen, wodurch sie ihren Gemeinden ein Aergerniß geben, zu führenden Untersuchungen jedesmal der Zuordnung eines geistlichen Commissarii? oder ist dessen Zuziehung nicht vielmehr auf den Fall einzuschränken, wenn nach den allgemeinen gesetzlichen Vorschriften die Zuziehung eines Sachverständigen bey der Instruction und die Einforderung seines Gutachtens erforderlich ist? 7) Rescript an alle Regierungen und Landes-Justiz-Collegien, wodurch verordnet wird, wie es bey Entlassung der begnadigten Gefangenen aus den Festungen und Zuchthäusern gehalten werden soll. 8) Sind die Vorschriften des gemeinen Rechts wegen Verjährung der Verbrechen durch das allgemeine Landrecht, welches darüber schweigt, aufgehoben oder nicht? Das Justiz-Departement rescribirt auf diese Frage: Das allgemeine Landrecht habe über die Verjährung der Verbrechen gar nichts verordnet, damit nicht in einem Buche, welches in die Hände aller Volksklassen zu kommen bestimmt sey, durch eine ausdrückliche Auseinandersetzung dieser Materie die Hoffnung der Straflosigkeit Nahrung erhalten, und dadurch die abschreckende Wirkung der Strafgesetze geschwächt werden möchte. Es sey daher diese Materie der besonders abzufassenden, aber noch nicht erschienenen Instruktion für den Richter vorbehalten worden. Da indessen das allgemeine Landrecht die Theorie des bisherigen gemeinen Rechts von der Verjährung der Verbrechen nicht abschaffe: so müsse diese Theorie allerdings angenommen werden. VII. Anfragen, Rescripte, Gutachten und Entscheidung der Gesetzcommission, welche sich auf das allgemeine Landrecht beziehen. 1) Ist ein Testament rechtsbeständig, wenn in dem über dessen gerichtliche Niederlegung aufgenommenen Protokoll nicht bemerkt ist, daß dieses Protokoll dem Testator vorgelesen worden? 2) Das ermangelnde gesetzmäßige Alter des Adoptirenden soll, wo andere erhebliche Ursachen die Adoption begünstigen, dieselbe nicht erschweren. 3) Ist das Jahr, binnen welchem ein Wechsel verjährt, bey einem vor dem Verfalltage protestirten Wechsel, von dem Verfalltage, oder von dem Tage des aufgenommenen Protestes an, zu rechnen? 4) Kann der Nießbraucher auf die nach dem allgemeinen Landrechte von den Bergbäuenden zu leistende Ent-

B 5   schädi-

schädigung Anspruch machen, wenn die Veranlassung dazu während der Dauer des Nießbrauches eingetreten ist? und was hat der Nießbraucher alsdann zu genießen, wenn die Entschädigung ein für allemal gegeben wird? und muß zu der über das Entschädigungs=Quantum zu treffenden Bereinigung auch der Nießbraucher zugezogen werden? VIII. Beyträge zur Kenntniß der Pommerschen Lehns= und Successions=Rechte. IX. Anfragen, Berichte, Resolutionen, Rescripte und Entscheidungen der Gesetz=Commission, welche sich auf die allgemeine Gerichtsordnung beziehen. 1) Hofrescript an sämmtliche Regierungen und Landesjustiz=Collegien, durch welches sie aufgefordert werden, ihre Bemerkungen über die allgemeine Gerichtsordnung einzureichen. 2) Ist die Th. 1. Tit. 1. §. 91. enthaltene Vorschrift wegen des Gerichtsstandes der Wittwen niederer königl. Civil=Bedienten auf das Forum der Regierung des Nachlasses solcher Civilbedienten auszudehnen? 3) Rescript des Justiz=Departements an das Kammergericht, die dreymonatliche Frist für die Emigrirten zur Wahl ihres Gerichtsstandes betreffend. 4) Die Abfassung des Appellations=Erkenntnisses betreffend. 5) Findet die Vorschrift wegen Unzuläßigkeit der Prorogation zwischen deutschen und französischen Gerichten auch bey der durch Reconvention begründeten nothwendigen Prorogation Anwendung? 6) Wie ist es bey erkannter Kosten=Compensation in Rücksicht der Trans= und Remissions=Gebühren für die Versendung der Acten an die höheren Instanzen zu halten? 7) Auszug aus einem Rescript des Justiz=Departements an das Kammergericht auf die Beschwerde des Steuercassen=Controlleurs Orlowsky in Neu=Ostpreußen. 8) Kann bey der auf den Antrag des Fiscus erfolgten Vorladung solcher ausgetretenen Unterthanen, die nicht mit Landgütern angesessen sind, und deren Aufenthaltsort außerhalb Landes bekannt ist, nach der Analogie des §. 32. Tit. 36. der allgemeinen Gerichtsordnung, nur Ein Termin und Eine zur Post zu insinuirende Vorladung für hinreichend angenommen werden? 9) Ist der Executiv=Proceß aus den in Wechselform ausgestellten Schuldinstrumenten der nicht wechselfähigen an die bey Wechseln Statt findende Verjährungsfrist gebunden? 10) Ueber die Zuläßigkeit der Appellation in Ansehung des bey Injurien=Sachen mit vorkommenden Entschädigungspunkts, wenn die geforderte Entschädigung weniger als

als 50 Thlr. beträgt; aber doch die in andern Fällen zur Appellation erforderliche Summe erreicht. 11) Ist bey fiscalischen Untersuchungen, zu Begründung derselben, die vorläufige Vernehmung der vorgeschlagenen Beweiszeugen erforderlich? 12) Ueber das Verfahren gegen ausgetretene Cantonisten. 13) Ist in dem Falle, wenn jemand für wahn- oder blödsinnig erklärt wird, eine öffentliche Bekanntmachung erforderlich? 14) Ueber die für Verifications-Protocolle in Concursen anzusetzende Stempel- und Termin-Gebühren. 15) Auszug aus einem Hofrescript an das Berlinische Stadtgericht, die Zulassung eines Licitanten zum Mitbieten, und das Verhältniß, in welches jemand als Meistbietender tritt, betreffend. 16) Nach einer Cabinets-Ordre vom 20. Jul. 1798 sollen künftig die Hof- und Obergerichts-Räthe gleichen Rang mit den Regierungsräthen erhalten. 17) Darf ein Richter in eben der Sache, in welcher er in erster Instanz erkannt hat, in den folgenden Instanzen einer Partey, wenn es zur Unterstützung seines eigenen Erkenntnisses geschieht, assistiren? 18) Ist ein fiscalischer Bedienter berechtiget, von einem im Wege der Begnadigung erlassenen Confiscate die Quote zu fordern? 19) Kann ein General-Bevollmächtigter gerichtliche Handlungen für seinen Machtgeber allein vollziehen, oder muß er sich dazu der Hülfe eines bey dem Gerichte, wo die Handlung vollzogen wird, angestellten Justiz-Commissarii bedienen. X. Vom Abschoß- und Abzugs-Wesen kommt Folgendes vor: 1) Von den Vorrechten des Magistrats zu Frankfurt an der Oder, in Ansehung des Abschosses erimirter Personen. 2) Abschoß und Abzug zwischen den Preußischen und Sardinischen Staaten ist abgeschafft. 3) Die Städte sind das Abfahrts-Geld innerhalb Landes nur erwiederungsweise, nämlich nur von Personen zu nehmen berechtiget, welche sich unter solche Patrimonial-Gerichte begeben, die von ihren nach andern Städten ziehenden Gerichts-Eingesessenen ebenfalls Abgaben fordern. XI. Einige Data zur Beantwortung der Frage: Worauf würde bey Sammlung der Kurmärkischen Gewohnheitsrechte zum Behuf des Provincial-Gesetzbuchs hauptsächlich Rücksicht zu nehmen seyn? XII. Interessante Erkenntnisse des Kammer-Gerichts. XIII. Circulare, betreffend die wieder eingeführte Urphede, das Schuldenmachen der Werbeofficiere, die in das Mobiliar-vermögen eines Officiers nicht Statt findende Execution, das

das Verfahren in Ansehung der auf den erlaſſenen General-
Pardon zurückgekommenen Deſerteurs, und endlich den
Gerichtsſtand derjenigen verabſchiedeten Officiere, welche
Penſion oder Wartegeld erhalten. XIV. Reſcript des Ju-
ſtiz-Departements, wodurch näher beſtimmt wird, was die
Gerichte zu beobachten haben, damit das Publicandum vom
17. März 1798, das Verhalten der Supplicanten betreffend, pünktlich befolget werde. XV. Anzeige derjenigen
durch den Druck bekannt gemachten Verordnungen, welche
nicht Süd- und Neu-Oſtpreußen insbeſondere angehen.
XVI. Was ſpricht für, was wider die Publicität der Revi-
ſions-Entſcheidungsgründe? — Den Beſchluß des ſechſten
Bandes machen einige litterariſche Anzeigen.

Inhalt des ſiebenten Bandes (oder des erſten Bandes der neuen Beyträge). I. Entſcheidung der Geſetzcommiſſion auf die Anfrage des Oberreviſions-Collegii darüber, ob ein nach entdeckter und denuncirter Kornexporta-
tion, vor der verfügten Unterſuchung, zwiſchen dem denun-
cirten Contravenienten und dem Denuncianten bereits ge-
richtlich geſchloſſener Vergleich auf ein minderes Quantum
als den verwirkten Werth des exportirten Getreides, und
der dazu gebrauchten Pferde und Wagen, gültig; oder ob
der Fiscus deſſen ungeachtet berechtiget ſey, den von dem
Denuncianten vergleichsweiſe erlaſſenen höhern Werth der
Confiscandorum zu fordern? Die Geſetzcommiſſion be-
ſchließt, daß ein ſolcher Vergleich reſpectu fiſci ungültig,
und Fiscus wohl befugt ſey, dasjenige, was der Denunciant
dem Denunciaten an der geſetzmäßig verwirkten Strafe er-
laſſen, für ſich einzuziehen. Dieſe Entſcheidung der Geſetzcommiſſion iſt durch ein Reſcript des Staatsminiſterii an
das Oberreviſions-Collegium lediglich beſtätiget werden.
II. Verhandlungen über die Reform der Patrimonial-Gerichte nach den Vorſchriften des allgemeinen Landrechts.
III. Einige intereſſante Erkenntniſſe in Wechſelſachen. IV.
Eine bisher durch den Druck noch nicht bekannt gemachte
Urkunde, nämlich: Fundation des preußiſchen evangeliſch-
reformirten Kirchen-Directorii vom 10. Jul. 1713. V. Fernere Beyträge zur Reſſort-Verfaſſung: 1) alle eine fiscal-
liſche Ahndung verdienende, gegen vorhandene Geſetze an-
laufende Verſehen gehören in der Regel zur Cognition der
ordentlichen Juſtiz-Collegien. 2) Ueber die Behörde, welcher

der die Untersuchung und Entscheidung gebührt, wenn Poli
zey-Officianten bey Ausübung ihres Amts beleidiget wer
den. 3) Das Berlinische Fabriken-Gericht ist berechtiget,
auch gegen solche Beklagte, welche außerhalb der Stadt
mauer wohnen, und der städtischen Gerichtsbarkeit nicht
unterworfen sind, zu erkennen. 4) Ueber die Rechtspflege
in den Landarmen- und Invaliden-Häusern. 5) Die Streit
igkeiten zwischen den Concessionarien und ihren Arbeitern
betreffend. 6) Ein Rechtsstreit in Westpreußen, bey wel
chem von Seiten der Beklagten Köllmer interessirten, wird
in Rücksicht dieser zur Cognition der Regierung; in Rück
sicht der übrigen Beklagten aber zur Cognition der Kammer
justiz-Deputation verwiesen. 7) Hütungs-Streitigkeiten
zwischen eigenthümlichen Amtsunterthanen und einem Klo
ster an einem, und einem Amte am andern Theile, wer
den zum Ressort der Regierung verwiesen. 8) Eine
Gemeinheits-Aufhebung wird zum Ressort der Regie
rung verwiesen, weil die Größe der Besitzungen ihrer
Jurisdictionarien die Größe der von der Kammerbehör
de ressortirenden Besitzungen überwiegt, indem auch das
zu erblichen Rechten verliehene Erbpachts-Vorwerk,
wenn es gleich nicht aufgehört hat, Domainenstück zu
seyn, wegen des dem Besitzer gegebenen Privilegii un
ter der Gerichtsbarkeit der Regierung steht. 9) Ein
Streit, welcher die Einkünfte einer Kämmerey zum Gegen
stande hat, wird zum Kammeral-Ressort verwiesen. VI.
Uebersicht der gegenwärtigen Verhältnisse der Glebae ad
scriptio der Landbewohner in den Kurmärkischen Domainen
Aemtern nach Ordnung des allgemeinen Landrechts. VII.
Folgende Anfragen, Resolutionen, Rescripte c., welche
Criminalgesetze und Criminaljustiz-Verfassung zum Gegen
stande haben: 1) Gegen Unmündige findet kein Criminal
Verfahren, also auch kein Criminal-Arrest, Statt. 2)
Ist nach der Josephinischen Halsgerichtsordnung die Execu
tion der Strafe an einem Inquisiten, der sein vorheriges
Bekenntniß wiederruft, auszusetzen, oder nicht? 3) Wie
ist derjenige zu bestrafen, der gerichtliche Siegel eigenmäch
tig abgerissen hat, ohne sich dabey einer Entwendung schul
dig zu machen? 4) Findet gegen die Mutter, welche ihr
Kind mit Härte zur Betteley anhält, ein Criminal-Verfah
ren Statt? 5) Anderweitiges Publicandum wegen Be
strafung der Fisch- und besonders der Karpfen-Diebstähle
aus

aus den zum Amte Cottbus gehörigen Karpfenteichen, Fisch-
hältern und Kanälen. 6) Muß es als eine wucherliche
Handlung geahndet werden, wenn sich jemand für Zahlungs-
Nachsichten Douceurs versprechen läßt? 7) Versuchter
Selbstmord ist kein Gegenstand des richterlichen Strafamts.
8) Circulare an sämmtliche Regierungen und Landesjustiz-
Collegia, das Verfahren gegen flüchtig gewordene Verbrecher betreffend. 9) Ueber den Beweis des Meineides.
VIII. Fortsetzung der kurzen Rechtssätze. IX. Anfragen,
Resolutionen, Rescripte und Entscheidungen, welche sich
auf das allgemeine Landrecht beziehen: 1) Verliert ein
von Gerichten angenommenes Testament seine Gültigkeit,
wenn bey der Annahme dem auf dem Testament befindlichen
Siegel des Testators nicht in seiner Gegenwart; sondern
erst in der Folge, auch wohl gar nicht, das Gerichtssiegel
beygedruckt worden ist; und wenn aus dem über die Aufnahme des Testaments aufgenommenen, von dem Testator
unterschriebenen gerichtlichen Protokoll sich nicht entnehmen
läßt, ob der Richter seine auf dem Testamente befindliche
Unterschrift in Gegenwart des Testators geschrieben habe?
2) Bey Pachtcontracten, welche vor Credit-Directionen
oder andern dergleichen öffentlichen Anstalten, mit Zuziehung eines rechtserfahrenen Syndicus, Justiziarius oder
sonstigen Consulenten, errichtet worden, bedarf es einer
Verlautbarung vor Gerichten oder vor einem Justiz-Commissarius nicht. 3) Ueber die Suspension der ersten drey
Titel des zweyten Theils des allgemeinen Landrechts in Ansehung der Kurmark. Aus einem hier abgedruckten Hofrescripte ersieht man, daß den Kurmärkischen Ständen auf
ihr Ansuchen vom Könige eine anderweitige Frist bewilliget
worden, um die nöthig gefundenen Beyträge zum Provin-
cial-Landrechte zu liefern, und daß die Suspension der gedachten drey Titel bis zur Publication des Kurmärkischen
Provincial-Landrechts fortdauern müsse. 4) Entscheidung
der Gesetzcommission auf die Anfrage der Neumärkischen
Regierung: ob in dem Falle, wenn durch eine aufgenom-
mene Taxe ausgemittelt ist, daß das Kind durch das Testament der Eltern offenbar im Pflichttheile verletzt worden,
das Kind sich mit der Bezahlung einer Summe nach dieser
Taxe begnügen müsse; oder ob es verlangen könne, daß ihm
das Pflichttheil in natura, mithin ½ oder ¼ des ganzen
Nachlasses zugesprochen; und, wenn es zur Theilung kommt,
dies

dieses Nachlaß entweder unter den Erben verlicitirt, oder
öffentlich subhastirt werde; und dann zweytens, ob, wenn
das Kind für ein tarirtes Grundstück mehr, sogar ultra al-
terum tantum, als die Taxe beträgt, zu zahlen sich erbie-
tet, auf das Gebot geachtet werden könne? 5) Die den
Gerichten zugestandene Auctorisation, einen ihrer Gerichtsbarkeit Unterworfenen wechselfähig zu machen, kann auch
darauf ausgedehnt werden, daß sie eine sonst in tantum
wechselfähige Person, nämlich einen adlichen Gutsbesitzer,
fähig machen könne, statt der ihn gesetzlich nur verbinden-
den, auf baar erhaltene Valute ausgestellten Wechsel, auch
einen dergleichen über nicht empfangene Baarschaft, sondern
über einen Kaufrest auszustellen. 6) Ist einem Bürgerlichen eine Concession zum Ankauf eines adlichen Guts unbedingt dahin ertheilt, daß er das adliche Gut ankaufen und
eigenthümlich besitzen könne: so steht ihm auch, ohne Rücksicht der Zeit, wann die Concession ertheilt worden, frey,
ein solches Gut ohne einen Consens ab intestato oder per
testamentum auf seine Erben zu bringen. 7) Wenn ein
Verschollener bereits seit 40 Jahren abwesend ist: so bedarf
es nicht noch einer Edictal-Vorladung desselben; sondern es
kann, ohne dieselbe, auf den Antrag der nächsten Verwandten die Todes-Erklärung erfolgen. X. Anfragen, Berichte, Resolutionen, Rescripte 2c., welche sich auf die allgemeine Gerichtsordnung beziehen: 1) Ueber die Befugniß der
Parteyen, sich durch Bevollmächtigte vertreten zu lassen,
und von dem verurtheilten Gegner die Erstattung der durch
diese Vertretung verursachten Kösten zu verlangen. 2) Verfügungen an Parteyen im Auslande sind bloß in deutscher
Sprache zu erlassen. 3) Bey Grenzstreitigkeiten gilt das
erste Possessorien-Urtheil so lange, bis das erste Urtheil
in petitorio erfolget ist. 4) Es macht bey Injuriensachen,
in Ansehung der Untersuchung des dem Kläger entgegengesetzten Einwandtes der Wahrheit der Beschuldigung, keinen
Unterschied, ob das angeschuldigte Verbrechen gegen den
Injurianten selbst, oder ob es gegen einen Dritten begangen worden. 5) Ueber die Formulirung des richterlichen
Verweises, oder der Abbitte und Ehrenerklärung in Injuriensachen, wenn der Beklagte exceptionem veritatis entgegen
gesetzet hat. 6) Ueber die den Officieren, welche Injurienklagen anstellen, zu überlassende Wahl, ob sie gegen Personen gemeinen Standes, von welchen sie beleidiget worden,

Inju-

Injurienklagen anstellen, oder ob sie die ihnen widerfahrene Ehrenkränkung, nebst den Beweismitteln über die Thatsachen, den Gerichten bloß zur Untersuchung anzeigen wollen. 7.) Der Edictal-Vorladung des ausgetretenen Unterthanen bedarf es nicht noch, wenn über die ihm, wiewohl außerhalb Landes, geschehenen Insinuation der Vorladung ein mit den vorschriftmäßigen Erfordernissen versehenes Document zu den Acten gekommen ist. 8) Lotteriegerichte können solche actus voluntariae jurisdictionis, welche sich auf das Lotterie-Wesen beziehen, gültig vornehmen. XI. Unter der Rubrik: Süd- und Neu-Ostpreußen, findet man wieder, dem wesentlichen Inhalte nach, mehrere für diese Länder ergangene Verordnungen, Rescripte u. s. w., den terminus maiorennitatis, die Organisirung der Untergerichte, die Brau- und Brannteweinbrennerey-Gerechtigkeit, die bey der anderweitigen Departements-Vertheilung der Provinz Südpreußen in Ansehung der Justizsachen zu nehmenden Maaßregeln, die Formirung der Kreisgerichte betreffend. XII. Anzeige einiger durch den Druck bekannt gemachten Verordnungen, welche nicht Süd- und Neu-Ostpreußen insbesondere angehen. XIII. Literarische Anzeigen der Terlindenschen Grundsätze des Preußischen Stadt- und Bürgerrechts, und des Archivs des Preußischen Rechts.

                                     Hk.

Kurzer Unterricht über die Rechte und Pflichten der Herrschaften und des Gesindes auf dem Lande. Nach den Vorschriften des allgemeinen Preußischen Landrechts, vom Justizrath Büttner. Ansbach, bey Haueisen. 1799. 79 S. gr. 8. 6 ꝛc.

Dieser, zunächst für den Landmann in dem fränkischen Fürstenthum Ansbach bestimmte, Unterricht ist deutlich, und für Obrigkeiten und die dabey interessirten Dienstherrschaften und Gesinde brauchbar und lehrreich. Der Anhang enthält 7 Formulare von Dienstbotenzeugnissen.

                                     Df.

Zwey

Zwey Abhandlungen (:) über das Entstehen der
Westphälischen Leibeigenschaft und den Pachthof
in der Grafschaft Mark. Ein Beytrag zur Geschichte des Westphälischen Bauerhofes. Dort-
mund, bey den Gebrüdern Mallinckrodt, Ost. M.
1799. IV und 123 S. 8. 9 X

Beyde treffliche Abhandlungen sind in historischer und ju-
ristischer Hinsicht für die Grafschaft Mark von großer Wichtigkeit. Der ungenannte Verf. hat sie daher auch im Magazin für Westphalen (für 1798) 4s und 5s St. S.
344—383; und 6s St. S. 520—564, woselbst die letztere im 7ten St. noch fortgesetzt werden soll; welches aber
bis dahin noch nicht heraus ist) abdrucken lassen, um sie
recht gemeinnützig zu machen, und in vieler Leser Hände
kommen zu lassen. Besonders ist letztere Abhandlung: S.
43.—123: Ueber eine, in der Grafschaft Mark sehr
gewöhnliche Art der Bauergüter, den Pachthof, dessen Verhältnisse gegen den Staat, gegen den Hof-
herrn und den Bauer — auf einen Gegenstand gerichtet
von dem die Wohlfahrt, oder der Untergang eines ansehnlichen Theils der nützlichsten Staatsbürger gerade in einem
Zeitpunkte abhängt, da man mit der Sammlung der Pro-
vincialgesetze beschäfftigt ist, und worin dieser wichtige Gegenstand alsdann entschieden werden wird.

Die erste Abhandlung S. 1—43. Ueber das
Entstehen der westphälischen Leibeigenschaft ist in historischer Hinsicht eben so merkwürdig, als sie in rechtlicher Aufmerksamkeit erregt. Rec. hatte sich vorgenommen,
die merkwürdigsten Stellen anzustreichen; aber er fand bald,
daß fast alles Strich werden würde. Sie auszuheben, würde zu Weitläuftigkeiten führen; aber das ist gewiß, was der
ungenannte Verf. S. 9 in der Note sagt: »Wer über
Westphalens älteste Gebräuche und Sitten schreiben will,
sollte doch dessen Volkssprache wissen (kennen).« Das
mögen sich auch die Herren Gelehrten merken, die des Taciti
Buch de morib. German. so häufig commentiren, und nicht immer glücklich von Westphalens Sprache, Gebräuchen und
Sitten zur Zeit der Römer urtheilen. — Beyde Abhand-

lungen haben uns vorzüglich gefallen; die Herausgeber
des Westphälisch. Magazin's (wovon einer, dem Ver-
nehmen nach, ein ruhmwürdiger Rechtsgelehrter und eifriger Beförderer der Gelehrsamkeit und Literatur ist), verdienen daher allen Dank, daß sie diese Abhandlungen besonders haben abdrucken lassen. Daß aber die classischen
Werke der Römer deutsch angeführt sind, wie z. B. Tacit.
M. G. (morib. German.); Plin. H. N. (hist. natur.),
u. s. w. will uns nicht gefallen.

Th.

Arzneygelahrheit.

Entwurf über Unpäßlichkeit und Krankheitskeime,
von *Jo. Ulr. Gottl. Schäffer;* mit Gedanken über
die Würdigung einer Theorie von *Karl Wilh.
Nose.* Frankf. 1799. 216 S. 8. 18 gr.

Die Tendenz dieser Schrift des allgemein bekannten, scharfsinnigen Vfs. geht dahin, einen Theil des Brauchbaren der
Brownischen Lehre mit den bisherigen geläuterten Grundsätzen zu verweben, und somit, wo möglich, beyde Parteyen
zu vereinigen. (Ein Bestreben, welches, neben mehrern
andern, auch dem Rec. bis itzt mißglückt ist!) Aerzte von
ächtem Schrot und Korn dachten und handelten lange,
wie Brown, als geistige, rationelle Brownianer (als der
Rec. sich unterstand, dieß aus Hufelands Schriften zu de-
duciren, machte man es ihm sehr zum Verbrechen!) ohne
jedoch alles auf zwey, drey Sätze unbedingt gründen zu
wollen (desto besser aber, wenn das möglich ist!). Für
diese hat also das System wenig Neuheit, (streiten wir
doch lieber nicht mehr über die Neuheit!) und sie haben die
überzeugendste Uebersicht aller der wesentlichen Nachtheile,
welche eine falsch verstandene (was geht dieß das System an?) und angewandte, vereinfachte, neue Lehre dieser Art (sollte das nicht bey jedem Systeme, nicht noch häufiger bey dem bisherigen Komplikationssysteme der Fall
seyn?) in den Köpfen halbgelehrter (sollen diese unsere
Denkart leiten und einschränken?) und bloß theoretischer

Aerzte

Aerzte (das verstehn wir nicht recht!) anrichten müſſe.
Der Verf. zeigt nun, in wie ferne er ſchon vor mehreren
Jahren Browniſche Sätze lehrte; nämlich von der Quelle
des Lebens, äußerem Reize und innerer Erregbarkeit, von
der Wärme, von der Schärfe der Säfte und den Krank-
heitsmaterien, von der Wirkungsart der Arzneyen,
von den Kriſen, (alſo grade die wichtigſten und ſtreitigſten
Lehren, wobey jedoch Manches noch einer Berichtigung bedarf, z. E. wenn geſagt wird, daß das Br. S. auf Individualität und Verwicklung der Krankheit keine Rückſicht
nehme; vergl. Br. Syſt. §. 26. 100. 118. 136. 137. Auch
können wir uns keine Arzneyen denken, welche Erregbarkeit
weder zu erhöhen, noch herabzuſtimmen vermöchten. Wenn
Hr. S. ſagt, daß wir alles obige wüßten: ſo möchten wir
fragen: warum ſo wenige Aerzte es laut geſagt, und ſo
viele Einwürfe gegen eben jene Lehre gemacht haben?) Auch
Schwäche, fährt Hr. S. fort, kannte und behandelte man
nach den Urſachen und Graden mannichfaltig. (Hr. S.
zeigt aber durch ſeine Beſtimmung derſelben, daß es nicht
Browniſche Schwäche iſt.) Uebrigens gründet ſich die reſp.
Thätigkeit der Lebenskräfte bey Krankheiten auf das Geſetz
der Reaktion, welches mit unter dem Namen heilſamer
Naturkräfte begriffen werden kann. (Wenn Hr. S. die
Folgen des Reizes im Auge als Beweis dieſer Heilkraft anführt: ſo möchte eher dadurch die Schädlichkeit, als Heil-
ſamkeit der Naturkräfte bewieſen werden können. Jenes
Thränen des gereizten Auges, welches Hr. S. anführt, iſt
der erſte Anfang der folgenden Entzündung, die unmöglich
heilſam genennt zu werden verdient.) Er geht nun auch
zu einigen Zweifeln und Einwürfen über. Reiz und Erregbarkeit ſind keine poſitiven, ſondern relative Begriffe,
(wir denken doch, die verſchiedene Größe des Plus oder
Minus derſelben iſt relativ, der letzte Punkt, das =o iſt
poſitiv, entweder einiger Reiz, oder Tod), welche der
Individualität ſubordinirt (koordinirt) ſind, und wo es alſo darauf ankommt, ob die Erſcheinungen der veränderten
Erregung im Lebensprincip ſelbſt (allgemeiner Krankheiten),
oder in einzelnen Organen (örtliche Kr.) gegründet ſind.
(Ganz recht. Vergl. Br. Syſt. §. 79. Not. p.) Wenn
jeder Reiz für Ein Organ auch Reiz für alle iſt: ſo folgt
(wir verſtehen nicht, warum?), daß im nämlichen Mo-
ment in einem Syſteme vermehrte, im andern vermin-

der-

derter Reiz Statt finden könne. In solchem Falle passen
stärkende und schwächende Mittel mit einander verbunden, »ohne welche Verbindung und ohne specifische
Mittel ich mich (sagt ein Schäffer!) nicht getraue, praktischer Arzt zu seyn. (Die Coexistenz der Sthenie und Asthenie findet höchstens nur bey örtlichen Krankheiten Statt,
und berechtigt keineswegs zu solchen widersinnigen Verbindungen. Aller Vernunft nach hebt dann Ein Mittel die
Wirkung des andern auf, oder mindert dieselbe. Der
Glaube des Hrn. S. straft also Hrn. Baldinger Lügen, wenn
er Recepte elend nennt, in denen hitzende und kühlende,
stopfende und purgirende Mittel zusammengemischt sind.
Der Glaube an Specifica hat die Arzneymittellehre von den
ältesten bis zu Hufelands Zeiten mit einem Wuste überflüssi-
ger Mittel vermehrt, welche vor keiner Philosophie zu verantworten sind. Wie kann ein so heller Kopf ihn noch predigen!) Es ist nicht einleuchtend, daß erhöhter Reiz die
Erregbarkeit mindere, und V. V. (Wir beziehen uns auf
Röschlaubs Pathogenie, da die Beantwortung hier zu weitläuftig ist.) Eben so unerreichbar ist die Erklärung und
Behandlung der indirekten Schwäche. (Hr. S. verwechselt
hier Reize, welche krank machen, mit Reizen, welche gesund machen sollen. Das Beyspiel vom Schlag paßt wirklich gar nicht; er entstand von Indigestion, und ward durch
örtliche Mittel gehoben. Ein anders ist es beym Blutschla-
ge der ältern Schule; dann können wir auf Selle Handb.
S. 393 hinweisen. Die Beziehung auf Frank beweist,
daß diese Brownianer den §. 451. vergessen haben.) Daß
jeder Mensch an direkter oder indirekter Schwäche sterbe,
ist unverständlich. (Hat Hr. S. nie jemand am Lungen-
brande in der Pneumonie, an zusammenfließenden Pocken re.
sterben sehen? — Ueber die Konstitution der Greise hat
Brown §. 25. 26. u. m. gesprochen.) Es gereiche dem Systeme zum Vorzuge, daß es sich ganz besonders mit Aufsuchen und Erforschung der Ursachen der Krankheiten beschäf-
tige; aber es scheine, zu weit zu gehen. (Was man nicht
alles tadeln kann, wenn man will!) Jeder praktische Arzt
würde sich weigern, den Grundsatz zu unterschreiben, daß
ohne genaue Kenntniß und unmittelbare Entfernung der
Krankheitsursache keine Heilung Statt finde. (Man kann
das nicht läugnen; aber behaupten, daß diese Maximen die
Krankheit abkürzen, die Heilung erleichtern, und, so viel

nur

nur möglich ist, befolgt werden müssen. Alles Uebrige,
was Hr. S. anführt, paßt bey weitem mehr auf die bisherige symptomatische Therapie, als auf das Brown. System.)
Hrn. S. Ideen über die Entstehung der Krankheit sind nun
folgende: Indisposition ist der erste, merkbare Anfang, in
der ersten, innern Ursache gegründet (Opportunität).
Jede Krankheit gründet sich entweder im innern Princip
des Lebens, oder im Organismus; das Uebelbefinden
(Gefühl, Wahrnehmung) in den gestörten Funktionen;
jene leiden also früher, die letztern später; dort wirken wir
auf Ursache, hier auf Wirkung. Es giebt Fälle, in denen
Krankheit im Organism liegt, ohne sich durch gestörte Funktionen, oder wahrnehmbares Uebelbefinden zu äußern (wenn
die Krankheit nicht bedeutend ist), auch sind uns die Eigenschaften und Wirkungen vieler Schädlichkeiten auf Lebenskraft und Organism bekannt. In beyden Fällen sind wir
berechtigt, früher zu handeln, als sich Uebelbefinden äuß-
sert. (Wie ist aber das im ersten Falle, wo sich die Krankheit nicht wahrnehmen läßt, möglich?) Folge der ersten
Unordnungen und Reize ist erhöhte Thätigkeit der Lebenskräfte (nicht immer; es lassen sich auch Reize denken, welche gleich deprimirend, schwächend wirken.) Die Form der
Krankheit hängt meist von der Individualität, Jahrszeit,
Konstitution rc. ab. (Wahr und schön; doch sind bey Epidemien nicht immer furchtsame Schwächlinge der Ansteckung
am ersten ausgesetzt, im Gegentheil bey Typhus gewöhnlich die stärksten, die robustesten.) Es giebt also eine Periode des Eindrucks, der Nervenreizung, eine gastrische und wirkliche Krankheitsperiode. (Dagegen läßt
sich viel einwenden. Die dritte Periode ist wenigstens nicht
immer annehmbar und wirklich, die dritte und vierte nicht
immer zu trennen.) In den zwey ersten Perioden dienen
stärkende Mittel (aber wenn nun, wie der Vf. sagt, ohnehin schon erhöhte Thätigkeit da ist, wird nicht Sthenie erzeugt werden?) Nicht so in den andern; in der dritten
muß purgirt, in der vierten symptematisch geheilt werden.
(Das ist eben der Streit! Wenn man, sagt man, richtig
auf die Lebenskraft und das Ursächliche der Krankheit wirkt:
so giebt sich das Uebrige von selbst. Wirklich ist mit diesem
schönen Räsonnement nichts gewonnen, als eine lichtvollere
Auseinandersetzung der bisherigen pathologischen und thera-
peutischen Lehren. Am wenigsten, fürchten wir, wird Hr.

S. durch seinen, von den Frühlings- und Sommerkuren
hergenommenen, Beweis überzeugen. Gerne unterschreiben wir, wenn Hr. S. sagt:) Man verwerfe nicht gera-
dehin Brown's System. Man verdollmetsche, höre es
auf, warne gegen Mißdeutung, empfehle das Gute als gut,
rüge das Mangelhafte, mache das Unverständliche verständlich, bezeichne und verwerfe das Schwankende, Falsche und Schädliche u. s. w. (Eben liest der Rec., daß Hr.
Prof. Reich zu Erlangen allen, auch dem Brownischen
Systeme, ihre Endschaft ankündigt, alle für irrig, und nur
das Seinige, eine Art von chemischem Systeme? für wahr
ausgiebt. So wären also abermals viele Bogen umsonst
gedruckt, viele Federn umsonst gespitzt, viele Galle umsonst
verschüttet? — Der Anhang der Schäfferischen Schrift
gehört nicht für unser Forum; er ist durchdacht, aber unangenehm zu lesen.)

John Herdmann's Versuch über die Ursachen und
Erscheinungen des Lebens, in Beziehung auf das
Brownische System. A. d. Engl. von *Aug. Frdr.
Adr. Diel.* Altenburg, 1799. 210 Seiten. 8.
2 Rf.

Diese kleine Schrift scheint Hr. D. hauptsächlich übersetzt
zu haben, um seine Abneigung gegen das Br. System zu
erkennen zu geben. Der Verf. zeigt sich dagegen dem neuen
Systeme geneigt, ohne deßhalb ein unbedingter Anhänger
Browns zu seyn. Vielmehr tadelt er manches schärfer, als
man es hätte erwarten sollen. Den größten Theil der Schrift
füllen physiologische Betrachtungen aus, den Rest auch pathologische, über Schwäche ꝛc. Alles ist etwas weitschweifig, doch nicht übel zu lesen. Der Verf. kennt und reflektirt sogar mitunter das neue chemische System. Die Abh.
fängt, wie gewöhnlich, mit Betrachtungen über organische
und unorganische Natur an. Das Leben rührt nicht von
einer distinkten Substanz, nicht vom Archäus, nicht von
der Heilkraft der Natur her. Belebte Materie unterscheidet
sich von unbelebter durch Gefühl, Vorstellung und Bewegung; diese Eigenschaften sind das Produkt der Wirkung
gewisser Kräfte, oder Reize. Die Fähigkeit, in Thätigkeit
gesetzt

gesetzt zu werden, hängt bloß von einer besondern Organisation ab, und durch verschiedene Modifikationen dieser Organisation ist der Körper empfänglich für die Einwirkung
verschiedener Kräfte. Leben ist diejenige Beschaffenheit or-
ganischer Körper, welche von gewissen Reizen in ihnen bewirkt wird. Die Fähigkeit, von Reizen in Bewegung gesetzt zu werden, heißt Erregbarkeit. Es folgt nun eine
Skizze des th. Körperbaues, um zu zeigen, daß unter mannichfaltigen Modifikationen in allen Theilen eine ähnliche
Organisation zugegen sey, welche Ein Ganzes ausmache,
auf das jeder Reiz, auf Einen Theil angebracht, fortge-
pflanzt wird. Zu den äußerlichen wesentlich nothwendigen
Reizen gehört Wärme, Luft, Nahrung. Auch kann man
Licht, Schall, Geruch, Geschmack dazu rechnen. Die innerlichen Reize sind das Blut, die Absonderungen, die See-
lenverrichtungen und Muskelbewegungen. Hierzu kann man
den Geschlechtstrieb rechnen. Dieß sind die natürlichen oder
gesunden Reize. Eine zwote Klasse wirkt nachtheilig auf
den Körper, und erzeugt den widernatürlichen oder kranken
Zustand. Manche zerstören gelinde (langsam), manche
augenblicklich, und in ihren Wirkungen sind sie wesentlich
verschieden. Die dritte Klasse sind weder natürlich noch gesund; aber, gehörig angewandt, hintertreiben sie (die
Arzneyen) die Wirkungen der schädlichen Reize. Jeder
Reiz wirkt auf den ganzen Körper. Die Art, wie verschiedene der erregenden Potenzen wirken, und zur Gesundheit
der Körper mitwirken, ist noch unbekannt. Es giebt zweyerley Schwächen; aber beyde sind in ihren Finalwirkungen nicht
verschieden. Hieraus scheint zu folgen, daß auch die Heilmethode in beyden Fällen die nämliche seyn müsse. Es
scheint also nicht wahr, daß die auf übermäßige Anwendung
der Reize folgende Schwäche von einer Erschöpfung der Erregbarkeit herrühre. Auch ist fast allemal diese Schwäche
mit einer größern Empfänglichkeit, selbst für den Reiz, welcher die Schwäche verursachte, verbunden. Nur der Mohnsaft liefert uns ein Beyspiel vom Gegentheil. (Wenn die
fortgesetzten größern Gaben M. einen schicklichen Beweis
abgeben sollen: so ist dieß der Fall mit allen künstlichen Reizen, Wein-Arzneyen, Giften.) Aber selbst eine durch
Mohnsaft geschwächte Konstitution bekommt eine vermehrte
Empfänglichkeit für andere Reize. Man muß also daraus
schließen, daß die mancherley Reize auch in modo verschieden

den seyn. (Ref. glaubt, Brown hat die Mannichfaltigkeit
in der Modalität der Reize gar nicht geläugnet; sie ist nur
nicht zu berechnen und zu bestimmen. Dagegen läßt sich die
Summe jedes Reizes, welcher gewirkt hat, nach der Quan-
tität der relativen Erregbarkeit leichter abmessen.) Die
Wirkungen der Reize, im Allgemeinen und der Regel nach,
stehn im Verhältnisse mit der Kraft der Organisation. Die
natürliche Wirkung aller, auch der sanftesten, natürlichsten
Reize schwächt zuletzt. Die Meinung, daß bey directer
Schwäche die gehäufte Erregbarkeit durch kraftvolle (Brown
empfiehlt die kleinsten Gaben flüchtiger Reize, welche kaum
größer seyn dürfen, als der schwache Grad des Reizes, den
die Anhäufung verursachte. Br. Syst. §. 43.) Reize müssen
entfernt oder verzehrt (nur nicht ganz) werden, hat die
schädlichste Praxis zur Folge. (Es scheint hier ein Miß-
verstand und ein Irrthum zugleich da, und bey Brown das
Recht zu seyn.) Wenn die Erregbarkeit durch übermäßige
Reize erschöpft ist: so muß es falsch seyn, die stärksten, recht
aber, höchstens nur die sanftesten Reize anzuwenden, damit
sich die Erregbarkeit wieder anhäufen könne. (Es läßt sich
a priori nicht viel darüber entscheiden.) Da alle Reize
schwächen: so muß man muthmaßen, daß gar keine Sthenie
existiren könne. Wie kann Sthenie erfolgen, da auf die
Wirkung jedes starken Reizes, wenn er aufgehört hat,
Schwäche folge? (Das könnte man allenfalls auf die sthenische Krankheit selbst anwenden. Der Reiz wirkt und die
Dauer dieser Reizung ist die Sthenie; man müßte das Ende der Krankheit für das Ende der Wirkung des Reizes annehmen.) Wie kann man die höchste Stufe der Gesundheit Krankheit nennen? (Man muß nur bedenken, daß
die Stärke der Erregung bis auf einen gewissen Punkt steigen kann und darf, wenn es Gesundheit heißen soll.) Bey
Bestimmung der Nahrungsmittel, sagt der Verf. sey es
schwer, den Grad des Reizes zu bestimmen, den manche
Substanzen auf Fasern des Magens und der Gedärme äuß-
sern, auch besäßen in manchen Fällen die am leichtesten zu
verdauenden Speisen keine so stark reizende Eigenschaften,
als die unverdaulichen. (Das letzte ist Sophisterey! So
ist nicht einerley: reizen und ausdehnen, oder belästigen.)
Außer der Ernährung muß man das Athmen und Einsaugung zu Hülfe nehmen, um sich den Ersatz der Materie für
den Körper zu erklären. In Rücksicht auf die Affekten ist

der

der Werf. auch nicht einig mit Brown. (Vielleicht mit
Recht.) Die traurigen Affekten sind positive Schwächungs-
mittel.

Der Ueberf. erklärt sich in vielen Stellen stark gegen
das Br. S. und seine Anhänger, z. B. Hrn. Marcus,
welcher aus sich selbst entschuldigt werden kann. Vielen
Einwürfen fehlt die nöthige Deutlichkeit, um sie gehörig zu
würdigen. Am meisten exeivirt Hr. O. gegen die ersten
Grundlinien und Sätze der Brownischen Physiologie. Organische Materie ist ihm einzig das komponirte und abhängige
Produkt von einem derselben eigenthümlich angehörigen Wesen. (Diese Definition scheint die unorganischen Bildungen im
organischen Körper, Scirrhositäten ꝛc. nicht auszuschließen.)
Jeder Theil hat Leben, so lange er der Vereinfachung seiner
Komposition widerstrebt. Leben ist nur Eigenschaft der organischen Materie; also inhärirend, unabhängig von äuße-
rer Kraft, aber stets des Ersatzes individueller Materie be-
dürftig. (Organisirt seyn und leben ist nicht einerley, wie
Hr. Röschlaub gezeigt hat.) Bewegung aus innern der
Materie inhärirenden Eigenschaften ist bis itzt das einzige
Kennzeichen des Lebens. (Wem fällt nicht dabey der mo-
tus intestinus der Stahlianer ein? Wie weit könnte man
alsdenn nicht das Leben ausdehnen!) Lebenskraft ist die
Eigenschaft, durch innere eigenthümliche Kräfte in sich, zur
Selbsterhaltung, Säfte zu bewegen. (Bloße Säftebewe-
gung ist gewiß nicht Lebenskraft; der menschliche Körper
keine bloße hydraulische Maschine!) Man hat bisher fälsch-
lich das Wesen, das Princip des Lebens, nicht die Stoffe,
die es in Thätigkeit setzen, auffinden wollen. Die neue
Chemie scheint Irrwege zu öffnen, Reiz ist nur ein Typus,
Browns Erregbarkeit um nichts logischer als Reizbarkeit,
Lebensbewegung wäre vielleicht der beste Ausdruck. So
lange wir an ein lebendes Princip, als abgesondert, denken; so werden wir nicht aus einem Zirkel von Schlüssen
kommen. Absolut tödtliche Gifte erklärt Browns Tabelle
nicht, für viele ist der Begriff Reiz zu enge. (Brown erklärt vieles hierher Gehörige aus indirekter Schwäche und
örtlicher Affektion. Wenn der Trunkenbold schwach wird;
so ist entweder der Uebergang der indirekten Schwäche zum
Tode nahe; oder es geschieht eine höchst gewaltsame Revolution, wodurch jene Schwäche verwischt, und die ursprüng-

liche

liche direkte wieder zum Vorschein gebracht wird. S. Browns
Syst. §. 130. Not. r). Kirschlorber und Fingerhut gehören zu den Schwächungsmitteln. Wir sind übrigens weit
entfernt, unbedingte Partey für Brown zu nehmen; glau-
ten aber, daß sich alle Einwürfe des Hrn. Diel, den wir
als einen guten praktischen Arzt persönlich kennen und ehren,
heben lassen, und wünschen nur, daß diese fortdauernden
Untersuchungen dazu dienen mögen, die Arzneykunde ihrer
wissenschaftlichen Vollkommenheit immer näher zu bringen.

Apologie des Brownschen Systems der Heilkunde,
     auf Vernunft und Erfahrung gegründet. Her-
     ausg. von *Carl Werner*, k. k. Rathe und nieder-
     österr. Protomed. : Sunt, qui, quod sentiunt,
     etsi optimum sit, tamen invidiae metu non au-
     dent dicere. *1r Band*. Wien, 1799. 1 Rl. 4 Xr.

Der Inhalt dieser interessanten Schrift besteht in folgendem: Einleitung. Ueberzeugung vom Nutzen des Br. S.
und Unwille über die schiefen Urtheile mancher Journale
brachten den Entschluß hervor, die Hauptsätze desselben gegen die illiberalen Angriffe der Gegner zu vertheidigen.
Ueber Browns System. Eine skizzirte Biographie Br's,
und allgemeine Blicke auf die ältere und neuere A. W. Besonders wird Hufelands Schwäche, Brown herabzusetzen,
aufgedeckt, ohne jedoch den Schottländer unbedingt zu erheben. Brs. Fehler ist, viele partikulär richtige Sätze zu uni-
versell unrichtigen gemacht zu haben. (Die allgemeinen
Grundsätze haben der Menschheit unendlichen Schaden gebracht!) Aber diesen Fehler haben alle Systematiker.
Franks Genius leitete ihn schon vor Brown auf manche ähnliche Idee. (Frank und neulichst Schäffer sagen das selbst
von sich. Als der Rec. dieß auch einmal von Hufeland
behauptete, und das schottische System dadurch annehmlicher zu machen suchte, tobte man über diese Frechheit &c.).
Skitze der Brownschen Lehre nach Brown und Röschl-
laub. In aphoristischer Kürze das Nothwendigste vom Systeme angegeben und mitunter verdeutlicht. (Zu §. 33. fügen wir, daß allerdings eine Modalität in der Veränderung
der Erregbarkeit Statt finden könne; die aber unsern Sin-
                                             nen

nen entweder entgeht, oder sich in der Summe ihrer Aeußerung nach quantitativem Verhältniße bestimmen laffen muß. — Zu §. 41. bey direkter Schwäche ist immer überflüßige; aber nicht in Thätigkeit gesetzte Erregbarkeit. Hr. W. nennt sie unduldsam für Reize, impatientia stimuli, ob mit Glück? — Nach §. 67. fordert die gemischte Asthenie, eine zweckmäßige Vereinigung der permanenten mit flüchtigen Reizmitteln. Ueberhaupt aber ist die Röschlaubische Theorie von der Brownischen in mehreren Stücken verschieden.) Beytrag zur Behandlungsart der Blutflüße, v. Rath. Einige Fälle, wo eine sthenische Behandlung Nutzen schaffte. Hr. R. führt an, daß die Anlage zu Blutflüßen öfters angeboren sey, wenn die Eltern schwächlich und erschöpft waren. Dieß sey am öftersten der Fall beym Blutspeyen. (Es läßt sich hierüber nichts gewiß bestimmen.) Er zeigt, daß Stoll sich widersprochen, indem er dieselbe Ursache, Lungenschwäche, angenommen, und doch eine schwächende Methode empfohlen habe. Blasenpflaster können hierbey als Reizmittel (d. h. wenn sie bloß roth machen) vorübergehenden Nutzen schaffen. (Wenn Hr. R. unter 1½ Pfund Chinatrank 6 Tropfen Tinct. thebaica mischt, so dünkt uns das gespielt.) Krankengeschichten, nebst Anmerkungen, v. Herausg. 1.) Typhus mit Seitenstich (sonst Pleuritis nervosa, Peripneumonia typhades). Hr. W. hat hier, um ächt Brownisch zu verfahren, den Fehler gemacht, zu große Gaben China gegeben zu haben, und mit den Dosen zu steigen, als die Schwäche stieg, statt diffusible Reize allein anzuwenden. Die Antibrownianer werden den figurirten Stuhl für eine ächte hippokratische Krise halten. 2) Typhus mit Gliederschmerz. 3) Febris hectica. 4) Typhus mit Seitenstich. 5) Typhus mit Pleuroperipneumonie. Auf eine Abführung folgte scheinbare Erleichterung; kurz nachher desto größere Verschlimmerung. Diese Krankheit ist vorzüglich gut erzählt und behandelt. Bloße Furcht machte gegen das Ende wieder beträchtliche Verschlimmerung. 6) Febr. intermittentes; Quartan und Tertianfieber, durch China, Mohnsaft, Zimmt und Fleisch geheilt. Der Verf. zieht folgende Resultate aus dem Gesagten: Gastrischer Zustand bey allgemein asthenischen Krankheiten deutet nicht auf Brech- oder Purgirmittel. (Wenn die Schwäche noch nicht zu groß, die Krankheit noch im Anfange, die Lokalunreinigkeit wirklich belästigend ist, wird eine Lokal-
reini-

reinigung weniger schaden, als die strengen Brownianer zu
geben. Die Abneigung gegen reinigende Mittel hat Brown
mit den mehrsten seiner Landsleute gemein.) Krankheits-
stoff (Materie), als das erste Ursächliche einer Krankheit,
ist Träumerey. Selbst die Miasmen wirken nur als (vor-
übergehende) Reize, welche nach dem Individuum bald
vermehrte, bald verminderte Erregung hervorbringen. Ungegründet ist das Herumirren des Krankheitsstoffes von einem Orte zum andern, seine plötzliche Ablagerung auf edlere
Theile, Zurücktreten rc. Richtiger äußert sich die Asthenie
bald in diesem, bald in jenem Theile des Körpers. Browns
als vikarirende Thätigkeit der Organe ist scharfsinnig und
genugthuend. Neue Behandlungsart der am grauen Staa-
re Operirten, v. *Barth.* Hr. B. rühmt statt der bisherigen erweichenden Methode ein simples Heftpflaster über die
Mitte der geschlossenen Augenlieder, den Kranken in ein
mäßig helles Zimmer, außer Bette, bey seiner vorigen Lebensart, leichten, aber nahrhaften Speisen zu lassen, und
mit einem guten Augenschirme zu versehen. (Als Rec.
vor einiger Zeit etwas vom Einflusse der Br. Lehre auf die
Chirurgie erwähnte, schlug einer seiner Kollegen eine große
Lache auf!) Geschichte der Entstehung und Heilung einer mit Eiterung in der vordern und hintern Augenkam-
mer verbundenen, nach einer zweckmäsig verrichteten
Staarausziehung erfolgten Ophthalmie, v. *Schmidt.* Beweis des Schadens, welchen eine rasche Entziehung organi-
scher und anderer Reize, in der Gesammtheit des lebenden
Organismus und der specifischen Reize in einzelnen Organen
anrichtet, und des Nutzens, welchen eben diese wiedergege-
benen Reize, gleichsam auf der Stelle, gewähren. Eine
äußerst interessante Geschichte! Etwas über den verstorbenen D. Sallaba, v. Herausg. S. war einer der eifrigsten
Stollianer, und wollte Brown weitläuftig widerlegen. Dadurch gieng er zu Browns Fahne über. Etwas über die Behandlungsart der Amputirten, und der (an) Schußwun-
de (Bleßirten) v. *Vering.* Statt der antiphlogistischen die
stärkende Methode empfohlen. Antibrownianismus. Eine
Kritik über die Arbeiten der Herren Girtanner, Lang, Hecker und Baldinger. Eine Anzeige Brownischer Schriften v. J. 1798 schließt diese Schrift, welcher wir viele Leser, und eine baldige Fortsetzung wünschen.

Ein-

Einschränkungen der neuesten Bearbeitungen der
Brownischen Erregungstheorie, von Franz Wilh.
Chrn. Hünnius. Weimar, 1799. 142 S. 8.
16 K.

Der Vf. beginnt in dieser Schrift einen, wie uns dünkt,
sehr ungleichen Kampf! Es ist Hr. Prof. Röschlaub, mit
welchem derselbe eine Lanze zu brechen wagt. Er — selbst
noch ein junger Mann — will, wie er sagt, die medicinische Jugend von den angefüllten Irrwegen zurückführen,
indem er Rs. Sätze widerlegt. Er gesteht, durch R. von
mehrern Irrthümern zurückgekommen zu seyn, welche
in Rüksicht auf die Fundamentalsätze Browns in ihm feste Wurzel geschlagen hatten. (Wie reimt sich das zusammen? Hr. H. ist von seinen Irrthümern durch Hn. R.
befreyt worden, und will diesen nun wieder von den seinigen
bekehren?) R. sey nicht kalt genug, um die praktischen
Erfahrungen (?) gehörig zu benutzen. Man müßte suchen, die größte Harmonie zwischen ihnen und den Lehrsätzen herzustellen. Wäre dieß geschehen: so würde dieß an
sich auf einem festen, sichern Grunde beruhende System längst schon von seinen Fehlern und Ungereimtheiten
gereinigt seyn. (Wir verstehn das nicht recht! Doch genug, wenn das System an sich auf einem festen, sichern
Grunde beruht!) Hr. H. fängt mit der organischen Materie an. (In dieser und in den mit derselben verbundenen
Begriffen gründet sich ein großer Theil der Streitigken zwischen Brownianern und Antibrownianern.) 2. Kap. Erregbarkeit, Lebensprincip. (Hr. H. scheint den Brownischen und Röschlaubischen Worten und Sätzen manchmal
einen andern Sinn unterzulegen, und sich dadurch in Dunkelheiten zu verlieren.) 3. Kap. Bedingungen des Lebens und nähere Bestimmungen desselben. (Nichts
neues, als daß besonders auf die Säfte Rücksicht genommen wird.) 4. Kap. Gesundheit, Krankheit, Tod.
Hier fehlt es sehr an Präcision. Hr. H. rechnet viel auf
den Sprachgebrauch, auch wo er nicht sollte, z. E. gesunde
Säfte. Nach den Sprachgebrauche müßten wir auch mehr
Achtsamkeit auf Schärfen, Blutreinigung ic. wenden, wovon man noch täglich sprechen hört. Gesundheit und Leben
wäre nach seiner Demonstration völlig eins! Rec. findet
Rösch-

Röschlaubs-Bestimmungen weit deutlicher und annehmlicher.
Eine sonderbare Dialektik macht ihn fragen: wie eine Verrichtung (Funktion) sich wohl- oder übel befinden könne?
Wir können hierbey zum Theil auf Schäffers Entwurf verweisen. Hr. H. wendet gegen Rs. Bestimmung von Krankheit und Uebelbefinden, Ursache und Wirkung oder Wahrnehmung ein, und sagt, es lasse sich gestörte Funktion
ganz ohne Krankheit des Organism denken. Der Organism könne die gehörige Stärke des Wirkungsvermögens (auf die Stärke des Wirkungsvermögens kommt es
bey der Erregbarkeit nicht an) und den gehörigen Grad
der Reizfähigkeit besitzen, und doch könnten äußere Reize,
Luft ec. so auf ihn wirken, (nun wird der Organism verändert, Krankheit) daß die Lebensaktionen gestört werden
(Uebelbefinden). Der Arzt würde manchmal deklariren,
man sey nicht krank, obgleich man sich übel befinde,
(Ist nicht möglich. Uebelbefinden gehört unter die Erscheinungen, wird sinnlich wahrgenommen. Umgekehrt kann
wirklich jemand krank seyn, was man so oft nach dem Tode
gewahr wird, ohne sich übel zu befinden, krank zu fühlen).
R. irre, wenn er behaupte, Vollkommenheit der Organisation und des Lebensprinzips gebe Gesundheit, weil Lebens-
funktion sich nicht wohlbefinden (!) könne und zum
Leben erregende Kräfte gehörten (jenes hat Hr. A. nicht
behauptet, dieß wird er nicht läugnen, ohne seinen Satz
aufzugeben.) Nun kommt er auf die Säfte, wo er nicht
einsieht, warum den Aerzten nicht erlaubt seyn soll, von
Krankheiten der Säfte zu sprechen (H. H. beantwortet das zum Theil selbst, zum Theil findet er die Antwort
bey Brown und Röschlaub). 5. Kap. Nähere Betrachtung über diese Gegenstände. 6. Kap. Opportunität,
Krankheitsanlage, Prädisposition. Hr. H. hält diesen
Zustand für den Arzt von gar keiner Wichtigkeit, weil
man seine Gegenwart nicht erkennen könne. Man könne sogar die allgemeinen Leiden nicht von den örtlichen
unterscheiden. (Und doch ist dieß das wichtigste Kap. in
der ganzen Brownischen Lehre, da sich auf dasselbe die Begriffe und Entwicklungen des eigentlichen Ursachlichen der
Krankheit und die Behandlung der ganzen Kr. gründen.
Die Brownianer sind stolz auf die Lehre der Opportunität,
indem sie behaupten, ihre Praxis dadurch rationell zu machen, und von der bisherigen symptomatischen zu unterscheiden.)

den.) 7. Kap. Sthenie. Hr. H. hat hier viel mit den Röschlaub'schen Begriffen Incitament, Reizfähigkeit, Reizung und Wirkungsvermögen zu thun, die nicht eigentlich Brownisch sind. 8. Kap. Nähere Betrachtung über Sthenie. Vorzüglich über asthenische Entzündung. Browns Theorie weiche nirgends so sehr von der gewöhnlichen ab (andere Antibrown. haben auch in diesem Punkte, wie fast überall, nichts neues gefunden) als wo er annimmt, daß gewisse heftige Zufälle, Konvulsionen, Krämpfe, geschwinder, härter, voller Puls (der Verf. spricht von Zufällen) heftige Schmerzen, ja Entzündung auf einem Mangel der gehörigen Gewalt des Incitaments zu nächst beruhen könne. (Die Br. Theorie reflektirt nur sehr wenig auf die Symptomen. Auch sind ja das nur bestimmte Ausnahmen von der Regel, von denen Brown die Erklärung unter asthenischer Entzündung und Verwirrung thierischer Verrichtungen giebt.) Hr. H. nimmt überhaupt die ganze bisherige Sepliatik in Schutz, und betrauert den Verlust dieses verwirrten und verwirrenden Chaos! Er verwirft den einen Brownischen Beweis von der guten Wirkung stärkender Mittel bey jenen Uebeln, und führt doch aus der Natur des Möhnsaftes, auf dessen Gebrauch er das meistemal nicht die geringste Verstärkung des Pulses hat beobachten können (!) einen Gegenbeweis. Bey Nervenfiebern bringe die China nie Schaden, wenn nur kein fieberhafter Puls (bey Nervenfiebern!) vorhanden sey und also (?) wahre Schwäche Statt habe. (Glückliche Aerzte machten sich es zum Gesetz, so lange gelinde ausleerende Mittel zu brauchen, bis das Fieber nachgelassen hatte, (die glücklichen Aerzte! die unglücklichen Kranken! Wir wollen hier nur einige Autoritäten von Aerzten anführen, die noch nichts vom Br. S. wußten, Selle S. 27, 40. Richter 203. Stoll §. 841, und Vorsicht bey ausleerenden Mitteln empfehlen;) weil sie fest glaubten, daß bey zu geschwinden, vollen und harten Pulse (und Typhus!) auch ein zu starker Reiz zu Grunde liege. Ich will, fährt Hr. H. fort, keinesweges die Behandlung der ältern Schule für die beste (und erhebt sie doch!) ausgeben, ich folge selbst Browns zweckmäßigerer Behandlung (das ist nach der vorigen Seite wirklich arg!) 9. Kap. Heilung der Sthenie. Man kann, sagt Hr. H. behaupten, daß Br. die Behandlung der sthenischen Krankheiten um ein großes verbessert habe; doch werde keine

sthen-

sthenische Krankheit von beträchtlicher Art durch diesen Heil-
plan allein geheilt werden können. (Sa dreht sich Hr. H.
im ewigenWiderspruch herum! Aengstlich besorgt, er könne
etwas Gran zu viel zugegeben haben, nimmt er mit der andern Hand geschwind wieder zurück, was er mit der einen
gab.) Der Arzt dürfe nur bey derjenigen Sthenie flüchtige Reizmittel brauchen, mit welcher sich Schwäche der
Erregung verbindet. (Sthenie, flüchtige Reize, Schwäche der Erregung?) Sie heben dann die Sthenie nicht
nur auf, sondern sie heben auch die Erregung nach und
nach empor (!) Ist die Schwäche sehr groß (bey
Sthenie nämlich!), so, u. s. w. (Auch ist es falsch, wenn
es S. 118 heißt, es würden bey heftigen Sthenien kleine
Aderlässe empfohlen. Vergl. Br. Syst. §. 281. 454. 458.)
10. Kap. Asthenie. Hr. H. begeht hier wieder den Fehler, daß er seine Begriffe auf die Erregbarkeit gründet,
welche keine hinlängliche Erregung hervorbringe; da
doch, nach dem Systeme, umgekehrt die Erregung die
Basis ist, nach welcher sich die Erregbarkeit richtet. Auch
zeigt sich Hr. H. als den unbedingtesten Humoralpatho-
logen, welchen der Rec. neuester Zeit kennen gelernt hat;
das folgt aus der leidigen Sektirerey! 11. Kap. Heilung
der Asthenie. Hr. H. behauptet, die neuen Brownschen Revolutionsmänner irrten sehr, wenn sie über die
Verbindung larirender und stärkender, kühlender und
reizender rc. Mittel (wie er in seinem Buche über die
Ruhr gethan hat) spotteten, sie wüßten nicht, was sie
thäten (also die Herren Weikard, Frank, Marcus
müssen sich von dem jungen Hr. Dr. hübsch belehren lassen,
was sie zu thun haben!) 12. Kap. Nähere Betrachtungen über einzelne Krankheitszustände. Schlag. Er
entsteht nach H. bey starken Naturen, welche in ihrer Jugend durch Ausschweifungen ihre Erregbarkeit aufzehr-
ten. Ruhr. Hr. H. sagt unter andern: Zu der Zeit, wo
der Darmkanal an einer vorzüglichen direkten Asthenie
leidet, muß auch die Sthenie vorzüglich im Darmkanale
zu bemerken seyn (?). Blutspeien, Pneumonie. —
Durch das ganze Buch herrscht, wie wir bemerklich zu machen gesucht haben, viel Verwirrung in den Begriffen, Undeutlichkeit im Vortrage, Unbestimmtheit in Worten und
Ausdrücken. Lobenswerth ist das Bestreben des Verf. die
Erregungstheorie kennen lernen zu wollen, lobenswerth das

Beneh-

Benehmen desselben, sie nicht ohne Prüfung zu adoptiren, sondern über sie nachzudenken. Nur, dünkt uns, hat er dieser Prüfung nicht Anhalten und Fleiß genug geschenkt. Vorzüglich, müßte er sich erst von seiner alten Pathologie durchaus lossagen, Browns Sätze einzeln durchgehen, studiren — und dann sein Werkchen noch einmal durchlesen, um zu finden, daß unser Urtheil nicht zu hart sey.

Ueber das Schwankende des Brownischen Systems, durch praktische Erfahrungen bewiesen. Eine Warnung für angehende Aerzte, von Jos. Lang. Wien, 1799. 76 S. 8. 5 gr.

Diese praktischen Erfahrungen, wie sich der Verfasser, sonderbar genug, ausdrückt, sind zum Theil in den Jahren 1778 und 79 im Militärspitale zu Gumpendorf, zum Theil anderwärts gesammelt. Dort behandelte der Vf. viele Wassersüchtige, bey denen bald dieses, bald jenes wirkte, obschon diese Krankheit nach dem Brown. Systeme ihren Grund in asthenischer Schwäche hat. Zu den andern praktischen Erfahrungen gehört eine pneumonische Kranke, die er, nach einer weitläuftigen Erzählung, statt sie durch Arzneyen zu retten zu suchen, nach der Vorschrift (mit den Sacramenten) versehen ließ. Auch bey einer inflammatorischen Kolik ließ Hr. L. den Kranken mit allem (hatte Hr. L. alles?) versehen, und so war auf die geistige Behandlung (Sic!) die Kolik in Brand übergegangen. »Obwohl ich alle *Antiseptica* anwandte (in Entzündungskolik!) und in- und äußerlich Kampfer in Klystiren gab: so war doch alle Hülfe vergebens.« — Bey einem Schlage gab er einst einen Geist, der von Spiritu Melis. und liquo. anod. mine. Hoff. zusammengesetzt war. Der Geist that treffliche Wirkung. Die Kranke gab eine dicke Masse von 1½ Maaß von sich. Nach einer mit Bals. vitae H. Liqu. C. C. succ. Tinct. ein m und andern Reizmitteln behandelten Apoplexie ist der Vf. so frech oder einfältig, zu sagen: hätte ich diese Krankheit als asthenisches Uebel mit Reizmitteln behandelt: so hätte ich sicher dem Tode ein Brownisches Opfer mehr (als ohnehin wohl bey Hrn. L. der Fall seyn mag!) geliefert. Ein Wechselfieber konnte er unmög-

lich mit China, sondern mußte es mit auflösenden Mitteln
heilen. Krätze, auch Abzehrungen, curirt unser Hr. L. mit
rob sambuci unc. 2. arca. dl. (auch aus den Abkürzungen
lernt man den Mann kennen!) dr. i., nebst Klettenwurzels
absud. Gegen Würmer bey Faulfiebern hält er C. C. spa-
girice praep. für ein geprüftes Mittel. Beym Schlusse der
Schrift geht noch allerley Praktisches bunt durcheinander;
unsere Leser werden aber schon an diesen praktischen Erfahrungen genug haben. — In der Theorie ist Hr. L. fast
noch stärker. Er glaubt, durch die französische Revolution (ein wahrer Souffre douleur, der von allem die Schuld
hat!) seyen die Köpfe für die Umwälzung der alten Systeme
gestimmt worden. Auch die Neuheit und Einfachheit habe
vielen Antheil. Voll Pathos ruft Hr. L. aus: Sthenische und Asthenische Schwäche, welche Simplicität
(nämlich des Hrn. L.!). Er legt der Brownischen Erregbarkeit und Erregung zwey Principien: Lichtstoff und
Feuerstoff unter, und fügt höchst sinnreiche Erklärungen
darüber bey! Er glaubt, die A. W. sey ohnehin mit griechischen Worten schon überladen (wenigstens für Hrn. L.,
der Chynanke, Parachynanke etc. schreibt!), und bedürfe
nicht noch der Stheni und Astheni (so steht gedruckt!).
Doch wozu noch viel von einer Schrift, welche wirklich unter aller Kritik ist? Es sieht sehr schlimm um das alte System aus, wenn es solcher Vertheidiger und Vertheidigungsmittel, z. B. der französischen Revolution, bedarf! Und
doch will der Mann noch über das neue System witzeln,
S. 16, 17, 30!!

Fp.

Schöne Wissenschaften.

Diogenes Laterne. Leipzig, bey Rein. 1799. VIII
und 380 S. kl. 8. In farbigem Umschlag; und
mit einem Kupferstiche von Bolt. 1 Rh. 12 gr.

Eines der Creditive, die manche Sofer ihren Verlagsarti-
keln itzt mit auf den Weg geben, oder voran laufen lassen,
streicht den Laternenträger auch als Romandichter und Reisebeschreiber heraus. Hat es damit seine Richtigkeit: so
muß der Ausflug des Ungenannten ins Reich der Phantasie

sie seiner Erfindungskraft nur wenig Spielraum erlaubt, und
der Streifzug ins Gebiet der Wirklichkeit ihm noch weni=
ger Sach= und Menschenkenntniß |zur Ausbeute gewährt
haben; denn weder durch Ideenfülle, noch Reichthum prak=
tischer Bemerkungen zeichnet sein Produkt sich unter den Ta=
schenbüchern aus, womit die Lesewelt zu ganzen Dutzenden
itzt heimgesucht wird. Schon der so verbrauchte Titel macht
mißtrauisch; weil nämlich eine nicht schwache Dosis von Ori=
ginalität dazu gehört, dem längst creditlos gewordnen Aus=
hängeschilde neuen Reiz und neues Zutrauen zu verschaffen.
Von solch einer Genialität aber finden in dieser Wiederauf=
frischung sich so wenig Spuren, daß ihr Unternehmer das
Flickwerk eben so gut Diogenes Tonne, oder was man will,
hätte taufen können. Zwar bedient er von Zeit zu Zeit sich
einer Laterne; die aber gar nicht von der Beschaffenheit ist,
auf Empfehlung Anspruch machen zu dürfen. Er fährt
nämlich dem Vorübergehenden damit in's Gesicht, um durch
Blendung ihm hinterrücks eins versetzen zu können. Der=
gleichen Instrumente nannte man ehedem Diebes=Laterne.

Hier die Anzeige der das meiste Papier kostenden Auf=
sätze; denn alle eilf umständlich zu beurtheilen, stände mit
dem innern Werthe derselben in keinem Verhältnisse. Ein
durch theils schlecht, theils durch erträglich gebaute Hexa=
meter sich windendes, 110 Seiten langes, und also mehr
als ein Viertel des Ganzen füllendes Gedicht: das acht=
zehnte Jahrhundert betitelt, macht den Anfang. Die
Beyschrift indeß: eine Satyre, hätte der Satyrikus sich
ersparen mögen! Hat ein witziger Kopf über Irrthum, La=
ster oder Lächerlichkeit, in einem Ton und mit Farben sich
expectorirt, die dieser Dichtungsart zustehn: so wird er es
darauf ankommen lassen, ob der verständige Leser es für
Satyre nehmen will oder nicht; schwerlich aber es unter
diesem Stempel ihm aufbringen. Ein ganz anderer Fall,
wenn es Nachwelt oder fremde Sammler sind, die Strafge=
dichten unter dieser Rubrik ihren Platz anweisen. Was nun
die angebliche Satyre selbst betrifft: so ist das ihr unent=
behrliche Bittersalz viel zu sparsam ausgestreut, des Uner=
warteten, und also Neuen; des Tiefbeißenden, und in die=
ser Operation also Heilsamen viel zu wenig darin, um son=
derliche Wirkung sich versprechen zu dürfen. Invectiven
sind noch keine Stachelschrift; und bloßer Contrast gehört

D 2   dem

Wer sie bezahlt, dem fröhnet sie, die
                    liche Feder.
Ihre Robertspierr'n und Marats hat auch die
                    Musen:
welt: wir morden blutig, und guillotiniren einander
mit der Kritik vergiftetem Messer: kämpfen für
                    schlechte
Verse eifriger, als für Teutschlands Freyheit die
                    Teutschen.
Unsre Feder taucht sie in Galle, oder in Rosen:
Wasser, nachdem uns das Glück die Laune schwarz,
                    oder roth färbt.
Also schreiben wir, Freund!! und sitzen im Rath der
                    Menschheit!!

*   *,   *,   *,   *,   *,

Und wer weiß es, warum ich meine Feder satyrisch
spitze? Brennte mir, statt des kärglichen Lämpchens,
                    ein Kronen:
Leuchter des Modejournals: wär dieses Stübchen ein
                    Prunksaal,

                                        und

und umscherzte mich hier, statt des murrenden Katers
(der meine
ungebetenen Gäste zum Mahl sich, die Mäuse, be=
reitet)
irgend ein lächelndes Kind in zierlichen Schatul à la
Nelson!
Freund! ich schrieb einen Obelisk statt dieser Sa=
tyre!

Daß hier eine Note uns über die Lage des Dichters beru=
higt, als der wirklich in wohlaufgepußtem Zimmer bequem
am Pult sißt, wirft den Spaß des gänzen Einfalls wieder
über den Haufen. Aus dem hier so häufigen Ueberspringen
in andre Zeiten, und der ärgen Trajection, die sich die ar=
men Mäuse müssen gefallen lassen, muß der Leser jedoch
nicht schließen, als ob diese Unart durch das ganze Taschenbuch
herrsche; oder, wenn hier ein Obelisk geschrieben wird, an=
derwärts das Kunststück auch an Pyramiden sich versucht
fände. Für allgemeine Verständlichkeit ist durch vorläufigen
Inhaltsbericht, so wie durch zahlreiche Anmerkungen unter
dem Text gesorgt worden; wovon, wie sichs versteht, man=
ch: selbst wieder satyrisch sind. Mit diesen mag es noch hin=
gehn; schlimm genug indeß, wenn so viel andre Stellen des
leidigen Hülfsmittels bedurften!

Auch die zweyte Wand der eilfeckigen Laterne ist poe=
tisch verziert; mit Wünschen nämlich an das Neunzehnte
Jahrhundert: einer satyrisch = sentimentalischen Apostro=
phe, wie es ausdrücklich heißt. Der Dichter hat zu diesem
Neujahrhundertswunsche, der Alles, was Odem hat, lie=
bevoll umfängt, eine Art Jamben gebraucht, wozu es ihm
an Beyspiel fehlte, und die er daher selbst schaffen mußte.
Hier ein Hunderttheilchen dieser angeblich beyspiellosen
Form:

—— Schau nur! Hadern sie sich nicht (feil. die
Menschen)
in dich hinein: ob mit dem Jahre Eintausend
achthundert, oder mit achthundert eins
Du, neuer Zeitsohn, uns beginnen sollst?
Darüber zankt man in Akademien
und Tabagien: und eh sie sich darob
versöhnte Hände reichen würden, könne=

D 3

dein großes Stundenjahr verrinnen, und
du strahltest ihnen nie am Himmel auf. —

Bey dem Wort Akademie giebt der Gratulant eine gewal-
tig tiefsinnige Note zum Besten, wo am Ende sich findet:
daß die Schwierigkeit den Anfang eines Jahrhunderts zu
bestimmen (ob christlichen oder nicht, wird weislich verschwiegen) bloß eingebildet und nichtig ist. Schade, daß
Rec. weder aus Text noch Noten, vermuthlich noch viel
Beyspielloseres heben kann, weil in vorliegendem, sonst gut
geheftetem, Exemplar zwey ganze Bogen fehlen, von S.
129 nämlich bis 177. Schon oft fanden in dergleichen,
broschirt ausgegebenen, Büchern sich beträchtliche Defecte,
die nun nicht mehr einzufalzen sind, ohne den meist verzier-
ten Umschlag unbrauchbar zu machen. Zu was hilft also,
wenn die Buchhändler dem oft gegebnen Rath, ihre Waare
binden zu lassen, endlich sich zu fügen anfangen; nicht aber
dafür sorgen, daß solches mit Aufmerksamkeit geschehe?

Eben dieses Defects halber kann Rec. von dem dritten
Bestandtheile der Laterne, als dessen Anfang auch in die
Lücke fällt, nichts Befriedigendes sagen. Er hat zur Ueberschrift: Definition des Menschen, als eines Thieres, welches sehr klug seyn kann, es immer seyn will, und es nie,
oder höchst selten, ist. Der Verfasser thut auf dieses, 72
Seiten kostende, Stück nicht wenig sich zu gut; Rec. aber
fand im Verfolge des gewaltigen Wortschwalls ganz und
gar nichts, was ihm den Wunsch abgenöthigt hätte, auch
das a quo der Fluth kennen zu lernen. Noch viel schlechter
fuhr er in darauf folgendem Artikel, betitelt: Falkenblicke
in die neuste deutsche Literatur. Nichts anders war daraus
zu lernen, als daß ihm, dem Falken, größtentheils müssen
die Augen geblendet gewesen seyn, als er an diese Jagd sich
wagte; so dürftig, einseitig, unsicher und schief sieht es mit
den meisten Urtheilen des Spähers aus. Wer es mit Niemand verderben, höchstens an längst dem Spotte preisgege-
benen Scriblern sein Müthchen kühlen will, wird schwerlich
etwas Beherzigungswerthes zu Markt bringen! Ein wenig
unterhaltender, und dem Scherze treu bleibender, sind La-
vater's vorgebliche Selbstbetrachtungen beym Tode des an-
tilavaterianischen Lichtenberg; wo es jedoch des Witzigen
und Unerwarteten, in Rücksicht auf Kontrast und Laune
noch immer viel zu wenig giebt, um dem Autor das Prädi-
kat

lat eines ächten Satyrikers zu sichern. — Peter Pindar's Lausiade, das eckelhafte Ding, verdeutscht zu haben, ist ebenfalls kein Beweis geläuterten Geschmacks; und hatte Herr Falk den seinigen verläugnet, um Ramler's Passions-Cantate zu Verunglimpfung eines Dritten zu parodiren: so ist es noch viel tadelnswerther, den Unfug weiter auszudehnen, und aus Uebel Aerger zu machen. Wie mißlich es überhaupt um die Originalität dieses Satyrici ex professo steht, erhellet schon daraus, daß sogar der scurrile Reichsanzeiger, womit ein Paar sonst nicht schlecht organisirte Köpfe ihr excentrisches Allerley für den Gaffer aufzustutzen versucht hatten, auch von ihm geradezu nachgeäfft, und, wo möglich, mit noch gröbern Persönlichkeiten durchspickt wird. Da die Laterne, wie er zu hoffen wagt, alle Jahr von neuem leuchten soll, werden andre Städte für andre Jahrgänge aufgespart, und für dießmal trifft die Reihe nur Berlin. Ob die von ihm angezapften Individuen solch eine Frechheit zu rügen der Mühe werth halten dürften, wird die Zeit lehren. Billig indeß, daß einer der Erfinder dieses Reichsanzeigers von dem Nachahmer selbst zur Schau gestellt wurde. Per quod quis peccat, cet. — Im Vorberichte machen beym Herausgeber deßhalb einige Bedenklichkeiten auf; indeß hofft er, man werde Spaß verstehn; und im Nothfall erbittet er sich, die Pasquillen-Rubrik ein andermal lieber weglassen zu wollen. Was aber wird ihm alsdann sonderlich Anziehendes zum Auftischen übrig bleiben? Ein Kleeblatt von Aufsätzen hat Rec., ihrer Unbedeutenheit halber, und wegen Mangel an Raum, ganz unangezeigt gelassen. Druck und Papier sind sauber; auch der Druckfehler nicht gar zu viel. Wäre vom Uebrigen nur mehr Gutes zu sagen!

Xy.

Basrelief am Sarkofage des Jahrhunderts. Von Matthison. 1799. Aus Göschens Druckerey, mit lateinischen Lettern. 14 S. gr. 4. auf geglättetem Velinpapier. 8 ℔.

Auch wenn des Dichters Namen sich hier nicht fände, würden der schauerliche Ton, das Helldunkel, und die übrigen

Eigenheiten der Darstellung ihn sogleich verrathen. Allerdings hat das 23 Strophen lange Gedicht mehr als eine Stelle, die für rührend, reichhaltig, schön gesagt gelten kann; und ohne Zweifel gereicht es lyrischem Ergusse von mäßigem Umfang zur Empfehlung, wenn darin Alles so innig in einander sich verschränkt, daß man einzelne Schönheiten nicht ausheben kann, ohne den Reiz zu schmälern, der ihnen aus benachbarter Schattirung zuwächst. Dennoch getraut Rec. sich nicht, das Ganze den vorzüglichern Erzeugnissen des beliebten Dichters beyzuzählen. Vermuthlich, weil Jener es mit ein Paar Ramler'schen Gedichten ähnlichen Inhalts verglich; in diesen aber Ton und Farbengebung sich immer auf gleicher Höhe behauptend, und wo Hr. M. nachahmt (wie er dieß denn auch in der Versart gethan), die trefflichsten Züge schon von dem Berliner Lyriker noch viel correcter benutzt fand. Daß über die Abscheulichkeiten des Krieges geweheklagt, und über die zweydeutige Rolle Deutschlands gezürnt werde, kann man sich vorstellen. Gegen den Schluß des Gedichts:

> Auf Nassaus Veste jüngst weilt ich mit Ahndungs-
> schauer,
> Das Herz der düstern Zukunft voll,
> Als fernem Donner gleich, dumpf durch die öden
> Mauern
> Der Geister Zürnen scholl:
> »Seyd ihr noch Hermanns Blut?« u. s. w.

Warum ward Nassau hier zum Standort gewählt, und nicht irgend ein andrer, durch große Begebenheiten der Poesie geheiligter? Wenn die beyden ersten Zeilen der Strophe:

> Das Mitgefühl verdumpft: man hört mit kaltem
> Lächeln
> Was tief die Seele sonst bewegt —

für nicht viel mehr als Prosa zu nehmen sind: so wird man die zwey nachfolgenden desto dichterischer finden:

> Seit jeder Zefyr, der uns kühlt, ein Todesröcheln
> Auf seinem Fittig trägt!

Daß Paris unsre Sitten ehemals verderbt habe, mag wahr
genug

genug seyn; schwerlich aber erwartet man noch itzt eine Apostrophe, wie nachstehende:

Daß dir Germanien, o Frankreich! sichrer fröhne,
   Vergiftest du den Spätlingsrest
Vom alten Rittermark im Arm der Heldensöhne
   Durch deiner Sitten Pest. ——

Vielmehr haben die unglücklichen Franzosen seitdem uns
Beyspiele von Muth und Ausharrung gegeben, die besserer
Sache würdig wären, und billig ihre Nachbarn hätten auf-
schrecken sollen; auch dieß wirklich thaten; oder hatte der
Dichter von den Siegen des Erzherzogs, und der Austro-
Russen in Italien noch gar nichts gehört? Der politischen
Pest hingegen, wodurch das Ende des Jahrhunderts so
fürchterlich sich auszeichnet, erwähnt das ganze Gedicht mit
keiner Sylbe: und doch hätte diese Empörung gegen Ordnung und Zucht wohl eben so viel poetische Farben geliefert,
als irgend ein andres Ereigniß alter und neuer Geschichte.
— Wenn Herr M. um mit Ruhm, und stäubt mit be-
täubt, oder gar steigt mit bleicht, und Prag (das überdieß
hier gar nichts zu suchen hatte) mit wach zu reimen sich
erlaubt: so ist das keineswegs zu loben. Vergeblich wird
er in Ramlers Werken nach einer solchen Lienz sich umsehn. Kein Wunder, wenn unsre jungen Sänger, denen
nur das Neueste willkommen ist, und Mißgriffe noch am
leichtesten in der Nachahmung scheinen, nach dem Vorgange
eines sonst verdienstvollen Dichters, wie Herr M., sich
gleicher Nachläßigkeit, und das immer häufiger, schuldig
machen! Auch der Umstand, daß mehrere Stellen des Produkts, ja seine Ueberschrift selbst, eines Commentars bedürf-
ten, bleibt mißlich genug. Wer von Sarkophagen und dgl.
nichts weiß, ist kaum zu solch einer Leserey geeignet; und
sodann hätte man den Kunstausdruck Basrelief ebenfalls
erläutern sollen; weil in der Note zu Sarkophag, der Bey-
satz: »gewöhnlich mit erhobnem Bilderwerk verziert,« —
dem eigentlichen Begriffe nicht ganz entspricht.

Mb.

Theater.

Der Lorberkranz, ober bie Macht ber Gesetze. Ein
Original-Schauspiel in fünf Aufzügen von F. W.
Ziegler. Wien, bey Rehm. 1799. XII und
138 S. 8. 8 Xr.

Zum Lorberkranz kommt bas Stück burch ben Einfall eines, wie sich verstcht, bildschönen Fräuleins, das ihn anfänglich brm in ber Nähe fechtenden jungen Erbprinzen zu
Ehren sticht; als der rechte Liebhaber aber, ein auch braver
Rittmeister, zum Vorschein kommt, andern Sinnes wird,
und ben halbfertigen Lorberkranz unter den Tisch wirft.
Hier weiß ein schlauer Hoffjunker, bem bie Neigung bes
Erbprinzen nicht unbekannt blieb, solchen aufzustöbern, und
ihn, als von der Dame selbst abgesandt, seinem Fürsten in
bie Hände zu spielen. Unglücklicher Weise hat der Rittmeister bey bem abwesenden Erbprinzen zu thun; sieht ben ar-
gerlichen Ehrenkranz in dessen Zimmer prangen, wird von
Eifersucht übermannt, und steckt, ohne sich lange zu beben-
ken, ihn in bie Tasche. Der Urheber solch eines Attentats
wird bald ausgeforscht, und beym Kragen genommen. Sein
Oberster, Vater bes Fräuleins, merkt zeitig genug, baß
bie Ehre ber Tochter hier im Spiel ist, und setzt vor ihr
Zimmer eine Schildwache. Als, bem ungeachtet, erst ber
Kammerbiener bes Prinzen sich an biese nicht kehrt, sich
gar an ihr vergreift, und, wie billig, festgenommen wird,
ber Erbprinz aber bas Ding übel nimmt, und in bas beß-
halb niebergesetzte Verhör ungebührlicher Weise sich mischen
will, wird auch er in Anspruch genommen, und muß seinen
Degen abgeben. Hieraus nun erwachsen Conflicte, über
bie bes Obersten Gerechtigkeitspflege sich so muthig hinweg-
setzt, baß dem Schauspiel sein zweyter Titel: bie Macht
ber Gesetze, nicht mehr streitig gemacht werben kann.
Denn auch ber herbeyeilende regierende Fürst macht zwar
Anfangs saure Gesichter, und vermehrt baburch bie Span-
nung, billigt jeboch am Ende alles, was geschahe, belohnt
den seltenfesten Obersten, und führt bas liebende Pärchen,
den Rittmeister nämlich und sein Fräulein, einander in bie
Arme. Nur ber verschmitzte, so heimlich a la Marinelli
sich benehmenbe Kammerjunker wird nach Hause geschickt;

in's

in's Kloster aber eine Freundinn des Fräuleins, die der Rittmeister lieber für sich behalten, und diese dem Prinzen gern
gegönnt hätte, daher mit dem leidigen Kammerjunker unter
Einer Decke spielte, und den Wirrwarr verdoppeln half.
Auf den ersten Blick hin scheinen Plan und Motivirung
der Fabel kleinlich genug zu seyn, und ans Komische, oft
Burleske zu gränzen. Herr J. indeß hat Alles sehr feyerlich behandelt, läßt die handelnden Personen um die Wette
grandisoniren, und bringt sogar Erschütterungen hervor, die
manchem Trauerspiel fehlen; in dem Augenblicke z. B. wo
er den Obersten erfahren läßt, daß in eben dem Handge-
menge, wo Erbprinz und Rittmeister sich so hervorgethan,
sein einziger Sohn den Tod gefunden hat; hier beträgt der
graue Krieger sich wirklich heldenmäßig, ohne jedoch den
Vater zu verläugnen. Für Abwechslung der Scene und
lebhaften Zeitvertreib auf ihr selbst, ist, wie man sieht, hinreichend gesorgt worden; und wenn der Zuschauer von Geschmack das Stück auch nicht zum zweytenmal besuchen, noch
weniger vielleicht es zu lesen Lust haben sollte, wird er vermuthlich doch nicht ungeneigt seyn, die erste Darstellung bis
zum Plaudite abzuwarten. — Ueber Art und Unart der
Zieglerschen Stücke ist in unsern Blättern, und das von
ganz verschiednen Beurtheilern schon oft gesprochen worden;
da in vorliegendem Erzeugnisse nun dieser Dramatiker sich
weder verbessert, noch verschlimmert hat, glaubt Rec. auf
die frühern Anzeigen füglich verweisen zu können. Ein genauerer Rechenmeister ist jedoch Herr J. seitdem geworden;
denn als einer der Colloquenten, gleich auf erster Seite, versichert, das Fräulein habe innerhalb 6 Stunden den Prinzen siebenmal ausdrücklich genannt, hat der scharf beobachtende Kammerjunker ausgerechnet, daß solches nur viermal
geschehe, da sie hingegen des Rittmeisters nicht weniger als
zwölfmal erwähnt hätte!! — In einer nicht kurzen, sehr
rhetorisch gefaßten Dedikation an die Kaiserinn empfiehlt
die schwache, aber redliche Muse des Verf. mit Demuth
sich in Gnaden, legt den Lorberkranz bescheiden und zitternd
an den Stuffen des Thrones nieder, und ahnet froh, daß
die Erlaubniß hierzu seiner Arbeit erst den rechten Weg geben werde. Schlimm genug in Wahrheit für seine übrigen
Produkte, die solchergestalt nach andern Empfehlungen sich
werden umzusehen haben!

Jb.

Schau-

Schauspiele von Franz Kratter. Erster Band.
Frankfurt am Mayn, 1799 bey Eßlinger. 188.
184 u. 190 S. 8. Mit drey größern und eben so
viel kleinern Titelkupfern. 1. Rt. 6 Kr.

Die drey in dieser ersten Abtheilung enthaltenen Stücke
sind: Die Verschwörung wider Peter den Großen, das
Mädchen von Marienburg, und der Friede am Pruth. Ob
etwas von ihrem Verfasser daran gebessert worden, findet
nirgend sich angezeigt; überall bleibt die Seitenzahl wie in
den vorher einzeln abgedruckten Dramen; und so weit Rec.
in dieser neuen, ungleich netter und auf schöneres Papier
abgedruckten Ausgabe sich umsah, stieß solcher auf nichts,
was nach irgend einer Verbesserung oder Aenderung schmeck-
te. Da nun die beyden ersten Schauspiele schon im XXIII.
Bande der Al. A. D. B., und das dritte unlängst erst ihre
Beurtheiler darin gefunden: so scheint nichts weiter übrig
zu seyn, als auf jene Anzeigen zu verweisen.

Allerdings zeichnet Herr Kr. sich vortheilhaft unter
dem Schwarm unberufener Dramatiker aus, die mit Abgeschmacktheit und Ungezogenheit jeder Art unsre Bühne jetzt
heimsuchen. — Einzelne Auftritte gerathen ihm nicht selten;
manchem der von ihm aufgestellten Charaktere weiß er Haltung zu geben, und ihn darin zu behaupten; auch auf Thea-
terschläge versteht er sich, und auf Erschütterungen, die
zwar nicht tief genug greifen; für den Augenblick aber nicht
ohne Wirkung sind. Bey dem Allen fehlt seinen Arbeiten
noch viel zum reichhaltigen Einklange des Ganzen, zu derjenigen Geschliffenheit und Bündigkeit im Vortrag und Dia-
logenton, wodurch Kunstwerke dieser Gattung sich dauern-
den Beyfall versprechen dürfen; und ein unerträglicher Umstand für Zuschauer oder Leser von nur einiger Kenntniß ist
und bleibt es, daß, um die Schauspiele dieser Art zu genießen, man Rußlands Geschichte, den Geist der Nation,
ja die Individualität des Czaren selbst, rein muß vergessen
lernen. Um die hier wieder hervorgerufenen Ereignisse so
poetisch zu behandeln, wie von Herrn Kr. wirklich geschieht,
hatte die Alles umstaltende Zeit noch lange nicht genug vorgearbeitet, und unmöglich kann der Anfang des achtzehnten
Jahrhunderts schon zu dichterischem Helldunkel taugen!

Dem

Dem sey wie ihm will: für die Liebhaber solcher ins Fach dramatisirten Romane heruntergleitenden Darstellungen hat der Verleger in der neuen Ausgabe durch correctern Druck gesorgt; auch dadurch, daß er das Titelblatt jedes Stücks in Kupfer graben, und noch oben ein mittelst artiger, aus dem Drama selbst entlehnter Figurgruppen, von den Herren Panzel und Böttger gestochen, hat auszieren lassen.

Im.

Romane.

Fridolin der Gaukler, weiland theatralischer Kreuz-fahrer, Emigré, politischer Revolutionär, Mar-tyrer des Geschmacks. Erster Abschnitt. Maynz und Hamburg, bey Vollmar: 1800. 190 S. 8. 14 R.

Der Verfasser dieses possierlichen Büchleins ist ein lustiger Kopf, der sich, — wenigstens im ersten Abschnitt — die Lächerlichmachung herumziehender Komödiantengesellschaften, des verdorbenen theatralischen Geschmacks unseres ehrsamen lieben Publikums, und der Gebrechen der — Nationalbüh-nen zur Absicht gemacht hat. Alle diese Dinge werden in ihrer ganzen Erbärmlichkeit dargestellt, und die nomadischen Institute der Schauspielkunst vornehmlich in hohem Grade lächerlich und verächtlich gemacht. Mehr als einmal ist Rec. Lichtenbergs witzige Interpretation eines Hogarthschen Kupferstichs eingefallen, worauf der Tempel Thalias in ei-ner — Scheune vorgestellt wird. Hier und da stößt man auf sehr treffende und eindringende Gedanken, die man viel-leicht hier nicht sucht. In andern Stellen streift der Humor des Verf. zu weit über die Gränzen des ächten Witzes hin-aus, wird possenhaft, und verfehlt dadurch die Wirkung, die er hervorbringen sollte. Andere Stellen sind ganz müßig und langweilig; wenigstens dürften wenig Leser ein Beha-gen an der großen Sitzung des Nationaltheaters von S. 141—163 finden. Dahingegen ist das Bild der Natio-naltheater, wie sie seyn sollten, und wie sie nicht sind, in folgender Stelle ziemlich richtig zur Beherzigung für Groß

und

und Klein gezeichnet: »Ein Schauspiel der Nation kann
sich nur da zu dem Begriff erheben, wo die Gesammtheit
eine Nation bildet, einerley Geschmack und einerley Forderungen mitbringt, wo man nach ewig bestimmten Gesetzen
urtheilt, folgert, und sich unterrichtet, oder unterhalten
läßt ... wo aus dem allgemeinen Seckel vom Seckelbe-
wahrer das allgemeine Vergnügen bezahlt wird ... wo
die Vergnügenspender nicht einbüßen, sondern vortheilen ...
wo dem siechen Alter eine Ernährung, und dem entseelten
Körper ein christliches Grab unverwehrt ist ... (Deutschland erlaubt doch wenigstens jetzt dem Schauspieler ein ehr-
liches Grab!) wo man die Kunst als ein Institut der Nützlichkeit, und die Verrichtung als Bildungszweig betrachtet.
Hier werden schöne Seelen, die die Natur zu der Verrichtung
stempelte, versammelt, um am Busen der göttlichen Begei-
sterung, und an der Hand der Kunst schöne Empfindungen
schön wieder zu sagen, und darzustellen. Die Bahnrichter
dieses Schauspiels sind die edelsten Männer der Nation,
nämlich jene, die da Proben ihres Geistes, ihrer schönen
Seelen und Gefühle ablegten. ... Hier gelten keine Ca-
balen, kein Zischen, Pochen, Pfeiffen, Klatschen und Her-
ausrufen. Der Künstler wird ermuntert, wenn er es verdient, der Stümper verwiesen, ohne daß er einbüßt; denn
wer verwehrt ihm, einen andern bürgerlichen Erwerb zu
suchen? Hier präsidiren keine Galleriemänner; dafür sind
die Kreuzerbuden da, wo die ihr Gebiet finden können,
die nicht zum Verstande wallfahrten wollen. Die Bahnrichter der Nation haben leichtes Spiel, denn das vollen-
detste Schauspiel war schon da; mit einem Folianten voll
Regeln, Grundsätzen, Theorien und praktischen Erfahrungen steht die Vergangenheit da, und bietet der Gegenwart
ihre Resultate an. ... Die Erzieher und Bildner haben
nichts zu thun, als zu abstrahiren, auf welchem Wege der
Nation jene Erfahrungen eingeimpft werden müssen, und
wie der National-Organisation beyzukommen ist? .. Hier
(das heißt: an jedem Orte, wo sich sogenannte Nationaltheater befinden) besteht die Nation aus Provinzialen. Die
Darsteller aus den verschiedenen Provinzen des großen
Reichs sind sich und den Zuhörern fremd; ihre Sitten und
Dialekte contrastiren mit den hier herrschenden. Die Kunst
betrief sie nicht; die Natur wählte sie nicht aus. Der Geschmack ist eine Episode; der Punkt, von dem ausgegangen,
und

und das Ziel, das erreicht werden soll, ist unabgesteckt. Der Oberdirektor ist ein — Jude, und die Mitglieder sind Fremdlinge. Sehen Sie da das Bild des — Nationaltheaters « — und also fast aller Nationaltheater! —

Su

lich C.

Gräfinn Sidonie von Montabaur, oder die Geheimen aus Griechenland. Vom Verfasser der Seraphine von Hohenacker. Zwey Theile, 326 und 312 S. Cöthen, bey Aue. 1798 und 99. 1 Rt.

Das Sujet eines Fürsten, der durch Geisterspuck getäuscht wird, ist zwar nicht mehr neu, und der Zusammenhang der Theile dieser Geschichte nicht sonderlich klar; indessen kann man doch dem Verf. derselben den Geschmack und das Talent der lebendigen Darstellung in den einzelnen Scenen nicht absprechen, und der Leser, der um des Genusses einzelner Schönheiten willen lesen mag, wird hoffentlich mit dieser Rhapsodie nicht unzufrieden seyn.

Cm.

1. Carita und Polydor, von J. J. Barthelemi(n) Verfasser der Reisebeschreibung des jüngern Anacharsis. Aus dem Französischen übersetzt und mit einigen erklärenden Anmerkungen begleitet. Lemgo, in der Meyerschen Buchhandlung. 1799. 140 S. 8. 10 Rt.

2. Polydor und Carite. Von (Vom) Abbé Barthelemy, Verfasser der Reisen des jüngern Anacharsis. Aus dem Französischen von Jos. Polt. Prag, Wien und Leipzig. 1799. im Verlag (e) der Poltischen Buchhandlung. 130 S. 8. 8 Rt.

Zwey deutsche Uebersetzungen des anziehenden französischen Romans aus der Feder des unsterblichen Barthelemy. Eine dritte Uebersetzung desselben befindet sich auch in den bereits erschie erschienenen übersetzten vermischten Schriften des großen Mannes, wovon nächstens eine umständlichere Anzeige in unsrer Bibliothek erscheinen wird. Der Gegenstand des Romans selbst beschäfftigt sich mit der unglücklichen, nachher gekrönten Liebe des Griechen Polydor und seiner vortrefflichen, ihm unerschütterlich treu gebliebenen Carite. Das ganze Gemälde ist mit vieler Zartheit angelegt und ausgeführt. Die darin enthaltenen Erzählungen rühren um so tiefer und inniger, je mehr sie aus der Natur des menschlichen Herzens und der Liebe selbst hergenommen, und ganz in der Sprache dieser zärtlichen Leidenschaft abgefaßt sind. Ein größerer Wechsel der Begebenheiten und Empfindungen würde dem Buche unstreitig auch ein größeres Interesse gegeben haben, — im Ganzen scheint der Plan des Vf. zu einfach und zu eintönig zu seyn. Wir können keinen Auszug daraus liefern; sondern begnügen uns hier nur mit Anzeige der beyden obigen Uebersetzungen.

No. I. würde einige Vorzüge vor der zweyten haben, weil man hier zugleich eine Nachricht von dem Leben und Schriften des großen Alterthumsforschers, und unterm Text der Uebersetzung erklärende Anmerkungen findet; allein jene biographischen und literarischen Nachrichten von Barthelemy sind äußerst mager, und können denjenigen, welche sich in seinen vermischten Schriften befinden, gar nicht an die Seite gesetzt werden. Auch die erklärenden Anmerkungen sind trocken und geschmacklos genug aus dem ersten besten Alterthums-Lexico zusammengestoppelt worden, — so wie die Uebersetzung selbst eine zu flüchtige Feder, und einen in der Schönheit der deutschen Sprache nicht sehr geübten Mann verräth.

Auch der Uebersetzer von No. II. sagt es selbst, daß er mit Eile gearbeitet, — und es ihm an Zeit gemangelt habe, seine Arbeit auszufeilen. Leider! bemerkt man dieß auch auf jeder Seite. Das Buch wimmelt von Schreibfehlern fast aller Art. Auch begreifen wir nicht, warum der Titel desselben umgedrehet worden ist. Eine Flüchtigkeit, welche den eilfertigen Uebersetzer schon an der Spitze seiner Arbeit ankündigt. Bey einer genauern Vergleichung beyder Uebersetzungen findet man einen zu großen Unterschied einzelner Stellen; als daß man dem einen oder dem andern der Uebersetzer eine genaue Kenntniß der französischen Sprache zutrauen könnte.

Vz.

Intelligenzblatt

der

Neuen allgemeinen deutschen

Bibliothek.

No. 25. 1800.

Bücheranzeigen.

Neue Verlagsbücher von Darnmann in Züllichau.

Foderé, F. J., Aufklärungen der Gesetze durch die Naturwissenschaften; oder Abhandlungen über die gerichtliche Arzneywissenschaft. Aus dem Franz. mit Anmerkungen und Zusätzen von Dr. J. B. Liezau. 2 Bände, gr. 8.

Gallus, G. L., Geschichte der Mark Brandenburg, 3r Theil. Neue verbesserte Auflage. 8. Druckpr. 20 Gr. Holl. Ppr. 1 Rthlr. 4 Gr.

Hoffmann, P. J. G., Repertorium sämmtlicher Preuß. Brandenburg. Landesgesetze für Finanz- und Justizbediente, gr. 8. 4 Rthlr.

Rochlitz, Fr., Charaktere interessanter Menschen in moralischen Erzählungen dargestellt, zur Unterhaltung in einsamen ruhigen Stunden. 2r Theil. 8. 1 Rthlr. 12 Gr.
    Hat auch den Titel:
Victors Reise, um Menschen kennen zu lernen.
— Erinnerungen zur Beförderung einer rechtmäßigen Lebensklugheit, in Erzählungen u. s. w. 4r Theil. 8. 1 Rthlr. 4 Gr.

Seeliger's, J. G., Predigten über diejenigen Gegenstände der christlichen Glaubens- und Sittenlehre, welche eine ganz vorzügliche Beherzigung von unserm Zeitalter verdienen. In einem Jahrgange über die Sonn- und Festtags-Evangelien, 1r Theil. gr. 8. (In Commission.) 16 Gr.

(Bb)   Wachs-

Wachsmuth's Erholungsstunden beym Clavier oder Piano-
forte, mit Begleitung einer Violine. Erste Sammlung.
(In Commission.) 1 Rthlr.

Frankreich im Jahr 1800. 5s Stück.

Inhalt: I. Vollständige Anzeige des Magazin encyclopedique, ou Journal des Sciences et des Arts, redigé par A. L. Millin. II. Officielle Actenstücke. Briefe
des Lord Grenville und Reden dieses Ministers im Oberhause,
mit einigen vorangeschickten und einigen begleitenden Bemerkungen. (Beschluß.) III. Merkwürdige Rede von Che-
nier, gehalten in der Sitzung des Tribunats vom 23sten
Germinal. IV. Der kleine Taubstumme des Abbe de l'Epée.
V. Musterhafte Einrichtung im Departement der auswärtigen Angelegenheiten, mit dem vorangeschickten Berichte des
Ministers an den Staatsrath über diesen Gegenstand. VI.
Auszug aus einem Briefe aus Alexandrien von einem französischen Künstler an seine Frau in Paris. Vom 26sten
Pluviose. VII. Aus dem Tagebuche eines Deutschen in
Paris. Primidi 11. Floreal 8. VIII. Einige vorbereitende Aufsätze zu der großen Revolution, die Mercier, Mitglied des französischen Nationalinstituts!!! in dem bisher
angenommenen Weltsystem bewirken will. IX. Stances
a la Lune. Zur Beylage die Musik dazu fürs Klavier.

Fortsetzung der in No. 24. abgebrochenen Anzeige
der Bücherverbote zu Wien.

Bücher in ausländischen Sprachen.

Abbé (l') de la Tour, ou recueil de nouvelles et d'autres
écrits divers. 3 Tomes. à Leipsic. 1798. 8.

Abregé de l'histoire de la Grèce depuis son origine jusqu'à
sa reduction en province Romaine. 2 Tomes. à Paris
An. VII. 8.

Abregé de toutes les Sciences, et Géographie à l'usage
des Enfans. Nouv. Edition. à Paris. An. VII. 8.

Abregé des mémoires pour servir a l'histoire du Jacobinisme, par Mr. l'Abbé Barruel. à Londres, 1799. 8.

Agri-

Agricole Biala, ou le jeune héros, fait hiftorique et patriotique, par Philipon. à Paris. An. II. 8.

Ainé (l') de Papeffe Jeanne, Opera bouffon par le C. Fau-
conpet. à Paris, 1793. 8.

Akanças (les) prologue melodramatique, par J. G. A.
Cuvellier. à Paris, 1797.

Alphonfe, hiftoire-portugaife, arrivée lors du tremble-
ment de terre de Lisbonne. à Paris, An. VII. 8.

Alzónde et Koradin. Tome 1 et 2. à Verfailles, An. VII. 8.

Amour et valeur, ou la Gamelle, Comedie par Moithey
et Bellement. à Paris, An. III. 8.

Amour, Haine, et Vengeance, ou hiftoire de deux illu-
ftres maifons d'Angleterre, par François Pages, Tome
1 et 2. à Paris, An. VII. 8.

Amours (les) de Henry et Madelaine, poeme en II
Chants. Nouv. Edition, augmentée de plufieurs piéces
en vers et en profe. à Paris, An. III. 1798. 8.

Les Annales de la république Française de la Conftitution
de l'an III, 6 Tomes. à Paris, An VII. 8.

Anniverfaire (l') ou la Fête de la fouveraineté, Scène ly-
rique, par J. G. A. Cuvelier. à Paris, An. VI. 8.

Antoine, ou le Crime et les remords, par C. P. L. le Bas,
2 Tomes. à Paris, An VII. 8.

Auberge (l') ifolée, Comedie en un acte, par Ch. L.
Guillemain. à Paris. 8.

Avantures de Donald Campbell dans un Voyage aux In-
des par terre, trad. de l'Anglois, par le C. Ch***.
à Londres. 1799. 8.

Avantures (les quatres) recueillées par le Suire, prof.
4 Tomes. à Paris, An VII. 8.

Azalais et le gentil Aimar, hiftoire provençale, 3 Tomes.
à Paris, An VII. 8.

Bonaparte in Italia. Poema di Francefco Gianni. Mi-
lano. 8.

Cacophonie (la nouvelle), par Armand Couffée. à Paris,
An. V.

Caton d'Utique, tragedie, par Tardieu Saint-Marcel.
à Paris, An IV. 8.

Chateau (le) d'Albert, trad. de l'Anglois, par Cantwell,
Tome 1 et 2. à Paris, An. VII. 12.

Choix de Poéfies, extraites de Voltaire et de Lafontaine,
par Poinfinel, avec fig. 2 Tomes. à Paris. 1796. 12.

Les

Les Comediens ambulans, par L***, Tome 1. et 2.
à Paris, An VII. (Nec erga Schedam.)

Conrad, ou le croifé, anecdote du Siecle 15. trad. de
l'allemand, par le Citoyen Muller, à Paris, An VII. 8.

Conquêtes des françaix en Egypte, par P. L. H. n. Ex
C. d. G. Paris, An VII. 8.

Contes en vers de Felix Nogaret, 2 Tomes. à Paris,
An VI. 8.

Correspondance fecrette de Charette, Stofflet, Paifage, et
Cormartin inprimée fur pièces originales faifies par les
armées de la Republique, Tome 1 et 2. à Paris, A. VII. 8.

Coupable (le) ou les vengeances de Mifs Sharp, trad.
de l'anglois par I. F. André. 2 Tomes. à Paris, A. VII. 8.

Crimes (les) de la nobleffe, par Villeneuve. à Paris,
An. II. 8.

Délire des paffions, ou la Vie et les Avantures de Gerard
Montelai, par Fr. Payes, 2 Tomes. à Paris, A VII. 8.

Diablèries (les), par Hector Chauffier et Pizet. à Paris. 8.

Dictionnaire geographique et methodique de la Republ.
françaife en 12 departements, y compris les colonies
occidentales et orientales, par une focieté de Geographes, 4me Edition. Tome 1 et 2. à Paris, An VII. de
la Rep. 8.

Dieu, Poéme épique en huit chants par P. P. Gallet.
An VII. 8.

Diner (le) d'un héros trait hiftorique des Cit. Ponofies,
Dechamps et Armand Gouffée. à Paris. 1798. 8.

Diners (les) du Vaudeville. No. 29. Pluviofe. An VII.
Paris. 12.

Du debat de la revolution fuiffe, ou defenfe du cy devant
General Weifs contre fes detracteurs, Avril 1799. 8.

Ecolier (l') en Vacances, Comedie, par Picard. à Paris. 8.

Eleonore de Rofalba. Drame par Pujos. et Sabaytum,
Paris, An. VII 8.

Emigrés (les), Comedie par Gamas. à Paris, 1799. 8.

Emilie ou la nouvelle Clariffe, par L. C. Devefte, 1. 2.
Tomes. à Paris, An. VII. 8.

Enfance (l') de J. J. Rouffeau, Comedie en un Acte,
par d'Andrieux. à Paris, An. II. 8.

Enfant (l') de mon pere, ou les torts du Caractere et
de l'éducation, par A. V. Dumaniant. 2 Tomes. à Paris, An. VII. 8.

Epi-

Epicharis et Neron; Tragédie, par Legouve. à Paris,
An. II. 8.

Erotopaegnion, five Priapeia veterum et recentiorum Ve-
neri Iocofae facrum, Lutetiae Parifiorum. Anno Reip.
VI. 1798.

Efprit (l') follet. Comedie, par Pigault le Brun. à Paris, 1796. 8.

Examen et confutatio opufculi, cui titulus: refponfum Fa-
cultatis Theolog. Freiburg. de veritate Sacramentorum,
quae iurati Sacerdotes in Alfatia miniftrant. An. 1798. 8.

Felsheim (le Baron de) hiftoire allemande, qui n'eft pas
tiré de l'allemand, par Pigault le Brun. 3. et 4. Partie.
Hamb. et Brünsw. 1798. 8.

Geographie moderne de la France, par I. M. Machiat,
Tome 1. et 2. à Paris, An. VII. 8.

Guerre (la) des Dieux anciens et modernes. Poeme en
10 Chants, par Evarifte. Parme, An. VII.

Hic et Haec, ou le levé des R. P. Jefuites d'Avignon.
Tome 1. et 2. à Berlin, 1798. 8.

Jardin (le) d'amour, ou le Vendangeur. Poëme littéraire-
ment traduit de l'Italien de L. Tanfillo, par C. F.
Mercier. à Paris, An. VI. 8.

Inftructor (the amufing) or a Key to the italian Claffios;
oo: L'Inftruttore giocondo, ovvero la Chiave de Claf-
fici italiani. Londra. 1798 8.

Introductionis in novum Teftamentum capita felectiora,
fcripfit H. B. G. Paulus. Ienae, 1799, 8.

Ifaure et Gernance, ou les refugiés religionnaires, Comedie en 3 actes. Nouv. Ed. par Dumaniant. à Paris, An. III. 8.

Letters of a traveller on the various countries of Europe,
Afia and Africa. Edited by Alex. Thomfon. London.
1798. 8.

Letters to a young Lady, on a variety of ufeful and inter-
efting fubjects in 2 Vols. By John Bennett. II. Edition. Vol. 1 and 2. London. 1795. 8.

Livre (le) utile et agreable pour la jeuneffe contenant la
declaration des Droits etc. A Paris, An. VII. 8.

Magafin encyclopedique, par Millin. No. 1. 2. 3. 4. Tome 1. An. V. 8.

Malheurs (les) d'Elifabeth, ou les victimes de la perfidie
par M. Meylin Fleury. à Paris, An. VII. 8.

La

La Marquise de Pompadour, ou Germon et Juliette, Comédie en 3 actes, par le Cit. Cubieres. à Paris, A. V. 8.

Mere (la fausse) ou une faute de l'amour, Drame en 3 actes, par Camaille et Deftival. à Paris, An. VI. 8.

Mémoires politiques et militaires pour servir à l'histoire secrete de la revolution françaife, 2 Tomes. à Paris, An. VII. 8.

Mémoires pour servir a l'histoire du Jacobinisme, 4me Partie, par Mr. l'Abbe Barruel. à Londres.

Minuit, ou les avantures de Paul de Mirebon, par l'auteur de Sophie de Beauregard et de Zabeth. à Paris, A. VII. 8.

Moeurs (les) fatire III, par Victor Campagne. à Paris.

La Mort du jeune Barras ou une journée de la Vendée, Drame hist. par Briois. à Paris, An. II. 8.

Naiffance (la) de Pitt, fils du Lord Chatam, ou Angelina, hiftoire veritable. à Paris, An. VII.

Notions élementaires de Geographie, par J. B. Bouchefeiche. à Paris, An. IV. 8.

Obfervateur (l') ou Recueil de lectures inftructives et agréables, redigé par L. M. Philipfon, I. partie. à Stockholm. 1798. 8.

Oeuvres pofthumes du Comte de Thiard, publiées par P. A. L. Maron de la Varenne, 2 Tomes. à Paris, An. VII. 8.

Optique (l') du jour, ou le Foyer de Mortanier, par Jof. K***y. à Paris, An. VII. 12.

The Orphan Heirefs of Sir Gregory. An hiftorical fragment of the laft century. London. 1799. 8.

Pacha (le) ou les coups du hafard et de la fortune, par les auteurs du tombeau. à Paris, An. VII. 8.

Paris metamorphofé, ou hiftoire de Gilles Claude Ragot, par P. J. B. Nougaret, 3 Tomes. An. VII.

Pieces officielles, concernant l'affaffinat commis fur les miniftres français au congrès de Paix a Raftadt, le 9 Floréal, an VII. Strasb. 8. (Nec erga Schedam.)

Philofopher (the young), a Novel in four Vols; by Charles Smith, Vol. 1 – 4. London. 1798. 8.

Plans of Education, with remarks on the fyftems of other writers in a feries of letters between Mrs. Darnford and her friends, by Clara Reeve. London 1792. 8.

Pleafures (the) of hope, with other poems by Thom. Campbell. Edimb. 1799. 8.

Plus

Plus de Bâtards en France, Comedie en 3 actes en profe, par Villeneuve. à Paris, An. IV.

Poéfies lyriques de Marie Jof Chénier. à Paris, An. V. 1 an

Ponce de Leon, opera Bouffon en 3 actes, par Lebreton. à Paris. 1797. An. V. 8.

Pot (un) fans couverde et rien dedans, ou les myfteres du fouterrain de la rue de la lune, biftoire merveilleufe et veritable, par Loüis Bandol. à Paris, An. VII 8.

Précis hiftorique de la campagne du General Maffena dans les Grifons et en Helvetie depuis le paffage du Rhin jusqu'a la prife de pofition fur l'Abis, ou recueil des rapports, par Marés. à Paris, An. VII. 8.

Poëfie (la) de Paris, Comedie en 2 actes en profe, par Gilbert Ductos. à Paris, An. III. 8.

Prife (la) de Toulon, Tableau patriotique, en 1 acté, mêlé d'ariettes, par Pecar, An. II. 8.

Prifonniers (les) français en Angleterre, opera en 2 actes, par Dagnon et Rabory. à Paris, An. VI. 8.

Reflexion fur la fculpture, la peinture, la gravure, et l'architecture, fuivies des inftitutions propres à les faire fleurir en France, par le General Pomereul, 2. Editions à Paris, An. VII. 8.

Rife (the) progrefs and confequences of the new opinions and principles, lately introduced into france with obfervations. Edimb. 1799. 8.

Sage (le) de Lille, Comedie en 3 actes et en profe, par Joigni. à Paris, An. II. 8.

Sainte Helene et Monrofe, ou les Avantures aëriennes, hiftoire veritable, Tome 1 et 2. à Paris, An. VII. 8.

Sauvage (le jeune) dans la focieté, par Aug. Lejeune. à Paris, An. VII. 8.

Science de l'organifation fociale demontrée dans fes prémiers Elemens, par le Cit. J, A Brun. à Paris, A. VII. 8.

Secret (le) d'être heureux, ou memoires d'un philofophe qui cherche le bonheur, de l'avanturier français, 2 Tomes. à Paris, 2797. 8.

Souvenirs (les mille et un) ou les veillées coniugales, 4 Tomes. à Hambourg. 1799. 8.

Suite nouvelle de mille et une nuit. Contés arabes, par M. Galland, 2 Tomes. à Paris, An. IV. 8.

Syftem (A) of divinity for the ufe of fchools and for Inftructing youth in the effential principles and duties of religion. By S. G. Burkhardt. London, 1797. 8.

Tableau

Tableau general du goût des modes et coſtumes de Paris,
No. 5 et 7. à Paris, An. VII. 8.

Tableau hiſtorique de la literature françaiſe depuis ſon
origine juſqu'a nos jours, par Mila et Cournon, Tome I.
à Berlin. 1799. 8.

Tentations (les) ou tous les Diables, Pantomime en 3
actes, par J. G. A. Cuvellier. à Paris, An. VI.

Thréïcie (la) ou la fauſſe voye des Sciences divines et hu-
maines, du culte vrai et de la morale. à Paris, A. VII. 8.

Toute la Grece, ou ce que peut la liberté, tableau patriotique, en 1 acte. An. VI. 8.

Tracts ethical, theological and political, by Thomas Coo-
per, Vol. 1. Warrington. 1799. 8.

Triba (la) Indienne, ou Edouard et Hellina, par le Citoyen L. B. Tome 1 et 2. à Paris, An. VII. 8.

Triomphe (le) de la vertu, ou les amours d'Hilare et de
Zélia, par B***, Partie 1 et 2. à Paris, An. VII. 8.

Vagabond (the) a novel in two Volumes, by George
Walker, II. Edition, Vol. I and II. London. 1799. 8.

Vaticau (le), Tragedie en 5 actes. à Paris, An. VI. 8.

Victimes (les) Cloitrées. Drame en 5 actes, par Mon-
vell. 1796. 8.

Vie (ma) du garçon, ou avantures galantes d'un Officier
de Dragons. à Paris, An. VII. 8.

Vieux (le) de la montagne, hiſtoire orientale, trad. de
l'Arabe par l'auteur de la philoſophie de la nature,
4 Tomes. à Paris, An. VII. 8.

Voyage (mon) ou lettres ſur la ci-devant province de Nor-
mandie, ſuivies de quelques pieces fugitives, par J. J.
Gaſſecourt, Partie 1 et 2. à Paris, An. VII.

Voyage à Naples et en Toſcane, avant et pendant l'inva-
ſion des français en Italie, trad. de l'Anglois. 1799 8.

Voyages de Pythagore en Egypte, ſuivies de ſes loix politiques et morales, 6 Tomes. à Paris, An. VII. 8.

Voyages au Thibet, faits en 1625 et 1626, par le pere
d'Aranda, et 1774, 1784 et 1785, par Pogie, Tour-
neur et Pourungier, trad. par Barreaud et Billecoq.
à Paris, An. IV. 12.

Voyageur (le) ſentimental en France, ſous Robespierre,
par Vernes de Geneve, 2 Tomes. à Paris, An. VII. 8.

Zeluces, ou le vice en lui même, ſon châtiment, 4 Tomes. à Paris. 1796. 12.

Neue Allgemeine
Deutsche Bibliothek.

Drey und funfzigsten Bandes Zweytes Stück.

Zweytes Heft.

Intelligenzblatt, No. 26. 1800.

Weltweisheit.

1. Encyklopädisches Wörterbuch der kritischen Philosophie, oder Versuch einer faßlichen und vollständigen Erklärung der in Kants kritischen und dogmatischen Schriften enthaltenen Begriffe und Sätze; mit Nachrichten, Erklärungen und Vergleichungen aus der Geschichte der Philosophie begleitet, und alphabetisch geordnet von *G. S. A. Mellin*, zweytem Prediger der deutsch-reformirten Gemeine zu Magdeburg. *Erster Band.* Züllichau und Leipzig, bey Frommann. 1797. Erste und zweyte Abtheilung, 874 S. 2 Rl. 12 Gl.

Auch unter dem abgekürzten Titel:

Encyklopädisches Wörterbuch der kritischen Philosophie von *G. S. A. Mellin* etc.

2. Kunstsprache der kritischen Philosophie, oder Sammlung aller Kunstwörter derselben mit Kants eigenen Erklärungen, Beyspielen und Erläuterungen; aus allen seinen Schriften gesammelt N. A. D. B. LIII. B. 2 S. II. Heft. und

und alphabetiſch geordnet von *G. S. A. Mellin,*
etc. Iena und Leipzig, bey Frommann. 1798.
314 S. 1 Rℓ.

3. Herausforderung an Herrn Profeſſor Kant in K.,
die Hauptſätze ſeiner Transcendental-Philoſophie
entweder von neuem zu begründen, oder ſie als un-
ſtatthaft zurück zu nehmen; von D. Johann Gottlob Heynig in Göttingen. — Darf ich anders
ſeyn als andere, anders denken und es ſagen? —
Leipzig, in Kommiſſion bey Kummer. 1798.
268 S. 1 Rℓ.

4. Vertheidigung der Vernunft und Religion wider
die Kritik des Herrn Kant in fünf Abhandlungen
von Charlotte Friederike von Promnitz. Berlin,
auf Koſten der Verfaſſerin und in Kommiſſion bey
Maurer. 1798. 424 S. 1 Rℓ.

5. Antipſeudo-Kantiade, oder der Leinweber und
ſein Sohn, ein ſatiriſch-kritiſcher Roman, mit
imaginirten Kupfern, ohne Vorrede von Kant,
aber mit einer übeln Nachrede der Pſeudo-Kantia-
ner; herausgegeben von Ernſt Bonſens. Gni-
dos, bey Amoroſo Severeſto. 1798. 218 S.
18 K.

6. J. G. Schloſſers zweytes Schreiben an einen
jungen Mann, der die kritiſche Philoſophie ſtudi-
ren wollte ꝛc. Lübek, bey Bohn. 1798. 167
S. 14 K.

7. Entwurf der Transſcendental-Philoſophie von
Johann Gottlieb Buhle, öffentl. ordentl. Profeſſor der Philoſophie in Göttingen. Göttingen,
bey

bey Schröder. 1798. 211 Seiten. 1 Rl. 4 ℔.

8. Neue Beyträge zur kritischen Philosophie, und insbesondere zur Geschichte der Philosophie. Erster Band. Herausgegeben von J. C. A. Grohmann und K. H. L. Pölitz. Berlin, in der akadem. Kunst= und Buchhandl. 1798. 279 S. 1 Rl. 4 ℔.

9. Ueber das Verhältniß der kritischen Philosophie zur moralischen, politischen und religiösen Kultur des Menschen; zur Beantwortung der Frage: ob man nach den Grundsätzen jener Philosophie ein guter Mensch, ein guter Bürger und ein guter Christ sein könne? Iena, bey Voigt. 1798. 277 S. 1 Rl.

Während daß Hr. Mellin in Nr. 1. und 2. die Kantisch=kritische (denn wir haben jetzt auch schon eine Fichtisch=kritische) Philosophie allgemein faßlich und annehmlich zu machen sucht, Hr. Buhle in Nr. 7. sie für seinen Hörsaal kompendiarisch zubereitet, Hr. Krug in Nr. 9. bösen Leumund von ihr abzuwehren strebt, und die Herren Grohmann und Pölitz sie gleichfalls ehren, ob sie gleich dem Christianism den Rang über ihr geben: bemühen sich die Verfasser der übrigen vier Nummern, sie ernsthaft oder spottend zu widerlegen. Diesmal ist den Gönnern, im Ganzen genommen, ihr Werk besser als den Gegnern, jedoch mit Ausnahme Schlossers, das ihrige gelungen; sie haben ihrer Sache wenigstens nicht durch den Vortrag geschadet.

Hr. Ernst Bonsens mit seinem Gernwitz ist unausstehlich. Ich taufe ihn ohne Bedenken um, nenne ihn mauvais plaisant, und lasse ihn laufen.

Hr. D. Heynig leistet zwar mehr, als man von dem barschütosen Titel seiner Schrift erwarten sollte; er sagt manches, das zum Ziel trifft: aber er sprudelt alles so heraus, daß die Hälfte nichts als Schaum wird. Wenn er nun so

eine

eine Zeitlang geschäumt hat: so sagt er (S. 57.) : „das was
„noch hier zu sagen wäre, insonderheit die schärfere Be-
„stimmung und genauere Auffassung dessen, was hier
„gesagt steht, verspare ich bis auf andere Gelegenheiten, die
„wohl nach der Erscheinung dieser kleinen unbedeutenden
„Schrift nicht ausbleiben dürften.“ (Man sollte denken, nur
eine bedeutende Schrift könne solche Gelegenheiten, als der V.
wünscht, herbeyführen.) „Es soll nur erst die Bahn gebro-
„chen, und ein regelmässiger Streit, zum Besten des schwachen
„und kleinen Reichs der Wahrheit und seiner Bewohner, ein-
„geleitet werden.“ Die Bahn war längst gebrochen; und
einen regelmässigen Streit kann man nicht durch unregel-
mässige Schreiberey einleiten. Drollig genug bürdet der Verf.
seine Schuld Kanten auf: er sagt S. 31.: „sollte hie und
„da manches unrichtig und unbestimmt ausgedrückt worden
„seyn, so ist dieß nicht meine, sondern die Schuld Kants.“
Als wenn Kant nicht schon an seiner eigenen Schuld, was
Unrichtigkeit und Unbestimmtheit des Ausdrucks betrifft, genug zu tragen hätte! — Die beste Stelle dieser Schrift
steht S. 33.: „Kritik ist gut; Kritik ziert Männer; nur
„muß Verständlichkeit und Faßlichkeit sie erst zur Kritik ma-
„chen; denn sonst sieht man nicht, ob es Kritik ist, und nicht
„vielmehr leeres geheimnißvolles Geschwätz; sonst versteht
„man nicht, ob die Kritik oder das Kritisirte besser und reel-
„ler ist; ob jene mehr Vortheil gewährt oder dieses; ob erstere
„uns weiter bringt, als es bisher das letztere gestattete. Kri-
„tik muß Nutzen stiften, muß weiter bringen; muß nicht das
„Kritisirte bloß auf eine andere Manier herumdrehen, muß
„wirklich berichtigen, muß aufhellen: sonst ist es keine Kritik,
„sondern annütze und lächerliche Kritteley.“ Dasselbe lasse
sich Hr. D. H. für seine Herausforderung, die auch eine
Kritik ist, gesagt seyn.

Die Schrift der Frau von Promnitz (N. 4.) müßte
erst ins Deutsche übersetzt werden, um lesbar zu seyn; sie wimmelt von Verstößen sowohl gegen die conventionelle, als gegen
die philosophische Grammatik. Jene wenigstens hätte jeder
gelehrte Handlanger wegschaffen können. Warum sorgte die
Verfasserin nicht dafür, daß es geschah? sie wußte ohne Zweifel nicht, wie sehr sich lateinische Männer an solchen Fehlern
ärgern; manche so sehr, daß sie bey solchen Fehlern gar nichts
Gründliches gelten lassen. Was kann der wissen, sagt sie,

der nicht einmal den rechten Kasum zu setzen, und richtig zu
interpungiren weiß? Das hieße nun freylich der Frau v. P.
offenbar Unrecht thun; sie argumentirt im Ganzen sehr bündig gegen Kant. Ueberhaupt zeugt ihre Schrift von vielen
Kenntnissen, einem geübten Verstande und einer liberalen
Denkart. Sie unterscheidet sehr gut den rechten Gebrauch der
Vernunft von ihrem Mißbrauch, und den ächten Freydenker
von dem unächten. Uebrigens ist ihr Leibnizens Throdicee das
non plus ultra der Bücher dieser Art. Folgende Behauptung
S. 115. fällt auf: „die Aristotelische Schule, ein Newton,
„Spinoza und die Kritik sind im Grunde völlig einerley, und
„ein nicht zu unterscheidendes. Sie stimmen alle darin über-
„ein, daß eine Substanz, als eine besondere Natur des Da-
„seyns, oder des Inhalts der Aeusserungen eines einzelnen
„Wesens, ein absolut undenkbares sey. Dieses ist der durch-
„gängige Grundsatz jener benannten Lehrer, so verschieden-
„lich sie auch ihre Gebäude darauf errichtet haben;“ (Ich
denke, bey genauerer Prüfung jener Lehrgebäude wird die
Verf. dieß Urtheil trvociren.) „einige von ihnen haben
„noch göttliche Eigenschaften aufrecht erhalten wollen, ohne
„mit selbigen eine andere Grundkraft zu verbinden, als ein
„leeres Bewußtseyn eines unumschränkten Daseyns, oder ei-
„nes Seyns, das sich selbst nach unmittelbaren Begriffen
„bewußt ist.“ Zu diesen rechnet die Verf. Newton wegen
folgender Aeusserung: We cannot come at the knowledge
of substances either by any of our senses or by any re-
flect act of the mind; much less have we any idea of the
substance of God, him we know only by his properties
and attributes and by final cause. Hier, glauben wir,
thut sie auch M. Unrecht; wenn ich sie anders recht verstehe:
welches bey ihr, wie bey Kant, keine leichte Sache ist.

Der sel. Schlosser gesteht in der Vorrede zu M. 6., daß
es zum Theil seine Schuld sey, daß sein erstes Schreiben sehr
mißverstanden worden. „Indem ich,“ sagt er, „die Absicht,
„in welcher ich schrieb, zu genau verfolgte, drückte ich mich
„über meine eigentliche Ansicht des Kriticismus nicht deutlich
„genug aus, das war meine Schuld. Die Kriticisten aber,
„die mich lasen, und selbst der Stifter dieser Philosophie, sa-
„hen, was freyes Urtheil über den Einfluß der kritischen Phi-
„losophie auf den Menschen seyn sollte, für Sektirerey, sahen
„insbesondere, was nur Warnung seyn sollte, für Widerle

„aung an? Das war ihre Schuld." Freilich; aber diese
Schuld entstand denn doch aus der Schlosserschen; Warnung schließt Tadel ein, und Tadel Widerlegung, sonst wäre
es ja grundloser Tadel, und eben so grundlose Warnung.
Indessen iliacos intra muros peccatur et extra: die Antworten der Geaner waren nicht besser als Schlossers Schreiben. „Diese Blättchen, sagt S. mit Recht von ihnen, ent-
„hielten doch alle so wenig Sache (gerade wie sein Schreiben);
„Sie waren alle in einem so unurbaren Sektenton, in einem
„so ungenialischen Sektengeiste geschrieben, daß sie ihrer Sa-
„che mehr schaden als nützen mußten." (Sehr wahr!)
„Den einzigen Vortheil," setzt S. hinzu, „habe ich aus die-
„sen Blättchen erhalten, daß ich durch sie wieder an den wei-
„sen Rath des Blas erinnert wurde: laßt uns sachter singen
„wegen der Knaben." Und es ist wahr, er singt diesmal
nicht nur sachter, sondern auch regelmäßiger, und giebt mehr
Sachen als Worte. Das erste Mal gab er umgekehrt mehr
Worte als Sachen. Er theilt die Philosophen in Dogmatologen, Skeptiker, Kriticisten und Dogmatisten ein. Zu der letzten Klasse bekennt sich S. selbst. „Die Dogmatologen, heißt
es S. 20., sind mehr Despoten als Lehrer, mehr Poeten als
Philosophen. Die Skeptiker treiben mehr Muthwillen als
Philosophie. Die Kriticisten und Dogmatisten sind nur in
der Frage verschieden, die sie an die Philosophie thun: die
Kriticisten fragen: wie findet der Verstand Wahrheit?
die Dogmatisten, wie findet der Mensch Wahrheit? „Du
erkennest leicht," fährt S. fort, „daß diese Fragen nahe an
einander grenzen, daß sie aber zwey andere Fragen voraussez-
zen, die beyde Philosophen wie durch Sphären trennen:
Diese andern Fragen sind: gehört der Mensch dem Verstande,
oder gehört der Verstand dem Menschen? Die Kriticisten
behaupten jenes, die Dogmatologen dieses. Die Dogmatisten
aber sagen, daß beyde nur in unzertrennter Gemeinschaft
stehn, keins ohne das andere seyn könne, jedes von seinen
Ansprüchen dem andern, wie es die Natur der Gemeinschaft
fodert, etwas aufopfern müsse." (Das könnten nur grundlose Ansprüche seyn, die aufgeopfert werden müßten; und
grundlose Ansprüche sind so gut als keine. Der Magen
brauche dem Herzen, das Herz dem Magen nichts aufzuopfern; und eben so, denke ich, ist es in der geistigen Oekonomie des Menschen. (S. 22.: „Die Kriticisten ahnden in
der Sinnlichkeit keinen Unterschied: Aristides Wonne in dem

Ge-

Gefühl seiner Gerechtigkeit ist ihnen eben so gut Sinnlichkeit, als Alcibiades Gefühl am Busen einer Phryne. Ist das nun so, wer zweifelt dann noch, daß die Sinnlichkeit, sie sey fein oder grob, in der praktischen Philosophie so wenig Recht zu reden habe, als in der theoretischen?" S. 23. "Ist die Philosophie einmal so weit gekommen: so bleibt dem Verstande nichts übrig, als nur sich selbst zu betrachten; und die ganze Sinnlichkeit, das ganze System der menschlichen Empfindungen, alles was seinen Begriffen und Vorstellungen Stoff giebt, wird dann mehr nicht für ihn, als was der Steinbrecher für den Phidias war. Aber die Philosophie giebt dann auch mehr nicht als Kunstwerk, und dazu nur seelenloses Kunstwerk, nur Herme, die den Menschen, welcher sich durch sie hat einschliessen lassen, von der ganzen lebenden Natur, von seiner eigenen Natur ausschliessen müssen."

S. 24. meint der Verf., "die Vernunft selbst sey am Ende ein Gefühl, das sich nicht zu einer Vorstellung machen, nicht erklären, nicht bis auf das Aeusserste analysiren lasse." Aber stellt er sie sich nicht vor, indem er sie für ein Gefühl erklärt, und sie also von dem, was nicht Gefühl ist, unterscheidet? erklärt er sie nicht, indem er hinzusetzt, der Dogmatist sehe die Vernunft für den innern Menschen an? und analisirt er sie nicht aufs äusserste durch alles, was er S. 25 — 29. von ihr sagt, und was mit den Worten anhebt: "Der Dogmatist erkennt in der Vernunft eine doppelte Wirksamkeit: Wirksamkeit im Denken, Wirksamkeit im Handeln;" und mit der Foderung schließt, daß die Vernunft die Auflösung der Frage, was ihr in ihrem Gedankensystem an Stoff gegeben worden, und was sie selbst in dasselbe an Formen und Verbindungsmittel beygetragen habe, aus ihrer unmittelbaren Anschauung ihrer Wirksamkeit im Denken, a priori finden könne und müsse." Man sieht, daß S. sich nicht nur die Vernunft vorstellt, sie erklärt und analysirt; sondern daß er sogar ziemlich kantisch dabey zu Werke geht. Wie er denn auch S. 29. hinzusetzt: "alle diese Beobachtungen, die der Sache nach, den Philosophen wohl lange vor Augen gestanden haben, die aber nie so scharfsinnig auseinander gesetzt worden sind, als nun, verdankt der Dogmatist dem Kriticismus, und willig verfolgt er mit ihm diesen Weg," u. s. w. Uebrigens ist S. eben so wenig mit der Vernunft im Reinen wie Kant, sonst könnte er nicht läug-

nen,

nen, daß geschehen könne, was er den Augenblick darauf
selbst thut, die Vernunft sich vorstellen, sie erklären und also
äusserste analysiren. S. ist aber auch eben so ehrlich als Kant.
Denn so wie K. S. 355. der Kritik d. r. V. seine Verlegenheit bekennt, indem er von der Vernunft eine Erklärung geben soll; so gesteht S. S. 31., daß der Dogmatist in nicht
geringe Verlegenheit kömmt, wenn er genöthigt wird, Rechenschaft zu geben von dem Mittelwege, den er, wenn er
nicht länger bey dem Kriticismus aushalten kann, sich zwischen dem Dogmatologen und dem Kriticisten sucht, und auf welchem er das richtige Verhältniß zwischen seiner Wirksamkeit
zu denken und seiner Wirksamkeit zu handeln allein erhalten
zu können hofft." Er setzt hinzu: „Wer diese Rechenschaft
fodert, fodert von ihm beynahe das, was Plato das geheim-
nißvolle fünfte Stück alles Wissens nennt. Das zu bezeichnen, dazu fehlen ihm Worte; und fände er auch Worte:
so müßte doch in dem, dem er sich erklären will, das richtige
Verhältniß der beyden Wirksamkeiten der Vernunft noch übrig,
oder doch herstellbar seyn."

Dies Geständniß ist noch in einer andern Hinsicht merkwürdig. Es gleicht der Aeusserung eines, wie S. sagt, Erzjüngers des neuen Kriticismus, die Schlosser S. 46 f. aus
dem Niethammerschen Journal anführt, und die so lautet:
„es ist Verbrechen gegen die Menschheit, Grundsätze zu ver-
„bergen, die allgemein mittheilbar sind. Aber die Natur
„selbst hat dieser Mittheilbarkeit Grenzen gesetzt. Sie hat für
„die Würdigen eine Philosophie aufbewahrt, die durch sich
„selbst zur esoterischen wird, weil sie nicht gelernt, nicht nach-
„gebetet, nicht nachgeheuchelt, nicht auch von geheimen Fein-
„den und Ausspähern nachgesprochen werden kann — ein
„Symbol für den Bund freyer Geister, an dem sie sich alle
„erkennen; das sie nicht zu verbergen brauchen, und das
„doch, nur ihnen verständlich, ein ewiges Räthsel bleiben
„wird." Man sieht, daß Schlosser so gut eine unmittelbare Philosophie hat, als dieser Erzjünger, und daß er noch
schlimmer daran ist, als dieser, da es ihm an Worten
fehlt, zu bezeichnen, was er denkt, wenn ihm auch die Un-
fähigkeit der zu Belehrenden nicht entgegenstünde; indeß der
Erzjünger sich auf die Unwürdigkeit derselben beruft. So
spricht also Schlosser sein eigenes Urtheil, indem er auf Anlaß
jener Behauptung des Erzjüngers sagt S. 47.: „meinst du nicht
                                                    einen

einen schottischen Meister vom Stuhl über die Mauren, einen
Alchymisten vor seiner Retorte von dem allgemeinen Menstruum,
einen Quacker aus seiner Tonne von dem innern Lichte reden
zu hören?"

Auch folgende Behauptung S. 46. dürfte nicht Probe halten, ob sie gleich durch gesperrte Schrift ausgezeichnet ist: „für
den Menschen ist allzu rein gesponnene Wahrheit Irrthum, und
die Zuckung des allzuverständigen Verstandes ist die Ago-
nie der Vernunft." Auch trifft sie die Kriticisten nicht, deren Fehler nicht ist, daß sie die Wahrheit zu rein spinnen,
sondern, daß sie mitunter Hirngespinnste für Wahrheit geben; nicht, daß sie allzuverständig sind; sondern daß sie
mit Verstand, ich meine Trotz ihres Verstandes, manchmal
rasen.

Sehr wahr sind hingegen folgende Aussprüche S. 49.:
„Die menschliche Vernunft ist keine Gesetzgeberin, sie ist nur
eine Gesetzfinderin; sie sucht, sie entdeckt, sie erklärt, sie
kommentirt die Gesetze; die Natur und der Herr der Natur
giebt sie."

S. 50.: „Die Gemeinsten und Schlechtesten der Kriticisten sehen diese Philosophie nur an wie ein Farbenklavier,
auf dem sie, wenn sie nur die Claves und die Applicatur gelernt haben, alles durch einander mischen können: oder wie
die Korkkügellein der Taschenspieler, die ihre Schule immer
bewundert, wenn sie nur schnell unter dem Becher hin und
her laufen. Die Kriticisten lernen irgend ein philosophisch-
kritisches Wörterbuch auswendig, und ihr philosophischer
Bart und Mantel ist lauter Terminologie."

S. 60.: „Der Dogmatist philosophirt nicht so geniemäs-
sig, wie die Kriticisten glauben: sondern er erkennt wohl,
daß die Moral sich am Ende auf die Metaphysik, die alles
störende, einigende, bindende Wissenschaft gründen muß."

S. 63.: „Es ist, als ob die Kriticisten dem Zauberer
des Königs Hirsch sein Geheimniß abgelernt hätten. Wie
dieser durch Hülfe von ein paar Zauberworten aus seinem
Körper in einem andern übergehn, und, wenn es ihm lüste-
te, wieder in den seinen zurückkehren konnte: so können auch die
Kriticisten durch Hülfe ihrer Terminologien aus dem menschlichen
Verstand in den absoluten Verstand hinüber fliegen; und findet

da ihr Fuß keine Stütze, verlieren da ihr Flügel die Schwung-
kraft: so hilft ihnen eine andere Terminologie wieder in den
Menschen hinein.,,

S. 97.: „Wie kann ein Moralgesetz, das Sanction
haben, also ein wahres Gesetz seyn soll, ohne moralisches
Gefühl, Gewissen, Selbstachtung, Liebe unter Menschen
Statt haben? Was die Kriticisten Empfänglichkeit nennen,
ist Fähigkeit zu der Sanction eines Moralgesetzes, und ohne
diese Fähigkeit ist das Gesetz nichts, ohne sie ist der Gesetzgeber mehr nicht, als was Shakespeares Nachtwächter Kor-
poral sagt: wenn sie nicht gehorchen wollen, so laß sie laufen; dann sind es des gnädigsten Herrn Unterthanen nicht.“
Sehr treffend.

S. 98.: „Ist nun aber die Fähigkeit zu einer Sanction
ein wesentliches Erforderniß in dem, der durch Gesetze verbunden werden soll; und kann diese Fähigkeit blos in dem Sub-
ject gesucht werden; kann die Vernunft diese subjektive Eigenschaft nicht geben; muß sie von der Natur gegeben werden;
liegen die zwey Zwecke des kritischen reinen Willens in dem
Menschen; kann die Vernunft nur im Spott sagen, sie
wähle, was sie nehmen muß; wie kann sie sich denn zur Gesetzgeberin der Moral aufwerfen? wie kann sie die Moral in etwas anderm, als in der von ihr unabhängigen Fähigkeit zu einer Sanction suchen? wie kann sie nur wagen, sich den Schein
zu geben, als ob sie die Regeln, nach welchen der Wille des
Menschen bestimmt werden kann, objectiv, oder anderswo,
als in der Natur des Subjectes selbst suchen, eine andere als
eine pathologische Sanction, für ihre Vernunftgesetze festsetzen
könne?“

Es giebt noch mehr solcher Stellen, wo Schlosser eben
so bündig, theils ernsthaft, theils mit lachendem Munde,
gegen die Kriticisten argumentirt; aber es fehlt an Raum,
sie auszuziehen. Aus eben dieser Ursache kann ich auch nicht
mehr Proben von Schlossers schwacher Seite geben, die sich
besonders zeigt, wenn er seine, an sich wahre, Dogmatistens
lehre auf ihre Urgründe zurückführen will, wie sich schon aus
seinem obigen Geständniß von der Unmittelbarkeit seiner
Lehre ergiebt. — Eine Stelle muß ich doch noch hersetzen,
sie enthält eine Wahrheit, die nie genug beherzigt werden
kann. S. 106.: „Die Menge der Kunstwörter in einem
Mo-

Moralsystem ist immer ein Beweis seiner Abweichung von
dem Menschensinn; und eine Nation muß tief in der sittlichen Barbarey liegen, deren Sprache zu arm ist, ihre Sittenlehre auszudrücken.". — Und, setze ich hinzu, wenn das
der Fall ist, was würden einer solchen Nation die ausländischen Kunstwörter helfen? Wenn die Deutschen z. B. den
Ausdruck, unbedingter Befehl nicht hätten, würden sie
verstehen können, was kategorischer Imperativ sagen
will?

Itzt zu den Gönnern der kritischen Philosophie:

Der Verf. von Nr. 7. war, laut der Vorrede, „in dem
Fall, daß er eine vollständige Uebersicht der kritischen Philosophie zu geben hatte, er suchte also in diesem Entwurf das
Wesentliche nicht allein der Kritik der spekulativen, sondern
auch der Kritik der praktischen Vernunft, und der Kritik der
Urtheilskraft darzustellen, und zwar so, daß er durch die Art
der Darstellung, durch Kürze, Bestimmtheit und Deutlichkeit der vornehmsten und wichtigsten Begriffe seinen Zuhörern das Studium der Originalwerke des Königsbergischen
Philosophen, die die Quellen jener kritischen Erkenntnisse
sind, möglichst erleichterte." Er that, laut eben dieser Vorrede, noch mehr: „er nahm das Wort Transcendentalphilosophie in einem weitern Sinn, als es Kant verstanden
haben will; er bezog es nicht bloß auf die theoretische, sondern auch auf die sittliche Erkenntniß und die Reflection der
Urtheilskraft; da, setzt er hinzu, die Freyheit und die for-
male Naturzweckmäßigkeit, eben so die transcendentalen
Principien für sittliche Erkenntniß und Reflection über die
Erfahrung sind, als die vorzugsweise sogenannten Katego-
rien für die Erkenntniß der Natur." So hat also die kritische Philosophie einen neuen Zweig, die Bublische Transcendentalphilosophie, getrieben; deren gesammtes Gebiet,
mit einem allgemeinen Blick übersehaut, nach S. 17. §. 34.
folgende specifisch verschiedene Vermögen des Gemüths in sich
faßt: das Erkenntnißvermögen; das Vermögen des Gefühls der Lust und Unlust; und das Begehrungsvermögen. Der Inbegriff der Principien des ersten heißt
Verstand; sein Ziel ist Gesetzmäßigkeit; sein Gegenstand
ist die Natur. Der Inbegriff der Principien des zweyten
ist die Urtheilskraft; ihr Ziel ist die Zweckmäßigkeit; ihr
Gegenstand ist die Kunst. Der Inbegriff der Principien
des

des dritten ist die Vernunft; ihr Ziel ist ein letzter Endzweck; ihr Gegenstand ist Freyheit."

Es steht nun dahin, ob die bisherigen kritischen Philosophieen, die Kantische, Reinholdische, Fichtische, Beckische, u. s. w. diese neue Schwester als Mitregentin friedlich anerkennen, oder, welches wahrscheinlicher ist, sie bekriegen werden, so wie sie selbst sich unter einander bekriegen. Nostri non est tantas componere lites. Uns Rec. ist durch gegenwärtiges Buch, ungeachtet der angeblichen Erweiterung des Begriffs Transcendentalphilosophie, kein einziger Stein des Anstoßes von den vielen, die es für mich in den Kantischen und andern kritischen Schriften giebt, aus dem Wege geräumt worden.

Was den Werth dieses Entwurfs als Compendium betrifft, so ist da, wie der Verf. richtig bemerkt, manches auf persönliche und lokale Verhältnisse zu berechnen, die ein Fremder nicht kennt, worüber er also auch nicht urtheilen kann. Dies ließ Rec. dem Verf. schon zu gute kommen, als dieser vor mehreren Jahren in einem andern Lehrbuche zwey Moralen statuirte, so anstößig ihm dies auch war; und er hat seitdem die Billigkeit nicht verlernt.

Nr. 8. enthält, außer der Einleitung von Grohmann, folgende fünf Abhandlungen: 1. Was heißt Geschichte der Philosophie? von demselben. 2. Versuch einer philosophischen Geschichte der Beurtheilungsprincipien über Offenbarung, von demselben. 3. Versuch einer Angabe der vorzüglichsten unterscheidenden Hauptpunkte der Kantischen und Fichtischen Philosophie, von demselben. 4. Ueber den Streit zwischen den formellen und gemischten Principien in der Moral, von Pölitz. 5. Das Naturrecht als Ideal aller Rechtswissenschaften, von demselben.

Herr G. trat in den Beyträgen zur kritischen Philosophie, ec. als ein unbefangener partheyloser Denker auf, und so erscheint er auch hier wieder; er prüft alles, und nimmt an, was ihm wahr schein; amicus ei Maimon, sed magis amica veritas. Bey dieser beharrlichen Seelenstimmung muß er endlich seine Freundin, die Wahrheit, finden um so mehr, da er nach S. XXII. „wenn er eine Zeitlang mit der Philosophie gelebt hat, dann auch gern wieder sieht, wie sich die Natur mit jenen Spekulationen zusammen reimt,"

Ich

Ich möchte ihn nur fragen, warum er nicht immer bey der
Natur bleibt? ich meine, warum er nicht mit seinen natürlichen Augen alles betrachtet, ein vollständiges Inven-
tarium von allen Thatsachen der Natur — worunter er S.
XXIV. ganz recht auch den allgemeinen Charakter der Menschheit mit begreift — methodo Newtoniana verfertigt, und dabey dem Streite der Philosophen über die Frage, wie es mit diesen Thatsachen zugeht, lächelnd zusieht. Es ist z. B. Thatsache, daß wir sehen, 2c. Nun möchte man gern wissen, wie
es zugehe, daß wir sehen. Der eine sagt: wir empfangen
mittelst des Auges die Farbe von einem Dinge an sich, wovon wir nicht wissen, wie es aussieht, ja nicht einmal
gewiß sind, daß es existirt. Nein, sagt ein anderer, ein solches Ding an sich wäre ja nichts als ein Unding; ich wills
euch besser sagen: das Auge producirt die Farbe. Als wenn
wir damit weiter kämen! Zum Produciren, man mag es
physikalisch oder mathematisch nehmen, gehören durchaus zwey
Faktoren: das Auge ist der eine, wo ist nun aber der andere? wie mit dem Sehen, so ist es mit dem Hören, dem
Begreifen, dem Wählen, kurz mit allen Erscheinungen
am Menschen, so wie mit den Erscheinungen der ganzen übrigen Natur; wir können weiter nichts thun, als was Newton in Ansehung der Schwerkraft that, die Thatsachen aufs
Reine bringen. Und traun, wir hätten nicht wenig gethan,
wenn uns dies einmal mit den sämmtlichen Naturerscheinun-
gen gelungen wäre. Kant war auf dem Wege dahin, verirrte
sich aber: und so ist seine Philosophie nur ein gefärbtes Glas
mehr, wodurch seine Jünger die Natur der Dinge anschauen.
— Doch ich muß zu meinen Autoren zurückkehren.

In der ersten Abhandlung zeigt Herr G. — der Sache
nach befriedigend, wenn gleich dem Vortrage nach äußerst ermüdend — daß und warum es nicht eher eine Geschichte der
Philosophie geben kann, als bis es eine Philosophie als Wissenschaft giebt. Was man bisher Geschichte der Philosophie
nennt, ist eigentlich nur Geschichte des Worts Philosophie,
wie man es bald in diesem, bald in jenem, bald im engern
bald im weitern Sinn genommen hat. Ob es aber je etwas
anders seyn, ob man sich je über eine Wissenschaft vereinigen
wird, der ausschliessend die Benennung Philosophie gebühre? das ist eben die Frage. Es läßt sich z. B. eine Wissenschaft denken, die das Gegenstück zu der Geometrie sey,

und

und sich mit den Formen (den Gegenständen des innern Sinnes) beschäfftige, wie diese mit den Figuren, den Gegenständen des äußern Sinnes. Diese Wissenschaft hätte, wie die Geometrie, ihren reinen Theil, wo man die Formen an sich betrachtete; und ihren angewandten Theil, der sich in so viele Zweige ausbreitete, als es geformte Dinge giebt. Dergleichen Dinge sind z. B. Haus (Familie), Staat, Schauspiel, Kirche (Gemeine), u. dgl. Wollte man nur diese Wissenschaft ausschließend Philosophie nennen, wie ich sehr geneigt wäre, zu thun, wo sollte man denn mit der Logik hin? und was sollte man der Wissenschaft einen Namen geben, welche die Begriffe in sich faßt, die der Geometrie und der Formlehre gemeinschaftlich sind, z. B. Größe? Nennte man diese wie bisher Ontologie, so liegt darin, wie in Logik, ein verjährtes Besitzrecht, zur Philosophie zu gehören. — Kurz, was man auch dem Worte Philosophie für eine Bedeutung geben, welche Wissenschaft man Philosophie nennen mag, immer wird man dagegen den buchstäblichen Sinn des Worts oder auch gegen den Sprachgebrauch anstoßen; und mit dem letzten wird man um so weniger auseinander kommen, da er so schwankend, ich möchte sagen, so vielköpfig und also auch vielsinnig ist. — Was ist bey so gestalten Sachen zu thun? bey Eintheilung der Wissenschaften das Wort Philosophie ganz außer Kurs zu setzen, denke ich.

Die zweyte Abhandlung ist gewissermaßen ein Auszug aus des Verfassers Kritik der christlichen Offenbarung: Gott wolle sie ihm beyde vergeben! Von der Kritik sagt er selbst S. XIX., daß er nach Sprache, Einkleidung und Styl wegwerfend von ihr urtheilen möchte. Es ist schlimm, daß er gerade immer über diese Materie schreibt, wenn er, um seinen Ausdruck S. XXII. zu brauchen, mit der Philosophie lebt, säh er einmal zu, wie sich die Natur mit seinen Speculationen zusammenreimt: so würde er finden, daß alles, was über göttliche Offenbarung sich Wahres sagen läßt, in folgenden Zeilen eines Gellertschen Liedes enthalten ist:

Gott redt in uns durch den Verstand,
Und spricht durch das Gewissen,
Was wir, Geschöpfe seiner Hand,
Fliehn oder wählen müssen.

Dies

Dies Lied steht schon in manchem Gesangbuche, wird
also schon von Bürgern und Bauern gesungen; und die Philosophen schreiben noch immer ein Langes und Breites über
die Möglichkeit, Nothwendigkeit, Wirklichkeit einer unmittelbaren Offenbarung! cui bono?

In der dritten Abhandlung giebt Herr G. den Unterschied zwischen Kant und Fichte S. 170 f. so an: „Kant
wählt den Standpunkt des Vorstellens, wo das Vorge-
stellte Objekt ist; Fichte den Standpunkt des Reflekti-
rens auf das Denken, in wie fern es subjektiv ein bloß
Handelndes und Handlung ist. — Die Kantische Philosophie steht so auf dem zweyten Punkte, dem Vorstellen;
die Fichtische auf dem dem Vorstellen vorausliegenden Akte
des Denkens.“

Das will mir nicht einleuchten. Dem Reflektiren auf das
Denken geht ja offenbar das Denken, welches hier Vorstellen bedeuten muß, oder nichts bedeutet) voraus; also steht
nicht die Fichtische, sondern die Kantische Philosophie auf
dem ersten Punkte. Dies ergiebt sich aus dem, was der
Verfasser hinzusetzt:

„Aber soll eine Philosophie von diesem ersten Akte des
Denkens ausgehn, daß dasjenige aufgefaßt werde, was sich
in diesem ersten Akte zeigt: so muß der Denkende eine doppelte Handlung in sich vornehmen; er muß das Beobachtete
und der Beobachtende zugleich seyn; er muß die Handlungen
des Denkens in sich hervorrufen, zugleich aber auch auf diese
thätigen Handlungen mitten im Handeln reflektiren. Die
Thätigkeit muß sich gleichsam brechen, die Stralen müssen
auswärts laufen, zugleich aber auch wieder sich in sich selbst sammeln.“

Das heißt nichts Geringers als das Unmögliche fordern; es ist, als wenn der Mund in einem und eben demselben Akte die Speisen empfangen und sie kauen soll. Eins
nach dem andern, so ist alles in seiner Ordnung. Der
Mund ist es freylich, der beydes thut, empfangen und
kauen; aber dies geschieht in mehr als einem Akte; auch geschieht es nicht mit denselben Theilen des Mundes; die
Lippen z. B. kauen nicht, ob sie gleich nicht umhin können,
an der Bewegung, die das Kauen verursacht, Theil zu
nehmen.

Aber

Aber obgleich das Empfangen der Speisen dem Kauen vorausgeht und vorausgehen muß; so ist damit noch nicht ausgemacht, ob sich der Mund beym Empfangen thuend oder leidend verhält; ein neuer Kant und ein neuer Fichte könnten sich lange darüber streiten. Das Empfangen, kann man sagen, ist aus thun und leiden zusammengesetzt; das Thun macht den Anfang, indem der Mund sich öffnet; nun steht er offen und leidet, daß die Speise hineingesteckt wird; darauf thut er wieder etwas, indem er die Speise faßt und sich zuschließt. Aber man kann auch fragen, ob man das Auf und Zuthun des Mundes, so wie auch das Fassen der Speise mit zum Empfangen, d. i. zu dem leidentlichen Verhalten des Mundes rechnen darf? Denn ein solches Verhalten scheint der Ausdruck empfangen zu bezeichnen. Will man also diesen Ausdruck strenge nehmen: so fängt das Essen nicht mit dem Empfangen der Speisen, sondern mit dem Aufthun des Mundes an; also ist das Erste, was man an dem Essenden wahrnimmt, ein Thun, kein Leiden.

Setzen wir nun denken statt essen: so hätte Fichte Recht, wenn er behauptete, daß das Denken mit einem Thun anfienge. Wollte er aber das Empfangen der Vorstellungen ganz vom Denken ausschließen: so hätte er, scheint es, Unrecht; denn der Geist gelangt zu seiner Nahrung nicht anders, als der Körper zu der seinigen, durch ein beständiges Auseinanderfolgen von thun und leiden, von empfangen, verarbeiten und weiter schicken. Auch hätte er Unrecht, wenn er — was Hr. G. mit ihm auszumachen hat — zwey Akte in einem geschehen ließe: das wäre widersinnig. Und gegen Kant hat Hr. G. es zu verantworten, daß er S. 138 „Fichten über ihn setzt, indem dieser, was doch der Geist des Kriticismus sey, die ursprüngliche Synthesis ursprünglich (in einem ursprünglichen Handeln) auffasse, da Kant sich hingegen an einen zweyten Akt des Denkens halte, und von diesem die Denkgesetze ableite. Fichte, setzt Hr. G. hinzu, stehet auf den Grenzen des Denkens, Kant innerhalb an der Seite dieser Grenzen, und weiter unten; die Wissenschaftslehre und ihre Methode zu philosophiren verhält sich zu der Kantischen Methode, wie der physische Mensch, der die Gesetze seiner Bewegung selbst mitten in der Bewegung und durch die Bewegung ableitet, zu dem, der die Bewegung und die Grade derselben erst von den hinterlassenen Spuren seines Fußtritts abstrahiren will.“

Kant

Kant sagt sich, im Hamburgischen Correspondenten vom
6. Nov. 1799, ausdrücklich von allem Antheil an der Fichtischen Philosophie los, und erklärt die Wissenschaftslehre
für ein gänzlich unhaltbares System. „Denn, setzt er hinzu, reine Wissenschaftslehre ist nichts mehr oder weniger als
bloße Logik, welche mit ihren Prinzipien sich nicht zum Materialen des Erkenntnisses versteigt, u. s. w. Er hält den
Geist der Fichtischen Philosophie für nichts weniger als ächt
und Kriticismus. Herrn G. müßte, nach einer solchen Erklärung des Stifters der kritischen Philosophie, bange werden,
wenn dieser nicht selbst ein Wort des Trostes für ihn geschrieben hätte. Dieß steht Kr. d. r. V. S. 370, 4te Aufl. „Ich
merkte nur an, heißt es da, daß es gar nichts ungewöhnliches sey, sowohl im gemeinen Gespräche als in Schriften,
durch die Vergleichung der Gedanken, welche ein Verfasser
über seinen Gegenstand äussert, ihn sogar besser zu verstehen als er sich selbst verstand, indem er seinen Begriff nicht genugsam bestimmte, und dadurch bisweilen
seiner eigenen Absicht entgegen redete, oder auch
dachte."

Nach dieser richtigen Bemerkung muß man es immer
noch als unausgemacht ansehen, ob Kant sich selbst recht
faßte. Und von Fichte gilt dasselbe; auch er bringt Aeusserungen vor, die seine wahre Behauptung, daß das Objekt durch das Subjekt gesetzt werde, nicht nur schlecht begründen, sondern mitunter auch zu widerlegen scheinen.

Doch ich muß weiter gehn.

In der Abhandlung über den Streit zwischen dem
formellen und gemischten Prinzip in der Moral theilt
Hr. Pölitz mit Kant den schädlichen Mißgriff, daß er die
Glückseligkeit des Menschen bloß aus körperlichen Genüssen
gemachen läßt: er sagt S. 201: „Der Mensch kann,
neben einem grenzenlosen Fortschritte in der Wahrheit,
Schönheit und sittlichen Güte, glückselig seyn, er kann,
der neben dem Genusse Glückseligkeit, grenzenlos fortschrei-
ten." Nicht doch! zu menschlicher Glückseligkeit gehören
wesentlich die Genüsse, welche Wahrheit, Schönheit und sittliche Güte gewähren. Daher ist das Koordinationssystem
des Verf. auf einem unhaltbaren Grunde erbaut; und das
viele Wahre, was sich in der Abhandlung findet, ist nicht
durch das System, sondern trotz dem System wahr. —

S. 205 heißt es: „Die menschliche Natur ist ein verbund-
„neres Ganzes in der Würklichkeit, als es dem Philosophen,
„der nur durch Trennen etwas vermag, erlaubt ist, sie er-
„scheinen zu lassen." Wenn das ist, so muß man sich nicht
an die Philosophen wenden, wenn man die menschliche Natur will kennen lernen. Aber an wen denn sonst? ich dächte,
wir gestatteten auch dem Philosophen so gut wie jedem andern
Menschen, die menschliche Natur als ein verbundenes Ganzes
in der Würklichkeit zu überschauen; ja wir rechneten es ihm
als einen Fehler an, wenn ers nicht thäte.

In der folgenden Abhandlung, über das Naturrecht
als Ideal aller Rechtswissenschäften, findet sich ebenfalls
ein Kantischer Grundirrthum, nämlich der S. 251: „Daß
die Pflichten einen weitern Kreis haben, als die Rechte.
Denn, sagt der Verf., leiste ich bloß das, was andere von
mir in Rücksicht auf ihr Recht fordern: so bin ich zwar gerecht, und nach den strengsten Forderungen der Vernunft
darf und kann nicht mehr von mir gefordert werden (moralische Wesen haben bloß Ansprüche auf die Gerechtigkeit anderer); aber meine eigne Vernunft verpflichtet mich, eben
weil ich als Individuum zu einer grenzenlosen Reife fortschrei-
ten, und mich zur Vollendung erheben soll, noch mehr zu thun,
als die Gesellschaft verlangen kann, in der ich lebe; ich soll
rings um mich her die Realisirung des nämlichen Ideals der
Vollendung befördern, dem ich selbst entgegen strebe; und
dieß ist bloß möglich, wenn ich (nächst dem daß ich gerecht
bin, auch) gut bin. Die Vernunft verlangt daher, daß wir
an andern nicht allein die Zwecke ihrer Natur und ihrer darin enthaltenen Rechte anerkennen," u. s. w.

Wie ist das? meine eigne Vernunft — und die gleich
darauf auch die Vernunft schlechtweg heißt — verpflichtet
mich zu etwas, verlangt etwas, das nach den strengsten
Forderungen der Vernunft nicht von mir gefordert
werden kann und darf, weil moralische Wesen bloß Ansprüche auf die Gerechtigkeit anderer haben? eine von den beiden Vernunften muß durchaus vor der andern die Segel streichen; aber welche von beyden? ich suche vergebens unter den
Druckfehlern, ob hier einer sey.

Ferner: ich soll nicht bloß gerecht, sondern auch gut
seyn. Ist denn ein gerechter Mensch nicht auch ein guter
Mensch?

Mensch? Der Sprachgebrauch sagt ja, trotz den philosophischen Schulen, die aus Unkunde der Sprache nein sagen. Der Gute ist gerecht; aber er ist noch mehr, er ist auch billig; nicht nur läßt er gern jedem das seine, sondern theilt auch gern an. dern von dem seinigen mit. Gerechtseyn und billigseyn erschöpfen den Begriff des Gutseyns; gerecht und billig seyn nicht scheinen. Man ist es aber nur wenn man gern, d. i., vermöge seiner herrschenden Gesinnung gerecht und billig handelt; und diese Gesinnung hat man nur alsdann, wenn man sich Ungerechtigkeit und Unbilligkeit nicht bloß als unerlaubt denkt, sondern auch, und hauptsächlich, weil man einen Widerwillen dagegen hat. Oderunt peccare boni virtutis amore. — An diesem Widerwillen wolle sich, beyläufig gesagt, der kategorische Imperativ nicht ärgern; dieser Widerwille arbeitet ihm mehr in die Hand, als er, von seiner Majestät berauschet, gern Wort haben möchte. All sein Rufen: du sollst nicht ungerecht, nicht unbillig handeln, würde da vergebens seyn, wo es nicht mit diesem Widerwillen zusammentäfe. Auch war dieser Widerwille von Anbeginne der Dinge da; der kategorische Imperativ aber ist kaum zwanzig Jahre alt; und ob er lange leben wird, das steht noch dahin. —

Hr. Pölitz, in diesem Punkte ein ächter Kantianer, denkt anders über die Gerechtigkeit. „Sie beruht, sagt er S. 252, auf der äußern Gesetzmäßigkeit der Handlungen, und auf ihrer in der Sinnenwelt erscheinenden (oft aber auch, wenn wir ihre übersinnlichen Gründe kennten, nur scheinbaren) Angemessenheit zu den Forderungen der Vernunft, ohne alle Rücksicht auf den in dem Gemüthe des Menschen liegenden übersinnlichen Grund, aus welchem sie hervorgehen; gut nennen wir aber ein moralisches Wesen, das Handlungen ausübt, die auf einen übersinnlichen Grund in dem Gemüthe zurückführen, der nothwendig völlig der Vernunft angemessen seyn muß; solche Handlungen scheinen nicht bloß vernunftmäßig zu seyn (Legalität), sie sind es auch in der That (Moralität), so weit als Menschen nämlich über die letzten Gründe der Handlungen anderer, oder über ihren sittlichen Charakter aus den in der Sinnenwelt vorliegenden Handlungen urtheilen können. Ueber die Güte der Handlungen kann in der Welt nur Gott und das unbestochene Gewissen des handelnden Individuums ganz bestimmt urtheilen. Die Handlungen der Gerechtigkeit können ausgeübt wer-

werden, ohne daß das handelnde Wesen sich dadurch Verdienst und Werth erwürbe, oder dadurch zur Uebereinstimmung und Einigkeit mit sich selbst gelangte; die Handlungen der Güte aber geben, durch ihre Ausübung, dem handelnden Wesen durchaus Verdienst und Würde, und bringen es zur Harmonie und zum Frieden mit sich selbst, denn sie entspringen aus der innern Vortrefflichkeit des handelnden Wesens: und so gewiß wir sie für seinen Fortschritt zur Vollendung ihm selbst bürgen, so gewiß sind sie der Ausdruck seiner Reise unter seinen Mitmenschen."

Wieviel Kantische hircocervi! Welche Verworrenheit in den Begriffen!

1) **Güte der Handlung** und **Handlung der Güte** nimmt der Verf. für eins. Wir andern verstehen, mit ihm, unter Güte der Handlung ihren Werth, von dem er ganz richtig sagt, daß nur Gott und das unbestochene Gewissen des Handelnden ihn genau bestimmen könne. Aber unter Handlung der Güte verstehen wir eine Handlung, die man nicht als Schuldigkeit von uns fordern kann, wozu uns aber die Billigkeit verpflichtet, z. B. Almosen geben.

2) Eine Handlung der Güte kann eben sowohl bloß gut scheinen, kann eben sowohl aus Eitelkeit, Eigennutz, Schlauheit verrichtet werden, als eine Handlung der Gerechtigkeit; und umgekehrt: Eine Handlung der Gerechtigkeit kann eben sowohl gut seyn, kann eben sowohl aus guter Gesinnung gethan werden, als eine Handlung der Güte. Eine gerechte Handlung zeugt also eben so sehr von dem Werthe der Würde, der innern Vortrefflichkeit des Handelnden, als eine billige Handlung; und umgekehrt: Eine scheinbar billige Handlung ist eben so verwerflich, macht ihren Urheber eben so verächtlich, als eine scheinbar gerechte Handlung. — Wenn ich alle meine Haabe den Armen gäbe, und ließe meinen Leib brennen, und hätte die Liebe nicht, so wäre mirs nichts nütze.

Warum mag wohl die kritische Philosophie diese wahren, und jedermann als wahr einleuchtenden Begriffe so verwirren? um den unwahren Satz durchzusetzen, daß die Pflichten einen weitern Kreis haben als die Rechte.

Diese Behauptung ist abermal, um mich eines Kantischen Ausdrucks zu bedienen, ein Nest von Sophistereyen.

Der

Der gute Mensch erkennt die doppelte Pflicht an, jedem das seine zu lassen (Gerechtigkeit), und andern von dem seinigen mitzutheilen (Billigkeit). Mittelst dieser Anerkennung räumt er nothwendiger Weise seinem Mittmenschen das doppelte Recht ein, die Erfüllung dieser zweyfachen Pflicht von ihm zu verlangen. Nothwendiger Weise: denn es ist ungeräumt, sich ein Verpflichtet seyn zu denken, dem kein Berechtigt seyn gegenüber stünde; diese beyden Begriffe weisen so nothwendig auf einander hin, als Berg auf Thal, Herr auf Knecht u. d. gl.

In diesem Naturgesetz des guten Menschen stehen die Pflichten der Billigkeit den Pflichten der Gerechtigkeit so wenig nach, daß der gute Mensch vielmehr sich vor sich selbst schämen würde, wenn er weiter nichts thäte, als jedem das seine lassen. Hingegen Landesgesetze verpflichten uns bloß dazu, sodern keine Handlungen der Billigkeit von uns; und sind zufrieden, wenn die von ihnen vorgeschriebenen Handlungen der Gerechtigkeit äusserlich vollbracht werden, gleichviel aus welchem Beweggrund, ob aus Furcht vor der Strafe, oder aus Liebe zur Gerechtigkeit.

Nun schieben Kant, Pölitz u. a. m. bald ihr sogenanntes Vernunftgebot dem landesherrlichen Gebot, und bald dieses jenem unter, so daß man nicht weiß wie man mit ihnen daran ist — und sie selbst wissen nicht woran sie sind — wenn sie von bloßer Legalität im Gegensatz der Moralität der Handlungen sprechen. Daher die sonderbare Behauptung, daß eine Handlung schon durch ihre äussere Gesetzmäßigkeit, ohne alle Rücksicht auf den in dem Gemüthe des Menschen liegenden übersinnlichen Grund (also ohne Rücksicht auf den kategorischen Imperativ, das Vernunftgebot, das doch wohl dieser übersinnliche Grund ist) den Forderungen der Vernunft angemessen seyn könne. Hier sind die Forderungen der Landesgesetze gemeint, oder es ist ein offenbarer Widerspruch.

Ich darf mich hier auf diese verwickelte Materie nicht weiter einlassen. Nur noch ein Wort von der Abhandlung überhaupt. Sie enthält manches ausserwesentliche, und unter diesem verschiedenes von der Art, wie die gegebene Probe. Das Wesentliche aber, besonders die Bestimmung der Urrechte und der abgeleiteten Rechte, ist ohne Tadel.

Hr.

Hr. Krug bejahet die auf dem Titel von Nr. 9 aufge-
worfene Frage: ob man nach den Grundsätzen der kritischen Philosophie ein guter Mensch, ein guter Bürger, und ein guter Christ seyn könne? Ich bejahe sie
ebenfalls, ob ich gleich mehr Irriges in der kantisch-kritischen
Philosophie — denn von dieser redet eigentlich der Verfasser — finde, als er will gelten lassen. Man kann ja sogar
nach dem, jetzt veralternden, theologischen Vicariatssystem
ein guter Mensch, Bürger und Christ seyn; — ich kenne viele
die es sind — obgleich, beym ersten Blick, dieses System alles
Sündigen frey giebt, da die Sünde nicht zugerechnet wird,
sobald man nur gläubig ein fremdes Verdienst sich zueignet.

Mit folgender Entschuldigung Kants, S. 259: „Daß
„dieser nie ein eigentliches, vollständiges und zusammenhängen-
„des System der Philosophie aufgestellt habe; daß sein Haupt-
„geschäfft in den eigentlich kritischen Schriften nur Propädeu-
„tik zum System sey," kann der Vf. bey Kant selbst keinen
Dank verdienen, da dieser, in seiner oben angeführten Erklärung im hamb. Correspondenten, es eine unbegreifliche An-
maaßung nennt, „ihm die Absicht unterzuschieben, er habe
„bloß eine Propädeutik zur transcendentalen Philosophie,
„nicht das System dieser Philosophie selbst liefern wollen.
„Es hat mir, setzt er hinzu, eine solche Absicht nie in die Ge-
„danken kommen können, da ich selbst das vollendete Ganze
„der reinen Philosophie, in der Kritik der r. V., für das beste
„Merkmal der Wahrheit, derselben geprüfen habe." Zwar
konnte Hr. Krug von dem Kant, der dieß sagt, an Kant ap-
pelliren, der in der Vorrede zur zweyten Auflage der Kritik
der r. V. S. XLIII. sagt, „er werde auf alle Winke achten,
„um sie in der künftigen Ausführung des Systems die-
„ser Propädeutik gemäß zu benutzen." Aber damit möchte
er eben so wenig Dank verdienen, und könnte obendrein sach-
fällig werden, da diese Worte, gleich so vielen andern, in den
Kantischen Schriften, sich drehen und wenden lassen. Denkt
man sich hinter Systems ein Comma, so gewinnt Hr. Krug;
denn so wird das künftige System von dieser Propädeutik unterschieden. Nimmt man aber des Systems dieser
Propädeutik zusammen: so hat Kant wenigstens halb gewonnen, indem er alsdann die Kritik zwar eine Propädeutik, aber auch zugleich ein System nennt. Freylich hat dann
das Wort gemäß keinen Sinn, wenn man nicht etwa gehörig

rig aber zweckmäßig darunter verstehen soll: aber so etwas
ist ja bey Kant nicht ungewöhnlich.

Hr. Krug meint: „Kant sey in seiner metaphysischen
Rechtslehre sehr consequent verfahren, indem er die Aucto=
rität der obersten Staatsgewalt so nachdrücklich gegen alle
und jede Revolutionsversuche in Schutz nahm." S. 260.
Er lese doch das dritte von den neun Gesprächen zwischen
Christian Wolf und einem Kantianer, wo das Gegen=
theil sehr einleuchtend gezeigt wird.

Ich könnte noch manches Beyspiel anführen, wie un=
zureichend mir Hr. Krugs Vertheidigung oder Entschuldigung
Kantischer Behauptungen scheint: aber es fehlt mir an Zeit
und Raum. Ich wiederhole nur noch, daß ich dem Verfasser
in der Hauptsache beystimme; ich setze hinzu, daß ich seine
Schrift für nützlich und gut geschrieben halte; und endlich,
daß ich das goldene Wort von Asmus, das sich auf der Rück=
seite des Titelblatts findet, auch als auf Kant mit Ehren an=
wendbar, von Herzen unterschreibe. Es lautet so:

„Die philosophischen Systeme, die von ihren Verfassern
für andere erfunden, und als Feigenblätter, oder der Zanks
und der Schau wegen aufgestellt werden, gehen vernünftige
Leute eigentlich gar nicht an. Die Philosophen aber, die nach
Licht und Wahrheit forschen für eignes Bedürfniß, und um
sich den Stein der Unwahrheit, der sie drückte, vom Herzen
zu schaffen, gehen andere Menschen eigentlich, und sehr nahe
an. Auch wo sie irrten und verunglückten, irrten und verun=
glückten sie auf dem Bette der Ehren: denn, wenn du
den Trieb zur Wahrheit und zum Guten im Menschen
nicht ehren willst; was hat er denn noch, was du
ehren mögest?"

Die beyden wichtigsten Werke für das Studium der kri=
tischen Philosophie sind Nr. 1 und 2, besonders das erste, das
einen Schatz von zweckmäßig gesammelten Kenntnissen ent=
hält. Der Hauptzweck des Verf. ist, laut der Vorrede, dem
Nichtkenner das Studium der kritischen Philosophie zu er=
leichtern. Er nimmt an, daß ein solcher Nichtkenner in der
Mathematik nicht bewandert sey, und bemüht sich daher vor=
nämlich, diese unentbehrlichen mathematischen Kenntnisse, da,
wo es nöthig ist, zu ergänzen; womit er sicher vielen Lesern
einen großen Dienst thut. In mehrern Artikeln hat er ver=

G 4 sucht

sucht die Wissenschaft zu erweitern; dadurch wollte er das
Werk auch dem Kenner interessant machen, so wie es dem
Lehrer zum Repertorium dienen kann. Er suchte den möglichsten Grad der Faßlichkeit zu erreichen, theils durch den
Vortrag selbst, theils durch die angegebenen Beyspiele, theils
dadurch, daß er die Lehrsätze der kritischen Philosophie nicht
selten mit den Lehrsätzen anderer Philosophen über denselben
Gegenstand, eines Leibnitz, Hume, Wolf, Lambert u. s. w.
verglich, und das Unterscheidende zeigte. Bisweilen drückte
er Kants Lehre in der Sprache dieser Männer aus, oder
knüpfte sie an den Vortrag derselben an. Dadurch hofft er,
und mit Grund, die Sache, worauf es ankömmt, vornämlich
denen verständlich zu machen, die in dem Geist (Rec. glaubt,
dieß müsse heißen in der Sprache) dieser Männer zu denken
gewohnt, und mit dem System derselben vertraut sind. Bisweilen hat er auch Nachrichten und Erläuterungen aus der
ältern Geschichte der Philosophie gegeben, und die Lehrsätze
der alten Philosophen mit den Kantischen verglichen. Dies
Wörterbuch umfaßt übrigens nur die kritischen, und diejenigen
dogmatischen Schriften Kants, die nach seinen kritischen
Schriften erschienen sind. Von den ältern kann höchstens
nur dann die Rede seyn, wann sie etwas in seinen neuern
Schriften erläutern und aufklären.

Alles was der Verf. hier verspricht, hat er in den vor
uns liegenden zwey Bänden treulich gehalten. Faßlicher als
er kann man das haltbare wie das unhaltbare nicht vortragen;
beydes schimmert hier gleich bey der ersten Ansicht durch;
und man müßte sich wundern, daß das unhaltbare dem Verf.
nicht selbst eingeleuchtet habe, wenn man nicht wüßte, wie
schwer es selbst einem so ruhigen Forscher als er ist, fallen
muß, das Unrecht der Partey zu welcher man sich bekennt,
einzusehen. Man muß billig gegen einen solchen Mann seyn,
man ist ihm die Achtung, das Lob schuldig, daß er den verdienten Denkern der Vorzeit ertheilt, indem er S. 9
sagt: „auch sie haben redlich das Ihrige gethan. Sie haben
„das Verdienst, daß sie alle auf Erkenntniß und Wahrheit
„hingearbeitet haben, und wir würden wahrlich sehr Unrecht
„thun, wenn wir sie blos nach dem Erfolg, und nicht zugleich
„nach ihrem redlichen Willen und der Anwendung ihrer Ta-
„lente schätzn wollten.“

Die Kunstsprache der kritischen Philosophie ist, wie
der

der Verf. in der Vorrede bemerkt, und wie der Augenschein
lehrt, ein Gegenstück zu Baumeisters philosophia defini-
tiva, oder Sammlung aller philosophischen Erklärungen aus
Wolfs Schriften, Wittenberg 1734; nur mit dem Unterschiede, daß Baumeister die Erklärungen systematisch, uns
ser Verf. aber, um das Auffinden derselben zu erleichtern, sie
alphabetisch geordnet hat. „Man wird nun leicht beurtheilen können, setzt er hinzu, ob die Klage gegründet sey, Kant
sey zu sparsam in Erklärungen gewesen, und habe sich hinter
eine fremde Kunstsprache versteckt.“

Dies Wörterbuch ist kein Auszug aus den encyklopädi-
schen; das eine macht das andere nicht entbehrlich; beyde haben einen ganz verschiedenen Zweck. Das encyklopädische
Wörterbuch soll Kants Behauptungen über jeden einzelnen
Gegenstand der kritischen Philosophie faßlich machen; dies
kleinere Wörterbuch hingegen dem Bedürfnisse, Kants Erklärung einzelner Kunstwörter sämmtlich schnell aufzufinden,
abhelfen.

Wo Kant Beyspiele gab, benützte sie der Verf. auch in
diesem Wörterbuche, wo sie fehlten und ihm nöthig schienen,
fügte er sie hinzu, und gab überall die Seite der Kantischen
Schrift, wo Erklärung oder Beyspiel zu finden ist, genau an.
— Ueber die Beyspiele muß ich ein Wort sagen. Hr. Mellin will S. VIII. der Vorrede zu dem größern Wörterbuche,
„daß Beyspiele nicht immer möglich sind, oder doch nicht immer
ausschließend den Fall enthalten, den sie erläutern sollen.“
Beydes liegt aber wohl nicht in der Sache, sondern in dem
Schriftsteller. Was ist ein Beyspiel? ein einzelner Fall,
wo das abstractum in concreto dargestellt wird. Warum
sollte sich dies nicht überall, oder nicht immer zweckmäßig thun
lassen? Man bringt seine abstracta in den Verdacht, als
wären sie Wahnbegriffe, wann man sie nicht in concreto
vorzulegen getraut. Ich fürchte, dieser Verdacht sey bey
manchen Kantischen Sätzen nur zu gegründet. Hätte Kant
seine Kritik geschrieben, wie Engel seine Poetik, wäre er vom
einzelnen zum allgemeinen hinaufgestiegen, so hätte er sich
nicht so verirren können, als er, meiner Ueberzeugung nach,
gethan hat. Aber er that das Gegentheil, er ging von allgemeinen Begriffen, z. B. Erfahrung aus, gab selten oder
gar keine Beyspiele; sagte wohl gar, die gehörten da nicht
hin, die sollten nachher kommen; behauptete gegen Garve,
ein populärer — d. i. im Grunde nichts anders als ein

für

für Sachverständige faßlicher Vortrag, wohin auch das Bey-
spielgeben gehört — sey wenigstens in solchen Schriften, wie
seine Kritiken, nicht möglich: hinc illae lacrimae!

Kz.

Mathematik.

Astronomisches Jahrbuch für das Jahr 1802, nebst
einer Sammlung der neuesten in die astronom.
Wissenschaften einschlagenden Abhandlungen, Beobachtungen und Nachrichten. Mit Genehmhal-
tung der Königl. Akademie der Wissenschaften berechnet und herausgegeben von J. E. Bode, Astronom und Mitglied der Akademie. Berlin, beym
Verfasser und in Comm. bey Lange. 1799. 260
S. 8. 2 Kupfer.

Im Kalender ist auch Sternzeit im mittlern Mittage angegeben, auch Auf- und Untergang des Mondes. Die Sammlung geht S. 93 an, enthält 25 Artikel. 1) Klügel, Beobachtungen der Sonnenfinsternisse, Bedeckungen und Durch-
gänge auf den Mittelpunkt der Erde überzutragen. 2)
Schröter, Flecken, Atmosphäre und Durchmesser des Mars.
Er setzt den Durchmesser in der Entfernung von der Erde, so
groß als der Erde mittlere von der Sonne ist $= 9, 91$ Sek.
3) Deſſ. partiale Bedeckung des Mars vom Monde, 31. Jul.
1793, und Durchgang Merkurs durch die Sonne, 7. May
1799. Mars war nur etwas über die Hälfte vom Monde bedeckt. 4) Seyffert, geh. Finanzsecr. in Dresden, Einrichtung und Gang einer nach guten Regeln ausgeführten, und
mit einem Compensationspendel versehenen astronomischen Uhr.
Das Pendel besteht aus einem Stabe von Stahl, dem ein
gleichförmiger Stab von Messing parallel läuft; Aufhängung
und andere Einrichtungen haben viel Eigenes. 6) Hennert
Pr. zu Utrecht, über geographische Messungen, besonders Bestimmung der Polhöhe. Veranlaßt durch eine Abhandlung
von le Gendre Mém. de l'Ac. R. des Sc. 1787, wo Formeln
ohne Beweis gegeben sind. (Unterschiedne dieser Formeln
beweist

sowohl Kästner in einer d. 14. April 1798 der Götting. Soc. d. W. vorgelegten Abhandlung de usu stellae polaris geographico.) 7) Canon. Derflinger zu Kremsmünster Opposition des Uranus 1798. 8) Wurm, Pred. zu Grubingen im Würtemb., Störungen des Mars durch Venus, Erde und Jupiter; nach Klügels Methode berechnet. Es ist gut, diese schwierigen und verwickelten Perturbationsrechnungen von verschiedenen Astronomen nach unterschiedenen Methoden berechnet, beysammen zu haben, um sich von ihrer Richtigkeit zu versichern, deswegen stellt er seine Resultate mit andern ihm bekannt gewordenen zusammen. 9) Triesnecker und Burg astron. Beobachtungen. 10) Lambert hinterlaßne Abhandlung über Kometen, welche der Erde nahe vorbeygehn. Hr. Soldner hat sie ausserdem frey übersetzt und die fehlenden Figuren ergänzt. 11) Schubert, russ. k. Collegienrath, über die Bewegung der Planeten im Aether. Anwendung der Gleichungen, die *la Place*, Mém. de l'Ac. des Sc. 1773, recherches sur le calcul intégral et sur le systéme du monde p. 370. giebt. 12) Wurm allgemeine Tafeln für die grössten Digressionen der Venus, ihre Conjunctionen, Zeiten ihres grössern Glanzes. 13) Dr. Olbers in Bremen, über den zweyten Kometen 1798. 15) Erbmarschall und Ritter v. Hahn Beobachtungen bey der totalen Mondfinsterniß 3 — 4. Dec. 1797. Er hält Phosphorescenz des Mondes für eine wahrscheinliche Hypothese. 16) Köhler, Insp. d. math. Sol. u. d. Kunstk. zu Dresden, astron. Beobachtungen 1796 — 99. 17) Dr. Koch zu Danzig Gegenscheine des Mars und Jupiter 1798. Uranus 1799. Durchgang Mercurs 99. Veränderlicher Stern X im Schwane. 18) Insp. Schaubach zu Meiningen, Gleichungstafeln für correspondirende Sonnenhöhen, die näher als zwey Stunden bey Mittage genommen sind. 19) Past. Fritsch in Quedlinburg über Sonnenflecken, Mars u. dgl. 20) V. Hahn über den planetarischen Nebelfleck der Wasserschlange. Er äussert den Gedanken, es sey eine wirkliche Kugel, die eine glänzende und dunkle Seite habe, von der letztern nur ein geringer Theil uns zugewandt. 22) P. Ignaz Rausch Berechnung der grossen Sonnenfinsterniß 1804. 23) Bode Berl. Beobachtung 1798. Die Aufsätze, deren Zahlen fehlen, sind von Ausländern. Auch unter noch folgenden einzelnen Nachrichten gehört vieles Deutschen. Hr. v. Zach hat unterschiedene an ihn gekommene Abhandlungen Hrn. Bode geschickt.

Neue-

Neuester Himmelsatlas zu Gebrauch für Schul- und akademischen Unterricht, nach Flamsteed, Bradley, Tob. Mayer, de la Caille, le Francois de la Lande und von Zach, in einer neuen Manier, mit doppelten schwarzen Sterncharten bearbeitet, durchgehend verbessert und mit den neuesten astronomischen Entdeckungen vermehrt, von C. F. Goldbach. Revidirt auf der Sternwarte Seeberg bey Gotha, und mit einer Einleitung begleitet vom Hrn. Obristwachtmeister v. Zach. Im Verlage des Industrie-Comptoirs. 1799. Die gedruckte Einleitung Ostern 1799 datirt, 4 Blätter. Querfol. 5 Rß.

Der Sterncharten sind 30 gezählt. Jede in ein Rechteck eingeschlossen, dessen Grundlinie etwa 0,71 rheinl. Fuß ist, die Höhe 0,555. Die Charten 1; 28; 29; 30; sind: Nördliche Halbkugel, südliche mit den Gestirnen nach Haller, südlich nach la Caille, Alvanements. Diese wie gewöhnlich. Aber 2 — 27., schwarzer Grund, Sterne, Buchstaben, Linie, Weiß, welches sich, zumal bey nächtlicher Erleuchtung für das Auge besser ausnimmt. Jede dieser 26 Platten ist doppelt da; einmal Umrisse der Sternbilder, bloß mit Linien, Buchstaben, Namen, Bogen der Sphäre, dann ohne das alles, die Sterne ganz allein; wie man sie am Himmel sieht. Diese soll dienen, den Lernenden zu examiniren, selbst bey Tage, trübem Himmel, strenger Winterkälte, in der Stube. Sie liegen im gebundnen Exemplare, denen mit den Sternbildern .... zur linken Hand des Anschauenden. Beyde Platten enthalten gleichviel Sterne. Die Menge der Sterne auf jeder Plate ist sehr ansehnlich, bey den Zodiacalgestirnen bis auf die 7 Größe, bey den andern bis auf die neunte. Die Größen sind sehr wohl zu unterscheiden, indessen fallen dem Examinanden auf einmal so viel ins Auge, daß er viel Aufmerksamkeit nöthig hat, auch die Größen sicher herauszusuchen. Allemal würde der Rec. das Examen lieber am Himmel anstellen. Daß 26 Platten mehr die Sammlung vertheuere, ist eine ökonomische Erinnerung. Sonst fallen wegen Feinheit der Zeichnung und des Stiches

diese

diese Platten nur mit Sternen sehr angenehm ins Auge; der
andern Schönheit verliert etwas durch die ihnen nothwendigen
Buchstaben und Linien. Hr. v. Zach giebt in der Einleitung
Nachricht von bisherigen Arbeiten dieser Art, die immer Ver-
kleinerungen des Flamsteedischen Atlas sind, mit neuern Zusätzen. Gegenwärtige hat Hr. Calculator Goldbach in
Leipzig mit grossem Fleisse und vorzüglicher Geschicklichkeit
ausgeführt, dabey auch die neuesten Vermehrungen der Sterne
von Herschel und Hrn. la Lande gebraucht. Der Atlas
enthält 10570 Sterne; die letzte Bodensche Ausgabe des
Fortinschen nur 5058. Er dient also nicht nur Anfängern,
sondern auch Astronomen, steht zunächst bey dem prachtvol-
len Atlas, den Hr. Bode in groß Folio heftweise heraus-
giebt. Das Umständliche in der Einrichtung gegenwärtiger
Sammlung braucht nicht angeführt zu werden, da es im Wesentlichen bekannten allgemeinen Gesetzen folgt, und von dem,
welcher sich des Werkes bedient, leicht selbst eingesehen wird.
Der Hr. v. Zach fügt diese neue Probe seines unermüdeten
Eifers für die Astronomie, unzähligen andern bey.

Ho.

Auch eine Antwort auf die Frage: Ist das Jahr
1800 das letzte im 18ten, oder das erste im 19ten
Jahrhundert? Von B. F. Mönnich. Berlin,
bey Lange. 1799. 1½ Bogen in 8. geheftet.
3 H.

Schon der Titel sagt, daß die Frage: ob das achtzehnte
Jahrhundert mit dem Jahr 1799, oder 1800 schließe,
von mehreren müsse aufgeworfen und beantwortet worden
seyn. Dieß beweisen aber auch mehrere Aufsätze im Reichs-
u. allgem. Liter. Anz. u. andern Journ., der eigenen
Stücke, die genannte und ungenannte Verf. dieses Gegenstandes wegen herausgegeben haben, nicht zu gedenken.
— Hr. M. ist, wie er S. 3 f. sagt, zur Abfassung dieser
Schrift durch ein Gespräch mit einem seiner Freunde, welcher
den Schluß des 18ten Jahrhunderts mit dem J. 1799 behauptete, veranlaßet worden. Das anschauliche Beyspiel,
welches Hr. M. S. 4. seinem Freunde vorhält, überzeugt
diesen

diesen von seinem Irrthume, der jedem gesunden Menschen-
verstand auffallen muß, wenn er nur einen richtigen Begriff
vom arithmetischen Zählen hat. Dieß hat auch Hr. Prof.
Bürja in einer eigenen, 3 Bogen starken, gelehrt geschriebenen, und doch dem Einfältigsten verständlichen Schrift hinlänglich gezeigt. Demohngeachtet wollen es viele, unter andern auch Hr. Herrosen nicht glauben, (s. Berl. Denk-
würdigk. f. 1799. April), weil letzterer dafür Beweise aus
der Kirchengeschichte beybringt. Hr. M. zeigt aber mit vieler Laune, daß alle historischen Beweise in Bestimmung und
Festsetzung des Jahrhunderts nichts gelten. Denn es gilt
gleich viel, ob der Abt Dionysius, der die damalige aera
Diocletiana abschaffte, sich in Festsetzung des Geburtsjahres
Christi um 2 Jahr oder um 12 Jahre irrte; oder: ob das
gegenwärtige Jahr 1800 die wahre christliche Zeitrechnung
sey, oder nicht. Genug ist, wie Rec. noch hinzusetzt, daß
derjenige, dem eine Schuldverschreibung von 1800 Thlr. bezahlt werden soll, mit 1799 rechtlich nicht zufrieden zu seyn
braucht; und daß derjenige, welcher 1801 Thlr. dafür erlegt,
einen mehr, welcher zum 19ten Hundert gehört, entrichtet
hat.

Et.

Naturlehre und Naturgeschichte.

Entwurf der Naturlehre zum Gebrauch der Schülen
von C. A. Baumann. Zweyte verbesserte Auflage. Brandenburg, bey Leich. 1799. 224 S.
in 8. 12 gr.

Diese zweyte Auflage hat vor der Erstern nicht allein den
Vorzug, daß der Verf. manches darinne noch mehr erweitert, erläutert und berichtiget hat — sondern auch durch die
Trennung der Naturlehre von der Naturgeschichte ist für diejenigen Schulmänner gesorgt, die diesen Entwurf der Naturlehre beym Unterrichte brauchen wollen, und also jedes besonders angeschafft werden kann.

Cb.

Sammlung physikalischer Aufsätze, besonders die
Böhmische Naturgeschichte betreffend; von einer
Gesellschaft Böhmischer Naturforscher; herausgegeben vom K. K. Rath, Herrn D. Joh. Mayer,
oc. fortgesetzt von Fr. Ambr. Reuß, der Weltweisheit und Arzneywissensch. Doktor. Fünfter Theil.
Dresden, in der Waltherischen Hofbuchhand-
lung. 1798. 484 S. gr. 8. 1 Rß. 8 Zr.

Unsern Lesern ist dies Werk schon aus der Anzeige der vorigen Bände bekannt. Mineralogie ist der Hauptgegenstand
desselben. Folgende Abhandlungen machen den Inhalt des
vorliegenden Bandes aus: I. Eintheilung aller zur Trapp-
formation Böhmens gehörigen Fossilien. Von dem Herausgeber. S. 1. II. Geognostische Bemerkungen über die Herrschaft Milleschau im nordwestlichen Mittelgebirge Böhmens.
Von dem Herausgeber. S. 15. III. Mineralogische Beschreibung der Kameralherrschaften Königshof und Tocznik
im Berauner Kreise. Von dem Herausgeber. S. 93.
IV. Ueber die Nothwendigkeit mehrere Formationen des
Basaltes anzunehmen. Von dem Herausgeber. S. 158.
V. Mineralogische Beschreibung des Egerischen Bezirks.
Von dem Herausgeber. S. 199. VI. Beyträge zur Geschichte und Charakteristik des Faserkiesels. Von A. Pelzer.
S. 271. VII. Zusätze zu den pyramidenförmig ausgezeich-
neten Stücken des Basalts. Von A. Pelzer. S. 284.
VIII. Mineralogische Miscellen. Von dem Vorkommen
der Quarzkristalle im Flötzkalke und auf dem Stinkstein in
der Gegend um Prag. S. 297. IX. Versuch eines Ver-
zeichnisses aller Schriftsteller, welche über Böhmische Mineralwässer geschrieben haben, sammt einem Prospekt der Hy-
drologie Böhmens. Vom Herausgeber. S. 309. X. Beyträge zur Literärgeschichte der Böhmischen Mineralwässer.
Von Doktor John. S. 415. XI. Ueber einen Basaltgang
am Sneuße bey Bilin, von dem Herausgeber. S. 431.
XII. Chemische Untersuchung des auf der Hochfürstlich Lobko-
witzischen Herrschaft Neudorf im Saazer Kreise in Böhmen gelegenen Sadschitzer Bades, von dem Herausgeber
S. 450.

Ueber

Ueber die Mittel Naturgeschichte, gemeinnütziger
zu machen, und in das praktische Leben einzuführen; nebst. Plan und Ankündigung einer
Folge dahin abzweckender Werke; von *F. J.
Bertuch*, Herzogl. S. Weimar. Legat: Rath, etc.
Weimar, im Verlage des Industrie-Comptoirs.
1799. 38 S. gr. 4. 18 Æ.

Naturgeschichte, sagt der Verf., ist noch nicht das, was
sie eigentlich seyn soll; und sie nutzt der Welt noch viel zu
wenig, wenn sie nur als bloße Wissenschaft in, den Händen
und Bibliotheken der Gelehrten bleibt, nicht ins gemeine
Leben übergeht, auf dessen Bedürfniß angewandt, und dem
Ungelehrten zugänglich gemacht, oder popularisirt, wird.
Der große Nutzen einer allgemeinen Popularisirung der Naturgeschichte wird S. 5 umständlich und sehr richtig gezeigt,
S. 7 die Hindernisse, die sich der Popularisirung der N. G.
bisher entgegenstellten, wohin die theils zu gelehrte, theils
zu confuse Behandlung der N. G., der Mangel an Versinnli-
chung durch gute Abbildungen, oder durch Naturalien selbst,
der Mangel an zweckmäßigen Lehr- und Handbüchern, und
der Mangel des Unterrichts in den Seminarien, den Dorf-
und Bürgerschulen gehören, auseinander gesetzt; dann
S. 15 die Mittel angegeben, wodurch diese Hindernisse gehoben, und allgemeine Popularisirung der N. G. bewirkt
werden könne; dahin gehört z. B. die vollständige Berichtigung und Einführung einer deutschen Nomenclatur und
Charakteristik, durch alle drey Naturreiche, mit vergleichen-
der deutschen Synonymik; die Annahme eines leichten, natürlichen, und sich vorzüglich auf den äußern Totalhabitus
des Naturkörpers gründenden Classificationssystems; die
Ausführung eines Werks, welches gute Abbildungen aus allen drey Naturreichen systematisch liefert; die Ausarbeitung
einiger populairen Lehr- und Handbücher; der Unterricht
selbst, die Einrichtung einer naturforschenden Gesellschaft unter den Studierenden auf jeder Akademie; und Anlegung
kleiner topographischen Naturaliensammlungen — worauf
S. 25 der Plan und die Ankündigung der nöthigen Werke
mitgetheilt werden. Diese sind A) Tafeln der allgemeinen
N. G. aller 3 Reiche, mit vollständiger Aufzählung aller bis
jetzt

jetzt bekannten Naturkörper, und einer synoptischen Tabelle
ihrer Kennzeichen. Diese Tafeln sollen. in gr. 4. in einzelnen
Heften über alle drey Naturreiche zugleich, doch über jedes
besonders erscheinen; das Ganze ohngefähr in 10 Jahren be-
endigt werden, und wie wir S. 38 finden, das ganze Thier-
reich mit 240, das Pflanzenreich mit 300, und das Mine-
ralreich mit 60 Tafeln vollendet werden. B) Handbuch für
Lehrer der N. G. auf Gymnasien und Schulseminarien, so
wie auch für Liebhaber zum Selbstunterrichte, welches Hr.
Professor Batsch in Jena zu bearbeiten übernommen hat.
C) Leitfaden der N. G. für Land- und Bürgerschulen, nebst
dazu gehörigen Figurentafeln. D) Lehrbuch für Gymnasien
und Schulseminarien. Beyde wird Hr. Inspector Funke
in Dessau bearbeiten. Diese 4 Werke, deren näherer Inhalt und Bestimmung ausführlich zergliedert werden, greifen in einander, wie die Räder einer Uhr. Keines ist von
dem Ganzen, dem Zwecke nach, trennbar; ob gleich jedes
für sich allein auch brauchbar und gemeinnützig ist. Zuletzt
sind drey Probetafeln, aus dem Thier- Pflanzen- und Mi-
neralreiche angehängt, denen man seinen Beyfall nicht versagen kann. Der Raum dieser Blätter verstattet eine umständlichere Zergliederung dieses allerdings wichtigen und weit
aussehenden Plans nicht. Wir wünschen nur, daß die Ausführung desselben nicht durch die Schwierigkeiten gehemmt
werden möge, die einem so erheblichen Unternehmen sich in
mehr als einer Hinsicht entgegenstellen.

Handbuch der Naturgeschichte für Deutschlands Jugend, zunächst für die obern Klassen in Bürgerschulen und für den häuslichen Unterricht, von Johann Gottlieb Trimolt. Erster Band mit Kupfern. Frankfurt am Main, in der Behrens-
schen Buchhandlung. 1799. 622 Seiten gr. 8.
1 Rh. 20 K.

Die Absicht des Verf. geht dahin, Kindern in Bürgerschulen, die den ersten Cursus in der Naturgeschichte bereits vollendet haben, und nun zu einem mehr systematischen und
praktischen Unterricht in dieser Wissenschaft geführt werden
sollen, so; daß man nach wenigen Jahren auch in dieser Rück-

sich gehörig vorbereitet aus der Schule zu einer bestimmten Lebensart übergehen können, nützlich zu werden; und zeigt dabey vorläufig an, daß außer diesem noch 2 Bände folgen, also das Ganze aus drey Bänden bestehen soll. Die Absicht mag an sich recht gut seyn; aber wir können doch nicht sagen, daß der Verf. etwas Sonderliches durch diese Arbeit geleistet habe. Zum Unterricht in Schulen ist ein Werk von der Art allemal zu weitläuftig, und wenn man es als Handbuch zur Selbstbelehrung und einem Gebrauch betrachten will: so fehlt es wirklich in unsern Tagen nicht an mehrern dahin abzweckenden Schriften, die in Ansehung der Schreibart, Gründlichkeit und des ganzen Gehalts diesem weit vorzuziehen sind. Die systematische Einrichtung, worauf bey einem solchen Werke allerdings auch Rücksicht zu nehmen wäre, ist ein wahrer Mischmasch. Nirgends ist eine Quelle, nirgends eine systematische Benennung angeführt. Von fremden Thieren ist verhältnißmäßig immer zu viel, und von den einheimischen zu wenig gesagt worden. Den wilden und zahmen Schwan scheint der Verf. 485 f. für Spielarten zu halten. Neues findet man gar nicht. Die Kupfer sind größtentheils ziemlich gut. Dieser Band enthält die Säugthiere und Vögel. Am Ende ist ein Register angehängt; das Hauptregister soll aber erst dem letzten Bande beygefügt werden.

Ek.

Vollständiges Handbuch einer technologischen und ökonomischen Naturgeschichte, für deutsche Bürger, Landwirthe und ihre Kinder. Mit Kupfern. Des ersten Theils oder der Thierbeschreibung vierter Band. Beschluß der Säugthiere, nebst Zusätzen zu den ersten Bänden und einer Abhandlung über den Unterricht in der Naturgeschichte. Leipzig, bey Beygang. 1800. 208 Seiten in gr. 8.

Dieser Band enthält noch aus der sechsten Ordnung das Stinkthier, den Otter, den Marder, den Bär, das Beutelthier, den Maulwurf, die Spitzmaus, den Igel; und aus

der siebenten Ordnung den Narwal, den Wallfisch, den Kaschelot, und den Delphin. Abgebildet sind die Zibethkatze,
der Fischotter, der Zobel, das Frett, der Eisbär, der Schupp,
der Opoßum, die Bisamratte, der gemeine Narwal, der gemeine Wallfisch, der eigentliche Kaschelot, der Delphin. Doch
haben uns die Abbildungen bey den vorigen Bänden besser
gefallen. Die Frage, ob der Verfasser seine Arbeit weiter
fortsetzen solle, kann er sich aus unserm, über die bisherigen
Bände gefällten Urtheile selbst beantworten. Der diesem
Bande beygefügte Anhang über den Unterricht in der Naturgeschichte ist lesenswerth, und verdient allgemein beherziget
zu werden. Sehr richtig urtheilt der Verfasser, daß der Unterricht nicht bloß und nicht vorzüglich auf Naturkenntniß,
sondern auf Naturforschen hinführen müsse; und daß man
Naturgeschichten für Kinder zu schreiben aufhören, für Lehrer
aber viel schreiben solle, damit sie sich Raths zu erholen wissen, wenn sie etwas erklären sollen, was sie selbst noch nicht
verstehen; welches denn, leider! wohl oft genug der Fall
seyn mag.

Thomas Pennants allgemeine Uebersicht der vierfüs-
sigen Thiere. Aus dem Englischen übersetzt und
mit Anmerkungen und Zusätzen versehen von Johann
Matthäus Bechstein. Erster Band, mit Kupf.
Weimar, im Verlage des Industriecompt. 1799.
318 S. gr. 4. 4 Rgl. 12 Xr.

Eine Zergliederung der Originalschrift an und für sich ist wider die Absicht und Einrichtung dieser Blätter, denn sonst
müßten wir uns auch mit der Zergliederung des Systems,
nach welchem der Verf. in seinem Werke die Thiere aufgestellt
hat, und welches von dem Linneischen System der Quadrupeden himmelweit verschieden ist, einlassen. Dies übergehen
wir aber um so mehr, da das Werk aus andern gelehrten
Blättern zur Gnüge bekannt ist, und bleiben hier bloß bey
der vor uns habenden Uebersetzung stehen. Würdig war
Pennants Arbeit allerdings, in die deutsche Sprache übersetzt zu werden. Aber die Uebersetzung mußte auch, wenn sie
dem Original an die Seite gesetzt und recht brauchbar werden
sollte, gerade so bearbeitet werden, wie sie hier bearbeitet
G 2   wor-

worden ist; und Hr. Bechstein hatte nicht nöthig, sich in
der Vorrede damit zu entschuldigen, daß er von vielen angesehenen Männern zu dieser Arbeit aufgefordert worden sey.
Das naturhistorische Publikum würde ihm dafür danken,
wenn ihn auch Niemand dazu aufgefordert hätte. Seine
Zusätze sind mit jenen, die sich bey Lathams Uebersicht der
Vögel befinden, von einerley Art. Auch sind die nöthigen
Synonymen überall beygefügt. Um das Werk nicht zu vertheuern, hat er nicht nur die bekannten, und besonders die
in dem Schreberschen Werke über die Säugthiere befindlichen
Abbildungen weggelassen; sondern auch die andern, wo es thunlich war, zusammen gerückt, und so, wie bey dem Lathamschen Werke, mehrere Thiere auf eine Kupfertafel gebracht.
Diese letztere Einrichtung billigen wir sehr; der erstern aber
können wir unsern Beyfall nicht ganz geben: denn es steht
nicht zu erwarten, daß alle, die sich in der Folge das Pennantsche Werk etwa anschaffen werden, auch das Schrebersche Werk von den Säugthieren eigenthümlich besitzen sollten,
und diese haben alsdann doch immer etwas unvollständiges.
Die in diesem Bande beschriebenen Geschlechter sind: das
Pferd, der Ochse, das Schaf, die Ziege, die Giraffe, die
Antilope, der Hirsch, das Moschusthier, das Kameel, das
Schwein, das Nashorn, das Flußpferd, der Tapir, der
Elephant, der Affe, der Hund, die Katze, in allem 297
Gattungen. Der Kupfertafeln sind 34, und die Abbildungen mögen wohl denen im Original um nichts nachstehen.
Von Zeit zu Zeit verspricht der Uebersetzer in Supplementen
die neu entdeckten vierfüßigen Thiere folgen zu lassen, und
dadurch dies Werk zu einem zweckmäßigen Repertorium der
Quadrupeden zu machen. Das alphabetische Namenregister
bitten wir am Ende nicht zu vergessen.

Deutschlands Fauna in Abbildungen nach der Natur
mit Beschreibungen; von Jacob Sturm, Ehrenmitgliede der botanischen Gesellschaft in Regensburg. Dritte Abtheilung. Die Amphibien.
Zweytes Heft. Nürnberg, gedruckt auf Kosten
des Verfassers. 1799. 8. 1 M.

Bey Anzeige dieses zweyten Hefts haben wir nichts weiter

zu sagen, als daß es sowohl seinem innern Gehalt, als seiner
Nettigkeit und Sauberkeit nach, dem ersten völlig gleich
kömmt. Die Beschreibungen sind gut, und die Abbildungen
treffend und schön. Abgebildet sind hier: die veränderliche
Kröte, der gemeine Molch, die gemeine Eidechse, die öster-
reichische Natter, die Sandnatter, die Aesculapschlange. Die
Beschreibungen und Abbildungen der beyden letztern sind aus
amphibiologischen Aufsätzen des Hrn. D. Host, die sich im
4ten Bande von Jacquins naturhistorischen zc. Collectaneen
befinden, auszugsweise entlehnt. Unangenehm ist es nur,
daß diesen Blättern, zumal da sie nicht geheftet sind, die
Seitenzahlen, der Custos und das Alphabet fehlen. Wer
ein einzelnes Blatt fallen läßt, kann es nur mit vieler Mühe
wieder an den gehörigen Ort bringen. Eine Unbequemlichkeit, die sehr leicht zu vermeiden gewesen wäre.

Bl.

Chemie.

Chemische Annalen für die Freunde der Naturlehre,
Arzneygelahrheit, Haushaltungskunst und Manu-
facturen; von D. Lorenz von Crell, herzogl.
Braunschw. Lüneb. Bergrathe zc. Erster Band.
574 Seiten. Zweyter Band. Helmstädt, bey
Fleckeisen. 1796. 3 Rß.

Ohne unnöthige Einleitung und Anpreisung dieses Journals,
dessen Einrichtung eben so bekannt als sein Werth, welcher
bis zur Unentbehrlichkeit längst entschieden ist, wenden wir uns
sogleich zu einer gründlichen Anzeige seines Inhalts.

Den ersten Band eröffnet eine vortreffliche chemische
Untersuchung der Bierhefe, nebst Beschreibung einer
künstlichen Hefe von Westrumb. Durch diese genaue
und sinnreiche Zerlegung dieses so unentbehrlichen, aber in
Absicht seiner Bestandtheile uns fast noch unbekannten Stoffs
ergiebt sich, daß in 15000 Theilen derselben 1½ Theile Luft-
säure, 20 Essigf., 45 Aepfels., 440 Weingeist, 120 extract-
artiges Wesen, 240 Schleimstoff, 305 Zuckerstoff, 480
Gg 3 Leim-

Leimstoff, 13595 Wasser vorhanden sind. Der Leimstoff ist allerdings der, zur Erregung der Gährung unentbehrlichste Theil; doch muß zur vollen Wirkung etwas Säure hinzukommen. Nach dieser Zerlegung giebt W. an, wie man nach jenen gefundenen Theilen überhaupt und wie man im Großen eine künstliche Bierhefe machen könne. II. Guyton Morveau von einem neuen Eudiometer. Es beruhet auf der mit Kali bereiteten Schwefelleber. III. Ueber die säuerlichen vitriolischen und einige Doppelsalze vom Prof. Link. Es wird vom säuerlichen vitriolisirten Weinsteine, dem Wundersalze, und geheimen Salmiak gehandelt; mit den übrigen Erden oder Metallen giebt es entweder gar keine Crystalle, oder die Säure läßt sich durch Wasser wieder abspühlen. Als doppelte Salze kommen vor der ammoniakhaltende, der bittererdige und der eisenhaltige vitriolisirte Weinstein; das ammoniakhaltende, das bittererdige Glaubersalz, der Eisen- und Kupfervitriol, der Eisen- und Nickelvitriol, der Kupfer-, Nickel- und Eisenvitriol, der Zink-, Nickel- und Eisenvitriol, der Kobold- und Zinkvitriol, der ammoniakalische Nickelvitriol. IV. Berthollet über einige Thatsachen, die man dem antiphlogistischen Systeme entgegengesetzt hat. Diese Bemerkungen sind gegen einige von Hrn. Westrumb's Sätzen gerichtet, welche er in der Abhandlung über das zündende Salzgas vortrug. V. Gadolin's Brief an Guyton, welcher verschiedene Umstände wegen der specifischen Wärme berührt. VI. Clouet über die Zusammensetzung des färbenden Stoffs vom Berliner Blau. Zu dessen Entstehung muß die Kohle sich geradezu mit dem Ammoniak verbinden. VII. Hassenfratz'ens Zerlegung von James' Pulver: es ist ein dreyfaches Salz, das aus Phosphorsäure, Spießglanzkalk und Kalkerde besteht. VIII. Hassenfratz über die Art, wie das Kochsalz über die Oberfläche der Erde verbreitet sey, und über die verschiedenen Vorkehrungsarten, um es zu erhalten (eine wichtige Abhandlung für diejenigen, welche sich mit dem Kochsalze beschäfftigen; wo sie es zu vermuthen, wie sie es aufzusuchen und zu verarbeiten haben.) IX. Welches sind die Düngarten, die für die verschiedenen Arten der Aecker am zuträglichsten sind? und welches sind die Ursachen ihres wohlthätigen Einflusses in jedem besondern Falle? von R. Kirwan. Hier werden vorläufig die verschiedenen Arten von Aeckern untersucht. X. Sennebier über die

Wir-

Wirkung der reinen Luft auf die Öle. — Sie werden
davon weiß, aber dick, zähe und ranzigt. XI. Haßenfratz
über die Lage verschiedener großer Blöcke von mancherley Steinen, welche man in bergichten Gegenden beobachtet. XII.
Beschreibung eines atmosphärischen Eudiometers von Reboul.
Es beruhet auf die Verbrennung des Phosphors. XIII.
Pelletier über das Lasurblau, und Vorschriften es zu bereiten. Es besteht aus 30 Kohlensäure, 3,33 Wasser, 7 Kalkerde, 9,66 Sauerstoff, 50 reines Kupfer.

Zweytes Stück. I. Klaproth über den Sal-
äther. Er zieht dazu den Libavischen Liquor vor, dessen Destillation er angiebt, und welchen er sodann mit eben so viel,
auch wohl mit doppelt so vielem Weingeist vermischt, über-
zog, das Destillat aber bey Lampenfeuer rectificirte. II. Lampadius über die Verbrennung des Diamants. Auf der
Kohle der Wirkung der Lebensluft ausgesetzt, verbrannte er
ihn in 5 Minuten, ohne die geringste Spur zurückzulassen.
Nach dem einmal angefangenen Verbrennen bedarf er hernach der
Beyhülfe der Kohle nicht mehr. III. Nachricht eines Reisenden H. W. Thomson über die kieselartigen Ueberzüge in
den warmen Bädern in Italien, in den Phlegräischen
Gefilden. In uralten Rissen der Lava, wodurch dieselbe
den Dünsten zugänglich wurde, welche jene zerstörten, wurden die Oeffnungen derselben mit Kieselerde, welche sie aufgelöst enthielten, angefüllt. Wo man solche kieselartige Tropf-
stein antrifft, finden sich auch feine und warme Dünste nebst
Mineralalkali, welche die Kieselerde aufgelöst erhält. IV.
Löwitzens Beobachtungen über die Stronthianerde im
Schwerspathe. Er giebt den Weg an, wie sie aus der Mutter-
lauge der salzsauren Schwererde zu bereiten sey. Ein Theil vollkommen trockner salzs. Stronthianerde bedarf bey 26° Reaum.
21,68 Theile zur Auflösung, bey dem Kochen nur 7 Theile.
Von 10 T. scharfgetrockneter kohlsaurer Stronthianerde sind 3 2⅓
Kohlsäure; ist diese verjagt: so schließt sie mit etwas Wasser an.
Zugleich giebt er das Verhalten verschiedener salzigten Substanzen gegen die salzsaure Stronthianerde in Vergleichung
mit der salzsauren Schwer- und Kalkerde sehr bestimmt zum
Besten genauer chemischer Zerlegungen an. V. Kirwan
über die Düngarten, in Bezug auf die Verschiedenheit der Aecker. Er geht hier die verschiedenen Arten der
Dünger, als Kreide, Thon, Mergel, Mist, Knochen, u. s. w.

G 4 durch.

durch. VI. **Carradori's Bemerkungen über die Versuche der Herren Parts von Trooſtwyck u. Deimann,
wegen der Zerlegung des Waſſers in dephlogiſtiſirte
und brennbare Luft.** Jene Verſuche ſeyen nicht entſchei-
dend; theils weil man das Weſen der electriſchen Materie
nicht genau kenne, welche alſo Brennſtoff enthalten könne,
und die Lebensluft könne wohl bloß aus dem Waſſer abgeſchie-
ben, nicht daraus erzeugt ſeyn. VII. **Carradori über die
Verpuffung des Salpeters.** Sie geſchehe nicht mit brennbarer Luft und dem flüchtigen, ſondern dem firen Brennſtoffe
und der Lebensluft des Salpeters. (Dies rührt aber bloß daher, daß der flüchtige Brennſtoff eher verfliegt, als der Salpeter die erforderliche Höhe der Temperatur erhalten kann.
VIII. **Cortinotis, über die Alten ſchon bekannte Platina.** Der Herausgeber hält die angeführten Gründe nicht
für überzeugend; und er hat die Reſultate nur angegeben:
und dieſen tritt Rec. bey. IX. **Graf Razoumowsky's
Jdeen über die Bildung des Granits.** Da er offenbar
kryſtalliſirt ſey, durchſichtige Kryſtalliſation nicht ohne naſſe Auflöſung geſchehen könne, die Kieſelerde aber nur allein in Fluß-
ſpathſäure auflösbar ſey: ſo müſſe man große Meere von derſelben annehmen, in welchen ſich die Granite gebildet hätten.
X. **Haßenfratz zweyte Abhandlung über die Erklärung
verſchiedener Erſcheinungen, die gegen die Geſetze
der Verwandtſchaft zu ſeyn ſcheinen.** Der Gegenſtand
derſelben iſt die Verwandtſchaft der Säuren zu dem Eiſen,
und der metalliſchen Kalke zu den Alcalien und der Kalkerde.
XI. **Kaſteleyn über die Eigenſchaft des Alcohols, eine
größere Menge flüchtiger Oele in der Hitze als in der
Kälte aufzulöſen.** Er bemerkte dies beſonders bey dem
Citronengeiſte in einem kalten Winter. XII. **Berthollet
über den Gebrauch des, mit Berliner Blau geſättig-
ten Alcali's und Kalks in der Färberey.** Durch den
blauſauern Kalk kann man eine ſchöne blaue, grüne und
ſchwarze Farbe hervorbringen, auch dem verſchoſſnen Schwarz
ſeine vorige Schönheit geben.

Drittes Stück. I. **Lowitz von der vollkommenen Entwäſſerung des Weingeiſtes.** Da bey der
bisherigen größten Reinheit der Weingeiſt ſich zum Waſſer
verhielt, wie 815 : 1000: ſo brachte ihn Hr. L. zu 791 dadurch herunter, daß er ihn noch einmal auf ſo viel ganz trock-
nes

Chemie. 103

nes warmes Laugensalz schüttete, daß er (1 Theil) von diesem (2 Theile) ganz eingesogen wurde; worauf er ihn gelinde destillirte, und 2 Theile vollkommen wasserfreyen Weingeist (von 3 Theilen des gewöhnlichen besten) erhielt, der
bey einer neuen Destillation nun nicht leichter wurde, auch
von Anfang bis zu Ende gleich gut blieb. Ganz neu verfer-
tigte Tabellen sind zur Bestimmung des Verhältnisses von
Wasser und Weingeist in jedem zu untersuchenden Weingeiste
beygefügt. II. Meyer vom Verhältnisse der Stronthianerde gegen die Säure, in Vergleichung mit der
Kalkerde. Vorzüglich zeichnet sich jene vor dieser aus
durch ihre Krystallisation, im kaustischen Zustande, durch die
nadelförmige trockenbleibende Krystalle, mit der Salzsäure,
und ähnliche mit der Salpetersäure, und mit der Vitriol-
und Citronensäure ganz unauflösliche Mischung. III. Brunn
über die Destillation ätherischer Oele, und besonders
den aus der Monarda. Man solle über eine wohlrie-
chende Pflanze so lange Wasser abziehen, bis es geruchlos
bleibt; alsdenn von der ganzen erhaltenen Wassermasse nur
eine kleine Menge (1—3 Quart) abziehen, worauf sich alsdann alles Oel befindet. Auch zeigt sich bey dieser zweyten
Destillation erst die rechte eigenthümliche Farbe. IV. Lampadius's vermischte chemische Versuche. Das erzgebir-
gische Rothgiltigerz enthalte doch etwas Arsenik und Schwefelsäure. — Wie der Inhalt der oberharzischen Thoneisensteine
an Phosphorsäure, auszumitteln sey! V. Kirwan über
die Düngarten. Ueber die quantitativen Verhältnisse der
Viehdüngarten ist hier eine brauchbare Tabelle befindlich.
Hierauf handelt K. von der Nahrung der Pflanzen und der
Beschaffenheit brauchbarer Aecker; doch verweilt er sich hier
besonders erst bey dem Wasser, und dem Kohlenstoffe als
Nahrungsmitteln der Pflanzen. VI. Löwitz über die
Entzündung der geschwefelten Metalle bey dem Aus-
schlusse von Lebensluft. Sie wird aus der Feuchtigkeit im
Schwefel, nach Richter, hergeleitet; und es werden einige
Beyspiele von Entzündung feuchter Metalle angeführt. VII.
Crell's Entwickelung des Begriffs: Kohlenstoff. Er
zeigt deutlich, besonders durch Anwendung desselben auf noch
lebende organische Wesen, daß nichts anders, als der Begriff
des Brennstoffs bey ihm zum Grunde liege. VIII. Miscellen chemischen Inhalts aus Briefen an den Herausgeber,
vom Fürsten von Gallitzin, HR. Emelin, Hildebrandt,

G 5

Lam-

Lampadius, Westrumb, Wiegleb, Ribbentrop. IX.
Haßenfratzens erste Abhandlung über die Ernährung
der Pflanzen, (aus den franz. Annalen). Nach kurz ge-
faßter Erzählung der bereits versuchten Pflanzenerziehung auf
Wasser, glaubt er aus seinen Versuchen folgern zu können,
daß der in der entwickelten Pflanze befindliche Kohlenstoff in
den Zwiebeln und Saamen schon gesteckt habe, und durch das
Wasser nur auf die ganze Pflanze vertheilt sey.

Viertes Stück. I. Gmelin von der Bildung der
Säuren. Er zeigt gegen die neuern Chemisten, wie wenig die Lebensluft den Namen Sauerstoff verdiene, da Säuren, durch
Uebersättigung mit demselben, weit weniger sauer werden,
als sie bey dem Mangel des Sauerstoffs waren. Die Entstehung der Kohlensäure durch dieselbe sey eben so wenig erwiesen, als der Kohlenstoff in der Luftsäule des Marmors
mit Phosphor. II. Lowitzens Anweisung, die firen
Laugensalze durch die Krystallisation im reinsten Zustande darzustellen. Die recht ätzend gemachte Lauge wird
durch das Eindicken und Erkalten von allen fremden Neutral-
salzen bestreut, dann durch öfteres Auflösen in sehr wenigem
Wasser zu wasserklaren Krystallen gebracht, die, nachdem sie
durch gänzliches Abkühlen oder in der noch heißen Sandka-
pelle erzeugt werden, eine ganz verschiedene Krystallisation
haben. III. Gadolin von einer schwarzen schweren
Steinart aus Ytterby. Die Zergliederung derselben ist
mit vieler Kenntniß und Beurtheilung angestellt. Sein Resultat war, es scheine eine neue Erde, die in vielem mit der
Alaunerde, in andern mit der Kalkerde übereinkomme.
(Hätte G. damals schon Klaproths Beyträge gekannt: so
würde er leichter und gewisser zum Ziele gekommen seyn) IV.
Einige Bemerkungen vom H. v. Sievers. Er giebt eine
sinnreiche Vorkehrung an, woraus man ersieht, daß der
Weingeist bey dem Verbrennen Ruß absetze. Eine mit
Weingeist oder Wasser ausgespühlte, erwärmte, und alsdann
von einem Theil der Luft durch Einsaugung mittelst des
Mundes befreyte Retorte zeigte in dem Augenblicke das
schönste Farbenspiel. V. Richter über Reinigung der
salzsauren Schwererde, nebst Anzeige einer kurzen
und wohlfeilen Methode, ganz weiße Krystallen derselben zu erhalten. Man mache den gepülverten Schwer-
spath mit gesättigter luftsaurer Pottaschenauflösung zu einem

Tel-

Teige, glühe ihn, behandle ihn mit Salzsäure, und wiederhole dies Verfahren mit dem Rückbleibsel mehrere Male.
Die Auflösungen werden jaspisirt, im Schmelztiegel in den
Fluß gebracht, aufgegossen, mit 5mal so vielem Wasser aufgelöst und durchgeseihet, wo durch das Abdampfen die schönsten
reinsten Krystalle entstehen. VI. Wille von Verfertigung
der meerschaumnen Pfeifenköpfe in der Ruhl. Nach
vorangeschickter Geschichte folgt die Behandlungsart sowohl
der ächten als der unächten, d. i. der aus den Abfällen der
ersten verfertigten, so wie auch die Unterscheidungszeichen von
beyden. VII. Haßenfratz über die Pflanzenernährung.
Zweyte Abhandlung. Er bemüht sich hier, durch Versuche
und Raisonnement darzuthun, daß der Kohlenstoff in den
Pflanzen durch die Zerlegung der Kohlensäure sich nicht ver-
mehre. VIII. Ueber die chemischen Wirkungen des
Lichts auf hohen Bergen, in Vergleichung gebracht
mit denen, welche es in einer Ebene hat; von Sauß-
sure. Aus der dephlogistisirten Salzsäure wurden auf dem
Gigante um 200 Gr. mehr Lebensluft entbunden, als in
derselben gleichen Zeit zu Chamouni. Sehr verschiedene
Wirkung des Lichts auf gefärbte Körper an beyden genannten
Orten. IX. Kirwan über die Düngarten. Hier wird
das beste Verhältniß der verschiedenen Erden nach angestellten Zerlegungen der Gewächse bestimmt, um einen fruchtbarn
Boden zu bilden, X. Ueber die, als Pholometer gebrauchte dephlogistisirte Salzsäure; von Brugna-
telli. Er zeigt die Gründe an, nach welchen die Resultate
aus den Versuchen mit der dephl. Salzsäure nicht als strin-
gent angesehen werden können. XI. Carminati über die
Bestandtheile und Kräfte der Calagualawurzel.

Fünftes Stück. I. Klaproths Zersetzung des
Schwerspaths auf nassem Wege. Durch 2 — 3 mal
wiederholte Auskochung des Schwerspaths mit mildem Wein-
steinalkali, zersetzt man jenen, zur Erhaltung reiner Schwererde, und Bereitung des salzsauern Baryts, hinlänglich.
Eben jener enthält noch 00,8 schwefelsaure Stronthianerde,
und eben so viel Kieselerde, nebst etwas E.en- und Alaunerde. II. Gmelin von der Bildung der Säuren.
Die Salpetersäure erfordere zwar, nebst dem Stickstoffe,
durchaus Lebensluft; beyde bilden aber doch nie die Säure,
ohne Mitwirkung des elektrischen Funkens oder des Feuers.

Wenn

Wenn der Phosphor gleich zu seiner Verbrennung einen Antheil
Lebensluft erfordere: so ließe sich doch bezweifeln, daß er ein Ele-
ment sey; sondern vielmehr lasse sich aus vielen, sonst nicht wohl
erklärlichen Erscheinungen seine Zusammensetzung folgern. (Bekanntlich zeigte Marum, der Phosphor entzünde sich im luftleeren Raume bey einer weit niedern Temperatur, als in der Atmosphäre.) III. Hildebrandt über das Leuchten des
Phosphors in Salpeterstoffgas aus (Verpuffung von)
Salpeter. In dem mit aller Vorsicht bereiteten, leuchtete
und dampfte der Phosphor. IV. Anzeige einer neuen
Methode, die Schwefelnaphtha vollkommner als
bisher vom Weingeiste zu befreyen; von Lowitz.
Man setze so vielen salzsauren Kalk zu der Naphtha, bis er,
alles Schüttelns ungeachtet, nicht mehr aufgelöst wird, sondern trocken liegen bleibt, gieße die geschiedene Naphtha von
Neuem auf so vielen ganz trocknen salzsauren Kalk, bis sie
von ihm ganz eingesogen ist, und destillire: so wird die Naphtha
noch sehr vieles flüchtiger und leichter, und der Weingeist ist bey
dem salzsauren Kalke geblieben. V. Richters neueste Entdeckung einer besondern quantitativen Elementen-
Ordnung. VI. Richters Beytrag zur metallurgischen
Photogometrie. Bey der Niederschlagung aufgelöster Metalle durch andere in metallischer Gestalt, verhalten sich die
Lebensluftstoffmassen, die sich mit gleich großer Masse der
metallischen Substrate verbinden müssen, umgekehrt, wie
die Massen des abscheidenden, sich entbrennstoffenden, und
abgeschiedenen sich brennstoffenden Substrats aus dem metallischen Salze. VII. Van Mons über die Thatsachen
in Rücksicht auf Gärtanners Grundlage der Salzsäure.
Man bleibe unentschieden, weil die angegebenen Thatsachen
einer gegentheiligen Auslegung fähig sind. VIII. Kirwan
über die Düngarten. Die fixe Luft, von den Wurzeln
eingesogen, beförderte das Wachsthum. Salzige Stoffe,
(Gyps und Thiererde ausgenommen) wirkten mehr als Gewürze, wie auch ihr Verhältniß zu den Erden zeige. Im
zweyten Abschnitte werden die Bestandtheile eines fruchtbaren Ackers untersucht, wie auch die Art, dessen Fruchtbar-
keit zu beurtheilen, angegeben. Zuerst erfolgt die Zerlegung
eines fruchtbaren Ackers in einem regnigten Clima; alsdann
die eines mehr trocknen. Alsdann werden fruchtbare und un-
fruchtbare Mischungen angegeben. Im dritten Abschnitte werden die Bestandtheile eines Ackers bestimmt.

Sechstes Stück. I. Thomsons Verzeichniß einiger Produkte vom letzten Ausbruche des Vesuvs: als Glas in Reaumur-Porcellan verwandelt, geschmiedetes Eisen theils schwammigt, theils spröde und krystallisirt; die Glocken (zusammen gefaltet) hatten auswendig schöne Krystallisationen, so wie auch die Kupfermünzen. Manches Bley war wie zu Silberglätte, andres zu dichter Mennige geworden: Ein messingener Leuchter hatte mannigfaltige schöne Krystallisationen. II. Hildebrandt über den Phosphor in Salpeterstoffgas. Der Phosphor dampfe und leuchte im Gas aus trocknem Salpeter und aus geglüheten Kohlen ꝛc (nicht wie gelehrt) auch in niedriger Temperatur, die unter den Eispunkt geht, und auch noch naß und stärker, als in der atmosphärischen Luft; er säuert sich darin. Wahrscheinlich sey jenes Salpeterstoffgas doch nicht ganz rein. III. Gmelin von der Bildung der Säuren. Die Schwefelsäuren haben eben das für und wider sich, was bey der Phosphorsäure zu bemerken sey, und man könne dem Schwefel eher Brennstoff nebst einem andern Stoffe, den er mit der Vitriolsäure gemein hat, zuschreiben. Etwas Aehnliches gelte von den übrigen metallischen Säuren. IV. Lowitz über die Hervorbringung künstlicher Kälte. Das Aetzen der Gewächslaugensalze (noch mit Krystallisationswasser versehen) erregt die strengste Kälte (brachte in einem Zimmer X 12°, auf einmal 12 Pfund Quecksilber zum gefrieren) 4 Theile salzsaurer Kalk (5 Pf.) mit 3 Th. Schnee vermischt, brachten 35 Pfund Quecksilber zu einer festen Masse. V. Richters Analyse der Eisensteine zu Bielschowitz, nebst ihren quantitativen Bestandtheilen. VI. Kirwan über die Düngarten. Anzeige der vollständigsten Zerlegungsart eines tragbaren Bodens. Der vierte Abschnitt giebt die Düngmittel an, welche den verschiedenen Aeckern am zuträglichsten sind, wie auch die Ursachen ihrer guten Wirkung in jedem Falle. Die ganze äusserst schätzbare Abhandlung verdient von jedem, dem der rationelle Ackerbau wichtig ist, sorgfältig studirt zu werden.

Der Zweyte Band hebt mit wichtigen Versuchen über die Verbrennung des Diamants, vom Grafen von Sternberg, an. Durch ein Stückchen Phosphor wurde ein ¼ karätiger Diamant in K. Leopolds Beyseyn in Lebensluft ganz verbrannt. Die Lebensluft wird dabey verändert

dort, wie etwa bey Verbrennung des Eisens. II. Warum
Zerlegung des Weingeists, indem man ihn über glühen=
des Kupfer gehen läßt. Nach Beschreibung der schickli=
chen Vorrichtung folgen die Versuche, nach welchen unter
andern 612 Gr. Kupferdrath durch Verdünstung von 6 U.
Weingeist um 180 Gr. auch 292 Gr. an Kohlenstoff zuge=
nommen haben. Das Eisen erlitt auch einige etwas ähnliche
Veränderungen; aber nicht das Silber, das Bley und das Zinn.
III. Pfaff Beschreibung eines Kieselsinters von Mont=
lamiata. Nach einer äußerlichen sehr vollständigen Beschrei=
bung und der Angabe seiner Zerlegung, nach Santi. (94
Kiesel=, 4 Kalk=, 2 Thonerde) folgt seine erste Auffindung,
wie auch manche Eigenschaften, ohngefähr wie sie oben Thom=
son angegeben hat, nebst mehreren eignen Bemerkungen.
IV. Haßenfratz über die Ernährung der Pflanzen.
Die Ernährung oder Vermehrung des Kohlenstoffes geschehe,
wie durch beygebrachte Beweise dargethan wird, durch die
Einführung der Kohle, die im Wasser auflösbar und aufge=
löst ist. V. Hecht über die Krystallisirbarkeit der luft=
leeren Schwererde im Wasser. Pelletier setzt zu dem
Endzwecke die luftsaure Schwererde mit etwas Kohle und mit
Gummiwasser angefeuchtet einem heftigen Feuer aus. Vau=
quelin zerlegt salpetersaure Schwererdekrystallen in einem
porcellanenen Retörtchen durch heftiges Glühen, und sie ist als=
dann in 200 Theilen Wasser auflöslich. VI. Van Mons
über die Zubereitung und den chemischen und arz=
neylichen Gebrauch der salzsauren Schwererde. Die
bergmännische Methode sey eigentlich die beste, sobald man
mildes Alcali zu haben immer bedacht sey. Der übrige Rück=
stand sey nicht unzerlegt geblieben; sondern durch die bey star=
ker Hitze entstandne Käustizität wieder erzeugt. Deshalb ist
es gut, etwas Kohlenstaub zuzusetzen. Bey Befeuchtung ei=
ner andern Erde oder Metall setze man frische Schwererde
oder Pottasche hinzu. Ein sichereres Mittel, die Vitriolsäure
auszuforschen, als die salzsaure Schwererde, sey die luftsaure
Schwererde, die sowohl die Vitriolsäure, als die Kalkerde im
Gypse niederschlage. VII. Ueber das Leuchten des Phos=
phors im (reinen) Stickgas, von D. Deimann. Da
ein leuchte er so wenig, als im völlig luftleeren Raume; er
löse sich in beyden Fällen nur auf, und leuchte alsdann bey
einem sehr geringen Theile von Sauerstoffgas. VIII. Mis=
cellen chemischen Inhalt aus Briefen an den Herausgeber
von

von Prof. Gadolin, Hildebrandt, Bragnatelli, Hecht, Gmelin, Meyer. Unter der Anzeige chemischer Schriften finden sich Betrachtungen der Löhgärderey, von Hildebrandt; Westrumb Handbuch der Apothekerkunst, Westrumb Bemerkungen und Vorschläge für Branntweinbrenner, The antiphlogistic doctrine of Lavoisier, examined by *Peart*; Philosophie chimique par Fourcroy; Elements of Mineralogy, by R. Kirwan, Vol. I. — Chemische Neuigkeiten.

Achtes Stück. I. Von Humbolds Anzeige einer Rettungsflasche und eines Lichterhalters. Ein paar der Menschheit sehr erfreuliche Entdeckungen, da durch die angegebene einfache Vorrichtung Menschen Stunden lang in irrespirablen Gasarten ohne Nachtheil der Gesundheit leben, und sich mit brennenden Lichtern darin aufhalten können. Die Vorrichtung selbst muß jeder sich genau bekannt machen, ja selbst sich anschaffen, dem die Sache irgend wichtig ist. II. Ueber die ätherische Salpeterluft, von Deimann, Trooßwyk, Bondt und Lauwrenburg. Zuerst wird angegeben, wie man sich dieses Gas in seiner Reinheit verschaffen könne; alsdann dessen Eigenschaften, endlich die Veränderungen, welche die Vitriol-, Salpeter und Salzsäure darin hervorbringen. III. Van Marums Zerlegung des Weingeists durch Streichen über glühendes Kupfer. Die verbrannte Kohle machte kaustisches Laugensalz milde, enthielt also ächten Kohlenstoff und war carbure de cuivre; aber ein Theil des im Weingeiste enthaltenen Kohlenstoffs war vom Wasserstoffgas auch aufgelöst. Der schwarze Stoff am Eisen war magnetisch, und war Reißbley. Die Versuche mit den übrigen Metallen gaben keine Kohle. IV. Eversmann über Englische Steinsalzlagen. Die Beobachtungen sind sehr genau, und für diejenigen sehr wichtig, die in der Nachbarschaft reicher Salzsohlen sich befinden, oder sonst Steinsalz aufzusuchen bemüht sind. V. Lampadius über flüssigen Schwefel und Schwefel-Leberluft. Der erste erfolgte bey Destillation des Schwefelkieses mit feuchter Kohle, und war Schwefel in Wasserstoff aufgelöst. Um Schwefel-Leberluft leicht zu erhalten, füllt man ein eisernes oder irdenes Rohr mit Eisenfeile, und läßt aus zwey verschiedenen Retorten Schwefel und Wasserdämpfe durch das glühende Rohr streichen. VI. Vauquelin
über

über die Auflösbarkeit des Kochsalzes in den Auflösungen der verschiedenen Mittelsalze, und über die
Erscheinungen, die man dabey wahrnimmt. V. erzählt die Erscheinungen während der Auflösung des Kochsalzes
1) in den vitriolsauren 2) salpetersauren und 3) salzsauren
Laugensalzen und Erden, die in vieler Rücksicht merkwürdig
sind, und mehreren bisher geglaubten allgemeinen Sätzen
widersprechen. VII. VIII. Pelletier über die Verbindung des Phosphors mit metallischen Substanzen.
Er lehrt das Verfahren, gephosphortes Gold, Platina,
(die dadurch sehr geschmeidig werden kann) Silber, (das bey
dem Erkalten Phosphor auspreßte) Bley, Zinn, (welches
unter allen Metallen die größte Menge davon zurückhält)
Quecksilber, (jedoch nur wenig und mit Mühe) Zink,
Wismuth (oder nur ohngefähr 4. v. C. annimmt) Kobalt,
Nickel, Wasserbley, Tungstein, Braunstein und Arsenik.
XI. Reboul's Beschreibung vom Thale des Flusses
Gave, in den Pyrenäen. — Von chemischen Schrif-
ten sind angezeigt: Kirwans Mineralogie, Gästner circa
prinae naturam, Traité de Mineralogie par le Prince de
Galitzin.

Neuntes Stück. I. Von Hambold Anzeige
der Rettungsflasche und eines Lichterhalters. Es ist
die schätzbare Fortsetzung der oben angezeigten trefflichen Abhandlung, welche aller Aufmerksamkeit würdig ist. II.
Richters vortheilhafteste Methode, den Weingeist
schlechterdings wasserfrey darzustellen. Die Methode
besteht, nach Lowitzens Anleitung, darin, den Weingeist
vom trocknen salzsauern Kalk einsaugen zu lassen, und dann
zu destilliren. III. Deimann über die ätherische Salpeterluft. Sie besteht aus Salpeterluft und einer Zusammensetzung aus Wasserstoff und Kohle; letztere Zusammensetzung
enthält Aether, ob man ihn gleich nicht abgesondert und auch
nicht durch die Synthesis darstellen kann. Die Salpeterluft
ist schlechterdings nothwendig zu dieser Art der entzündbaren
Luft; und sie besteht eigentlich aus eben dieser und Aether.
IV. Wiegleb's Erinnerungen über Sven's Nomenkla-
tur. Die Bemerkungen haben ihren guten Grund; die gegebenen Regeln sind brauchbar, und die vorgeschlagenen Namen großentheils annehmungswürdig. V. Uebersicht des
Ertrags der Bergwerke Frankreichs, und seines Handels

dels mit mineralischen Substanzen vor der Revolution. Diese sehr wichtige aus dem Journal des mines übersetzte Abhandlung verdient alle Aufmerksamkeit, und ist auch
den Deutschen sehr interessant; nur hier keines Auszugs fähig.
VI. Reboul's Beschreibung vom Thale des Flusses
Gave. VII. Crell über die Quelle des Wärmestoffs
bey Verbrennung, aus Versuchen hergeleitet. Hierzu sind die großen Versuche der Wassererzeugung aus brennbarer und Lebensluft genommen, und ist die gesammte Wirkung des Eisschmelzens auf die beyden Luftarten nach Craw-
fords Angabe der specifischen Wärme vertheilt. Die darauf
gegründeten ausführlichen Rechnungen stimmen auf eine frap-
pante Art genau überein, so daß selbst nach einer Art der
Gegenprobe die Summen der specifischen Wärme vor und
nach den Versuchen gleich sind. Nach einer schärfsin-
nigen Wendung werden diese Resultate auf das, durch des
Phosphors Verbrennung geschmolzene Eis angewandt, und
gefolgert, daß der größere Effect eine Annahme von vielem,
im Phosphor selbst steckenden Wärmestoffe (d. i. Brennbares)
nothwendig mache. VII. Gadolin über die Wirkung
der Flüsse beym Probiren der Eisenerze durch Schmel-
zung. Die Absicht der Zusätze der Flüsse, der Röstung,
u. s. w. wird nach allgemeinen Grundsätzen angegeben, und
hernach von solchen Erzen besonders gehandelt, welche den
Stoff zu einem gutartigen Eisen enthalten. Diese fordern
den Zusatz mehr oder minder dienlicher brennbarer Körper, unter
denen die Pflanzenkohle die vorzüglichste ist. Diese liefert aber
doch zuerst nur ein unvollkommenes (Roh-) Eisen, wobey
man doch bey kleinen Proben nur stehen bleibt; allein die
beygemischten strengflüssigen Bergarten erfordern noch andre
Zusätze.

Zehntes Stück. I. Bestätigung der Zersetzung
des Wassers durch den elektrischen Funken von Deis-
mann, Troostwyk, ꝛc. Man ließ den Funken durch kohlen-
saures Gas gehen, worauf es nicht mehr ganz durch Kalkwasser aufgenommen; der Ueberrest aber ganz verbrannt
wurde, (welches man dem, in jenem Gas stets vorhandnen
Wasser zuschreibt). Jene entzündungsfähige Luft gab mit
Salpeterluft Salpetersäure. Aus dem kochsalzsauren Gas
entband sich auf eben die Art Wasserstoff; nicht aber bey dem
spathsauren und schwefelsauren Gase. II. Richter über die

Reinigung des Braunsteins vom Eisen. Man koche
den Braunsteinvitriol mit weinsteinsauren Kalk, glühe den
ausgesüßten Niederschlag, löse ihn wieder in Säure auf, und
fälle ihn mit luftsaurem Kali. III. Pelletier's Kry=
stallisation der luftleeren Schwererde. Die gepülverte
luftsaure Schwererde wird mit Kohlenstaub mittelst et=
was Gummi zur Kugel gemacht, diese noch mit Koh=
lenstaub überschüttet, und der verschmierte Tiegel eine Stunde
einem heftigen Feuer ausgesetzt zc. IV. Gadolin über die
Flüsse bey Eisenerzen. Diese Fortsetzung der, bey dem
vorigen Stücke angegebenen Abhandlung enthält eine große
Menge belehrender Versuche. V. Uebersicht des Ertrags
französischer Bergwerke. Die wichtigen Resultate dieser Ab=
handlung sind, zur genauern und anschaulichen Uebersicht in eine
Tabelle gebracht. Zieht man vom Werthe der Einführung nach
dem Werthe der mineralischen Substanzen im J. 1787 den Be=
trag der Ausfuhr ab: so verlor Frankreich dabey über 36¼ Mil=
lion Livres. VI. Crell über die Quelle des Wärme=
stoffs zc. Auf eben die Art, wie oben angegeben, wird dar=
gethan, daß in der Kohle Brennbares seyn müsse: und folg=
lich enthielten alle Substanzen der organischen Reiche Brenn=
bares, wie wahrscheinlich auch die des Mineralreiches; jenes
möchte wohl Wärmestoff, durch Lichtstoff gebunden, seyn.
(Kühn ists, noch gegen Lavoisier aufzutreten; aber An=
schein von Genauigkeit im Calcül und Raisonnement motivi=
ren diese Kühnheit, durch welche wohl der bedeutendste An=
griff auf jenes System gemacht ist. Wenn's wichtig ist, um
diese Hypothese bittre Kriege zu führen, der widerlege diese
Einwürfe, und überlasse dann dem Unbefangenen das Urtheil.
VII. Ribbentrop äußere Beschreibung einer Abän=
derung von Apatit. VIII. Bayen über die Verferti=
gungsart des Sauerkleesalzes in Schwaben. Vorzüg=
lich erhält man es aus dem angebauten Sauerrampfer, der
außer ¼ Extract und jenem Salze noch etwas weniges an
Digestivsalz und vitriolisirten Weinstein enthält. IX. We=
string Versuche, aus den mehresten Flechtarten Far=
bestoffe zu bereiten, welche Wolle und Seide hoch
und schön färben. Diese sehr schätzbaren und zahlreichen
Versuche (die noch in den beyden folgenden Stücken fortge=
setzt werden,) bereichern die Färbekunst mit mehrern sehr brauch=
baren Mitteln.

Hilf=

Eilftes Stück. I. Velcheims Anfrage wegen des Hydrophan's der Neuern, und Pantarbas der Alten. Mit vielem Scharfsinn wird eine paradore Stelle des Ktesias durch eine Erläuterung hierher gezogen. II. Wurzer's Reinigung des feuerbeständigen Gewächslaugensalzes. Das reine, hernach mit destillirtem Essige gesättigte Weinsteinsalz, wird erst durch essigsauere Schwererde von der Vitriol=, dann durch essigsaures Silber von der Salzsäure gereinigt, und nach dem Filtriren und Eintrocknen calcinirt. III. Richter über reine Citronsäure aus frischen und faulen Citron= und Johannisbeerensaft, nebst Bereitung des vollkommen (trocknen Citronsauren Eisens. Um sie vom Extractivstoff zu befreyen, sättige man den Saft mit Kali, setze alsdann salzsauren Kalk zu, gießt auf den ausgesüßten Citronselenit Vitriolsäure; die ausgezogene Flüssigkeit wird mit Kohlenpulver gekocht, und crystallisirt. Das braune, citronsaure Eisen, scheint ein für die Arzneykunde sehr brauchbares Mittel. IV. Gadolin über die Flüsse bey Eisenerzen. Alle Zusätze von Salzen oder Erden machen eine größere Reductionshitze nothwendig; aber das Resultat sicherer. Die Erden, wenn sie nicht sehr schmelzbar sind, verhindern das Sammeln des Königs; am mehresten aber die Bittererde und Flußspath und Schwererde in zu großem Verhältnisse. Stoffe, welche ein zu flüssiges Glas geben, verhindern die Reduction; Kochsalz macht die Proben unsicher, noch mehr die vitriolischen Salze, und die Thiererde (in wie fern sie Wassereisen bewirkt) auch Bley= und Zinckkalke. V. Crell's Nachträg zu der Abhandlung über den Wärmestoff. Er enthält noch einige Modificationen jener Berechnungen; die aber mit der Richtigkeit eben derselben Grundsätze stehen und fallen. VI. Conrandan über Zersetzung des Kochsalzes; durch Zusatz von frisch gebranntem Kalke werde sie ungemein befördert. VII. Berthollets Bericht über Jeannethy's Bearbeitung der Platina. Man schmelzt sie nach Achard, mit Arsenik; die Verbesserung jener Methode beruht auf Ausscheidung des Eisens und wieder Absonderung des Arseniks. VIII. Ribbentrop Bemerkungen und Versuche über das Eisen. Gegen Vandermonde behauptet er, Metallkalk lasse sich nicht mit Metall verbinden, und wo Kohlenstoff sey, werde dem Kalke der Sauerstoff entzogen. IX. Fourcroy über die Verbindung des Ammoniaks mit

H 2   dem

dem Salpeter = und Salzsauren Quecksilber zu einem
dreyfachen Salze. X. Pelletier über Bereitung der
Phosphorsäure, und das mineralische Phosphorsalz.
Nach le Sage's Methode, mit dem Unterschiede, daß jede
Phosphorstange in einer Glasröhre eingeschlossen ist.

    Zwölftes Stück. I. Wiegleb über die Ent-
stehung und Natur der sogenannten Stickluft und
die darausgezogenen Folgen. Nach vorangeschickter Geschichte ähnlicher Versuche, stellte W. Versuche mit engen oder mit
weitern Röhren an, die inwendig mit Glasstückgen angefüllt
waren, und erhielt aus kochenden, durch die glühenden Röhren gehenden Wasser, Stickluft. (Die ganzen konsequenten
Folgerungen (bey vorausgesetzter Richtigkeit der Versuche)
sind dem neuern Systeme sehr ungünstig.) II. Van Mons
über die Angabe des Wasserstoffs, als Grundlage
der Salzsäure. Die angestellten Versuche entscheiden für
die Angabe nicht. III. Rettberg über Prony's Bestimmung der Elasticität des Wasserdampfes bey verschiedenen Temperaturen. Es sind bey ihrer Anwendung auf's
Praktische einige Correctionen nöthig. IV. Ribbentrop
über das Eisen. Er bestärkt seine schon angeführten Grundsätze, und schließt mit einigen guten Bemerkungen über den
Bau und die Absicht der besondern Structur der hohen
Oefen. V. Westring Versuche über die Farbestoffe
aus den Flechtenarten. Hier wird der Beschluß mit
den blätterartigen Flechten gemacht, deren mehrere der Wolle
und Seide eine hohe und schöne Farbe geben.

    Ein doppeltes, bey der so großen Menge einzelner That-
sachen unentbehrliches gut eingerichtetes Register, macht, wie
gewöhnlich, den Beschluß dieses Jahrganges.

                                 Au.

Haushaltungswissenschaft.

Journal der theoretischen und practischen Haushaltung in der Stadt und auf dem Lande. Des ersten Bandes erstes Stück. Leipzig, bey Leo.
1799. 80 Seiten in 8. Nebst einem Intelli-
                                     genz-

genzblatte von 7 S. und 3 Kupfertafeln (wovon
auf dem Titelblatte nichts steht), und 16 S.
Plan und Inhaltsverzeichniße. 9 g.

Des ersten Bandes zweytes Stück. 151 S. Journal und 1 S. Intelligenzbl. (Auch mit 3 unan-
gezeigten Kupfert. 9 g.

Desgleichen drittes Stück. 222 S. Text, nebst 2
S. Intell. Bl. (Dießmal ohne Kupfer; aber
mit einer Inhaltsanz.) 9 g.

Wir zeigen diese ersten Stücke an, wie sie der innere Titel bezeichnet; der Tit. auf einem rothen Umschlage heißt anders und
so: der theoretischen und praktischen Oekonomie, und in
der Nachricht des 3ten Stückes S. 156. betitelt es Hr.
Prof. Leonhardi wieder anders; nämlich: Journal der
praktischen Haushaltung und weiblichen Oekonomie ic.
Wir schweigen also vom rechten Titel, bis davon ein Band
vollendet ist, und man sehen wird, ob bessere Ordnung darin
herrscht. Bey den zwey ersten Stücken soll ein verstorbe-
ner Verfasser gewesen seyn — so sagt Hr. Prof. Leonhardi
in der Nachricht ans Publikum im 3ten Stücke — und das
dritte gab Hr. Leonhardi selbst heraus. (Von diesem
Verstorbenen werden wir bey dem Artikel S. 58 — 64.
und beym Eingange des 3. St. noch etwas zu sagen Anlaß
finden.) Allerdings sieht man im 3ten Stücke mehr Ordnung; denn diesem Stücke ist doch auch eine Inhaltsanzeige
beygefügt, die den 2 ersten Stücken fehlte. Der unangezeigte Inhalt der 2 ersten Stücke ist dieser:

Erstes Stück. S. 3 — 17. Man kann unmöglich mit Ordnung und Nutzen haushalten, wenn
man nicht vorher — einen Plan über die Art der
Haushaltung und jährliche (Einnahme und) Ausgabe entwirft. Ausgaben setzen doch Einnahmen zum
Voraus?

S. 17 — 22. Ueber Holz- und Brennstoff. Eine
wichtige Materie; daher wohl auch folgende Rubrik:

S.

S. 22 — 31. Nöthige und nützliche Regeln beym Einkaufe des Holzes.

S. 31 — 35. Die beste und für jede Haushaltung vortheilhafteste Art, das Holz zum Gebrauche der Küche und des Ofens sägen und spalten zu lassen.

S. 35 — 40. Wie man mit dem Holze gut und sparsam haushalten soll. (Wovon die Fortsetzung nächstens folgen soll.)

Etwas über Betten, Bett- und Tischwäsche. Daraus ist als Unterabtheilung angesetzt: S. 40 — 49. Die Beschreibung eines guten, bequemen und der Gesundheit vortheilhaften Bettes. Davon ist Tab. I. eine Abbildung geliefert in Fig. I., II. und III. (Soll heißen, wie in der Abbildung steht: Num. 1., 2. und 3.)

S. 50 bis 57. Die vortheilhafteste Art, alles Federvieh schnell und sehr gut zu mästen.

S. 58 — 64. Meine (wer ist der Meine? Mit dem Verstorbenen ist es doch nicht, wie mit dem Verf. des sächs. Landwirthes, den Hr. Leonhardi sehr gut kennt, daß er auch verstorben seyn sollte, als seine 2 ersten Bände vollendet waren, und die Zahl 3. auch hier von Lebenden ergänzt werden mußte!) Erfahrung über gute, dauerhafte und holzsparende Oefen. (Er ist Tab. II. abgebildet; aber sehr unvollkommen, daher ohne Model nicht nachzuahmen.) Rec. erinnert sich, dasselbe schon in der Sammlung zu Dresden bey der ökon. Societät gesehen zu haben. Man hat dergleichen Oefen, auch noch weit bessere, z. B. in Riems auserlesener Sammlung ökonom. Schriften, u. s. w.

S. 64 — 65. Ein bewährtes Mittel, durch welches man auf die unschädlichste Art alle rothe Obst- und Weinflecke aus der Tisch- und anderer Wäsche vertilgen kann. Es ist lange bekannt, daß man dieß mit frischem Urin (auch mit saurer Milch) thun kann, wenn man den frischen Fleck damit einige Stunden einweicht, alsdann mit Wasser wäscht.

S. 66 — 76. Ueber die nothwendige Lage, inne-

re, bequeme und nöthige Einrichtung eines Vorraths-
gewölbes. Auch darüber folgt die Fortsetzung.

S. 77—80. Nützliches Allerley; und alsdann
macht wieder ein Intelligenzblatt 7 Seiten aus.

Zweytes Stück. S. 83—104. Möglichst vollständiges Verzeichniß derjenigen Haushaltungsarti-
kel, welche man in einem Vorrathsgewölbe mit Vortheile und Nutzen aufbewahren kann, nebst nöthigen
Vorsichtsregeln, solche, so lange als nöthig und möglich, in gutem Zustande zu erhalten. (Auch hier folgt
wieder das hier zum Ekel werdende: Fortsetzung folgt.)

S 105—119. Praktische Regeln, wie man auch
den größten Theil des Winters hindurch neugelegte
frische Eyer erhalten, zu dieser Zeit junge Hühner,
Enten und Gänse erziehen und theuer verkaufen
kann.

S. 120—121. Ein Mittel, den Bedarf der Eyer
im Winter um ein Großes zu vermindern, und doch
zu dieser Zeit keins — — zu entbehren.

S. 121—129. Verzeichniß gewürzhafter Kräu-
ter, welche — Köchinnen als Surrogate — in-
discher Gewürze — — — anwenden können.

S. 129—143. Nöthige Eigenschaften eines guten und schmackhaften Biers, dann Vorsichtsregeln,
wie man solches sowohl in Fässern, als auch in Fla-
schen abgezogen, in dieser Eigenschaft längere Zeit
— — aufbewahren kann.

Nützliches Allerley.

Dieses enthält 1) S. 144 f. Mittel, den — — Kopf-
kohl vor dem Raupenfraße zu sichern. 2) S. 149. Anfrage, ob Trüffeln Jemand im Garten anzupflanzen versuchte?
3) S. 149 f. Frage, über beste Lage und Einzäunung eines
Gemüsegartens? 4) S. 151. Feuerheerd, Koch und
Bratofen mit Abbildung Tab. VI.; wobey aber der Buch-
stabe h nicht erklärt worden; Strickmuster Tab. V.; Hüh-
nerhaus Tab. IV., so zu S. 106. gehört. Endlich folgt eine
Seite Intelligenzblatt.

H 4   Drit-

Drittes Stück. I. S. 155—159. Nach‑
richt an das Publikum — — vom Professor Leon‑
hardi. Dieser ist jetzt Herausgeber, da der alte gestorben
seyn soll. Warum nennt man ihn nicht, damit man nicht
glaube, es sey eine Geschichte, wie mit dem Tode des Vfs.
der 2 ersten Bände des sächs. Landwirths? Uebrigens
zeigt dieß 3te Stück bessere Ordnung als jene 2; auch ist al‑
les numerirt, das in dem ersten und zweyten Stück gänzlich
fehlte.

II. S. 159—172. Näher zu prüfende Gedanken
über. — — Vorschläge gegen Kornwucher, Theue‑
rung und Hungersnoth.

III. S. 172—187. Ueber das fehlerhafte Ziegel‑
streichen und Ziegelbrennen — —. Eine Vorlesung
vom Professor Leonhardi.

IV. 187—216. Anweisung zum Anbau des Caf‑
fees in Deutschland. Wenn die Sache vom Anbau des indi‑
schen Caffees so richtig wäre; so würde sie für Deutschland äus‑
serst wichtig seyn. Aber dann muß man auch Ort und Garten
und Eigenthümer nennen. Und wo ist der churfürstl. Garten
S. 179. in der Note? übrigens wird auch der Surrogate
zum Caffee gedacht.

V. S. 217—220. Von Verbesserung des zu
feuchten Ackerfeldes durch — — Abzugsgräben.
Sind längst bekannte offene und bedeckte Wassergräben, hier
vom Bürger Briotz also aus dem Französischen, das man
wohl den Deutschen ablehne?

VI. S. 221. Neue Methoden, Maulwürfe zu
fangen. Auch aus dem Französischen, was Deutsche längst
wissen. —

S. 222. Inhaltsanzeige, die ferner sehr zu empfeh‑
len ist. Endlich a Selten Intelligenzblatt.

Benutzungsart der Steinkohlen, als Brandmittel
in Stubenöfen. Nebst Anleitung des Verfah‑
rens dabey. Mit einer Kupfertafel, die Bauart
des

des Ofens vorstellend. In der Stettinischen
Buchhandlung in Ulm. 1799. 22 Seiten in 8.
3 gr.

Obgleich der Verf. sich nicht auf dem Titelblatte genannt
hat: so findet man doch am Ende unter der Anmerkung
den Namen, des würdigen Gatterers unterzeichnet; so wie
er S. 8. in der Anmerkung des Hrn. von Dankelmanns
Uebersetzung: Williams Naturgeschichte der Stein-
kohlengebirge, unter seinem Namen mit Rechte empfiehlt.
Er schreibt gut, und macht alles durch beygefügte Zeichnungen
deutlich. Sie gefallen uns alle recht wohl; nur dabey, daß
der Verf. bey den Rauchröhren eine unter- und wieder
aufwärts genommene Richtung gegen den Ausgang zu
vorzieht, bemerken wir, ob er nicht bey mehrerer Ausübung eine entgegengesetzte Richtung doch zuträglicher
finden möchte, weil in der unterwärts gerichteten Stelle öfters, besonders bey schlecht ziehenden Schorsteinen, Glanz-
ruß, oder gar Wasser wird, wodurch die Röhren hier zerfres-
sen werden. Rec. hat die vom Verf. angegebene Arten an mehreren Ofenröhren versucht; hat aber bey einigen davon abgehen müssen. Die gemeldeten Uebel nehmen dann mehr zu,
wenn man nach dem in den Abhandlungen der russ. kaiserl. freyen ökon. Gesellschaft gegebenen Vorschlage den
allzuraschen Feuerzug ohnehin, durch mannichmalige Zuschlie-
ßung der Feuer- und Aschenthüren mässigen muß, um Feuer-
material zu ersparen. Man siehet hieraus, daß wir in etwas
von der Dählsteinschen, vom Verf. S. 17. angeführten:
Anleitung zum gemeinnützigen Gebrauche der Steinkohlen ꝛc. abweichen, und eben so wenig ganz auf des Vfs.
Seite in Rücksicht des Ausgangsrohres sind; nicht zu gedenken, daß bey der S. 17. angeführten Zugröhre ein Fehler
gewesen seyn mag. Lange Erfahrung hat uns gelehret, hierin obgedachte Art Röhren zu wählen, und wer dabey doppelte Klappen am Ausgange anbringt, ungefähr wie sie der
Verfasser der rhapsodischen Bemerkungen für Stadt-
und Landbewohner, vorzüglich mit Hinsicht auf
Chursachsen, in Fig. X. und S. 264—321. bey Gelegenheit der von ihm verbesserten hölzernen Branntweinbla-
sen angiebt, der wird noch besser fahren.

Von den Oefen selbst handelt der Verf. übrigens sehr zweckmäßig. Rec. führt bey sich alles eben so aus; doch läßt er nur für Steinkohlen und Torffeuer innere Röhren anbringen; zum Holzbrande aber nicht, weil der Rost mehr Holz konsumirt, und das Holz ohne ihn doch gut und gehörig langsam zu Asche brennt, welches bey Steinkohlen und Torf nicht geschiehet, und deshalb bey diesen ein Rost nöthig ist. Der Verf. hat besonders S. 12. Recht, so deutlich zu reden, als wenn er mit Dienstboten spräche; denn diesen ist wirklich nicht die Maschine, sondern nur ihre Anwendung an diesem Orte und (dieser) Stelle neu, und kein Ofen sollte vom Stubenboden über 3, höchstens 4 Zoll erhöhet seyn. — Wie wahr ists S. 19.: „eine abgeschwefelte Steinkohle ist immer noch um ⅓ Procent besser, als die beste Holzkohle. In England — hört es, ihr Bäcker und Bierbrauer! — In ganz England bäckt man Brodt und braut Bier, und dörret Malz beym Steinkohlenfeuer. Wie lange wirds wohl dauern, bis man sich bey uns entschliessen wird, auf den Bleichen, in den Bad- und Waschhäusern, bey Ziegel- und Kalchöfen, den Steinkohlenbrand einzuführen?" Mit Vergnügen wird man also dem Wörtchen entgegen sehen, das der Verf. mit der vernünftigen Klasse der Bierbrauer reden will. In Schlesien zählte man (S. 21.) 1786 schon 29 Brauereyen und 175 Branntweinbrennereyen bey Steinkohlenfeuer.

BL.

Nachricht über Rohlwes Magazin der Thierarzneykunde. 1799. 397 S. 4. (Als Beytrag zur Recension B. S.)

Dieses Magazin hat mir — so sagt Hr. Rohlwes — schon die Bekanntschaft vieler geschätzten Männer erworben, denen ich bey vorkommenden Fällen meinen Rath ertheilen mußte. Sollten bey einem oder dem andern Krankheiten der Hausthiere vorfallen: so wünschte ich, daß man sich gerade an mich wenden, und die Krankheit so viel als möglich deutlich beschreiben mögte, worauf ich jedem nach meinen Kenntnissen, ohne Interesse dabey zur Absicht zu haben, meinen Rath überschreiben werde, und wird es mir zu keiner geringen

ringen Freude gereichen, wenn ich manchen dadurch nützlich
seyn sollte. Mehrere eingelaufene Nachrichten haben mir
bereits viel Vergnügen gemacht, welchen zufolge — ich sage
es ohne Eitelkeit oder Eigenliebe — schon durch die in den
vorigen Heften gegebenen Vorschriften, einige sehr gefährliche Krankheiten, nicht von Aerzten, sondern von Oeconomie treibenden Männern geheilt worden sind. Und wer
wird mir nicht beypflichten, wenn ich behaupte, daß die
Kenntniß der Thierarzneywissenschaft einen der ersten Theile
der Oekonomie ausmacht. Ich habe in Berlin auf der Thier-
arzneyschule verschiedene Oekonomen gefunden, um diese Wissenschaft zu erlernen; und wohl ihnen: sie werden die Kosten
nie bereuen, welche sie hierzu verwendet haben.

Besitze ich gleich nicht die Fähigkeit, meine Kenntnisse
und Erfahrungen in einer zierlichen Sprache, wie einige neuere
Schriftsteller der Thierarzneywissenschaft, vorzutragen: so
habe ich doch das genugthuende Bewußtseyn, daß ich nicht
Compilator bin; sondern meine eigene Waare darbringe.

***

Die Benutzung der Tabacksstengel zu Pottasche. Eine
Aufforderung an alle Oekonomen und Gutsbesitzer.
Von August von Marquard, Königl. Fabrik-
Commissar in Berlin. Berlin, bey Oehmigke d.
J. 1799. 21 S. 8.

Ein Gutsbesitzer hat lange das versucht, was uns der Verf.
hier beschreibt, und ist überzeugt, daß eine sehr große Menge
Salz, oder vielmehr Pottasche, in den Tabacksstengeln befindlich sey, besonders wenn man sie zu rechter Zeit, d. i.
gleich nach Abnahme der letzten Blätter, aus der Erde nimmt
und trocknet; denn läßt man sie auf dem Stengel länger,
oder gar den ganzen Winter über stehen, bis sie ganz dürre
sind, dann geben sie weit weniger Pottasche, und saugen
den Acker bey längerm Stande mehr aus, als dieses Salz
werth ist. Rec. machte auch den Versuch, mit 2 Dresdner
oder 4 Berliner Scheffeln dieser Asche auf einem Graseplatz,
auf welchem er nach der Hand 5 Scheffel erstern oder 10 des
letztern Maaßes Hartholzasche streuete, und fand, daß das
Gras

Gras nach der Tabacksasche, bey gleich günstiger Witterung, viel üppiger und reichlicher, als nach der Holzasche wuchs. Nur im Mittel- und Lehmboden kann das Klein-hacken und Säen der Stengel vortreffliche Dienste leisten; aber in der Mark, wo Sandland ist, würden die Stengel den Sandboden noch lockerer erhalten, so, daß ihn die Sonne desto mehr austrocknen könnte; folglich würde diese Vorrichtung in solchem Lande mehr schaden, als nutzen. Wie es am leichtesten geschehen könne, und am nützlichsten sey, findet Hr. Marquard in Riebens Tabacksbaue S. 16, im Hannöverschen Magazin 1789. S. 322, — wo es ganz besonders als neuer Dünger für Waizen und Roggen empfohlen wird, — und in Riems ökonomischer Quartalschrift v. J. 1788, dem 4. Quart. S. 230. Es wundert uns, daß er dieß noch nicht gelesen hat. Auch verdiente ein Manne, der so viel Gutes zu stiften, Beruf hat, bekannt zu seyn, daß selbst die Asche des Rauchtabacks für Pottasche zu sammeln rathsam sey, daher er einen Vorschlag, wie dies ohne große Kosten zu bewerkstelligen sey, in eben gedachter ökon. Sammlung v. J. 1797 Th. 11 S. 13 f. finden kann; zumal die Sammlung dieser Asche eben so, wie die der Lampen zu Papier gebraucht werden könnte, und 1 Er Virginischer Taback doch etwas mehr wie 3 Unzen Pottasche, also davon mehr liefert, als Wildenhayn aus dem reichhaltigsten Holz erhielt.

Patriotische Nachricht und für jeden Landmann deutliche Anweisung zu dem einträglichen Tabacksbaue, und zwar des sogenannten asiatischen Tabacks, herausgegeben von J. E. Christ, erstem Pfarrer in Kronenberg vor der Höhe. Neue Auflage. Frankfurt am Mayn, bey Guilhaume. 1799. 96 S. in 8. 6 gr.

Diese Anweisung zum Tabacksbau erschien zum ersten Male 1780, und die jetzige neue Auflage ist ein Beweis, daß sie nicht ohne Nutzen sey. Jeder Oekonom, welcher den Tabacksbau treiben und sich über denselben belehren will, thut wohl, sich dieses Büchlein anzuschaffen: denn er findet alles darin, was zur Tabackspflanzung gehöret, wenn er auch eben
nicht

nicht asiatisch-türkische Tabakspflanzen bauen will. Der in
Deutschland bekannte türkische Tabak ist derselbe und jener
eine Abart desselben; denn wenn der türkische in gutes Land
kommt, gut kultivirt wird, wie Hr. Pf. Christ es vor-
schreibt, alsdann giebt der türkische Tabak eben so gute und
große Blätter, wie der asiatische, welcher mit jenem
gleiche Eigenschaft hat. Ob hier dem Büchlein nicht bloß
ein neuer Titel vorgesetzt sey, lassen wir dahin gestellet
seyn.

Bl.

Nützliche Hausmittel, oder Handbuch für Hausväter in der Stadt und auf dem Lande. Nordhau-
sen, bey Groß. 1799. XVI und 126 S. gr. 8,
12 K.

Diese Sammlung von 150 Recepten, vermischten Zwecks
und Gebrauchs im Haushalt des bürgerlichen Lebens für allerley Dinge, zum Besten der Menschen und der Thiere, zur
Ausrottung schädlicher Insekten und Benützung einiger gemeiner Naturprodukte, zur Verbesserung einiger landwirth-
schaftlichen Gegenstände und mancher anderen Zweige der Industrie, sind aus einer Menge vermischter Schriften, Journale und Wochenblätter, ohne alle Auswahl, Ordnung und
Gemeinnützigkeit abgeschrieben und hier zusammen gedruckt
worden, daß man nicht begreifen kann, wie der ungenannte
Herausgeber es hat wagen dürfen, diesen aufs Gerathewohl,
ohne alle Auctorität und Quellenanzeige beysammen gerafften
sogenannten Hausmitteln, den Titel eines Handbuchs 2c.
das nur 8 Bogen stark ist, zu geben! Rec. hat eine ziemliche Anzahl dieser Recepte in dem Hamburgschen Adreß-
Comt. Nachr., im Hannöv. Magazin, u. m. a. periodischen Schriften vermischten Inhalts gelesen, und ist darin mit
dem Herausgeber einverstanden, daß dergleichen zerstreut gedruckte Hausmittel gesammelt werden müssen. Denn der
große Haufe, für welche doch zunächst diese Schrift bestimmt
ist, liest und kennt nicht einmal dergleichen Zeitblätter, Journale, 2c. aus welchen diese Recepte, wovon Rec. seit einigen
Jahren verschiedene glückliche Proben gemacht hat, entlehnt
sind. Nur bey weitem halten sie nicht alle Stich in der Aus-
füh-

führung; am wenigsten dürften durchgängig die vorgeschrie=
benen Heilmittel, die man mitunter antrifft, zum Nutzen
und Frommen aller Menschen, den beabsichtigten Zweck er=
reichen. Gerade in dieser Hinsicht hätten gedachte Recepte ei=
ner strengern Auswahl bedurft. Auch ist wenig für den Vieh=
stand, oder Vorschriften gegen das Erkranken und zur Bes=
serung des Viehes in der Landwirthschaft gesorgt, da doch in
neueren Zeiten darüber mehrere, theils bewährte Mittel in
grössern ökonomischen und andern Schriften bekannt gewor=
den. Als ein nothwendiges, und durch viele glückliche Er=
fahrungen probat gefundenes Mittel gegen alle Wunden,
hätte die Beschreib. von Verfertigung, Gebrauch und
Wirkung eines vortrefflichen Hauspflasters von auf=
serordentl. Heilkraft, aus J. L. Christ Geschenk an
die Weinländer von Wichtigkeit, ec. S. 31—50.
(Frkft. a. M. 1791 8.) hier eine Stelle verdient.

Mo.

An alle deutsche Hausväter und Hausmütter. Ein
Wort zu seiner Zeit über den Verbrauch ausländi=
scher Produkte und Waaren. Nebst einer Anwei=
sung, wie sich ein jeder auf die leichteste und wohl=
feilste Art seine Kaffee=Thee= und Zuckersurrogate
selbst bereiten kann. Leipzig, bey Linke. 1800.
60 S. 8. 4 ℞.

Der Verf. dieser kleinen, sehr gut geschriebenen, und mit
patriotischer Wärme abgefaßten Schrift, hat sich am Ende
seines Aufrufs an alle deutsche Hausväter und Haus=
mütter S. 11 mit den Buchstaben J. G. S. unterschrieben.
Er klagt in dieser kurzen historisch=ökonomischen Schilderung
über die durch Luxus und fremde Sitten gesunkene deutsche
Selbstständigkeit, die ein Spiel in den Händen herrschsüchti=
ger und Ränke schmiedender Nachbarn geworden sey. Die
Prachtliebe und Nachahmungssucht der Deutschen habe seit
Karl V. Zeiten die Moden der Spanier, mit den der Fran=
zosen und Engländer in Deutschland vertauscht. Dadurch
daß wir Deutsche eine Vorliebe für fremde Erzeugnisse lei=
denschaftlich äusserten, die nicht nur auf Kleidung und Haus=
geräs

geräthe; sondern auf entbehrliche, uns zur andern Natur gewordene Lebensbedürfnisse sich erstreckten verloren die deutschen
Fabrikate, so wie die übrigen Producte des Bodens, bey
welchen unsere Vorväter stark und tapfer gewesen, ihren eigenthümlichen Zweck, indem der Geschmack für deutsche Erzeug-
nisse aller Art, seinen patriotischen Sinn verloren habe, und
dadurch die deutsche Nation nicht nur arm, sondern sie ihren
Nachbarn völlig unterwürfig mache. Darin hat der Verf.
ganz recht; und sein Streben für die gute Sache verdient
Aufmerksamkeit. Statt des I. S. 12 — 30 beschriebenen
Kaffee, will er eine Mischung von Eicheln, Weitzen-Maltz
Cichorien und Kakaobohnen; statt II. S. 30 — 39 des
Thee's, junge Blätter von deutschen Kräutern, welche der
Boden allenthalben hervorbringt; und statt des III. S.
40 — 60 naturhistorisch, technisch und ökonomisch zerglieder-
ten westindischen Zuckers, die Raffinade des Runkelrüben-
saftes, ec. als deutsche Erzeugnisse eingeführt wissen, welche
alle fremde Bedürfnisse der Art völlig überflüssig und unnütz
machten. Werden aber unsere merkantilischen Landsleute diesen patriotischen Vorschlag befolgen? „O — wollen wir
mit dem Verf. S. 60 zu Ende schließen, — möchten wir
doch bald unabhängig von jedem Ausländer als freye
Deutsche, die Früchte des deutschen Fleißes selbst genießen! Nur aufs Wollen, auf den ernstlichsten
Entschluß wird es ankommen. —"

Pm.

Technologie.

Beytrag zur höhern Drehkunst (,) oder Anleitung,
eine Menge schöner Kunststücke auf jeder gemeinen
Drehbank zu verfertigen, von M. G. C. Bohnen-
berger, Pfarrer in Altburg bey Calw. Mit 14
Kupfertafeln. Nürnberg und Altdorf, bey Mo-
nath und Kußler, 1799; VIII. und 134 Seiten, 8. nebst 7 Bog. Kupf. 1 Rf. 8 g.

Der Verf. ist bloß Dilettant, der sich, um eine mäßige
körperliche Bewegung zu erhalten, und seine Gesundheit zu
beför-

befördern, vor einigen Jahren an die Drehkunst gegeben, und
es mit Beyhülfe einiger wenigen mündlichen und schriftlichen
Anleitung, besonders unter letzterer, durch Taubers Unter=
richt der gemeinen und höhern Drehkunst, es dahin ge=
bracht hat, daß man seine eigenen Erfahrungen und Theorien
mit allem Rechte an die Seite von Plumier's Kunst zu dre=
hen, Geiselers Drechseler, und die besten Werke der
neuern Zeit setzen darf. Das Lehrbuch des Letztern scheint der
Verf. nicht zu kennen; wenigstens wird dasselbe nirgends
erwähnt; auch finden wir bey Vergleichung mit demselben
nichts Uebereinstimmendes. Plumier kennt der Verf. nur
dem Namen nach; der hohe Preis dieses Buchs, der für
viele, die kein eigenes Vermögen haben, abschreckend ist,
hat Hrn. B. an der Anschaffung desselben gehindert. — Sein
Scharfsinn und seine Erfahrungen ersetzen ihn häufig; also
ein Beweis, daß Anstrengung und Bedürfniß die Mütter
der Wissenschaften und Künste wird. Dieß geht aus der
vorliegenden Anleitung klar hervor. Der Verf. theilt die=
selbe in drey Kapitel, die beyden letztern in besondere
Abschnitte ein, die er Artikel nennt. Das erste Kapitel
S. 2—15. handelt von der Verfertigung der Schnecken=
spindel; das zweyte S. 15—45. von den einfachen und
muschelförmigen Figuren, auch versetzten Blättchens; und
das dritte Kapitel, das S. 45—128. in fünf Artikel
zerfällt, lehrt, wie die zusammengesetzten Figuren aus
zwey, drey, vier, fünf und sechs einzelnen Stücken ge=
formt, und daraus einfache, doppelte und dreyfache Schne=
ckenstiegen, die in einer wirklichen Schneckenlinie herum=
gehen, verfertiget werden sollen. Von S. 129—134.
findet man einige Zusätze zum 2ten Kap. 2n Abschn., wel=
che die 11te Figur der 13ten Tafel, oder eine Schnecken=
stiege in gleicher Richtung erklären. Ein Paar allgemeine
Anmerkungen machen den Beschluß. Hrn. Bs. vorzügliche
Aufmerksamkeit scheint auf die künstliche Zusammensetzung
der Schneckenlinie gerichtet zu seyn, die von Vielen ver=
nachläßiget wird. — Die Darstellungsgabe ist deutlich,
der Vortrag einleuchtend und die Theorie geprüft, weshalb
das Buch Empfehlung verdient.

Et.

at

deutschen

c.

Am 20ſten Juny endigte bey vollen Geiſteskräften, ru-
hig und ſanft ſein bis auf den letzten Tag raſtlos thätiges Leben, Abraham Gotthelf Käſtner, in einem Alter von beynahe 81 Jahren. Ein heftiger Rheumatismus, der ſeine
körperlichen Kräfte erſchöpfte, zog ſich von der rechten Schulter
nach der rechten Hand, welche zuletzt ganz unbrauchbar wurde,
und ihm ſeine gewöhnliche Heiterkeit benahm. Er ſuchte ſich
mit vieler Mühe durch die linke zu helfen, und ſchrieb bis
14 Tage vor ſeinem Tode ſelbſt, die übrige Zeit durch andre.
Was er ſeit 1737 im mathematiſchen, phyſiſchen, philoſophiſchen und im Fache der ſchönen Wiſſenſchaften für Leipzig,
Göttingens und ſeinen eigenen Ruhm gethan, und was die
Wiſſenſchaften, die Lehrer der Mathematik und Aſtronomie,
und beſonders Göttingen an ihm verloren haben, kann mehr
empfunden als ausgedrückt werden. Die allgemeine deutſche
Bibliothek verliert an ihm einen ſehr thätigen vortrefflichen
Mitarbeiter.

✳, ✳ ✳

Bücheranzeigen.

An Liebhaber des Reitens aus dem Militär- und
Civilſtande.

In der bevorſtehenden Leipziger Michaelis-Meſſe er-
ſcheint bey mir das erſte Heft einer

Reit-

Reitschule, oder Darstellung des natürlichen und künstlichen Ganges des Campagnepferdes. Mit illuminirten Kupfern. Gezeichnet, und mit kurzen Erklärungen in Beziehung auf das Hüneradorfsche Werk: Anleitung zu der natürlichsten und leichtesten Art Pferde abzurichten, u. s. w. herausgegeben von C. A. H. Heß d. j. in Dresden, und gestochen von E. G. Krüger daselbst. Groß Quarto.

Herr Heß, welcher sich längst den Ruhm eines vollendeten Künstlers erworben hat, wird gewiß alles leisten, was richtige Darstellung vermag. Die Zeichnungen sind vortrefflich, und der Stich der ersten Platten, welche bereits in meinen Händen sind, ist sehr getreu unter den Augen, und zur Zufriedenheit des Hrn. Heß, von Hrn. Krüger bearbeitet, und ich darf hoffen, daß alle übrige Platten von diesem Künstler bearbeitet, gut ausfallen werden.

Jedes Heft enthält vier Blätter, die ich von den besten Künstlern getreu nach den Originalblättern des Herrn Heß illuminiren lasse.

Die Kupfer des ersten Hefts enthalten folgende Gegenstände:

1) Ein Pferd im Zustande der Freyheit, das zugleich die Stelle des Titelkupfers vertritt.

2) Einen Reiter im natürlichen Schritt.

3) Einen Reiter im natürlichen Trab.

4) Einen Reiter im natürlichen Galop.

welche auf das schönste englische Papier, und die Erklärung derselben mit lat. Lettern auf Schweitzerpapier, abgezogen werden. Das Ganze soll, so viel ich dazu beytragen kann, ein gutes äußeres Ansehen bekommen, und in der gehörigen Folgeordnung geliefert werden. Jedes Jahr (Ostern und Michaelis) erscheinen bis zur Vollendung des ganzen Werks, ununterbrochen zwey Hefte.

Den Preiß eines jeden Hefts kann ich jetzt noch nicht bestimmen; er soll aber meines großen Aufwandes ohnerachtet möglichst billig, und den Verdiensten des Herausgebers, folglich auch der gewiß zu erwartenden guten Aufnahme des Publikums, angemessen seyn.

Durch jede Buchhandlung ist dieses Werk zu der bestimmten Zeit zu bekommen. Liebhaber, welche sich in dieser

ser Rücksicht, und auch in andern Fällen des Buchhandels, gerade an mich zu wenden die Güte haben wollen, werde ich mit der größten Pünktlichkeit zu bedienen suchen. Leipzig, im Juny 1800.

Theodor Seeger, Buchhändler.
Nicolaistraße der Kirche gegenüber No. 598.

In der Felisch'schen Buchhandlung in Berlin sind in der Leipziger Ostermesse 1800 folgende Bücher erschienen.

1. Berlinisches ökonomisch-technologisch-naturhistorisches Frauenzimmerlexicon, worin alles gelehrt wird, was ein Frauenzimmer in der Oeconomie, Hauswirthschaft, theoretischen Kochkunst, Zuckerbeckerey, Kellerey, wie auch in allen andern weiblichen Arbeiten, und sonst im gemeinen Leben gründlich zu wissen nöthig hat. 1r Band gr. 8. 1 Rthlr 16 Gr.

2. Moritz, C. P., grammatisches Wörterbuch der deutschen Sprache, 4r und letzter Band. gr. 8. 1 Rthlr. Alle 4 Bände 4 Rthlr. Um dieses jeden Geschäftsmanne unentbehrliche Werk recht gemeinnützig zu machen, wollen wir sie denen, die alle 4 Bde mit einmal nehmen, noch um den Pränumerationspreis von 3 Rthlr erlassen.

3. Die Kunst stets gesund zu seyn. 2 Bde gr. 8. 68 Bog. 2 Rthlr.

4. Ansichten, 16, von verschiedenen Gegenden Deutschlands Englands, der Schweiz ꝛc. zur Uebung in der Landschaftsmalerey für Anfänger. 8. 1 Rthlr. 12 Gr.

5. Uhlig, J. A., die Erbverpachtungen der Pfarrländereyen von der vortheilhaftesten Seite dargestellt. Ein Beytrag zur Berichtigung der Urtheile über diesen Gegenstand. 8. 14 Gr. In Commission.

6. Grundsätze der Religions-Politik im richtigen Verhältnisse mit dem Staate. 8. 16 Gr. In Commission.

❊ ❊ ❊

Vermischte Nachrichten.

Auch die Lutheraner im Herzogthum Berg, können sich nun der Erscheinung eines verbesserten Gesangbuchs freuen,

und

und wenn es lange gedauert hat, ehe es dahin gekommen ist, so ist dafür die größere Vollkommenheit desselben hinreichender Ersatz. Bisher bediente man sich in allen lutherischen Gemeinden dieses Landes eines Gesangbuchs, das längst den Forderungen des Zeitalters nicht mehr entsprach, und ihnen der Natur der Sache nach nicht entsprechen konnte. Der erste und größte Theil desselben erschien zuerst im Jahr 1697 unter dem Titel: Singende und klingende Berge, d. i. Bergisches Gesangbuch, bestehend in 630 auserlesenen geist-, kraft- und trostreichen, sowohl alten als neuen Psalmen und geistlichen lieblichen Liedern, für die der ev. ohnv. Augsp. Confeßion zugethane Gemeinden derer Herzogthümer Jülich und Berg, ꝛc. zum Druck befördert durch das ev. luth. Ministerium in den berühmten Herzogthümern Jülich und Berg. Ohne von Vorurtheilen gegen das alte eingenommen zu seyn, sieht jeder leicht ein, daß die Bedürfnisse unsrer Zeit, nach so großen Fortschritten in der Erkenntniß und im Kunstgeschmacke, darin keine Befriedigung finden konnten. Zwar kam im J. 1763 ein Anhang von 246 Liedern hinzu, unter dem Titel: Der singenden und klingenden Berge anderer Theil ꝛc. Aber ohnerachtet hierbey die Worte paradieren! mit vielem Fleiß ausgefertigt — so leistete dieser Anhang doch bey weitem nicht, was er hätte leisten können. Schon in den Jahren 57 und 58 waren ein Gellert und Klopstock mit ihren Oden und Liedern aufgetreten; allein es ist darin eben so wenig von diesen neuern und bessern Producten Gebrauch gemacht worden, als sich in Verbesserungen der aufgenommenen ältern Gesänge einige Spuren der damals schon so sehr im Steigen begriffenen Cultur zeigen. Man muß gewiß seine Forderungen sehr herabstimmen, um unter der großen Zahl von 878 Liedern etwa 100 zu finden, welche ganz ohne Anstoß gesungen werden könnten; unter den übrigen findet sich des Anstößigen so viel, daß man nicht umhin kann, der Aeußerung des Herausgebers des neuen Gesangbuches in der Ankündigung desselben beyzustimmen: „man „dürfte nur das Auffallendste, das hier nicht selten vorfindlich „ist, mit pünktlicher Treue zusammen stellen, und man wür„de vielleicht dabey nur den Zweck zu haben scheinen, die Re„ligion verächtlich zu machen.“ Dennoch aber würde ein neues Gesangbuch, ohngeachtet die Synode schon im Jahr 1791 die Veranstaltung desselben beschloß, wohl schwerlich

zu

zu Stande gekommen seyn. Die mehresten Prediger, durch
die bekannten Streitigkeiten über das Berlinische Gesangbuch abgeschreckt, hielten die Einführung eines solchen Buchs
in ihren Gemeinden für unmöglich, und waren daher auch
natürlicher Weise in der Beförderung der guten Sache durchaus ohne Eifer und Thätigkeit, und Andere hatten nicht nur
in Hinsicht auf das dogmatische System, sondern auch in
Hinsicht auf Plan und Einrichtung des Buchs, verschiedene
Meinungen, und diese tief eingreifende Uneinigkeit, verbunden mit überspannter Schüchternheit, veranlaßte denn auch
den verstorbenen Hrn Prediger Burgmann in Mühlheim
am Rhein, der in dieser Sache am wirksamsten gewesen war,
und auch seine Gemeinde schon zur Annahme neuer Lieder
vorzubereiten gesucht hatte, von dem ganzen Unternehmen
wieder abzustehen. Zwey Gemeinden im Jülichschen, wo
der lutherische Klerus mit dem Bergischen bisher ein Ministerium ausmachte, führten nun das Berlinische und Bre-
mische Gesangbuch ein, ohne daß die Synode dagegen protestirt hätte, und als Hr. Prediger Reche im J. 1796 dem
Rufe nach Mühlheim am Rhein folgte, faßte er sogleich
den ernsten Entschluß, ein ganz neues Buch dieser Art für
seine Gemeinde zu besorgen, und sich durch alle etwanigen
Widerreden nicht irre machen zu lassen. Ohne Zweifel war
er nicht nur durch das Beyspiel so vieler einzelnen Städte
in Sachsen und andern Gegenden, welche gleichfalls ihre
besondern Gesangbücher haben, sondern auch selbst, und
noch mehr, durch das Beyspiel jener beyden Jülichschen
Gemeinden, dazu berechtigt; und Mühlheim hatte sich
wirklich auch schon vormals seines eigenen, zu Frankfurt
a. M. 1686 gedruckten, und von dem damaligen Prediger
M. Johann Adolph Rhein herausgegebenen Gesangbuchs
bedient. Unmöglich konnten dagegen gegründete Einwendun-
gen Statt finden, zumal da die Nothwendigkeit einer Reform
in dieser Rücksicht schon von der Synode selbst anerkannt
worden war. Um jedoch vollkommen sicher zu seyn, brachte
Hr. Reche, der sich schon längst mit der Sammlung neuer
Lieder in der Stille beschäfftigt hatte, im J. 1798 unter den
stimnfähigen Gliedern seiner Gemeinde, die ihm ganz ergeben ist, ein Circulare in Umlauf, wo jeder sich für oder gegen die Einführung des neuen Gesangbuchs erklären konnte.
Alle erklärten sich einstimmig für das neue. — Gewiß ein
schönes Beyspiel aufgeklärter Denkart und rühmlicher Har-

monie, und um so erfreulicher, wenn man sich der ärgerlichen Auftritte erinnert, welche wohl in andern Gegenden bey ähnlichen Veranlaffungen durch falschen Religioneifer und Parteygeist bewirkt worden sind! — Und nun kündigte Hr. Reche sogleich das Werk in einem gedruckten Avertissement auf Pränumeration an. Dadurch, daß er es zunächst für seine Gemeinde bestimmte, vermied er die Klippe, an welcher das Unternehmen bisher gescheitert war. Er war nun bloß von sich selbst abhängig, und konnte, wenn übrigens nur die Cenfur keine Ketzereyen vorfand, seinem eignen Plane folgen. Außerdem hatte er diesen Plan durch seine Ankündigung fixirt, und durfte nun billiger Weise davon nicht abweichen. Er versprach den Pränumeranten eine möglichst vollständige Auswahl von neuen Liedern, auf 16 bis 18 Bogen, und mußte daher dieses Versprechen als ehrlicher Mann zu erfüllen suchen. Endlich wurde auch durch diese Anordnung, die Gewißheit der Erscheinung des Buches verbürgt, weil sonst die empfangenen Pränumerationsgelder hätten zurückgezahlt werden müffen, welches doch wohl nur in äußerst seltenen Fällen geschieht, und auch immer seine eigene Schwierigkeiten hat. Eine solche Festigkeit und Entschloffenheit bewog nun die Synode, die sich vielleicht nicht gern durch Mühlheim zuvor kommen laffen wollte, zu ernsthaften Maaßregeln. Es wurden einige rechtschaffene Männer (namentlich die Herrn Assefforen Bunge in Remscheid, Löh in Solingen und Hömann in Waldbroel) zu Deputirten ernannt, die sich mit Hen. Reche zu vereinigen suchen sollten, damit aus dem angekündigten neuen Gesangbuche ein allgemeines bergisches werde, und dieser erklärte sich auch sogleich dazu bereit; jedoch nur unter der Bedingung, daß der Plan der Synode mit dem in seinen Avertissement angegebenen vereinbar seyn müffe, und daß er sich gänzlich wieder zurückziehen, und bloß auf seine Gemeinde einschränken dürfe, wenn er die Erscheinung des Buchs durch unangenehme Debatten verzögert, oder den Inhalt deffelden auf irgend eine Weise gefährdet sehen sollte. Zwar traten nun dabey mehrere Schwierigkeiten ein, die nur durch Muth und Beharrlichkeit zu überwinden waren; allein die Anzeige deffelben werde hier übergangen! Genug, sie wurden überwunden! Hr. Reche theilte seine Sammlung neuer Lieder den Hrn. Deputirten zur Durchsicht mit, und sie ward hierauf von der Synode angenommen, und zu künftiger Einführung bestimmt, und

eine

eine Auswahl alter Lieder aus dem bisherigen Gesangbuche, welche man beybehalten wissen wollte, und in denen Hr. Reche nachher mit Genehmigung des Inspektoriums und der Deputirten einige der nöthigsten Verbesserungen übernahm, obgleich sie sonst unverändert aufgenommen werden sollten, wurden in einem Anhange zusammen gefaßt. Und so ist nun das Werk in zwey Theilen, unter dem Titel: Christliches Gesangbuch für die evangelisch lutherischen Gemeinden im Herzogthum Berg. Mühlheim am Rhein bey Eyrich. 1800 erschienen. Es enthält im Ganzen 700 Lieder, wovon 606 zum ersten Theile gehören, welcher die neue Sammlung des Hrn. Reche in sich faßt, und der auch unter dem besondern Titel: Christliche Gesänge zur Beförderung eines frommen Sinnes und Wandels, und zum Gebrauch bey der öffentlichen und häuslichen Gottesverehrung — zu haben ist. — In diesem Gesangbuche ist gewiß alles geleistet, was man in unsern Zeiten von einem solchen Buche erwarten darf, und man darf kühn einen jeden zur Vergleichung desselben mit allen bisher erschienenen auffordern. In möglichster Vollständigkeit findet man hier die besten neuern Lieder gesammelt, von denen viele bisher noch gar nicht für Gesangbücher benutzt waren, wie z. B. von Voß, Starke, Demme; und mehrere größere Lehrgedichte, (wie z. B. Utzens Kunst, stets fröhlich zu seyn) hat Hr. Reche benutzt, um einzelne Stellen derselben zu Kirchengesängen umzubilden. Auf die nöthige Verbesserung und Abänderung vieler Lieder zum Zwecke gemeinschaftlicher religiöser Erbauung ist die größte Sorgfalt verwendet, und überall, wo es nöthig war, sind sie durch einzelne oder mehrere Strophen ergänzt worden. In Absicht des Inhalts hat es besonders durch viele bisher noch ungedruckte Gesänge, welche eigends zu diesem Zwecke verfertigt worden sind, einen großen Vorzug erhalten. Hr. Prediger Mohn in Ratingen hat dazu einen Beytrag von 6, und Hr. Reche selbst einen von 70 Liedern geliefert, größtentheils über Gegenstände, zu denen man, ob sie gleich in keinem Gesangbuche fehlen sollten, bisher vergeblich Gesänge suchte, z. B. über die Vorstellung Gottes als Vater — Sprachvermögen — Willensfreyheit — Bestimmung des Menschen zur Weisheit — Vervollkommnungsfähigkeit — beym Tode der Alten, beym Tode eines Verunglückten — bey einem selbstverschuldeten Todesfalle — über die Vermeidung heftiger Leidenschaften — Sorge für Eigenthum — Sorge für guten Namen — Pflicht ein gutes Beyspiel zu geben — über

den -

den Schullehrerstand — Geschwisterpflichten — Feyerabends,
lied — nach der Rettung aus allgemeinen Gefahren ꝛc.

Es ist also hier keinesweges, wie gewöhnlich, aus 49
Büchern dieser Art das 50ste entstanden, oder die ganze Ar,
beit als ein bloßes Handwerk behandelt worden. Man darf
im Gegentheil behaupten, daß der sechste Theil desselben durch,
aus neu sey. „Wo ein Lied (sagt der Herausgeber in einer
gedruckten Anzeige) „entweder umgeformt, oder aus verschie,
„denen Stellen größerer Lehrgedichte zusammengezogen, oder
„durch ganze Strophen erweitert worden ist, da ist dieses
„durch Sternchen * angedeutet. Veränderungen aber, wel,
„che meist nur um des Sylbenmaaßes und Wohllauts willen,
„oder in Ansehung des Ruhepunktes am Ende der Verszeilen
„erforderlich waren, weil darauf besonders in einem Kirchen,
„gesange genaue Rücksicht zu nehmen ist, sind nicht bemerkt
„worden. Jeder Herausgeber ist hierin bisher noch gern sei,
„nen eigenen Geschmacke gefolgt, und muß das nämliche
„Recht auch andern zugestehen, ohne daß sie Geräusch davon
„machen dürfen. Symbolische Lieder haben wir nicht. Im,
„mer kommt es hier nur darauf an, ob die Lieder an sich selbst
„in Hinsicht auf Gedanken richtig, im Ausdruck edel, in
„der Wortfolge harmonisch, und überhaupt zur Erwekung
„und Belebung religiöser Empfindungen hinlänglich sind.“
Für die Erleichterung des Gebrauchs dieses Gesangbuchs hat
Hr. R. durch die vorstehende vollständige Inhaltanzeige ge,
sorgt, welche nicht nur auf die Nummern der zu jeder Ru,
brik gehörigen Lieder, sondern auch auf einzelne dazu passende
Strophen anderer Lieder verweist.

Uebrigens versichert Referent, daß er diese Entstehungs,
geschichte des neuen Gesangbuchs, theils aus den gedruckten
Avertissements, theils aus mündlichen Nachrichten von glaub,
würdigen Männern geschöpft habe, und sich nicht der minde,
sten ungerechten Parteylichkeit bewußt sey.

In Mühlheim ist das Buch nun schon eingeführt. Der
4te May war der feyerliche Tag, da es geschäh, und auch
dabey äußerte sich derselbe friedliche Geist, der zuvor bey der
Stimmengebung sich geäußert hatte. Möchte der Herausge,
ber bald die Freude genießen, durch sein Werk in recht vielen
Gemeinden vernünftige Religiosität befördert zu sehn! Ge,
wiß wird jeder Freund des Guten, der sich mit dieser neuen
Liedersammlung bekannt macht, sich der Hoffnung freuen, daß
es geschehen werde, und dem Lande Glück wünschen, für wel,
ches dieselbe veranstaltet worden ist.

Deutsche Bibliothek.

Drey und Funfzigsten Bandes Erstes Stück.

Drittes Heft.

Protestantische Gottesgelahrheit.

1. Johann Samuel Fest's hinterlassene Predigten,
als Beyträge zur richtigen Beurtheilung theils
wahrer, theils scheinbarer Uebel im menschlichen
Leben. Mit einer Vorrede von D. Johann Georg Rosenmüller. Leipzig 1798. 231 S. XII
Vorr. in gr. 8. 16 gr.

2. Predigten über den ganzen Umfang der Religion.
Von Friedrich Heinrich Gebhard, Pfarrer zu
Bienstädt im Gothaischen. Erster Band. Gotha. 1799. 450 S. LIV. Vorr. in 8. 1 Rß.
4 gr.

3. Trost und Lehre bey dem Grabe der Unsrigen.
Ein Versuch in Predigten von G. E. Breiger,
Conrektor an der Stadtschule zu Harburg. Zum
Besten einer Schulmeisterwittwe. Hannover,
1799. 235 S. in 8. 12 gr.

Bey den in jeder Messe in so großer Anzahl erscheinenden
Predigtsammlungen ists unmöglich, sie alle einzeln und ausführlich in unserer Bibliothek anzuzeigen, ohne den schon so
sehr beschränkten Raum noch mehr einzuengen, und dadurch
der Anzeige interessanterer Werke Schaden zu thun. Nur

bey ganz vorzüglichen Predigten, oder bey solchen, die auf diese oder jene Weise Epoche machen, kann eine Ausnahme statt finden. Wir sehen uns daher genöthiget, obige Sammlungen zusammen zu nehmen, und mit wenigen Worten ihren Werth anzuzeigen.

Nr. 1 ist das hinterlassene Werk eines bekannten und verdienten Verf., und wird daher allen denen willkommen seyn, die durch seine andern Schriften sind belehrt und erbaut worden. Es herrscht darin ebenderselbe Geist, eben die sanfte, anspruchlose, rührende Beredsamkeit, die aus dem Herzen kommt, und wieder zu Herzen geht. Der verewigte Verf. war ein durch langwierige und empfindliche Leiden geprüfter und bewährter Religionslehrer; und daher konnten seine Belehrungen, Ermahnungen, Warnungen und Trostgründe desto stärkern Eindruck machen. Er hat diese Predigten kurz vor seiner letzten Krankheit selbst noch einmal durchgesehen und zum Druck bestimmt; und sie können also als ein theueres Vermächtniß für die Freunde seiner Schriften angesehen werden. — In der kurzen, aber lesenswürdigen Vorrede sagt Hr. D. Rosenmüller ein paar Worte über Popularität im Predigen, welche sehr verdienen beherzigt zu werden. Mit Recht nennt er Popularität einen sehr relativen Begriff, und jeder Prediger muß ihn nach der größern oder geringern Bildung seiner Gemeinden zu modificiren suchen. Allgemeine Regeln lassen sich nicht wohl hierüber geben. So sehr es Pflicht ist, sich allgemein verständlicher Ausdrücke auf der Kanzel zu bedienen; so wahr ists doch auch, daß, wenn man alle diejenigen Ausdrücke, welche von ganz unwissenden und einfältigen Personen nicht verstanden werden, in Predigten vermeiden wollte: so dürfte man gar nicht predigen. Solchen Personen sollte durch gute Katechisationen nachgeholfen werden. — Der Inhalt der hier gelieferten Predigten ist folgender: 1) Beruhigung des Herzens, als die beste Arzney gegen jede Krankheit. Math. 9, 1— 8. — 2) Daß wir uns bey vielen Widerwärtigkeiten mit dem Glauben begnügen müssen, daß sie uns gut sind. Joh. 16, 5—15. — 3) Ueber die Wünsche für das Leben der Unsrigen, besonders unserer Kinder. Math. 9, 18—26. — 4) Was der Mensch thun kann und muß, um über den Tod sehr geliebter Freunde nicht schwermüthig und trostlos zu werden. Luc. 10, 11—15. — 5) Ueber Kleinmuth und Zaghaftig-

haftigkeit. Matth. 8, 23—27. — 6) Was wir als vernünftige Menschen und als Christen an kranken Tagen zu
beobachten haben. Luc. 7, 11—19. — 7) Fortsetzung dieser Materie. — 8) Warnung vor Ungeduld. Sprüchw.
Sal. 3, 11. — 9) Mittel gegen die Ungeduld; über denselben Text. — 10) Die Wichtigkeit des Beyspiels Jesu in
Ansehung der Geduld und Gelassenheit. Ap. Gesch. 8, 32. —
11) Warum nicht wenigstens gute Menschen von allen Uebeln dieses Leben frey bleiben? Joh. 16, 16—22. —
12) Das Angenehme und Unangenehme in dem Beruf des
Landmanns. Ps. 104, 22—24. — Es erhellet hieraus,
daß der Verf. lauter praktische und gemeinnützige Predigten
gewählt hat, die gewiß, in der eindringenden und herzlichen
Sprache des Verf. gesagt, ihren Eindruck bey Leidenden
nicht verfehlen werden. Da Styl und Vortrag aus dessen
andern Schriften schon bekannt sind: so bedarf es keiner ausgezogenen Proben.

Nr. 2. Der Verf. dieser Predigten ist unstreitig ein
denkender Kopf; der es aber auch sehr zu fühlen scheint, daß
er es ist. In seiner langen, sonst in mancher Hinsicht lesenswerthen Vorrede spricht er in einem entscheidenden und oft
wegwerfenden Tone. Doch wir wollen hören, wie er sich
selbst über den Charakter seiner Predigten erklärt. Sie sollen
mit dem zweyten Bande, der nächstens erscheinen wird, ein
Ganzes ausmachen, und den gesammten Umfang der Religion im Zusammenhange umfassen. Um die hier vorgetragenen Wahrheiten tiefer seinen Zuhörern einzuprägen: so pflegte
er in jedem Vortrage den Plan der jedesmal abgehandelten
Materie kurz vorzuzeichnen, sodann gleichsam die Hauptpar-
thien weiter auszuführen; und um den folgenden Vortrag an
den vorigen genau anzuschliessen, schickte er eine kurze Wiederholung des vorhergehenden voraus. Er nahm ferner in seinen
Katechisationen auf diese Predigten besondere Rücksicht; er trug
oft ganze Materien kurz hinter einander mit veränderten Formen zweymal vor; er suchte in Privatunterredungen nachzu-
helfen; und er hatte auch das in der That belohnende Vergnügen, seine Absicht bey Vielen erreicht zu sehen. Dieser Eifer
des Verf., seinen Zuhörern auf alle Art nützlich und verständlich zu werden, ist sehr zu loben; wenn wir uns gleich
noch nicht überzeugen können, daß es ihm bey seiner gewählten Art des Vortrags wirklich bey Vielen geglückt habe. Es

sehr

setzt dies einen Grad von Cultur voraus, der nur bey wenigen Gemeinden zu finden seyn möchte. — Der Verf. ist
sehr dafür, Predigten in zusammenhängender Folge zu halten, um dadurch eine gründlichere und überzeugendere Einsicht
in die Religion zu bewirken, als durch zerstückelte Vorträge
über einzelne Vorträge zu erreichen wäre. Diese Behauptung
wird in der Folge weitläuftig ausgeführt, und mit verschiedenen Gründen bestärkt. Er hält es selbst für den gemeinen
Mann nothwendig, daß er die Religion in einem philosophischen Zusammenhange kennen lerne. Wir wollen ihm seine
Ueberzeugung nicht nehmen, so große Zweifel wir auch dagegen haben; zumal da er sich ausdrücklich auf seine Erfahrungen beruft, daß er durch die Befolgung dieser Methode wirklich Nutzen gestiftet habe. Wenigstens habe er bey Verschiedenen bemerkt, daß das Interesse für die Religion dadurch
erhöhet, ihr Nachdenken geweckt und unterhalten; und daß
Begriffe, die in einer moralischen Gotteslehre herrschen müssen, bey ihnen bevestigt worden sind. Wir müssen gestehen,
daß die christliche Gemeinde zu Bienstädt eine seltene Ausnahme macht, wenn bey ihren Gliedern ein solcher Grad der Aufklärung gefunden wird, um diese Predigten ganz zu verstehen und zu benutzen; und der Verf. ist glücklich, wenn er die
Kunst verstand, sie auf einen solchen Standpunkt zu erheben.
Rec., der seit länger als dreyßig Jahren Lehrer mehrerer Gemeinden, und auch auf dem Lande war, und jetzt in einer
großen Stadt vor aufgeklärten Zuhörern predigt, würde sich
nicht getrauen, Vorträge in dem Ton und in der philosophischen Sprache zu halten, oder sich Nutzen davon versprechen.
Er ist aber weit entfernt, ihnen dadurch ihren Werth abzusprechen, gesteht, daß er sie mit Vergnügen gelesen, und viel
Gutes darin gefunden habe. Für Leser, welche im Denken
geübt sind, und bey schweren Stellen so lange verweilen können, bis sie sie ganz gefaßt haben, werden sie immer eine
nützliche Lektüre seyn. — An den Ausfall, welchen der Vf.
auf Wolfahrts Wörterbuch für Theologen 2c. thut,
mag Rec. keinen Theil nehmen, und überläßt es dem Angegrif-
fenen, sich zu vertheidigen; nur wünscht er, daß sich Herr
S. weniger heftig ausgedrückt hätte. Heftigkeit und Bitter-
keit thut oft selbst der guten Sache Schaden. — Wegen
des beschränkten Raums lassen sich keine Proben geben; wir
müssen uns begnügen, nur den Inhalt herzusetzen, der hinlänglich beweisen wird, daß denkende Leser in dieser Sammlung

lung vieles finden, was sie befriedigen wird. — 1) Von
dem Unterschiede zwischen Recht und Unrecht. 2) Von der
Tugend. 3) Die Reinigkeit des Herzens. 4) Das Tugend-
muster Jesu. 5) Von dem Unterschiede der natürlichen und
christlichen Tugend. 6) Die Freyheit der Vernunst und des
Willens. 7) Von Sünde, Laster und Bosheit. 8) Die
höchste Verschuldung der menschlichen Bosheit. 9) Kein
Trost der Religion, ohne das Bewußtseyn, unsern abgeschiedenen Geliebten liebevolle Achtung erwiesen zu haben. 10)
Der religiöse Mann. 11) Der Glaube an Gott. 12)
Fortsetzung. 13) Der Einfluß des wahren Glaubens an
Gott überhaupt auf Besserung. 14) Der Einfluß des
wahren Glaubens überhaupt auf unsere Ruhe. 15) Glaube
an die Unsterblichkeit. 16) Die Hoffnung, daß wir uns in
der höhern Welt wiederfinden. 17) Ist es vernünftig, sich
nach dem Himmel zu sehnen? 18) Der Glaube an Gott, Gottes Sohn und Gottes Geist. 19) Die göttlichen Vollkom-
menheiten überhaupt und im Zusammenhange. 20) Fortsetzung.

Nr. 3. erhebt sich zwar nicht über das Mittelmäßige,
aber bey dem wohlthätigen Zweck, zu welchen diese Sammlung bestimmt ist, muß die Kritik schon etwas von ihrer
Strenge nachgeben. Der Verf. selbst nennt sie auch nur einen Versuch. Es sind theils gehaltene, theils absichtlich zum
Druck ausgearbeitete Predigten. Gern wünschen wir mit
dem Verf., daß auch durch diese Religionsvorträge der Geist
des wahren Christenthums verbreitet, reinere Religionskenntniß und eine unserer beglückenden Religion würdige Gesinnung nicht nur in einigen, sondern in vielen Christen erweckt
und befestigt, und besonders irgend einem Traurenden Trost
eingesprochen werde, und ein Leidender sich dadurch beruhigt
fühlte. — Sie sind über freye Texte gehalten, und beschäftigen sich mit folgenden Gegenständen: 1) Ueber das Verdienst des Christenthums um unsere Beruhigung bey dem
Tode der Unsrigen. 1 Thess. 4, 13—18. 2) Ueber die
unschädliche und nützliche Trauer bey dem Tode der Unsrigen.
Ebr. 12, 11. 3) Ueber die Ursachen des frühzeitigen Todes
mancher Menschen. Ap. Gesch. 6, 8—15. Cor. 7, 54—
19. 4) Trost und Lehre für Hinterbliebene, die ihre Pflichten gegen Verstorbene verletzt haben. 1 B. M. 42, 21—28.
5) Trostgründe für die Hinterbliebenen, die aber das Schick-

J 3   sal

sal ihrer, nicht ganz moralisch gut verstorbenen Angehörigen besorgt sind. 1 Tim. 2, 4. 6) Ueber die Hoffnung des Wiedersehens in dem zukünftigen Leben. Joh. 20, 19—31. — Angehängt sind noch zwey Predigten: a) Der Tod unter dem Bilde des Schlafs. Luc. 23, 46. b) Trostgründe für Leidende aus der Betrachtung der Natur. Matth, 6, 19—34.

Bs.

1. Neu ausgearbeitete Entwürfe zu Volkspredigten über die gesammten Pflichten der Religion — von K. G. D. Manderbach. — Eilfter Theil. Frankfurt am Main, in der Andräischen Buchhandlung. 1799. 1 Alph. 16 Bogen in 8. 1 Rf. 8 gr.

Auch unter dem Titel:

Neu ausgearbeitete Entwürfe — — über die Menschenpflichten. — Dritter Theil. — —

2. Ueber den Einfluß, den die Bibellehre von der göttlichen Würde Jesu auf die Gotteserkenntniß und Tugend der Christen geäussert hat, und noch äussert. — Zwey Predigten über Joh. 1, v. 14 —17. von Wilhelm Friedrich Lehne, ordentlichem Mitgliede des Königl. Predigerseminariums und Pastoralinstituts zu Göttingen, und Carl Christian Franz Stephani aus Wertheim, wovon dem ersten die ausgesetzte Königl. Prämie, dem zweyten das Accessit von der theologischen Facultät zu Göttingen am 4. Jun. 1798 zuerkannt wurde. Göttingen, bey Dietrich. 8. 6 Bogen. 5 gr.

3. Erinnerung an Luthers Reformation in drey Predigten. — Ein Beytrag zur Belebung ihres Gei-

Geistes bey Hamburgs lutherschen Gemeinen von Michael Wolters, Mitgliede des Hamburgischen Ministeriums. — So ihr bleiben werdet an meiner Rede, so seyd ihr meine rechten Jünger; und werdet die Wahrheit erkennen, und die Wahrheit wird euch frey machen. Jesus beym Johannes. — Hamburg, bey Hoffmann. 1799. 10 B. 8. 12 gr.

Nr. 1. Bey der Fortsetzung dieser Arbeit des Herrn M. bedarf es weiter nichts, als der Anzeige, daß wir hier aus seiner fruchtbaren Feder den eilften Theil seiner Entwürfe, oder, nach einer andern Abtheilung, den dritten, erhalten. In 41 ausführlichen Dispositionen liefert er hier nach seinem Plane die Grundpflichten und abgeleiteten Pflichten gegen alle Menschen überhaupt. Ueber die Manier des Verf. zu reden würde zu spät seyn, da es längst von andern geschehen ist. Manche Ausführungen sind indessen gar wenig zu Volkspredigten, d. h. Predigten vor gemischten Versammlungen, vorzüglich aus den niedern Klassen, geeignet. Indessen nimmt man es auch mit der Benennung Volkspredigten nicht so genau. Es ist nichts weiter als ein beliebter Aushängeschild, der aber nun nach gerade durch den häufigen Gebrauch etwas ältlich wird.

Nr. 2. Die Veranlassung zum Drucke dieser Predigten ist bekannt, und wird auch auf dem Titel schon angegeben. Als Probeschriften zweyer junger Männer muß man sie freylich etwas anders beurtheilen, als wenn man sie als Arbeiten betrachtet, deren Eine den Preis, und die Andre das Accessit von der theol. Fac. zu Göttingen erhalten hat. — Die Predigt von Hrn. L. ist gut disponirt, nur fehlt in der Ausführung hin und wieder die Einfachheit und Faßlichkeit für Ungelehrte, und auch der Ausdruck ist bey Weiten für eine Predigt nicht einfach und populär genug. Gleich das Anfangsgebet ist ganz im Tone verfehlt. Es ist zu voll Deklamation und künstlicher Wendungen. Herr St. stellt zwar auch im ersten Theile die Lehre von der göttlichen Würde Jesu auf; aber er entwickelt sie nicht so richtig, als Hr. L.; auch benutzt er den Text hier zu wenig. Er mußte von einer be-

J 4

klarum

stimmtern Erklärung, was g. W. Jesu sey, und was er unter Verbindung mit der Gottheit verstehe, ausgehen; so wäre
der Gang sicherer und die Ausführung faßlicher für die Zuhörer geworden.   Der zweyte und dritte Theil hätte sich hier
besser mit einander verbinden lassen. — Indessen siehet man
an beyden Arbeiten, daß ihre Verf. Anlagen haben, und
wenn sie fleißig fortstudiren, und sich von der Bücher- und
Katederssprache entwöhnen, einst gute Prediger werden
können.

Nr. 3. Diese Predigten gehören schon wegen ihres
Gegenstandes zu den seltenern Erscheinungen. Hr. W. hat
in der Katharinenkirche in Hamburg die sogenannten Zwölfer-
predigten (d. h. die Predigt in der Mittagsstunde) zu halten,
wo, der Vorschrift nach, über den Hamburgischen Katechismus
geprediget werden soll.   Diese Gelegenheit hat er benutzt,
da ihm der Inhalt des Kat. so vielerley Materien darbot,
diese Predigten über die Wohlthätigkeit der Lutherschen Reformation zu halten, welches wir loben und andern Predigern
zur Nachahmung empfehlen.   Die Erste handelt von der
Sklaverey der Kirche vor der Reformation.   Die Andere belehrt über die Freyheit der Kirche, als einem
Werke der Reformation; und die Dritte von der würdigen Art der Befreyung der Kirche durch die Reformation.   Alle drey sind mit guten historischen Einsichten abgefaßt, und der Vortrag ist, wie er hier seyn muß, mehr belehrend als affectvoll, ob es ihm gleich auch nicht an Wärme
fehlt. — Noch müssen wir des zwey Bogen starken Vorbe-
richts erwähnen, welcher einige Bemerkungen, das Ham-
burgische öffentliche Nationalwesen betreffend, zur
Beherzigung und Prüfung enthält. Er ist mit empfehlungs-
werther Einsicht und Mäßigung geschrieben. Rec. bedauert,
daß ihm die Enge des Raums nicht erlaubt, wegen der sich
mit jeder Messe mehrenden Menge der Schriften, manches auszuheben, und mittheilen zu können. Wir können ihn
Predigern daher nur zum Selbstlesen empfehlen. Sonderlich
werden diejenigen hier sehr gute Winke finden, die Amtswe-
gen auch über Katechismen zu predigen haben, und denen es
ein Ernst ist, ihren Vorträgen Mannigfaltigkeit und mehr-
seitigen Nutzen zu verschaffen. —

Mk.

Chri

Christian Benedict Glörfelds, königl. Probstes,
Inspektors und ersten Predigers in Bernau, Predigten über freye Texte, größtentheils bey ausserordentlichen Veranlassungen gehalten, nebst einer
Vorrede von D. Wilhelm Abraham Teller, königl. preuß. Ober-Consistorial-Rath und Probst
zu Cölln an der Spree in Berlin. — Wenn
nur Christus geprediget wird. Paulus. — Zweyter Theil. Berlin, bey Vieweg. 1799. - 29
B. 8, 18 ℞.

Auch unter dem Titel:

Sammlung einiger Predigten, größtentheils über freye
Texte und bey ausserordentlichen Veranlassungen
gehalten, u. s. w.

Auf dem letztern Titel ist der Tellerschen Vorrede nicht erwähnt. Rec. findet sie auch bey dem vor ihm liegenden Exemplare nicht. Dagegen steht des Verfs. eigene Vorrede davor, darin er sich kurz und gut gegen die von manchen jetzigen Gelehrten in Schutz genommene Meinung erklärt, als
ob man von neuen auffallenden Schrifterklärungen und neuern
theologischen Meinungen auf der Kanzel Gebrauch machen
solle. Rec. stimmt ihm gern darin bey; so wie er auch die
vorschnelle Anwendung neuer philosophischer Systeme, oder
Sätze daraus, beym Volksunterricht aufs Höchste mißbilligen
muß, womit jetzt so viel Unwesen getrieben, und so viel
Schaden gestiftet wird. Man sagt zwar dagegen, wenn gewisse Lehrsätze ausgemacht und entschieden sind: so muß man sie
statt der alten aufstellen und anwenden. Diese Regel enthält
zwar etwas Wahres; allein so ohne weitere genauere Bestimmung über das, was, wo und für wen ist sie höchst unsicher und in vielen Fällen ganz unrichtig. Viele, auch ange-
sehene Theologen, Exegeten und Philosophen empfehlen oft
ihre noch auf sehr unsichern Füßen stehenden Behauptungen
als ausgemachte Wahrheit, und der Haufen ihrer schwachen
Schüler und Anhänger rufen sie dann von allen Kanzeln
aus, zum sichtbaren Schaden der wahren Religiosität und
Aufklärung. Und bey der moralischen Bildung der Christen,

welche auch unſer Verf. (S. V.) zur Hauptpflicht der Prediger bey öffentlichen Vorträgen macht, hat die Wahrheit
— ſelbſt ſichere Wahheit — ihr genaues Maaß, das der
Prediger kennen, und nicht überſchreiten muß. Was darüber
iſt, das iſt vom Uebel. Was nicht im genauen Zuſammenhange mit dem Praktiſchen ſteht, gehört gar nicht dahin.
Nur freylich gefallen ſich manche Prediger am beſten, wenn
ſie ihr Syſtem auskramen, oder mit Brocken aus der lieben
neueſten Philoſophie figuriren. — Soviel beyläufig hiervon.
Vielleicht macht dies doch manchen unſerer Leſer aufmerkſa-
mer auf ſich ſelbſt. Daß der Verf. ſich darüber (Vorr. S.
X.) entſchuldiget, daß er die gewöhnlichen Formeln: Meine
Zuhörer! u. d. gl. weggelaſſen hat, und vor ihrem zu häufigen
Gebrauche auch beym mündlichen Vortrage warnt, billiget
Recenſent; doch will es auch nicht viel ſagen, wenn andre ſie
in ihren gedruckten Predigten beybehalten. — Noch vertheidigt er ſich (S. XI.) gegen den ihm in der oberd. allg. Lite-
raturzeitung gemachten Vorwurf, wegen des in ſeinen Ent-
würfen über die Epiſteln (Tellers Magaz. V. B. 2.) öfter
gebrauchten: Ihr! Der Vorwurf iſt nichts mehr, als eine
Mikrologie jenes Recenſenten. Ueberhaupt halten wir dafür,
man bleibe ja bey öffentlichen Religionshandlungen bey den
gewöhnlichen Formeln. Sie ſind einmal ſo zu ſagen ſanctio-
nirt, und kein Vernünftiger nimmt Anſtoß daran. Erſt
wenn man bey Anreden, zumal beym Austheilen des Abendmahls, beym Segen u. ſ. f. mit Sie, Er, Ihr abwechſeln
will, nach Standesgebühr: ſo wird man anſtößig; wie Rec.
aus ſichern Beyſpielen weiß. Reiche ich Jemanden das
Abendmahl z. B. und ſage Er oder Sie, und zu dem ihm
folgenden gemeinen Manne Ihr: ſo wird dieſer es allemal
übel nehmen, und mich für einen Schmeichler halten; und
wer ein Sie erwartet hat, wird es für eine Grobheit halten,
wofern ich Er oder Ihr ihn anrede. Recenſent, der bey einer angeſehenen Stadtgemeine lange Prediger iſt, pflegt, um
allen Unbequemlichkeiten auszuweichen, bey Austheilung des
Abendmahls gewöhnlich die Formel zu gebrauchen: So
ſpricht Chriſtus: Nehmet, eſſet! Nehmet, trinket! oder eine
ähnliche. Es iſt einmal gewöhnlich; und dabey bleibe man.
Nur muß man, um den Gebrauch der zweyten Perſon oder
des Ihr hier zu vertheidigen, ſich nicht darauf berufen, wie
auch Gelehrte noch kürzlich gethan haben, das Rec. immer
belacht hat, daß Chriſtus ſagt: Nehmet und eſſet! ꝛc.

Denn

Denn er reichte sein Gedächtnißmahl nicht jedem einzeln, sondern allen, und da konnte er ja nicht anders als in der zweyten Person des Pluralis sprechen.

Der Charakter und die Güte der Glörfeldschen Predigten ist bereits aus den vorhergehenden Anzeigen und Recensionen bekannt. Wir haben also nicht nöthig, hier wieder etwas darüber zu sagen; sondern nur unsere Leser mit dem Inhalt dieser Sammlung näher bekannt zu machen. Sie begreift 24 Predigten, die bey der guten Auswahl der Sachen, und dem sehr faßlichen Vortrage, noch die Empfehlung der Kürze haben. Statt das trockne Verzeichniß der Hauptsätze hier abdrucken zu lassen, wollen wir lieber eine einzelne Predigt näher zergliedern. Wir nehmen sie aus der Zahl derer, deren Veranlassung der Verf. selbst angezeigt hat. Es sey die siebenzehnte, welche auf Befehl am 23. Trinit. gehalten würde, die Heiligkeit des Eides einzuschärfen; und das um so mehr, da über diese Materie noch nicht viel gute Predigten uns zu Gesicht gekommen sind. Sie handelt über Matth. 22, 15 — 22, den Satz ab: Von den Folgen, die das Daseyn, oder der Mangel einer redlichen Herzensgesinnung nach sich zieht. — Im Eingange zeigt der Verf. kurz, daß nicht das Aeußerliche, sondern das Herz, die Redlichkeit im Sinn und Thun, den Menschen schätzenswerth mache; und leitet aus dem Zeugnisse, das Christo seine Feinde geben, den Hauptsatz her, daß die Redlichkeit des Herzens etwas Grosses sey. I. Was dann wegfallen muß, wenn sie statt haben soll. II. Daß es schön sey, wenn man sie bey einem Menschen gewahr wird; aber traurige Folgen hat, wenn sie fehlet. Nämlich 1) muß alle heuchlerische Vorstellung in Worten und Handlungen wegfallen, welches durch das Beyspiel der Pharisäer im Evang. erläutert wird. 2) Das geflissentliche Lügenreden im Umgange und vor Gericht, also auch vorzüglich bey Eidschwüren. Wie schändlich und schädlich das ist, und was es für Folgen hat, wird hier sehr faßlich gezeigt. Vorzüglich sucht der Verf. zum Andern hier zu überzeugen, wie gut es wäre, wenn es mehr redliche Leute gäbe, und wie viele Unglück und Elend, Unredlichkeit und Treue unter die Menschen bringen. (Doch würden wir den Ausdruck ängstliches Gewissen für gutes S. (S. 212) nicht gebraucht haben, weil jenes nach der Moral ein Fehler ist,

und

und Laien leicht auf die Meinung gerathen können: man habe
nur dann ein gutes Gewissen, wenn man mit einer gewissen
wankenden und ängstlichen Ungewißheit handelt.) Wie Unred-
liche durch Gottes Fügung hier oft schon ihre Strafe finden,
und wie Gott, als Richter, die Lästerung des Meineidigen nicht
ungestraft lassen werde. — Alles das ist sehr faßlich und
herzlich gesagt. Doch hätten wir erwartet, daß der würdige
Verf. wenigstens zuletzt mehr den schlauen Ausflüchten der
Heuchler und Meineidigen zu begegnen gesucht hätte, wohin-
ter sie sich sonst bey der lauten Stimme der Wahrheit immer
für gesichert genug halten. Indessen kann man auch freylich
über eine so wichtige Materie nicht alles in einer Predigt
sagen. —

Se.

Predigten über Sprüchwörter. Von Sylvester
Jakob Etamann, Pfarrer zu Zimmern supra
Erfurt, in der Henningsschen Buchhandl. 1799.
15 Bog. 8. 16 xr.

Mit den gewöhnlichen vorgeschriebenen biblischen Perikopen
verbindet der Verf. Sprüchwörter, um dadurch seinen Vortrag seinen Zuhörern näher ans Herz zu bringen. Daß aber
Sprüchwörter kein unschicklicher Gegenstand für die Kanzel
sind, da sie die Volksphilosophie und Moral lebendig darstellen, wenn sie anders durch ihren wörtlichen Ausdruck die
Würde des Orts nicht beleidigen, bedarf wohl keines Beweises:
besonders wenn man noch beherzigen will, daß der gemeine
Mann seine Maximen, wenn sie weder den gesunden Verstand, noch das Gewissen befriedigen, durch gangbare Sprüchwörter zu rechtfertigen sucht, die er noch überdieß von einer
ganz schiefen Seite faßt, und Entschuldigungen darin sucht,
die wirklich nicht darin liegen. Auch vermögen bey ihm oft
alle Gründe nicht so viel, als ein einziger Beweis aus einem Sprichworte genommen, weil dadurch die Wahrheit
in einem einzelnen Fall sinnlich dargestellt wird. Um so mehr
ist es daher der Mühe werth, diese seine in Sprüchwörter
eingehüllte Lebensphilosophie, die mit seiner Moralität unmittelbar zusammenhängt, zu berichtigen. Diese Gründe
mögen allerdings das Unternehmen des Verf. hinlänglich
recht

rechtfertigen; daß sich aber, überdieß durch die so wohlgera-
thene Ausführung von selbst rechtfertiget. Wir können daher
diese Predigten sowohl von Seiten ihres wohlgewählten Inhalts, der sich immer in der Sphäre des gemeinen Mannes
hält, als auch von Seiten ihrer ächten Popularität, die sich
so sichtlich von Niedrigkeit, Pöbelhaftigkeit und Seichtigkeit,
was immer noch so viele für Popularität halten, entfernt,
empfehlen. Einige hin und wieder vorkommende Ausdrücke,
als Oekonom, Oekonomie, moralisch, Moralität, Materialien, u. s. w. mögen wohl dem gemeinen Manne nicht
verständlich seyn. Dazu kommt noch die Menge Druckfehler,
die diese Predigten dem gemeinen Manne zum Theil unverständlich machen müssen.

Diese kleine so schätzbare Sammlung, die wir fortgesetzt
wünschen, enthält neun Predigten, worin folgende Sprüchwörter abgehandelt werden: 1) Alles mit Gott. Am
ersten Adventssonntage, über Matth. 22, 1 — 9. 2) Gott
grüßt Manchen, wenn er ihm nur danken wollte.
Am zweyten Adventssonntage, über Luc. 21, 25 — 36.
3) Die Wahrheit findet keine Heerberge. Am dritten
Adventssonntage, über Matth. 11, 2 — 10. 4) Gerade
zu ist der Wahrheit Straße. Am vierten Adventssonntage, über Joh. 1, 19 — 28. 5) Aus Kindern werden
Leute. Am Weyhnachtsfeste, über Luc. 2, 1 — 14.
6) Der Apfel fällt nicht weit vom Stamme. Am
Stephanstage, über Matth. 24, 34 — 39. 7) Kirchen-
gehen säumet nicht. Am Sonntage nach Weyhnachten,
über Luc. 2, 33 — 40. 8) Die Zeiten ändern sich, und
wir mit ihnen. Am neuen Jahrstage, über Luc. 2, 21.
9) Trau, schau, wem? Am Epiphanienfeste, über Matth.
2, 1 — 12.

De.

Arzneygelahrheit.

Annalen der neuesten englischen und französischen
Chirurgie und Geburtshülfe. Herausgegeben
von *Bernhard Nathan. Gottlob Schreger* und *J.
Chrn. Friedrich Harles. Ersten Bandes erstes
Stück.*

... Stück. Erlangen. 1799. 172 Seiten in gr. 8.
21 ꝛc.

Es ist den Deutschen von jeher eigen gewesen, nach den
Schätzen fremder Nationen zu geizen, und alles auf ihren Boden zu verpflanzen, was bey den Nachbarn Neues zu haben
war, es mochte seyn was und in welchem Fache es immer
wollte. Nächst den Modehändlerinnen mögen wohl die deutschen Aerzte und Wundärzte die gierigsten seyn, welche auf
alles lauern, was sich jenseits der sechs Hauptströme Deutschlands Neues ereignet. Fast werden wir von allen bedeutenden Nationen medicinische Zeitschriften haben, von den Franzosen, seit Sadig. zwey. Mit dem letztern dürften die Herausgeber oft in Kollision kommen, wie wir in diesem Hefte
schon Beyspiele haben. Wir zeigen, dem Geiste dieses In-
stituts gemäß, nur den Inhalt kurz an: 1) Heyligers
Bemerkungen über die Nachtheile der künstlichen Vereinigung
getrennter Darmstücke durch die Invagination. Der Vf.
zeigt, daß es besser sey, gar nicht zu künsteln, als die Invagination vorzunehmen. Die Herausgeber haben einen interessanten Zusatz zu dieser Abhandlung gemacht. 2) Ueber die
Merkmale der Eindringung der elastischen Sonde in die Spei-
seröhre, oder in den Larynx. Es werden hier die Zeichen angegeben, woran man erkennen könne, ob die Sonde in die
Speise- oder ob sie in die Luftröhre eindringe. Desaults
Probe mit der Lichtflamme zeigte sich trüglich. Der Verf.
nimmt das leichtere und sanftere Eindringen der Sonde für
ein gewisseres Zeichen an, daß man im Speisekanal sey. 3)
Petit neue Methode, Abscesse durch den Stich und Schröpf-
köpfe auszuleeren. Schon bey Sadig. Die Herausg. wie-
gen in einer Anmerk. das Neue und Gute dieser Methode
kurz ab. 4) Martin von einer Verrenkung des untern Endes der Speiche über die vordere Fläche des Ellbogenbeines.
5) Dussausoy Bericht an die Société de Médecine über
Martins (die vorige) Beobachtung. Der letzte läugnet,
daß Martins Fall die quästionirte Verrenkung gewesen sey.
Die Herausgeber hätten beyde Aufsätze weglassen können. 6)
Martin über eine Ausrottung des Oberarms aus dem Schul-
tergelenk. 7) Harneß über den Nutzen des Magensaftes gras-
fressender Thiere bey bösartigen Geschwüren. Kommt nunmehr etwas zu spät! 8) Hammick von dem heilsamen äußerl.

Gebrauche des Hopfens bey übelartigen Geschwüren. Er
brauchte bey scorbutischen Geschwüren Umschläge von Hopfen,
Habermehl und Speck. 9) Simmons Bemerkungen über
Bayntons Methode, die alten Geschwüre der Gliedmaßen
zu heilen. Er empfiehlt einfache Heftpflaster, z. B. Empl.
lithargyrii, und einen gleichen Druck, um die Geschwürfläche
immer eben und gleich zu erhalten. 10) Collomb über die
Umstülpung der innern Haut der Gebärmutter und des Mut-
termundes. Man weiß eigentlich nicht recht, was der Verf.
will. 11) Collomb Operation des Kaiserschnitts nach 15
monatl. Schwangerschaft. 12) Guerin Bemerkungen über
diesen Aufsatz. Hätten beyde wegbleiben können. Wir sind
Guerins und der Herausg. Meinung, daß Collomb den
Kaiserschnitt hätte unterlassen sollen. 13) Petit Beobachtung einer vollständigen und chronischen Umstülpung der Gebärmutter, die für einen Polypen gehalten, und durch Unterbindung tödtlich wurde. Eine fürchterliche Geschichte!
Vier Wundärzte hielten den uterum inversum für einen Polypen! 14) Deschamps Bemerkungen über eine neue Art,
das ächte Aneurysma am obern Theile der Schenkelschlagader
zu unterbinden. Einer der besten Aufsätze! 15) Sages
Beobachtung eines Bruchs, der von einem Anhange des
Darms gebildet wurde. 16) Tenon Trepanation des Schen-
kelknochens. 17) Collomb Beobachtung und Heilung eines
Aneurisma an der Zunge. Interessant! 18) Kurze Notizen.
Eine Ruptur des Herzens — eine aneurismatische Erweiterung der Herzvorkammer — eine Zerreissung des Psoas —
Erinnerungen und Vorsichtsregeln bey Operation der Mast-
darmfisteln — Vernarbung einer Stichwunde der Lungen,
worin das Messer stecken blieb — Chronischer Kopfschmerz
durch Zahnausziehung geheilt — Seltne Ursache vom Ver-
fall der Sprache (ein unter der Zunge sitzender Stein) —
Vorfall der Zunge, und endlich chirurgische Preisaufgaben der
Société de Santé zu Paris. Dieß ist der Inhalt eines Journals, welchem wir eine lange Dauer wünschen. Das Schwer-
fällige in den Ueberschriften, welches unsern Lesern aufgefal-
len seyn wird, müssen die Herausgeber künftig vermeiden.
Die Abhandlungen selbst sind größtentheils gut übersetzt!

Erin-

Erinnerungen an Paris, zunächst für Aerzte geschrieben, von *Ge. Hnr. Bthn. Erster Heft.* Berlin, und Stettin. 1799. 22 X.

Eine ziemlich leichte, aber angenehme Lecture für jeden Leser von Geschmack und Humanität! Der Vf. scheint ein junger Mann von liberaler Denkart und guten Kenntnissen zu seyn; Seine Schreibart ist rein und fließend; er sieht die Sachen von der rechten Seite an, und urtheilt mit Richtigkeit und Mäßigung. Folgendes ist in diesem Buche enthalten: 1. Eintritt in Frankreich. 2. Ueber die Schule der Heilkunde. Seit der Revolution ist diese Einrichtung verändert, die Bibliothek vermehrt, der Kabinette sind sechs, der Aufseher vier, der sämmtlichen Professoren 27. Zum praktischen Unterrichte sind drey klinische Institute bestimmt. Bei der innern Klinik ist Corvisart, bey der äußern Pelletan Director. Fourcroy und Pinel sind die berühmtesten Professoren. Fourcroy ist der Held des Vf. Er scheint sich der Brownischen Lehre zu nähern. 3. Sacombe und die Ecole anticésarienne. Viel zu viel von diesem Schwärmer! Alle drey Monate hielt er eine öffentliche Sitzung im Louvre in Gegenwart der Departementalverwaltung! Der Verf. schildert eine solche Fanfaronade! 4. Charlatanerie in Paris. Einige unterhaltende Beyspiele. 5. Ueber die Rettungsanstalten für Ertrunkene. Sind äußerst schlecht! 6. Ueber das Lycée republicain. Die bekannte große und schätzbare Anstalt, die man schon aus Meyer und andern Schriften kennt. 7. Theater zu Paris. Wir setzen in perpetuam rei memoriam folgende Inschrift her, welche Sacombe bey Einweihung seines Saales auf eine Pyramide setzen und öffentlich da stehn ließ: Der Nachkommenschaft, der Rächerinn des Verbrechens und unpartheyischen Richterinn der Wahrheit, übergiebt die Ecole anticésarienne die Namen des Dubois, des ältern Baudeloque, des erstern als Urheber, des zweyten als Gehülfen des Meuchelmords der Frau Vasseur, des Coutouly, der den Leib der Bürgerinn Denos öffnete, und endlich Pelletan, der an vier schwängern Weibern im großen Hospital zu Paris den Kayserschnitt machte: obgleich der Stifter dieser Schule im Jahr 8 allen Anhängern von Instrumenten, Hacken, dem Kay-

Kayserschnitt und der Schambeintrennung gesetzlich und feyerlich Trotz geboten hat, jede Geburt mit seiner Hand zu beendigen.

Orthodoxie und Heterodoxie, oder Bemerkungen über den richtigen Gebrauch der Arzneymittel. Ein Lesebuch für Brownianer und Antibrownianer, von J. Val. Müller. Zweyter Band. Frankfurt. 1799. 448 Seiten in 8. 1 Rr. 12 K.

Wir können, so gerne wir auch wollten, so wenig diesem Theile, als dem vorigen, Lob und Beyfall ertheilen. Hr. M. giebt sich das Ansehen, eine Parallele zwischen der ältern und neuern Arzneylehre zu ziehen; aber mit nicht vorzüglichem Glücke, wie uns dünkt. Es fehlt ihm dazu Philosophie überhaupt, theils eine gereinigte Theorie. Auch ist er viel zu weitläuftig, ja an vielen Stellen weiter nichts, als Abschreiber aus den gelesensten Schriften für und wider die Brownische Arzneylehre. Die Methode, welche er eingeschlagen hat, besteht darin, daß er ein Kapitel nach dem andern aus der allgemeinen Therapie nimmt, z. B. Brechen, Purgiren, ꝛc. dasselbe nach den Anzeigen und Gegenanzeigen der Brownianer und Antibrownianer durchgeht, und Formeln aus dem und jenem Buche dazu beylegt. Und dieses geschieht denn alles in seitenlangen Auszügen aus den Autoren, welche Hr. M. nennt; die Hauptsachen aus Girtanner, Weikard, Röschlaub, die Formeln aus Wedekind, Jahn, ꝛc. Was diese Manier für Gutes stiften solle und könne, überlassen wir dem Leser selbst. Es ist im Grunde doch nichts, als ein aufgewärmter Kohl, welchem alle Kraft und Konsistenz mangelt. Bey der großen Geneigtheit des Hrn. M. zu der alldicksten Humoralpathologie kann man sich wohl vorstellen, daß er dem Brownischen Systeme gar nicht hold ist. Nur an wenigen Stellen z. B. im Kapitel über Wärme und Kälte, scheint er zur Heterodoxie, wie er es zu nennen beliebt, geneigt zu seyn. An dieser Ueberzeugung scheint Hr. Marcard, welcher vor Brown schon auf den Nutzen der (mäßigen) Wärme aufmerksam machte, einen großen Antheil zu haben. In den meisten übrigen Dingen bleibt H. M. beym Alten. Besonders ist es sehr für

die Infarktuslehre, und findet in diesem und dem Punkte
der Hämorrhoiden viel Gewagtes im Brownischen System.
Die vernünftige Anwendung der Brownischen Lehren, welche
diese beyden Krankheitsgattungen unter das Kapitel von örtlicher Schwäche verweist, und (gradatim) mit stärkenden
Mitteln heilt, wird nie Unglück stiften. Wir wollen inzwischen
nicht läugnen, daß von Hrn. M. manche wichtige Einwürfe
gegen das schottische System vorgebracht, manche zu allgemeine Sätze desselben eingeschränkt, und folglich, wie wir es
immer wünschen, einige Beiträge zur Prüfung des Br. Systems geliefert werden; nur sind die wichtigsten schon bekannt,
und die noch nicht bekannten nicht wichtig genug, um einen
Heterodoxen zur alten rechtgläubigen Lehre zurückzuführen.

Der Gesundheitstempel. Fünftes Stück. S.
395—494. Leipzig; ohne Jahrzahl. 8.

Dieß Stück ist seinen ältern Geschwistern vollkommen ähnlich; derselbe Ueberfluß an wahrem, gemeinem und falschem
Witze, dieselbe Neigung zu Zweydeutigkeiten, derselbe Hang
zu satyrischen Anmerkungen und Anekdoten! Das ganze
Stück handelt von der Kleidertracht. Besonders ungehal-
ten ist der Vf. auf das Weimarsche Journal der Moden und
den Redakteur desselben, Hrn. L. R. Bertuch. — Wir
wünschten, der Vf. suchte seine Zeit und seinen Verstand,
woran es ihm gar nicht fehlt, auf etwas Besseres zu wenden,
als auf eine Zeitschrift, die immer nur für ein kleines Publikum schmackhaft seyn wird. Wir glauben, er könne allerdings etwas Gutes liefern, wenn er theils mehr seinen Verstand, als seinen Witz kultiviren, theils sich bemühen wollte,
den leichten, faselnden Styl, welcher in diesem Werke herrsche,
mit einem ernsthaftern, solidern zu vertauschen, wie ihn
Männer von Geschmack lieben und schätzen!

Fp.

Das Band der Ehe. Aus dem Archiv des Natur-
und Bürgerstandes. Dritter Theil oder Gynäologie
Zwölftes Bändchen. Berlin, auf Kosten des
Verfassers. 1799. 138 S. 8. Illum. 1 Rh.
16 gr. schwarz 1 Rh. 12 gr.

Hier noch mancherley über männliches Unvermögen und
weibliche Unfruchtbarkeit, nebst allerhand Mitteln, die wie
aus der Lotterie gezogen zu seyn scheinen; zum Beschluß allerhand medicinisch-gerichtliche Gutachten, um die Bogen zu
füllen, und das letzte Bändchen anzuschwellen. Man sieht
es dem Verf. an, er wird durch die allzugroße Ausdehnung
seiner Naturarbeit so herzlich matt, wie seine Ehestandshelden,
und das lesende Publicum wird ihm gerne das: Deus nobis
haec otia fecit, zurufen. Bequem ließ sich die Quintessenz
in ein einziges Bändchen zur Erbauung der Ehelustigen bringen, das übrige ist Ballast; und die Kupfer, die zum Theil
nichts Auszeichnendes haben, vertheuern die Sammlung ohne
Noth. Daher bleibt immer noch der Wunsch zu einer mehr
zweckmäßigen Arbeit übrig, wobey das Vtile dulci, ohne alles
Schlüpfrige, gebrauchet werden könnte.

Gl.

Romane.

Die Schlösser in Spanien. Erster Theil. Ronneburg und Leipzig, bey Schumann und Barth.
1799. 222 S. 8. Mit einem von Schule ge-
zeichneten und gestochnen Titelkupfer. Lateinische
Lettern. 18 g.

Von nichts weiter als betrogenen Erwartungen wird in dem
Bändchen geschwatzt. Eben so gut hätte sein Verfasser es
daher böhmische Dörfer als spanische Schlösser betiteln
können, und vielleicht noch manchen Käufer mehr herbeygelockt.
Recht gut, ohne Zweifel, wenn ein Romanschreiber gleich auf
dem ersten Blatt die Aufmerksamkeit des Lesers rege zu machen weiß; versteht er aber nicht solche zu unterhalten, und
von Zeit zu Zeit zu verdoppeln: so wird alles Uebrige nur
desto langweiliger und endlich ganz ungenießbar. Das Gefühl der Liebe in ihrem höchsten Momente zu schildern, und
hinterdrein den Schmerz, ihr entsagen zu müssen, war, wie
es scheint, die Absicht des Spanischen Schloßhauptmanns:
da seine Phantasie aber, trotz ihrer Reizbarkeit, unter diesem
Wagstück erlag, so verläßt er sehr bald die Region der Leidenschaft, und streicht in die des Abentheuerlichen hinüber: das

K 2 gewöhn-

gewöhnliche Schicksal junger Köpfe, denen weder Erfahrung noch Belesenheit die Flügel stärkt. Ohne des Bombasts zu erwähnen, worein er die gewöhnlichsten Vorfälle des Lebens hüllt, kann man, wie es um seine Weltkenntnisse stehe, schon daraus abnehmen, daß er in dem niedrigen Straßburg, nicht etwa den Münsterthurm, sondern ein hochliegendes Wirthshaus bewohnt, von wo aus sich Aussichten in eine Gegend darbieten, die seiner Beschreibung nach nichts anders als ein Alpenthal gewesen seyn kann. Hat er die Ehre, mit Frauenzimmern sich zu unterhalten, so spricht er sie an, wie folgt: „O Demoiselle! welche Beschäftigung kann edler „seyn“ u. s. w. — Oder: „Glauben Sie wohl, Demoiselle, daß ich schmeichle?“ — Wie es mit Darstellung überhaupt bey einem Schriftsteller dieses Schlags aussehe, der so eben in Thümmels Reisen, oder Jean Paul's Quodlibets blätterte, und sich gleichfalls im Gebiet der Laune und des Witzes versuchen will, braucht keines Finger-zeigs. Weiß er sich nicht anders zu helfen: so greift er nach dem magischen Wörtchen Wunderbar, und stempelt damit frisch weg, was er ein paar Zeilen früher uns für sonderbar erklärt hatte; eigentlich aber das einfältigste Ding von der Welt gewesen war. Daß in einem Roman vom neuesten Geschmack Verse nicht fehlen dürfen, versteht sich. Sind die hier aufgetischten gleich nicht so seltsam und abgeschmackt wie die Prose des Buchs; dennoch giebt es noch immer nichts an ihnen zu loben; und der Zergliederung schlechter Gedichte hat man sich satt und müde zugesehn.

Selbst für den Verfasser derselben wäre diese Bemühung so gut als unnütz; denn jede Wette will Rec. eingehn, daß die Lesewelt mit einem zweyten Theile wird verschont bleiben, und in den ersten zehn Jahren aus dieser Feder nichts weiter zu befürchten hat. Woher Rec. mit so großer Zuversicht spricht? Weil der Ungenannte sich einfallen ließ, sein Machwerk dem trefflichen Verfasser der Reisen in's mittägliche Frankreich vertrauensvoll zu widmen; dieser aber erkenntlich genug seyn wird, den jungen Schriftsteller zu jeder andern Beschäfftiaung lieber, als zum Anbau eines Fachs zu ermuntern, wofür sein Client noch viel zu kenntniß- und erfahrungsarm, und was noch schlimmer, schlechterdings ohne Talent ist. — Was indeß müssen die Ankündiger dieses verunglückten Products wohl vom deutschen Publiko denken, als die

keinen

feinen Zuftand nahmen, es in unfern kifsigen Intelligenzblättern schon deshalb zu empfehlen, weil es in Hrn v. Thümmels
Nachbarschaft gezimmert wurde? Wirklich ein unerhörter
Einfall: von Luft und Waffer Anlaß zu Anpreifung der Gei-
fteserzeugniffe zu entlehnen!

Mb.

Emilie und Alphons (,) oder Gefahr der erften Eindrücke. Erfter Theil. Von der Verfafferinn der
Adele von Senange. Hamburg, bey Perthes.
1799. 3 Theile. 636 S. 8. 1 Rg. 20 Kr.

Diefer lefenswerthe franzöf. Roman ift unftreitig von einer
fehr gefchickten Hand abgefaßt, und wir können ihn unfern
Lefern und Leferinnen als einen Schatz zarter Gemälde und
richtig gezeichneter Empfindungen des menfchlichen Herzens
empfehlen. Dem Pfychologen kann diefes Buch nicht gleichgültig feyn. Sogenannte große, heroifche und überrafchende
Thatfachen darf man freylich nicht darin fuchen; auch werden
diejenigen Lefer, welche gewaltige Erfchütterungen, Räuber-
höhlen, Zaubereyen und Geiftererfcheinungen, oder auch tän-
delnde Empfindeleyen lieben, wenig Nahrung in diefem Werke
finden. Dahingegen find die fanft aufwachenden, ftillen und
innigen Gefühle der weiblichen Liebe, die unvertilgbaren Wirkungen derfelben und ihrer erften Eindrücke auf ein feines
findendes edles Mädchenherz, — fo wie auf der andern
Seite die fubtilen Kunftgriffe und verächtlichen Intriguen
weiblicher und männlicher Coquetterie zum Theil meifterhaft
gefchildert; — und diefe Schilderungen find in einen Vortrag eingekleidet, welcher wegen feiner natürlichen Herzlichkeit
und Wahrheit jedem Lefer von Gefchmack gefallen wird.
Mit tiefer Menfchenkenntniß find hier ferner alle die Mittel
und Wege berechnet, die fich felbft eine herzensgute Mutter
aus Eitelkeit erlauben könnte, ihre liebenswürdige edle Tochter
an einen Geck, aber einen Mann von hohem Stande zu ver-
kuppeln. Man fieht aus diefem ganzen fprechenden Gemälde,
wie die zärtlichfte Mutter felbft bey dem höchften Gutmeinen
für ihre Kinder ihre graufamfte Verfolgerinn werden kann,
wenn fie nicht die eigenthümlichen Empfindungen der Jugend
und den freyern Sinn der Liebe zu fchonen weiß. Die müt-
K 3 terliche

terliche Tyranney — der Ueberredung ist hier so kräftig und
wahr dargestellt, daß Recens. dieses Stück für das interessanteste des ersten Theils erklären darf. Auch ist dieß Buch für
Männer und Frauen, welche die große Welt durchwandert
haben, eine wahre Repetition ihrer Lectionen in so mancher
Absicht; und überhaupt ein Spiegel, wie es in dieser großen
närrischen Welt, unter ihren so mancherley geformten Helden
und Heldinnen hergeht, und vermöge des darin herrschenden
Tons, des Leichtsinns, der Spottsucht, des Luxus und der
Unsittlichkeit hergehen muß. Der Charakter der gutmüthigen,
tugendhaften und sanftfühlenden Emille und ihrer für ihre
Kinder zu ängstlich besorgten Mutter; ferner die Gemälde
des schwermüthigen Alphons, der intriguanten, listigen und
überklugen Weltfrau Artigue, des in sich verliebten, faden und
eifersüchtigen Candale, des mit sich und seinen Grundsätzen
streitenden, halb starken und halb schwachen Fiesque, und anderer sind in der That meisterhaft getroffen. Zum Beschluß dieser
Anzeige mag folgendes sehr richtige Bild einer Coquette B. 2
S. 68 — 69 beherzigt werden: „Das ist nicht die wahre
Coquette, die sich darauf beschränkt, Liebe einzuflößen; vielmehr würde sie es oft mit Unwillen sehen, wenn sie dieselbe
erregte: es ist jenes Bedürfniß, jener Durst zu gefallen, der
uns antreibt, schmeichelhafte Empfindungen aller Art einflößen
zu wollen. Die wahre Coquette will, daß der Arme sie gut
nenne, der Künstler liebreich, sie zieht das Verdienst hervor,
kommt dem Bescheidenen entgegen: der Weise wird ihr die
Liebe häuslicher Tugenden zutrauen, und der Held findet in
ihr den ganzen Enthusiasmus der Ehre; sie sucht in der wei-
testen Ferne Huldigungen auf; aber Liebe, diese gestattet sie
niemand, als solchen, die werth sind zu gefallen." Den Gang
der in diesem Buche enthaltenen lesenswerthen obgleich zuletzt
zu abentheuerlichen Geschichte mögen unsre Leser selbst aufsuchen.

A. n. r.

Marie von Sinclair. Aus dem Französischen übersetzt von L. F. Huber. Leipzig, in der Wolfischen
Buchhandlung. 1799. 309 S. in 8. 20 gr.

„Liebe ohne — Gegenliebe ist ein so trauriges, und für ein
Weib so doppelt trauriges Verhältniß, daß es kaum zum
Haupt-

Hauptgegenstand eines Romans zu passen scheint. Wenn aber in diesem Verhältniß ein weibliches Herz mit einer Vollkommenheit, einer Feinheit, einer Zartheit dargestellt ist, die nur ein weiblicher Pinsel in einem solchen Gemälde geben konnte: so erschafft das Werk billig eine neue Regel, und man kann nur wünschen, daß recht viele Romanendichter sich in der Wahl ihrer Gegenstände so vergreifen möchten." So weit die Vorrede des Uebersetzers des sehr lesenswerthen Werkchens der Madame Ducos, dessen vorangeschicktes Lob wir gern unterschreiben wollen. Marie Sinclair, eine junge liebenswürdige Wittwe von hellem Geist und edlem Charakter, aber zugleich von sehr lebhaften, reizbaren und zarten Gefühlen für Freundschaft und Liebe, entglühet auf den ersten Anblick für einen sehr braven jungen Mann, mit Namen Fernance, ohne daß sie ihm ihre Liebe zu entdecken Gelegenheit bekommt. Tag und Nacht beschäfftigt sie sich mit seinem Bilde, mit ewigen Gedanken an ihn — und alles, was in diesem Zustande in ihrer Seele vorgehet, wird dann an eine ihrer vertrautesten Frauenzimmer geschrieben. Ganz unvermuthet kommt sie zu der Hochzeitfeyer ihres Geliebten mit einer ihrer Anverwandtinnen, einem sehr schönen, aber coquetten, flüchtigen und zur innigen Liebe nicht geschaffenen Weibe. Diese Verbindung löscht aber Mariens lebendiges Feuer für Fernance nicht aus — sondern vermehrt es nur bis zu dem Grade, daß sie endlich dem verehlichten Geliebten die ganze Fülle ihrer Liebe entdeckt. Fernance war bloß ihr Freund gewesen; er wird durch jenes unerwartete Geständniß gerührt; — aber Liebe empfindet er für Marien nicht, und bittet sie, zur Vernunft zurückzukehren. Die Unglückliche leidet heimliche, brennende Qualen in diesem Zustande; — sie fühlt den ganzen Druck ihrer Lage und ihres Herzens, nicht wieder geliebt zu werden, und stirbt endlich — an der Liebe. So mager der Auszug des Hauptinhalts dieses Buchs auch seyn muß: so ist es doch nicht zu läugnen, daß Marie Sinclair die Ebbe und Fluth der weiblichen Liebe, ihr Erwachen, ihre Launen und Fortschritte, ihre Besorgnisse, ihre Reizbarkeit und subtilen Gefühle eben so naiv als wahr schildert; so daß gegenwärtiges Werkchen nicht unrecht ein psychologischer Roman genannt werden könnte. Die Uebersetzung ist fließend, und verräth, ein Paar deutschfranzösische Stellen ausgenommen, den Kenner beyder Sprachen. Auch wir hoffen mit ihm, daß die Verfasserinn des

Werks neben der Hauptstraße, welche von hunderterley einheimischen sowohl als auswärtigen Ritter- und Geistergeschichten eingenommen wird, sich in Deutschland einen kleinen Pfad bahnen könne.

Vz.

Geschichte der sieben Säcke. Nebst Einleitung und Zugabe von Christian Althing. Mit einem Kupfer. Leipzig, bey Gräff. 1799. 79 Seiten 12. 10 ℛ.

Acht niedliche, gefällige Miniaturgemälde, auf denen allen ein Sack vorkommt; schalkhaft und komisch genug, um eine Verdauungsstunde wegzulachen. Der Verfasser verräth Witz und Geschmack, und wir können ihn aufmuntern, seine Kräfte an größern Arbeiten zu versuchen. Das artige Küpferchen, von Jury, und der niedliche Druck empfehlen das Aeußere.

Dw.

Kleine Geschichten und Romane, oder liebenswürdige Scenen des häuslichen und bürgerlichen Lebens, als Mittel zur Vertreibung der Hausscheue und der bürgerlichen Unzufriedenheit. Aus dem Archive unsrer Tage und der Vorzeit. Zweytes Bändchen. Erfurt, bey Kayser. 1799. 18 Bogen in 8. 14 ℛ.

Der kleinen Romane in diesem Bändchen sind vier, die insgesammt auf den Beyfall der Leser Anspruch machen können. 1) Oberförster May, eine Erzählung in sechs Kapiteln, durch sechs aufgegebene Worte: Grab, Glück, Freund, Feind, edle That, Feuer, veranlaßt — ein ganz gefälliges Product der schaffenden Einbildungskraft, eine zusammenhängende Geschichte zu erdichten, in welcher diese 6 Worte gleichsam Ruhepunkte und Inhalt einzelner Abschnitte abgeben. Nur zuweilen scheint sie, mit Uebergehung des unmittelbaren Zusammen-

menhangt, einen Sprung zu machen. Auf welche Art der
für todt betrauerte Feldfreund des alten Rittmeisters, und der
entlaufene Sohn des Oberförsters, sich in eine Person vereinigt haben, erfährt man nicht. Daß dieser unpensionirte
Rittmeister so gar leicht den in einem Grabmal gefundenen
Schatz behalten kann, ist gegen den Geist der Zeit. Ein
Schloß mit 3 Dörfern von Leibeignen bewohnt, paßt eher
nach Liefland oder Mecklenburg, als nach Jamaika: denn
Negersclaven wohnen nicht in Dörfern. Uebrigens sind die
Charaktere mit vieler Wahrheit gezeichnet. 2) Mariane,
oder der Schatz im Rabenstein. Ein Scharfrichter läßt
nach einer vollzogenen Hinrichtung seine Handschuhe in dem
Rabenstein liegen, und bemerkt dieses Abends erst spät in der
Gesellschaft seiner Collegen im Weinhause. Die einzige
Magd des Weinwirths, Mariane, hat Herz genug, diese
Handschuhe gegen ein gutes Trinkgeld holen zu wollen. Bey
Oeffnung der Thüre erlöscht ihr Licht: sie sucht im Dunkeln
nach den Handschuhen, ergreift aber einen haarigten, beweglichen Kopf. — Statt aber aus der Fassung zu kommen,
untersucht sie weiter, findet, daß es der Kopf eines mit einem
Mantelsack beladenen Pferdes ist, hält es am Zügel, sucht
und findet die Handschuhe, und geht mit beyden davon. In
dem Mantelsack finden sich geraubte Kostbarkeiten, die das
gewissenhafte Mädchen zu behalten Bedenken trägt; aber doch
erhält, da auf gerichtliche Bekanntmachung sich niemand meldet. Die Räuber aber beschließen aus Rache ihren Tod, finden sich in dem Weinhaus ein, schleichen um Mitternacht
ihr in den Weinkeller nach, um sie da zu ermorden. Sie
bläst das Licht aus, entwischt und schließt sie ein, wo sie denn
ergriffen und hingerichtet werden. Nun kommt der Sohn
des Wirthes von Reisen zurück, den diese nämlichen Räuber
beraubt hatten, und belohnt sie durch seine Hand. Die Geschichte ist mit sehr niedlichen kleinen Versen untermengt, die
zum Theil verdienten, in der Reise nach dem südlichen Frankreich ihren Platz zu haben. 3) Ferdinand und Amalie,
eine Anekdote aus dem vorigen Jahrzehend — die die Absicht
haben soll, zu beweisen, daß bey allen sinnlichen Vergnügen
das mehreste in der Einbildung bestehe, und daß der größte
Wüstling wieder zur Vernunft gebracht werden könne, wenn
nur die Frau so glücklich ist, das Mittel auszufinden, ihn
seinen Fehler begreiflich zu machen. Die Erfindung, daß ein
verirrter Mann seine verkannte Frau, unter dem Schutz der

K 5   Nacht,

Nacht, unter der Maske einer Buhlerinn umarmt, und durch
seinen Irrthum beschämt wird, ist nicht neu. Die Art aber,
wie sich hier Amalie dabey benimmt, und ihren Mann seine
Täuschung entdeckt, ist etwas unnatürlich. 4) Wilhelm
Gutmann oder die Räuberhöhle. Ein reizendes Gemälde ländlicher Glückseligkeit, die nur zuweilen durch den
Kummer über die Ungewißheit der Schicksale des entfernten,
und dem Prediger Gutmann abgeneigten Bruders, getrübt
wird. Auf einer Reise werden die beyden Eheleute von einer Bande überfallen und in eine Räuberhöhle geschleppt, wo
Gutmann in dem Anführer seinen Bruder erkennt, der nach
versprochener brüderlicher Liebe und Verzeihung diesen unseligen Stand verläßt, um sein übriges Leben im brüderlichen
Hause zuzubringen. Der V. geht über diese Schwierigkeit
hinweg, wie der gewissenhafte Prediger über den Aufenthalt
dieser Räuber ein Stillschweigen beobachten konnte. Das
ganze Bändchen läßt sich wohl lesen, und zu einer unterhal-
tenden Lektüre empfehlen; nur mißfällt zuweilen die Schreibart durch eine zu weit ausgesponnene Allegorie.

                                    Bg.

Erscheinungen. Die Entdeckungen. Leipzig, bey
     Meißner. 1799. 224 S. 8.- 16 gr.

Der Verf. dieses lesenswerthen Büchleins ist, — wenn nicht
schon ganz Meister in der Kunst, die Menschen zu zeichnen,
und ihre Gefühle schön darzustellen, — doch unstreitig auf
dem rechten Wege es zu werden, wenn er auf diesem Wege
bleibt. Recens. hat lange nichts Anziehenderes, und er
möchte sagen, Lebendigeres in dieser Art von Erzählungen,
als gegenwärtige Schrift, gelesen. Die Farben ihrer mannig-
faltigen Gemälde und Charaktere sind mit Grazie, mit Wahrheit und liebenswürdiger Delikatesse aufgetragen. Bisweilen
könnten sie weniger blendend seyn, um sich nicht so sehr ins
Poetische zu verlieren. Aber nicht nur die Kunst der schönen
Darstellung steht ihm zu Gebote; sondern auch ein subtiler
Geist des Nachdenkens und Raisonnements giebt seinen Schilderungen Würde, Kraft und Leben auf jeder Seite. Das
                                            liebe

liebrehende, zarte Bild von Sophiens Liebe könnte mit der
Sophie des Rousseau wetteifern, wenn nicht mehrere Züge
aus der letztern entlehnt zu seyn schienen; von des Verfassers
treffenden Raisonnement über Gegenstände der Kunst mag
folgende Stelle eine Probe darbieten. — „Alle Musik, die
des menschlichen Geistes ganz würdig seyn soll, darf nicht für
sich bestehen, sondern muß von Worten abhängig seyn. Was
das Kolorit der Zeichnung, das ist dem Gedichte die Musik.
Die Zeichnung ist auch etwas ohne Kolorit; aber dieses nichts
ohne die Zeichnung. Die Musik, die zarte, ungewiß schwankende muß sich gleichsam als Weib an den gedankenreichen
Vers anschmiegen, und im Wechsel für den Charakter, den sie
von ihm erhält, ihm die besiegende Grazie ertheilen. —
Ich bin damit einverstanden, daß es Töne giebt, die durch
sich selbst auf jeden Fühlenden Eindruck machen; aber wie verschieden ist nicht dieser auf die verschiedenen Zuhörer? Das
wollüstige Gemüth wird in demselben Stücke seine Empfindungen ausgedrückt finden, worin die sanfte Unschuld die ihrigen vernimmt; die Trompetentöne, welche dem Tapfern den
kriegerischen Angriff vergegenwärtigen, werden dem Ohre des
Andächtigen eine Hymne an die Gottheit verkünden, und
diese offenbare Unbestimmtheit beweist, daß alles nichts,
als angenehmer Schall gewesen ist. Das musikalische Genie
sollte daher niemals größer seyn wollen, als seine Kunst. Es
sollte bedenken, daß man diese erniedrigt, sobald man sie zur
Willkühr erhebt. Die einzige Möglichkeit vielleicht, ihr ohne
Verlust ihrer Würde, ein freyeres Spiel zu lassen, würde
seyn, wenn das poetische und musikalische Talent in einer
Person sich fände, oder doch Dichter und Musiker, einander
vollkommen verstehend, die Kraft und Harmonie ihrer beyder-
seitigen Schöpfungen gegen einander abwögen. Der Tanz-
musik allein wäre die Poesie zu erlassen, der Tanz muß deren
Stelle vertreten." — Den überraschenden Gang der in diesem Buche enthaltenen Familienbegebenheiten mögen unsere
Leser darin selbst aufsuchen, und er ist wahrlich aufsuchens-
werth. Nur scheint das feste, wir möchten sagen, eiserne
Betragen Marinos gegen seine herrliche, tugendhafte Geliebte
außer der menschlichen Natur, wenigstens außerhalb der Grenzen eines liebenswürdigen Charakters zu liegen. Eine solche
Prüfung eines schuldlosen, herzensreinen Mädchens war mehr
als Grausamkeit, und ihre Liebe hätte keinen Vorwurf verdient, wenn sie auch in ihrer ersten Betäubung ihren Vater

ver-

verlaſſen hätte; nicht zu gedenken, daß die Erfahrungen, die
Marino bey andern coquetten Weibern gemacht hatte, ſich
auf ſeine engelgute Sophie nicht anwenden ließen, und daß
ſein aus jenen entſtandenes Mißtrauen gegen das andere Geſchlecht überhaupt ſich bey einem ſo verſtändigen Manne nicht
wohl entſchuldigen ließ. Der Verf. verſpricht uns noch mehrere Früchte ſeiner genialiſchen Arbeitſamkeit, und wir ſehen ihnen mit Verlangen entgegen. Der Titel des Buchs
iſt in der That zu allgemein; doch dieß kümmert uns weiter
nicht, wenn nur, wie hier, der Kern unter der Schale gut,
anziehend und wohlſchmeckend iſt.

Vz.

Botanik und Gartenkunſt.

Caroli a Linné Species plantarum exhibentes rite co-
gnitas etc. Edit. quarta, curante Lud. Willde-
now, T. II. P. 2. 8¼ Bogen über ein Alphabet ſtark, auch mit fortlaufender Seitenzahl.
1 Rß. 12 K.

Dieſer Theil faßt die eilfte, zwölfte und dreyzehende Klaſſe
des unveränderten Linneiſchen Syſtems in ſich. Jacquin's
Tetranthera, und Loureiro's Sebifera glutinoſa vereinigt
der Herausgeber mit Thunbergs Tomex unter dieſem letzten Namen; von der Bocconia eine zwote Art, welche ſich
durch herzförmige Blätter merklich auszeichnet. Linne's Cam-
bogia bringt er zur Garcinia; nach Juſſieu hat er die Gattung Portulak in zwo, Portulaca und Talinum getheilt; unter Lythrum eine iberiſche, von ſpätern Naturforſchern nach
Tournefort nicht erwähnte Art (acuminatum); aber Cu-
phea davon getrennt; unter dieſer Klaſſe auch die Gattungen
Kleinhovia und Sterculia; unter Agrimonia odorata als
eine eigene Art; unter der Gattung Euphorbia eine neue von
Stephani beobachtete Art aus dem mitternächtlichen Perſien
(micrantha); eine andere, von dem Gr. v. Waldſtein und
Prof. Kitaibel in Ungarn auf feuchten Wieſen gefundene
(villoſa), und eine dritte von eben dieſem auch in Ungarn entdeckte Art (ambigua), eine vierte aus der Provence, deren
Saamen

Saamen der H. unter dem Namen Euph. segetalis erhalten hat; eine fünfte seit Tournefort übersehene Art (squamosa) aus Kappodocien; überhaupt von dieser Gattung 24 Arten; unter der vierten Ordnung dieser Klasse auch Calligonum, womit der H. nach l'Heritier Pallasia vereinigt, und Aponogeton. In der zwölften Klasse die Gattung Leptospermum nach Smith mit 12 Arten; die Gattung Fabricia, auch nach diesem, mit 2, die Gattung Metrosideros, eben so, mit 14 Arten; unter Eugenia eine neue Art aus Zeylon mit lederartigen Blättern; unter Myrtus zwo ganz neue Arten aus Ostindien (bracteata und rulcifolia); unter Calyptranthus eine neue Art aus Guinea; die Gattung Eucalyptus nach l'Heritier und Smith. Antherylium nach Rohr; unter Prunus Pr. rubra nur als Spielart von Pr. Padus, Pr. fruticosa nur als Spielart von Pr. Chamaecerasus; unter Crataegas eine neue von dem Gr. v. Waldstein und Prof. Kitaibel in Syrmien entdeckte Art (pentagyna); die nach eben diesem Grafen benannte, von dem H. sonst schon beschriebene Gattung Waldsteinia mit einer Art aus Ungarn. Mespilus arbutifolia, canadensis, Amelanchier, und einige verwandte Arten, auch Crataegus Aria und torminalis unter der Gattung Pyrus; von Mesembryanthemum 86 Arten, von Spilen 22, die weiße nur als Spielart der Sp. salicifolia; von der Rose 39, unter ihnen eine hier zuerst erwähnte aus Ostindien (longifolia); von der Himbeere 31, unter ihnen zwo neue (Rubus pinnatus und tomentosus); von Potentilla 41, unter ihnen Pallas P. multifida als eine eigene von der Linneischen dieses Namens unterschiedene Art, mit dem Beynamen P. verticillaris; eben so P. ruthenica, die man sonst mit P. fragarioides zusammengeworfen zu haben scheint; ferner P. cicutariefolia; geranioides und speciosa, die schon Tournefort erwähnt, jene aus Galatien, diese aus Armenien, die dritte aus Kandien; P. obscura, der P. recta verwandt, auch aus Sibirien; Villars P. valderia als eine von der Linneischen dieses Namens ganz verschiedene Art, mit dem Beynamen lupinoides; von Geum, ungeachtet das canadische mit dem aleppischen, das G. intermedium mit dem G. urbanum, das G. hybridum mit dem rivali vereinigt ist, 11 Arten, unter ihnen eine pyrenäische, schon von Tournefort erwähnte, aber nachher vergessene Art; die Gattung Ludia mit drey Arten, aus den Inseln von S. Moriz und Bourbon; von Kappern 30 Arten, unter ihnen eine neue ostindische (acuminata);

von

von Nymphaea stehen, unter ihnen, eine malabarische (stellata), bisher nur von Rheede aufgeführte Art, und eine andere, auch ostindische, von Pluckenet erwähnte (pubescens); die Gattung Ryania nach Vahl mit einer einzigen Art aus der Insel Trinidad; die Gattung Erotenm mit dem Namen Freziera; von Cistus, obgleich der H. manche angebliche Art für bloße Spielart erklärt, 79 Arten, unter ihnen C. punctatus hier zuerst erwähnt; die Gattung Possira unter dem Namen Swartzia, mit welcher der H. die Schreberische Swartzia vereinigt; von Delphinium 14 Arten, unter ihnen eine neue aus Sibirien (hybridum); von Aconitum 15, unter ihnen eine ganz neue vom Kaukasus (ochroleucum), und als eigene Arten A. septentrionale neomontanum, tauricum, und cernuum; Aublet's Tigarea, Callnea und Soramia, Rolander's Doliocarpus und Forsters Euryandra mit Tetracera vereinigt; eben so Aublet's Peckea mit Caryocas; von Anemone 29 Arten, unter ihnen A. reflexa aus Sibirien, hier zuerst erwähnt; von Ranunculus 61, unter ihnen R. frigidus, von den sibirischen Alpen, polyrhizos, auch aus Sibirien, und polyphyllos aus Ungarn, hier zuerst, und cappadocicus und orientalis nach Tournefort wieder eingeführet. Daß der H. in der Benennung der Gattungen, vornehmlich der neuen, meist Schrebern gefolgt ist, und die spätern Bereicherungen der Wissenschaft durch Pallas, Thunberg, Swartz, Forstål, Vahl, Host, Smith, Salisbury, Peterson, Donn, Dryander, Haworth, Roxburg, Curtis, Bartram, Valter, Loureiro, Cavanilles, le Vaillant, Aublet, la Mark, Jussieu, le Heretier, Villars, des Fontaines, Billardiere, Jacquin, Wendland und Schrader u. a. fleißig und mit guter Auswahl auch in dieser Fortsetzung genützt und eingetragen habe, bedarf wohl kaum erwähnt zu werden.

Iohannis Geßneri Tabulae phytographicae. *Fasciculus Vtus.* Tab. 14 — 16. Text R — U. *Fasc. VItus.* Tab. 17 — 19. Text X — Aa. *Fasc. VIImus.* Tab. 20 — 22. Text Bb — Cc. 1799. Fol. 5 W. 6 R.

Rec.

Rec. weiß nicht recht, was er zu diesem Werke sagen soll.
Zu seiner Zeit möchte es leichter die Ansprüche befriediget haben, welche man darauf machte, als gegenwärtig. Es sind
viele, recht gute Zeichnungen, manchmal auf einer Tafel versammelt. Noch bessere Zergliederungen als im Marisonischen
Werke, mit dem wir am ersten einen Vergleich anstellen möchten; aber tief eingedrungen sind denn doch die Zeichner nicht.
Dazu gehörte allenfalls Dillenischer oder Gärtnerischer Scharfblick. Stich und Illumination verdienen alles Lob. Um einen Ueberblick über eine Menge von Gattungen und Arten
zu erhalten, läßt es sich auch empfehlen: Und da nun einmal
die Platten vorräthig sind, so thun auch die Verleger wohl,
damit fortzufahren. Wenn nur in dem Text angezeigt würde,
was Original oder nachgestochene Figuren wären: so könnte
vielleicht manche der erstern noch mehr an sich ziehen, als
wirklich geschieht, wo nur die Charaktere aus dem Linneischen
System abgeschrieben zum Besten gegeben werden.

Ed.

Eclogae americanae seu descriptiones plantarum
praesertim Americae meridionalis, nondum cog-
nitarum. Auctore *Martino Vahl*, Profeß. regio
et plur. acad. sod. *Fasciculus secundus.* Cum
Tabulis aeneis. Hafniae, impensis Auctoris.
1798. 56 S. Fol. 4 Rgß. 12 K.

Durch die Arbeiten eines Swarz, Thunberg, Retz und
unsers Verf. ist die Kenntniß ausländischer Gewächse in kurzer Zeit sehr erweitert worden. Was Hr. Prof. Vahl hier
mittheilt, sind größtentheils neue Arten, die er von Ryan,
von Rohr aus dem mittägigen Amerika erhalten hat, und die
noch in keinem botanischen Garten und wohl auch in wenig
Herbarien zu finden seyn möchten. Wir sehen also nicht ein,
wozu ein bloßes Namenverzeichniß dienen soll, da Hr.
Vahl die lobenswürdige Einrichtung trifft, daß seine Werke
nicht zu kostbar, und von jedem auch nicht sehr begüterten
Pflanzenliebhaber leicht können angeschafft werden. Musterhaft
und genau finden wir seine Beschreibungen, mit Vorsicht und
sparsam gewählt die Synonyme, und deutlich ohne überflüs-
sige

ftge Kunst die Kupfer. Letztere reichen von T. XI bis XX
(Piper grande, Rondeletia buxifolia, Echites nitida, Prinos
dioicus, Ifertia parviflora, Bignonia elongata, corumbi-
fera, Vitex capitata, Tragia corniculata. Frucht- und Blü-
tentheile von Mammea humilis, Afcium violaceum, Rittera
pinnata, Amafonia punicea.) Als Supplement zu den
Eclogae americanae gehört noch folgendes neuere Werk des
Hrn Vahl:

Icones illuftrationi plantarum americanarum, in
 Eclogis defcriptarum, infervientes edidit *Mart.*
 Vahl. Decas prima. Hafniae 1798. Fol.

Hr. von Rohr hat die Koften der Abbildungen zur Erleichte-
rung des Selbstverlages des Verf. übernommen, und die
Wahl der Kupfer ihm überlaffen, auf welchen er die feltenen
unabgebildeten, in den Eclogae, in den Symbolis befchriebenen
Arten, nachzutragen, und jedes Heft der erftern nur auf 10
Tafeln einzufchränken, verfichert. Es enthält diefe Decade
folgende Gewächfe: Tab. 1. Iufticia impricata (Eclog.
Amer Fafc 1.) Tab. 2. Schoenus barbatus (Eclog. Amer.
Fafc. 2.) Tab. 3. Schoenus Triceps (Eclog. Amer. Fafc 2.)
Tab. 4. Echites tomentofa (Symbol. bot. pars tert.)
Tab. 5. Echites paludofa (Eclog. Amer. Fafc. 2.) Tab.
6. Tabernaemontana undulata (Eclog. Amer. Fafc. 2.)
Tab. 7. Cynanchum roftratum (Symb. bot. pars 3.)
Tab. 8. Cynanchum denticulatum (Eclog. Amer. Fafc. 2.)
Tab. 9. Rittera grandiflora (Eclog. Amer. Fafc. 3.) Tab.
10. Bignonia mollis (Eclog. Amer. Fafc. 2.)

         Vfg.

Deutfchlands Flora in Abbildungen nach der Natur
 mit Befchreibungen von Jac. Sturm. Erfte
 Abtheilung. Fünftes Heft. 1798. Erfte Abtheilung. Sechftes Heft. 1799. Nürnberg, auf
 Koften des Verfaffers. 12. Jedes Heft 16 Tä-
 felchen. 2 Rf.

              Aus

Aus dem fünften Heft verdienen die Abbildungen von Gera-
nium pyrenaicum, moschatum, Calla palustris; aus dem
sechsten, Poa disticha, Cynosurus coeruleus, sphaeroce-
phalus, ovatus Hopp. (unter denen wir mit Vergnügen
die bessern mitgetheilten Beschreibungen von Hrn. D. Hoppe
bemerken.) Alphodelus ramosus — sedum villosum — vor
andern genannt zu werden. Aconitum Napellus ist wahrscheinlich nicht die Wülfische Art, sondern, A. Cammarum.
Elaeangnus angustifolia gehört nicht zu den deutschen Ge-
wächsen.

Ed.

Der Gartenfreund oder Inbegriff des Wesentlichsten
aus allen Theilen der Gartenkunst, in alphabetischer
Ordnung, herausgegeben von G. F. Ideler, Prediger zu Beutwisch in der Priegnitz. Dritter
Band. Von Gar bis Rast. Mit ½ Octavku-
pfer. Berlin, 1798. In der Buchhandlung des Königl. Preußischen Geh. Commerzienraths Pauli.
566 S. gr 8. 2 Rr. 12 Xr.

Die beyden ersten Theile dieses Werks sind bereits in dieser
Bibliothek angezeigt, und wir bleiben bey unserm darüber gefällten Urtheil. Nur dieß bemerken wir, daß es sehr beschwer-
lich ist, die Pflanzen nach dem deutschen Namen aufsuchen
zu müssen; denn es verursacht die Unbequemlichkeit, daß man
immer von einer Pflanzenbenennung auf andere verwiesen
wird, und diese öftere Anführung der Namen macht das
Werk unnöthiger Weise weitläuftig und kostbar; zudem muß
man immer alle Bände vor sich haben, weil immer einer auf
den andern hinweist. Manche lateinische Namen der Pflanzen sind ganz ausgelassen: z. B. Gaura, Gaultheria, Gera-
nium, Gerardia, Gesneria, Geum, Gmelina, Gnetum,
Gorteria, Grewia, Grislea, Gronovia, Guettarda, Guilan-
dina, Gypsophila &. &. Diese Auslassungen machen oft
das Ganze unbrauchbar, weil die deutschen Namen nicht jedem, selbst oft nicht dem geübten Botaniker beyfallen.

Nelkentheorie oder eine in fyftematifcher Ordnung nach der Natur gemalte Nelkentabelle von M. *Iohann Chriftian Rudolphi* Paftor zu Röhrsdorf bey Meiſſen, der Leipz. ökonom. Geſellſchaft Ehrenmitgliede. Zweyte verbeſſerte und mit einer Abhandlung vermehrte Auflage. Meiſſen, bey Erbſtein. 1799. 22 S. und eine illuminirte Tabelle mit XXIII Nelkenblättern. 1 Rß. 12 H.

Wir können kaum glauben, daß dieſe zweyte verbeſſerte und vermehrte Auflage der vor uns liegenden Nelkentabelle mit Vorwiſſen und Einwilligung des Herrn Paſtor Rudolphi erſchienen ſey, da ſie ein bloßer Abdruck der erſten 1787 erſchienenen, und noch überdieß durch das, von einer ungeübten Hand geſchehene Aufkratzen der Kupferplatte, um ein merkliches ſchlechter iſt. Die ganze vorgebliche Verbeſſerung beſteht darin, daß unter die Rubrik: deutſche Biſarden, noch ein elendes Nelkenblatt hingeklext worden iſt. Die Illumination, die ſchon in der erſten Auflage fehlerhaft genug war, iſt hier ganz erbärmlich. Hr. Erbſtein beklagt ſich in einer Anrede an den geneigten Leſer über den kleinlichen Tadel unberufener Kunſtrichter, und verſichert dagegen, daß das Wenige, was beſcheidene und ſachverſtändige Männer bemerkt hätten, in dieſer zweyten Auflage verbeſſert und nachgeholt worden ſey. Verbeſſert iſt gar nichts, und nachgeholt bloß das erwähnte Blatt einer deutſchen Biſard. Man bedecke die beygedruckten Namen, und auch der beſte Nelkenkenner iſt ſicher nicht im Stande, aus den Zeichnungen klug zu werden. Hr. Erbſtein mag uns für einen berufenen oder unbrufenen Kunſtrichter halten: ſo erfordert es nun einmal unſere Pflicht, die Wahrheit zu ſagen. Da Er ſelbſt erklärt, daß nicht Hr. P. Rudolphi, ſondern Er, der Verleger, an den Fehlern dieſer Tabelle Schuld ſey: ſo haben wir es auch mit Ihm zu thun, ohnerachtet es ſchwer ſeyn würde, Hrn. P. R. ganz frey zu ſprechen. Die Beſchreibung der Fambeln iſt ganz falſch; ſie gehören nicht unter die Claſſe der Feuerfaxen, ſondern machen eine ganz eigene Claſſe aus; denn 1) ſind ſie ja nur auf der obern Seite gezeichnet, und 2) haben wir ganz rein gezeichnete Pikott, und Doublatt, auch Biſardfambs.

famösen. Bey den Feuerfaxen sind die mehrfarbigen, Pikott-
Bisard ꝛc. ganz ausgelassen. Die altdeutsche Zeichnung der
Pikotten und Pikott-Bisarden fehlt. Eine Nelke cum rara
illuminatione kann wohl eine ganz feine Brodirung des Blatts
haben; aber nie, wie hier Nr. III eine vollständige Rand-
zeichnung. Nr. IV. die römische Zeichnung ist ganz unächt,
und nichts anders, als eine vollgezeichnete holländische. Nr.
VII die italiänische Zeichnung, war in der ersten Auflage
noch erträglich; hier aber in der verbesserten Aufl. hat sie auch
keinen Schein des Wahren. Die neu beygefügte gemeine
Doublette, ist eher eine mißrathene holländische Pikott. Und
warum steht sie hier?, da sie als deutsche Doublette wieder,
vorkommt; oder ist deutsche und gemeine Doublette nicht einerley? — Nicht das zackigte oder runde Blatt macht den
Unterschied zwischen deutschen und englischen Doubletten und
Bisarden, sondern die Zeichnung. Der die erste Auflage be-
gleitende Brief des Hrn. P. R. an Hrn. Pastor Herzlieb
ist hier wörtlich abgedruckt. Im Beschluß heißt es: „Sie
„wollen gern viel Blumisten kennen lernen, welche ohne Or-
„densregeln gleichsam eine geschlossene Gesellschaft ausmachen,
„ich lege das Namenverzeichniß bey ꝛc." dieß waren nämlich
die Subscribenten auf die Neikentabelle. Dieß Namenverzeichniß läßt aber Hr. E. bey der verbesserten Auflage wohl-
weißlich weg, weil er vermuthen mußte, daß in 12 Jahren
mancher dieser Ordensmänner möchte gestorben seyn. Die
beygedruckte Abhandlung: Wie man vielen und guten Nel-
kensaamen ziehen könne: ist erst kürzlich in Neuenhahns Annalen der Gärtnerey erschienen, und wir waren froh sie einmal gelesen und bezahlt zu haben, und hätten sie Hr. E. gern
erlassen. Diese kleinliche Bemerkungen wird uns wohl Hr. E.
noch hingehen lassen.

Pz.

Geschichte.

Geschichte Peters des Dritten, Kaisers von Rußland.
Aus der Handschrift eines geheimen Agenten Ludwigs XV. am Hofe zu Petersburg, die sich unter
den Papieren des vormaligen Ministers der ausw.

L 2   Angel.

Angel. Montmorin vorgefunden hat, u. s. w.
Drey Bände. Nach der Pariser Originalaus-
gabe vom Jahr VII republicanischer Zeitrechnung.
1799. Ohne Meldung des Druckorts. I. 32
und 342. II. 354. III. 300 S. 8. Mit drey
Titelkupfern. 3 Rh.

Wieder eine so heillose Mißgeburt, daß auch die Anzeige
derselben zur eckelhaftesten Beschäfftigung wird. Völlig erlo-
gen ist das Vorgeben, zur Fertigung des Buchs bisher unbekannt gebliebne Papiere benützt zu haben; denn nur eine
Viertelstunde braucht man in jedem Bande zu blättern, um
sich vom Gegentheil zu überzeugen. Ueberall Fabeley, die
schon zum zehntenmal aufgetischt wird; und wo der Compilator sich einfallen läßt, solche mit eigner Fabrik zu vermehren, beweist jede Zeile, daß er von Rußlands Verfassung,
Sitten, und dem Geist der Nation nicht die mindeste Kenntniß hat, ja nicht einmal so viel Belesenheit, um die gröbsten
Unwahrscheinlichkeiten und Widersprüche zu vermeiden. Noch
obenein verspricht das Titelblatt sehr wichtige Aufschlüsse,
und die Geschichte der vornehmsten Liebschaften Katharinens;
daß also der Titel selbst schon die Unverschämtheit so weit als
nur möglich treibt. Als Verfasser giebt sich eben der Franzos
an, dem das Publikum eine Lebensgeschichte des großen Königs von Preußen zu danken gehabt; was mithin niemand
anders als der berüchtigte Laveaux ist. So wenig nun auch
gedachte Biographie für classisch gelten kann, immer noch hält
vorliegendes Machwerk mit jener ganz und gar keine Vergleichung aus, und der hier durchweg herrschende Mangel an
Plan, Geschmack und Umsicht fällt dergestalt auf, daß, wenn
L. der wirkliche Verfasser ist, er seitdem bis zum geistlosen
Scribler heruntersank.

Die erste beste Geschichte Rußlands vor Katharina's
Regierung, die Anekdoten des angeblichen de lla Marche,
die Denkschrift des bekannten Rulhieres, ob er diese gleich
gebraucht zu haben läugnet, Cox's Reisen und dergleichen
längst bekannte Bücher sind die geheimen Quellen, woraus
der saubere Historiker schöpfte. Giebt er sich gleich das Ansehen, die zu Paris in zwey Octavbänden unlängst zum Vorschein gekommene Vie de Catherine II. hier und da zu berichtigen,

tigen: ſo unterläßt er doch eben ſo wenig anderwärts wieder
ganze Bogen daraus zu borgen. Die beyden Ueberſetzungen
dieſer gleichfalls mißrathnen Vie de C. ſind im XLIVten
Bande unſrer Bibl. angezeigt, und für den Verfaſſer des
Originals iſt ebendaſelbſt ein ganz unbekannter Caſſena aus-
gegeben worden; durch Oſcitanz des Setzers vermuthlich:
ſtatt Caſtera; wie er von Laveaux häufig ſo genannt wird;
ſchwerlich aber der alte Du Peron de Caſtera iſt, der auch
von Compilation und Ueberſetzung ſich nährte; nicht aber
ohne Geſchmack ſchrieb, und wohl längſt geſtorben ſeyn mag.
Wo endlich der neueſte Biograph Peters des III. am aller-
plumpſten zu Werke geht, iſt diejenige Periode aus der Kaiſerinn Leben, die durch den Einfluß Potemkin's ſich auszeichnet. Hier ſchrieb der Plagier alles, was in ſeinen Kram
taugt, getroſt aus den Nachrichten des Ungenannten ab, der
im Archenholziſchen Journal Minerva ſeit ein paar Jahren
uns von den Ränken und Proceduren dieſes Glücksritters
unterhält, und da manche Anekdote zum Beſten giebt, mit
deren Documentirung es ſchwer genug halten möchte. Noch
lange war der Ungenannte mit ſeinen Nachrichten nicht fertig,
als der Pariſer Autor ſein eignes Geſchreibſel unter die Preſſe
ſchickte. Wo der Anonym daher aufhört, ſteht auch der Fran-
zoſe ſich ohne Hülfsmittel, und ſchließt mit den paar dürren
Worten: ſeitdem ſey die Kaiſerinn plötzlich geſtorben! — In
Rückſicht auf öffentlich erſchienene Staatsſchriften ſcheinen
die Sammlungen der Herren Büſching und Schlözer dem
Citoyen zwar nicht fremd geblieben zu ſeyn; aber auch hier
blickt ſeine Inconſequenz überall durch; denn nur das Bekann-
teſte, oft Unbedeutendſte hebt ſolcher aus, und füllt damit
viele Bogen. — Weil doch auf Behandlung der neueſten
Geſchichte Rußlands einmal die Rede gefallen, kann Rec. ſein
Befremden nicht bergen, gar nichts, nur einigermaßen genü-
geleiſtendes darüber an's Licht kommen zu ſehn. An eine die
Regierung Katharina's ganz umfaſſende Darſtellung, iſt freylich nicht zu denken; aber auch einzelne Beyträge und Bruch-
ſtücke ſchön, aus der Brieftaſche kluger Beobachter verſteht
ſich, müßten ſehr willkommen ſeyn. Noch immer läßt in dieſer Hinſicht ſich nichts den Manſteiniſchen Memoires an
die Seite ſtellen, die alles was in ihren Zeitraum fiel, mit
einer Bündigkeit und Anſchaulichkeit uns darlegen, wodurch
das Buch zur lehrreichſten Leſerey wird, und für Denkſchrif-
ten zum Muſter dienen kann.

L 3　　　　　Was

Was die keineswegs muſterhafte Geſchichte Peters III.
betrifft; ſo wären umſtändliche Angaben ihres Inhalts, nach
dem von dieſem Buche bereits geſagten, höchſt überflüſſig.
Keine Spur von Methode iſt darin anzutreffen. Im erſten
Bande will der Verf. die Geſchichte ſeines Helden ſelbſt erſchöpfen; miſcht aber auch da ſchon die fabelhafteſten Dinge, und
noch viel andres ein, was auf den Gegenſtand nur ſehr entfernten Bezug hat. Der zweyte ſoll hiſtoriſche Aufklärungen, Anmerkungen, Anekdoten und Nachträge enthalten;
worunter es ſo weſentliche giebt, daß ſolche nicht an gehöri-
gem Orte zu finden, die widerlichſte Wirkung macht. Dagegen bewirthet uns der Compilator mit hier gar nicht verlangten Aufſchlüſſen älter Revolutionen in Rußland; ſo wie er
ſchon den vorigen Band mit einem Pamphlet über Thronent-
ſetzungen endigte, das aus der Feder des großen Friedrichs
ſoll gefloſſen ſeyn! An der Spitze des ganzen Miſchmaſchs
figurirt eine langweilige Vergleichung Peters III. mit dem
Kaiſer Claudius, dem Gemahl Meſſalinens; die aber ſo ſchie-
lend, unpaſſend und ſeicht, wie alles Uebrige ausgefallen iſt.
Eben ſo enthält der dritte Theil, angeblich nur den Liebſchaf-
ten Katharinens gewidmet, einen Haufen Dinge, die durchaus
in frühere Abſchnitte gehörten; von Wiederholungen wimmelt es überall; und wo Caſtera und der Archenholziſche
Anonym den Sudler im Stich laſſen, weiß dieſer ſich nicht
anders zu helfen, als durch Erfindung der abgeſchmackteſten
Abentheuer, die dann nach ſeiner Manier, das heißt mit den
grelleſten Farben ausgemalt, und mit ächten Jacobinerfiguren
ſtaffirt werden. Dieſer dritte Band, der an Unverſchämtheit
den beyden erſten es noch zuvor thut, hat eben deshalb vermuthlich auch ein zweytes Titelblatt; unter welchem er in
unſern verpeſteten Leſegeſellſchaften und Leihbibliotheken nunmehr ſeinen Weg auf eigne Rechnung machen, auch wohl in den
Bücherverzeichniſſen ſelbſt, zum Kaufe beſonders anlocken wird.

Schwerlich würden Ueberſetzer von Geſchmack und Grad-
ſinn mit Verdeutſchung eines ſo ſchlechten Buchs ſich befaßt
haben. Kein Wunder alſo, daß auch vorliegende nicht in
beſſere Hände gerieth. Ob der oder die Translatoren, denn
mehr als eine Fauſt iſt darin ſichtbar, ihr Original verſtan-
den und ſolchem treu blieben, hielt Rec. nicht der Unterſuchung werth. Plump, ſchief und zweydeutig genommene
Wendungen finden ſich in großer Zahl; und einem der Her-

ren

ten Dollmetſcher gefallen vorzüglich Wörter, wie: behufig,
daröb, widerhaarig, pflichtig, grinzen u. ſ. w.; woraus man
denn auf die Eleganz des Uebrigen ſchließen mag. Irgendwo
ſogar fand ſich eau de vie in Lebenswaſſer umgebraut.
Die drey, das unnütze Werk noch vertheuernde Kupferblätter,
entſprechen genau dem Werthe des Innern. Zwey davon
ſind ſehr ungeſchickt geſtochen; alle drey aber verſinnlichen
Gegenſtände, deren Wahl und Darſtellung ſchlechterdings
ohne Verdienſt iſt. Um die ganze Unternehmung zur nichts-
würdigen zu machen, trägt eine Menge Druckfehler noch das
ihrige reichlich bey; nichts, mit einem Wort, iſt an der Specu-
lation zu loben; denn ſelbſt die hierzu gemißbrauchten reinen
Lettern und das ſchöne Papier nöthigen die niederſchlagende
Bemerkung auf, daß heut zu Tage Löſchpapier nur und abgenutzte Typen zum Abdruck der gemeinnützigſten Geiſtespro-
ducte noch immer für gut genug gehalten werden.

36.

Hiſtoriſche Gemälde vom Steigen der Kultur und
der Macht der Brandenburgiſchen und Preußiſchen Länder, von J. G. Heynig. Berlin, bey
Belitz und Braun. 1799. 273 S. und X S.
Vorrede. 8. 12 gr.

Dieſe Gemäldegallerie enthält Schildereyen, die zwar nur
ſelten nach der Natur entworfen und gezeichnet ſind; aber
dennoch getreuen Muſtern ihr Daſeyn danken. Des Vf.
Pinſel hat glücklich genug getroffen, und das Colorit ſowohl
als das Licht und der Schatten in ſeinen Gemälden wird den
Kenner im Allgemeinen befriedigen. Ideen, Betrachtungen
und Reſultate aus der Geſchichte ſollten zwar das Cha-
rakteriſtiſche ſeyn, welches dieſe Gemälde vor andern Dingen
auszeichnete — dieß war der Endzweck des Verf.; — aber
wir fanden dennoch, daß die eigentliche Geſchichte hier vorzüglich bearbeitet worden iſt. Wenn nach der Verſicherung in
der Vorrede die beſten darüber vorhandenen Schriften zu
Führern gewählt worden ſind, wie Rec. nach angeſtellter
Vergleichung und Prüfung beſtätigt gefunden hat; warum
ſind ſie nicht namhaft gemacht worden? Auch ſcheint die

Behaup-

Behauptung Grund zu haben, daß die Quellen nicht ganz vorbeygegangen ſind.

Es wird jedem Kenner der brandenburgiſchen Geſchichte willkommen ſeyn, in der Darſtellung, wovon hier die Rede iſt, keine Fabeln und Mönchslegenden zu treffen, die leider! ſelbſt aus guten und brauchbaren neuern Geſchichtsbüchern der preußiſch-brandenburgiſchen Staaten noch nicht ganz verbannt ſind. Dieſe Geſchichte iſt ohnehin, wie der Verf. auch richtig bemerkt, eine der intereſſanteſten, angenehmſten und merkwürdigſten von allen, welche es giebt, und es iſt alſo wohl Zeit, alles aus derſelben wegzulaſſen, was auf den Namen: Geſchichte nicht Anſpruch machen darf.

Die Gemälde ſelbſt ſind nach einigen Abſchnitten in der gehörigen Zeitfolge aufgeſtellt worden. Der Grad der Kultur, worauf die brandenburgiſchen und preußiſchen Länder jetzt ſtehen, iſt ihnen nicht durch ihre Urbewohner, ſondern durch Koloniſten und Fremdlinge ertheilt; daher ſich hier eine Ueberſicht der vorzüglichſten Einwanderungen und Kolonien von Ausländern findet. (Dieß iſt aber nur in Hinſicht auf die Mark Brandenburg der Fall; von Preußen, und der Kultivirung des preuß. Polens hingegen, wovon der Vf. nach S. 2 auch reden will, leſen wir noch nichts.)

Von den Thaten der Markgrafen der Nordmark iſt hier eine kurze Skizze geliefert. Sie iſt treu und richtig gezeichnet, und die Verwickelungen und Dunkelheiten dieſer Periode ſind glücklich gelöſet und aufgehellt; daher man ſich ein anſchauliches Bild von den Begebenheiten machen kann. — Nur war Udo IV. zwar der Nachfolger, aber nicht der Sohn Heinrichs II. Sein Vater war Heinrichs Oheim Rudolph. —

In Hinſicht auf die anhaltiſchen Regenten iſt S. 22. f. eine ſcharfſinnige und richtige Darſtellung geliefert, um ihr Verdienſt um die Kultur des brandenburgiſchen Staates genau zu beſtimmen. Sie lebten mit den Slaven faſt in unaufhörlichem Kampf; waren aber glücklich im Kriege, und zogen Koloniſten in ihre Länder. — Auch das Verdienſt Albrechts des Bären findet man S. 27 gewürdigt. (Dieß ſind eben die Betrachtungen, die die Schrift beſonders auszeichnen, und ihr einen beſondern Werth geben.) In der Folge finden ſich noch mehrere Bemerkungen. Ueberhaupt iſt die Bearbei-

tung

tung der anhaltiſchen Periode in dieſer Schrift beſonders gut
gerathen. Die Baierſche und Luxenburg-Böhmiſche Periode
ſind hier mit Recht mit ſchwarzen Farben gezeichnet; denn
beyde waren für Brandenburg höchſt traurig. Sehr treffend
iſt S. 54 Karl IV. geſchildert, und der Hausvertrag mit dem
Markgrafen Otto dem Finner als ein erſchlichener Succeſſions-
vertrag, und dgl. m. dargeſtellt worden. Dieſer Vertrag
wurde 1363 (nicht 1463) zu Nürnberg geſchloſſen; die Ab-
tretung der Mark an Karls IV. Söhne erfolgte 1373 und
die Incorporation dieſes Landes mit Böhmen 1374. Alles
dieſes iſt hier getreu und gründlich nach den vorhandenen Urkunden (Gerckens cod. dipl. Brandenb. T. III. p. 113 und
Rüdemanns Palaeo-March. II. S. 195) erörtert. Wenn
der Vf. ſagt, daß die Vergütigung, die Otto erhielt, ſehr
anſehnlich war, und ſich mit allem auf 300,000 Goldgülden
belief: ſo bemerken wir, daß in Hauſens Staatskunde der
pr. Mon. Heft I, S. 56 und 57 ganz vortrefflich die Ver-
gütigungen auseinander geſetzt ſind, die Otto erhielt; der
Kaiſer Karl IV. gab ihm nämlich die Städte in der Oberpfalz:
Floß, Hirſchau, Sulzbach, Roſenberg, Buchberg, Lichten-
ſtein, Lichteneck, Breitenſtein halb, Reicheneck, Nitſtein,
Hersburg und Lauf; welche Oerter aber, wenn Otto ohne
männliche Erben ſtürbe, von den Herzogen in Baiern mit
100,000 Goldgülden ſollten eingelöſet werden können. Ferner verſprach er ihm jährlich 3000 Schock böhmiſcher Gro-
ſchen, die Zahlung von 100,000 Gulden in Terminen, und
100,000 böhmiſcher und hungariſcher Goldgülden in Pfand-
ſchaft auf einige Reichsſtädte. —

Die Pfandſumme hingegen, wofür Siegmund 1388 die
Mark an Jobſt und Procop von Mähren verſetzt hat, iſt
noch unbeſtimmt, weil man, nach des Rec. Wiſſen, keine
Pfandverſchreibung kennt. Die meiſten ſetzen 20000 böhm.
Gulden; andere hingegen nehmen, wie unſer Vf. 120,000
Dukaten an. — S. 63 ferner iſt wieder eine treffliche zuſam-
mengedrängte Ueberſicht des elenden Zuſtandes der Mark in
dieſer Periode.

Unter den Hohenzollern gewann die Mark neue Kraft.
Da dieſe Periode am bekannteſten iſt: ſo wiederholt Rec. nur
die Verſicherung, daß ſie nach den davon vorhandenen Nachrichten gut bearbeitet iſt. Sie nimmt den größten Theil
des Buchs ein. Es ſcheint als wenn Moehſen und König

Ł 5 (in

(in ſeiner hiſt. Schilderung von Berlin) dabey vorzüglich benutzt wären.

Rec. kann dieſen Gemälden ſeinen Beyfall nicht verſagen; die Sprache iſt edel und kraftvoll, ob er gleich manchen
Ausdruck nicht billigt. Welche Wortſpielerey, wenn es von
Albrecht S. 26 und 27 heißt: „So viel bärenmäßigen
Eifer er in Bezwingung und Ausrottung der Slaven zu Tage
gelegt hatte, eben ſo viel rühmlichen Eifer zeigte er jetzt in der
neuen Bevölkerung und Anbauung des Landes." — Zuweilen reißt der Affekt den Vf. zu Exclamationen hin, die dem
Vortrage der Schrift nicht angemeſſen ſind. Er ſpricht z. B.
von den Bemühungen König Friedrich Wilhelms I. zum Beſten der Proteſtanten, und ſchließt dieſe Materie S. 251 alſo:
„Er legte mehrmals Fürbitten für die Proteſtanten in Ungarn
ein; mußte aber zu ſeinem Schmerz erfahren, daß ſie die ge-
wünſchten Wirkungen gar nicht hervorbrachten: denn wer
hemmt die Wuth der Ketzermacherey? Wer ſtillt das Toben
der Hierarchie gegen die Vernunft und das Licht? Wer beſänf-
tigt die Hyäne, das Ungeheuer der mönchiſchen Intoleranz?
Kaum vermag dieß die eilige Verbannung in die letzten Winkel des Erdkreiſes, kaum der alles zerſtörende Tod, kaum die
durch und durch greifende Macht der ſtürmenden Elemente.
Ihr Kräfte des ganzen Weltalls, ihr alles zermalmenden Elemente, vereinigt euch auf Geheiß der Gottheit der Himmel,
und vertilgt von Grund aus das Höllenungeheuer der Intoleranz, und die vielfache Hyänenbeſtie der Verketzerung der Andersdenkenden! Zerſtört die tödtlichen Einflüſſe, welche ver-
peſtete Teufelsweſen in der ſchwarzen Hölle immer noch durch
ihre giftträufelnden Werkzeuge, die ketzerſüchtigen und wahnvol-
len Glaubens= und Denkzeloten, äußern!

Rec. bemerkt noch, daß ein Theil dieſer Schrift zuerſt
durch die Denkwürdigkeiten der Mark Brandenburg
bekannt wurde, wo derſelbe in mehrern Stücken des Jahrg.
1799 abgedruckt worden iſt.

Gemälde aus der preußiſchen Geſchichte. Ein Bey-
trag zur Beförderung der Treue gegen König und
Vaterland. Leipzig, bey Barth. 1799. 248 u.
XII. S. Einleit. 8. 16 xr.

Der

Der Verf. stellt unter gewissen Rubriken theils einzelne kleinere Erzählungen, theils umständlichere Beschreibungen aus der preußisch = brandenburgischen Geschichte auf. Die Sammlung hat den Endzweck, das Andenken an die Vergangenheit zu erneuern, Liebe für die brandenburgischen Regenten zu nähren, und Patriotismus zu befördern. Aus der ältern und neuern Zeit, sind hier mehr oder minder bekannte Scenen aus dem Leben der preußischen Beherrscher dargestellt, die jenen Endzweck zu erreichen im Stande sind. Der Verf. ist selbst kein Preuße; schreibt aber in der Einleitung mit einer Wärme für den pr. Staat, daß diese Gefühle jedem Eingebornen zur Ehre gereichen würden. Auch in Absicht der historischen Treue kann man ihn das Zeugniß geben, daß die Darstellung der Thatsachen derselben gemäß ist. In einzelnen Angaben sieht man, daß er die Irrthümer neuer Historiker nicht annimmt, sondern von bewährten Vorgängern seine Nachrichten entlehnt. Hierzu nehmen wir bey der Erzählung des Lebens Kurf. Friedrich II. in den Jahren 1468 und 1469 die Eroberung von Greifenhagen und Ukermünde. Buchholtz und nach ihm mehrere gaben an, daß die Belagerung dieser Oerter vergeblich gewesen sey; unser Verf. folgt hingegen, wie uns dünkt mit Recht, den Nachrichten Gundlings in seinem Leben Friedrichs des Andern, der Originalien, Urkunden und archivalische Hülfsmittel benutzte. (Nur bey dem so oft erzählten und noch öfter wiederholten Vorfall mit dem Kurf. Friedrich Wilhelm und seinem Stallmeister Froben in der Schlacht in der Gegend von Fehrbellin können wir nicht mit ihm übereinstimmen. Der Wechsel des weißen Pferdes, das der Kurf. ritt, und das Froben umgetauscht haben soll, da die Schweden nach demselben zielten, ist unerwiesen. In unserer Bibl. ist davon schon an einigen Stellen die Rede gewesen. Noch kürzlich hat der Ordensrath König in Berlin im Apr. der Jahrbücher der pr. Mon. 1799. dieses angebliche Faktum umständlich berichtiget, und es in die Zahl der Legenden mit Gründen verwiesen, denen wir beytreten.)

Im Ganzen können wir diese kleine Schrift als zweckmäßig empfehlen, ob sie gleich mehrentheils bekannte Sachen enthält. Der Styl ist plan und deutlich, und die Auswahl der Begebenheiten der auf dem Titel angezeigten Absicht gemäß. Sollte diese Arbeit eine Fortsetzung erhalten: so bitten

reit wir den Verf. ja nicht zu weitſchweifig zu werden, welches uns hin und wieder in der politiſchen Geſchichte der Kur-
fürſten Friedrich II. und Albrecht der Fall geweſen zu
ſeyn ſcheint.

Ge.

Die Geſchichte des ſiebenjährigen Krieges. Ein
Gemälde für ächte Preußen. Quedlinburg, bey
Ernſt, 1799. 768 S. 8. 16 ꝛc.

Eine elende Copie des Archenholziſchen Werks über dieſen
Gegenſtand. Eine ſolche Sudeley, als dieß ſogenannte Gemälde iſt, kann wahrlich keiner Gallerie zur Zierde dienen.
Der unberufene Herausgeber verſichert, daß ihn weder Gewinn noch Schriftſtellerſucht, zur Anfertigung und Ausſtel-
lung dieſes Bildes bewogen haben, ſondern allein die Liebe
zum unſterblichen Friedrich. Womit doch die Büchermacher
ihre Unternehmungen beſchönigen!! Sein Endzweck ſoll nach
der Vorrede ſeyn, durch dieſe nach dem Plan der beliebten
von Archenholz verfaßten Geſchichte, wahre Liebe zum preuß.
Hauſe anzufeuern. Die Arbeit ſeines Vorgängers iſt für
alle Volksklaſſen eingerichtet, und gewiß mehr dazu geeignet,
das Andenken von Friedrichs Thaten in dieſer denkwürdigen
Epoche aufzubewahren, und Patriotismus zu befördern, als
dieſe Pfuſcherey. Archenholz war ſeit 1758 ſelbſt beym Heere
Friedrichs und Augenzeuge mancher Ereigniſſe; ſeine Kenntniſſe, die er durch eigene und fremde Erfahrungen immer zu
erweitern ſtrebte, gaben ihm innern Beruf genug, eine be-
friedigende Erzählung der Begebenheiten des ſiebenjährigen
Kriegs zu liefern. Wozu hier ein Auszug, der ſeine eigenen
Worte und Angaben wiederholt, und nur mit ſchaalen, un-
deutſchen und ſtümmelnden Reflexionen ausſtaffirt iſt? Archenholz's Darſtellungsgabe erwärmt und beſeelt den Leſer;
die wäſſerigen Zuſätze des Verf. ſind ermüdend.

Der Leſer wähne daher ja nicht, daß er hier neue Berichtigungen und Zuſätze erhalte, wodurch manche Umſtände
näher beleuchtet und ins Licht geſtellt würden; oder die Angaben des kritiſchen Geſchichtſchreibers Tempelhof näher be-
leuchteten, wenn er eine neue Beſchreibung des ſiebenjährigen

Krie-

Krieges ſtehet. Mit ſeinem Archenholz in der Hand wird er
dies Machwerk ganz überflüſſig finden.

Gewöhnlich macht unſer Epitomator nach einem wichtigen Vorfall Schilderungen und auch wohl eine bewegliche
Nutzanwendung, z. B. S. 16 nach der Schlacht bey Lowo-
ſitz: „Ach Freunde, wenn ihr einmal ſolche traurige Auftritte zu ſehn Gelegenheit habt, ſo widmet ihnen eine Thräne des Mitleids, und wenn es ſogar einmal euer Beruf von
euch fordert, gleiche Handlungen zu üben, und für euer Vaterland zu ſtreiten, ſo befehle euch Menſchenliebe, um menſch-
lich, nicht aber grauſam zu handeln!! Doch, Kinder, folgt
mir, ihr werdet noch ſchrecklichere Auftritte dieſes Krieges
von mir erzählen hören." Mit der Glücksgöttinn hat ers oft
zu thun. — Gemeine Sprüchwörter werden zuweilen zum
Belege ſeiner eigenen Betrachtungen eingewebt, z. B. „der
Menſch denkt, Gott lenkt. — Das Glück iſt kugelrund."
Eine Probe, wie unſer Herausgeber zuweilen ſeines Vorgängers Ausdrücke in ein anderes Gewand hüllt, und in welche Farben ſein Pinſel getaucht iſt, mag hier noch ſtehen.

Archenholz.	Unſere Schrift S. 21.
Der kaiſerliche Hof nahm ein entgegengeſetztes Syſtem an, und wollte vertheidi- gungsweiſe gehen, bis man mit ſämmtlichen Bundesgenoſ- ſen vereinigt, auf einmal den König von Preußen von allen Seiten anfallen und vernich- ten könne.	Friedrichs Sinn war für jetzt ganz auf die Oeſtreicher gerichtet, die ſich bey eröfnetem Feldzuge 1737 ſo ſtellten, als wären ſie nicht ganz feindlich geſinnt, indem ſie nur ver- theidigungsweiſe das Feld be- zogen. Sie betrugen ſich auch etnige Zeit ſo verſtellt; wünſch- ten aber dabey nichts ſehnli- cher, als nur erſt mit dem Bundesgenoſſen vereinigt zu ſeyn, um dann die Preußen auf allen Seiten wie die Lö- wen und Bären anzufallen, und mit ihnen ein baldiges Ende zu machen. Kein ſchreck- licher (ſchrecklicherer) Feind iſt je zu finden, als der, der ſich nur als Freund ſtellt, er iſt

iſt ärger als eine Schlange,
die doch nicht immer ſchadet.
Dieß wußte Friedrich, und daher nahm er auch nur fürs erſte ſolche Maaßregeln, die
dieſe geheimen Künſte zerſtö-
ten ſollten.

Wie richtig und kurz iſt die Idee beym A. ausgedruckt!
Die Leſer überheben uns gern der Mühe die Entwickelung der
andern Ideen zu übernehmen.

Unrichtigkeiten finden ſich an mehrern Stellen; daher
die Schrift auch für die Geſchichte nur höchſt vorſichtig gebraucht werden kann. Das Treffen bey Reichenberg am
21. Apr. 1757 verlegt der Herausgeber nach Reichenbach. —
S. 56. Der König lieferte am 5. Dec. 1757 mit 30000
Preußen und 90000 Oeſtreicher (n) bey Leuthen eine Schlacht.
(Muß man nicht glauben, der König habe die Oeſtreicher
angeführt?) S. 253 der Ueberfall bey Hochkirch erfolgte,
den 15. Nov. 1758, und die Schlacht bey Torgau 13. Nov.
1760. (Mit nichten! jener den 14. Okt. 1758, dieſe den
3. Nov. 1760.) Man lieſet auch hier: durch neuem Muth
beſeelt — Perſohn — frug — groſſe — ſeinen Plan zufolge — die zwey Meilen weite Stadt Prag, und dergleichen undeutſche Wörter und Ausbrücke mehr. Sapienti ſat!
Das Papier entſpricht dem innern Gehalt der Schrift. Es
eignet ſich zur Speiſe der Würmer. — Wir bemerken nur
noch, daß am Schluſſe von der Küſterſchen Schrift: Le-
bensrettungen Friedrichs des zweyten im ſiebenjährigen Kriege, zweyte Aufl. 1797, ein Auszug angehängt, und
zur Zugabe eine neue Chronologie der Länder der pr. Monarchie von 1414 bis 1794 gegeben worden iſt.

Dwk.

Kirchengeſchichte.

Commentar über die chriſtliche Kirchengeſchichte,
nach dem Schröckhiſchen Lehrbuche, von Johann
Georg Friedrich Papſt, der Weltweisheit Doctor,

ter, königl. preuß. Probechant und Pfarrer zu
Zirndorf. Zweyten Theils zweyte Abtheilung.
Erlangen, bey Palm. 1798. von S. 255 bis
548. 18 R.

Hier fährt der Verf. fort, den zweyten Zeitraum von
Schröckhs Hist. Relig. et Ecc. Christ. zu commentiren;
indem er von den Judenbekehrungen und vom Muhamedanis-
mus jener Zeiten anfängt, sodann zu der Geschichte der Lehrer fortgeht, die Kirchenverfassung beschreibt, und mit den
griechischen Theologen des Zeitraums endigt. Es sind also
noch die lateinischen, und alle die wichtigen Veränderungen
im Zustande der Religion und Theologie übrig, an welchen
beyderley Theologen so großen Antheil genommen haben.
Man weiß es schon, daß Hr. P. nur selten eigene und neue
Erläuterungen beybringt; hingegen desto öfter aus neuern
Schriftstellern, oder auch aus den Quellen selbst, Zusätze beyzufügen pflegt. Ohne seine Belesenheit und Uebung in der
Kirchengeschichte, auch richtige Beurtheilung zu verkennen,
müssen wir doch gestehen, daß wir den Nutzen dieses Commentars nicht völlig einsehen. Lehrer der Kirchengeschichte
werden doch hoffentlich alle, quod pie creditur, die Quellen
selbst zu Rathe ziehen; für junge Studierende ist das Werk
zu weitläufig; und für erklärte Freunde der Kirchengeschichte
doch nicht vollständig und genau genug. Das meiste was
hier erzählt wird, oder vielmehr ungleich mehr, steht schon
in Schröckhs größerm Werke über die Kirchengeschichte; die
Zusätze aber oder von jenem verschiedenen Vorstellungsarten,
die hinzugekommen sind, machen keine beträchtliche Anzahl
aus. Bisweilen hat er auch eine wichtige historische Streit-
frage, über welche längst nach den schärfsten Untersuchungen
entschieden worden ist, doch unrichtig beantwortet. So schreibt
er S. 398: Phokas habe eine feyerliche Erklärung von sich gegeben, Kraft welcher künftighin der römische Bischof
allein der allgemeine Bischof, d. i. das Haupt der Kirche genannt werden sollte. Davon steht aber kein Wort
weder beym Paulus Diakonus; noch beym Anastasius, die
beyde allein des kaiserlichen Befehls gedenken. Dieser enthält weiter nichts, als eine Bestätigung des ersten Ranges
für die römische Kirche, den sie seit ältern Jahrhunderten
ohnedem gehabt hatte. So unklug konnte auch Bonifacius
III.

III. nicht handeln, daß er sich einen Titel, den sein nächster
Vorgänger vor antichristisch und teuflisch erklärt hatte, aus-
gebeten oder angenommen hätte. Mithin fällt auch dasjenige weg, was der Verf. aus seiner Meinung folgert: „Der
Titel also, den die Päpste — — verfluche hatten, den ließ
nunmehr Bonifacius zum Hoheitszeichen des röm. Stuhls
aufstellen; u. s. w. Solche Vorwürfe machten die Protestanten wohl den Päpsten noch in den frühern Zeiten des
jetzigen Jahrhunderts; pflegten auch gewöhnlich von jenem
Befehl des Phokas den Ursprung des Papstthums herzuleiten; sie sind aber weggefallen, seitdem man unparteyisch nach-
geforscht hat, was die Quellen selbst sagen. Wenn Hr. P.
S. 334 Spittlern darinne Recht giebt, „daß er gegen Mosheim, der die Verähnlichung der Kirchenverfassung, mit der
politischen zu weit getrieben, und sie, wie sie erst vom 5ten
Jahrhunderte an Statt fand, schon ins vierte hinauf getragen
hätte, behauptet habe, daß die Parallel zwischen den Geistlichen und Civilpersonen mehr Verbal- als Real-Gleichheit
gewesen sey: so muß wenigstens so viel zugegeben werden,
daß die Grundlage jener der politischen ähnlichen Verfassung
schon gegen das Ende des vierten Jahrhunderts da gewesen
sey. S. 542 sagt der Verf.: „La Croze und Du Pin
hätten den Werken des Alexandrinischen Cyrillus das
Siegel der Verachtung durch das Geständniß ausgedrückt,
daß man sie fast ganz ohne Nutzen lese." Allein durch ein
solches Geständniß von zwey Gelehrten, deren keiner tief in
die theologische Gelehrsamkeit eingedrungen war, können sie
wohl nicht so durchaus verächtlich und unbrauchbar werden;
und wenn man auch Cyrills übrige Schriften nicht zur Geschichte der Exegetik, Dogmatik und Polemik seiner Zeit,
ja selbst wegen ihres Einflusses auf die Theologie der neuern
Jahrhunderte, nützen könnte; so würde doch seine Widerlegung des K. Julianus immer eine nicht geringe Aufmerksamkeit verdienen.

Wb.

Archiv für die neueste Kirchengeschichte. Herausgegeben von D. Heinrich Philipp Conrad Henke.
Des sechsten Bandes viertes Stück. Weimar,
in

In der Hofmannischen Buchhandlung. 1799.
12 K.

Dieß Stück enthält I) Belehrung für die katholischen Priester in Frankreich, über die Acte, durch welche sie sich der
Republik unterwerfen sollen. — Ihr Verf. ist, der ausge-
wanderte Bischof von Boulogne. Er sucht zu zeigen, daß
eine solche Unterwerfung der katholischen Religion ganz zuwider sey, hauptsächlich weil der Umsturz des Throns, die
Entthronung des Königs und die neue Regierung für uns
rechtmäßig geachtet werden, und man nur rechtmäßigen Regenten gehorchen müsse. Frankreich sey ein Erbreich, und
der rechtmäßige Regent Ludwig der XVIIIte. II) Aufhebung
aller Noviziate, und Verbot aller Klostergelübde, in den
für die französische Republik eroberten Ländern am linken
Rheinufer. III) Ueber die Kirchen- und Schulverfassung
im Kanton Zürch. Aus Briefen eines Reisenden. Fortsetzung. Die Landschulen waren sehr zurück. Die Städte-
schulen besser eingerichtet. Die Einrichtung des Gymnasiums
hatte auffallende Mängel. Der Einsender wünschte, die
Revolution möchte den Zustand des Schulwesens verbessern,
allein er fürchtete, daß anstatt dessen Frankreich der Schweiz
selbst die Kräfte zu Verbesserungen aussaugen möchte! Ja
wohl!! IV) Beysteuer in deutschen Stiftern zur Unterstützung des Papsts Pius VI. V) Berichtigung und Nachtrag
zur Geschichte der Schleswig-Holsteinischen Kirchenagenden.
Die Berichtigung ist vom Hrn. G. B. Adler. Klar genug
leuchtet es ein, daß die Agende sehr leicht allgemein hätte
eingeführt werden können, wenn die Regierung ihren ernstlichen Willen erklärt hätte. Nun glaubt hingegen der unwissende und abergläubige Haufe da, wo die alte Agende
wieder eingeführt ist, er habe das Recht, seinen Lehrern
vorzuschreiben, was und wie sie ihn lehren sollen! Doch ist
in den meisten Städten, und auch auf nicht wenigen Dörfern die neue Agende geblieben. VI) Einige Aktenstücke, die
Secularisation und Besteurung der geistlichen Güter in
Pfalzbayern betreffend, nebst einem Schreiben aus Regensburg. VII) Ankündigung eines Helvetischen Bettages
im neuen Styl; in Patentform gedruckt in Zürch. 1798.
Vom Regierungsstatthalter Pfenniger. Wirklich trefflich
sind hier die Vorzüge des ächten Christenthums ins Licht ge-
r. H. A. D. B. LIII. B. 1s St. III. Heft.   M   setzt.

setzt. Die Absicht des Patents ist, die Prediger zu warnen, nicht wieder die neue Ordnung der Dinge zu reden. VIII) Protokoll der Verhandlungen des Evangelisch=Lutherischen Ministeriums in dem Staate von Neu York, gehalten zu Rheinbeck vom 22. bis 26. September, 1796. Unter andern ward beschlossen, das Brod im Abendmahl nicht zu brechen, weil Calvin damit die Bedeutung des Leibes Christi im heil. Abendmahle habe bestätigen wollen. IX) Anordnung eines ehrbaren Betragens für die junge Geistlichkeit in der Leutmeritzer Diöces. Es wird fast nichts namentlich, als Luxus der Kleidung angeführt. X) Zeugnisse für einen aus Rowan County in Nordcarolina nach Deutschland zurückkehrenden Prediger, Arnold Roschen. Sie sind in Absicht der Zufriedenheit der Gemeine und seiner Collegen mit seiner Lehre und seinem Wandel sehr rühmlich. XI) Nachrichten von Czenstochow, und dem dort befindlichen Gnadenbilde. Aus der Schrift: der Polnische Insurrectionskrieg. Von einem Augenzeugen, 1794. Das Bild der Maria soll der Evangelist Lukas gemalt haben. Der Schatz des Klosters soll 30 Millionen werth seyn. XII) Bestrafte Beobachtung alter kirchlichen, und Versäumung bürgerlicher neuer Gebräuche in Frankreich. Eine Ehe ward durch priesterliche Einsegnung, aber nicht durch die Municipalität confirmirt. Hernach ward der Mann der Frau müde, und schickte sie den Aeltern zurück. Die Klage derselben ward abgewiesen, weil die Ehe nicht gesetzmäßig geschlossen sey.

                                    Bf.

Geschichte der römisch=katholischen Kirche unter der Regierung Pius des Sechsten. Von Peter Philipp Wolf. Sechster Band. Leipzig, in der Wolfischen Buchhandlung. 1798. 412 S. 8. 1 M. 4 g.

Das Anziehende dieser Geschichte wächst gleichsam mit jedem neuen Bande. Im gegenwärtigen Bande werden die Veränderungen beschrieben, welche das Religions= und Kirchenwesen in Frankreich während der Revolution erlitten hat.

                                        „Was

„Was auf dem gewöhnlichen Wege, sagt Hr. W., durch langsam fortschreitende Verbesserungen nie möglich gewesen wäre,
wurde durch den unaufhaltsamen Strom einer in alle Fugen
der bisherigen Staatsformen und aller ihrer Verhältnisse
eingreifenden Erschütterung möglich gemacht; nämlich eine
gänzliche Lähmung der Theokratie, und die schnellste Auflösung aller Bande, womit ganze Nationen, durch die feinste
Staatskunst, die sich denken läßt, an die Herrschaft des Priesterthums gefesselt waren. Man muß billig die Kühnheit und
das Glück derjenigen bewundern, denen es gelungen ist, ein
so künstliches Gebäude, von so feinen und scharfsinnigen
Baumeistern über den Haufen zu werfen; und das auf eine
Art, daß es sogar unmöglich ist, aus den Trümmern desselben ein anderes Gebäude aufzuführen! Aber glücklicher Weise,
fährt er fort, war von denen, welchen an der Erhaltung jenes
Gebäudes alles gelegen war, der Geist der ersten Baumeister
desselben gewichen. Unbesorgt überließen sie sich einer täu-
schenden Ruhe, und schlummerten unter dem Dache eines
Hauses, durch dessen Lücken die Stürme von allen Seiten
mit immer verstärkten Muth eindrangen. Und als endlich
der letzte Stoß sie aus ihrem Schlaf aufschröckte: taumelten
sie besinnungslos umher, griffen in der Verwirrung nach
Feuerbränden, und zerstörten nun vollends auch dasjenige,
was der Ocean noch verschont hatte. Deutlicher: Der orthodoxe Clerus streute überall den Keim zerstörender Leidenschaften aus, und suchte durch wilden Fanatieismus zu erkäm-
pfen, was er durch mäßige Haltung, durch die Gewalt der
Vernunft und durch bescheidene Demuth so leicht würde erhalten haben. Man hatte, wie er ferner bemerkt, von Seiten
der Partey, welche in der constituirenden Nationalversamm-
lung die Vertheidigung der Nationalkirche auf sich genommen
hatte, ohne Grund die ersten Versuche zur Kirchenverbesse-
rung für feindselige Streiche auf die Religion angesehen, und
sogleich die Vernichtung der katholischen Religion befürchtet;
da doch nur das Priesterthum der Religion untergeordnet
werden sollte. In der That aber schien diese Partey nur für
die Erhaltung des Priesterthums in seinem alten Glanze, bey
seinem Reichthum und seiner Macht, einen Sinn zu haben;
gegen das Schicksal der Religion war sie sehr gleichgültig.“

Zuerst entwirft der Verf. ein Bild von dem Zustande
der französischen Kirche vor der Revolution im 17ten

Buche. Nach einigen allgemeinen Bemerkungen über das
ungeheure Wachsthum der Macht des Clerus, zeigt der Verf.,
daß die höhere Französische Geistlichkeit meistentheils
überaus große Einkünfte am Hofe üppig und wollüstig verzehrt habe, und daß es beynahe immer Herren von Adel gewesen sind, welche diese einträgliche Würden, durch Minister, Maitressen und Familienverbindungen erlangten. Die
Pfarrer wurden von den Prälaten eben so verächtlich angesehen, als der Bürgerstand von dem Adel. Während daß
es Bischöffe gab, welche ein jährliches Einkommen von 50000
Kronenthaler für sich unzulänglich fanden, mußten beynahe
40000 Pfarrer sich jährlich mit einer sogenannten Congrua
von 500 Livers begnügen. Unter diesen letztern war unstreitig mehr Gelehrsamkeit als bey jenen; aber auch nur eine
solche, die alle philosophische Prüfung der Religion schlechterdings entfernte, und weder durch Naturkunde noch durch Geschichte ausgerüstet, um den Aberglauben und die Fabeln des
kirchlichen Systems erschüttern zu können. Die Parteyen-
wuth verdarb noch mehr bey diesem Stande; man mußte
entweder Jansenist oder Molinist seyn; und die Bischöffe ver-
schafften selbst der erstern, den Jesuiten so verhaßten Partey
durch ihre zügellose Aufführung mehr Ansehen. Doch ohngeachtet aller Hindernisse der Aufklärung unter dem Clerus, wurden einzelne Glieder dieses Standes der Kirche nicht selten
untreu; besonders in großen Städten, wo den jungen Priestern nur durch Witz und Geschmeidigkeit der Zutritt zu guten
Gesellschaften offen stand; in denen sie aber nicht den geringsten Anstrich von Pfaffheit merken lassen durften. Die damalige Kirchenreligion war ohnedem den Angriffen des Witzes nur
zu leicht bloß gestellt; sie war allzu sichtbar nur bloß Pöbel-
religion. Von den Mönchen standen bloß die Benediktiner
in einiger Achtung; die übrigen waren wegen ihrer Grobheit
und Habsucht, besonders aber wegen der in den Klöstern beyderley Geschlechts herrschenden Ausschweifungen, ein Gegenstand der Verachtung und des Spottes. Ludwig XIV.
war ein eifriger und gewissenhafter Katholik; dessen Religion
aber mehr im Gefühl als im Verstande ihren Ursprung hatte,
und ihm gleichwohl die Schrecken seiner letzten unglücklichen
Augenblicke milderte; am französischen Hofe hingegen war
nicht allein Leichtsinn in Religionsangelegenheiten seit Ludwig XVI. sondern auch seit dem Regenten die äußerste Sittenlosigkeit eingerissen, und dauerte bis zum Ende fort. Für
den

den Adel hauptsächlich schrieben Voltaire und andere, so
viel die Religion und die Sitten Beleidigendes. Wie wenig
überhaupt Religionsdogmen, deren größter Theil nur die äuß-
serliche Hierarchie befestigt, hinreichen, eine zweckmäßige
sittliche Volksreligion zu bilden, zeigte sich auch bey der Revolution. Daher wird es begreiflich, warum während desselben der roheste Pöbel, und unter diesem unstreitig derjenige,
der am häufigsten den Beichtstuhl besuchte, und die Messe an-
hörte, mit kaltem Blute seine Pfarrer todtschlug. Man
kann es nicht oft genug wiederholen, daß nur der gänzliche
Mangel des moralischen Gefühls von Seiten des Pöbels;
oder, was eben so viel ist, eine nur auf den gröbsten Aberglauben gegründete Religionslosigkeit die Revolution mit Verbrechen befleckt habe, vor denen die Menschheit schaudert.
An Aufklärung selbst in Religionsangelegenheiten fehlte
es in Frankreich keinesweges; man brauchte aber auch die
meisten religiösen Anstalten nur mit gesunden Augen anzusehen, um sie lächerlich zu finden. Freylich liegt es in der
Natur des Katholicismus, daß seine Bekenner, sobald sie
an ihrem Kirchensystem zu zweifeln anfangen, sich zur Partey der Deisten schlagen. Denn zwischen blindem Glauben
und absolutem Unglauben giebt es für solche Menschen selten
einen Mittelweg. Schon seit der Mitte dieses Jahrhunderts
ist bey den höhern und mittlern Ständen der dogmatische Kir-
chenglaube durch den entschiedensten Unglauben verdrängt
worden; in Italien mag sich diese Revolution schon früher
ereignet haben; und der Verf. hält es sogar für unwahrschein-
lich, daß Päpste auf der einen Seite durchdringende Staats-
männer, auf der andern hirnlose Sklaven des Aberglaubens
hätten seyn können. Die französischen Schriftsteller aber,
welche durch ihre Werke den Unglauben beförderten, haben
seste zwischen Religion und Priesterthum; zwischen dem
Dogma des Christenthums, und zwischen dem Dogma
der römischen Hofkirche den gehörigen Unterschied gemacht,
und so scheint es, als wenn die Streiche, welche sie dem Priesterthum versetzen wollten, das Christenthum träfen. Auf-
serdem hatte auch mitten unter einer despotischen Regierung
der Franzosen die Politik unter ihnen durch einige scharf-
sichtige und freymüthige Schriftsteller nicht wenig gewonnen.
Hier wirft der Verf. auch die Frage auf, wiefern man behaupten könne, daß durch Schriftsteller die Revolution in
Frankreich vorbereitet worden sey? und zeigt, daß dieselben

M 3   nur

nur die verschiedenen Stände der Gesellschaft mit ihren gegenseitigen Rechten und Pflichten, mit den Mißbräuchen, die sich in alle Zweige der Regierung eingeschlichen hatten, und mit den Mitteln bekannt machen, womit man jene verbessern, oder abschaffen könnte; mit diesem Antheil aber dürfe man durchaus die Resultate der in Bewegung gebrachten Leidenschaften des Parteygeistes und der Unvernunft nicht vermengen.

Jetzt folgt die Geschichte selbst, S. 40 sq. und zwar im Achtzehnten Buche, das Schicksal der Geistlichkeit und der Kirche in Frankreich während der constituirenden Versammlung. Wir übergehen das Bekannte und in unzähligen Schriften Erzählte; das aber doch hier mit eignen ausgesuchten Anmerkungen begleitet wird, um nur einiges auszuzeichnen, was mit dem Hauptgegenstande dieser Geschichte am nächsten verwandt ist. Entscheidend war es gleich anfänglich, daß in der ersten Versammlung die niedere Geistlichkeit, die ein ganz anderes Interesse hatte, als die höhere, durch ihre Mehrheit den geistlichen Stand repräsentirte, und daher mit allem Nachdrucke auf die Erleichterung ihrer bisherigen Bedrückungen losarbeiten konnte. Von Seiten des Adels war die Wahl der Repräsentation größtentheils auf solche gefallen, von denen sich der Clerus nicht viel versprechen durfte; und beym dritten Stande im Allgemeinen auf Leute, die den Ruf der Aufklärung für sich hatten. Diese heftig bestrittene Vereinigung des geistlichen Standes mit dem dritten, wurde eigentlich durch den niedern Clerus durchgesetzt. Als aber in der berühmten Nacht vom 4. Aug. 1789 der Adel seine Vorrechte aufgab, wurden auch die Bischöffe von dem allgemeinen Enthusiasmus hingerissen, und bewilligten nicht allein die gleiche Besteurung, sondern auch die Abkäuflichkeit aller Lehnrechte, die auf den Kirchengütern hafteten; sogar unbemittelte Pfarrer erboten sich, ihre Stolgebühren aufzugeben, wofür man ihnen Entschädigungen zugestand, und die Abschaffung der Annaten wurde beschlossen. Doch gar bald schrieen auch viele vom Clerus, mit welchem Rechte man die Privilegien und das Eigenthum ihres Standes einer augenblicklichen Popularität habe aufopfern können. Dieses würkte so viel, daß die Geistlichkeit, als man den Zehnten ganz abschaffen, und auf eine andere Art für ihren Unterhalt sorgen wollte, denselben

ben als ein heiliges Eigenthum forderte, das sie von der Nation nicht erhalten habe. Man setzte ihr entgegen, daß die
Priester nichts als salarirte Diener der Moral und des Un-
terrichts wären; und so viel auch darüber gestritten wurde,
so mußten sie doch endlich den Zehnten unbedingt fahren lassen.
Darauf griff man die herrschende Landesreligion an; keine
Christusreligion, sagt der Verf. S. 94, sondern eine wahre
Theokratie, eine Religion des Priesterthums. Man wollte
eine allgemeine Freyheit in Religionsmeinungen einführen;
das Wort Toleranz selbst sollte verbannt werden; aber die
Priesterpartey siegte noch durch eine Einschränkung jener
Freyheit. Hingegen konnte sie diesen Sieg gar nicht benutzen,
indem nicht lange darauf die Geistlichkeit durch den Verlust
aller Kirchengüter als besonderer Stand vernichtet wurde.
Sie hätte das Ganze retten können, wenn sie einige Theile
unaufgefordert aufgeopfert hätte; ein Erzbischof that einen
solchen Antrag mit dem Kirchensilber; aber der übrige Clerus
verwarf ihn, und behauptete höchst unbesonnen, dieses Silber
sey ein Eigenthum der Pfarrer, bis endlich selbst einer aus
ihrem Mittel, der Bischoff von Autun, Talleyrand-Peri-
gord, den Vorschlag that, die Nationalschulden mit den
Kirchengütern zu bezahlen. Sehr ausführlich sind hier die
so merkwürdigen und mannichfaltigen Streitigkeiten über die
Frage: ob die Kirchengüter ein Eigenthum des Clerus sind,
bis S. 191 beygebracht worden; auch von einigen hieher gehörigen Schriften giebt der Verf. Nachricht. Jene Güter
wurden nämlich für ein Eigenthum der Nation erklärt, und
es wurden schon vorläufige Anstalten getroffen, sie in den
Besitz derselben zu setzen.

Noch enthält dieser Band das neunzehnte Buch,
und in demselben die weitern Verfügungen der constituirenden National-Versammlung in Beziehung auf
das Religions- und Kirchenwesen in Frankreich S.
214 fg. Zuerst erscheinen hier die stürmischen Streitigkeiten
über das Mönchswesen, seit dem Ende des Jahres 1789
bis die Aufhebung aller Ordensgelübde dekretirt; den Mönchen ihre Klöster zu verlassen erlaubt, und nur den Nonnen
ihre bisherigen Wohnplätze gelassen wurden. Die Jahrgel-
der der austretenden und zurückbleibenden Mönche wurden
auch bestimmt. Inzwischen suchte der Clerus den Verkauf
seiner Güter zu hindern; aber im Apr. des Jahres 1790

ward derselbe entschieden, und zugleich machte man einen Entwurf, den Clerus auf immer außer Stand zu setzen, seine ehemalige Höhe, seine Reichthümer und seine Macht wieder zu erlangen, indem man ihm gewisse Einkünfte bestimmte, die Zahl seiner Mitglieder herabsetzte, und ähnliche Einrichtungen mehr zu treffen versuchte. Die römisch-katholische Religion verlor auch endlich das Vorrecht, die herrschende in Frankreich zu seyn. Mit dem so wichtigen darüber abgefaßten Dekret, und mit dem Beschluß der Streitigkeiten über die Kirchengüter, schließt Hr. W. auch diesen Band.

Er hat alles aus den besten Quellen, besonders aus dem öfters angezogenen Moniteur geschöpft, und durch die urkundlichen Belege der Motionen, Reden und Dekrete der Nat. Vers. bestätigt. Daß er sich so lange bey der ersten Epoche der kirchlichen Veränderungen in Frankreich aufgehalten hat, da doch das meiste damals Geschehene in der Folge wieder vernichtet worden ist, entschuldigt er eines theils damit, weil gerade durch diese Zwecklosigkeit der Irrthum jener schadenfrohen Partey, welche in den Bemühungen der ersten Gesetzgeber Frankreichs nichts anders, als den feindlichen Plan zur Ausrottung des Christenthums sehen will, am sichersten niedergeschlagen werden könne; andern theils aber sich eben dadurch mit der größten historischen Zuverlässigkeit beweisen lasse, daß man die später erfolgten Uebel, welche die Religion erlitten hat, zunächst den eigenen Fehlern derjenigen, die das stärkste Interesse hatten, die Religion zu schützen, zur Last legen müsse; endlich verdienten auch die Arbeiten der constituirenden Nat. Vers. schon deswegen aufgehoben zu werden, weil sich in derselben unstreitig die besten Köpfe ihrer Zeit befanden, und die nachfolgenden gesetzgebenden Versammlungen der ersten weder an Kenntnissen noch an wahrer Freyheitsliebe gleich kämen. Er hat sich zugleich sorgfältig vor den Fehlern des Abbé Barruel gehütet, der in seiner auch übersetzten Geschichte des französischen Clerus die entschiedenste Parteylichkeit mit den gröbsten Fehlern und Unwahrheiten verbunden habe. Dagegen spricht er von seiner Arbeit sehr bescheiden in Vergleichung mit einer ähnlichen des Hrn. Planck; (Geschichte der kirchlichen Revolution in Frankreich, im dritten Theil seiner neuesten Religionsgeschichte;) es ist aber gewiß, daß auch die seinige ihre Vorzüge habe.

Juli.

Julians, eines Pelagianischen Bischofs zu Eclanum,
Widerlegung der Bücher Augustins über den Ehe-
stand und die Lust. Ein Beytrag zur Dogmenge-
schichte, in einem deutschen Auszuge von Georg
Hieronymus Konrad Rosenmüller, der Gottes-
gelahrheit Beflissenen. Nebst einer Vorrede von
D. Johann George Rosenmüller. Leipzig, bey
Martini. 1796. XVI. u. 462 S. 8.

Es sind eben hundert Jahre, daß Arnoldes unter uns
wagte, den alten Ketzern eine Ehrenerklärung zu thun; wie
schlecht er dafür belohnt worden sey, ist bekannt. Darauf
zeigte Mosheim mit einem ganz andern Geiste und Ansehen,
daß man sie wenigstens billig und gerecht behandeln müsse;
und er fand Beyfall. Semler gieng noch einige Schritte
weiter; durch ihn gewann Pelagius in seinem Streite mit
dem heil. Augustin einen sichtbaren Vorzug; und seitdem
hat die freyere Behandlung der Kirchengeschichte weiter keinen
Unterschied in der prüfenden Vergleichung zwischen Meinungen und Schriften der rechtgläubigen Heiligen und der Häre-
siarchen übrig gelassen, als der in ihnen selbst liegt. Je mehr
die wenigen Aufsätze der letztern, welche der orthodoxen Ver-
nichtungswuth entgangen sind, neben den Widerlegungsschrif-
ten ihrer Gegner gestellt werden, desto leichter läßt es sich
beurtheilen, warum man, um den Sieg zu erlangen, Gründe
der Vernunft und der Schrift unterdrücken müßte. Dazu
dient auch die gegenwärtige Schrift des geschickten Lehrers
der Pelagianer, welche Augustinus in seiner durch den Tod
unterbrochenen Widerlegung (Operis imperfecti contra secundam Iuliani responsionem Libri sex) größtentheils eingerückt hat. Man findet zwar in größern Werken über die
Kirchen- und Ketzergeschichte mehrere Einwürfe und Stellen
aus demselben angeführt; hier aber lieset man alles, was
Augustin davon aufbewahrt hat, nämlich die sechs ersten
Bücher desselben, in einem vollständigen Auszuge. Hr. Rosenmüller, dritter Sohn des verdienstvollen Theologen, hat
bey dieser Arbeit nicht allein überhaupt gute Bekanntschaft
mit der Kirchengeschichte; sondern auch eine nicht geringe Anlage zur fruchtbaren Untersuchung der Dogmengeschichte, bewiesen. Da, Julianus, eigentlich Augustins Schrift de

M 5   nuptiis

nuptiis et concupiscentia bestritt: so wird von dieser ein hin=
länglicher Auszug vorangeschickt; (S. 27—125) und Ju=
lians Widerlegung derselben wird wieder in zahlreichen An=
merkungen mit den kurzgefaßten, auch öfters in der lateinischen
Urschrift abgedruckten Antworten Augustins begleitet. Ohne
eben die theologische Gelehrsamkeit und Methode des Pela=
gianischen Bischofs durchaus untadelhaft zu nennen; — denn
er hat auch seine merklichen Schwächen; — ist er doch als
Schriftausleger und philosophischer Dogmatiker, selbst als
scharf eindringender Disputator, seinem Gegner offenbar über=
legen. So zeigt er S. 142 sg. daß es nach Augustins ei=
genem Begriffe von der Sünde keine Erbsünde geben könne,
und der letztere gebraucht dagegen nur schlechte Ausflüchte.
S. 206 setzt Julianus ihm folgenden Schluß entgegen:
„Da du mir zugiebst, daß die Menschen von Gott geschaffen
worden sind; daß die Eheleute nicht sündigen, wenn sie Kin=
der zeugen; und daß die kleinen Kinder an sich ganz unthätig
sind: so folgt aus diesen drey Vordersätzen ganz unwidersprech=
lich, da weder das Kind, welches zur Welt geboren wird,
noch der Vater, der das Kind zeugt, noch Gott, der dasselbe
geschaffen hat, sündigt: so ist gar nicht einzusehen, wie denn
die Sünde in das Kind gekommen sey. Wenn dir die Folge
mißfällt: so leugne, was du bisher zugegeben hast! sprich:
entweder der Zeugende, oder der Schöpfer, oder das neuge=
borne Kind habe gesündigt. Das eine von diesen ist unsin=
nig; das andere manichäisch; das dritte übermanichäisch.“
Sehr bestimmt erklärt er sich besonders S. 113 sg. „Wir
und alle Rechtgläubige verehren die Gnade Christi dankbar.
Wir sind überzeugt, daß nur diejenigen die Folgen ihrer
Sünde tragen müssen, welche gesündigt und dadurch Strafe
verdient haben; daß wohl der Wille und die Handlungsweise
der Menschen eine verkehrte Richtung erhalten können; daß
aber, wenn dieß auch der Fall ist, nicht Verderbtheit der Na=
tur die Ursache davon seyn könne. Wir glauben, daß uns die
Gnade Christi von der Schuld unserer begangenen Sünden,
und daher auch von den Folgen einer falschen Anwendung
und Befriedigung unserer natürlichen Triebe und Leidenschaf=
ten befreye. Wir läugnen aber, daß die menschliche Natur
verschlimmert sey, weil man nur für solche Gebrechen Hülfe
gewähren kann, die dem Dinge, an welchem sie gefunden
werden, zufällig sind, und nicht aus der Natur desselben her=
fließen. Wir erklären deshalb auch die Lust, in sofern man

sich

sich ihrer auf eine erlaubte und rechtmäßige Weise bedient,
für eine gute und natürliche Eigenschaft unserer körperlichen
Natur, und als etwas zur Fortpflanzung des menschlichen
Geschlechts unentbehrliches. Und also glauben wir, die Erbsünde sowohl nach den Schlüssen der gesunden Vernunft, als
nach den Aussprüchen der Schrift, verwerfen zu müssen.“
Doch wir überlassen es denen, welche die Geschichte der Lehre
von der Erbsünde seit Augustin studiren wollen, sich genauer
mit dieser Schrift bekannt zu machen. Hr. D. Rosenmüller
hat in seiner Vorrede die Erheblichkeit dieser Untersuchungen,
nach einem Nicht-Augustinischen Leitfaden, noch besonders entwickelt.

Bb.

Gelehrtengeschichte.

Das gelehrte Deutschland, oder Lexikon der jetzt lebenden deutschen Schriftsteller. Angefangen von
Georg Christoph Hamberger. — Fortgesetzt
von Johann Georg Meusel. — Siebenter
Band. Fünfte durchaus vermehrte und verbesserte Ausgabe. Lemgo, bey Meyer. 1798. 748
S. gr. 8. 1 Rß. 22 Xr.

Und über diesen großen schriftstellerischen Landstrich streckt
sich — credite posteri — allein das gigantische S aus. Bloß
in dieser literarischen Welt ist es möglich, daß ein Zwerg zu
einem solchen Riesen aufwächst. Bey seiner Geburt war dieses monströse Wundergeschöpf, wie jedes Neugeborne, klein
und unansehnlich. Rec. sah zwar dasselbe in diesem Zustande
nicht. Aber dessen Bild im Alter des Flügelkleides steht hier
vor ihm, welches noch ganz die gewöhnliche Größe hat, d. h.
die zweyte Ausgabe zählt nicht mehr als 164 Köpfe und 144
Seiten. Selbst im Gewande des Knaben ist noch das voll-
kommenste Verhältniß und Ebenmaß da, indem die dritte
Auflage auf 210 Seiten nur noch 427 Mann aufstellte. Erst
der gereifte Jüngling ließ fürchten, daß die gesunde Masse der-
einst in allen Gliedern und Muskelgegenden leicht zu einem

schon (1784) viertbalbhundert Seiten erforderlich waren, um 818 Geschöpfen von allerley Gestalt und Größe Platz zu verschaffen. Wer hätte aber zu der Zeit erwarten sollen, daß schon nach 14 Jahren das ungeheure Gebiet von 748 Seiten erforderlich seyn würde, um ein Heer von zwölf hundert neun und vierzig Mann aufzunehmen? denn so stark ist gegenwärtig die Anzahl derer, die mit dem schriftstellerischen S auf der Stirn bezeichnet sind. Unter diesen stehen 197 Mann zum erstenmale, und das Ganze ist um 431 Köpfe stärker, als die vor 14 Jahren gemusterte Schaar. Sollte sich nun diese ganz eigene Menschenrasse nur noch ein halbes Jahrhundert in gleichem Verhältnisse fortvermehren: so ist nicht zu zweifeln, nach dreißig bis vierzig Jahren werde der Buchstab S sicher drittbalbtausend Mann aufstellen, und demnach ein eigenes beträchtliches Korps formiren können.

Rec. hat hier abermals unendlich viele interessante Ansichten entdeckt, die, könnte er sie alle den Lesern mittheilen, diese gewiß eben so wie ihn amüsiren würden. So zeigt dieser Buchstab, wie es der schultergedrängten Menge wegen wohl nicht anders seyn kann, z. B. ein sehr buntes Gemengsel von allerley Menschen aus allerley Ständen und Lagen; weshalb man hier Pächter, Kaminfeger, Zuchthäusler, Trödler, Bilderhändler, Fabrikanten u. d. g. durcheinander gemischt sieht. Ferner bemerkt man auch hier eine große Anzahl Männer mit Nobelmasken und daran herabhängenden langen Schleiern, die bekanntlich als Anonymen auf dem ungeheuern literarischen Marktusplatz auf- und niederschreiten. Zu den Schriftstellern dieser Art, die sich durch ihren großen Umfang auszeichnen, gehören z. B. Schreiber, J. C. F. Schulz, C. F. Sintenis und andere. Obschon Meusels feine Spürkunst dieselben meistens auch unter der Nobelmaske erkennt: so hatte er doch unter dieser Menge bisher manchen für einen andern angesehen. Der Kön. Pr. von Alvensleben A. C. ward von ihm zu Handbuchs für den preußischen Hof- und Staat gehalten. Allein derselbe war es nicht; sondern jenes treffliche Werk haben wir dem unlängst verstorbenen preuß. Kriegs- und Domänenrath Biebmann zu danken, der unsers Wissens ehedem Sekretär bey dem Grafen von Herzberg gewesen ist, und mithin als solcher die beste Gelegenheit gehabt hat, sich die Materialien zu jenem Werke zu sammeln. Merkwürdig ist

ist unter andern Struensee, der sich vom akademischen Lehrer zum königlichen Staatsminister geschwungen hat. Welche Industrie und Arbeitsamkeit in den Werkstätten der Gelehrten und Schriftsteller herrsche, davon liefert auch dieser Band wieder viele Beyspiele. Bekanntlich blicken die Arbeiter in den gewöhnlichen Geschäftsbürraus mit einer Art von Verachtung auf die schriftstellerische Thätigkeit herab, und wähnen, bey ihnen allein müsse man sich den reinen Begriff von Fleiß und Geschäftigkeit bilden. Sie können aber, ist es noch möglich, ein wenig erröthen, wenn sie hier z. B. die Artikel unserer C. H. Schmid, J. S. Schröter, J. G. Schneider, Seiler, von Springer, Steinhorst u. e. a. ansehen wollen. In dem ganzen gelehrten Deutschlande, welches Rec. ziemlich zu kennen glaubt, trifft er hier den einzigen Schriftsteller an, der dieses erst als ein Greis von 70 Jahren geworden ist. Derselbe ist der Kanzellist und Banktogerichtsschreiber Sitzmann zu Nürnberg, geboren das. 1728 und zum ersten Mal Schriftsteller mit einer polemischen Staatsschrift gegen Preußen im J. 1797. Die ältesten Autoren in diesem Bande sind Vierundachziger, unter welchen sich auch unser alter ehemaliger Landsmann, der Prof. Saxo zu Utrecht, befindet.

Atz.

Neues Journal zur Literatur und Kunstgeschichte. Von C. G. von Murr. Zweyter Theil. Leipzig, bey Schäfer, 1799. IV und 310 S. 8. Mit drey Kupfertafeln. 1 Rl. 8 X.

Zwar bietet in diesem zweyten Bande keine so übervolle lanx satura wie im ersten sich dar; immer jedoch sind seiner Bestandtheile nach so viel und mancherley, daß die Anzeige davon um nichts leichter wird. Trockne Inhaltsangabe kann nur den Kenner anlocken; wie aber mag dem zu helfen seyn, dessen Neugier man erst reizen, ihm erst andeuten soll, worauf er solche vorzüglich zu richten habe? und zu dieser Classe gehört doch unstreitig ein großer, wenn nicht gar der größte Theil kritische Blätter um Rath fragender Leser. — Bis S. 81 liefert Herr von M. Ergänzungen seiner im Jahr 1790 zu Nürnberg gedruckten Beyträge zur Geschichte des dreyß-

dreyßigjährigen Krieges ꝛc. Nicht aber bey Berichtigungen
nur und Zusätzen hat er es bewenden lassen; sondern auch zur
Geschichte des berühmten Feldherrn Waldstein oder Wallenstein neue Urkunden beygebracht, hauptsächlich solche, die
Nürnberg und Altdorf mit betreffen, und in dasigen Archiven
sich vorfanden. Gleich das erste dieser Aktenstücke vom Jahr
1600 belegt abermals, daß W. in früher Jugend schon ein
hartherziger, ja sogar grausamer Bube gewesen. Der gering-
fügigsten Ursache wegen sieht man ihn den in Altdorf ihm
aufwartenden Knaben von kaum 13 Jahren so unmenschlich
behandeln, daß dieser, weil er in A. keine Hülfe fand, sich
an den Nürnberger Magistrat selbst wenden mußte. Nach
einer Reihe von Documenten, die sich auf das Schicksal Nürn-
bergs und Altdorfs im Verlaufe des langen Krieges beziehn,
wird noch eine, böhmischen Statistikern entlehnte Tabelle
eingerückt, aus welcher sich ergiebt, daß der an Blut, Ehr-
und Geldgeiz gleich unersättliche W. nur in einigen Kreisen
dieses Königreichs seit 1620 für mehr als drey Millionen
Gulden liegender Gründe an sich gebracht; die in andern
Gegenden ungerechnet: eine für damalige Zeit ganz ungeheure Summe! Daß er keineswegs verabsäumt, unter
der Geistlichkeit wenigstens die Jesuiten auf seiner Seite zu
behalten, wird vom Journalisten, der als Sachwalter der
guten Väter auch hier sich zeigt, gleichfalls dargethan. Da
am Ende des Artikels ein paar neuere Versuche über die Geschichte Albrechts von W. namhaft gemacht werden, hätte
der neueste, vor wenig Jahren erst erschienene, eines Preußischen Generals über den wahren Charakter jenes berühmten
Mannes doch auch Erwähnung verdient. In welcher Gegend des Brandenburgischen das Buch zum Vorschein kam,
ist dem Gedächtniß des Rec. entfallen, und sich darüber zu
belehren, die Sache des Hrn. von M. Zu den Wallen-
steinianis gehören zwey dem Bande angehängte Kupfertafeln;
deren erste das Profil des Speisezimmers auf dem Schlosse
zu Eger darstellt, worin vier Anhänger Wallensteins im Februar 1634 ermordet wurden. Nichts wie die kahlen Wände,
die Bauart schlecht gothisch, und der ganze Kupferstich von
geringer Bedeutung. Eben so der zweyte; die Ruinen nämlich des alten königlichen Schlosses zu Eger: wie solche von
Norden aus noch im Jahr 1788 anzusehn gewesen; außer der
Erinnerung aber an darin ehemals vorgefallne Mordscenen
gar nichts Merkwürdiges enthalten.

Auch

Auch höchſtſelten gewordne Schriften (von nur ſehr mäſ-
ſigem Umfang, hoffentlich) ſollen in dieſem Journal nach
und nach mitgetheilt werden; die jedoch, womit hier der Anfang gemacht wird, hätte lieber ungedruckt bleiben mögen!
Es iſt ſolches die unter dem erborgten Namen Lutii Piſaei
Iuvenalis gegen Luther, größtentheils in elegiſcher Versart
geſchriebene Monachopornomachia aus der Feder des bekannten Simon Lemnius. Woher aber weiß der neue Herausgeber ſo genau, daß ſie 1538 zum Vorſchein gekommen?
denn das drey Octavbogen ſtarke Pasquill erſchien ja ohne
Zeit= und Ortangabe. Das Leben dieſes bittern Epigrammi-
ſten hat der unlängſt geſtorbene Strobel 1792 umſtändlich
beſchrieben, und auch dieſe Monachop. für eine ſehr große
Druckſeltenheit, was ſie allerdings iſt, erklärt. Freylich
ſcheint Luther in der Abneigung gegen L. zu weit gegangen
zu ſeyn: noch viel weiter aber gieng der beleidigte Poet in
ſeiner Rache; und wenn der Diction dieſer Schandſchrift auch
gute Latinität, Lebhaftigkeit, und mitunter auch viele witzige
Einfälle nicht abzuſprechen ſind, immer bleibe das Ganze, wie
Hr. v. M. ſelber eingeſteht, von ſo grober Perſönlichkeit und
arger Obſcenität beſchmutzt, daß an Rechtfertigung eines neuen
Abdrucks kaum ſich denken läßt. Mehr von dieſem Unrath
zu ſagen, verweigert der Raum unſrer Blätter. Der Herausgeber ſelbſt glaubt Alles durch die Bemerkung wieder gut
zu machen, daß man ſeit 1538 ganz anders dächte, und Luthers Größe auch über dieſe Schmähſchrift erhaben bliebe!
Wenn er uns ferner in einer Note erzählt, daß die Schau-
ſpielerinn Clairon — wo und bey welchem Anlaß? — zu ihm
geſagt: Dans une Collection rien n'eſt obſcène: ſo hätte
der Erzähler doch auch bedenken ſollen, daß nicht jede Collection zur öffentlichen Ausſtattung geeignet ſey, und woran
nach Belieben jeder ſich ſkandaliſiren oder erbauen dürfe! —
Literae Leibnitianae ineditae. Ein und funfzig an der Zahl,
meiſt lateiniſch, insgeſammt an den wackern Schulmann Juſt
von Dransfeld in Göttingen, nnd von 1679 bis 1714 da-
tirend. Dransfeld ſtarb zu Anfang 1714, und L. hat alſo bis
an den Tod des Mannes ihn ſeines Zutrauens werth gefunden.
Hr. von M. empfing dieſe Leibnitziſchen Autographa von
der Gefälligkeit des vor mehreren Jahren zu Hannover ge-
ſtorbenen Hofr. von Dave, deſſen Bücherſammlung eine
Zierde dieſer Stadt war. — Daß die Dransfeldiſchen Antworten fehlen, iſt kein ſonderlicher Verluſt; weil eben nicht

von

von Erweiterung des Reichs der Wissenschaften, in diesem
Briefwechsel die Rede ist, sondern von Aufträgen bey Bücher-
verkäufen, Ersuchen nach Letzners handschriftlichem Nachlaß, und andern die Braunschweigische Geschichte aufklären-
den Ineditis sich fleißig umzusehn; hauptsächlich von der oft
wiederholten Bitte, irgend ein taugliches und noch junges
Subjekt aufzutreiben, das zur Bedienung nicht ungeschickt,
zugleich aber auch als Amanuensis des großen Mannes und
Copist seiner literarischen Arbeit zu brauchen wäre. Ein kitz-
licher Auftrag: und der dem guten Dr. genug zu schaffen
machte; weil man den Herrn v. L. zwar sehr oft auf dieses
Bedürfniß zurück kommen sieht, nicht aber findet, daß jener
es befriediget habe. Von der andern Seite scheint L. in
Aufspürung unedirter Caselianorum ebenfalls für seinen
Freund nicht viel glücklicher gewesen zu seyn; als der bekanntlich eine Sammlung Briefe aus der Feder dieses trefflichen
Philologen wirklich herausgegeben hat, und nach mehrern
zu forschen fortfuhr.

Literargeschichte des Theophrastus Paracelsus. —
Hr. v. M. ist für diesen 1493 in der Schweiz gebornen,
und kaum 48 Jahr alt zu Salzburg gestorbenen Arzt sehr
eingenommen, und rühmt oder entschuldigt ihn zwar in
vorliegendem Theile schon bey jeder Gelegenheit; verspart aber
für einen der künftigen die Darstellung seiner wissenschaftlichen Verdienste, und das ausführliche Verzeichniß seiner sämt-
lichen Schriften. Die Erfüllung beyder Versprechen wird
also erst abzuwarten seyn, ehe man nach neuer Berichtigung,
oder wenigstens nach Zusätzen wird umzusehen haben. In
dem hier gelieferten Abschnitte, der doch schon zum längsten
Artikel des Bandes geworden, und den Raum von S.
177 — 285 einnimmt, begnügt der Verf. sich damit, vom
Leben und den Abentheuern seines Helden eine chronologisch
geordnete Uebersicht zu verschaffen. Die Untersuchung, ob diese
Annalen Data enthalten, die den Geschichtschreibern der
Medicin und Chemie von Erast und Conring an, bis Spren-
gel entwischt sind, gehört für Zeitschriften, die Arzneygelehr-
samkeit zum Gegenstand haben. Als literarhistorischer Beytrag läßt der Aufsatz der Fränkischen Dilettanten nicht ohne
Belehrung sich lesen, so wenig auch der moralische Charakter
des P. dabey gewinnt. Seine etwanigen Verdienste um
Pharmaceutik und medizinische Chemie, sollen, wie schon
gesagt

geſagt, erſt weiter hin bewieſen werden; was hier vom Le-
benslaufe des Mannes ſich findet, widerſpricht keinesweges
der Meinung, die man bisher von ihm gehabt: daß nämlich
ſeine Entdeckungen mögen in der Folge ſo nützlich geworden
ſeyn, als ſie immer wollen, er dem ungeachtet ein eben ſo
großer Charlatan und unartiger Geſell geweſen iſt. Gleich
dem allerneueſten Solpirator, ſi Diis placet, der Heilkunde,
dem Schottländer Brown, ergab P. ſich dem Trunk, und
ward wie jener das Opfer einer dem Arzt doppelt unverzeih-
lichen Leidenſchaft. Auſſer den vielen, theils in Kupferſtich,
theils Holzſchnitt vorhandenen Bildniſſe deſſelben, die Hr.
v. M. ebenfalls angiebt, theilt ſolcher als Beylagen, noch
einige Originalbriefe mit, und auf einer der Kupfertafeln
auch Proben ſeiner Handſchrift aus dem Jahre 1536; ferner, ſein ganzes Teſtament, ſo höchſt unbedeutend es auch
iſt; einige die Familie des eben nicht reich geſtorbnen Mannes betreffende Aktenſtücke; und endlich die Liſte der vom
Herausgeber ſelbſt geſammelten, an 37 Nummern ſich belau-
fenden Schriften Paracelſi, mit einem Dutzend ſein Bildniß
darſtellender Holzſchnitte und Kupferſtiche: welcher ganze Apparat für 200 Gulden dem Liebhaber angeboten wird.

Für eben ſo viel die Chirographa perſonarum illuſtri-
um, deren alphabetiſch geſtelltes Verzeichniß drey engbedruckte
Seiten füllt; und wo Hr. v. M. mit einem Fac ſimile oder
in Kupfer geſtochnen Probe ſich behelfen mußte, ſolches mit-
telſt vorgeſetzten Sternchens treulich angegeben wird. Schrift-
proben von Arioſt, Bayle, Boerhave, Erasmus, Ulr.
von Hutten, Noſtradamus, Shakespear, mit einem Wort
der berühmteren Männer, finden ſich nur unter letztern. —
Weiter: Ampliſſima Collectio epiſtolarum avtographarum
virorum eruditorum, deren Namen auf ſieben gleichfalls
eng bedruckten Seiten ſtehn, und die vom Beſitzer für 300
Gulden feil geboten wird. Nur ein paar Briefe ausländi-
ſcher Gelehrten ſind darunter befindlich; die übrigen insgeſammt aus dem XVI. und XVII. Jahrhundert; und nur
wenige von Litteratoren oder Geſchäfftsmännern erſter Größe;
womit man indeß den Werth der andern gar nicht herabzuſe-
tzen gemeint iſt, als in deren Brieſchaften vielleicht ſehr
brauchbare Notizen ſtecken mögen. Vermuthlich wird der
Nomenclator, ehe er ſich derſelben entäuſſert, uns über ihren
eigentlichen Werth nach und nach belehren. Den Anfang

und Schluß eines lateinischen Schreibens Joh. Reuchlin's
aus Stuttgart, 1507, an seinen Buchdrucker Amerbach zu
Basel hat Hr. v. M. ebenfalls in Kupferstechen lassen. —
In dem angehängten Artikel: de Chirographis Anglicanis,
steht der Titel des zwey Quartbände betragenden Werks des
John Fenn sehr unbestimmt, und das Druckjahr gar nicht
angegeben. Die Robinson's haben es 1787 zu London
verlegt, unter der Aufschrift: Original Letters, written
during the reigns of Henry VI, Edward IV and Richard
III, by various Persons of rank and consequence u. s. w.;
denn der Titel ist sehr lang, und enthält die Anzeige alles
dessen, was der Herausgeber in dem Werke zu leisten gesonnen war. Auch ist dieß bereits die zweyte, zugleich vermehrte und verbesserte. So pedantisch sich auch Sir Iohn,
M. A. und F. A. S. in Nebendingen benimmt, in Rücksicht
auf diplomatische Genauigkeit, das Wesentliche also der Unternehmung, kann seine Arbeit doch für musterhaft gelten;
und selbst was alte Papierzeichen, Siegelformen und dergl.
betrifft, finden sich Belehrungen darin, die man anderwärts
vergeblich suchen dürfte. — Unter der Rubrik: Hebräische
Literatur, wird ein an den Herausgeber von Hofr. Tychsen zu Rostock geschriebner Brief mitgetheilt, worin dieser
gelehrte Mann einen andern, im ersten Bande schon ent-
haltnen, theils berichtigt, theils mit neuen Beyspielen belegt,
daß die längst schon nach China eingewanderten Juden, gleich
unsern Deutschen das Persische, als ihre vormalige Muttersprache, mit dem Hebräischen vermengen. — Den Beschluß macht ein dem ersten Bande höchst nöthiges, und doch
nicht alles erschöpfendes Druckfehlerverzeichniß. Auch diesem
zweyten Theile wird ein solches nachzuschicken seyn. S. 250
z. B. wo statt $\Theta\rho\alpha\zeta\epsilon\omega\mu\alpha\iota$ offenbar $\Theta\rho\alpha\zeta\epsilon\omega$ $\mu\epsilon\nu$ zu lesen ist;
andre Mißgriffe in der Interpunktion und Rechtschreibung
des griechischen Gedichtchens ungerechnet. Am Ende der
leidigen Monachopornomachia stehen zwar ein paar Druckfehler berichtigt, die sich jedoch nur aufs Original, nicht aber
auf den viel incorrectern neuen Abdruck beziehn.

Fk.

Grund-

Grundlage zu einer Hessischen Gelehrten- und Schrift-
stellergeschichte, seit der Reformation bis auf gegenwärtige Zeiten. Besorgt von Fr. Wilh.
Strieder, Hofr. und Bibliothekar. Zwölfter
Band. Cassel, bey Griesbach. 1799. 370 S.
8. Mit fünf geneal. Tabellen. 1 Rß.

Die frühern Bände dieses bio- und bibliographischen Werks
sind von andrer Hand angezeigt worden; sehr gern aber stimmt
Unterzeichneter den Lobsprüchen bey, womit sein College das
mühsame Unternehmen seit dessen Anfange begleitet hat. Die
von Abod. bis Schir. in diesem neuesten Theile aufgestellten
Autoren und Gelehrten vergangener Zeit enthalten für dießmal zwar keine Namen vom ersten Range; desto mehr brauchbare Notizen aber solche Männer betreffend, die, ohne sich
eben unsterblich gemacht zu haben, durch Fleiß und Eifer doch
das ihrige zum Bau und Bestand unserer Literatur beytragen,
und daher in der Geschichte derselben manche kleine Lücke werden ausfüllen helfen. Unter den noch lebenden nehmen die Namen der Herren Rosenmüller, Runde, Robert, Roos und
Schaumann sich aus; wovon die beyden ersten zwar weder
im Hessischen geboren, noch gegenwärtig daselbst angestellt
sind, und letzter nur seit kurzem erst einer Professur in Giessen vorsteht; da in der Gelehrtengeschichte indeß Alles Stück-
werk ist und bleibt, wird man dergleichen Nachweisungen
doch lieber am weniger schicklichen Orte vorfinden, als ganz
und gar entbehren wollen.

An Geduld und Umsicht hat Herr Str. es übrigens im
vorliegenden Bande so wenig wie in allen vorigen fehlen lassen. Zahlreiche Beweise davon enthalten nicht allein die dem
Werke selbst eingeschalteten genealogischen, oft äußerst mühsam
zu fixiren gewesenen Data, sondern auch die fünf beygefügten,
bloß die Familie Ries angehenden, Geschlechtstafeln. Ist
so was mit eben der Pünktlichkeit wie hier gefertigt: so würde
der über Mikrologie schreyende doppelt unbillig seyn: weil
nämlich, was diesem oder jenem unbrauchbar däucht, deshalb
noch nicht aufhört dem dritten nützlich zu werden; und weil
bey Arbeiten dieser Art, die darauf verwandte Genauigkeit
und Nachforschung hauptsächlich es sind, wonach ihr eigentliches
Werth zu bestimmen ist; der denn auch über lang oder kurz

N 2   dank-

dankbar anerkannt wird. Am Schlusse des Theils läßt der
unermüdete, so patriotisch ausharrende Herausgeber, (zu mehr
als einem Aufsatze lieferten die Autoren selbst einen Theil ihrer
Lebensgeschichte) wiederum Zusätze und Berichtigungen aller
eilf vorhergegangenen Bände folgen. Unstreitig macht auch
diese Aufmerksamkeit für Bereicherung des Ganzen seinem
Zartgefühl Ehre; hoffentlich aber wird er am Ende des Werks
eben so wenig der Pflicht sich entziehn, durch ein sorgfältig an-
gelegtes Register, das Auffinden dieser oft wesentlichen Verbesserungen dem Literator zu erleichtern; weil die Zumuthung,
anderthalb Dutzend Bände, vielleicht einer einzigen Notiz
halber, zu durchschütteln, doch in der That etwas stark seyn,
und den Autor um die schönste Belohnung bringen würde,
um den Dank nämlich des Lesers, der in Büchern dergleichen
Gegenstandes den kürzesten Weg zu finden hofft, schwerlich
aber in neue Irrgänge sich zu verstechen Lust haben wird.

R.

Erdbeschreibung und Reisebeschreibung.

Reisen in das Riesengebirge, und in die umliegen-
den Gegenden Böhmens und Schlesiens. Im
Jahr 1799. Gotha, bey Perthes. 1799. VIII
und 278 S. gr. 8. Mit vier Tabellen. 20 X.

Ausser vielen Stellen aus Rousseau in dem Buche selbst,
figurirt schon auf dem Titelblatte die aus seinem Emil:
Voyager à pied, c'est voyager comme Thales, Platon,
Pythagore. — Wußte der Reisende nichts bedeutsameres
auszusuchen, so hätt' er diese Mühe lieber ganz sich ersparen
sollen; denn woher hat denn R., daß, wenn obige Philosophen
müde wurden, oder die Gelegenheit sich anbot, sie nicht eben
so gern jedes andern Fuhrwerks als ihrer eigenen Füße sich
bedienten? Im anmuthigen Unteritalien mag Pythagoras
freylich lieber spazieren gegangen als geritten seyn: vom Platon aber erzählen uns Anekdotenschreiber, daß er auf seiner
Reise nach Aegypten eine Ladung griechischen Weins mitgenommen, und von ihrem Verkaufe die Kosten der Wallfahrt
bestritten habe. Anders machen es unsere neuesten Reisebe-
schrei-

schreiber, die sich den Aufwand ihrer Wanderschaften von der
Lesewelt bezahlen lassen. Es sey mit den angeblichen Vortheilen des Fußreisens wie es will bewandt, schon das gewählte
Motto macht gegen die Reisebeschreibung mißtrauisch. Wer
sollte, nach so feyerlicher Ankündigung, hier den überwiegen-
den Nutzen des zu Fuß Wanderns nicht in sein hellestes Licht
gestellt erwarten? da in dem ganzen Tagebuche hingegen doch
auch viel gefahren wird, und, kommt die Reih an's Gehn,
kaum etwas anders sich ergiebt, als daß man auf dieser Fuß-
post sehr oft zur unrechten Zeit sich müde fühlt, von Wind
und Wetter überall abhängt, in Wirthshäusern unfreundli-
cheren Empfang findet, und durch die Bekanntschaft auf eben
den Fuß reisender höchst selten nur entschädiget wird.

Der Ungenannte scheint in Prag seßhaft zu seyn; aber
kein National- oder Stockböhme, weil er den Vorzug der
sogenannten Deutschböhmen anzuerkennen keine Schwierigkeiten macht. Unvorsichtig war es indeß, die Reise ins Riesengebirge noch gegen Ende Augusts zu unternehmen, weil
man bey Besteigung der Schneekoppe sich da schon auf sehr
unsicheres, oder wenigstens rauhes Wetter gefaßt halten mußte.
Den Weg dahin, von Prag aus, nahm er über Jungbunz-
lau und Reichenberg nach dem noch wenig bekannten Brun-
nenort Liebwerda, wo die Gesellschaft ein wenig ausruhte,
und sodann das in der Lausitz schon gelegne, durch die schönen Sammlungen und Kenntnisse seines Besitzers, des Herrn
von Gersdorf, berühmt gewordne Meffersdorf besuchte.
Ueber Friedberg am Queiß ward im eigentlichen Verstande
bis Hirschberg gepilgert; das aber der Erwartung der, oder
vielmehr des Reisenden nicht ganz entsprach; ohne daß jedoch
dieser im Vertrauen uns mittheilt, was er sich versprochen
gehabt? denn für jeden aus Böhmen in dieser netten und
betriebsamen Mittelstadt anlangenden, muß ihr Anblick doch
wirklich überraschend seyn; ihrer herrlichen Umgebungen nicht
einmal zu erwähnen, denen unser Beobachter noch am wil-
ligsten Gerechtigkeit wiederfahren läßt, und daher auch das
benachbarte Warmbrunn, so wie die Wasserfälle bey Schrei-
bershau nicht unbesucht und unbewundert ließ. Um günsti-
geres Wetter zu finden, gingen die Reisenden nach Schmie-
deberg, wo aber Regen und Sturm fortwährten, und eine
Bibliothek der langen Weile abhelfen mußte. Von Lands-
hut und dem bekannten Adersbach aus, so wie von Traute-

nau, Hohenelb u. s. w. gab es eben so wenig Anschein zu
besserer Witterung; von so mancherley Seiten Schlesiens
und Böhmiens sich auch die Reisenden schon der Schneekoppe
genähert, und aus Noth eine Menge Dinge gesehen und beschrieben hatten, die anfänglich gar kein Gegenstand ihrer
Memorandorum gewesen waren.

Ein aus der Hempelsbaude den 1sten September
datirter Brief (denn das Ganze ist in 28 dergleichen Sendschreiben vertheilt) enthält endlich die erfreuliche Nachricht,
daß die bisher so halsstarrig sich weigernde Schneekoppe
glücklich erstiegen worden; was denn unsern Wanderer wieder
in so behagliche Stimmung versetzt, daß er die daherum ge-
noßne Aussicht aufs umständlichste beschreibt, und hierzu
sehr poetisch die Farben mischt. In Rücksicht indeß auf geologische Belehrung, hält er die Vergleichung mit einem andern
Ausländer, aus Thüringen nämlich, doch nicht aus. Dieser
hat in seiner gleichfalls in der letzten Messe zum Vorschein ge-
kommnen, und auch 1796, aber zu bequemerer Jahreszeit
unternommenen Reise ins Riesengebirge (Breslau bey Korn)
mit weit mehr Vorkenntnissen sich umgesehen, und näher
an der Klinge zu bleiben gewußt. — Die Rückkehr der
Reisenden (worunter auch ein paar Knaben, bey dergleichen
Wanderschaft sehr lästige Gefährten!) wiederum auf der
Seite von Hohenelb über Beneschau, Turnau, nach Mün-
chengrätz, und von hier mit der Post nach Prag; daß also
die ganze Ausflucht kaum 4 Wochen gekostet hatte. Angehängt sind noch vier Tabellen über die Volkszahl und Betriebsamkeit der im Jahr 1796 etwa zehntausend Menschen
enthaltenden, und dem gräflichen Hause Gallas gehörigen
Stadt Reichenberg; begleitet mit den dazu gehörigen Erläuterungen; wo jedoch auf Schallers böhmische Topogra-
phie so oft verwiesen wird, daß, ohne diese befragt zu haben,
sich nicht genau erlebt, was für neue Notizen auf Rechnung des Ungenannten zu setzen sind; zum trostreichen Resultat aber, daß, trotz der beschwerlichen Kriegsläufe, Bevölkerung und Gewerbe mit Tuch- Linnen- und Strumpfwe-
bereien in fortwährender Zunahme sich behaupten.

Ein für die östreichische Staatsverwaltung sehr rühmlicher Umstand; da in dem unglücklichen Frankreich hingegen
vielleicht keine einzige Stadt anzutreffen ist, woven das
- nämli

[...] Rec. erlaubt diesen Seitenblick [...] weil unser Wandersmann, als ächter Kosmo- [...] überall nur nach Freyheit und Frieden seufzt, nirgends [...] die doch eben so wichtige Frage beherzigt: ob jene nicht [...] zum guten Theils in Deutschland getroffen wird? und ob dieser sich wiederherstellen lasse, so lange die Peiniger Frankreichs auf ihrem revolutionären Egoismus bestehn? [...] Daß bey unsern geplagten Nachbarn alles nach Herzenslust [...] scheine ein sehr tief bey ihm eingewurzeltes Voru[r]- [...] Fällt auf den Montblanc die Rede; gleich [...] Blick von dem Gonne desselben (was [...]) die Flagge der freyen Nachbarn [...] herabweht. Wo Volksfeste eingeführt wären, meint [...] Ehrenmann, wären keine Auswanderungsverbote nöthig, [...] stellt die Solons und Lykurge der Neufranken hier zu [...] auf, als ob eben diese Pariser Mummereien nicht [...] und daß bey der Nation selbst, zum Spott [...] der bittersten Satyren geworden wären! [...] Den [...] überall ärmer zu sehn, als den mit dieser Waar[e] [...] Kaufmann, ist ein Anblick, den er durchaus nichts [...] kann. Palläste geht er aber vorbey als deren Trüm[mer] [...] weil die stolze Größe jener ihm häufig hat zu empörend [...] Gewerblich also dürfte von diesem Weltbürger ein ge[...] [...] Antrieb des Geldes zu erwarten seyn [...] Von [...] Einseitigkeiten, unverlangter Nutzanwendung, und [...] Allotrien wimmelt es im ganzen Buche; was [...] solches auch lieber handschriftlich unter den Freunden des [...] hätte circulieren sollen, als in unsere Lesegesell- [...] geschleudert werden; denn für dem Statistiker oder [...] ist wenig oder nichts von Belang, und was [...] documentiert wäre, daraus zu lernen. Freylich [...] seine Schilderungen anmuthiger Gegenden und Aus- [...] zur Noth sich durchblättern; aber auch nur von sol- [...] Lesern, die mit jenen Bergrücken schon durch eignen Be- [...] bekannt sind, und zur Vergleichung Geduld mitbringen, [...] sehr oft des Autors Standpunkt sich verrückt, und vom [...] ins tausendste fällt. Auch an Druckfehlern in den ersten Bogen besonders, fehlt es nicht: z. B. Waldstein statt Wallenstein (daß der Feldherr in seiner Jugend sich so geschrieben, weiß Rec. ganz wohl. Letzteres aber ist durch den langen Gebrauch sanctionirt; und noch blüht in Böhmen ein gräfliches Haus Waldstein, das mit Wallenstein gar

nichts

nichts gemein hat) Lumburg statt Lüneburg, Engien st. En-
zian, Cliodei gar st. Chladni u. s. w. Was Schlesische
Localität, Mundart, Geschmack und Sittlichkeit betrifft,
mögen die dasigen Provinzialblätter, finden sie es der Mühe
werth, die etwanigen Fehlgriffe des Nachbarn berichtigen!

Zb.

Neue Reisen in Deutschland. Erster Theil. Mit
  einer Karte und vielen Kupfern. Ohne Vorbericht
  CXII und 258 S. 8. Zweyter Theil. Mit einem Titelkupfer. 247 S. 8. Leipzig, bey Meißner. 1798. Beyde Theile 2 M. 4 g.

Hr. G. Benj. Meißner will eine Sammlung von kleinen
und größern neuen Reisen, in Deutschland und insbesondere
Sachsen, veranstalten. Er hofft Meiners kleine Länder-
und Reisebeschreibungen und Bernoulli's Sammlung an
Werthe zu erreichen; wenigstens in der Folge. Rec. muß
Hrn M., der, um mit einem guten Beyspiele den Reisedilet-
tanten, welche er zur Unterstützung auffordert, voranzugehen,
den ersten Theil mit 3 eigenen Fußwanderungen allein ge-
füllt hat, überlassen, ob er durch den Absatz der beyden ersten
Theile sein Publikum gefunden hat. Rec. ist keiner von den
Rigoristen, gegen welche sich Hr. M. in der Vorrede verwahrt: er will also nicht untersuchen, wie nahe der Verf.
der mit dem Unternehmer wohl meistentheils eine Person
bleiben wird, seinen Mustern gekommen sey, oder wie weit
er davon abstehe; soll das empfundene Vergnügen an einer
gefälligen Verbindung des Nützlichen mit dem Angenehmen
allein den Maaßstab abgeben: so würde Rec. gestehen müssen,
daß er nur an sehr wenigen Stellen, eine leichte Anwandlung
jener Empfindung gespürt hat. Nichts besonders angeneh-
mes, nichts besonders nützliches. 11te 12te 13te und 14te
Brief in Nr. 3 über Herrnhut und Kleinwelka, so wie der
16te über die Wenden, unterhalten noch am besten. Sonst
viel uninteressantes über Addreßvisiten. Der Verf. raucht
gern Tabak, und läßt sich ein Täßchen Kaffee sehr wohl
schmecken. Sein Witz ist nicht immer der ausgesuchteste;
doch gefällt sein freyer, froher, jugendlicher Sinn. Bisweilen

fehlt

feste die Sprachrichtigkeit, z. B. in gestekken hat, Balans
s. Balance (Gleichgewicht), likkern st. lichern. Die
Kühnheit des Verf. auf einigen seiner Wanderungen, besonders
in den Ruinen des Schlosses Wehlau, hätte die Lesewelt bald um die Beschreibung der überstandenen Abentheuer
bringen können. Obgleich der Verf. seine Reisen hat drucken
lassen: so scheint er doch hauptsächlich nur bey Abfassung ihrer Beschreibung auf sein und seiner Freunde Vergnügen gerechnet zu haben — und auf nicht viel mehr rechnen zu dürfen. Die vielen Kupfer, welche das Titelblatt ankündigt,
sucht man vergebens, denn einige Kritzeleyen verdienen jenen
Namen wohl nicht. Die Reisekarte ist indessen recht artig
und nicht ohne Fleiß. Rec. hätte bald den Inhalt des ersten
Theils vergessen. Man findet darin: eine kleine Fußreise
von Dresden nach Pirna; Fußreise von Dresden
nach den zwey (beiden) verfallenen Bergschlössern,
die Rathen, und in dortige Gegend, und drittens:
Reisen nach und in die Oberlausitz.

Der zweyte Theil enthält: Bemerkungen und Gefühle auf einer Reise nach dem Harz, von einem andern
Verf. Styl, Darstellung und Sachen sind hier besser. Die Beschreibung der Dampfmaschine zu Hettstädt im Preuß. Antheile
der Grafsch. Mansfeld hat Rec. gefallen. Sie beruht auf den
nämlichen mechanischen Gesetzen, wie diejenigen, durch welche
das ungeheure Paris mit Wasser versehen wird. Beyläufig bemerkt Rec., daß er immer neugierig gewesen ist: ob dieses von
ansehnlichen Kosten und großer Ordnung abhängige Werk nicht
in dem zehnjährigen Revolutionschaos, durch Mangel an
Gelde, an Feurung u. s. w, gelitten habe. Aber es ist freylich ein zu wichtiger Polizeygegenstand. Das Amt En-
dorf gehört als Privateigenthum nicht dem Kurfürsten von
Sachsen; sondern dem hannövrischen Zweige der Freyherren
von Knigge. So viel Rec. weiß, stehen die Grafen von
Mannsfeld in England nicht in der mindesten verwandschaft-
lichen Verbindung mit den Grafen von Mannsfeld in Deutschland, wovon die letzten Vater und Sohn 1780 als Fürsten
von Fondi im Königreich Neapel gestorben sind, und nur den
Titel von Mansf:ld nebst einigen Allodialgütern, auf ihre
auch 1794 verstorbene respective Schwester und Tochter, Gemahlinn des Fürsten von Collorede-Mansfeld, vererbt haben.
Heinrich Franz I. Graf von Mansfeld erhielt 1690 das Für-

Tagebuch einer Reise durch die Portugisische Provinz Alentejo im Januar 1797, mit einer Beschreibung der Stiergefechte in Portugall. Hildesheim, bey Gerstenberg. 1799. 156 S. 8. 10 gr.

Daß dieses Buch Uebersetzung ist, sieht man aus der Vorrede der Uebersetzerinn, welche sich S. Horstig, geb. von Engelbronner d'Aubigny unterschreibt. Hier giebt sie uns von dem Verf. und seiner Reise folgende Nachricht:

„Der Verfasser dieser Reise ist ein Sohn des bekannten Holländischen Admirals H**. Er wurde durch seine frühzeitige Bekanntschaft mit dem Auslande, und besonders mit Spanien, wo er sich auch mit der Tochter des Holländischen Consuls in Cadiz verheyrathete, einer von den Bewindhebbern oder Directoren der Westindischen Compagnie in Holland; welche Stelle er mit vielem Ruhme bekleidete. — Diese Blätter waren nicht für den Druck bestimmt; sondern an seine in Amsterdam zurückgelassene Gattin gerichtet. Ein Aufenthalt von anderthalb Jahren in Holland verschaffte mir und meiner Schwester die Bekanntschaft dieser Inte-

intereſſanten Familie, welche durch die gefällige Mittheilung
dieſes Briefs auf ein beſonderes Anſuchen und die Erlaubniß
ertheilte, für ins Deutſche zu überſetzen."

Doch wir wollen nun dieſes Buch ſelbſt genauer kennen
lernen.

Der Ton iſt angenehm und unterhaltend; man glaubt
überall an allem ſelbſt Theil zu nehmen; die Gegenden, Flüſſe,
Berge, Städte u. ſ. w. weiß der Verf. vortrefflich zu malen,
und jede noch ſo kleine ſich auszeichnende Naturſcene glücklich
zu ſchildern.

Da dieſe Portugiſiſche Provinz ſo wenig bereiſet wird:
ſo wird ein ſolches Tagebuch nicht allein demjenigen ſehr willkommen ſeyn, der auf dieſe Art Belehrung und Unterhaltung
ſucht; ſich von ſeinem Erzähler gern von einem Orte zum andern führen läßt, ohne ſich ſelbſt aus ſeinem Zimmer zu bewegen und ſich den Unbequemlichkeiten einer langen Reiſe
auszuſetzen; ſondern auch demjenigen, der ſelbſt dieſe Provinz
einmal bereiſen will, weil er hier auf manches aufmerkſam gemacht wird, was er dem Verf. ſehr danken muß.

So unfruchtbar an bemerkenswerthen Gegenſtänden die
Gegend von Setubal bis zur Hauptſtadt der Provinz Alentejo, welche mit der Provinz gleichen Namen führt, ſeyn
mag, ſo lieſt man doch auch dieſe Beſchreibung des Verf.
nicht ungern. Freylich erzählt er uns, was er für Wirths-
häuſer gefunden hat, wie er bewirthet worden iſt, und andere
dergleichen Dinge. Aber um den Faden der Reiſe zu unterhalten, und alles für den Leſer anſchaulich zu machen, wollte
er keinen Sprung thun, ſondern ſeine Leſer gleichſam in Gedanken mit ſich fortführen.

Die Städte Elvas, Badajos, Eſtremos und Evora ſind
hier genauer beſchrieben, als ſich Rec. ſie in irgend einer Geographie oder Reiſebeſchreibung geleſen zu haben erinnert; nur
ſcheint der Verfaſſer die große Waſſerleitung in Elvas für
Portugiſiſche Arbeit zu halten, und nicht zu wiſſen, oder vielmehr, als er dieſelbe ſah und ſie beſchrieb, nicht gewußt zu
haben, daß ſie alten römiſchen Urſprungs iſt.

S. 124 und ff. findet man eine ziemlich genaue Beſchreibung der Provinz Alentejo überhaupt, welche den Beſchluß der
eigentlichen Reiſe macht. Auf dieſe folgt zuletzt noch die auf
dem

dem Titel erwähnte Beschreibung der Stiergefechte in
Portugall. Diese Beschreibung scheint den Vorzug zu haben,
daß sie, wie die ganze Reise überhaupt, nicht bloß andern
nacherzählt ist, sondern das vortträgt, was der Verf. selbst mit
ansah. Er vergleicht sie hier und da mit Spanischen Stier-
gefechten, denen freylich der Vorzug vor den Portugiesischen
zuerkannt wird.

Zuletzt noch folgende kleine Bemerkung: Obgleich dieser
Octavband nach obiger Anzeige eben nicht der stärkste ist: so
könnte er doch noch weit schwächer geworden seyn, wenn der
Verf. nicht zu gewissenhaft in Erwähnung so manches Früh-
stücks, mancher Mittags- und Abendmahlzeit, und vieler anderer Kleinigkeiten gewesen wäre. Wirthshäuser auf Straß-
sen zu erwähnen und zu sagen, ob man daselbst gut oder
schlecht bewirthet worden ist, kann, wie Rec. oben sagte, für
manchen Reisenden, der eben den Weg zu bereisen hat, welcher beschrieben wird, nützlich werden; aber Einladungen in
Städten zu beschreiben, macht gemeiniglich eine Reisebeschreibung fade.

Dw.

Fragmente über Italien aus dem Tagebuche eines
jungen Deutschen. Zweytes Bändchen. 1798.
345 S. 8. 1 Rg. 8 Kr.

Der Hauptinhalt dieser lesenswürdigen Fortsetzung der italiänischen Reisebeschreibung eines Deutschen ist folgender. In dem
ersten Abschn. finden wir eine abermalige Bestätigung der schon
bekannten Erzählung von dem Mordanschlag auf den männlichen Stamm von Neapel, deren Opfer der älteste Prinz geworden, und wovon dem zweyten wenigstens eine Geistesschwäche zu-
rückgeblieben ist, die die krasseste Pfaffenerziehung bewirkte. —
Der größte Theil der hierauf folgenden statistischen Nachrichten
von Neapel ist aus Galanti und andern neuern Schriften
genommen. — Aus handschriftlichen Mittheilungen entlehnte der Vf. das im J. 1797 im Werk gewesene, aber vor
der Hand wieder zurückgelegte Projekt Acton's, zu einer
neuen zweckmäßigern und gleichern Eintheilung des Königs-
reichs. — Uebersicht der Regierungsverfassung und Landes-
ver-

Verwaltung. — Ueber das Erdbeben von 1783 in Kalabrien sind allein in Neapel fünfzehn Schriften, aber eine so
unzuverläßig wie die andre, erschienen; selbst Hamilton und
Dolomieu, die besten Beobachter dieses fürchterlichen Phäno-
mens, hätten sich, sagt der Vf., durch manche falsche Nachrichten hintergehen lassen, welches doch in Rücksicht des letztern sichern und scharfsinnigen Beobachters, wie Rec. aus
den zuverläßigsten Quellen weiß, nicht behauptet werden kann.
Der von der Regierung zur Hülfe des unglücklichen Landes
abgeordnete Pignatelli behandelte es wie eine eroberte Provinz mit militairischem Despotismus; setzte den letzten Rest
des Vermögens der unglücklichen Menschen unter Requisition;
bedrückte das Land durch Contributionen aller Art, sequestrirte
die Klostergüter, ließ die Erlaubniß zum Wiederaufbauen der
eingestürzten Häuser von sich theuer erkaufen, und nahm, da
es hiezu den Unglücklichen an Gelde fehlte, dafür Assignatio-
nen auf den künftigen Länderertrag an. Die großen erpreß-
ten Geldsummen wurden von ihm und seinen schändlichen
Helfern unterschlagen. Noch jetzt bezeichnet man in Neapel
einen schnell reich gewordenen, indem man sagt: er ist in Kalabrien gewesen. Ueber alle durch das Erdbeben veranlaßten
Unglücksfälle, und über diesen Ministerialdespotismus, hat
doch die Natur gesiegt. Kalabrien ist jetzt wieder trefflich an-
gebaut, und der Wohlstand ist an Orten, die damals am meisten litten, allenthalben sichtbar: aber das Land liegt unter
dem Druck der schlechten Justizverfassung und des unzweck-
mäßigen und harten Zollsystems. — Neapolitanische Land-
macht seit der Reform durch v. Salis im J. 1788. Ein
leicht zu hebender Mangel, ohne welchen die neapolitanische
Kavallerie vielleicht die erste unter allen seyn würde, ist die
schlechte Aufzäumung der Pferde. Elender Zustand der von
allen großen und kleinen Seemächten verspotteten neapolitani-
schen Marine. — Des Verf. Reise nach Capri ist ein vorzüglich
interessanter Abschnitt in diesem Bande, so wie diese Felsen-
insel selbst einer der merkwürdigsten Theile des neapolitani-
schen Staates ist. Um so sonderbarer ist bey aller sonstigen
Geschwätzigkeit unserer italiänischen Reisebeschreiber, die auch
diese Insel besuchten, der bisherige Mangel an vollständigen
Nachrichten davon. — Auch über Livorno haben wir bisher nichts Ausführliches, und auch das, was unser Vf. mit
einiger Prätension davon mittheilt, ist von keiner sonderlichen
Bedeutung. — Er macht hier eine Digression auf den

Hel-

Helden von Italien, Bonnaparte, und theilt einige noch
neue ihn und seine Familie betreffende Züge mit. — In
dem Fragment: Französische Friedensschlüsse in Italien, finden wir bedeutende Beobachtungen dieses Augenzeugen, und
verschiedene Aufschlüsse über jene denkwürdige Begebenheiten,
und über mehrere darin handelnde Personen. — In dem
letzten Abschnitt; Revolutionen in Italien überschrieben, geht
der Vf. nach einigen philosophischen Blicken auf Revolutionen
überhaupt, und über den Geist unserer Zeit, die italiänischen
Revolutionen der letzten Jahre in concentrirten Darstellungen
durch, und theilt manche treffende, auf Erfahrungen gegründete, Bemerkung darüber mit.

Houel's Reisen durch Sicilien, Malta und die Lipa-
rischen Inseln. Eine Uebersetzung aus dem grossen und kostbaren französischen Originalwerke, von
J. H. Keerl, Königl. Pr. weil. Regierungs- und
Consistorialassessor. Zweyter Theil. Mit 6
Kupfern. Gotha, in der Ettingerschen Buchhandlung. 1799. 126 S. 8. 1 R. 8 Ω.

Fortsetzung der Reise des Landschaftmalers Houel durch Sicilien, mit Nachrichten von den dortigen Naturprodukten,
besonders der Manneerndte bey Cinesi, — von den Sitten,
der Kunstsammlung in dem Kloster St. Martino, Monreale,
Palermo; topographische und artistische Nachrichten über die
Stadt und ihre Denkmäler, Paläste, Kirchen und Klöster;
Jahrmärkte, fünftägiges Fest der h. Rosalie, Reise von hier
nach den Ruinen des uralten Selunt, Bagaria und Termini,
dessen heiße Bäder, Unwissenheit und Aberglaube des Volks,
Fischfang u. s. w. Ruinen von Himera, Chefalu, Insa;
Gegend von Alesa, des alten Tyndaris (jetzt Tindor) und
deren Antiquitäten. Reise nach der Insel Lipari. So kurz
alle diese Bemerkungen auch sind, so enthalten sie doch mannichfaltige Belehrungen. Mit solchen Vorkenntnissen und
mit dem Beobachtungsgeist dürften wohl wenig Künstler reisen, wie der Verfasser dieser Nachrichten.

Vf.

Rea-

Neapel und Sizilien. Ein Auszug aus dem großen und kostbaren Werke: Voyage pittoresque de Naples et Sicile de Mr. *de Non*. Mit 7 Kupfertafeln. Neunter Theil. Gotha, bey Ettinger. 1799. 123 S. 8. 1 Rl. 12 gr.

Da der Werth des Originalwerks sowohl, als dieses Auszugs, längst entschieden ist: so fahren wir auch bey diesem Theile fort, bloß den Inhalt anzuzeigen.

Erstes Kapitel. Bäder von Sciacca, welche im Alterthum unter der Benennung Thermae Selinuntinae bekannt waren. Girgenti, ehemals Aarigentum. Beschreibung seiner Tempel und alten Denkmäler.

Die Beschreibung, die Polybius von Agrigentum hinterlassen hat, hat man an Ort und Stelle vollkommen richtig und genau passend gefunden.

Eine von den vorzüglichsten Merkwürdigkeiten, die jetzt noch von dem alten Agrigentum übrig sind, ist ein mit Basreliefs geziertes Grabmal in der Kathedralkirche zu Girgenti. Dieses Denkmal ist so berühmt geworden, daß man es unter die Sizilianischen Seltenheiten von der ersten Klasse zählt; aber man fand, daß dieser Sarkophag weit weniger Werth hat, als ihm der allgemeine Ruhm beylegt.

Die Ruinen von Agrigent zeigen, daß diese Stadt unter den Sizilianischen Städten mit Recht den Rang nach Syrakus hatte. Eins ihrer vorzüglichsten Gebäude war der Tempel der Juno Lacinia. So zerstört dieses Monument ist, so gehört es doch unstreitig unter die schönsten von den jetzt noch vorhandenen Ruinen.

Der Tempel der Eintracht ist noch besser erhalten, als der Junotempel, gehört zu den vollkommensten Denkmälern des Alterthums in Sicilien, und ist das einzige, für dessen Erhaltung etwas gethan wurde.

Das zweyte Kapitel enthält die Fortsetzung der alten Denkmäler der Stadt Agrigentum. Diese sind: der Tempel des Aesculap, das Grab Therons, der Tempel des Herkules, Ruinen des Riesen- oder Jovistempels, Ruinen, die man für Ueberbleibsel eines dem Castor und Pollux gewidmeten

Tem-

Tempels ausgiebt, und der Fischteig, an welchem sich Ruinen befinden, die zu einem Vulkanstempel gehört haben sollen.

Den Beschluß dieses Kapitels macht eine Beschreibung der Gegend um Girgenti, und einige Bemerkungen über diese Stadt. —

Das dritte Kapitel liefert eine Beschreibung des Hafens oder Molo von Girgenti, von Palma, von Alicata und ihrem Hafen, von der Insel Malta und ihrem Hafen, ihrer Stadt Valetta, ihren Einwohnern, ihrer Regierung u. s. w., von der Stadt Victoriosa auf eben dieser Insel, von dem Fort San Angelo und dem Brunnen des Neptun zu Malta.

Der Nachtrag enthält einige weitere Nachrichten von der Insel Malta, vom Malteserorden und dessen Kleidungen, und der neuesten Eroberung dieser Insel durch die Franzosen.

Die auf dem Titel angegebenen sieben Kupfertafeln stellen vor: 1) Den Tempel der Einigkeit, 2) einen Säulenknauf vom Riesentempel zu Agrigent, 3) Ueberbleibsel vom Tempel des Castor und Pollur zu Agrigent, 5) Ansicht des Hafens von Alicata, 6) das Innere des Hafens von Malta, 7) das Quartier Victoriosa zu Valetta, und das Fort St. Angelo auf Malta.

Dw.

Neue Allgemeine
Deutsche Bibliothek.

Drey und funfzigsten Bandes Erstes Stück.

Viertes Heft.

Intelligenzblatt, No. 27. 1800.

Biblische, hebräische, griechische und überhaupt orientalische Philologie.

Dicta classica veteris Testamenti notis perpetuis illustrata, Sectio prior. Lipsiae, Weygand. 1798. 246 S. 8. 21 gr.

Dieses Werk hat eine Beziehung auf die Theologie des A. T. oder Abriß der religiösen Begriffe der alten Hebräer von den ältesten Zeiten bis auf den Anfang der christlichen Epoche. Leipzig. 1796. 8., welche mit vielem Beyfalle aufgenommen ist, und der Verf. sucht hier diejenigen Beweisstellen, die er dort nur anführen konnte, für Anfänger zu erklären, ihre Beweiskraft zu zeigen, und sie philologisch näher zu entwickeln. Indessen sind die Apokryphen ausgeschlossen; dagegen aber hin und wieder Veränderungen in Hinsicht der Beweisart angebracht, wo sich die Einsicht des Verf. seit der Zeit verändert oder vielmehr verbessert hat. Rec. glaubt aus der richtigen Exegese, welche hier herrscht, und welche mit der Profanphilologie in eine schöne Verbindung gesetzt ist, den gelehrten Verf. errathen zu können; allein es würde Indiskretion seyn, seinen Namen dem Publikum zu nennen, da er dieses selbst nicht gethan hat. Auch ist der Name kein Objekt für einen Rec., wenn er unparteyisch seyn will; sondern nur die Arbeit. Die Rubriken dieses ersten Bandes sind folgende. Der erste Ab-

Abschnitt (pars prima; Rec. würde diesen Ausdruck oder
volumen primum zu einer bequemern Eintheilung auf den
Titel gesetzt haben) umfaßt die Theologie oder die Lehre
von Gott, seinen Eigenschaften und Werken, und hat folgende Unterabtheilungen: 1) De Deo eiusque attributis. 2)
De operibus divinis; a) de creatione mundi; b) gene-
ris humani, sammt zwey Anhängen 1) De angelis provi-
dentiae divinae ministris. 2) De diabolo.   Der zweyte
Abschnitt (pars secunda) begreift die Anthropologie
oder die Lehre vom Menschen, seinem ursprünglichen und
verschlimmerten Zustande, (Ebenbild Gottes und Sündenfall)
seiner Art Gott zu verehren, und zu versöhnen, seiner Unsterblichkeit und Auferstehung.   Er zerfällt wieder in mehrere
Unterabtheilungen; allein hier ist nur die erste davon angeführt De statu primaevo hominum; welche jedoch außer
dem Ebenbilde Gottes auch noch die Kapitel de lapsu proto-
plastorum und de vitiositate omnium hominum Adami
posterorum abhandelt, womit sich dieser Band schließt.
Hieraus ergiebt sich wenigstens soviel, daß der Verf. die
Eintheilung für diesen Band nicht am schicklichsten gemacht
hat.   Er mußte sich entweder mit der Theologie schließen,
und der zweyte Band die Anthropologie enthalten, oder beyde Stücke mußten nur einen Band ausmachen.   Außerdem
erwartet man von der Ueberschrift des zweyten Abschnittes
(anthropologiam seu doctrinam de hominis statu primaevo, vitiositate postea contracta, etc.) daß er unter der
Rubrik status primaevus nicht die Lehre vom Falle mit ab-
handeln wird, welches doch geschieht, und welches dem Rec.
ein anderer Mangel schicklicher Eintheilung zu seyn scheint.
In sofern nun aber die wohlgeordnete Anlage, und die logisch richtige Eintheilung einer Schrift mit zu den Vorzügen
derselben gehört, besonders wenn sie für Anfänger bestimmt
ist, kann Rec nicht umhin, die Eile oder das Uebersehen zu
tadeln, welches hier einige Mängel verursacht hat; so sehr
er auch sonst mit der Ausarbeitung selbst zufrieden ist, und
sie ganz zu dem Zweck geeignet findet, wozu sie bestimmt ist.
Die einzig wahre Interpretation alter Dokuments, verbunden
mit einer richtigen Ansicht des Alterthums und Einsicht in
den Geist desselben, so wie seiner Sprachen, muß den Anfänger
auf einen richtigen Standpunkt führen, aus dem er das A. T.
mit seinen religiösen Vorstellungen und Ideen zu betrachten
hat. Ohne in den Schranken der Engherzigkeit eines meta-

physischen

physischen Sprachgebrauchs zu kaufen, den das A. T. gar
nicht kennt, lernt er hier an Naturmenschen auch einen natürlichen, menschlichen und populären Sprachgebrauch von
göttlichen Dingen kennen, der unvollkommen war, wie die
damalige geistige Kultur der Welt selbst; aber mit dem Fortgange der Ausbildung des menschlichen Geistes auch immer
ausgebildeter und richtiger wurde, wie es der Verf. sehr gut
gezeigt hat, indem er ganz richtig die verschiedenen Zeiten
unterscheidet, und die frühern von den spätern absondert.
Je mehr nun aber eine ausgestorbene Sprache, von der wir
nur wenige Fragmente haben, schon ihrer Natur nach einer
Mehrdeutigkeit ausgesetzt ist, desto weniger läßt sich erwarten, daß alle Interpreten mit allen Erklärungen des Verf.
übereinstimmen werden; sondern daß der Eine hier der Andere dort einer andern den Vorzug geben wird; wenn man
gleich gestehen muß, daß die Wahl des Verf. immer mit
eine der besten getroffen hat; welches für den Anfänger schon
Gewinn genug ist. Da ferner der Verf. eigentlich kein Theolog von Profession, sondern nur ein biblischer Exeget zu seyn
scheint: so wird mancher Theolog noch hin und wieder Manches vermissen, und Einiges von einer andern Seite betrachten, welches eben so wenig auffallen kann, da es ganz in der
Regel ist, daß ein jeder selbstständiger Gelehrter von seinem
Standpunkte auszugehen pflegt, ohne sich deßhalb anzumaaß-
sen, (wenn er anders nur von liberaler Denkungsart ist)
den einzig wahren gefaßt zu haben. Auf diese Weise würde
man es dem Rec. nicht verargen können, wenn er seine Abweichungen für sich behalten wollte; allein in sofern sich bey
diesem Buche die Aussicht zu einer zweyten Auflage zeigt,
will er doch lieber Einiges davon bemerken, um eine genauere
Prüfung für die Zukunft vorzubereiten. Der Verf. erwähnt
gleich zu Anfang und mehrmals sehr richtig, daß kein Sterb-
licher im Stande sey, das innere Wesen Gottes zu erforschen,
zu umfassen und zu begreifen; allein er bemerkt nicht, daß
viele hebräischen Weisen dieses selbst anerkannt haben. Rec.
rechnet z. B. folgende Stellen Prov. 30, 2 — 4, Jes. 40,
12 — 14 und Pf. 139, 1 — 6 dahin, welche wohl eine besondere Rubrik verdient hätten; besonders zu unsern Zeiten.
Es wird ferner im 24 § sehr richtig bemerkt, daß die Hebräer das Daseyn Gottes postulirt, und sich hernach in dieser Ueberzeugung durch das Anschauen der sichtbaren Welt
bestätigt haben, worauf sie auch Andere hinweisen; allein es

O 2   ist

iſt dadurch noch nicht erklärt, wie ſie auf dieſe Weiſe dem
mächtigen Baumeiſter der Welten auch moraliſche Eigenſchaften beylegen konnten, vorzüglich die Heiligkeit, welche
noch gar nicht aus dieſem Begriffe fließt? Hier hätte noch
eine zweyte Quelle, das moraliſche Bewußtſeyn oder Gewiſſen in ihnen ſelbſt, zu Hülfe genommen werden müſſen,
um dieſes Phänomen zu erklären. Im 19ten §. ſagt der
Verf. ganz recht, daß in den Ausdrücken חטק und קדש
von Gott gebraucht keine moraliſche Heiligkeit enthalten ſey,
ſondern nur die Weihe (der geweihte Schutzgott) und die
Ehrwürdigkeit oder Anbetungswürdigkeit (numen pie colen-
dum et maieſtatem divinam), und daß man jene Eigenſchaft mehr in den Worten חסד, ישר und צדק von Gott
gebraucht ſuchen müſſe. Rec. glaubt aber, daß man ſie noch
bündiger aus dem Begriffe von der Gerechtigkeit Gottes,
welcher bey den Hebräern urſprünglich iſt, durch Konſequenz
herausbringen könne. Die urſprüngliche Idee, daß Gott
das Böſe verabſcheue oder beſtrafe, und das Gute liebe oder
belohne, ſetzt den Begriff eines moraliſchen alſo auch heiligen Gottes voraus; wenn gleich die Heiligkeit als abſtrakte
Eigenſchaft Gottes im A. T. nicht vorkommt. Wenn ferner im 23ſten §. die Nachſicht, Geduld, Langmuth und
Barmherzigkeit als moraliſche Eigenſchaften Gottes abgehandelt werden: ſo hätte es wohl bemerkt zu werden verdient, daß dieſes unvollkommene, anthropopathiſche Begriffe
ſeyn, die nicht mit der Heiligkeit und Gerechtigkeit Gottes
beſtehen könnten, und daß ſie nach ſtrengern philoſophiſchen
Begriffen ſämmtlich in die Kategorie der Güte Gottes gehörten. — Ferner ſcheint nicht immer die ſtrengſte Auswahl
in den Beweiſen zu herrſchen. So kann z. B. für die ab-
ſolute Einheit Gottes ſchwerlich der Beweis aus einzelnen
Stellen des A. T. bündig geführt werden, in ſofern im ganzen A. T. bloß die Idee von Jehova als einer partikularen
Schutzgottheit oder einem Nationalgotte herrſcht, wohin
auch die Stelle 5. Moſ. 6, 4 gehört, welche eigentlich heißt
„Jehova iſt unſer Gott (Nationalgott, Schutzgottheit) Jehova allein iſt es!" Jener Beweis läßt ſich vielmehr nur
durch Konſequenz bündig führen, durch Vergleichung mit der
Schöpfungsgeſchichte, wo der nämliche Jehova als Schöpfer
der Welt vorgeſtellt wird. — Die Erzählungen in den erſten Kapiteln der Geneſis von der Art und Weiſe der Schöpfung, vom Paradieſe und dem Sündenfalle erklärt der Verf.

ganz

ganz recht für alte Mythen, dergleichen es bey andern alten
Völkern auch giebt, wie z. B. die griechischen Mythen von
einem Chaos, das ausgebildet wird, von den γηγενεῖς, ter-
rigenae, und von dem goldnen Zeitalter. Wenn er aber
glaubt, daß die Erzählung von dem Sündenfalle, ein Philo-
sophem zur Erklärung des physischen und moralischen Uebels
in der Welt sey: so scheint dem Rec. alles mehr eine Beziehung auf die Erklärung des physischen Uebels zu haben; wenn
gleich der alte Weise es aus dem moralischen Uebel der Gesetzlosigkeit entstehen läßt, und dabey die Naturnothwendigkeit
mit dem physischen Uebel verwechselt, welches allenfalls als
eine Folge des moralischen betrachtet werden könnte. — Die
Engel hält der Verf. nach der ursprünglichen Vorstellungsart
der Hebräer für Genien, deren sich die Gottheit als Diener
bedient, und findet sie deßwegen auch schon in der Genesis,
16, 7 — 14. 18, 1. 2. 19, 1. 12. 13. 21, 17 — 19.
22, 11. 12. 28, 11 — 17. 32, 1. 2, 3. Die Sache bleibt
freylich zweifelhaft, und bedarf noch einer besondern Untersuchung; allein wenn man von dem ächten Begriff des
מלאך יהוה Bote Gottes ausgeht, und dabey zugiebt, daß
alles Auffallende und Unerwartete sammt allen Mitteln der
Vorsehung in der Natur mit diesem Namen belegt wird, wie
es der Verf. wirklich einräumt: so kann man alle jene Stellen
auf so mannichfaltige Weise erklären, daß man dazu des Begriffs der Genien noch gar nicht bedarf. Ueberhaupt scheint
dieser Begriff zu seyn für die ältesten Hebräer. Freylich
kommt hierbey sehr viel darauf an zu wissen, wann die mosaischen
Bücher aufgeschrieben sind? Auffallend bleibt es doch
immer, daß in den Psalmen und den Propheten vor dem
Exil nichts von Engeln vorkommt; denn die beyden schein-
barsten Stellen Ps. 34, 8. 91, 11. 12. wo Boten Gottes
vorkommen, welche Engel zu seyn scheinen, lassen sich sehr
gut von den Mitteln der Vorsehung zum Schutz erklären.
Sichere Spuren von solchen Engeln, die von Natur böse
sind, kommen vor dem babylonischen Exil nicht vor. Höchstens haben die Engel nach dem Verf. auch die Kraft dem
Willen Gottes zu Folge Böses zu verhängen, d. i. zu strafen.
Aus diesem letzten Gesichtspunkte betrachtet Rec. auch den
Satan bey Hiob, der doch vorzüglich nur die Rolle eines
mächtigen Anklägers spielt. Der Verf. giebt selbst zu, daß
er von dem spätern Satan der Juden noch sehr verschieden
ist. Auch davon findet sich keine Spur im ganzen A. T.,

daß

daß durch Adams Fall das ganze Menschengeschlecht verderbt
sey; wenn gleich die Neigung der Menschen zum Bösen häufig angedeutet wird. Die Leichtigkeit des Styls und der Darstellung empfiehlt dieses Buch den Anfängern noch mehr,
die es mit großem Nutzen gebrauchen werden.

Georg Lorenz Bauers, ordentl. Prof. zu Altdorf,
Entwurf einer Hermeneutik des alten und neuen
Testaments zu Vorlesungen. Leipzig, bey Weygand, 1799. 182 Seit. und XXIV Seit. 8.
18 Kr.

Wenn gleich Rec. die Ueberzeugung hat, daß die Anwendung einer richtigen Hermeneutik in den exegetischen Vorlesungen über die Bibel auf Universitäten unendlich schneller
zum Ziele führt, als bloße dogmatische Vorlesungen über die
Kunst, und daß es nur eines Handbuchs der Hermeneutik
bedarf, um die Regeln der Kunst nachzulesen: so findet er
doch, hiervon abgesehen, dieses Buch als eine Grundlage zu
Vorlesungen über die Hermeneutik, wozu es bestimmt ist,
sehr zweckmäßig, und glaubt auch, daß es als Handbuch zum
Nachlesen empfohlen werden kann; denn man wird schon aus
der Seitenzahl abnehmen können, daß es das Mittel zwischen
einem kurzen Kompendium und Handbuche hält. Vielleicht
ist es als Kompendium schon zu weitläuftig, und es dürfte
einem Andern außer dem Verf. schwer werden, noch so viel
Zweckmäßiges hinzu zu setzen, daß eine Vorlesung von einem
halben Jahre damit ausgefüllt werden könnte. Der Inhalt
zerfällt in folgende Hauptabtheilungen. Nach den Vorerin-
nerungen über den Begriff der Hermeneutik, den nöthigen
Vorkenntnissen zur Auslegung, einer kurzen Geschichte der
biblischen Hermeneutik (welche jedoch nicht umfassend genug
ist) und einer nähern Darstellung des Inhalts der biblischen
Specialhermeneutik folgt der erste Theil, welcher die
allgemeine Hermeneutik des A. und N. T. begreift, dessen
erste Abtheilung von der Erfindung des Sinnes handelt,
und der erste Abschnitt von der grammatischen Interpretation, oder von der Erfindung des Wortverstandes. Ein
Anhang verbreitet sich über die Erfindung des Sinnes der
Tropen.

Tropen. Der zweyte Abschnitt von der historischen Interpretation oder der Erfindung des Sachverstandes, und ein Anhang vom Widerspruch zwischen den vorgetragenen Sachen. Die zweyte Abtheilung beschäfftigt sich mit dem Vortrag des erkannten Sinnes; z. B. der Inhaltsanzeige, Ueberserzung, u. s. w. Der zweyte Theil umfaßt die specielle Hermeneutik des A. und N. T., und die erste Abtheilung desselben handelt von der speciellen Hermeneutik des alten Testaments, so wie die zweyte von der des neuen Testaments. Tiefer in die einzelnen Kapitel hinein zu gehen, hält Rec. nicht nöthig; sondern die Versicherung hinreichend, daß man hier alles findet, was in eine Hermeneutik gehört, und noch wohl mehr als dieses, wie wenn z. B. der Verf. die einzelnen Bücher der Bibel charakterisirt, welches mehr in die Einleitungen ins A. und N. T. zu gehören scheint (den Uebelstand, daß er nicht alle Bücher des A. T. sondern nur einige mitnimmt, abgerechnet); oder wenn er weitläuftig die Kommentare oder Ueberserzungen aufzählt, welches eigentlich in das Fach der biblischen Literatur und nicht der Hermeneutik gehört. Da es bekannt ist, daß Herr B. eine gute Methode der Hermeneutik praktisch befolgt: so ist es auch leicht zu erwarten, daß er die richtigsten Regeln der Kunst vorschreiben wird, und in dieser Hinsicht hat Rec. wenig dabey zu erinnern, weil er bis auf Kleinigkeiten völlig mit dem Verfasser übereinstimmt. Es wird also diese Hermeneutik immer dazu beytragen, richtige Grundsätze in diesem Fache, befreyet von den Auswüchsen der Zeit, fortzupflanzen, und das Studium einer richtigen Exegese unter den Deutschen zu erhalten. Zu verwundern ist es nicht, wenn sich der Verf. häufig auf seine Hermeneutica sacra in der neuen Bearbeitung des Glassius beruft, und wenn man zum Theil hier das im Auszuge wiederfindet, was er dort weitläuftiger gesagt hat; denn die Natur desselben Gegenstandes erforderte dieses, vorzüglich beym A. T., und Herr B. hatte keine Ursache hier andere Grundsätze als jene richtigen aufzustellen. In Hinsicht des N. T. könnten Ernesti's Interpres und des sel. Morus Kommentar darüber von Eichstädt, so weit er heraus ist, gute Dienste thun, welches gar nicht zu tadeln; sondern vielmehr zu rühmen ist, so lange es untadelhaft bleibt, das Beste in seiner Art zu benutzen. Ein paar Sachen will Rec. indessen noch bemerken, wobey er angestoßen ist. Bey der Erklärung der Herme-

O 4   neutik

neutik ή ήαμηνευτικη hätte noch bemerkt werden sollen, daß
ein Substantiv τεχνη zu suppliren ist, weil sich das Adjektiv doch worauf beziehen muß. Ferner findet Rec. den
wichtigen Artikel von der Beweisart und Accommodation im
N. T. zu einseitig und unvollständig behandelt. Zuerst ist
bey den Citationen des A. T. im N. T. der Unterschied zwischen Beleg und erklärenden Beweis nicht gehörig auseinandergesetzt. Es ist ganz etwas anders, wenn die Schriftsteller des N. T. eine Stelle aus dem A. T. aufrufen, und
sie zum Beleg ihrer Behauptungen anwenden, wie wir es
im gemeinen Leben mit Stellen der Klassiker oder der Bibel
machen, und es Paulus selbst mit dem Aratus macht; als
wenn sie Stellen des A. T. von einem bestimmten Umstande
in der messianischen Geschichte erklären. In dem letzten
Falle scheinen sie die Regel der jüdischen Exegese zu befolgen,
wonach das ganze A. T. in der messianischen Periode als erfüllt betrachtet werden mußte. Eine positive Accommodation
aber (worunter der Verf. Bestätigung irriger Sätze versteht) kann schwerlich vertheidigt werden, wenn sie wissent-
lich geschieht, und nicht vielmehr eine irrige Ueberzeugung
zum Grunde liegt, die bey jedem Menschen verzeihlich ist,
vorzüglich in Glaubenssachen. Eine solche positive Accommodation kann man also nicht bey Jesu und den Aposteln
statuiren, ohne ihre Charaktere zu sehr zu kompromittiren;
sondern man muß eher ein Nichtbesserwissen annehmen, wenn
sie wirklich irrige Sätze bestätigen sollten. Bey Jesu wird
dieß schwerlich der Fall seyn; denn die Stelle Matth. 13,
28 — 30 welche der Verf. anführt, kann man sehr gut zur
negativen Accommodation zählen. Er spricht den Sprachgebrauch des gemeinen Lebens und im Ideenkreise der Menschen, die er um sich hat, eben so wie wir im gemeinen Leben auch sagen „das hat der Teufel gethan“ ohne deßwegen zu behaupten, er habe es wirklich gethan. Außerdem
muß man sowohl bey dieser als andern Stellen nicht vergessen, daß wir Jesu Reden und Worte nicht von ihm selbst
aufgezeichnet haben, wodurch ein weites Feld von Auskünf-
ten eröffnet wird, um den Charakter Jesu zu retten. — Uebrigens ist es Schade, daß der Druck nicht correcter ausgefallen ist. Viele Namen sind ganz verstümmelt und unkenntlich geworden.

Hand-

Handbuch für die Literatur der biblischen Kritik und Exegese von Ernst Friedrich Karl Rosenmüller, Prof. der arabischen Sprache zu Leipzig. Göttingen, bey Ruprecht. 1799. Dritter Band. 374 Seit. 8. 1 Rf.

Dieser dritte Theil fährt fort mit den Uebersetzungen des A. T., zuerst mit den chaldäischen Uebersetzungen und Paraphrasen; alsdann mit der samaritanischen Uebersetzung des Pentateuchs, worauf die syrischen Uebersetzungen folgen, die Peschito, hexaplarisch=syrische Uebersetzung, und die vom Jakob von Edessa recensirte. Nächstdem die mannichfaltigen arabischen Uebersetzungen aus dem Hebräischen, Syrischen, Griechischen und der Vulgata. Ferner die äthiopischen, nieder=ägyptischen, koptischen und armenischen Uebersetzungen. Die angelsächsischen machen den Beschluß. Alte Uebersetzungen des N. T. Zuerst die syrischen Uebersetzungen, von der Peschito, ihren Ausgaben und Schriften darüber. Darauf die philoxenische Uebersetzung sammt der im syrisch=chaldäischen oder Jerusalemischen Dialekt. Ferner arabische, äthiopische und ägyptische Uebersetzungen. Dann die koptische, sayidische, armenische, persische, gothische, angelsächsische, slavische und georgianische. Eine eigne Rubrik machen aus die alten lateinischen Uebersetzungen der Bibel. Zuerst die alte lateinische Uebersetzung vom A. und N. T. vor Hieronymus. Darauf die Ausgaben der vom Hieronymus verbesserten lateinischen Uebersetzung. Alsdann die vom Hieronymus veränderte Vulgata sammt den Ausgaben und den Schriften darüber. Endlich Polyglottenbibeln zuerst von der ganzen Bibel, also die vier großen Polyglotten von Alkala (Complutum) Antwerpen, Paris und London. Darauf noch andre Polyglottenbibeln, die Heidelberger, Wolder's Polyglotte, die von Draconites, von Hutter und von Reineccius. Den Beschluß machen Polyglottenausgaben einzelner biblischen Bücher, vom Pentateuch und den Psalmen. — Die weitläuftigen wörtlich angeführten Urtheile aus kritischen Journalen u. s. w., die dem Rec. bey den vorigen Theilen mißfielen, sind in diesem Bande ziemlich weggefallen, welches Rec. für eine Verbesserung hält. Dagegen hat er sich abermals über den gar zu weitläuftigen Druck zu beschweren, wodurch die Zahl der Bände so unnöthig vermehrt wird. Rec. ist überzeugt, daß wenn nur eine strenge

O 3   Oekono=

Oekonomie im Druck beobachtet, und die Uebersetzungen der
englischen Büchertitel weggeblieben wären, die ersten 88 Seiten dieses Bandes, welche noch von den alten Uebersetzungen
des alten Testaments handeln, sehr gut zu den zwey ersten
Bänden gehören könnten, ohne die Seitenzahl derselben zu
vermehren, wobey man noch obendrein eine bessere Abtheilung der Bände gewonnen hätte. Betrachtet man z. B. die
Seiten 16 — 18 dieses Bandes, worauf etwa so viel Linien
stehen, als zu einer vollen Seite gehören: so muß dieser Gedanke sehr einleuchten. Wären alsdann noch ferner gleich
anfangs die weitläuftigen Worte Anderer in ein kurzes Resultat zusammengezogen: so dürften wir statt der drey Bände
zwey haben, wenn auch mit einer etwas größern Seitenzahl,
welches kein unbeträchtlicher Gewinn für den Käufer seyn
müßte. Da man in unsern schreibseligen Zeiten nach jeder
Messe soviel kaufen muß (freylich nur selten von dem gedie-
genen Gehalt, wie dieß Werk des Verf.): so hat jetzt ein jeder deutscher Schriftsteller die möglichste Wohlfeilheit seiner
Schriften nicht außer Acht zu lassen, wenn er das gemeine
Beste der Gelehrsamkeit befördern will. Es kann nämlich
Niemand in Abrede seyn, daß dieses Werk des gelehrten Vf.
höchst instruktiv und von mannichfaltigem Nutzen ist. Allein
eben deßwegen muß es Herr R. zum allgemeinen Besten der
Wissenschaft selbst wollen, daß es so viel als möglich in Kours
komme, welches schwerlich bey so vielen Bänden der Fall
seyn wird. Nur dieses hat Rec. fühlbar machen wollen,
ohne dadurch der Brauchbarkeit und Gemeinnützigkeit des
Werkes selbst nur im geringsten in den Weg zu treten, weil

hat. Vielleicht gefällt es Herrn R. sich mit diesem Manne
in Korrespondenz zu setzen. Rec. vermuthet, daß er mehrere
Sachen zum Druck ausgearbeitet hat, und nur wegen eines
Verlegers verlegen ist. Dagegen ist es dem Rec. etwas auf-
gefallen, daß Herr R. nichts von den alten deutschen Uebersetzungen der Bibel erwähnt hat. Diese Rubrik könnte bis
auf Luthern fortgesetzt werden. Es gebührt vorzüglich uns
Deutschen, diese Materie zu beherzigen, und man scheint
auch jetzt aufmerksamer auf die Manuscripte der alten deutschen Uebersetzungen in den Klosterbibliotheken zu werden,
wie dem Verf. nicht unbekannt seyn kann. Vielleicht verbreitet sich Herr R. hierüber noch irgendwo in einem Anhange.
Wollte man dem Rec. einwenden, daß alsdann auch die alten
Uebersetzungen anderer Nationen der abendländischen Kirche
bis zur Reformation mitgenommen werden müßten: so würde Rec. dieses einräumen; denn die Sache läßt sich ganz
kurz behandeln, da sie nur Kopien der Vulgata sind. S. 354
muß der Ausdruck „ein Amt begleiten" wohl in bekleiden
(zieren) verändert werden.

Ha.

Sammlung der merkwürdigsten Reisen in den Orient,
in Uebersetzungen und Auszügen u. s. w. herausgegeben von H. E. G. Paulus, Prof. der Theologie zu Jena. Jena, bey Stahl. 1799. Fünfter Theil. 439 S. 8. 1 Rh. 4 H.

Hiermit schließt sich diese ganze Sammlung, und es fehlt
nur noch das Register, welches nachgeliefert werden soll.
Dieser Theil enthält einen Auszug aus Sicards Beobachtungen über ganz Aegypten vom J. 1716 für die Beförderer
der Mission, und dann noch Auszüge aus den Nachrichten
desselben Missionars (in den Nouveaux Memoires de Mis-
sions) von einer Reise in die Wüste von Niederthebais zu
den dortigen Klöstern mit Joseph Assemani, einer andern
auf den Sinai, ferner zu den Katarrakten des Nils, und in
das Delta. Darauf eine Beschreibung von ihm über die
verschiedenen Arten des Fisch- und Vogelfangs in Aegypten;
eine Abhandlung über den Weg der Israeliten durch das
rothe Meer, so wie sein Plan zu einem größern Werk über

Aegyp-

Aegypten. Endlich Joseph Georgirenes Beschreibungen der Inseln Patmos, Samos, Nikaria und des Berges Athos mit seinen Klöstern. Diese sind genommen aus einer kleinen seltenen Schrift „Beschreibung des gegenwärtigen Zustandes der Inseln Samos, Nikaria und Patmos, wie auch des Bergs Athos in griechischer Sprache beschrieben von Joseph Georgirenes, Erzbischof in Samos, anjetzo in London wohnend, übersetzt durch einen, so mit dem Autorn in London gar wohl bekannt gewesen, gedruckt im J. 1689. Der Verf. war von der Insel Milos gebürtig, und wurde 1666 Erzbischof von Samos, unter dem sonst der Bischof von Nikaria stand, (ein trauriger Schimmer von dem ehemaligen strahlenden Glanze eines griechischen Archiepiskopus!) mit dem aber auch das ganze Erzbisthum geschlossen war. Er blieb fünf Jahre in seiner Würde, bis sich die Türken nach der Eroberung von Kandia sehr auf Samos vermehrten, und den armen Mann preßten. Er entfloh ihren Gewaltthätigkeiten, versteckte sich eine Zeit lang in der Höhle des Apostels Johannes auf Patmos, und kam endlich nach England. Man sieht, daß er also von den Inseln, die er beschreibt, zuverlässige Nachricht geben konnte. Seine Beschreibungen von Samos und Nikaria sind auch in der That durch die Einmischung des griechischen Kirchenwesens daselbst sehr interessant geworden. Es erhellt daraus, daß die Griechen in ihren Kirchengebräuchen noch manches aus den frühesten Zeiten beybehalten haben. Uebrigens stehen alle diese Inseln unter dem Patriarchen von Konstantinopel, der auch die Erzbischöfe sendet. — Auch der Missionar Sicard zeichnet sich rühmlich vor Andern seines Fachs aus, wie schon bey dem vorigen Theile bemerkt ist. Indessen hängt der Mann doch noch zu sehr am Aberglauben, und mischt auch selbst in geschichtlicher Hinsicht manches Unwahrscheinliche mit ein, welches die Uebersetzung durch ein Frage- oder Ausrufungszeichen bemerklich zu machen sucht. Als einem Wundersüchtigen mußte ihm daher die Auseinandersetzung des Durchgangs der Israeliten durch den arabischen Meerbusen durchaus mißlingen. Er läßt sie viel zu hoch bey Thuärek übergehen, wo der Busen noch 15 — 18 Meilen (Milles) breit ist, also an kein Durchwaden gedacht werden kann, wenn man nicht mit ihm das Wasser an beyden Seiten des Durchgangs wie Mauren stehen lassen will. So wie diese Unwahrscheinlichkeit in

den

den Anmerkungen des Herausgebers berichtigt ist, so ist es auch noch manche andre, wenn gleich nicht immer hinlänglich. Es wird z. B. zwar richtig angemerkt, daß Ludwig der Heilige nicht zu Mansura gestorben, sondern nur gefangen genommen sey; aber es wird nicht hinzugesetzt, wo er dann gestorben sey? Er starb auf einem zweyten Kreutzzuge bey der Blokade von Tunis den 25sten August 1270. Eben so hätte die Stelle S. 6 eine nähere Berichtigung verdient, wo Sicard behauptet, Alexander habe die Stadt Alexandrien nur wieder aufbauen lassen, weil nach einigen Schriftstellern die Ueberreste einer noch ältern Stadt, von der man noch Säulen und Obelisken sehe, zu Grundsteinen des neuen Alexandrien gebraucht worden seyn. Die Uebersetzung macht zwar durch zwey Ausrufungszeichen bemerklich, daß hier etwas Unwahrscheinliches gesagt werde; aber der Herausgeber hätte doch noch anmerken mögen, daß der Missionar das alte Alexandrien vom Alexander erbauet mit einem noch ältern verwechsle, und das, was er behaupte, auf das alte und jetzige Alexandrien angewandt werden müsse. Die Ruinen und Fragmente, welche man ausserhalb des jetzigen Skanderune noch sieht, rühren größtentheils von dem alten Alexandrien her, welches vom Alexander angelegt wurde. Uebrigens ist es merkwürdig, daß der verständige Sicard die Kopten, wenn gleich höchst unwissend in dem kirchlichen System, doch als gute Köpfe schildert, die wohl aufgelegt zu Wissenschaften wären. Nur durch die Herrschaft der Türken, hätte diese Nation den Geschmack an Wissenschaften, den sie ehemals besaß, verloren S. 4. — Diesen wohlthätigen Missionar, der überall soviel ächte Menschenliebe zeigt, raffte die Pest in Kairo weg, weil er es für seine Pflicht hielt, sich den Nothleidenden nicht zu entziehen, und sich dabey zu sehr exponirte. Auch die Geistlichkeit auf den griechischen Inseln ist verbunden, selbst den Pestkranken das Abendmal zu reichen. Diese sind aber nach S. 301 vorsichtiger, und wer kann es ihnen verdenken, das sie es sind, da die Ansteckung dieser mörderischen Seuche so leicht ist? Sie reichen das Sakrament alsdann im eigentlichsten Sinne, indem sie ein wenig Brode in eine Weinbeere thun, und es so dem Pestkranken auf einem langen Rohre zureichen. Diese Methode wird durch die vorläufige Konsekration für die Kranken sehr erleichtert, welche am grünen Donnerstag für das ganze Jahr errichtet wird. Der Erzbischof Geor-
gitenea

girenes beschreibt sie S. 300 so: "Am grünen Donners
stag, der bey den Griechen ein hoher Festtag ist, heiligen sie
Brodt, und gießen geheiligten Wein darauf mit den Wor
ten, die Einigung und Bekräftigung des heil. Leibes
und kostbaren Blutes. Dieses Brod wird am Sonntag
nach Ostern, wo der Priester in seinem geistlichen Ornate er
scheint, wenn die Lampen alle angezündet sind, mit Weih
rauch beräuchert, in kleinen Stückchen so groß als ein Wai
zenkorn zerschnitten, und in einem Gefäße das ganze Jahr
für die Kranken aufgehoben." — Was nun die Anmerkun
gen des Herrn P. betrifft: so sind sie gewiß sehr instruktiv,
und seine Erklärung von dem Durchgange der Israeliten durch
das rothe Meer ist unstreitig sehr scharfsinnig. Auch ist der
Durchgang oben an der Spitze desselben, wo Niebuhr es
zu Kamel und ein Theil der Karawane zu Fuß durchwadete,
unendlich annehmlicher, als Sicard's Wunderpassage. Allein
Rec. muß auf der andern Seite auch gestehen, daß die erste
mit dem Text nur wenig harmonirt, und daß für eine solche
große Horde, als die Erzählung angiebt, die Zeit der Ebbe
nicht hinreicht, um hindurch zu kommen, wenn man die Zahl
auch um ein Beträchtliches vermindern wollte. Man muß
doch immer bedenken, daß sie nicht wie leichte Truppen zogen,
sondern mit Sack und Pack. Nun darf man nur nachfra
gen, wie weit eine Kolonne von 10,000 Mann mit der
Bagage in 6 Stunden zur jetzigen Zeit defiliren kann, um
die große Langsamkeit des Fortrückens gewahr zu werden,
und dieses mit dem Durchgang durch das rothe Meer zu verglei
chen: so wird man finden, daß die Zeit der Ebbe nicht hin
reicht, und dennoch rückte man damals mit Sack und Pack
wahrscheinlich nicht einmal so schnell fort, als jetzt. Rec. ist
darin mit dem Herrn D. P. einverstanden, daß die Israeli
ten gewiß auf einem natürlichen Wege durchgekommen sind,
also auch an einer Stelle, wo sie natürlich durchkommen
konnten; allein die Geschichte ist viel zu sehr ins Wunderbare
getrieben nach dem Styl uralter Tradition, als daß man
die natürliche Art und Weise des Durchkommens noch
genau angeben könnte. Genug das Faktum, was der Tradi
tion zum Grunde liegt, mag dieses seyn, daß die Israeliten
auf eine wunderbare Weise dem nachsetzenden Pharao ent
kamen, indem sie einen Theil des rothen Meeres oben an der
Spitze geschickt und glücklich durchwadeten, wogegen das
nachsetzende Heer minder glücklich war, einen Verlust im

Was

Wasser erlitt, und eben deßwegen wieder umkehrte. Diese glückliche Nationalbegebenheit wurde aber in Hinsicht ihrer Art und Weise von der Sage so ins Wunderbare vergrößert, daß man die Art und Weise als uralte Sageneinkleidung zur Seite lassen, und sich bloß an das Faktum halten muß; denn jede Hypothese über das genauere Wie kämpft mit großen Schwierigkeiten, sobald man die Einkleidung als Geschichte zum Grunde legt, wie es auch hier wieder geschehen ist. Man muß alsdann einzelne Worte in seltener Bedeutung nehmen, die sie sonst nicht haben, und sich dabey noch drehen und wenden, um das Wunder zu vermeiden, welches man doch nicht wohl vermeiden kann, weil es der wörtlichen Erzählung zu Folge ein Wunder seyn soll. Der Exeget kann dagegen weit leichter davon kommen, wenn er das wahrscheinliche Faktum so gut als möglich heraussucht, und das Uebrige bloß wörtlich erklärt. Läßt sich aber jenes nicht mehr herausbringen: so kann er auch nichts weiter als das Letzte thun. — S. 358 macht der Herausgeber bey der Erwähnung eines Tischtuches von Leder folgende Anmerkung: „Grade der רשת der Hebräer, der deßwegen wohl zum Fangenetz (εἰς παγίδα) werden kann, wie Röm. 11,9.“ Allein Rec. glaubt, daß man in solchen Vergleichungen nicht zu weit gehen muß. Ein steifes Stück Leder, welches man zum Tisch gebraucht, möchte doch immer nicht recht zum Netze tauglich seyn. Ueberdem steht das hebräische Wort gewöhnlich für Mahl, Schmauserey, Wohlleben und παγις heißt doch eigentlich nur Schlinge; also sind Mahl und Schlinge noch immer so weit auseinander als Leder und Fangnetz. Gleich darauf S. 359 wird bey der Erzählung, daß die Gemsenhörner den Tiegern furchtbar sind, bemerkt, daß es nun begreiflicher werde, warum Hörner so oft als Schutzwaffen in der biblisch-symbolischen Sprache genannt werden. Rec. läßt es dahin gestellt seyn, ob die Gemsenhörner den Tiegern wirklich gefährlich sind (denn daß sich die Gemsen damit wehren, ist sehr natürlich; aber daß für den Tieger eine Gefahr daraus entstehen sollte, nicht wahrscheinlich) und giebt bloß zu bedenken: ob nicht die Hörner der Stiere, Büffel und Streitochsen in Palästina weit eher Veranlassung zu dem symbolischen Sprachgebrauch gegeben haben sollten? Man darf nur an le Vaillant's zweyte Reise zu den nomadischen Hottentotten denken, um das Schauspiel, wie sich die Streitochsen gegen die reißendsten Thiere

muß

mit den Hörnern vertheidigen, auch bey den nomadischen Hebräern vor Augen zu haben. Ebendaselbst wird das Seemoos (mousse marine) an den Küsten des rothen Meeres (unter dem Wasser) mit dem חוף der mosaischen Bücher verglichen. Dieses geht noch eher an, wenn man den Seetang (mousse marine) näher betrachtet, und sieht, daß er mit dem Schilfe über dem Wasser einige Aehnlichkeit hat. — S. 353 und noch an einem andern Orte wird Mango Park — Marko Park genannt, wobey Rec. zweifelhaft bleibt, ob er auch Marko heißt; Mungo heißt er aber ganz gewiß. Gleich zu Anfang der Anmerkungen fällt Herrn P. folgende Erzählung Sicard's auf. „Die Aegypter haben auch ein Mittel, das Nilwasser zu erfrischen; ungeachtet das Klima es immer warm macht. Sie füllen es in dünne und durchsichtige Gefäße, die sie, wenn der Nordwind weht, in die Luft hängen, und der Sonne aussetzen. Dadurch bekommt das Wasser in kurzer Zeit eine angenehme Kühle." Herr P. bemerkt dabey, daß dieses Kunststück sonderbar klinge, und daß er die Erklärung dem Physiker überlassen müsse. Was das Faktum betrifft: so muß es wohl seine Richtigkeit damit haben; denn Rec. hat dasselbe kürzlich schon einmal gelesen, und zwar wahrscheinlich in den Nachrichten, die man schon jetzt von den Franzosen über die Lebensart der Aegypter in Zeitschriften findet. Was aber die Erklärung betrifft: so scheint sie dem Rec. sehr leicht. Die Hauptsache hierbey ist, daß die Gefäße sehr porös sind. Werden sie also den Sonnenstrahlen und dem Winde ausgesetzt: so entsteht eine schnelle Verdunstung auf der Aussenseite, wodurch das Wasser inwendig abgekühlt wird. — Diese wenigen Bemerkungen mögen hinreichen zum Beweise, daß Rec. alles mit Aufmerksamkeit durchgelesen hat.

Af.

Hebräisches Lesebuch von Johann Severin Vater, Professor zu Jena (jetzt zu Halle), mit Hinweisungen auf die größere und kleinere Sprachlehre desselben, einem Wortregister und einigen Winken über das Studium der morgenländischen Sprachen.

Sprachen. Leipzig, bey Crusius. 1799. 56 S.
und XXXX S. gr. 8. 16 gr.

Den Zweck dieses Lesebuchs giebt schon der Titel an. Es
soll dazu dienen, die Regeln der Sprachlehren des Verf. auf
die Sprache selbst anzuwenden. Zu diesem Ende zerfällt es
in drey Abschnitte. In dem ersten ist der Text so gewählt,
daß vorzüglich die Bemerkungen über die gewöhnliche Formation der Nenn- und Zeitwörter angewandt werden können;
in dem zweyten die Bemerkungen über die unregelmäßigen
Zeitwörter und die von ihnen abstammenden Neamwörter,
so wie in dem dritten die syntaktischen Regeln. Das erste
Stück ist hauptsächlich zum Lesenlernen bestimmt, und deswegen bloß mit Konsonanten und Vokalen abgedruckt ohne Lesezeichen Schwa, Metheg, Dagesch. Für die Interpunktion sind dagegen folgende Accente aufgenommen Sakepha-
ton für das Komma, zuweilen auch Semikolon; Athnach
für Kolon, und Silluk mit dem Sophpasuk für den Punkt
(nicht das Punkt). Die übrigen Accente würden den Anfänger nur verwirren, und sind deßhalb weggelassen. Die
Hinweisungen auf die beyden Grammatiken des Verf. stehen
zahlreich unter dem Text; und das Wortregister am Ende ist
nach dem Alphabet geordnet. Man sieht hieraus das rühmliche Bemühen des Herrn B. das hebräische Sprachstudium
zu erleichtern und zu beleben, welches allen Dank verdient.
Die gewählte Methode ist auch recht gut, und Rec. hat nur
ein paar Erinnerungen darüber zu machen. Bey der Anführung der Sprachlehren des Verf. hätte zu mehrerer Erleichterung des Nachschlagens die Unterscheidung derselben durch
ein paar Buchstaben G. und Kl. (welche Rec. nicht bemerkt)
gute Dienste thun können. Auch hätte für das erste Stück
statt der schwereren Stelle 5. Mos. 32 eine leichtere prosaische gewählt werden mögen. Ueberhaupt hätte der erste Abschnitt wohl nicht mit Poesie, sondern mit Prosa beginnen
müssen. Ein Haupterforderniß wäre aber der möglichst deutliche Druck gewesen. Vergleicht man die Reineccische Ausgabe mit dem vorliegenden Druck: so verliert dieser sehr dagegen, und das ist ein übler Umstand für den Anfänger. Ein
scharfer und deutlicher hebräischer Druck erleichtert unstreitig
das Lesenlernen des Hebräischen am meisten. Die holländischen Ausgaben des hebräischen Textes sind hierin Muster;

allein die Reineccische Ausgabe des A. T. kommt ihnen in
der That sehr nahe. Sollte es nicht der Mühe werth seyn,
die Fortpflanzung dieser hebräischen Lettern in Deutschland
zu empfehlen? — In der vorangehenden Abhandlung über
das Studium der morgenländischen Sprachen giebt der Verf.
im Ganzen recht gute Bemerkungen, die ein jeder Sachkenner unterschreiben wird. Nur scheint dem Rec. kein fester
Gesichtspunkt für die Klasse von Lesern genommen zu seyn,
wofür sie bestimmt sind. Betrachtet man das Ganze: so
hat Herr B. Anfänger im Sinne. Allein für diese paßt
schwerlich die angebrachte Sprachphilosophie, welche hin und
wieder eben so dunkel und schwerfällig ist als in der größern
Sprachlehre des Verfassers. So redet Herr B. z. B. S.
XVIII. von den Zeitformen der Hebräer äusserst dunkel und
unverständlich. „Als man den Unterschied der Zeitverhält-
nisse bestimmt genug dachte, um Vergangenheit und Zukunft
auszuzeichnen: so setzte man bey der Vergangenheit die Prä-
nominen nach dem Verballaute, bey der Zukunft vor denselben, und als sie (aber durch das Zusammensprechen modi-
ficirt) mit dem Verballaute zusammengeschmolzen waren: so
hatte man ein Präteritum.“ Dabey steht nun die Note *.
„Und auch diese Stellung ist dem Gange des Denkens ganz
analog. Bey der Vorstellung des gegenwärtigen oder vergangenen Zustandes ist dieser selbst die lebhaftere Vorstellung, an welche sich der Gedanke an das Subjekt
desselben anreihet. Den zukünftigen Zustand muß man
aber erst auf ein Subjekt referiren, ehe man ihn setzen
kann. Man denkt hier das Subjekt vorerst (zuerst).“

Rec. gesteht, daß er dieses nicht einsieht, und glaube
daher, daß es einem Anfänger noch eher so gehen kann.
Der Verf. hat sich davor zu hüten, daß er mit seiner Sprachphilosophie nicht zu weit geht, und überall einen rationalen
Grund auszuklauben strebe, der sich nicht immer geben läßt.
Er verirrt sich sonst offenbar in scholastische Spitzfindigkeiten,
wobey kein Heil und Seegen für das hebräische Sprachstudium
zu erwarten ist. Man kann sicher darauf rechnen, daß wenn
die Sprachphilosophie dunkel, unverständlich und schwer zu
begreifen ist, sie den rechten Fleck noch nicht getroffen hat,
oder zu weit geht. Dieß ist offenbar der Fall in der größern
Sprachlehre des Herrn B., und er hat alle Ursache, sich herr-
ab zu stimmen, um allgemeinen Beyfall zu finden. Einige

Aeusse-

Aeusserungen dieser Abhandlung bedürfen einer Berichtigung.
So heißt es z. B. S. XXVII. daß die allerspätesten Denkmäler der hebräischen Sprache in unsrer Bibel aus dem Schluß-
se des siebenten Jahrhunderts vor Christi Geburt sind.
Hiernach scheinen dem Verf. Corrodi's Beleuchtung des
Bibelkanons und Müntinghe's Psalme nicht bekannt geworden zu seyn; sonst würde er der Ueberzeugung nicht haben widerstehen können, daß allerdings Stücke aus dem Zeitalter der Makkabäer in unserm Kanon des A. T. sind. Rec.
provocirt bloß auf den 74sten Psalm und dessen Sprache.
Nach S. XXXVI. ist es jetzt noch nothwendig, daß man
die Bedeutung jedes hebräischen Worts oft selbst in allen
Mundarten vergleiche, um sich dadurch in der Haupt- und
Grundbedeutung eine sichere Richtschnur zu verschaffen. Eine solche Dechiffrirkunst ist in der That in der hebräischen
Sprache nicht nöthig, und es wäre traurig, wenn wir noch
in der Kenntniß derselben so weit zurück seyn sollten. Solche übertriebene Behauptungen schrecken eher ab von dem
Studium einer so chaotischen Sprache, als daß sie zu demselben führen. Die Wortbedeutungen sind in dem Register im
Ganzen recht gut angegeben; indessen wäre doch eine etymo-
logisch-philosophische Entwickelung der Bedeutungen hier
wohl an ihrem Platze gewesen; denn sie beschäfftigt den Verstand, und erleichtert das Studium alter Sprachen; z. B.
מרה heißt eben wie ερχεϑαι ursprünglich: ire mit allen seinen Modifikationen inire, abire etc. und venire. Daher
heißt מבוא שמש sol abit, die Sonne geht unter.

Ha.

Klassische, griech. und lat. Philologie, nebst den dahin gehörigen Alterthümern.

Διοδωρος. Diodori Siculi Bibliothecae historicae
Libri, qui supersunt, e recensione *Petri Wes-
selingii*, cum interpretatione latina *Laur. Rho-
domani*, atque annotationibus variorum integris
indicibusque locupletissimis. Nova editio, cum

com-

commentationibus III. *Chr. G. Heynii* et cum
argumentis diſputationibusque *Jer. Nic. Eyrin-
gii.* — *Vol. III.* Argent. ex typogr. Societatis Bipontinae, anno *VI.* (1798.) 645 S. 8.

— — *Vol. IV.* ib. anno *VII.* (1799.) LXXII
und 400 S.

— — *Vol. V.* ib. eod. 638 S.

— — *Vol. VI.* ib. eod. 680 S. 2 Rk. 6 gr.

Wir dürfen die Fortſetzung dieſer ſchönen, bequemen, und
mit kritiſchem Fleiße beſorgten Ausgabe der hiſtoriſchen Bibliothek des Diodors von Sicilien nicht unangezeigt laſſen. Sie
wurde ſeit dem Jahre 1793, da der erſte und zweyte Band
erſchien, durch das bekannte harte Schickſal, welches im franzöſiſchen Revolutionskriege, die Officin und alle vorräthige
Exemplare der Zweybrücker Geſellſchaft traf, ganz unterbrochen. Wenn jetzt das Publikum ſich der Fortſetzung
freuet: ſo muß es dieſe des Herrn Prof. Extrs ſtandhaf-
tem Muthe und unermüdetem Eifer, der unter ſo vielem und
großem Ungemach; bey ſo mannichfaltigen Schwierigkeiten
und Gefahren, mit welchen er zu kämpfen hatte, nie ganz
niedergedrückt werden konnte, vorzüglich oder allein verdanken.

Der dritte Band enthält das 4te und 5te Buch von
dem Gr. Texte Diodors, mit der latein. Ueberſetzung; und
hinten angehängt die erklärenden und kritiſchen Anmerkungen aus der Weſſelingiſchen Ausgabe. Die varia lectio ſteht
gleich unter dem griechiſchen Texte. So bleibt die Einrichtung durchaus auch in den folgenden Bänden. Da die nächſt-
folgenden Bücher verloren gegangen ſind: ſo ſchließt dieſer
Band den erſten oder mythiſchen Theil des Werks, zu
welchem noch das ſechſte Buch gehört haben würde, wenn
wir es beſäßen.

Mit dem vierten Bande, (eigentlich alſo mit dem
ſiebenten Buche, nun aber, abgerechnet die Lücke mehrerer
Bücher mit dem 11ten Buche,) hebt der zweyte oder hiſtoriſche Theil des Werks an, welchem Herr Prof. Eyring

den

den Grundriß oder den entwickelten Entwurf dieses ganzen zweyten Theils (Bibliothecae historicae Diodori Siculi
Descriptio accuratior, qua eius operis oeconomia decla-
ratur, nunc continuata et ad finem perducta. II. Operis
pars altera historica) S. I — LXXII, und zugleich eine
kurze Vorrede vorgesetzt hat. Wir müssen die Einrichtung
von jenem und den Inhalt von dieser nur kurz anzeigen.
Der Grundriß hängt mit dem über den ersten Theil (Vol. I.
p. CXXXV — CLIX.) zusammen. In demselben wird voraus bemerkt, wie sich die Methode im zweyten Theile, von
der im ersten Theile, das heißt in den 6 ersten Büchern, un-
terscheide. Der erste oder mythische Theil war keiner genauen
Zeitrechnung fähig; daher lag bloß eine ethnographische
Stellung zum Grunde. Hingegen im zweyten oder historischen Theile, ist die Grundlage durchaus chronologisch.
Der Verf. giebt also eine genau entwickelte Uebersicht: 1)
nach zwey Haupt-Epochen, welche Diodor zum Grunde gelegt hat, eine vom Trojanischen Krieg bis auf Alexander
den Gr.; die andere von da bis auf Julius Cäsar. 2)
Nach größeren Zeitabschnitten und untergeordneten kleineren
Zeiträumen in jeder Hauptepoche. 3) In jedem untergeordneten Zeitraume nach Olympiaden, und wiederum in jeder
Olympiade, nach einzelnen Jahren. Es ist kein Zweifel,
daß diese Uebersicht nach Hauptepochen, nach größeren Zeitabschnitten, untergeordneten kleineren Zeiträumen, Olympiaden und Jahren, den Gebrauch des Werks gar sehr erleichtern müsse. Diese Darstellung hängt übrigens mit den Mar-
ginalien zusammen, so daß in diesen oft das, was in jener
allgemeiner angezeigt ist, genauer entwickelt wird. Dabey
bemerkt der Verf., daß Diodor in jedem Zeitraume oder vielmehr in jedem Jahresräume, in der Behandlungsart genau un-
terscheide Hauptgeschichten und Nebengeschichten. Hauptgeschichten nennt er die großen zusammenhängenden Welt-
händel, und betrachtet diese als den Hauptgegenstand seines
Werks, τὴν ἐπαγγελίων τῶν γεγονότων, welche er daher ausführlich und zusammenhängend, obgleich durch Jahr-
abtheilungen unterbrochen erzählt: in Rücksicht auf diese,
ist Diodor eigentlicher Geschichtschreiber, indem er ausführlich erzählt, Veranlassungen, Ursachen und Erfolge verbindet. Nebengeschichten aber sind ihm merkwürdige Vorfälle in kleinen Staaten, die noch in keiner Verbindung mit
den großen Welthändeln standen, gleichsam Bemerkungen

P 3 außer-

außerhalb dem Kreiſe univerſalhiſtoriſcher Staaten; Diodor
nennt dieſe συνεχεῖς πράξεις, res coaeuas; in Rückſicht
auf dieſe iſt Diodor bloß Chroniſte, der ſie bey jedem Jahre bloß kurz und abgeriſſen anzeigt; aber nicht im Zuſammenhange erzählet. Beyderley Gegenſtände werden in dem
Entwurfe des Werkes genau unterſchieden. Was ſonſt zur
Hiſtoriographie des Diodors bemerkt, und zur Rechtfertigung oder Entſchuldigung ſeines analyſtiſchen Plans beygebracht wird, müſſen wir übergehen, und der eigenen Beurtheilung der Leſer überlaſſen. — Die Vorrede, welche vor
dem vierten Bande ſtehet, enthält theils die gewünſchte Nachricht, daß die Zweybrücktiſche typographiſche Geſellſchaft, nachdem ihr das durch den Krieg Geraubte wiederhergeſtellt worden, ihr neues und feſtes Etabliſſement in Strasburg eingerichtet habe: ſo daß nunmehr zu hoffen ſtehe, ſie werde, unter dem Schutze des neuen Staats, auch mitten im Kriege,
ihre literariſchen Unternehmungen ununterbrochen fortſetzen
können. Theils auch zeigt ſie an, daß dieſe Ausgabe indeſſen noch einige eigenthümliche Vorzüge erhalten habe, welche
den kritiſchen Apparat zum Diodor vermehren. In ſu-
ſcepti operis progreſſu ipſaque mora creuit conſilium,
ultro oblato duplici munere, quo criticum apparatum ad
inquirendam textus veritatem et reſtituendam dictionis
puritatem, augere liceret. Das wichtigſte verdankt ſie der
Vorſorge des Herrn Hofr. Heyne, deſſen Verdienſte um
dieſe Ausgabe überhaupt gerühmt werden; nämlich die Vergleichung zweyer Handſchriften der kaiſerlichen Bibliothek zu
Wien, die er zum Gebrauch dieſer Ausgabe bewirkte: Cod.
No. 79 deſſen Gebrauch ſchon Weſſeling, (Praef. Vol. I. p.
CLXXV ſq.), aber ohne Erfolg geſucht hatte, und Nr. 80,
welcher das I. und V. Buch des Diodors enthielt. Aus jenem hat, durch Vermittelung des Herrn Geſandtſch. Secr.
Bart, Herr Bibliothek-Secretär Bolla; aus dieſem aber
Herr Doct. Weigel die abweichenden Leſearten an Herrn Hofrath Heyne mitgetheilt. Einen andern Beytrag zum kritiſchen Apparat hat Herr Profeſſor Exter durch Herrn Profeſſor
Schweighäuſer erhalten. Letzterer fand zufälliger Weiſe
hinter einem Codex aus der Münchener Churfürſtlichen Bibliothek, welchen er zur Ausgabe des Polybius erhalten hatte,
die Eclogas e Diodori Bibliotheca hiſtorica und zeichnete
daraus die verſchiedenen Leſearten für Herrn Profeſſor Exter
aus. Dieſe Leſearten ſind, vom vierten Bande an, der
übrigen

ſtrigen varia lectio unter dem Terte gleich einverleibt worden; für die vorhin ſchon abgedruckten Bücher werden ſie
dem ganzen Werke am Ende angehängt werden. Nur an
zwey in der Vorrede angezeigten Stellen iſt daraus unmittelbar der Text verbeſſert worden. Sonſt iſt der Text unverändert nach der Weſſelingiſchen Ausgabe abgedruckt worden. — Dieſer Band enthält übrigens auſſer der Vorrede
und der Deſcriptio accuratior des Herrn Profeſſor Eytings,
die Fragmente von den verlornen Büchern V. VI. VII.
VIII. IX. X, und das ganze 11te Buch.

Der fünfte Band umfaßt das 12 und 13 Buch.
Zwey Bücher ſind gewöhnlich für jeden einzelnen Band gerechnet worden, wenn nicht andere Abhandlungen den Platz
beengt haben.

Auch iſt im Herbſte des J. 1799 noch der ſechſte Band
erſchienen, in welchem das 14te und 15te Buch enthalten
iſt. Nach dieſem Verhältniß werden zur Vollendung dieſes
Werks noch drey oder vier Bände erforderlich ſeyn. Auf die
Fehler des Drucks in der Weſſelingiſchen Ausgabe iſt wohl
nie ſo genau geachtet worden, als bey Gelegenheit der gegenwärtigen Ausgabe, die nach jener veranſtaltet worden, und
den Vorzug der möglichſten Correctheit behaupten ſollte. Der
eigene kritiſche Fleiß, den Herr Profeſſor Exter hierauf verwandt hat, wird ſchwerlich von den Leſern nach Verdienſt
erkannt werden.

Hu.

Apollonii Rhodii Catalogus Argonautarum. Commentario perpetuo illuſtravit *Ern. Fried. Krauſe*,
AA. LL. M. Halle, bey Ruff. 1798. XXII und
90 S. 8. 10 gr.

Nach dem Beyſpiele des Homeriſchen Schiffs- und Helden-
Verzeichniſſes hat auch Apollonius, ſo wie die andern Dichter des Argonauten-Zugs, ſeinem Werke ein Verzeichniß
der Helden eingewebt, welche das goldne Bließ zu erbeuten
nach Colchis reiſten. Dieſe gelehrte Partie von Apollonius
Gedicht war einer beſondern Bearbeitung, die eine gelehrte

Ausſtattung vertrug und erforderte, nicht unwerth. Der
Verf., ein junger Mann von gründlichem Wiſſen, vielem
Fleiß und eben ſo vieler Beſcheidenheit, hat daher mit der
Bearbeitung dieſes Stückes nichts Unnützes unternommen.
Sein Commentar verbreitet ſich über Kritik, Wörterklärung
und Erläuterung der Sachen. Man kann zwar nicht in Ab‐
rede ſeyn, daß viele triviale, hiſtoriſche, geographiſche und
Sprachbemerkungen hier als bekannt hätten übergangen wer‐
den ſollen, und daß ſich aus dieſen Auswüchſen auf einen
Mangel an feſter, gewandter Urtheilskraft ſchließen läßt;
allein davon abgeſehen entſchädigt doch der Verf. den durch
weitläuftige und gelehrte Ausführung bekannter Dinge er‐
müdeten Leſer durch verſtändige kritiſche Bemerkungen und
Erinnerungen über die von Brunk begünſtigten oder verworf‐
nen Lesarten, durch Erklärung ſchwerer Stellen und durch
manche Berichtigungen zu Burmanns gelehrtem Catalogus
Argonautarum. Auch die Vorrede enthält gute, wenn gleich
nicht ſehr tief eingreifende oder die ganze Oekonomie des
Gedichts umfaſſende, Bemerkungen über Apollonius Ar‐
gonauticon.

Al.

Geſchichte in der Fabel, oder Verſuch einiger nähern
Beſtimmungen über den Urſprung der griechiſchen
Theogonie oder Götterlehre, zur Aufklärung des
dunkeln fabelhaften Zeitalters. Von Karl Joſeph
Michaeler. Wien, bey Kötzel. 1798. Zweyter
Theil. 385 S. 8. 1 Rl. 18 K.

Vollgepfropft von Gelehrſamkeit iſt dieſes Werk; wenn
gleich hiſtoriſche Kritik, und die Gabe eines gefallenden Vor‐
trags dem Verf. abgeſprochen werden ſollte. Möchte doch
dieſer angeſtrengte Fleiß und dieſe Beleſenheit auf Gegenſtän‐
de der ſicherern hiſtoriſchen Zeit verwendet worden ſeyn, und
ſich nicht in Hypotheſen über die Geſchichte des entfernteſten
mythiſchen Zeitalters erſchöpfen! Was der Verf. hier zeigen
wollte, mag er uns ſelbſt ſagen: „Da in Griechenland die
Kosmogonie oder Schöpfungsgeſchichte (woran aber göttliche
Eigenſchaften nach damaliger Denkungsart der Menſchen an

ver‐

verschiedenen Naturwesen personificiret, und den Personen
zugleich höhere Eigenschaften, zugleich sinnlichen Neigungen
anpassende Handlungen zugegeben wurden) als das Haupt-
system, um von der Gottheit nach der Größe dieses Schö-
pfungswerkes richtig zu denken, den Stoff der Theogonie ausmachte: so hatten selbst schon vor Homern und Hesioden
mehrere theils thracische, theils griechische Dichter, nach dem
Beyspiele andrer noch älterer phrygischen und ägyptischen,
bearbeitet; wodurch sie also diese Vorstellung ihrem Volke
tief eingepräget haben. Dazu schlugen sich gar leicht viele
Nachrichten aus dem ältern Andenken, und den Begebenheiten der Vorfahren, und besonders aus den auswärtigen,
sehr vermischten und bilderreichen Gerüchten, die sich schon
lange herab, und herab immer verbreiteten, und entweder
als Sagen, oder als wirkliche Thatsachen in die Allegorie
leicht einweben ließen, weil die Fortpflanzung der von per-
sonificirten Wesen entlehnten Namen, und der lange Zeitraum, wodurch das Anschauliche menschlicher Gleichheit er-
losch, dazu behülflich war; besonders da man die Vergötte-
rungen durch die Seelenwanderungen in die Sterne hinauf,
und von dort, wohin man wollte, wiederum herab; wie
auch durch olympische Luftreisen wahrscheinlich, oder doch der
Phantasie anschaulich zu machen wußte. Nun hatte sich zudem noch ein wirklicher Jupiter in großes Ansehen gesetzet,
und um göttliche Ehren beworben, die ihm wenigstens nach
seinem Tode bey der Nachkunst wiederfahren sollten. Da
wuchsen also auch diese Begebenheiten und die Nachrichten
von seinen Vorältern leicht zu den vorigen, besonders als
analogisch lautend, hinzu, und zusammen. Nur um die
Nationalisirung desselben war es noch zu thun. Aber auch
das brachte Cadmus durch eine geschickte Untermischung zuwege, und gab zum Anschlusse noch mehrerer griechischen
Jupiter Anlaß; so wie nun Euripides (Bacch. prolog. 18)
schon auch den Bacchus, als Jupiters Sohn, zum Griechen
machte; da doch Herodot, der als ein Historiker, und erst
nach ihm (?) schrieb, nichts davon wußte, daß dieser Gott
einst griechische Soldaten nach Indien geführt haben soll."
Beygefügt ist dem Werk auf einigen Bogen eine chronologische Tabelle, worin man sich die hierher gehörigen, oder zu
weiterer Ausführlichkeit beliebigen Zeitbestimmungen der hebräischen und profanen Geschichte, aus ihren angeblichen
Quellen kürzlich nach einer Gleichzeitigkeit vorstellen, und

P 5 in

in rückwärts hinauf ſteigenden Stufen eins auf das andre
gegründet vereinbaren kann. — Wir haben den Verf. ſelbſt
reden laſſen, und wir denken, das Angeführte wird hinlänglich den eignen Ideengang des Verf. und die beſondre Sprache, in die ſich dieſe Ideen auflöſen, charakteriſiren.

Db.

Der nächtliche Schwimmer; oder Hero und Lean-
　　ber. Eine Reliquie für Liebende; von Muſäus.
　　Ronneburg und Leipzig, in der Schumannſchen
　　Buchhandlung, und bey Barth. 1799. 100 S.
　　8. 8 H.

Wenn Muſäus Gedicht neu überſetzt werden ſollte: ſo
mußte ſich die neue Ueberſetzung vor den vorigen Verſuchen
auszeichnen. Das können wir von gegenwärtiger nicht durchaus rühmen. Wir ſprechen ihr zwar nicht allen Werth ab,
und ein Theil der Hexameter iſt wirklich gut; aber man wird
zu oft durch harte, übervollzählige, ſpondäiſche, cäſurloſe
Verſe in derſelben heimgeſucht, als daß man nicht ein wenig
unwillig über dieſe poetiſchen Licenzen oder vielmehr Nachläſ-
ſigkeiten werden ſollte. Will man Beyſpiele. Hier ſind zur
Probe ein paar. B. 9 Hätte Zens ſie erhoben nach ſo manchen nächtlichen Kämpfen. B. 92 Staunen verfaßt ihn
jetzt. B. 220 Auf die Verkündigerinn der leicht umgebenen
Umarmung. Es müßte umgebnen heißen. Aber was eine
leicht umgebne Umarmung ſey, verſtehen wir nicht.
Schrieb denn etwa der Verf. der Licht umgebnen Umarmung, um die ἀγγελίην φαινομένων ὑμεναίων nachzu-
bilden? Die angehängten Anmerkungen hiſtoriſchen und
äſthetiſchen Inhalts ſind von wenig Belang; zum Theil ſchie-
lend, wie die S. 46 übermäßige und unſchickliche Beywör-
ter bey den Alten. Eben ſo wenig Neues oder Wichtiges
findet man in dem Aufſatz über den Verf. und den poetiſchen
Werth dieſes Gedichts. Die Unterſuchungen des neueſten
Herausgebers, Heinrich, ſcheint der Verf. gar nicht gekannt
zu haben. Da die Geſchichte von der Liebe des Leander und
der Hero von Vielen den Fabeln beygezählt wird: ſo hätte
der Verf. wohl darauf aufmerkſam machen können, daß etwas

was Historisches zum Grunde zu liegen scheine, nicht nur
weil Musäus V. 23 f. den Wanderer auf den Thurm der
Hero aufmerksam macht; sondern weil auch Strabo und einige Dichter der griechischen Anthologie der Ruinen dieses
Thurmes und des Grabmahls der Hero gedenken. Auch
fällt das Unglaubliche des nächtlichen Schwimmens von Aby-
dos nach Sestos weg, wenn man beym Lechevalier in der
neuen Ausgabe seiner Voyage dans la Troade liest, daß
noch vor wenig Jahren ein Jüngling dasselbe Abentheuer in
dieser Gegend bestanden, weil seine Geliebte ihren Besitz an
diese Bedingung geknüpft habe.

Al.

Platons Republic, oder Unterredung vom Gerechten. In zehn Büchern. Ueberletzt von *Friedrich Carl Wolff.* Altona, bey Hammerich.
1799. *Erster Band, erstes bis fünftes Buch.*
VIII und 344 Seiten. *Zweyter Band, sechstes
bis zehntes Buch.* 302 Seiten. gr. 8.

Des Plato Republik verdiente es, in einer recht guten Uebersetzung den Deutschen lesbar gemacht zu werden; denn sowohl die zu Lemgo 1780 erschienene, die in der A. D. Bibl.
Band 47. S. 256 nach Verdienst gewürdigt ist, als auch
die von Schultheß, zwar besser als jene; aber doch zu weit
von der Gewandtheit und attischen Feinheit des Platonischen
Dialogs abweichend, mußte nach einer bessern Verdeutschung
ein Verlangen erwecken. Dieß Verlangen hat der Verf.
dieser neuen Uebersetzung bis auf einen hohen Grad befriedigt.
Seine Arbeit verräth ein sehr fleißiges und sorgfältiges Studium der Urschrift, und ein meistens glücklich gelungenes
Streben, die Schönheit des Dialogs eben sowohl, als den
Inhalt, treu und geschmackvoll darzustellen. Die Uebersetzung schließt sich sehr nahe an das Original an; doch ohne
den Genius der deutschen Sprache zu beleidigen, und ringt
mit den Schwierigkeiten, die sich dem entgegenstellen, der
das rechte Mittel zwischen dem platten Geschwätzton, und
zwischen einer gekünstelten gezierten Rede, den Ton des edeln
Gesprächs treffen will. Der Verf. ist Vossens Zögling und
Freund,

Freund, und einige Jahre ſein Gehülfe in Eutin geweſen.
Voſſens Schwager, der als Conrector zu Eutin zu früh für
die Wiſſenſchaften geſtorbene Bole, hatte eine Ueberſetzung
der Republik Platons unvollendet hinterlaſſen. Dieß veranlaßte Voß, den Verf. zur Vollendung dieſer Ueberſetzung zu
ermuntern. Daher wurde auch ſchon vor acht Jahren die
Erſcheinung derſelben angekündigt. Als der Verf. indeſſen
Boiens Ueberſetzung ſorgfältiger verglich, da fand er nur das
erſte Buch etwa ſo verdeutſcht, wie ſein Freund es für den
Druck beſtimmt haben mochte; auch war dieß wirklich ſchon
im deutſchen Muſäum einmal gedruckt erſchienen. Von acht
andern Büchern fand ſich nur eine rohe Vorarbeit, wahr-
ſcheinlich beſtimmt, bey der zweyten Arbeit die Mühe zu erleichtern. Der Verf. gieng daher, von Voß aufgemuntert,
ſelbſt an die Arbeit, und da Boie, das erſte Buch ausgenommen, welches mit einigen Veränderungen beybehalten
iſt, an der Ueberſetzung wenigen Antheil hat: ſo wünſchte
Voß, daß der Verf. unter ſeinem eigenen Namen das Werk
dem Publikum vorlegen möchte. Mit lobenswürdiger Beſcheidenheit ſchreibt der Verf. in der Vorrede: „Ich bin
weit von dem Eigendünkel entfernt, meine Ueberſetzung für
muſterhaft auszugeben. — Glücklich werde ich mich ſchätzen,
wenn nachſichtsvolle Beurtheiler nur das Beſtreben, es gut,
oder wenigſtens beſſer, als meine Vorgänger, zu machen,
nicht verkennen.“ Dieſes Lob kann ein billig urtheilender Leſer dem Verf. nicht verſagen, wie in der Folge durch einige
Proben gezeigt werden ſoll. Der Druck und das Aeußere
dieſer Ueberſetzung iſt auch, zur Ehre der Buchhandlung, die
ihn veranſtaltet hat, ſey es geſagt, einer ſolchen Schrift würdig. Eine Eigenſchaft, die man bey den Ueberſetzungen der
Meiſterwerke des Alterthums ungerne oft vermißt.

Der Verf. hat zwar den Text der Zweybrücker Ausgabe der Werke Platons zum Grunde gelegt; aber nicht ohne
Urſache klagt er über die Dunkelheit ſo mancher Stellen des
Textes, der noch erſt durch Handſchriften und kritiſchen Genius von offenbaren Fehlern mehr gereinigt werden muß;
und bemerkt, daß er nicht ſelten ſich mit bloßen Muthmaſ-
ſungen begnügen mußte, um den Sinn zu enträthſeln. Doch
hat er die Stellen nicht angezeigt, wo er einer andern Lesart den Vorzug gab. Er ſagt zwar, der Gelehrte werde
durch Vergleichung mit dem Original dieſe leicht finden, und
für

für den Ungelehrten seyn solche Anmerkungen überhaupt nicht.
Allein es wäre doch besser gewesen, wenn er ein Verzeichniß
der Stellen von der Art etwa am Schlusse beygefügt hätte,
und noch jetzt würde, gesetzt daß der Verf. diese Stellen sich
angemerkt hätte, eine solche als Anhang nachgetragene Anzeige erwünscht seyn. Keiner findet die einer Verbesserung
bedürfenden Stellen leichter, als ein sachkundiger und sorg-
fältiger Uebersetzer, indem er ganz in den Sinn des Schriftstellers einzudringen strebet, um diesen Sinn in einer anderen
Sprache darzustellen. Trefflich kann er daher dem kritischen
Herausgeber und Verbesserer des Textes vorarbeiten, wenn
er seine Vermuthungen, wo sie sich ihm aufdrangen, anzeigt!

In Absicht des Inhalts und Zwecks der Republik Platons, verweiset der Verf. auf Morgensterns treffliche Entwickelung desselben; ganz mit ihm darin einstimmig, daß dieß
Werk nicht die Schilderung der besten Regierungsverfassung;
sondern die Entwickelung der Idee des Gerechten zum letzten
Zweck habe. Daher werden zuerst die falschen Begriffe von
der Gerechtigkeit widerlegt; dann wird gezeigt, worin die
Gerechtigkeit bestehe, daß sie ein ohne alle Rücksicht auf Furcht
und Hoffnung wünschenswerthes Gut sey, und daß sie zwar
schon in diesem, noch vollständiger aber in einem künftigen
Leben, ihren Verehrer glücklich mache.

Zur Probe der Uebersetzung mag hier etwas von der
Erzählung des für todt gehaltenen, aber wieder aufgelebten
Armeniers aus dem zehnten Buche stehen: „Nachdem meine Seele, sagt er, sich vom Körper getrennt hatte, wanderte
sie in Begleitung vieler Anderer, und wir kamen zusammen
an einen wunderbaren Ort, wo unten auf der Erde zwey
Oeffnungen dicht neben einander, und oben am Himmel zwey
andre den ersteren gerade gegen über waren. Zwischen den
Oeffnungen saßen die Richter. Diese, sobald sie den Urtheils-
spruch über die Angekommenen gefällt hatten, geboten den
Gerechten, nachdem sie ihnen eine Schrift, worin der Ur-
theilsspruch abgefaßt war, vorne an die Brust gehängt hatten, zur Rechten den obern Weg durch den Himmel zu wandern; den Ungerechten dagegen, die auch, aber hinten auf
dem Rücken, eine Schrift trugen, worauf alle ihre Thaten
verzeichnet waren, hießen sie, den Weg zur Linken zu wandern.

dern, der in die Tiefe hinabführte. Zu mir aber, als ich
mich näherte, ſagten ſie: ich ſollte von dort als Bote zu den
Menſchen zurückkehren, und ſie befahlen mir, alles, was
an dem Orte vorgienge, mit anzuhören und anzuſchauen.
Hier ſah ich nun wie die Seelen durch die zwey entgegenge-
ſetzten Oeffnungen fortwanderten, einige hinab in die Erde,
andre hinauf zum Himmel, ſobald ſie ihren Urtheilsſpruch
empfangen hatten. Aus den beyden anderen Oeffnungen ſah
ich einige aus der Erde voll Schmutz und Staub heraufkom-
men, andre in reiner Klarheit vom Himmel herabſteigen.
Die von Zeit zu Zeit Ankommenden ſchienen eine lange
Wanderung gemacht zu haben, und voll Freudigkeit den
Weg nach der Wieſe zu nehmen. Dort weilten ſie, lager-
ten ſich, wie bey Feſtverſammlungen bey einander; die ſich
kannten, grüßten ſich gegenſeitig, und erkundigten ſich wech-
ſelsweiſe, bald die Ankömmlinge aus der Erde bey den Himmliſchen, was ihnen in der Welt begegnet wäre; bald die
Himmliſchen bey jenen, was ſie unten erfahren hätten. Hierauf erzählten ſie ſich ihre Schickſale unter einander; einige
unter Thränen und Wehklagen, gerührt durch die Erinnerung
deſſen, was ſie auf ihrer unterirdiſchen Wanderung, welche
ſie erſt nach tauſend Jahren vollendet, geſehen und gelitten
hatten; die Himmliſchen dagegen ſprachen von den Seligkei-
ten, die ſie empfunden, von den unnennbaren Schönheiten,
die ſie geſehen hätten.“

Eben ſo fließend und edel iſt die Ueberſetzung überall,
und großentheils ſehr getreu. Hier iſt bloß von Zeit zu
Zeit, für αει, zu ſchwach. Das oben unterſtrichne Wort,
wunderbarer Ort, iſt richtig nach der gewöhnlichen Lesart
überſetzt; denn im Texte ſteht δαιμονιος τοπος. Rec. erinnert ſich aber nicht, daß dieß Beywort ſonſt mit einem Orte
verbunden werde, und da nachher der Ort geradezu λειμων,
eine Wieſe, genannt iſt: ſo vermuthet er, Plato habe λει-
μονιον τοπον, einen einer Wieſe ähnlichen Ort geſchrieben.
Das Wort konnte deſto leichter verſchrieben werden, da Λ und Δ
einander, beſonders in Handſchriften ſehr ähnlich ſind. —
Junge Freunde der griechiſchen Muſen haben in dieſer Ueberſetzung ein ſchönes Hülfsmittel erhalten, ihnen das Studium der Republik Platons zu erleichtern. Rec. wünſcht,
daß ſie es fleißig benutzen, und daß neue Liebe und neuer

Eifer

Eifer für das Studium der Griechen immer mehr unter uns
erwachen mögen!

Ad.

Sexti Iulii Frontini Strategematicon Libri IV. Chro-
nologica et hiſtorica annotatione indicibusque in
uſum lectiónum inſtructi a *Ge. Frid. Wieg-
mann*, Scholae Gotting. Collab. Göttingen, bey
Ruprecht. 1798. X und 136 S. gr. 8.

Ueber Stratzgematik und Strategeme gab es ſchon vor dem
Frontinus ähnliche Beyſpiel-Sammlungen; denn er beruft
ſich in der Vorrede zu den 3 erſten Büchern auf aliorum
libros, eadem promittentium; die er aber wegen ihres Umfangs und ihrer Weitläuftigkeit tadelt. (ipſo velut acervo
rerum confuderunt legentem.) Er ſelbſt hatte eine rei
militaris ſcientia geſchrieben, und glaubte dieſer Commenta-
rien über die ſollertia ducum facta beyfügen zu müſſen, die
er unter dem griechiſchen Namen Strategematica begriff.
Es ſollte eine Art von praktiſchem Katechiſmus für Feldherren ſeyn, worin ſie ſich, bey vorkommenden Fällen, auf der
Stelle Raths erholen könnten (ut, quemadmodum res
poſcet, ipſum, quod exigitur, quaſi ad interrogatum ex-
hibeat), in welchem die Beyſpiele von Klugheit ihren Geiſt
zur Uebung des Scharfſinns und zu ähnlichen Handlungen
aufreizen, und mit der Hoffnung eines glücklichen Erfolgs
erfüllen ſollten. Es ſollte kurz ſeyn, weil der Beſchäfftigte,
der Feldherr keine Muße zu weitläuftiger Lektüre hat. Er
hat ſeiner Beyſpiel-Sammlung eine ſyſtematiſche Ordnung
gegeben. Im erſten Buch begreift er unter gewiſſen Rubriken Beyſpiele von Klugheit vor dem Treffen, im zweyten in
und nach einem Treffen, im dritten bey der Belagerung und
Vertheidigung der Städte. Das 4te Buch iſt mehr eine
Strategetik als Strategematik, und enthält Beyſpiele der
guten Eigenſchaften eines Feldherrn überhaupt, der Strenge,
der Enthaltſamkeit, Gerechtigkeit ꝛc.

Dieſes zur Belehrung der Feldherren geſchriebne Büchlein hat nun das Schickſal mit den meiſten Werken des Alterthums

thums gemein, daß es zur Lektüre der Knaben auf Schulen gegenwärtig gebraucht wird. Und man kann ihm wenigstens für die wißbegierige Jugend mannichfaltige, belehrende Unterhaltung nicht absprechen. In der Verlegenheit also ein schickliches lateinisches Lesebuch, nach durchgelesnen Elementar-Büchern eines Gedike ꝛc., zu finden, that der Herausg. wohl keinen Mißgriff, wenn er diese Beyspiel-Sammlung des Frontin dazu ausersah, und durch eine zweckmäßige Ausgabe für den Schulgebrauch zurichtete. Für seinen Zweck hätte er vielleicht eine andre Anordnung nach der Folge der Begebenheiten ꝛc. treffen können, damit die Lektüre weniger zerstückelte Brocken aus der alten Kriegsgeschichte lieferte; doch eine solche Anordnung kann der Lehrer leicht selbst nach Anleitung des vom Verf. beygefügten historischen und geographischen Registers beym Schulgebrauch machen. Am Rand des Textes stehen bey jedem Beyspiel die Jahre der Olympiaden, oder nach Erb. Roms, oder vor Christus ꝛc. angegeben, da, wo sich die Zeitbestimmung ausmitteln ließ. Unter dem Text sind ganz kurz die Quellen nachgewiesen, und der Zusammenhang der Geschichte ergänzt.

Al.

1) Cornelii Nepotis vitae excellentium Imperatorum. Editio accurata. Marburgi, sumtibus Kriegeri, Acad. typogr. 1799. 171 Seit. 8. 8 ꝛc.

2) Kornelius Nepos neu übersetzt, mit Anmerkungen, für Lehrer und Lernende. Stuttgart, bey Steinkopf. 1799. 284 Seit. 8.

Nr. 1. ist ein ziemlich richtiger Abdruck des bloßen lateinischen Textes des Corn. Nepos, ohne die Fragmente, und ohne einigen Vorbericht. Der Text scheint der Heusingerische zu seyn. Ganz frey von Druckfehlern — die Haupteigenschaft einer solchen Ausgabe — insonderheit in den Unterscheidungszeichen, ist der Abdruck doch nicht. So stehet, um nur ein paar Beyspiele davon anzuführen, S. 18. l. 7. tringinta; S. 23 am Ende esse damnatus f. esset; S. 98. l. 14.

l. 14. numero militiä à quo etc. f. n. militis. A quo, u. a. m. Druck und Papier ſind gut.

Nr. 2. Der ſich nicht nennende Ueberſetzer dieſes verdeutſchten Nepos ſagt in der Vorrede, dieſe Ueberſetzung ſey für Lehrende und Lernende beſtimmt, und ſucht, was inſonderheit die letzten betrifft, die Zuläſſigkeit und den Nutzen ſolcher Ueberſetzungen näher darzuthun, worin ihm Rec. ſeinen Beyfall giebt; jedoch mit der Bedingung und Einſchränkung, daß die Lernenden während dem Expliciren in den öffentlichen Lehrſtunden von der Ueberſetzung keinen Gebrauch machen. Denn dieß ſtöhret nicht nur die Aufmerkſamkeit des Schülers; ſondern hindert ihn auch, den lateiniſchen Text gehörig einzuſehen, mit Hülfe des Lehrers den richtigen Sinn herauszubringen, und auf die Eigenthümlichkeiten des Lateiniſchen Acht zu geben. Sonſt iſt dieſe Ueberſetzung nicht übel gerathen, und der Verf. derſelben hat ſich, wie er ferner erinnert, die größte Pünktlichkeit, und die höchſte Sorgfalt angelegen ſeyn laſſen, den Sinn ſeines Auctors klar und beſtimmt anzugeben; den Worten, ſo lange es nur immer die Sprache geſtattete, treu zu bleiben, und lieber die Schönheit des Ausdrucks als die Deutlichkeit aufzuopfern. Seiner Abſicht war dieſes allerdings gemäßer, und dadurch rechtfertigt er auch ſeine neue Ueberſetzung nach der Bergſträßerſchen, und die Verſchiedenheit der ſeinigen von der letzten. Die Orthographie und verſchiedene Ausdrücke ſind von der Art, wie man ſie aus der Gegend des Verf. zu ſehen gewohnt iſt; und bloß aus dieſem Grunde möchte ſie wohl in dem nördlichen Deutſchlande den Schülern von vielen nicht ſehr empfohlen werden. Da findet man z. B. Hilfe, rathet, Löken, groſen, ſchikch, erweken, Botmäſigkeit u. ſ. w. Ob denn die Franken und Schwaben gar keinen Unterſchied in der Ausſprache hören laſſen zwiſchen Haken und Hacken, Piken — picken, beten — Betten, Haſen — haſſen, loſen — groſen — ſchoſſen, weiſe — weiße? u. dgl. Es läßt und lautet doch ſonderbar, wenn man lieſt: das weiſe Schwein, und die ſieben Weißen Griechenlandes.

Die Anmerkungen unter dem Texte ſind theils grammatiſch und lexicaliſch, theils hiſtoriſch, geographiſch und antiquariſch, kurz, und für Schüler zweckmäßig.

Jeb.

Erziehungsschriften.

Ausführlicher Text zu Bertuchs Bilderbuche für Kinder. Ein Commentar für Aeltern und Lehrer, verfasset von C. Ph. Funke. Dritter Band, welcher Taf. 1 bis 50 oder Heft XXI—XXX. des Bilderbuchs begreift. Weimar, im Industrie-Comtoir. 1799. 664 S. gr. 8. 2 Rß.

Die Fortsetzung eines so nützlichen und zweckmäßig eingerichteten Werks wird gewiß schon in den Händen mehrerer Familienväter und Erzieher seyn. In den Schulen, und beym Privatunterrichte, wo das Bilderbuch gebraucht wird, darf dem Lehrer dieser Commentar nicht fehlen. Bey so vielen interessanten Gegenständen der menschlichen Erkenntniß, die im Bilderbuch vorkommen, ist es nicht zu erwarten, daß man zum Unterricht und zur nähern Erläuterung die verschiedenen Hülfsmittel zur Hand habe; da in der Regel nicht einmal angenommen werden darf, daß Lehrer oder Eltern die Literarnotiz haben, um bey jedem Artikel sich der tauglichsten und brauchbarsten Werke zur Erreichung ihrer Absicht erinnern zu können. Mit einer noch so vollständigen und gründlichen Naturgeschichte würde man daher nicht ausreichen. Die Gegenstände des Alterthums aus Aegypten, Griechenland und Rom, würden so, wie die in die Mechanik gehörigen Artikel dann unausgefüllt bleiben.

Was daher hier theils aus mehrern Werken, theils auch aus eignen Beobachtungen gesammelt worden ist, verdient Dank und eine freundliche Aufnahme. Rec. hat mehrere Angaben mit Büffon, Ebert, u. a. m. verglichen, und eine löbliche Genauigkeit und Sorgfalt wahrgenommen. (Von den Elstern wird S. 579 behauptet, „daß sie nach dem Aufziehen der ersten Brut zur zweyten Paarung Anstalt machen." Wahrscheinlich ist diese Nachricht aus Bechsteins gemeinnütziger Naturgeschichte Deutschlands B. 2. S. 467 entlehnt. Büffon hingegen sagt, daß dieser Vogel des Jahrs nur ein einzigesmal brütet, wenn das Nest nicht zerstört, oder in Unordnung gebracht wird.) Die im 26sten Heft des B. B. befindlichen zwey schönen Tafeln, die einzelnen Blumen

mentheile betreffend, haben einen instruktiven Commentar erhalten. Die nach dem Linneischen System von den Botani-
kern angenommene Eintheilung der Pflanzen in 24 Klassen
steht hier am rechten Ort, da bey der Beschreibung der Pflanzen an B. B. auch die Klassen, wohin sie gehören, angegeben worden sind. Wir empfehlen diese Darstellung besonders, da sie auf einen wesentlichen Theil des ganzen Werks
Einfluß hat. Der Verf. hat die Klassen angezeigt, die Un-
terscheidungsmerkmale nahmhaft gemacht, und einige Beyspiele angeführt (Rec. hätte auch die Ordnungen, worin
man die einzelnen Klassen abtheilte, gern beygebracht gesehen.)

Zu den vorzüglichern Bearbeitungen können noch gerechnet werden S. 69 die ägyptischen Mumien, wo man über
diesen noch immer nicht genug aufgeklärten Gegenstand treffliche Bemerkungen zusammengestellt findet. S. 132 Die römischen Fußsoldaten, und S. 283 die Reuterey des Alterthums. Eben so S. 409 die Belägerungswerkzeuge der Alten. Diese Beschreibungen können als Vorbereitung auf das
Lesen der Klassiker großen Nutzen haben. Die Arten des
Fußvolks, die Eintheilung der römischen Truppen, die Erläuterungen der Wurfmaschinen, (Catapulten und Ballisten)
der Wandelthürme, der Schildkröten, des Sturmbocks,
u. s. w. sind über alles belehrend. Es ist auch sehr zu billigen, daß die lateinischen Benennungen angegeben worden sind.

Die kleinen Erzählungen, die hin und wieder eingewebt
sind, dienen zur Bestätigung der Beschreibung, oder sind
sonst unterhaltend und belehrend. Exempla illustrant. So
wird unter andern bey der Lamprete gesagt, daß die Stadt
Gloucester in England dem Könige eine Lampretenpastete
zum Weihnachtsgeschenke überreichen muß. Da nun diese
Fische um die Zeit meistens sehr selten sind: so wird das
Stück oft mit einer Guinée bezahlt. — Die Muränen sind
nach Menschenfleisch begierig. Ein Matrose saß auf der Insel Ascension am Meeresufer auf einem Felsen, und angelte.
Er hatte seine Füße am Felsen über dem Wasser herunterhän-
gen, und ward auf einmal in die Zehen gebissen. Er schlen-
kerte den Fuß in die Höhe, und warf zugleich eine Muräne
heraus auf das Ufer. — In Toskana und dem römischen
Gebiet läßt man die Büffel frey auf dem Felde weiden. Will

Landmann davon ein paar an den Wagen spannen: so schickt er einen großen starken Hund ab, die Büffel aufzusuchen. Der Hund faßt eins von diesen Thieren bey einem Ohr, und führet es so zum Herrn, worauf er umkehrt, und den andern auch holt. — Zwey Knaben und sechs Mädchen hatten die Wurzel des Wasserschierlings, welche das Vieh aus der Erde gewühlt hatte, für Pastinaken gegessen. Die meisten starben, und nur wenige erhielten sich durch starkes Erbrechen. Diese Kinder empfanden Betäubung, Schwindel, Schmerzen und heftiges Brennen im Magen. Sie bekamen Zuckungen, und gar epileptische Zufälle, Verdrehungen der Augen, Bluten aus den Ohren, Neigung zum Erbrechen; wozu aber einige nicht kommen konnten. Der Unterleib schwoll auf; es entstand Schluchzen und Krampf in den Kinnladen. (Es werden darauf noch andere Fälle angegeben, die die schädlichen Wirkungen dieser Giftpflanze, die oft schnell tödtet, beweisen.)

Ausführlicher Text zu Bertuchs Bilderbuche für Kinder. Ein Commentar für Eltern und Lehrer, welche sich jenes Werks beym Unterricht ihrer Kinder und Schüler bedienen wollen, von C. Ph. Funke. Vierter Band, über Heft XXXI—XL. des Bilderbuchs. Mit einem Register über den dritten und vierten Band. Weimar, im Verl. des Industrie-Comtoirs. 1799. 656 S. ohne das Register. gr. 8. 2 Rß.

Ueber die Nützlichkeit des Unternehmens hat Rec. sich schon bey der Anzeige der vorhergehenden Bände erklärt, und die Bekanntschaft mit den hier behandelten Gegenständen darf er ebenfalls voraussetzen, da das Bilderbuch in vielen Händen ist, und bey der Anzeige der einzelnen Hefte desselben auch in unserer Bibl. die merkwürdigsten nahmhaft gemacht sind. Es befindet sich in der That in diesem Commentar ein bedeutender Schatz von wissenswürdigen Notizen, Aufklärungen und Thatsachen aus dem unermeßlichen Gebiet der Natur, Sitten, Künste und Wissenschaften. Die Art der

Dar-

Darstellung läßt nichts zu wünschen übrig, und ist dem an=
gegebenen Endzweck entsprechend. Rec. will daher aus
diesem Bande Einiges ausheben, welches mir aus einem oder
dem andern Grunde einer allgemeinern Verbreitung, wenig=
stens für einen Theil unsrer Leser, nicht unwerth scheint.
Man wird sich dann um so mehr überzeugen, daß Hr. Funke
mit Sorgfalt gesammelt, und größtentheils sehr glücklich ge=
arbeitet hat. Wenige Zusätze und Zweifel bleiben der Prü=
fung der Kenner anheimgestellt.

Bey den Thieren werden ihre physische Beschaffenheit
und Organisation nebst den Eigenthümlichkeiten des beschrie=
benen Geschlechts oder der Gattung, die Art sie einzufangen,
oder wenn sie wild sind, zu zähmen, und ihr Nutzen hinrei=
chend auseinandergesetzt, und zuweilen Beyspiele und Beläge
der Angaben aufgeführt. So ist der Artikel Hamster sehr
instruktiv behandelt. Zorn ist die herrschende Leidenschaft
dieses Thiers. Er wehrt sich gegen Hunde, Pferde und
Menschen durch Bisse, die gefährlich sind. Er hält hart=
näckig im Kampfe aus, und läßt sich lieber tödten, als daß
er flüchten sollte. Im Gothaischen ist er so häufig, daß
man in Einem Jahre über 27000 Stück getödtet hat. Ei=
gene Hamstergräber müssen ihre Nester im Herbst aufsuchen,
und die Thiere ausgraben.

Die Blindmaus ist bis jetzt als das einzige Säugethier
bekannt, welches die Sinnenwerkzeuge des Gesichts nicht
hat. Die Hausmaus liebt Musik, und scheint ihre natür=
liche Furchtsamkeit zu verlieren, wenn sie ein musikalisches In=
strument spielen hört. Durch den sanften Ton eines Klaviers
wird sie vorzüglich leicht angelockt. Es ist, nach dem Verf.
S. 542 nichts seltenes, daß in angenehmen Sommeraben=
den, wenn die Thüren offen stehen, und dieß Instrument
im Zimmer gespielt wird, mehrere Mäuse aus den Hinter=
gebäuden sogar herbey kommen, um die lieblichen Töne zu
hören. (Rec. war diese an dem allgemein bekannten Haus=
thiere wahrgenommene Beobachtung neu.) Interessant ist
auch das Beyspiel, daß ein Königsberger einige Mäuse so
gezähmt hatte, daß sie aus den für sie gemachten Löchern in
der Stube hervorkamen, sobald er ihnen mit einer kleinen
Pfeife ein Zeichen gab. Sie kletterten sogar auf den Tisch,
tanzten auf den Hinterbeinen, und machten mancherley pos=
sirliche Sprünge. Wenn sie mit Mehl und zerhacktem Speck

gefüt=

gesättigt waren, begaben sie sich wieder in ihre Wohnungen. — Die Brillenschlange wird für eine der giftigsten unter allen Schlangen gehalten; doch schadet ihr Gift nur, wenn es unmittelbar ins Blut kömmt. Der Ichneumon verzehrt sie ohne Schaden. Indische Gaukler ziehen mit diesen Schlangen im Lande umher, und zeigen den Leuten ihre Künste für Geld. Der Führer lockt sie aus dem verdeckten Gefäße heraus, hält ihr ein Stück Wollenzeug oder Filz vor; sie beißt hinein, und entledigt sich dadurch des Gifts. Nun ist sie eine Zeitlang ohne Gefahr zu behandeln, selbst ihr Biß ist unschädlich. — Von den Narwalszähnen ließ König Friedrich III. von Dänemark einen Thron täfeln, den man noch jetzt zu Kopenhagen in einem besondern Gemach des Rosenburger Schlosses sieht.

Der Scheerenscolopender oder die Scheerenassel, zum Insektengeschlecht gehörig, wird häufig unter Steinen, Blumentöpfen, die an feuchten Orten stehen, auch zwischen alten verfaulten Baumrinden gefunden. Sie ist unschädlich. (Bechstein hält ihren Biß dem Anschein nach für giftig, da die Fliegen sogleich sterben.)

Aeusserst belehrend ist auch der Text über die Rubrik: Floh und Laus. — Pallas fand den Floh auf seiner Reise durch Sibirien in den Niederungen an der Wolga in so erstaunlicher Anzahl, daß sie, wie er sich ausdrückt, bey allen Hunden und bey der Hälfte des menschlichen Geschlechts nicht Raum genug würden gehabt haben. Den weidenden Pferden setzten sie sich so dick auf die Nasen, daß dieselben ganz schwarz davon aussahen. (Die Fabel über ihre Entstehung aus einem mit Sägespänen angefüllten, fleißig mit Urin angefeuchteten Topf ist hier wie billig, für abgeschmackt erklärt.) Die fürchterliche Schilderung der Läusesucht, woran Sylla, Herodes und Philipp II. von Spanien starben, erweckt Ekel und Abscheu. — Besonders wichtig ist auch die Beschreibung der Ameisen, eines Insekts, das nach den Bienen die größte Aufmerksamkeit des denkenden Menschen verdient. Auch hier werden die Fabeln mit Recht verwiesen, daß diese Thierchen z. B. Generale, Quartiermeister, u. s. w. hätten, oder Magazine für den Winter anlegten. Letzteres findet darum nicht statt, weil es entschieden ist, daß sie im Winter gar nichts fressen. — Die Lemminge ziehen auf ihren Reisen in einer geraden Linie fort, welchen weder dem Wasser, noch dem

dem Feuer, (?) keinem Flusse, keinem Strudel, u. dergl. aus. Sie übersteigen sogar die Fahrzeuge, welche ihnen im Schwimmen begegnen. Eben so machen es mehrentheils die Landkrabben; die aus den Gebirgen der westindischen Inseln nach dem Meere ziehen. Auch sie übersteigen Hügel und Baumstämme; und versuchen sogar über Wohnungen zu kommen. Treffen sie hingegen einen Fluß an: so müssen sie ihre Richtung längst demselben nehmen.

Für das Taubengeschlecht sind ein paar Tafeln bestimmt. Man findet hier ihre Gestalt, Nutzbarkeit u. s. w. Von der Mondtaube heißt es S. 448 mit Büffon. „Sie wird so genannt, weil sie alle Monate fast das ganze Jahr hindurch Eyer legt und brütet; doch dürfen, wenn dieß richtig erfolgen soll, nicht viele in Einem Schlage beysammen seyn, und jede muß so sitzen, daß sie sich einander nicht sehen." — Ungeachtet der letztern Einschränkung hätte dieß bestimmter gesagt werden können; denn die Mondtauben hecken nur sieben bis achtmal im Jahre, wenn sie von guter Art sind, und gut gehalten werden. Vier Monate im Winter, und einer für die Raubzeit gehen auf alle Fälle vom Jahre ab. — Auf die Trommeltaube paßt die Benennung Mondtaube gar nicht; denn sie heckt nur jährlich 4 bis 5 Mal. S. 384. Man schreibt den Tauben eine besondere Liebe zur Reinlichkeit zu. Auch heißt es hier; „wenig Vögel scheuen sich, ihren Fraß aus dem Miste zu lesen; die Taube nimmt nur im größten Hunger die Körner, die sie im Miste liegen sieht," u. s. w. Man will aus Erfahrung diesen Umstand abläugnen, und ein langjähriger Taubenliebhaber behauptet, daß die Taube eben so wenig als das Huhn oder die Ente Gestank und Mist fliehe. Würden Ställe ausgemistet: so wühle sie mit ihrem Schnabel nach jedem Körnchen. Die Taube wäre bald dabey, wenn ein Pferd miste, um das noch unverdaute Korn aufzusuchen. Sie fressen auch den Schlamm, der sich an den Stallschwellen ansetze, sehr gern. — Auch alte Tauben (nicht allein die Jungen S. 395) bekommen Pocken, welche man am Schnabel sehen kann: dagegen man die Pocken der Jungen am häufigsten unter den Flügeln und Ohren bemerkt. Aber die alten Tauben starben selten an dieser Krankheit; desto häufiger die Jungen. —

In Hinsicht auf das Pflanzenreich interessirt die über alles wohlthätige Pflanze, von der die Kartoffeln herrühren.

Q 4   Sie

Sie wurde von dem Engländer Franz Drake 1585 aus Amerika nach Europa gebracht. (Die Spanier sollen sie schon vorher aus Peru, und Hieronymus Cardanus 1580 nach Italien gebracht haben.) Die andern Bearbeitungen, z. B. vom Schimmel, dem Strohhalm, u. s. w. haben unläugbar ihren Werth. Das Ganze verdient von Lehrern und Eltern benutzt zu werden, und auch, außer dem Zweck des Unterrichts, dient die Schrift für jeden zu einer lehrreichen und angenehmen Lektüre. Vom 41sten Heft des Bilderbuchs an, erscheint bekanntlich mit jeder neuen Nummer desselben auch zugleich der Kommentar, wovon ebenfalls in der Bibliothek schon die Rede gewesen ist, und von dessen Fortsetzung sich noch vieles erwarten läßt.

1) Bilderbuch für Kinder. No. XLIII — XLVI. Weimar, im Verlag des Industrie- Comtoirs. 1799. 4. Iedes Heft hat 5 Kupfertaf. und 5 Blätter Text, deutsch und franz. illum. 2 Rß. 16 K. schwarz 1 Rß. 8 K.

2. Ausführlicher Text zu Bertuchs Bilderbuche für Kinder. Ein Commentar für Eltern und Lehrer, von C. Ph. Funke. Nr. XLIII — XLIV. Ebendas. 1799. 8. - 16 K.

1. Auch diese Hefte des Bilderbuchs behalten ihren Werth. Die Zeichnungen und der Stich der Kupfer sind der Natur getreu; besonders haben uns die Vögel und Pflanzen gefallen. Die Rosinen, Ananas, Spechte und Drosseln, und mehrere Gegenstände geben ein anschauliches Bild des Originals. Da die Einrichtung bekannt ist, und die Schrift, so wie die Auswahl der Gegenstände nebst der Abbildung, einen entschiedenen Vorzug vor ähnlichen Unternehmungen behaupten: so mag die bloße Anzeige ihrer Fortsetzung für diesmal hinreichen.

2. Herr Funke geht bekanntlich mit dem Commentar vom 41sten Stück an dem Buche zur Seite. (Auch zu den ersten 40 Heften ist dieser ausführliche Text nunmehr voll-

/ ständig

ständig erschienen.) Aus den obigen 4 Nummern bemerken
wir als vorzügliche Bearbeitungen, Nr. 43 die Menschen-
haut und das Menschenblut, wie auch den Planeten Saturn
mit seinen Ringen. — Herschel hat zwar anfangs durch sein
Fernrohr zwey concentrische Ringe von ungleicher Größe und
Breite um den Saturn wahrgenommen; diesen doppelten
Ring aber jetzt schon aus fünf Ringen zusammengesetzt gefunden. — In Nr. 44 sind die Menschen- und Thierhaare
sorgfältig bearbeitet; in Nr. 45 und 46 die großen und kleinen Rosinen, nebst den spechtartigen Vögeln. — Merkwürdig ist es, daß der Aufenthalt der Kohlmeise in den Zimmern
mit Gefahr verknüpft ist. Diese Gattung von Meisen pflegt
sich auf schlafende Kinder zu setzen, und auf die Augen derselben loszupicken. Man sollte sie daher nicht in den Stuben halten. Uebrigens ist das Vorgeben, als sey die Zunge
dieses Vogels unbeweglich, falsch; denn er kann sie nach allen Richtungen ausstrecken. Es ist schön, daß das B. B.
Heft 44 die Schuppen vom Aale darstellt, und daß der Commentar darüber eine wichtige Belehrung giebt. Viele Menschen haben von diesem bekannten Fisch bisher geglaubt, daß
er keine Schuppen habe, da sie doch wirklich vorhanden sind,
dicht auf der zähen Haut aufliegen, und von einem dicken
Schleim bedeckt werden. Die Blumen des Tulpenbaums
werden in Nr. 43 also beschrieben: „Sie sind zwar so hoch
wie eine Tulpe, aber nicht von so großem Umfange; doch
kommen sie keiner Blume an Gestalt so nahe, als den holländischen Tulpen." (Die Blüthen dieses Baums werden höher
als eine Tulpe, und haben auch einen größern Umfang.)

Fast durchgehends ist die Beschreibung deutlich und richtig. So urtheilte ein Sachverständiger, dem diese Hefte
mitgetheilt worden waren, auch über einige Arzneypflanzen,
namentlich die Chinarinde und Jalappe; daher wir den
brauchbaren Commentar aller Empfehlung werth halten.

1. Bilderbuch für Kinder. No. XLVII und XLVIII.
Weimar, im Industrie-Comtoir. 1799. 4.
Jedes Heft hat 5 Blätter, deutsch und franz. und
5 Kupfertafeln. schwarz 16 g. illum. 1 Rt.
8 g.

2. Ausführlicher Text zu diesen beyden Nummern, für Eltern und Lehrer, von C. Ph. Funke. Ebendas. 1799. 8. 8 ℞.

In Nr. 47 sind einige Affenarten; der Choras, Lowando, Pitheke und Maimon. Unter diesen ist der Pitheke, der in der Barbarey, Aethiopien, Arabien, u. s. w. einheimisch ist, am bekanntesten, da diese Art gewöhnlich auch von Bären und Kameelführern gezeigt wird. Von den Pfauen sind hier der blaue, bunte und weiße. Das Fleisch der jungen Pfauen wird in Ostindien von den Eingebornen und den Europäern gegessen. Die alten Römer machten viel aus dem Pfauenfleisch; doch scheinen sie mehr aus Prachtliebe und Verschwendungssucht den Pfau auf die Tafeln gebracht zu haben, als des Wohlgeschmacks wegen. Der tolle Heliogabal hatte Gerichte von Pfauen- und Nachtigallenzungen. Jetzt trägt man auf die Tafeln großer Herren auch bisweilen einen gebratenen Pfau auf; er wird aber mit seinen schönen Federn besteckt, und dient bloß zum Schaugericht. — Von den Fischen findet man den americanischen Ritter, den Häweken-fisch und den Acarauna. (Chaetodon tricolor.) Der americanische Ritter lebt in den americanischen Gewässern, und ist nur einige Zoll lang. Aus dem Pflanzenreiche sind die Kiefer und der Lerchenbaum, imgleichen das grüne Bärtmoos und die Wasserfaden. (Letztere beyden sind in ihrer natürlichen Größe und vergrößert abgebildet.)

Nr. 48 setzt die Affenarten und Nadelhölzer (die Tanne und Fichte) fort. Unter den Vögeln befinden sich der Truthahn, das Fasan- und Perlhuhn; die Amphibien sind die Surinamsche- und die gehörnte Kröte, und von den Fischen sind die Tabackpfeife, der Trompetenfisch und die Schwerdt-Makrele abgebildet und beschrieben. — Des Truthahns Vaterland ist nicht Ostindien, wie man aus der Benennung, kalekutischer Hahn, schließen könnte; sondern Amerika. Die Truthühner sind seit 1520 bis 1524 in Europa bekannt. Bittre Mandeln und Petersiliensaamen sind ihnen schädlich. — Der Beschreibung der Kröten ist im Commentar eine kurze Einleitung vorausgeschickt; die besonders die Fortpflanzungsart der Kröten und Frösche zum Gegenstande hat. Ein sehr merkwürdiges Thier dieser Gattung ist die hier dargestellt.

gestellte Surinamsche Kröte, welche um die Hälfte größer ist,
als die gemeine einheimische Kröte. Sie pflanzt sich auf eine
sonderbare Weise fort, und vermehrt sich äußerst stark. Ein
einziges Weibchen bringt 100 und mehrere Junge zur Welt.
Die Fortpflanzung geschieht, wie bey den übrigen Gattungen, nur mit dem Unterschiede, daß das Männchen dem
Weibchen die Eyer, sobald es dieselben von sich gegeben hat,
mit den Vorderpfoten auf den Rücken streicht, und sich dann
rücklings so lange drauf herumwälzt, bis sie vollends in den
Grübchen, die sich auf dem warzigen Rücken befinden, ein-
gedrückt sind. Sobald dieß geschehen ist, befruchtet es die
Eyer, die gleichsam mit der warzigen Rückenhaut der Mutter verwachsen. Hernach schlüpfen aus derselben die Larven
aus, und endlich erscheinen diese nach 3 Monaten als vollkommene Kröten.

Biographisches Bilder-Buch für die Iugend in deutscher und französischer Sprache. *Ersten Bandes erstes Heft. Zweytes Heft.* Mit fortlaufen-
den Seitenzahlen, 31 Seit. und in jedem Heft 6
Kupfertafeln. Weimar, bey Hoffmann. 1799.
4. 16 H.

Jedes Heft hat einen besondern Umschlag. Der Text ist in
gespaltenen Columnen deutsch und gegenüber französisch gedruckt. Zu der biographischen Skizze, deren in jedem Heft
sich sechs befinden, ist die Abbildung der beschriebenen Person in Umrisse geliefert. Der Herausgeber hat dabey die
galerie historique universelle zum Grunde gelegt, und will
nach und nach eine Reihe denkwürdiger und ausgezeichneter
Menschen aufstellen, bey deren Lesung und Betrachtung in
jungen Gemüthern der Nachahmungstrieb erweckt, und das
Gute, und Edle befördert werden soll. Eine solche Moral
in Beyspielen ist ein verdienstlicher Zweck, und wir müssen
gestehen, daß der Anfang der Schrift uns zur Erreichung
desselben nicht undienlich scheint.

Die Auswahl der Personen hat unsern Beyfall. Es
sind ausgezeichnete und wichtige Menschen, deren Charakter-
schilde-

Schilderung hier entworfen ist. Auch Mannichfaltigkeit findet sich allenthalben. Neben fürstlichen Charakteren stehen Dichter, Pädagogen, Maler, und überhaupt Schriftsteller und Künstler vom ersten Range aus verschiedenen Ländern, Nationen und Zeiten. Wer kennt nicht die berühmten Namen: Fenelon, Erasmus, Pope, Ariost, Titian, Mengs, Shakespear, Crichton, Cervantes, und den noch lebenden ehrwürdigen Klopstock! Die beyden bearbeiteten gekrönten Häupter sind der macedonische Alexander, und die schwedische Christine, in deren Gemälde neben dem Lichte auch Schatten ist; den aber der Maler ebenfalls getreu darstellt.

Der Absicht nach ist von jedem nur eine kurze und gedrängte Schilderung gemacht worden; die wir aber fast durchgehends richtig befunden haben. Man findet einen Abriß des Lebens, und eine Darstellung des literarischen und moralischen Charakters. — Von Cervantes heißt es: „Er starb den 13sten April 1616." — Nach den Nachrichten, die Don Gregorio Mayans y Silcar freylich erst 120 Jahr nach dem Tode des berühmten Verf. des Don Quixote gesammelt hat, ist der Tag und Monat des Todes des Cervantes nicht bekannt. So viel erhellt daraus, daß er noch am 19ten April 1616 eine Zuschrift zu einer seiner Schriften geschrieben, oder diktirt hat. Wo mag daher der Herausgeber den bestimmten Todestag gefunden haben? — Schön sind die Nachrichten von Ariost, den die Italiäner den Göttlichen nennen, von Fenelon, und mehrern.

Kurz, die Skizzen sind wohl gerathen, und gewinnen jetzt für den Deutschen an Interesse, da die Werke mancher vorkommenden Schriftsteller theils neu und prachtvoll erscheinen, z. B. Klopstocks Schriften; theils durch mehrere Uebersetzungen in den neuern Zeiten abermals in Umlauf kommen, wie Ariost (dessen wüthender Roland von Mauvillon,) Shakespear von Schlegel, und Cervantes von Tiek und W. A. Schlegel. Von dem Werth oder Unwerth dieser Verdeutschungen ist hier natürlich nicht die Rede.

Auch die Abbildungen sind sauber und nett.

Der

— Der französische Text kann zur Uebung in dieser Sprache von der Jugend gebraucht werden.

Dwk.

Le livre de famille, ou Journal des enfans, contenant des historiettes morales et amusantes, mêlées d'entretiens instructifs sur tous les objets qui les frappent journellement dans la nature et dans la société. Par Mr. *Berquin*. Nouvelle edition. Avec figures. A Leipzig, chez Rabenhorst. 1799. 393 S. 12. 18 gr.

Weniger Feenmährchen, weniger Geschichten aus dem Alten und Neuen Testamente, weniger geographische Nomenclatur, als z. B. die vordem viel gelesenen auch ins Deutsche übersetzten Kinderschriften einer le Prince de Beaumont, bieten diese, mit Recht „instruktiv“ genannten, Unterhaltungen freylich dar; aber desto mehr praktischen, für mancherley Lagen des Lebens wahrhaft brauchbaren, so manchen Kinderunarten entgegenarbeitenden, und so vielfachen, sonst in Kinderschriften wenig berührte natürliche Ereignisse angenehm und faßlich darstellenden Unterricht; in der leichten, gefälligen Manier eines Berquin vorgetragen; können sicherlich Jugendlehrer und gut geleitete Zöglinge, mit und ohne besondere Anleitung aus diesem mit Grunde zu empfehlenden Familienbüchlein schöpfen. Bedarf es unter Voraussetzung dieser dem kleinen Buche keinesweges abzusprechenden Eigenschaften, etwas mehr, als der bloßen Angabe der Aufschriften, unter welcher die beygebrachten Lehren und Anweisungen, in kurzen, nicht leicht ermüdenden Abschnitten vertheilt sind? Sie heißen: „L'obéissance.“ „La Iustice.“ „La fidélité à sa parole.“ L'utile avant l'agréable.“ „La propriété, ou le Tien et le Mien.“ „Les chats.“ „Les égards dûs à nos serviteurs.“ „Le vol.“ „Le travail.“ „Le danger de crier pour rien.“ „La conscience.“ „Les oeufs.“ „La toile, Le papier.“ „Les chiens.“ „Le beurre“ mit einem Kupfer; das aber dem Butterfasse an dem untern Theile einen viel zu breiten und weiten Raum giebt). Eine lehrreiche Erzählung überschrieben: „Tout un

un pays réformé par quatre enfans," von S. 142 —
180. *„L'air."* *„La croissance des plantes."* *„La pluie."*
(S. 197 und nachmals S. 215). *„Les vapeurs."*
„Les nuages." *„Les suites facheuses de la coloré."* *„Les*
cinq sens." *„Les sensations."* *„L'ame des bêtes."*
„L'homme supérieur aux animaux." *„Imagination."*
„Mémoire." *„Raisonnement, jugement."* *„Liberté, vo-*
lonté." *„Table, conte, histoire."* *„Besoins généraux et*
particuliers des hommes." *„Les avantages de la socié-*
té." *„Monnoye, commerce, marchand."* *„Richesses,*
capital, intérêts." —

Schade, daß das kleine, niedlich gedruckte Büchlein
nicht ganz frey von Unrichtigkeiten des Drucks geblieben ist,
den unsere deutschen Setzer und Correctoren von Tage zu
Tage läßiger und unverantwortlicher zu behandeln fortfahren,
da die Rüge gewissenhafter Recensenten sie freylich am allerwenigsten kümmern mag; der brave Verleger aber auch
nicht einmal mit angemessener Belohnung durchdringt. Lesende Kinder, denen das Büchlein als französisches Sprach-un-
terrichtsbuch in die Hände gegeben wird, hält es ganz gewiß
unangenehm auf, wenn sie z. B. S. 159 finden: *„puis-*
qu'ils scavoient triompher de la violence démangeaison
qu'ils sentoient quelquefois," wo doch wohl ein, der Sprache nur mittelmäßig kundiger Corrector ohne viele Besinnung
hätte wissen sollen, daß zu dem Substantiv *„démangeai-*
son," ein weibliches Adjektiv *violente,* und kein neues Substantiv *„violence"* erforderlich sey. Auch Abirrungen in Accenten und Apostrophen, und in Form und Beugung unrichtig orthographirte Wörter sind nicht sorgfältig genug vermieden, wie z. B. *„au millieu"* statt au milieu, *„appar-*
remment" statt apparemment, *„traveaux"* statt travaux,
„travailoit" statt travailloit, *„l'orsque"* statt lorsque, und
dergleichen mehr.

Dsg.

Deutsche und andere lebende Sprachen.

Darstellung auffallender Fehler der deutschen Sprache im Umgange des gemeinen Lebens, und der Mittel sie zu verbessern. Ein Seitenstück zu Heynatz Antibarbarus. In Briefen von J. D. G. Schmiedtgen. Leipzig, bey Reinicke und Hinrichs, 1799. 13½ B. 8. 16 gr.

Mit fast zu großer und ängstlicher Schüchternheit überreicht der Verf. seine Schrift dem Publikum, und sucht sich darüber in der Vorrede mit ziemlich verschwendrischem Wortaufwande zu rechtfertigen. Das Vorurtheil einiger Gelehrten wider alles Sprachstudium durfte ihn nicht irre machen; denn es giebt doch der Vernünftigern gewiß mehr, welche den Werth und den Nutzen solcher Bemühungen einsehen und anerkennen. Der Verf. hat darin allerdings Recht, daß für die Belehrung der Ungelehrten und des großen Haufens, in Hinsicht auf Sprachrichtigkeit noch zu wenig gesorgt ist, und daß es ihnen noch zu sehr an einem bestimmten und richtig geleiteten Bewußtseyn des Guten und des Fehlerhaften mangelt. Zugleich aber hatte der Verf. auch die Absicht, viele von unsern Schriftstellern, die in Ansehung der Sprachrichtigkeit unbesorgt und nachlässig sind, auf dieß Bedürfniß aufmerksam zu machen. Der Inhalt des Ganzen ist folgender: Im ersten Briefe, welcher Einleitung ist, wird von der Vaterlandsliebe der Deutschen, ihren Quellen und Aeußerungen geredet, auch vom Stolz auf die deutsche Sprache, nach seinen Rechten und Einschränkungen. Br. 2 — 4 enthalten eine Bestimmung und Beleuchtung der Einigkeit, Allgemeinheit und Selbstständigkeit der deutschen Sprache. Sodann beschreibt der Verf. Br. 5 — 11 die bisherigen allgemeinen Hindernisse derselben, und die Ursachen ihres Gegentheils. Jene Hindernisse sind: falsche Richtung der Sprachwerkzeuge durch Eltern, Erzieher und Wärterinnen; ungebildete Lehrer in Familien und Dorfschulen; unzweckmäßige Verfassung dieser letztern; halbgebildete Lehrer in kleinen Städten, und zweckwidrige Einrichtung der daselbst befindlichen

chen Schulen; das Vorurtheil, daß die deutsche Sprache eine todte, besonders die lateinische, zur Stütze haben müsse; Unbestimmtheit der Sprache in Ansehung der persönlichen Fürwörter; und endlich, Eitelkeit, Ruhm- und Habsucht deutscher Redner und Schriftsteller. In den fünf folgenden Briefen, 12—16. thut der Verf. folgende Vorschläge zur Herstellung der Einheit und Selbstständigkeit der deutschen Sprache, die sich hauptsächlich auf jene Hindernisse beziehen, und Mittel zu ihrer Abstellung an die Hand geben. Und von diesen Verbesserungen werden sodann in den beyden letzten Briefen die Vortheile gezeigt; nämlich eine größre gegenseitige gesellige Annäherung der Menschen; höherer innerer Werth der geselligen Zirkel; größere Genießbarkeit der geselligen Freuden; Erleichterung der Erlernung unsrer Sprache für den Ausländer; zweckmäßigere Begierde zum Lesen; allseitigere Ansicht der für das wirkliche Leben bearbeiteten Wissenschaften; willigere Annahme und treuere Befolgung der Landesgesetze; und größere Bekanntschaft mit dem Wesen der Religion.

Unter der **Einigkeit** und Allgemeinheit der Sprache versteht der Verf. eine größere Uebereinstimmung derselben in Absicht der Wörter und Redensarten sowohl, als der Tonbewegung im Ausdruck; und überhaupt eine allgemeinete gleiche Anwendung der Sprachwerkzeuge, so wie sie die Grundzeichen und Grundtöne der ächten deutschen Sprache, nach Maaßgabe der natürlichen Sprachfähigkeit jedes Einzelnen fordern. Und die Selbstständigkeit der Sprache setzt er in die Vollkommenheit derselben oder in ihre Reichhaltigkeit, vermöge welcher sich eine Nation über alle ihr bekannten sinnlichen und übersinnlichen oder gedachten Gegenstände auszudrücken vermag, ohne von andern Sprachen Wörter und Ausdrücke zu entlehnen. Von beyderley Eigenschaften sucht nun der Verf. die Möglichkeit darzuthun, und die Einwürfe dawider zu beantworten; besonders den erheblichen unter ihnen, der von der nothwendigen, unvermeidlichen Entstehung verschiedener Mundarten in jeder Sprache und Völkerschaft hergenommen ist, die eine natürliche Folge der verschiedenen Stufen ihrer Kultur war. Nach der Meinung des Verf. ist die Buchdruckerkunst das Mittel geworden, einer Sprache Festigkeit und Dauer zu geben. Diese Behauptung möchte indeß wohl mancher Einschränkung bedürfen; man darf sich

nur

nur an die so auffallenden Abänderungen und Verschiedenheiten erinnern, die unsre Schriftsprache und Schreibart, so wie jede andre, auch noch seit der Erfindung und Verbreitung dieser Kunst erhalten hat. Um so weniger kann nun auch die Schriftsprache Regel und Vorbild der Umgangssprache werden, die, wenn auch jene noch fester, bestimmter und gleichförmiger wäre, dennoch, von so manchen anderweitigen Einflüssen geleitet, ihren verschiedenartigen und mannichfaltigen Charakter behalten würde. Was indeß der Verf. über die vielen Befördrungsmittel des Gegentheils von jener Einigkeit, Allgemeinheit und Selbstständigkeit sagt, wird man sehr gegründet finden. Aber weit leichter ist es, diese Hindernisse zu bemerken, als sie glücklich und allgemein genug zu heben. Der Verf. glaubt, solch eine Wegräumung sey eben so möglich, als die Ausrottung der Blattern; dieß kann man ihm zugeben, weil man bey weiterm Nachdenken wohl beydes an sich für möglich und wünschenswerth; den Umständen nach aber wohl für äußerst schwierig, wo nicht gar für unmöglich halten wird. Große Schwierigkeiten, und mehr als Eine Bedenklichkeit, würde sich auch wohl bey dem im sechszehnten Brief vorgeschlagenen Mittel finden, den Maaßstab der größern Einheit und Richtigkeit der Sprache durch Stellvertreter der Nation bestimmen zu lassen, welche die Fähigkeiten der Gesetzgebung besitzen. Zu diesen Fähigkeiten rechnet der Verf. ein richtiges Gefühl für den eigenthümlichen Charakter der Sprache, ohne Rechthaberey und steifen Eigensinn, ohne Ehrgeiz, Eigendünkel, Neid und Habsucht, u. s. f. Alles sehr gut; aber sollten diese Leidenschaften und Unvollkommenheiten sich nicht gar bald bey den Mitgliedern eines solchen höchsten Tribunals einschleichen, wenn sie auch Anfangs frey davon gewesen wären? Und würde wohl unter ihnen das von dem Verf. zur Bedingung gemachte beständige Einverständniß dieser Männer sich erwarten lassen? Es bleibt auch immer noch die Frage, ob eine durchgängige Bestimmtheit aller Sprachgesetze und eine, noch minder zu hoffende, durchgängige Gleichförmigkeit in ihrer Befolgung, nicht mehr Beschränkung als Erweiterung der Sprache selbst, und ihrer Fortbildung zur Folge haben würde; und ob die Vortheile, die der Verf. von der Erfüllung seines Wunsches erwartet, nicht auch auf anderm Wege zu erreichen stehen. Uebrigens verkennt Rec. das viele Gute und Wahre seiner Vorschläge nicht; und die vorliegende

Schrift kann wenigstens dazu dienen, den Leser auf manche Mängel dieser Art und manche dienliche Verbesserungsmittel des Unterrichts und der Erziehung aufmerksamer zu machen; ein Zweck, den der Verf. vielleicht noch mehr erreichen würde, wenn sein Vortrag minder weitläuftig wäre, und er sich nicht über manche bekannte Gegenstände mit zu vieler Redseligkeit verbreitet hätte.

Km.

Beyspiele von allen Arten des deutschen prosaischen Styls, aus den besten Schriftstellern gezogen, nach der Adelungischen Eintheilung geordnet, und sowohl mit Einleitungen als mit Anmerkungen versehen. Leipzig, bey Schwickert. 1799. 1 Alph. 5½ Bog. 8. 1 Rh. 8 gr.

Gegenwärtige Beyspielsammlung kann sowohl für Lehrer als für Lernende brauchbar und nützlich seyn; beyden ist sie von ihrem ungenannten Urheber bestimmt, der es aus der Erfahrung wußte, in welcher Verlegenheit sich oft Lehrer befinden, wenn sie nicht im Stande sind, ihren Schülern Beyspiele vorzulegen, nach welchen diese ihren Styl bilden können, und wie viele junge Leute sich solch eine Sammlung zu ihrem Unterricht wünschen. Diesem Bedürfnisse wollte also der Sammler durch gegenwärtiges Buch abhelfen; und er hat es auf eine empfehlungswürdige Art gethan. Für die Lehrer zog er die bloßen Beyspiele aus; den Lernenden aber wollte er auch durch die beygefügten Anmerkungen zu Hülfe kommen, von denen einige die Gedanken des Schriftstellers erklären, andre das Richtige und Schöne des Ausdrucks in wenig Worten zeigen, die meisten aber die Fehler wider Sprache und Geschmack zeigen; die in den Aufsätzen vorkommen, selbst in denen, welche aus unsern besten Schriftstellern gewählt sind. Die meisten Erinnerungen dieser Art wird man richtig und gegründet finden. Hier und da, wo Ausdrücke als niedrig, oder als veraltet, oder als zu neologisch, getadelt werden, scheint der Herausgeber sich fast zu sehr an Adelung's Grundsätze und Urtheile gehalten zu haben, dessen Ein-

Eintheilung der verschiednen Arten des Styls hier zweckmäf-
sig genug zum Grunde gelegt ist.

Iß.

Leipziger Briefsteller für Frauenzimmer als eine Anleitung zu einem guten, schriftlichen Vortrage in
Briefen. Leipzig, bey Linke. 1799. 416 S. 8.
20 Kr.

Für Frauenzimmer ist dieß unstreitig eine zu trockene und
weitschweifige Anweisung zum Briefschreiben; obgleich das
Buch an sich selbst nichts weniger als unnütz und zwecklos
ist. Wer den Geist der Weiber kennt, weiß es recht gut,
daß sie dergleichen Schriften nicht verlangen, auch nicht lesen; nicht zu gedenken, daß es überhaupt eine verdienstlose
und undankbare Arbeit bleibt, wenn man, wie hier geschehen ist, in lang gedehnten Formularen das andere Geschlecht
belehren will. Diejenigen Frauenzimmer, welche nicht vorher schon Kopf und Bildung hatten, werden nicht viel aus
diesem und in diesem Buche lernen. Ueberdieß lassen sich bey
Briefen, die mit Gefühl, und aus dem Herzen geschrieben
seyn wollen, [und diese schreiben die Frauenzimmer am lieb-
sten] nicht wohl Formulare vorschreiben; und den Geschäffts-
styl lernen sie wegen ihrer natürlichen Gewandtheit des Geistes leichter, als wir Männer. Der Verf. erklärt sich vor
seiner Beyspielsammlung selbst nicht sehr vortheilhaft über das
Formularwesen: — „abgeschmackt würde es seyn, wenn wir
unsern schriftlichen Vortrag in Briefen nach gewissen Mustern formen wollten; denn gerade die Briefe, welche man
auf diese Art, so wie der Handwerker seine Arbeit, nach einem Leisten zu schneidet, werden die schlechtesten seyn, weil
man darin das Eigenthümliche und Charakteristische seiner
eigenen Gedanken vermissen würde. Damit aber unsere Leserinnen wissen, was sie in diesem Briefsteller eigentlich zu
suchen haben: so halten wir es für nöthig, den Inhalt selbst
anzugeben. Erster Abschnitt. Allgemeine Regeln der
Grammatik, in sofern sie zu einem guten schriftlichen Vortrage in Briefen zu wissen nöthig sind. Erstes Kapitel. Von
der Orthographie. Von den Buchstaben — von deren

R 2 　　　　Recht-

Rechtschreibung in gleichlautenden Wörtern — von Abtheilung der Sylben — von der Rechtschreibung zusammengesetzter Wörter — von dem richtigen Gebrauche der im Schreiben nöthigen Unterscheidungszeichen. Zweytes Kapitel. Von den Redetheilen. Sachwörter — Artikel — Zahlwörter — Personwörter — Beschaffenheitswörter — Eigenschaftswörter — Zeitwörter — Verhältnißwörter — Bindewörter — Empfindungs = Ausrufungswörter. Drittes Kapitel. Besondere Regeln über den Gebrauch des Datios und Accusatios. Zweyter Abschnitt. Von dem Styl. Von der Deutlichkeit, Kürze und Gedrängtheit, vom Zusammenhange von der angenehmen Leichtigkeit und Wohlklange desselben. Dritter Abschnitt. Von den Briefen und ihren einzelnen Bestandtheilen, insbesondere. Von der Anrede in Briefen — von dem Eingange und dem Vortrage der Sachen in Briefen — von dem Schlusse eines Briefes — von der Unterschrift — von der Aufschrift — von den Titulaturen auf den Briefen insbesondere. Vierter Abschnitt. Von der äußern Form und Beschaffenheit der Briefe, von dem Zusammenbrechen — von dem Couvert — von dem Siegel derselben. Fünfter Abschnitt. Von Billets und andern Arten von Schreiben — von Billets selbst — von dem Promemoria — von der Eingabe. Sechster Abschnitt. Besondere Regeln in Beziehung auf äußern Wohlstand und das zu beobachtende Ceremoniel in Briefen. Achter Abschnitt. Von der Verschiedenheit der Briefe. Rec. läugnet nicht, daß in diesen Abschnitten eine Menge sehr brauchbarer und nützlicher Regeln zur Richtigkeit der Sprache und zur äußern mechanischen Einrichtung eines Briefes enthalten ist; aber er muß seine obige Bemerkung wiederholen, daß der größte Theil dieser Anweisungen zu trocken, und zu schulmeistermäßig entworfen ist, — und für die feiner gebildete Klasse der Weiber nicht viel Anziehendes habe. Der zweyte Theil und zwar der größere des Buchs enthält nun eine lange Beyspielsammlung verschiedener Arten von Briefen, — freundschaftliche, Einladungs = Glückwünschungs= Beyleids = Trostbriefe, Berichtschreiben, Bittschreiben, Briefe, worin man um Rath fragt, — worin man Rath ertheilt, Danksagungsschreiben — Antwortschreiben — gemischte Briefe — Leipziger Postbericht als Anhang. Mehrere von diesen Briefen sind nicht übel gewählt; allein das Gezwungene und Steife, welches eben darum nicht vermieden

den

den werden konnte, weil es absichtlich — Musterschreiben seyn sollten, ist in den meisten sichtbar. Mehr als ein Apoll muß in dem Manne wohnen, welcher für alle Arten von Empfindungen des Gemüths, und für so vielartige Verhältnisse des menschlichen Lebens, die er wohl nicht einmal aus Erfahrung kennt, überall passende Musterschriften liefern will. Der grammatische Theil des Buchs ist unstreitig das Wichtigste, was ein Frauenzimmer daraus nutzen kann.

Vz.

1. Stenographie, die Kunst, mit der höchstmöglichen Geschwindigkeit und Kürze in einfachen, von allen andern Schriftzügen völlig verschiedenen Zeichen zu schreiben; für die deutsche Sprache erfunden von *Friedrich Mosengeil. Zweyte Auflage.* Eisenach, in der Wittekindischen Hof- Buchhandlung. 1799. 3 Bog. 8. Nebst einigen erläuternden, in Kupfer gestochenen Tabellen. 16 Kr.

2. Stenographie oder die Geheimschreibkunst. Kein Commentar, sondern ein Gegenstück zur G. L. ischen Kunst der Geheimschreiberey. Nürnberg, in der Steinischen Buchhandlung. 1799. XVI und 88 Seit. 8. Mit 4 gedruckten Tabellen. 10 Kr.

1. Herr Mosengeil hat bekanntlich das Verdienst, den ersten Versuch gemacht zu haben, die Stenographie auf deutschen Boden zu verpflanzen. Der Rec. bedauert, des englischen stenographischen Systems von Taylor sowohl, als von Bertin, ohne seine Schuld unkundig zu seyn, um eine Vergleichung zwischen ihnen und deren Anwendung des Verf. auf die deutsche Sprache anstellen zu können. Die Stenographie hat ihren doppelten Nutzen, als solche in eigentlichem Verstande als Eyl- und Schreibkunst, die uns lehrt, eigne oder fremde Gedanken in einem engen Raume zur Uebersicht

R 3   dar-

darzustellen, oder als Tachygraphie für den Fall, wo uns zum Gleichschreiben wenige Zeit vergönnt ist.

In dieser letzten Hinsicht wollen wir sie jetzt betrachten, und da scheint uns ihr Bedürfniß in Deutschland nicht so dringend als in England und Frankreich zu seyn, wo Reden in öffentlichen Angelegenheiten wörtlich aufgefangen, als Urkunden oder Discussionen benützt werden müssen. Bey uns, wo die mündliche Beredtsamkeit minder im Schwange ist (so heilbringend sie auch bisweilen seyn könnte), hält man sich an den schriftlichen Aufsatz einer Rede, von der man Gebrauch machen will, und dessen Erlangung vom Redner selten schwer hält, falls die Rede nicht gar durch den Druck allgemein wird. Indessen obgleich die Zeiten vorbey zu seyn scheinen, wo die Nachschreibung der Canzelreden eines in Ruf stehenden Predigers vom Regenten an bis zum Schulknaben aus Andacht oder Heucheley oder Zwang geübt wurde: so hätte doch die Stenographie als Geschwindschreibkunst in Deutschland noch ihren Nutzen, nicht nur z. B. bey mündlichen Vorträgen berühmter und geistvoller Universitätslehrer, und in einigen andern außerordentlichen Fällen; sondern auch (wie Herr M. S. 8 sagt) um eigne Gedanken zu fixiren, die eines glücklichen Zufalls Kinder sind, und dem Gedächtniß auf immer entschlüpfen könnten.

Aber nun fragt sichs erst, ob man bey diesem neuen System der Geschwindschreibkunst nach dem Verhältniß gewinne, als es sich durch seine einfachen Principien vor den ältern auszeichnet; oder ob es nicht durch eben diese Einfachheit in gleichem Verhältniß Undeutlichkeit veranlasse. Schriftzeichen, die aus mehreren Theilen bestehen, fallen gerade deßhalb mehr ins Auge, und sind folglich deutlicher (daher es kömmt, daß deutsche Buchstaben einer deutschen Schrift dem Auge wohlthätiger sind, als die einfachen lateinischen)? Ein Schönheitslehrer könnte leicht behaupten, daß einem Gesichte ohne Ecken, nämlich mit gar keiner oder wenigstens einer stumpfen Nase, und einem sehr abgerundeten Kinn der Preis der edlen Einfalt vor einer stark markirten Physiognomie gebühre; aber wie schwer würde es dann seyn, Menschen von Menschen zu unterscheiden!

Wenn man aus Sparsamkeit oder aus Liebe zur Einfachheit für gut fände, ein Kleid sehr kurz und knapp und nicht

nicht genug der Abwechselung der Glieder des menschlichen
Körpers gemäß zu verfertigen: so würden ..., um es brauchbar zu machen, hinterher bald da einen Streifen bald dort
einen Zwickel einsetzen müssen; so ist es auch hier der Fall mit
den willkürlichen Zusätzen und Verdeutlichungen, die den Mangel der Anfangs- und Endvocalen und der Diphtongen ersetzen, und die Endungen der Wörter bezeichnen sollen. Wie
leicht kann der Stenograph, dessen Hauptzweck immer die
Zeit-Ersparung bleibt, in seiner Eile einen Punkt zu weit
hinauf oder hinunter, zu weit rechts oder links setzen! *)
Wie leicht kann in eben dieser Eile eine schiefe Linie zur geraden, horizontalen oder perpendiculären, werden!

Eben so bedenklich war uns auf der Tafel der Beyspiele
§. 9, daß die WW. lästig (und also auch listig) und lustig
einerley Zeichen haben (ob zwar durch ein willkürliches Flickwerk nachgeholfen werden soll); ferner die gedehnten Hülfs-
laute (Vocale) äh, öh, und ü, Tab. II. n. 3; am an-
stößigsten war uns aber n. 1. dieser Tafel, wo pf, bl, br,
bs, bt, bst, bsch mit einem einzigen Zeichen sich behelfen müssen, und so die acht folgenden Reihen — ja sogar
die 9te: schp, schl, schm, schn, schr, scht, schw, werden überein bezeichnet.

Außerdem würden wir auch noch manche Bezeichnung
analogischer und weniger willkührlich eingerichtet haben: so
z. B. hätten wir bey den Präfixis oder untrennbaren Partikeln so wie bey den Endungen stets die Hauptbuchstaben dem
Zuge untergelegt; wir hätten die offenbar zusammengesetzten
Buchstaben g, z, und z aus ihren Bestandtheilen, dem Zeichen des b und w, k und s, und t und s, zusammengesetzt, dem d und t nur ein Zeichen gegeben, wie Herr
Horstig gethan hat, u. s. w. Ueberhaupt glauben wir, der
Verf. hätte bey dieser zweyten Auflage die Horstig'sche Stenographie, in Hinsicht verschiedener zu der seinigen vorgeschla-

genen

---

*) S. 46 und 79 des XXXV. Bandes dieser Bibl. hat zwar
    der Rec. selbst dergleichen Punkte zu Noth- und Hülfsmit-
    teln der Unterscheidung und Ergänzung empfohlen; er
    muß aber, um jetzt gedachter Ursache willen, sein Wort
    wieder zurücknehmen.

genen Abänderungen und Zusätze benutzen können und
sollen...

Ueberhaupt aber würden wir für unser Individuum rathen, für's erste, bey der Ungewißheit, ob die quästionirte
Stenographie ihren Schwierigkeiten obsiege, und bey dem
vorhin erwähnten mindern Bedürfnisse derselben in unserm
Deutschlande, auf die Vollkommnetung unsrer bisherigen
Abkürzungen mehr bedacht zu seyn. Die Prediger die sich
auf ihr Gedächtniß nicht ganz verlassen können, und denen Zusammenhang und Wohllaut ihrer Predigten am Herzen liegt,
haben sich längst schon solche compendia scribendi erfunden,
deren einige Gedrängtheit mit Deutlichkeit besonders glücklich verbinden. Ueberdem ist jede Zunft im Staate, die der
Feder, des Bleystifts und der Kreide bedarf, im Besitz gewisser tachygraphischen Zeichen für einzelne Wörter die in seiner Schreiberey am öftersten vorkommen, und theils aus
Buchstaben, theils aus Hieroglyphen bestehen; der Mathematiker, Chemiker, Kaufmann, und jeder Gelehrte in Alle-
girung der berühmtesten Schriftsteller seines Fachs dehnt sogar seine Abkürzungen bis auf eigne Namen aus. Einige
dieser Hieroglyphen und Wörter-Abkürzungen sind für alle
Leser; andere nur für eingeweihte conventionell, und einige
sind neuerlich mit so großem Beyfall von Literatoren erfunden, daß sie immer mehrere ähnliche veranlassen. Könnte
man nicht diese schon angenommene zum Grund einer empirischen Stenographie legen; ordnen und verbessern, da (wie
der Verf. von n. a. in der Vorrede richtig sagt) inventis
addere facile est? Ihr schon vorhandener Haufe wird den
neuen Ankömmlingen doch nie ihr Feld räumen, der Mühl-
stein ist einmal den Berg herunter getragen, wenn er auch
herabzurollen leichter und schicklicher gewesen wäre; wollten
wir ihn wieder hinauftragen? — Dieser Gedanke von einem empirischen Abkürzungs-System bringt uns natürlich
die notas tironianas ins Gedächtniß zurück, deren Herr M.
in seiner Vorrede flüchtig erwähnt. Man trifft deren eine
gute Anzahl in dem prächtigen Werke: Iani Gruteri In-
scriptiones. Amstelod. 1707. 2 Tomi in 4 Foilanten, und
zwar am Ende des vierten Bandes unter der Aufschrift:
Notae Tironis et Senecae an; deren letztere aber weder
Cicero's noch Seneca's Werken entsprechen; sondern aus Kir-
chen-Scribenten oder Kloster-Diplomen entlehnt scheinen.

Diese

Diese notae tironianae wurden allmählig vermehrt und verbessert, und bis ins zehnte Jahrhundert gebraucht. Carpen-
tier hat sie durch eignes anhaltendes Studium berichtigt;
und dann, systematisch geordnet, unter dem Titel: Alpha-
betum Tironianum, als zweytes Supplement zu Mabil-
lons Diplomatik, Paris 1747 herausgegeben. Die angehängten Beyspiele dieser Abkürzungen, einige Capitularien
Ludwigs des Frommen, sind einer genauen Durchsicht, und
die Vorrede sehr des Lesens werth. Herr M. wenn er diese
letztere Sammlung noch nicht kennen sollte, wird sie in der
ihm nahgelegenen herzoglichen Gothaischen Bibliothek antreffen. Noch bemerken wir, daß er bey einer etwanigen
3ten Auflage seiner Schrift wohl thun würde, sie entweder
mit deutschen Lettern, oder in einer Officin drucken zu lassen,
wo die lateinischen Alphabete des ä, ö und ü nicht man-
geln: die ae, oe, ue nehmen sich sehr übel aus.

2. Ist, wie schon aus dem Titel erhellet, gegen das
G. L.ische System der Geheimschreibkunst, (dessen Anzeige in
dieser Bibl. B. XXXV. S. 471 zu lesen ist) gerichtet, um
dessen Mängel darzustellen, es zu verbessern, und ein leich-
teres, sicheres, und auf alle Sprachen anwendbares vorzu-
schlagen, das in der Schrift selbst nachgelesen werden muß.
Doch darf man sich hier und da, z. B. besonders §. 6 des
ersten Abschnitts, Ungewandtheiten des Styls nicht verdries-
sen lassen.

Adk.

Staatswissenschaft.

Der Fürst des neunzehnten Jahrhunderts. System
der Staatskunst unserer Zeit. St. Petersburg.
1798 und 1799. Erster und zweyter Theil.
Zusammen 647 Seit. 1 Rß. 22 K.

Nachdem der Verf. in der Vorerinnerung die ganz verschie-
nen Absichten, welche man dem berühmten Macchiavel bey
seinem nicht weniger berühmten Werke beylegt, berührt hat,
fährt er auf folgende Weise fort: „Auch ich will nicht von

Allen

Allen verstanden seyn; schrieb ich doch nicht für Alle! Es gehört vielleicht hier und da sogar Kenntniß und Lektüre dazu, um mich ganz zu verstehen; der Literärische - und Civil-Troß mag mich darum weglegen, oder ablesen, wie die Nonne ihr Ave. Die Fußknechte der Parteygänger von hieben und drüben bitte ich, mich gerade so zu verstehen, wie sie mich ihrem Systeme anpassend finden. Ich mag nicht gerne Aergerniß geben; am wenigsten dem Fußvolke. Ich habe, um kurz zu sündigen, nur ein System geschrieben; die Noten zum Terte sind eines jeden Belieben anheim gegeben. Es ist Punktirung, keine Elaboration. Wem dann noch bey allem dem mein System zu dunkel und ohltrüb für den hohen Mittag des sterbenden achtzehnten Jahrhunderts ist, — — der bedenke, was da ist, und werden wird, daß man, will man den Glanz äusserlicher Lampenerleuchtung prunken machen, abwarten muß, bis Gottes herrliche Feuerkugel vom Himmel verschwunden ist; und daß Knäblein, die einen Drachen von Pappe steigen lassen, den Münster nicht sehen."

es werden die Leser wohl errathen, was sie hier zu haben. Nur müssen wir bemerken, daß der Verf. sich nicht mit Fug und Recht der Kürze rühmt. Er wiederholt sich vielmehr sehr häufig; auch hat er in diesen beyden Bänden sein Herz noch nicht genug erleichtert; sondern es wird noch mehr folgen. Der Verf. hat viele Belesenheit in guten Schriften, und weiß sie trefflich zu benutzen. Uebrigens werden Kenner hier nichts Neues finden.

Hb.

Deon Hume's vollkommene Republik, frey nach dem Englischen von Christian August Fischer. Leipzig, in der Schäferischen Buchhandl. 1798. 40 Seit. 8. 4 X.

Dem Hume'schen Traum, welcher hier in einer freyen Uebersetzung erscheint, sind die ältern Ideen Thomas Morus, in seiner Utopia, und Harrington's, in seiner Oceana über republikanische Verfassungen vorangeschickt. — — Aus den theore-

theoretischen Versuchen die verderbten Verhältnisse der Regierenden zu den Regierten zu verbessern, und aus den neuesten praktischen Erfahrungen hierüber, geht (nach S. 4) die traurige Wahrheit hervor: „Daß Egoismus und Tyranney die Erbsünde aller Menschen ist; daß Besitz und Mißbrauch der Macht, unzertrennlich sind; daß bürgerliche Freyheit noch nie auf der Erde war, und nie auf der Erde seyn wird; daß Wahrheit und Gerechtigkeit nur in den Herzen der wenigen Auserwählten wohnen, denen es endlich gelungen ist, ihre angeborne Tiegernatur zu bezähmen, und daß man von den Menschen nichts erwarten dürfe, so lange unter fünf und zwanzig Millionen nur hundert dergleichen zu finden sind, das heißt: niemals."

VI.

Sammlung der Zoll = Gesetze der fränkischen Republik; vorzüglich zum Behufe der Rechtsgelehrten und der Zoll = Beamten des linken Rhein = Ufers, wie nicht weniger der Handelsleute dieß = und jenseits des Rheines zur Erleichterung ihres Verkehres. Dritter Theil. Straßburg; bey Levrault, Buchdrucker der Verwaltung der National = Zölle. Im Jahre 7 der franz. Republ. ($\frac{1798}{1799}$). Französisch und deutsch. 457 S. gr. 8.

Zu diesem Bande gehöret und ist mit eingeheftet:

Chronologisches Verzeichniß der Gesetze, Schlüsse und Entscheidungen, die vom 5ten Novbr. 1790 (alt. Styls) an, bis auf den 1sten Plüviose des 7. J. der franz. Republ. (den 20sten Januar 1799), gegeben und gefaßt worden, und in den drey Theilen der Sammlung der Gesetze enthalten sind. Ebend. 41 Seiten. gr. 8. Französ. und deutsch.

Fer=

Ferner:

Sammlung der Zoll = Gesetze der fränkischen Republik; u. s. w. Vierter Theil. Strasburg, bey Ebendemselb., u. s. w. wie oben; französisch und deutsch. 221 Seit. gr. 8. nebst Register der Gesetze, Entscheidungen ꝛc. Beyde Theile, nebst dem Chronolog. Verzeichniß auf Schweitzer Schreibpap. 8 Francs, ob. 2 Rℬ. Sächs.

Wir haben von den beyden ersten Theilen dieses trefflich geordneten Codex der französischen Zollgesetze, schon oben (S. — N. A. D. Bibl. 46r Bd. 2s St. S. 546 — 550) Nachricht gegeben, und unsere Leser, zumal die deutschen Staatsbeamten, Rechtsgelehrten und Kaufleute, auf ein Werk aufmerksam gemacht, das in Absicht der merkantilischen Verhältnisse Deutschlands mit Frankreich, in mehreren Hinsichten genauer gekannt und beschrieben zu werden verdient. Eine eigne kritische Untersuchung der einzelnen, hierin vorkommenden Gesetze gehört nicht zu unserm Zwecke; wenigstens dürfen wir uns zur Ersparung des Raums darauf nicht einlassen. Gelegentliche kurze Bemerkungen sollen zur Stelle angebracht werden.

Der dritte Theil, enthält 89 Gesetze, Beschlüsse und Entscheidungen, die wir bey weitem nicht zur Hälfte anführen können. Wir wollen nur die vornehmsten derselben ausheben: S. 5 — 31. Gesetz, durch welches die Einfuhr und der Verkauf der englischen Waaren verboten wird. Dieses Gesetz hat in Frankreich, den 4 provisorischen Rheindepartements, dem Handel am rechten Ufer, kurz, in Holland, Spanien, und mehr andern Ländern, wo die Franzosen unmittelbaren Einfluß hatten, und noch haben, unseligen Schaden angerichtet; aber im Ganzen, was man doch eigentlich nicht wollte, den englischen Handel befördert. Der Beschluß des Directoriums vom 20 Brum. 5 J. (d. 8. Nov. 1796), nach welchem S. 31 — 35 verordnet wird, daß die National = Waaren durch ein besonderes Fabrik = Zeichen von den englischen Waaren unterscheiden soll, hat nur die Contrebande vermehrt. Rec. weiß aus eigner Erfahrung, daß man dergleichen Zeichen aus Frankreich hat kommen lassen, um

sie

ſte engliſchen Waaren anzuhängen, und auf dieſelben zu bei
feſtigen, und daß man alsdann, wenn ſie an den Rhein kamen, ſie für ächt franzöſiſche Waaren ausgab, die auf irgend
einer deutſchen Meſſe keinen Abſatz gefunden hätten. Das
Geſetz vom 24 Nivoſe 5 J. (d. 11. Januar 1797) welches die Ausfuhr verſchiedener Waaren erlaubt, und die
Ausgangszölle derſelben vermindert feſtgeſetzt, iſt S. 43 —
65 noch einigermaaßen billig geſetzt; aber die Formalitäten
zu den Freyſcheinen, ꝛc. ſind ein gehäſſiges Manöre. Eine
nicht minder unangenehme Maaßregel iſt das Geſetz, S.
81 — 99, die Organiſation des Zolldienſtes betreffend. In
allen Städten, Flecken, Dörfern und Gegenden, wo die
Zoll-Directionen, Verwaltungs-Stuben, und Bedienten
derſelben, nebſt den Aufſehern ſich befinden, muß ihnen Haus
und Wohnung gratis eingeräumt werden. Am ganzen Rheinufer, auf der Gränze der batavſchen Republik bis ans Meer,
und neben dem ganzen Seeſtrande vom batavſchen Flandern
bis nach Dünkirchen, werden dazu gemeiniglich die Häuſer
der Emigrirten, oder Dominial-Gebäude der alten Herr-
ſchaft gebraucht. Der Schluß des Direktoriums vom 9 Fruk-
tid. 5 J. (d. 24. Aug. 1797) welcher beſtimmt, wie die,
auf Zollfrevel ausgeſprochenen Geldbußen und Confiscationen
vertheilt werden ſollen. Dieſes S. 123 — 137 enthaltene
Geſetz, iſt die wahre Quelle des Beſtehens aller, beym franzöſiſchen Zollweſen angeſtellten Bedienten. Ihr einziges
Streben iſt demnach auch dahin gerichtet, Tag und Nacht
am Rheine und an den Gränzen bewaffnet zu liegen, um,
wie der Luchs auf ſeinen Raub hervorzuſpringen, wenn ſich in
der Gegend ſeines Schlupfwinkels, nur in ſeinen Augen
etwas Verdächtiges zeigt. Wären die Strafen noch deutlich
beſtimmt: ſo könnte ſich jeder darnach richten; aber die Will-
führ ſteht gemeiniglich an der Tagesordnung. So nahm man
neulich an der holländiſchen Gränze, in Gegenwart des Rec.
einen Korb Butter von 35 Pfund, der nach Nymwegen gebracht werden ſollte, bloß aus der Urſache weg, weil der Aus-
fuhrſchein nicht beſtempelt war, welches das Zoll-Comtoir
verſehen hatte, und man ließ den Eigner der Butter, außer
der Confiscation der Waare, noch 200 Francs Strafe bezahlen. Bloß das Geſetz vom 19. Vendim. 5 J. (od. 8. Oct.
1797.) S. 151 — 159, welches die Formalitäten feſtſetzt,
die in Anſehung der Waaren und Lebensmittel zu beobachten
ſind, welche innerhalb der nächſten zwey Stunden von der
freme

fremden Gränze von einem Orte zum andern gebracht werden ſollen, berechtigte zu dieſem harten Verfahren. Eine
ähnliche Maaßregel enthält der Beſchluß des Vollziehungs-
Director., welcher dem Unfuge des (S. 169 — 183) benannten Schleichhandels ſteuren ſoll. S. 203 — 211 findet
ſich das Geſetz vom 27. Ventoſe 6 J. (d. 13. Febr. 1798),
durch welches der Handelsvertrag, ſo zwiſchen der franzöſ.
(jetzt noch dem Namen nach exiſtirenden) Republik,
und der (geweſenen) ciſalpiniſchen Republik iſt errichtet
worden, ratificiret wird. (Die ſiegenden Waffen der Kay-
ſerl. haben, wie mehr andre franzöſiſche Bündniſſe und Einrichtungen, ſo auch dieſen Vertrag zernichtet.) Der (S.
217 — 223) befindliche Schluß des (ehemaligen) Vollzieh.
Director., durch welchen die Zollſtätten und Zollbrigaden auf
die neuen Gränzen Frankreichs verlegt werden, und vom 9.
Plairiat 6. J. (d. 27. May 1798) datirt iſt, hat dieſen
unglücklichen Schwarm Handels-Unterdrücker, ſeit dem
21. Juny ged. J. auch an den ehrwürdigen Vater Rhein
gebracht. Dieſe unglückliche Cataſtrophe des deutſchen Com-
merzes hatte unterm 10. Thermid. 6. J. (d. 27. July
1798) den Schluß des damaligen Reg. Comm. Rudler zur
Folge, nach welchem in den neuen, auf dem linken Rheins
Ufer errichteten Departementen, über die Policey, welche
in Anſehung der fremden, auf dem Rheine fahrenden Waaren, ſie mögen für das Ausland, oder für einen fränkiſchen
Hafen des linken Rheinufers beſtimmt ſeyn, (S. 233 —
243), zu beobachten iſt. Eine Menge darauf erfolgter Be-
ſchlüſſe, Seiten des franzöſiſchen Gouvernements, in Abſicht
der Zölle auf der Rheinfahrt, folgen S. 249 — 351 faſt in
ununterbrochner Ordnung. Das S. 287 — 299 folgende
Geſetz vom 18. Brumaire 7. J. (v. 2. Nov. 1798) über
den Zollſtempel, erſchwert den übrig gebliebenen Schatten der
Handlung vollends. Dahin gehört auch das S. 317 — 327
eingeſchaltete Geſetz vom 22 Frim. 7. J. (d. 11. Dec. 1798)
über die Einregiſtrirung; u. ſ. w. Der 3te Theil dieſes Werks
iſt überhaupt ſehr zweckmäßig eingerichtet. So findet man z. B.
S. 381 — 388 (bloß ein in franzöſ. Sprache abgefaßtes)
Tableau general des Bureaux de perception des douanes
de la Republique Françoiſe, par ordre topographique,
wovon die Directionen ſich zu Bayonne, Bordeaux, Roche-
le, Nantes, l'Orient, Breſt, St. Malo (Port-Malo),
Cherbourg, Rouen, Vallery-Sur-Somme, Boulogne,
Dün-

Dünkirchen, Brüssel. Cleve, Bonn, Mainz, Strasburg, Besancon, Geneve, Briancon, Nizza, Toulon, Marseille, Cette, Hafen des Sieges (Port la Victoire, und D'Aix befinden. Alle Büreaus, die zu einer solchen Direction gehören, stehen mit den Namensorten daselbst verzeichnet; wobey aber, zumal in den (provisorischen) Rhein-Departements, erstaulich viel Schreibfehler eingeschlichen sind, die man, was deutsche und flamändsche Namen betrifft, sehr häufig an Franzosen falsch auszusprechen, und unrichtig zu schreiben gewohnt ist. S. 389—424 ein französisches, und S. 425—457 ein eben so vollständiges Wort- und Sach-Register aller, in den dreyen Theilen vorkommenden Zollgesetzen 2c., welches das Nachschlagen merklich erleichtert. Dann folgt das chronologische Verzeichniß der Gesetze, Beschlüsse und Entscheidungen, die in allen 3 Theilen dieser Sammlung 2c. enthalten sind, auf 41 besonders paginirten Seiten französisch und deutsch, dem auf 2 Seiten die Druckfehler-Anzeigen für beyde Sprachen angehängt worden.

Der vierte Theil dieser Sammlung 2c. enthält, ausser verschiedenen Abänderungen früherer Gesetze, Entscheidungen und Beschlüsse, auch S. 33—185 das Revisions-Gesetz v. 9. Floreal 7. J. (d. 26. April 1799.) über den Zoll-Tarif und verschiedene Punkte der, das Zollwesen betreffenden Gesetzgebung, nebst einer ausführlichen Erklärung, wie die Processe in Zollsachen zu führen sind. Der wesentliche Inhalt eines jeden darin vorkommenden Artikels, ist auf dem Rande in beyden Sprachen erklärt, und daher sehr bequem. Im Ganzen ist diese Ausgabe der Sammlungen französ. Zoll-Gesetze die beste von allen, die Rec. kennt, und kann sie daher, nur nicht das Material derselben, empfehlen.

Pm.

Vermischte Schriften.

Jacob Tobias Werner's Miscellaneen aus dem Staatsrecht (e) und der Weltweisheit. Giessen, bey Stamm, Universitäts-Buchhändler. 1799. 125 S. 8. 8 Kr.

Eine

Eine Reihe von Abhandlungen, deren unsere Literatur, ohne etwas dadurch zu verlieren hätte entbehren können! — I. Abhandl. Allgemeine staatsrechtl. Betrachtungen über Reichs = Staats = Interesse und Reichs = Integrität in den Gliedern. S. 6. Eine mit mehrern, nicht immer ganz zur Sache gehörigen Ausführungen verbundene Auseinandersetzung dieser Begriffe. Der Styl des Verf. ist sehr ungleich. Zuweilen wird er sogar erhoben. Z. B. S. 46. — II. und III. Abhandl. Ueber die Verbindlichkeit des gesammten Reichs seinen bedrängten Gliedern Hülfe zu leisten, und ob auf deren Unterlassung Entschädigungsansprüche an das Ganze gegründet werden können? Ein Versuch des philosophischen Staatsrechts. S. 47. Der Verf. bejaht mit Recht die erstere Frage, und — verneint die letztre!! — IV. Abhandl. Ueber Entwickelung und Auflösung des menschlichen Seelensystems. (?) S. 84 Ein Bruchstück aus einem psychologischen Briefwechsel. Der Verf. sucht hier aus psychologischen Gründen vorzüglich den Einwurf gegen die Fortdauer der Seele zu entkräften, der von der Aehnlichkeit derselben mit den Seelen der Thiere, und von dem successiven Wachsthume und der Abnahme unserer Seelenkräfte entlehnt werden kann. V. Einige Worte über Ehrenrettung durch Zweykämpfe. S. 109. Die Frage: „ob man aus Gründen der Vernunft die gekränkte Ehre durch Zweykämpfe wahrhaft retten könne?“ — wird hier verneinend beantwortet. Ueber einen Gegenstand, der schon so oft untersucht worden ist, hätte Rec. nicht etwas so ganz Gemeines, wie diese Worte des Verf., erwartet.

Dt.

Christian Karl Andre, Merkwürdigkeiten der Natur, Kunst und des Menschenlebens für allerley Leser, besonders für die Besitzer meiner Schriften. Erfurt, in der Henningsschen Buchhandlung. 1798. Erster Band. XVI u. 304 Seit. Zweyter Band. 1799. 286 Seit. 8. 1 Rt. 16 gr.

Es giebt Schriften, die dem Verf. derselben einen großen
Aufwand an Zeit und Geisteskraft kosten, und ihm in sofern
Ehre machen; aber bey aller bewiesenen Erudition für den
Dilettanten wenig Merkwürdigkeiten und für den Gelehrten
wenig Neues enthalten. Dagegen giebt es auch Bücher, deren Verfertigung wenig Mühe und Zeit heischen; aber durch
die Menge glücklicher Kompilationen viele Leser angenehm
unterhalten, und nützlich belehren. Zu dieser zweyten Klasse
gehört das vorliegende Buch, das in dieser Hinsicht eine vorzügliche Empfehlung verdient. Rec. ist versichert, daß nicht
nur die Freunde der frühern Schriften des Verf., besonders
der Spaziergänge und der Geographie, diese Merkwürdigkeiten mit Vergnügen lesen; sondern daß auch viele andere Personen, welche eine lehrreiche und geschmackvolle Unterhaltung lieben, diese Sammlung mit Nutzen durchgehen
werden. Besonders wird den Lesern, welche nicht für einen
gedehnten und lang ausgesponnenen Vortrag eingenommen
sind, die hier durchaus herrschende Kürze und Bestimmtheit
gefallen. Der Verf. sammlete aus mehrern Flugschriften,
Wochen- und Intelligenzblättern, Zeitungen und Journalen, die meist nach ihrer Erscheinung bald wieder verschwin-
den; mehrere sehr schätzbare Bemerkungen und Aufsätze
schöpfte er dabey aus größern Werken, die nicht oft zu haben
sind, und fügte einige eigene Arbeiten hinzu. Aus diesen
Materialien setzte der Verf. das gegenwärtige Lese- und
Lehrbuch zusammen. Jeder einzelne Aufsatz bildet meist
ein Ganzes für sich. Mehrere derselben führen den jungen
Leser in eine Sphäre ganz neuer Begriffe, z. B. über den
Actienhandel, S. 42. Ueber die Führung der Armeen, S.
87. Ueber das Wechselgeschäfte, S. 152 f. Der letzte Aufsatz hat Rec. sehr wohlgefallen. Andere Abhandlungen verbreiten sich über naturhistorische Gegenstände (z. B. über
die Taubenzucht; über das Wiederkäuen der Seidenwürmer;
über die Feldmäuse; über die Spinnen als Wetterpropheten
und Gehülfen Pichegrü's bey der Eroberung Hollands; über
die Schwämme in den Zimmern und deren Vertilgung;
über die Menschengattungen; über die Schneefiguren; über
die Erdwürmer und die Mittel, sie zu vertilgen; über die
Pflanzen, die in dem Moose erzogen werden können, u. s. w.).
Andere Aufsätze betreffen die Geschichte, Biographieen hervor-
stechender Männer, Geographie, Oekonomie, Technologie,
Kunstwerke, u. s. w. kurz Gegenstände, die einen großen

Theil des lesenden Publikums interessiren, und die mit Geschmack und Urtheilskraft behandelt werden. Im ersten Theile sind der Aufsätze 45, und im zweyten 41 an der Zahl. Das im II. Th. S. 59 beschriebene Verfahren „das Winterobst lange zu erhalten,“ dem zufolge man es in Fässern wohlverspündet aufbewahren soll, ist nach Rec. Erfahrung nicht so gut, als wenn man es nach alter Manier auf hölzerne Tafeln in einem trockenen Keller einzeln neben einander hinstellt, wo man öfterer nachsehen, und das schadhafte leichter absondern kann; man kommt dabey nicht in Gefahr, durch einen einzigen angegangenen Apfel eine ganze Tonne voll verfaulen zu lassen, wie gewiß der Fall seyn würde, wenn man die Fässer nach der Verpackung nur Weihnachten und Ostern öffnen wollte, wie der Aufsatz lehrt. Jede Sorte hat zwar ihre bestimmte Zeit der eßbaren Reife; aber jedes Individuum dieser Sorte ist einer Menge von Zufällen ausgesetzt, die man nicht allemal nach dem äußern Ansehen beurtheilen kann. Uebrigens sind die andern angegebenen Vorsichtsregeln sehr gegründet, und diese so wie viele andere in diesen beyden Theilen vorkommende ökonomisch-technologische Regeln und Rathschläge sehr empfehlungswerth.

M.

Populärer Unterricht für den Bürger und Landmann über das Gemeinnützigste und Wissenswürdigste aus der Oekonomie und Fabrikenwissenschaft. Nach den drey Reichen der Natur geordnet, und aus naturwissenschaftlichen Gründen erläutert von Johann Wilhelm Hermanni, Prediger an der Marien-Kirche zur Höhe in Soest. Königsberg, bey Göbbels und Unzer. 1799. XII und 162 S. 8. 12 gr.

Der Verf., der wie es scheint, zum ersten Mal als Schriftsteller auftritt, ist ganz für die Naturwissenschaft eingenommen. In sofern hat er, als Religionslehrer und Gelehrter recht, daß eben diese Wissenschaft, der er in der Vorrede eine lange eigene Lobrede hält, die deutlichste und für Jedermann

mann lesbarste Offenbarung Gottes, auch die wahre (der
Verf. sagt einzige, welches wir nicht zugeben) Quelle ächter,
vernünftiger und brauchbarer Religionsbegriffe ist. Auch
darin stimmen wir dem Verf. bey, daß die Kinder von ihrer
frühesten Jugend an, mit Naturkenntnissen aller Art bereichert werden müssen, um sie ihrer Gemeinnützigkeit und eigenen Wohlfahrt näher bringen zu können; aber daß eben
dieser Unterricht einzig, und gewissermaaßen vernünftiger,
besser, zweckmässiger, und eine genießbarere Geistesnahrung
soll seyn, als die Jugend immer mit geschmacklosen, nicht
zuverdauenden kirchlichen Zänkereyen und Hypothesen unter
dem Namen der Religion zu ängstigen (wo geschieht das anders, als in den dunkeln Gegenden, zu welchen das helle
Licht der wahren evangelischen Aufklärung noch nicht gedrungen ist!), oder ihnen durch grammatikalische Wortkläube-
reyen das Leben zu verbittern, (das ist doch wohl von Soest
nicht zu verstehen?) das bedarf wohl keiner Erinnerung,
noch weniger Widerspruch. Die Jugend aber ganz allein auf
die Naturwissenschaft und keine andre aufmerksam zu machen,
würde eben so ungereimt seyn, als sie mit Pedantereyen der
alten Scholastik zu unterhalten. Doch wir eilen zur Darstellung der hier vorgetragenen Materien, die, wie wir gleich
sehen werden, naturhistorisch = physisch = chemisch = technolo-
gisch = und ökonomischen Inhalts sind:

In der Einleitung S. 1 — 7 wird von der Naturwissenschaft überhaupt und der angewandten insbesondere gehandelt. Dann folgen drey Abschnitte, wovon im ersten
S. 8 — 96 eine allgemeine Beschreibung der Körper des
Pflanzenreichs, und der ökonomisch = technologischen Nutzbarkeit derselben, ertheilet wird. Hier kommen in 40 S. die
merkwürdigsten Gegenstände aus der theoretisch = praktischen
Naturgeschichte, Physik, Chemie und Technologie vor, deren Umfang zu Weitschäuftigkeiten führen würde, wenn man
alle einzelne Theile berührte. Im zweyten Abschnitt S.
97 — 116 werden die Körper des Thierreichs in ökonomischer
und technologischer Rücksicht betrachtet. Milch, Butter,
Käse, Thierhäute, ihre Zubereitung und verschiedenen Leder-
arten; Wolle, ehemaliger und gegenwärtiger Zustand der
Wollmanufakturen in Deutschland; — Natur und Nutzbarkeit des Honigs, Wachses und der Seide, sind die vorzüglichsten Produkte, über welche der Verf. Betrachtungen an-

stellt,

stellt, die feinen Scharfblick verrathen. Besonders haben
S. 110 fg. die vorgeschlagenen Mittel, unsere deutsche Wol-
lenmanufakturen vollkommen zu machen, dem Rec. gefallen. — Fast auf gleiche Art, wie der vorhergehende, wird
auch der dritte Abschnitt S. 117—162 abgehandelt.
Nicht nur die Erdarten überhaupt; sondern auch verschiedene
Mineralien insbesondere, geben dem Verf. Anlaß, ökonomische und technologische Beschreibungen davon mitzutheilen. So werden z. B. die verschiedenen Erdgattungen, als:
Moder-, Garten-, Moor-, oder Torf-Leim oder Thonerde,
die Verbesserung des Sandgrundes, des Kalks im rohen und
gebrannten Zustande; der Schwefel, Salpeter, das Salz,
Glas, Porcellan, die Metalle, besonders das Quecksilber,
Bley, Zinn, Kupfer und das Eisen, ihr Zweck und Nutzen
in beyden vorhin genannten Rücksichten beschrieben. Der
Vorschlag §. 61. S. 131—134 aus bloßen Erdstoffen, als:
aus Leim und Thongrten Gebäude, oder Wohnungen für
Menschen, ic. zu verfertigen, und dadurch den Mangel der
immer seltener werdenden Baumaterialien zu ersetzen, hat uns
nicht gefallen. Es erinnert zu sehr an den ersten rohen Zustand der Menschen, und an die Troglodyten, welche im
südlichen Frankreich häufig, im übrigen gesitteten Europa aber
wenig angetroffen werden. Soest, die Soester-Börde, und
fast keine Gegend der Grafschaft Mark und des übrigen
Deutschlandes bedarf diesen Vorschlag. — Uebrigens hat der
Styl und die Art des Vortrags des Verf. etwas Gefälliges:
so wie im Ganzen diese Schrift gelesen zu werden verdient.

Pm.

Frankfurter Meßanzeigen, oder Journal der Lan-
des-Industrie für Kaufleute, Fabrikanten, Oekonomen und Cameralisten (.) Frankfurt a. d.
Oder, in der Akademischen Buchhandl. 1798.
Erstes Heft. 104 S. Zweytes Heft. Ebend.
1798. 108 S. Drittes Heft. Ebend. 1798.
107 S. 8.

Ein Journal, wie das gegenwärtige, das dazu geeignet ist,
den Flor der Industriezweige zu befördern, und die Regierung

rung aufzumuntern, jene, zum allgemeinen Wohl des Staats, vernünftig zu leiten, und alle Hauptquellen des Privat- und öffentlichen Wohlstandes aufs kräftigste zu unterstützen, hat ganz entschieden einen weit reellern Werth, vor jenen gleich- gültigen, oft nachgeschriebenen, nicht selten auf Plattheit gestützter Erzählungen, die man in den Meßrelationen der Kaiser-Krönungs-Stadt Frankfurt a. M. seit vielen Jahren antrifft. Das vor uns liegende Journal, das jährlich drey berühmten deutschen Messen gewidmet ist, zeichnet sich beson- ders dadurch vortheilhaft aus, daß es keine andre Aufsätze als solche aufnimmt, welche politischen, historischen und sta- tistischen Inhalts sind. Alle haben aber den gemeinschaftli- chen Endzweck, den Zustand der Gewerbe, mit den wichtig- sten, darin vorgehenden Veränderungen, und der sich dar- auf beziehenden Anordnungen der Landespolicey in verschiede-

Gegenständen und Geschäften der Landesindüstrie zur Spra- che kommt, hier untersucht, und durch merkwürdige Rechts- fälle erläutert. — Obgleich in dem Plan des jetzigen Jahr- ganges 1798 (von 1799 ist uns noch kein Stück zu Ge- sichte gekommen). S. 5 den Lesern eine Uebersicht der Lite- ratur, oder Resultate des Wissenswürdigen aus Büchern über die neuesten Gegenstände der Landesindüstrie zu liefern versprochen wird: so finden wir nur ein paar merkwürdige Beyspiele davon angeführt, die, wie die übrigen Aufsätze, nach der Reihe von uns namhaft angezeigt, und mit kurzen Erinnerungen begleitet werden sollen.

Erstes Heft. I. Zustand der Messe zu Frank- furt a. d. O. im J. 1797. S. 7—19. Der Absatz aller dahin gebrachten Waaren auf besagten 3 Messen (Reminisce- re, Margarethen und Martini im J. 1797) betrug 6 Mill. 661,000 Rthlr., wovon die inländischen Fabrikate etwan die Hälfte waren. II. Technische Deputation des Ma- nufaktur-Collegiums in Berlin. S. 19—28. Diese öffentliche Anstalt hat im J. 1796 ihren Anfang genommen, und ist dazu bestimmt, alle neue technische Erfindungen und Entdeckungen, sie mögen durch Druck oder Handschriften, oder durch mündliche Ueberlieferungen und Werkzeuge bekannt wer- den, genau zu prüfen, und sie zur Wohlfahrt der Landes-Indü- strie bekannt und anwendbar zu machen. — III. Das Indos- sament

sament *pro cura*; ein Beytrag zum Wechselrecht. S. 39—53. Ein ganz vortrefflicher Aufsatz, der eine eigene Auseinandersetzung verdiente, wenn uns hierzu nicht der Raum mangelte. IV. Ueber den Brennholzhandel in den Städten; mit besonderer Hinsicht auf Frankfurt a. d. O. S. 54—86. Enthält viel wirkliches Gute. V. Ueber den Gebrauch der lateinischen Schrift, besonders in Handlungsbriefen. S. 87—103. Verdient beherziget zu werden.

Zweytes Heft. I. Landesbereisung des Regenten zur Beobachtung der Landesindustrie. S. 3—27. Eine Aufforderung an Fürsten, denen die Wohlfahrt ihrer Länder am Herzen liegt. II. Vorschlag zur Errichtung einer ökonomischen Deputation des neuen General-Direktoriums ꝛc. ꝛc. S. 28—44. III. Von den Regalgewerben. S. 44—61. IV. Beschreibung der Verfahrungsart, ꝛc. Oel aus Bucheckern zu bereiten. S. 62—91. — V. Ein Creditsystem für Hausbesitzer, besonders in Meßstädten. S. 92—107. Enthalten viel Gutes. —

Drittes Heft. I. Ueber Zollfreyheit der Lieferanten auf Staats- und Privatzöllen. S. 3—61. Eine treffliche Abhandlung, die wahrscheinlich den Herrn Legat. Rath Reitemeyer in Frankfurt zum Verfasser hat. Die übrigen Aufsätze sind wörtlich S. 62—107 aus dem zweyten Hefte abgedruckt, deren Nutzen und Frommen, ohne desfalsige Erklärung der Herausgeber dieses Journ. nicht abgesehen werden kann. — Möchte doch dieser Meßanzeiger fortgesetzt, und mit gemeinnützigen Abhandl. aus dem, im Plane genannten Gebieten bereichert werden.

Et.

Leipziger Taschenkalender auf das Jahr 1800. Oder: Taschenbuch für Freunde und Freundinnen des Schönen und Nützlichen, besonders für edle Gattinnen und Mütter und solche, die es werden wollen. Leipzig, bey Reinicke und Hinrichs. 1800. 223 S. 12. 1 Rl. 12 H.

Der

Der bekannte Verfasser, — ein unermüdeter Büchersteller; — liefert hier seinen Leipziger Taschenkalender vom Jahre 1800. Es ist nun beynahe ganz unnöthig geworden, — alle dergleichen Sächelchen, welche sich Taschenbücher, Taschenkalender, Strickbeutelalmanache u. s. w. nennen, der Kritik zu unterwerfen, da sie sich, (wenige — aber nur sehr wenige ausgenommen) in Absicht ihres Inhalts, wie ein Ey dem andern, ähnlich sehen, und den darin liegenden — Kleinigkeiten — größtentheils ihren Beyfall zu verdanken haben! — Gut gemeint sind diese Arbeiten gewiß ohne Ausnahme; in sofern wir unter dieser Art des schriftstellerischen Gutmeinens nichts anders, als den merkantilischen Vortheil verstehen können, der durch diesen heurigen Modegeschmack beabsichtigt, und durch das: il faut profiter de l'occasion, auch erhalten wird. — Indeß wird jeder rechtliche Mann gern dem Schriftsteller das Seine gönnen, wenn seine Waare, wie vor uns liegendes Büchlein, gemeinnützig ist, und dem guten Geschmacke keinen Eintrag thut. Von diesen Seiten betrachtet behält der Leipziger Taschenkalender immer noch seinen Werth, wie aus der Anzeige des Inhalts für dieses Jahr näher erhellet. Zwölf nicht übel gerathene landschaftliche Kupfer zieren den Kalender; es dünkt uns aber, daß sie besser gewählt seyn könnten, da sich Sachsen durch eine Menge höchst romantischer Landschaftsgegenden auszeichnet. Nach den Kupfern folgen die Erklärungen derselben; und dann die verschiedenartigen größern und kleinern Aufsätze des Taschenbuchs, — als: über den Umgang mit Menschen nach den verschiedenen Temperamenten und Charakteren derselben. Eine Folge sehr kluger und gemeinnütziger Umgangsregeln; wobey aber doch nur selten auf Temperament und Charakter der Menschen Rücksicht genommen ist. Die Fortsetzung soll künftig folgen. Ueber die Kunst der Frauenzimmer, sich selbst zu bilden, und ihren Kindern eine zweckmäßige Erziehung zugeben. Gleichfalls ein lesenswerther Aufsatz; ob man gleich nichts Neues darin suchen darf. Das meiste, was die physische Erziehung der Kinder betrifft, ist aus Hufelands gutem Rath an Mütter genommen. Lied eines jungen Mädchens an die Religion, Talent des Weibes, Beruf des Weibes, drey Gedichte ohne sonderlichen Werth. Julie Krontbal, ein Muster weiblicher Vollkommenheit. Vollkommenheit sollte man in der Welt unterm Monde nicht suchen. Ein
gutes

gutes vortreffliches Weib, ist noch kein vollkommenes Weib. Wenigstens bleiben hier die Begriffe sehr relativ. Etwas über Leipzig, und noch (ein kleineres sehr unbedeutendes) Etwas über Lauchstädt. — Den Beschluß machen 65 prosaische und poetische Nummern für Stammbücher von sehr ungleichem Werthe. Wie sehr man doch jetzt dem armen menschlichen Geiste in allen Stücken zu Hülfe zu kommen sucht, da man ihm sogar die Brocken für Stammbücher auftische!

Su.

Kurze interessante Geschichten und Erzählungen. Zur Unterhaltung und zum Vergnügen gesammlet. Leipzig. 1799. 219 S. 8.

Ein wahrer Mischmasch ohne Plan und Zweck, aus — Gott weiß, wie vielen Büchern zusammengerührt. Den Anfang machen einige Anekdoten; dann folgen einige magere Brocken aus der Geschichte, die sehr triviale Dinge enthalten, endlich eine geographisch-statistische dürftige Compilation ohne alle Kritik. Wem bieß Unterhaltung und Vergnügen gewähren kann, sieht Rec. nicht ein.

Tg.

Intelligenzblatt

der

Neuen allgemeinen deutschen

Bibliothek.

No. 27.

Beförderungen, Dienstveränderungen, Belohnungen und Gnadenbezeigungen.

Hr. Kriegsrath Johann Emanuel Küster, zu Berlin, zeither geheimer expedirender Secretair bey dem geh. Cabinetsministerium, ist zum geheimen Legationsrath ernannt worden.

Hr. Leopold Krug, Verfasser des topographisch-statistischen Wörterbuchs der preußischen Staaten und andrer Abhandlungen, als erster geheimer Registrator des Cabinetsministerium, mit 500 Rth. Gehalt.

Hr. Christian Friedrich Behrens, Kaufmann und vormals Haupt-Bücherbuchhalter zu Magdeburg, zum Königlich Preußischen Schiffahrtsinspector zu Hamburg.

Hr. Bastide, Professor der Academie militaire und Mitglied der Academie der Wissenschaften, ist der ersten Stelle entlassen worden.

Hr. M. Friedrich Theodor Rink, bisheriger Privatdocent zu Königsberg, erhielt in diesem Jahre die theologische Doctorwürde, und hierauf auch die fünfte theologische Professur.

Hr. Andreas Wagner, Verfasser verschiedener kaufmännisch-arithmetischer Werke, bisher Privatlehrer der Rechenkunst zu Leipzig wurde zum öffentlichen Lehrer der kaufmän-

(Do)

benwalter.

Hr. Johann Gottfried Hoche, Pfarrer zu Aldenhausen in der Grafschaft Ravensberg, geht als Pfarrer nach Grüningen im Fürstenthume Halberstadt.

Der Rector der Hauptschule zu Dessau, He. Vieth, wurde zum Professor der Mathematik, und Hr. Friedrich Feldbahn, bisheriger Conrector daselbst, zum Rector der Hauptschule ernannt.

——— Hr. Hofprediger Friedrich Christian Patdamus zu Ballenstadt zum Superintendent und Consistorialassessor zu Bernburg.

Der durch mehrere schätzbare Schriften und besonders auch durch seine eifrige Bemühungen die Aufklärung zu befördern, berühmte Hr. von Retzer zu Wien, ist vom kayserl. Maj. dem Kaiser in den Freyherrnstand erhoben worden.

Der Herzog von Wirtemberg hat dem Ingenieurhauptmann und Baudirector, Hrn. Johann Georg Scheyer, zu Stutt, wegen der von ihm übersandten Abhandlung über unschädliche Einrichtung der Mühlenwehre und Gerinne rc. eine goldne Uhr und Kette, nebst einem Handschreiben zugehen lassen.

Hr. Jobst Christoph Ernst von Reiche, Officier im Regiment Unruh in Bayreuth, erhielt von seinem König, im Betracht seiner Verdienste um die Arthee, eine Prähende.

Se. Kaiserliche Majestät haben dem Piaristen, Herrn Pater Martin Bolla, zu Wien, in Rücksicht auf sein in drey Theilen in 8. für den Schulgebrauch verfaßtes Compendium historiae universalis, und auf seine bey Erziehung der Jugend, besonders als Regens des Clausenburger Convictoriums, erworbene Verdienste, eine goldene Medaille verliehen.

Se. Königliche Majestät von Preussen haben dem Director der Fürstenschule zu Neustadt an der Aisch, Johann Friedrich Degen, als ein Merkmal der höchsten Zufriedenheit über seine bey Direction dieser Lehranstalt und die bey
dem

demselben bekleidete Lehrstelle bisher bewiesene rühmliche Thätigkeit", eine Gehaltszulage von 300 Gulden ertheilt.

Se. Kaiserliche Majestät von Rußland haben dem Werke
des Herrn Friedrich Wilhelm Freyherrn von Ulmenstein,
Nassau Weilburgischen Regierungsrath zu Wezlar, welches
dem Monarchen besonders wohlgefallen hat, die Auszeichnung
erwiesen, daß dasselbe in Petersburg auf kaiserliche Kosten
fortgedruckt werden soll.

Der Fürst von Thurn und Taxis hat Hrn. Professor
Elias Siebold zu Wirzburg den Charakter als Hofrath
ertheilt.

* * *

Nachtrag zu den Todesfällen deutscher Schriftsteller vom Jahr 1799[*]).

Am 30. Januar starb Hr. Joseph von Canal und
Ehrenberg, Domherr des hohen Domstifts bey St. Stephan, Consistorialrath und Oberdirector des Armeninstituts
zu Wien, 65 Jahre alt.

Am 3. Februar Hr. Georg Gottlieb Gumpelzhaimer,
erster Consulent, Consistorialrath und Comitialgesandter mehrerer Reichsstädte zu Regensburg, 66 Jahre alt.

Am 10. Februar Hr. Friedrich Gotthold Wehner,
Pastor zu Gebhardsdorf am Queis in der Oberlausitz, 6=
Jahre alt.

Am 18. März Hr. Adam Friedrich Oeser, Director
und Professor bey der Zeichnungs-Malerey-und Architectur-
akademie zu Leipzig, 83 Jahre alt.

Am 22. März, Hr. Anton Joseph Carl, M. d.
Philos., Doctor der Arzneywissenschaft, Kurfürstlich Pfalz-
bayerscher wirklicher Rath, ordentlicher Professor der Botanik und Entbindungskunst auf der Universität zu Ingolstadt,
74 Jahre alt.

(Dd) 2   Am

*) Größtentheils aus dem Nekrologe des Allgemeinen Literari-
schen Anzeigers. Jahrgang 1800. Nr. 71—78.

Am 29. März Hr. Gottlieb Constantin Grünewald, M. der Philos. und Pfarrer zu Ober-Ullersdorf in der Oberlausitz, 69 Jahre alt.

Am 2. April zu Leipzig, Hr. Johann Friedrich Heinrich Selig, ein getaufter Jude und Papierhändler ec., 50 Jahre alt.

Am 28. April Hr. Martin von Reider, Kurfürstlich Mayntzischer und Hochfürstlich Bambergischer wirklicher Geheime Rath, Domsyndicus des Domcapitels zu Bamberg, 80 Jahre alt. Er ist höchst wahrscheinlich Verfasser der Schrift: Das peinliche Recht, nach den neuesten Grundsätzen abgehandelt. Offenbach. 1781 und 1784. 8.

Am 16. May Hr. Johann Friedrich Ludwig Cappel, D. der A. W. und Kaiserlich Russischer Collegien-Assessor, wie auch Gouvernementsarzt zu Wlodimir, 40 Jahre alt.

Am 18. May Hr. Friedrich Wilhelm Wedag, deutscher Prediger bey der reformirten Gemeinde zu Leipzig, 41 Jahre alt.

Am 1. Junius Hr. Johann Julius Wilhelm Dedekind, D. der A. W., Land- und Stadtphysikus zu Holzminden.

Am 5. Junius Hr. J. A. J. Varnhagen, D. d. A. W. zu Hamburg, 43 Jahre alt.

Am 16. Junius zu Hoyerswerda der Archidiakonus und Stadtprediger, Hr. Ernst Samuel Contius, Verfasser von Auszügen aus dem christlichen Religionsunterrichte der Hoyerswerdischen Jugend. Budissin 1798. 8. nicht der Archidiakonus zu Donpitsch bey Torgau, Hr. Christian Gotthold Contius, dessen Tod unter diesem Tage angezeigt wurde.

Am 8. Julius Hr. Christian Ehrenfried Schmidt, Oberamtsadvocat zu Lauban, 56 Jahre alt, Vf. verschiedener einzelner in der Lausitzischen Monatsschrift 1799. October, S. 627 und 629 verzeichneten Aufsätze.

Am 19. Julius Hr. Johann Friedrich Selm, Legationsrath zu Hildburghausen, 47 Jahre alt.

In

In eben diesem Monate Hr. Joseph Greyssing, D. d. R. und Advokat zu Bregenz.

Am 12. August Hr. Carl Gottlieb Hofmann, M. der Philos. und vormals Buchhändler zu Chemnitz, 37 Jahre alt.

In eben diesem Monate Hr. Wolfgang Hieronymus Bayerdörfer, gräflich und freyherrlich von Egloffsteinischer oder gemeinschaftlicher Pfarrer zu Affalterthal in Franken.

In eben diesem Monate Hr. Gottlieb Krapf, Kreiscalculator zu Breslau.

Am 7. September Hr. Joh. Ingenhouß, D. d. A. W., k. k. Rath und Leibarzt zu Wien, starb zu Bowood, ei em Landsitze des Marquis v. Landsdown in England, 69 Jahre alt.

Am 11. September zu Prag, Hr. Franz Heilmann, Erjesuit, 66 Jahre alt.

Am 16. Sept. Hr. Johann Baptist Joseph Jauschner, M. d. Philos., D. d. A. W. und ordentl. Professor der Naturgeschichte auf der Universität zu Prag, 62 Jahre alt.

Am 8. October Hr. Christian Gottlob Spranger, privatisirender Gelehrter zu Leipzig, 39 Jahre alt, seit 1791 wegen Melancholie im St. Georgenhause.

Am 31. October Hr. Joseph Ogeßer, Rector der Metropolitankirche zu St. Stephan und erzbischöflicher Kur und Chormeister in Wien, 65 Jahre alt. Er hat im Jahr 1765 eine Beschreibung der obengedachten Metropolitankirche herausgegeben.

Am 2. November Hr. Ludwig Christian Seger, D. d. A. W. und Stadtphysicus zu Wolfenbüttel, 48 Jahre alt.

Am 15. November Hr. Caspar Gabriel Gröning, der Rechte Doctor und Canzellist des Königlichen hohen Tribunals zu Wismar, 48 Jahre alt.

Am 21. November zu Schulpforta der Pastor und geistliche Inspector, Hr. Joh. Christoph Cölestinus Schmieder, 40 Jahre alt.

Am 5. December Hr. Christoph Heinrich Bindseil, D. der Rechte, vormals zu Osnabrück, hernach zu Hamburg, 32 Jahre alt.

Schu

Schulschriften.

Berlin. Die Einladungsschrift des Hrn. Kirchen- und Oberschulraths Meierotto, zur öffentlichen Prüfung der Zöglinge des Joachimsthalschen Gymnasiums, die am 31. März, 1. und 2. Apr. 1800 veranstaltet wurde, stiftet den Verdiensten zweyer verstorbenen Lehrer der Anstalt ein würdiges Denkmal. Ihre Namen sind Jacob Naudé, und Carl Daniel Traue. — Naudé, geb. am 25. Febr. 1739 in Berlin, wo sein Vater als Lehrer am Joachimsthalschen Gymn. stand. Da dieser ihm früh durch den Tod entrissen wurde: so erhielt er die erste Bildung von seinem Schwager, dem berühmten Mathematiker Kies, der in der Folge nach Tübingen zog. Der junge Naudé besuchte das Joachimsthalsche Gymn., und begab sich darauf nach der Universität Halle. Bey seiner Rückkehr wurde er von dem großen Arzt Stahl zum Hauslehrer für seinen einzigen Sohn erwählt. In diesem schätzbaren Familienkreise, wo er zugleich den Umgang mit Lessing, Sulzer, und mehrern Gelehrten hatte, blieb er 7 Jahre, bis sein Eleve nach Halle ging. Naudé wurde unter die Zahl der Deykandidaten aufgenommen, und ging 1768 in dieser Eigenschaft auf königl. Kosten auf Reisen nach Halle, Leipzig, Tübingen, der Schweiz, Pfalz am Rhein und Holland. 1770 kehrte er nach Berlin zurück, und wurde daselbst ordinirt. Im folgenden Jahre erhielt er den Ruf zum Prof. der Theologie beym Joachimsthalschen Gymnasium. Er war ein treuer Lehrer, der selbst bey den abgeänderten Einrichtungen noch andere Lectionen übernahm, und oft Tag und Nacht fortstudirte, um in seinem Berufe nützlich zu seyn. In seinem moralischen Charakter zeichnen sich sein Patriotismus, seine Religiosität und sein thätiges Mitleiden gegen Dürftige aus. Er starb am 30. Dec. 1799. — Traue, geb. am 17. Sept. 1736 in Halberstadt, besuchte die dasige berühmte Domschule, wo Würzer und Struensee lehrten. Er bezog 1758 die Universität Halle, und kehrte 1760 in seine Vaterstadt zurück. Hier wurde er Hauslehrer bey sieben Kindern, und besorgte zugleich die Predigten für den damaligen ersten Prediger der ref. Gemeine Wolleb. Nach zwey Jahren, da sein Prinzipal von Ditrich gestorben war, erhielt er den Ruf zum Insp. auf dem Joachimsthalschen Gymn., womit ein Jahr später die Inspection des theologischen Seminars verbunden wurde. Im Jahre 1766 wurde er zum außerordentlichen Professor ernannt,

ernannt, und mußte sehr viele Geschäffte übernehmen, wodurch
seine Gesundheit litt. Hierzu kamen noch seine dürftigen Umstände, die erst nach 14jährigen vergeblichen Bitten seiner
Vorgesetzten und Gehülfen, erst dann verbessert wurden, als
er 1782 die Stelle eines ordentlichen Professors erhielt. Sein
kränklicher Zustand, und besonders der Fehler in den Einge-
weiden, war die Quelle vieler Leiden; die er aber vor seinen
Freunden, und besonders vor seiner zärtlichen Gattin verbarg.
Seinen moralischen Werth kann niemand verkennen, der die
Worte Meievotto's lieset, die die schönsten Blumen um
Traue's Aschenkrug sind: „Vere dixerim, neminem ex
„omnibus mortalibus esse, qui hujus animi pectorisque
„memoriam vel levissima macula adspergere, vel querelam
„aliquam, quod ab illo offensus vel neglectus fuerit, con-
„tra eum effundere sustineat.“

***

Hr. Oberkonsistorialrath Gedike beantwortet in seiner
Einladungsschrift zur Prüfung des Berlinisch-Köllnischen
Gymnasiums, die am 16. und 18. Apr. angestellt wurde, die
Frage: Haben wir zu wenige oder zu viele Schulen?
Zu wenige Schulen sind nach des verdienten Schulmanns
Behauptung auf dem Lande, und für das weibliche Geschlecht in den Städten. Das traurige Bild, was er vom
größten Theil der Schullehrer auf dem Lande entwirft, ist
nach der Natur gezeichnet. An einigen Orten giebts nur
Gang- oder Laufschulmeister, wozu man etwa einen vakanten
Schneidergesellen auf 3 bis 4 Wintermonate miethet; an
andern ist der Jugendlehrer zugleich Nachtwächter. Giebts
doch in der Kurmark 861 Landschulstellen, die unter 40 Rthlr.,
440 die bis 20 Rthlr. und 184 die nur bis 10 Rthlr. eintragen!! Die Filiale leiden hierin am meisten. Der Verf.
erklärt sich gegen den Vorschlag, der neuerdings gemacht ist,
aber auch heftige Gegner gefunden hat, daß der Prediger den
Schulunterricht besorgen soll. Er will vielmehr dem Schullehrer das Predigen aufgetragen wissen, wenn der Prediger
bey Zusammenziehung mehrerer Dörfer, wo er abwechselnd
predigen, und die Sakramente verwalten kann, abwesend ist,
wodurch beyde Stände gewinnen würden. (Wirklich haben
mehrere Landprediger den Vorschlag anwendbar gefunden.)
In Ansehung gut eingerichteter städtischen Töchterschulen fehlt
es in den Provinzen besonders. Der Verf. wünscht Seminarien

narien für Lehrerinnen. — Zu viele Schulen sind an
den Orten, wo der Fonds bei sich privatisiret wird. Mit
Recht verweist er daher die Anstalten für die Religionspar-
theyen; ob er gleich die Wohlthätigkeit der Institute für besondere Stände und Beschäftigungen anerkennt. Er sagt
überdieß noch mehreres über Industrie, Sonntags und Prei-
schulen, das alle Beherzigung verdient. Die edle-deutsch-
tige Sprache, worin der Verf. schreibt, verbürgt sich mit der
Wichtigkeit des Inhalts. Die kleine Schrift wird, wie sie
es verdient, auch außerhalb ein größeres Lesepublicum finden,
da sie, wie man sagt, in einem der folgenden Hefte der Annalen des preußischen Schul- und Kirchenwesens aufgenommen werden wird.

Vermischte Nachrichten.

Nachricht. Heilbronn, den 1. May 1800. An
die Stelle des verstorbenen Herrn Senioris Ministeri,
M. Orth, der am 2. März 1800 starb, kam Hr. Pfarrer
M. Duttenhofer. In die zweyte hiesige Pfarrstelle rückte
Hr. Pfarrer Weis, in die dritte Hr. Pfarrer Andler, in
die 4te Hr. Pfarrer M. Fraas vor; und in die fünfte Pfar-
stelle an der Hospitalkirche wurde Hr. Candidat Däutel
(Dautel) von hier befördert.

Neue allgemeine

deutsche

Bibliothek.

Des drey und funfzigsten Bandes
Zweytes Stück.

Fünftes bis Achtes Heft.

Kiel,

verlegts Carl Ernst Bohn. 1800.

Verzeichniß

der

im zweyten Stücke des drey u. funfzigsten Bandes
recensirten Bücher.

I. Protestantische Gottesgelahrheit.

II. Rechtsgelahrheit.

G. A.

III. Arzneygelahrheit.

J. C.

IV. Schöne Wissenschaften und Gedichte.

V. Theater.

VI. Romane.

                        a 2   Das

VII. Mathematik.

VIII. Naturlehre und Naturgeschichte.

IX. Chemie und Mineralogie.

X. Botanik.

Kurz

XI. Bienenschriften.

XII. Technologie.

XIII. Geschichte.

XIV. Gelehrtengeschichte.

XV. Erdbeschreibung, und Reisebeschreibung.

XVI.

XVI. Biblische, hebr., griech. und überhaupt orientat. Philologie, ꝛc.

XVII. Klassische, griechische und lateinische Philologie, nebst den dahin gehörigen Alterth.

XVIII. Deutsche und andere lebende Sprachen.

XIX.

XIX. Erziehungsschriften.

XX. Staatswissenschaft.

XXI. Handlungswissenschaft.

XXII. Vermischte Schriften.

Neue Allgemeine

Deutsche Bibliothek.

Drey und funfzigsten Bandes Zweytes Stück.

Fünftes Heft.

Intelligenzblatt, No. 48. 1800.

Protestantische Gottesgelahrheit.

1. Die Lehren des Christenthums für gebildete Jugend und für jeden Christen. Zur Uebersicht des Ganzen seiner Religion, nach Anleitung des Hannöverschen Landes - Catechismus. Von J. C. Eggers, Superintendenten des Herzogthums Lauenburg. Dritte, ganz veränderte Auflage. Hannover, 1796. 365 S. 8. 1 Rt.

2. Anweisung für alle, welche Zufriedenheit und Glück auf Erden, und ewige Seeligkeit nach dem Tode wünschen, hoffen und suchen; oder Unterricht für alle, welche Bekenner Christi sind, und wahre Verehrer Christi werden wollen. Von Philipp Heinrich Gerhard Pandes. Ohne Druckort. 1798. 238 S. 8. 16 Rt.

3. Johann Peter Ludwig Snell's, Pfarrers zu Dachsenhausen, praktisch = catechetisches Handbuch über seinen Catechismus der christlichen Lehre. Zum Gebrauch für diejenigen Prediger und Schullehrer, die sich dieses Catechismus bedienen. Er-

ster

ſter Theil. Gießen, 1799. 232 S. 8. Vorrede XXII. 12 ꝛc.

Wir nehmen dieſe drey catechetiſchen Schriften wegen ihres
verwandten Inhalts zuſammen; wiewohl ſie vom verſchiedenen innern Gehalte ſind. — Es iſt bey ſo vielen ſchlimmen,
doch auch ein gutes Zeichen in dem letzten Decennium des
ſcheidenden Jahrhunderts, daß man ſich in allen Gegenden
des proteſtantiſchen Deutſchlands beſtrebt, beſſere, zweckmäßigere, und dem fortſchreitenden Geiſte des Zeitalters an-
gemeßnere Lehrbücher für den Religionsunterricht der Jugend
herauszugeben. Ein Bedürfniß, das in ſeinen traurigen
Folgen zu lange und zu ſchmerzlich empfunden wurde, als daß
nicht der Eifer, demſelben abzuhelfen, jedem Freunde der Religion willkommen ſeyn müßte. Wenn die Religion wieder
die Achtung erhalten ſoll, welche ſie, als die wohlthätigſte
Veranſtaltung zur Erziehung und Vervollkommnung des
menſchlichen Geſchlechts, verdient; wenn wahre Religioſität
befördert, die erkaltete Liebe zu den öffentlichen Gottesver-
ehrungen erweckt, und die Diener der Religion ſelbſt ihr ſo
ſehr geſunkenes Anſehen wieder erlangen ſollen; wenn man
wünſcht, daß Kälte und Gleichgültigkeit abnehme, und ein
neuer Eifer erwachen möge: ſo muß der Unterricht der Jugend zweckmäßiger als bisher eingerichtet, und den Mängeln
abgeholfen werden, die ſeinen wohlthätigen Einfluß ſchwäch-
ten, wo nicht ganz verhinderten. Auf die Jugend muß man
wirken, und dem Strome des Zeitalters entgegen arbeiten,
und ſo nach und nach ein beſſeres Geſchlecht der Menſchen erziehen. Denn wie kann die Religion ihre Kraft beweiſen,
wenn der Unterricht, wie bisher, nach den dürftigſten Lehrbüchern geformt, in einen Schwall von Schulterminologien
und unverſtändlichen Dogmen eingehüllt wär, ohne in die
Verhältniſſe des menſchlichen Lebens einzugreifen? Welchen
Nutzen kann man ſich von einem Unterrichte verſprechen, durch
welchen man leere Spitzfindigkeiten und unhaltbare Sätze
eben ſo eifrig dem Verſtande junger Chriſten einzupfropfen
ſucht, als es die eigenthümlichen Lehren des Chriſtenthums
verdienen? Es iſt daher jeder Beytrag zu einem beſſern Religionsunterrichte immer dankenswerth, wenn er auch nicht
den Grad der Vollkommenheit hat, den man wünſchen möchte. Immer ſind doch einige Schritte vorwärts gethan, und
man

man nähert ſich dem ſchönen Ziele. Auch die vorliegenden
Schriften ſind dem Rec. in der Hinſicht willkommen geweſen.

No. 1. iſt eigentlich ein vollſtändiger Commentar des
bekannten hannöveriſchen Landescatechismus. Wenn auch
dieſer ſeine nicht zu verkennenden Mängel hat: ſo iſt durch
ihn doch immer das Gute gewirkt, daß er die ganz unbrauch-
baren Catechismen nicht nur verdrängt hat; ſondern auch,
daß dadurch manche würdige Lehrer in dieſem Lande geweckt
wurden, ſich des Religionsunterrichts mehr anzunehmen,
und in öffentlichen Schriften beſſere und zweckmäßigere An-
leitungen darzulegen. An dieſe ſchließt ſich auch der Verf. der
erſten Schrift an, deſſen Arbeit alles Lob verdient, und
ſich durch lichtvolle Ordnung, genaue Abſonderung des We-
ſentlichen in der Religion von dem Minderweſentlichen, durch
faßliche und gebildete Sprache, und durch Wärme des Vortrags auszeichnet. Freylich, wie auch der Titel beſagt, iſt
dieſes Lehrbuch nur für die Jugend in den gebildeten Ständen; aber für dieſe iſt es auch ſehr reichhaltig und belehrend,
und wird bey rechter Benutzung und unter der Anweiſung
eines geſchickten Lehrers ſeines Zwecks nicht verfehlen. Da
es außerdem nicht in Fragen und Antworten zerſtückelt, ſondern in einem zuſammenhängenden Vortrage geſchrieben iſt:
ſo kann es auch von ältern Chriſten, die ſich von ihrer Religion eine überzeugende Einſicht verſchaffen wollen, mit Nutzen geleſen werden. Schon dieſe dritte Auflage zeigt, daß
man den Werth und die Brauchbarkeit dieſer Schrift in der
erſtern Ausgabe anerkannt hat, und ſie hat durch dieſe gänzliche Umarbeitung noch gewonnen. Da ſich der Verf. an den
Landescatechismus halten mußte: ſo konnten einige eingeſchaltete Materien, zu welchen der Catechismus nicht unmittelbar
Gelegenheit gab, nicht ſo geordnet werden, wie ein Verfaſſer, der ein ſolches Lehrbuch ohne Abhängigkeit von einem
ländlichen Lehrbuche ſchreibt, ſie ordnen kann. Die tabella-
riſche Methode, deren ſich der Verf. bedient hat, giebt den
Lehrern mehr freye Wahl in Bildung ihrer Fragen. Er fand
überhaupt alle vorgeſchriebene Fragen für nachtheilig; beſonders für den nicht genug ſelbſtdenkenden Lehrer. Sie machen
ihm ſeinen Unterricht zu bequem, und zuletzt mechaniſch; und
bey der Wiederholung eines Unterrichts vom Lehrlinge denkt
derſelbe tabellariſch weit glücklicher das Ganze einer Lehre, und wird mehr genöthigt, das Ganze zu denken. —

Die

Die angewandten Fragen des Landescatechismus stehen am
Rande bemerkt. — Rec. kann aus Ueberzeugung dieses
Lehrbuch allen denen empfehlen, die ihre christlichen Erkenntnisse erweitern und berichtigen, und ihr Herz für die Religion erwärmen wollen.

No. 2. erreicht zwar nicht den Werth der eben angezeigten Schrift; aber es gehört doch nicht unter die schlechten dieser Gattung. Der weitschweifige Titel erregt eben nicht die
günstigste Meinung, die doch bey dem Durchlesen des Buchs
selbst verschwand. Es ist in Fragen und Antworten abgefaßt;
eine unschickliche Methode, vornehmlich wenn sie, wie hier,
angewandt ist. Die Fragen sind nicht gehörig motivirt, und
daher auch die Antworten nicht immer genau anpassend. Der
Verf. scheint aus ältern und neuern catechetischen Schriften
sein Buch compilirt zu haben. Daher entsteht eine gewisse
Ungleichheit des Styls, und noch mehr der Grundsätze. Indessen ist die gute Absicht des Verf. nicht zu verkennen, und
es kann bey dem mündlichen Unterrichte eines geschickten Lehrers immer mit Nutzen gebraucht werden. Der hinzugefügte
Abriß zeigt einen nicht übeln Plan, nach welchem er gearbeitet hat.

No. 3. ist die Arbeit eines denkenden, hellen Kopfes,
der sich auch schon durch mehrere Schriften vortheilhaft bekannt gemacht hat. Er commentirt in dem vorliegenden Buche seinen eignen Catechismus der christlichen Lehre;
daher er auch für den Lehrer, und nicht für die Catechumenen bestimmt. In der Vorrede erklärt sich der Verf. über
den eigentlichen Zweck dieses Handbuchs. Es soll weiter nichts
seyn, als eine Sammlung von Materialien, deren sich der
Lehrer zur Erläuterung des Catechismus bey dem Religionsunterrichte der Kinder bedienen kann. Zwar ist dabey besonders auf Prediger Rücksicht genommen, welche ihre Confirmanden unterrichten; doch kann manches auch von den Schullehrern benutzt werden, in deren Schulen der Catechismus
als Lehrbuch eingeführt ist. Da es nicht für Schüler und
Lehrlinge geschrieben ist: so hat der Verf. manche Winke für
die Lehrer mit einfließen lassen. Man wird zwar die Popularität im Ausdruck vermissen; da aber hier nur die zum Unterrichte brauchbaren Materialien zusammengetragen sind: so
kommt es dem Lehrer überlassen bleiben, sie in eine populäre

Form

Form einzukleiden. Mit Recht wird bemerkt, daß es eine
Popularität der Sachen, und eine Popularität des Ausdrucks
gebe. Jene besteht darin, daß man nur solche Sachen vor-
trägt, welche dem ungelehrten Zuhörer oder Lehrlinge verständlich und nützlich sind, und das wird man hier nicht vermissen. Die Popularität des Ausdruks war bey der gegenwärtigen Arbeit eine Nebensache. Wo es ohne große Weitläuftigkeit geschehen konnte, sind die vorzutragenden Lehren in
solche Worte eingekleidet, welche auch den Kindern verständlich sind. Das konnte aber nicht immer geschehen, ohne zu
weitläuftig zu werden. Daher ist manches nur in solchen
Ausdrücken angedeutet, die dem Lehrer verständlich sind.
Der Verf. befürchtet also darüber keinen Tadel, wenn man
hier unpopuläre Ausdrücke, und selbst philosophische und theologische terminos technicos findet. Denn es versteht sich
von selbst, daß sie nur gebraucht wurden, um gewisse Begriffe
kurz, und für den Lehrer verständlich zu bezeichnen, und folglich nicht für Kinder bestimmt sind. Der Lehrer findet hier
nur Materialien; und seine Sache ist es, sie zu verarbeiten,
zu popularisiren, in Fragen und Antworten einzukleiden, auf
Fälle des gemeinen Lebens anzuwenden, durch Beyspiele zu
erläutern, und die erforderlichen Nutzanwendungen zur moralischen Besserung der Kinder zu machen. — Das alles sind
sehr gute und nöthige Forderungen an die Lehrer, die erfüllt
werden müssen, wenn das Buch mit Nutzen gebraucht werden soll; mögen der Lehrer in dem Vaterlande des Verf. sehr
Viele seyn, die das alles leisten können! Rec. besorgt aber
sehr, daß die wenigsten den hier gelieferten Stoff mit den
Wünschen und Forderungen des Verf. zu verarbeiten wissen
werden. — Was der Verf. in Ansehung mancher neuerer
gedruckter Catechisationen sagt, giebt Rec. gern zu. So
schön und nützlich es ist, wenn der Lehrer die Kunst versteht,
die Begriffe gleichsam aus der Seele der Kinder hervor zu
holen, und ihnen die richtigen Antworten durch geschickte
Fragen zu entlocken: so ist doch nicht zu leugnen, daß mit
dieser Kunst auch Mißbrauch getrieben werden kann, wenn
man sie immer, und auch da anwendet, wo es besser wäre,
den Kindern etwas im lehrenden Tone vorzutragen. Es
heißt auch hier: est modus in rebus. Will man alles her-
ausfragen: so verfällt man leicht in den Fehler, daß man zu
weit ausholt, und auf allerhand Allotria kommt, um sich
einen Weg zu seinem Ziele zu bahnen. — Die Anweisun-

gen,

gen, welche zum Gebrauch dieses Handbuchs gegeben werden,
sind gut, und Zeugen von des Verf. Einsichten und praktischen Erfahrungen in diesem Fache. Wenn sie befolgt werden: so wird es gewiß von großem Nutzen für Catechumenen
und Corfirmanden seyn. — In eine umständlichere Beurtheilung des Inhals dieser Schrift sich einzulassen, scheint
um so viel mehr überflüßig zu seyn, da der Catechismus selbst
schon hinlänglich bekannt ist. Der Plan, welchen der Verf.
befolgt hat, wird wohl dem zweyten Theile beygefügt werden,
welchem Rec. mit Verlangen entgegensteht.

Andachtsbuch für gebildete Gottesverehrer auf jeden
Tag des Jahrs. Ein System der unentbehrlich-
sten Lebenswahrheiten, mit steter Hinsicht auf den
Geist und die Bedürfnisse unsers Zeitalters, von
Samuel Baur, Pfarrer in dem Marktflecken
Burlenbach, unweit Augsburg. Leipzig, 1799.
1. Theil 534 S. 2. Theil 516 S. 3. Theil
516 S. 4. Theil 540 S. Alle 4 Thle 2 Rt.
Dasselbe in gr. 8. 3 Rt. 8 X.

Wenn werden doch unsre Erbauungsschriftsteller aufhören,
durch diese und ähnliche Werke nur allzuviel zu einer mechanischen Andacht beyzutragen, der man vielmehr entgegen arbeiten sollte? Nur erst kürzlich hat uns Herr D. Ewald mit
einem sehr weitläuftigen, bogenreichen Werke in dieser Form
beschenkt, worin er selbst eingesteht, daß er es nicht aus Ueberzeugung von der Nutzbarkeit desselben; sondern auf Veranlassung vieler, welche diese Gattung der Andachtsbücher
lieben, geschrieben habe. Wenn also solche Schriften noch
immer verlangt und gelesen werden; wenn so viele sich nicht
anders erbauen zu können glauben, als wenn ihnen die Materialien dazu nach Wochen und Tagen zugemessen werden;
wenn die Ausführung selbst dem Geiste des Zeitalters und einer vernünftigen Erbauung nicht zuwider ist: so kann man
nur wünschen, daß der Mißbrauch verhütet werde, und daß
Prediger ihren Gemeindegliedern Anweisungen geben, wie sie
solche und ähnliche Bücher zweckmäßig gebrauchen sollen. —
Der Verf. dieses Andachtsbuches scheint es auch gefühlt zu
haben,

hätte, daß das seinige einer Apologie bedürfe. Er glaubt
nämlich die Herausgabe desselben dadurch zu rechtfertigen, daß
eine zweckmäßige Abwechselung bey dem Gebrauche religiöser
Schriften, die zur Unterhaltung einer täglichen Andacht dienen sollen, hochnöthig sey, wenn diese edle Beschäfftigung
des Christen nicht zu einem mechanischen Geschäffte herabsin-
ken soll. Diß ist auch wohl der Hauptgrund, der die jährliche Vermehrung solcher Erbauungsbücher einigermaßen entschuldigen kann. Doch dieß war es nicht allein, was ihn zu
dieser Arbeit bewog. Er meint auch einen Gesichtspunkt aufgefaßt zu haben, der noch in keiner der vorhandenen Schriften zum Grunde gelegt worden. Er habe nämlich zuerst sein
Augenmerk darauf gerichtet, ein System der unentbehrlichsten Lebenswahrheiten auszuführen; jedoch nicht in
systematischer Form. Dann habe er auch immer auf den Geist
und auf die Bedürfnisse unsers Zeitalters Rücksicht genommen, und vornehmlich solche Wahrheiten eingeschärft und
dringend empfohlen, welche gerade jetzt einer ernstlichen Empfehlung bedürfen. — Rec. giebt dem Verf. gern das Zeugniß, daß er das größtentheils geleistet habe, was er sich zum
Zwecke vorsetzte. Er irrt zwar, wenn er glaubt, daß er zuerst und allein den neuen Gesichtspunkt aufgefaßt, und ein
System der unentbehrlichsten Lebenswahrheiten in seiner
Schrift dargestellt habe; seine Vorgänger haben dieß schon
mehr oder minder gethan. Indessen gebührt ihm das Verdienst, daß seine Ausführung in dieser Hinsicht reichhaltiger
ist, wie das hinzugefügte vollständige Register erweiset. Auch
für die nähern Bedürfnisse des Zeitalters sind manche treffende Belehrungen und Winke gegeben, die viel Gutes wirken
können, wenn sie benutzt werden. Der Styl ist rein und
gebildet, ohne mit rednerischem Schmucke überladen zu seyn.
Ein Vorzug, den man dem Ewald'schen Andachtsbuche
nicht nachrühmen kann, in welchem der Styl sehr ungleich
und gesucht ist; und nicht selten in einen affektirten frömmeln-
den Ton ausartet. Durch Mannichfaltigkeit der ausgeführten Materie ist auch für Abwechselung gesorgt. Uebrigens ist
die äußere Einrichtung dieselbe, wie bey andern ähnlichen
Schriften. Jede Betrachtung nimmt 4—5 Seiten ein.
Sprüche der Bibel sind ihr zum Grunde gelegt; aber Strophen aus geistlichen Liedern beym Anfange oder Schlusse der
Betrachtungen hinzugefügt. — Der Verf. hat sein Werk
nicht für den ungebildeten großen Haufen; sondern für gebil-

dete

T 4

bete Gottesverehrer bestimmt, d. i. für Christen, die einige
Uebung im Denken haben, die ihre Erkenntnisse zu erweitern
streben, und denen folglich das bloße Lesen eines Gebets oder
einer Betrachtung nicht genügt, weil sie wissen, daß ein solcher mechanischer Gottesdienst nicht frommt, indem er die
Moralität eher hindert als befördert. Wenn diese Klasse von
Lesern den Rath des Verf. befolgt; wenn sie sich nicht strenge an dieses Andachtsbuch bindet; wenn sie von Zeit zu Zeit
solche Materien auswählet, die ihrer jedesmaligen Gemüths-
beschaffenheit und ihren gegenwärtigen Bedürfnissen am ange-
messensten sind: so kann manches Gute durch dieses Buch gestiftet, und wahre Religiosität befördert und ausgebreitet
werden. Rec. trägt demnach kein Bedenken, diese Schrift
allen denen zu empfehlen, die sich an diese Form sich zu erbauen gewöhnt haben.

Communionbuch für denkende Christen. Von Va-
lentin Carl Veillodter, Mittagsprediger an der
Kirche zum heiligen Kreuze bey Nürnberg. Mit
einem Kupfer. Nürnberg, 1799. 214 S. 8.
12 gr.

Die Anzahl guter Communionbücher ist noch nicht so groß,
daß nicht jeder zweckmäßige Beytrag zu einer vernünftigen
Andacht bey der Feyer des heil. Abendmahls willkommen seyn
sollte. Die vorliegende Schrift ist ganz dazu geeignet, um
diesen Zweck zu erreichen. Sie verdient um so viel mehr empfohlen zu werden, weil sie sich in mancher Hinsicht auch von
den bessern Communionbüchern durch einen gewissen eigenen
Gang, den der Verf. genommen hat, durch neue Ansichten,
durch reine Moralität, durch lebendige Darstellung des großen
Charakters Jesu, durch einen reinen, faßlichen, blühenden,
und doch nicht mit Schmuck überladenen Vortrag vor andern
auszeichnet. Bey der großen Verschiedenheit religiöser Begriffe und geistiger Bedürfnisse der Christen glaubte der Verf.,
daß wohl mehrere Communionbücher neben einander bestehen
könnten. Nach dem Wunsche der Verlagshandlung sollte dieß
Buch nur aus den besten Schriften dieser Art zusammengetragen werden. Allein theils die kleine Anzahl wirklich guter
Communionbücher, die er hätte benutzen können; theils die
Achtung

Achtung gegen ihre würdigen Verfaſſer erlaubten ihm ein ſolches
Verfahren nicht; und von einem Manne von ſolchem Kopf
und Herzen konnte man doch etwas Beſſeres als eine Compilation erwarten. Er entſchloß ſich alſo zu eigener Abfaſſung; doch
benutzte er manche Idee, die er in irgend einer trefflichen
Schrift ähnlichen Inhalts fand, z. B. Hufnagels liturgi-
ſche Blätter, aus welchen er, mit einigen für ſeinen Zweck
nothwendigen Abänderungen, den S. 79 anfangenden Aufſatz nahm, wie auch zum Theil die unter der Rubrick: Ideen
für Betende, ſich befindenden kurzen Gebete. Aus Herrn
D. Niemayers Timotheus iſt die Umſchreibung der Ein-
ſetzungsworte des Abendmahls entlehnt. — Freylich wird
man manches hier vermiſſen, welches ſich in andern Communionbüchern findet, und auch wohl wider die ganze Behandlungsart und den Gang der Ideen manches einwenden. Allein, wenn man den Geſichtspunkt im Auge behält, daß dieß
Buch nur für denkende Chriſten geſchrieben ſey: ſo wird
man den Verf. rechtfertigen müſſen. So findet man z. B.
keine Anleitung auf die würdige Feyer des Abendmahls und
zu dieſer ſelbſt, weil ihre Kenntniß bey denkenden Chriſten
mit Recht vorausgeſetzt werden kann. Es ſind hier mehr
Materialien zum Denken, als weitläuftige Betrachtungen;
mehr Ideen für Betende, als ausführliche Gebete. Denn
es wird mit Recht als ein Fehler unſrer Andachtsbücher gerügt, daß das eigne Nachdenken über wichtige religiöſe Handlungen bey ſo manchen Chriſten nicht bloß unerweckt bleibt;
ſondern hier und dort auch unterdrückt wird. Manche begnügen ſich damit, ihr Communionbuch durchgeleſen zu haben; vernachläßigen es, ſich den Inhalt deſſelben zu eigen zu
machen, und ſchnell iſt dann der flüchtige Eindruck verwiſcht.
Denkende Chriſten bedürfen nur leiſer Erinnerungen an Gegenſtände, die ſchon lange ihren Geiſt beſchäfftigen, und ihr
Herz intereſſiren. Ein Communionbuch, für ſie geſchrieben,
ſoll nur zur Erweckung ſchon vorhandener Ideen dienen, und
dieſe dazu anwenden, ihr Herz aufs neue zu erwärmen, religiöſe Gefühle zu erzeugen, und den Willen feſt für das Gute
und Treffliche zu beſtimmen. Dieſer Geſichtspunkt, den
wir meiſt mit den eigenen Worten des Verf. angegeben haben, zeigt hinreichend, für welche Klaſſe von Leſern dieſes
Buch beſtimmt ſey, und was man hier erwarten könne. Die
angehängte Sammlung von Geſängen zur Erweckung und
Belebung religiöſer Ideen entſpricht der Abſicht. Die mit

J.

J. V. bezeichneten ſind neu, und noch in keiner Sammlung gedruckt. Einige kleine Flecken, theils den Styl und die Wortfügung, theils einige mit den übrigen gereinigten Religionsbegriffen des Verf. nicht harmonirende Ideen wird er bey einer neuen Auflage gewiß verwiſchen. Rec. wünſcht durch dieſe Anzeige etwas dazu beygetragen zu haben, daß dieß Communionbuch bald in die Hände aller gebildeten Chriſten komme. Der Plan, nach welchem der Verf. gearbeitet hat, iſt folgender: Die Einleitung entwickelt den Sinn und Zweck der Abendmahlsfeyer. Für den Tag der unmittelbaren Vorbereitung auf die Feyer des Abendmahls ſind folgende Betrachtungen beſtimmt: Werth des ruhigen Nachdenkens über uns ſelbſt. — Menſchenbeſtimmung. — Würde der Tugend. — Elend der Sünde. — Ideen für Betende. — Am Communiontage: Am Morgen. — Vorbereitende Betrachtung. — Allgemeine Betrachtung bey der Communion. — Hinblick auf die Vollendung Jeſu. — Das Andenken des Gerechten bleibt im Segen. — Ruhe im Tode. — Liebe. — Ausſichten in die Zukunft. — Idee zur Belebung religiöſer Gefühle und Entſchließungen. — Sehnſucht und Vollendung. — Ideen für Betende. — An junge Chriſten bey der erſten Feyer des Abendmahls. — Geſänge für die Feyer des Abendmahls.

Vs.

Gebetbuch für chriſtliche Landleute. Herausgegeben von Raymund Dapp, Prediger zu Kleinſchönebeck, Schöneiche und Münchehofe. Zweyte vermehrte Auflage. Züllichau und Freyſtadt, bey Darnmann. 1799. 223 S. 8. 9 K.

Die Dapp'ſchen Arbeiten ſind wegen ihrer Deutlichkeit und Herzlichkeit in allgemeiner Achtung; ſie tragen alle das Gepräge einer edeln Moral und geſunder Vernunft, die auf wahrhafte Glückſeligkeit berechnet iſt. Wie vortheilhaft dieß Gebetbuch vom Publikum aufgenommen worden, zeigt die neue Auflage; und die Dankbarkeit des Verf. erhellet aus ſeiner Bemühung, die zweckmäßige Beſchaffenheit ſeiner Abhandlungen, durch Berichtigung des Ausdrucks, und mancherley

cherley neue Vorträge, immer vollkommner zu erreichen. Möge der sittliche Erfolg in allen Lesern, auch bey dieser neuen Auflage, recht ausgebreitet seyn! Den Wunsch kann indessen Rec. nicht unterdrücken, daß die unnatürliche Gewohnheit, die Erfüllung unserer eigenen Pflichten von Gott, im Gebet, zu erbitten, eingeschränkt werden möge, wovon auch dieß Büchlein nicht frey ist.

Od.

Rechtsgelahrheit.

Von der Erfahrung in der ausgeübten Rechtskunde, von Dr. C. L. Münter. Erster Theil. Zelle, 1799. 356 S. 8. 20 X.

Die Absicht dieses Werks, welche in dem ersten Stück angezeigt wird, ist, dem Advocaten, welcher mit großer Kenntniß, mit allem Aufwande seiner Kraft, mit aller Ueberzeugung einer guten Sache gearbeitet hat, dennoch bey einer entgegengesetzten Ueberzeugung eines rechtschaffenen und kenntnißvollen Richters seine Sache verliert, und darüber mißmuthig wird, Beruhigung zu verschaffen, und dieß durch die aus der Natur der Rechte und der Organisation des Menschen gezeigte Möglichkeit, wie so sehr leicht Richter und Advocat mit dem besten Willen und großer Kenntniß arbeiten, und doch in ihren Meinungen von einander abgehen können; jene Beruhigung aber kann nur dem zu Theil werden, welcher sich selbst ohne Eigenliebe, ohne Heucheley gegen sich selbst das Zeugniß geben kann, mit Kenntniß, mit sorgfältigem Fleiß, mit allem Talent seiner Beurtheilungskraft gearbeitet zu haben, welcher sich auch nicht die geringste Vernachlässigung eines einzigen dieser Erfordernisse zu Schulden kommen läßt; und zur Kenntniß gehört besonders Kunde der vaterländischen Rechte, und Bekanntschaft mit den Grundsätzen, nach welchen die höhern Landescollegien in streitigen Rechtsfällen sprechen; dem jungen Praktiker soll gezeigt werden, daß nur der schwesterliche Bund von Gelehrsamkeit, reiner Vernunftlehre und wahrer Erfahrung ihn glückliche Erfolge seiner Bemühungen erwarten lasse.

Das

Das 2te Stück handelt von der Erfahrung überhaupt; besonders wird die Nothwendigkeit praktischer Erfahrung, um auch den größten Schatz von Kenntnissen nutzen zu können, gezeigt; Erfahrungen sind dem Hrn. Verf. Abstractionen aus den guten und widrigen Vorfällen des praktischen Lebens für unser zweckmäßiges Betragen bey künftigen ähnlichen Fällen; sie erfordern besonders Beobachtungsgeist, und dieser wahre Gelehrsamkeit. III. Von der falschen Erfahrung; dahin gehört besonders diejenige, welche ohne gründliche Kenntnisse und Talente ist. IV. Von der juristischen Erfahrung insbesondere; ihr Unterschied von der Erfahrung in andern Wissenschaften wird gezeigt; er liegt theils in dem Gegenstande, unsern positiven Gesetzen, theils in der verschiedenen Beurtheilung derselben, welche bey ein und eben demselben Collegium zu unterschiedenen Zeiten sich verändern kann. Das Vte Stück enthält historische Belege zu dem vorigen; eine skizzirte römische Rechtsgeschichte, immer in Rücksicht auf die veränderliche Gesetzgebung; besonders gut über die Justinianische Gesetzsammlung und ihre Schicksale, vornehmlich in Deutschland. Das VIte Stück enthält Fortsetzung des vorigen in der Geschichte der Advocatur. Die Geschichte wird hier von den Zeiten des Romulus angefangen, bey den Römern fortgeführt; dann von Deutschland erzählt. VII. Von der Verbindung der Philosophie mit der Jurisprudenz; der Hr. Verf. betrachtet sie in Hinsicht auf gesetzgebende Klugheit, und auf Handhabung der gegebenen Gesetze; und zeigt, wie wenig das Justinianische Gesetzbuch für unsere Nation und Zeiten passe, und wie sehr es oft den praktischen Juristen in Verlegenheit setzen müsse. Uns wundert, wie hier der Hr. Verf. die römische Eintheilung der Contracte und Klagen in bonae fidei und stricti juris, S. 98, wahrhaftig grundlos nennen kann, und, S 99, den Contract bonae fidei, welcher aus Furcht geschlossen worden, nach römischem Recht für ungültig, den stricti juris aber für gültig hä't. Der Grundsatz, daß Philosophie und Billigkeitsgefühl verstummen müssen, so oft dem Rechtsfall in allen seinen Modificationen ein Gesetz genau anpaßt, wird durch drey Rechtsfälle erläutert, in deren einem der Hr. Verf. seinen Proceß gewonnen; in beyden andern aber, gegen seine Erwartung, verloren hat; wir vermuthen, wie es auch der Hr. V. bescheiden äußert, daß er mit Recht verloren; im zweyten Fall kam es darauf an, auf welchem

welchem beyder Posten muß man vermuthen, daß die Bezahlung von Y. geschehen, und von G. angenommen worden;
im dritten Fall finden wir auch für M. keine Hypothek bestellt.
VIII. Ueber die Verbindung der Philosophie mit der
Jurisprudenz in Fällen, wo ein unserer Staatsver-
verfassung nicht anpassendes Gesetz entscheidet. Wiederum ist dieses durch einige Fälle erläutert. IX. Von der
Analogie; sie tritt in Fällen ein, wo kein Gesetz in allen
seinen Modificationen paßt, und Argumente aus einem oder
mehreren, fernere oder nähere Beziehung habenden Gesetzen
abgeleitet werden müssen; es wird gezeigt, daß diese Ausübung der Rechtspflege gefahrvoll für das Talent des Prakti-
kers ist, und mit Beyspielen erläutert. X. Von Verbindung der Philosophie mit der ausgeübten Jurisprudenz bey Fällen, in welchen die Gesetze, oder die Meinungen bewährter Rechtslehrer sich geradezu widersprechen. Ein Fall, in welchem besonders die Darstellungs-
kunst des Sachwalds öfters etwas vermag; der Verf. belegt
es mit einem Fall, in welchem er ausführlich zeigt, daß zu
Verjährung der Klagen bona fides nicht erfordert werde.
XI. Von Verb. der Philos. mit der ausgeübten Rechtskunde in Fällen, wo das Gesetz zwar bestimmt spricht;
die aber entweder durch Zufälligkeiten schwanken, oder
deren Gegenstand, seiner Natur nach, von der Art
ist, daß das Gesetz dem Gefühle des Richters vieles
anheimstellen muß. Einen Fall der letztern Art giebt z. B.
die Frage: Ob jemand wirklich denjenigen Grad von Culpa
begangen habe, für welchen er, nach der Natur des Ge-
schäfts, zu stehen hat? XII. Von dem Beweise, und
dessen zweckmäßiger Einleitung durch Philosophie.
In dem, S. 219, angeführten Fall hatte, nach Rec. Meinung, der Hr. Verf. nicht so sehr unrecht, als er es zugiebt;
nur hätte seine Behauptung, daß dem Kläger der Beweis
obliege, mehr aus der Natur eines qualificirten Gegenstandes hergeleitet werden sollen. XIII. Fortsetzung des vorhergehenden, und nähere Erklärung hierüber. Ein
Gesetzbuch, in welchem alles Ungewisse und Schwankende,
alle Zweifel und Irrlehren auf ewig verbannt sind, ist niemals zu erwarten; dem Ermessen des Richters nichts zu überlassen, und ihn mit Strenge an den Buchstaben des Gesetzes
zu binden, ist Anlaß zu den größten Ungerechtigkeiten. XIV.
Von den Verhältnissen der Verpflichtungen des Sach-
                                                    walds

walds gegen seine Parthey, zu denen gegen die Justiz selbst. Ein sehr wichtiger Punkt, bey welchem die Gränzlinie zu bestimmen sehr schwer ist; wo sich aber der Hr. Verf. ziemlich gut herauswickelt; nur wenn er die Sache offenbar schlecht findet, hält er den Advocaten zu Zurückweisung derselben verbunden; ist sie zweifelhaft: so kann er sie immer annehmen, bis durch den Beweis etwa sich zeigt, daß sie offenbar schlecht sey. XV. Von der Vorbereitung eines zweckmäßigen Aufsatzes. Nur in Beziehung auf den juristischen Aufsatz einige Fingerzeige, wie man es vermeiden soll, schlecht zu schreiben; den Grund der juristischen schlechten Aufsätze findet der Hr. B. vorzüglich in ermangelnder hinlänglicher und nöthiger Kenntniß des Faktum, und in nicht reiflich genug geordneter Gedankenfolge, welche mehr dem Zufall blindlings überlassen, als durch eine reine Logik unter langsamer, bedächtlicher Prüfung an einander gereihet wird; was gut ausgeführt, und mit alten classischen Schriftstellern belegt wird. XVI. Von der Darstellung. Immer weiset der Hr. Verf. an die alten Griechen und Römer, erfordert gründliche Kenntniß des Fachs, in welchem geschrieben wird, und der Alterthümer, einigen Blick in die nächstliegende Wissenschaften, natürliche Logik, durch tiefes Studium der künstlichen ausgebildet, und Philosophie, verbunden mit tiefer Menschenkenntniß, mit Kenntniß des menschlichen Herzens; besonders zeigt hier der Hr. Verf., in wie fern es erlaubt und räthlich sey, Leidenschaften spielen zu lassen und zu reizen, und vermuthliche Gründe des Gegners voraus zu widerlegen; im Libell ist das größte Verdienst Deutlichkeit und Ordnung; erst in den übrigen Schriften im Fortgange des Processes hat der Advocat mehr Gelegenheit, seine Talente glänzen zu lassen; besonders über den Vortrag spricht der Hr. Verf. ausführlich und gründlich. XVII. Von der Gelehrsamkeit. Weitläuftig wird der wahre Nutzen derselben gerühmt, und hier werden sogar die meisten Gattungen der ehemaligen Orbalien aufgeführt; besonders wird am Ende gezeigt, wie man den auf hohen Schulen gesammelten Vorrath vergrößern, seine Kenntnisse erweitern, und zur nützlichsten Vollkommenheit bringen solle. XVIII. Von dem Glücke; besonders in Rücksicht auf den Advocaten, welcher einst unverlierbare Sachen zu verfechten bekommt, oder auch zweifelhafte durch einen glücklichen Zufall gewinnt. Wir geben gerne zu, daß in diesem Werke mancher gute Gedanke enthalten, daß es

unter

unterhaltend geschrieben ist; aber der Hr. Verf. schweift gar zu gerne auf andere, nicht zur Sache gehörige Gegenstände aus, häuft allzusehr die Metaphern, und fällt öfters in den tändelnden Ton, und ohne Nachtheil des Hauptzwecks hätte das Ganze gewiß auf den vierten Theil des Raums, welchen es einnimmt, zurückgebracht werden können.

Grundsätze des gemeinen deutschen peinlichen Rechts, nebst Bemerkung der Preußischen Gesetze, von *Ernst Ferdinand Klein*. Zweyte vermehrte und verbesserte Ausgabe. Halle, 1799, 504 S. gr. 8. 1 Rß. 12 X.

In der Ordnung dieses Werks im Ganzen hat der berühmte Verf. nichts Wesentliches geändert, wovon, mit Rücksicht auf einige Recensionen, die Gründe in der Vorrede zu dieser zwoten Ausgabe bemerkt werden; eine das Aeußere betreffende gute Veränderung aber ist damit gemacht worden, daß nunmehr das Preußische von dem gemeinen Recht genauer abgesondert, und entweder in Noten, oder in besondere §§. gebracht, und dadurch dieses Lehrbuch auch für Lehrer außer den Preußischen Staaten brauchbar gemacht worden ist; im Innern aber ist, nebst Benutzung der neuern Schriften, manche Verbesserung und Vermehrung gemacht, wie schon die Erhöhung der Seitenzahl des Textes von 432 auf 477 bey ziemlich gleichem Druck zu erkennen giebt; wir führen nur einige der merkwürdigern derselben an. Im §. 9. heißt nun Strafe im allgemeinen Sinne das Uebel, welches auf die gesetzwidrige Handlung als eine solche folget; und eine Strafe in der gewöhnlichen Bedeutung, wenn das Uebel zu Bewirkung künftiger gesetzmäßiger Handlungen oder Unterlassungen gebraucht wird; eine neue Note sagt, daß unter der Handlung auch die Unterlassung als negative Handlung verstanden werde; die alte Note aber, in welcher das natürliche Strafrecht vertheidigt wird, ist ganz umgeändert, und auch mit Rücksicht auf einige neuere Schriftsteller sind die Vertheidigungsgründe genauer auseinander gesetzt worden. Der 2te Abschnitt der Einleitung: Geschichte der Criminalgesetzgebung, u. s. w. enthält die Vorbemerkung: daß hier die Verschiedenheit des historischen und philosophischen Grundes der

der rechtlichen Institute zu erläutern sey. Im §. 26. ist theils einiger anderen deutschen Länder, in welchen an die Verbesserung der Criminalgesetze Hand angelegt wurde, gedacht, theils bey der Geschichte der Preußischen noch die Declaration wegen Beschleunigung der Criminalprocesse von 17. Oct. 1795 beygesetzt worden; im §. 37. wird das Verhältniß des mit dem Vertheidigungsmittel zugefügten gegen das mit der Beleidigung gedrohte Uebel genauer bestimmt; doch liegt in den Worten: Doch wird allemal der Fall rc. einige Undeutlichkeit. Der §. 45. der vorigen Ausgabe ist hier in §. 45. und 46. getheilt, und der ältere §. 46. von dem Preußischen Recht, in Hinsicht auf den Gerichtsstand, ist hier mit einer Vermehrung in die Note verwiesen. Peinliche Gesetze hießen zuvor im §. 69., welche sich auf Bestrafung der Verbrecher, jetzo welche sich auf Bestrafung der Verbrechen beziehen. Der §. 68. ist mit einer sehr richtigen Bemerkung vermehrt worden; über die Frage: in wie fern die Ausmittlung der Absicht des Thäters zum Corpus Delicti gehöre? Im §. 72. wird der Zweifel gegen die exemplarischen Strafen beantwortet, daß dabey der Gestrafte bloß als Mittel zum Zweck anderer gebraucht werde. Im §. 84. bey der Strafe der Enthauptung wird des Streits zwischen Clossius und Eschenmaier über dieselbe gedacht. Der §. 87. hat am Ende noch einen nothwendigen Zusatz erhalten, nach welchem die Beraubung der Freyheit entweder in bloßem oder verschlossenem, engem oder weitem Arrest, aber in der Acht, Landes- oder Bezirkverweisung besteht; worüber auch in einer neuen Note einige Schriften angeführt werden. Im §. 88. ist die Bemerkung beygesetzt: für infamirend wird diejenige Strafe gehalten, welche durch des Scharfrichters Leute vollzogen wird. Im §. 95. wird noch bemerkt, daß die moralische Zurechnung mit der moralischen Schätzung einer Handlung nicht zu verwechseln sey, jene auf das Verhältniß der Triebfedern, das Gesetz zu beobachten oder zu verletzen, diese auf die Würde des Subjekts oder den Mangel dieser Würde sich beziehe, jene auch im Rechtsgebiete Platz finden könne; diese aber allein in das Gebiet der Moral gehöre; und hieraus bezieht sich auch eine neue Note zu §. 97. Eine beträchtliche Vermehrung hat besonders der §. 101. erhalten; es wird hier, als dem Beweise in Criminalsachen eigen, voraus bemerkt, daß hier nicht, wie im Civilprocesse, eine ausdrückliche oder stillschweigende Entsagung auf gewisse Rechte, welche den

Gang

Gang und die Entscheidung des Processes bestimmen, Statt
finde, daß der Staat gegen den Verbrecher die ganze Last des
Beweises übernehmen, und also auch die vom Inculpaten zu
seiner Rechtfertigung angeführten Gründe aus dem Wege räumen müsse; ohne jedoch die Schikane des Lügners oder des
hartnäckigen Verschweigens der Wahrheit zu begünstigen; es
wird daher auch als die dritte Regel neuerlich aufgestellt: daß
auch in dem Falle, wo der Inculpat die That zwar eingesteht, aber eine Thatsache zu seiner Entschuldigung oder Rechtfertigung anführt, kein vollkommener Beweis seiner Behauptung erfordert werde; ja, daß sogar alsdann, wenn zugleich
die Gründe erhellen, warum es dem Inculpaten an Beweismitteln seiner Behauptung fehle, die innere Wahrscheinlichkeit seiner Angabe hinreiche; bloße Behauptungen des Ange-
schuldigten jedoch als erwiesen nicht angesehen werden können.
Von den Suggestionen ist der Note des §. 103. die richtige
Bemerkung beygesetzt, daß, obwohl sie als ein Fehler des untersuchenden Richters betrachtet werden können, darum dennoch
nicht folge, daß die dadurch bewirkte Aussage nichtig sey. Im
§. 109., nach welchem im Fall eines unzureichenden Beweises eine außerordentliche Strafe erkannt werden kann, wird
in einer neuen Note der Unterschied der eigentlichen Strafe
von dem bloßen Sicherungsmittel angegeben, durch welches sich der Staat nur gegen ein gefährliches Individuum
sicher stellen will. Nach einer neuen Note des §. 116. kann,
des Art. 22. der H. G. O. unerachtet, noch zufolge des römischen Rechts aus offenbaren Anzeigen eine Verurtheilung erfolgen. Der §. 120. über den positiv- und negativ- bösen
Willen hat an Deutlichkeit und Bestimmtheit vieles gewonnen. Bey dem §. 122., welcher die Klassen gesetzwidriger
Handlungen aufstellt, wird durch eine neue Note der unterschiedene Grad der Strafbarkeit derselben bestimmt: und im
§. 123. wird der Unterschied der mittelbaren und der indirekten Absicht genauer angegeben. Der Ausdruck: die Bosheit erfüllt das Laster, wird im §. 132. Note d) dahin erklärt: wenn der standhaft ausgeführte Plan von der Festigkeit des Charakters, mithin von der Stärke der Willenskraft
zeugt; wohingegen bloße List, so fein sie auch immer seyn
mag, noch nicht die Fähigkeit, sich durch Vernunft zu be-
herrschen, beweise. Die Strafen der Gemeinden sind im §. 137.
durch eine Note weiter erläutert worden. Im §. 141. wird bey
den Regeln über die Strafbarkeit der Theilnehmung besonders

noch die Billiaung eines Verbrechens vor der Ausführung beurtheilt; das Vergehen des Receptators wird eben daselbst in der Note zu §. 8. näher erläutert. In einer neuen Note des §. 156. ist noch der Fall bemerkt, wenn mehrere Verbrechen dieser Art zu gleicher Zeit begangen werden. Der §. 164 und 165 sind anders gestellt; jedoch im Wesentlichen ist nichts verändert worden. Bey dem IIten Abschnitte, von Milderung der Strafen, hätten wir gewünscht, daß der Hr. Verf. Feuerbachs Revision zc. hätte benutzen können; in einer neuen Note des §. 177. wird noch der Einfluß des Standes des Verbrechers und des Beleidigten auf die Bestimmung der Strafe berührt. Die Frage: in wie fern Erben eine Geldstrafe zu bezahlen verbunden seyen? ist im §. 179. genauer bestimmt worden. Die Begnadigung ist im §. 180. beschrieben als die Aufhebung oder Minderung der rechtlich verdienten Strafe vermöge der obersten Staatsgewalt. Dieß sind die erheblichen Veränderungen und Verbesserungen im ersten Theile; gleiche finden sich im speciellen Theile von besondern Verbrechen, und in der Lehre vom peinlichen Proceß; daß also diese Ausgabe mit Recht den Namen einer vermehrten und verbesserten führt; besonders betreffen sie im speciellen Theile die Lehre von Injurien und vom Hochverrath; die meisten Zusätze aber hat der (vielleicht noch zu kurz abgefertigte) peinliche Proceß erhalten, in welchem mehrere neue §§., als: 545, 549b, 550b, c, d, 551b, 553b, 562a und 566 hinzugekommen sind. S. 26 ist der Tübingische Rechtslehrer, Christian Gottlieb Gmelin, unrichtig C. Gabriel G. genannt.

Emb.

Gallus Aloys Kleinschrod's, Hofraths und Professors auf der Julius-Universität zu Würzburg, systematische Entwicklung der Grundbegriffe und Grundwahrheiten des peinlichen Rechts nach der Natur der Sache und der positiven Gesetzgebung. Erster Theil von Verbrechen überhaupt und deren Zurechnung. 352 S. Zweyter Theil von Strafe überhaupt und derselben Anwendung. 350 S. 8. Zweyte vermehrte und verbesserte Ausgabe. Erlangen, 1799. 2 Rk.

Zus

Zusätze und Verbesserungen zu Kleinschrods systematischer Entwicklung der Grundbegriffe der Grundwahrheiten des peinlichen Rechts nach der Natur der Sache und der positiven Gesetzgebung. Drey Theile. Für die Besitzer der ersten Ausgabe. Erlangen. 1799. 96 S. 8.

Dieses Werk hat mit dieser neuen Ausgabe beträchtliche Zusätze und Verbesserungen erhalten, und die beyden ersten Theile der ersten Ausgabe enthielten nur 304 und 310 S. Der Hr. Verf. verdient für jene als einen Beweis, daß er die Achtung des Publikums zu schätzen weiß, und seines ernstlichen Bestrebens, seinem Werke immer mehrere Vollkommenheit zu geben, warmen Dank; in einigen Punkten hat er, nach besserer Belehrung, seine Meinung geändert, in andern sie schärfer und deutlicher zu bestimmen gesucht, und sichtbarlich die Bemerkungen benutzt, welche bisher über sein Werk in Recensionen und andern Schriften, die von Abicht, Grolmann, Stübel, Gros, Tittmann u. a. gemacht wurden. Wir bemerken nur einige der beträchtlichsten Zusätze. Im §. 2. wird das Interesse des Staats, gewisse Handlungen oder Uebertretungen der Gesetze zu verhüten, näher dahin bestimmt, daß es nur bey solchen unerlaubten Handlungen eintritt, welche die vollkommenen Rechte seiner Mitglieder angreifen, und zugleich die öffentliche Sicherheit stören. Im §. 5. ist der Begriff des Verbrechens weit genauer, als zuvor, bestimmt, indem es nicht nur Angriffe gegen angeborne Rechte, sondern auch gegen das wirkliche Eigenthum enthält; dasjenige Eigenthum aber nicht hierher gehört, was man durch persönliche Rechte, z. B. Verträge, erst erwerben kann; dagegen aber auch Eingriffe in die Existenz, Freyheit und Eigenthum des Staats zu Verbrechen werden. Im §. 7. erklärt sich der Verf. gegen Klein, in wie fern solche Handlungen und Unterlassungen als Verbrechen angesehen werden können, welche auch ohne positive Gesetze eine Beleidigung der Gesellschaft überhaupt, oder ihrer Mitglieder in sich schließen. Zu dem §. 11. untersucht der Verf. genauer die Begriffe, welche Soden, Stübel, Grolmann und Abicht vom Verbrechen aufgestellt haben. Eine weit genauere Entwicklung des Begriffs vom Dolus als zuvor wird im §. 14. gegeben; und zum Beweis des Dolus wird nun, nach §. 25. für genug gehalten, wenn der Thäter gesteht, daß ihm die

Beschaffenheit, Wirkung und Strafbarkeit seiner Handlung bekannt war, als er sich dieselbe vornahm und ausführte. Im §. 26. wird nun Culpa beschrieben als der Entschluß zu einer Handlung, deren Gesetzwidrigkeit man hätte einsehen können und sollen; aber deßwegen nicht einsah, weil ein strafbarer und vermeidlicher Irrthum diese Einsicht verhinderte; wobey zugleich die Begriffe, welche Grolmann und Stübel von Culpa angeben, untersucht werden. Im §. 43. werden die Begriffe von objektiver und subjektiver Legalität und Illegalität bestimmt, und wird daraus sehr gut abgeleitet, in wie fern der Richter auf Moralität oder Immoralität einer Handlung zu sehen habe. Sehr richtig wird im §. 45. bemerkt, daß der sub- und objektive Maaßstab der Verbrechen zu unterscheiden seyen, deren jener in der Größe der Schuld, dieser in dem größern oder geringern Angriffe gegen die Sicherheit und Rechte der Gesellschaft besteht, jener für den Richter, und dieser für die Gesetzgeber ist. Im §. 52. bemerkt der Hr. Verf., daß er Grade der menschlichen Freyheit annehme; führet davon die Gründe gegen einen Recensenten von Grolmanns Criminalrecht aus, und zeigt, daß auch im Criminalrecht die Moralität der Handlungen zu untersuchen sey. In einem Zusatz zu §. 78. werden die Einwürfe beantwortet, welche Abicht und vorgenannter Recensent gegen die Milderungsgründe machen. Zu §. 90. werden Gesetze angeführt, nach welchen wegen hohen Alters, mit Geistesschwäche verbunden, die Strafe zu mildern ist. Im §. 115. werden die Leidenschaften in Beziehung auf Criminalrecht genauer bestimmt; und im §. 123. die Zurechnung bey den in der Leidenschaft begangenen Handlungen; im §. 176. werden die Gründe zu Schärfung der Strafen nach der positiven Gesetzgebung bestimmt angegeben. Nach einer Verbesserung im §. 5. des 2ten Theils giebt es zwar außer der Staatsgesellschaft Strafen im materialen, nicht aber im formalen Sinne, in diesem sind sie eine bürgerliche Einrichtung, welche erst mit den Gesellschaften und Staaten entstand. Im §. 9. wird der Ursprung des Strafrechts besser ausgeführt, und gezeigt, daß es in dem allgemeinen Willen gegründet sey. Am Ende des §. 11. wird gegen Abicht und Grolmann ausgeführt: daß man nur durch einen objektiven Maaßstab, durch die Beziehung der Handlung auf das Wohl der ganzen Gesellschaft, die Größe der Strafe finden könne, nicht durch die Schuld des Verbrechers, welche bey der gesetzlichen Strafe als erwiesen vorausgesetzt wird. Im §. 44. wird die Meinung von Bergk

daß

daß keine Strafe länger als zehen Jahre dauern sollte, wol
derlegt. Vortrefflich wird im §. 45. der Zweck der Strafe
ausgeführt, und der bekannte Einwurf, daß der Gestrafte ein
Mittel zum Zweck anderer werde, beantwortet; und in eben
diesem §. erklärt der Hr. Verf., in wie fern er einer Präven-
tion bey dem Strafrecht Statt gebe. Im §. 48. wird genauer erklärt, in wie fern politische Besserung als Zweck der
Strafe angesehen werden, und moralische Besserung Neben-
zweck seyn könne; im §. 49. wird ausgeführt, in wie fern
Abschreckung Zweck der Strafe, daß sie aber nicht allein
Maaßstab der Größe der Strafe sey. Im §. 50. wird gegen
Bergk gezeigt, daß auch Sicherheit des Staats im Zweck
der Strafe begriffen sey. Im §. 69. hatte der Verf. die
Verwandlung der Strafe aus Politik zugelassen, wenn durch
sie ein ganzer Stand beschimpft würde; in dem ganz umge-
änderten §. ist das Gegentheil gründlich ausgeführt. Im
§. 103. wird gegen Gros das Recht des Richters, eine Strafe wegen ungewöhnlicher Umstände zu schärfen, behauptet:
Im §. 108. vertheidigt der Verf. seine Erklärung des Art.
204. der H. G. O. gegen eine Recension in Grolmanns Bibliothek. Im §. 3. des 3ten Theils wird die Existenz gesetz-
licher, ordentlicher Strafen gegen Abicht gründlich vertheidigt. Im §. 8. S. 14 wird der neue von Bergk gegen die
Todesstrafen angeführte Grund, daß das Leben als ein ange-
bornes Recht des Menschen nicht ins Rechtsgebiet einschlage,
sehr gut widerlegt. In einer Note zu §. 110. werden mit
Recht Strafen, welche in einem Uebel des Verstandes bestehen; gegen einen Recensenten in der A. L. Z. verworfen.
Unter die Staatsverbrechen werden im §. 133. noch gerechnet: 5) Verletzung der Aemter und Würden im Staate, und
6) der Anstalten, welche zu Verwaltung der Gerechtigkeit
im Staate vorhanden sind. Der §. 136. ist ganz umgeändert,
und die dort angegebenen Verbrechen heißen: gegen die öffentliche Ordnung; deren Gattungen sehr richtig angegeben
werden.

Bh.

Nachtrag zu der Abhandlung über die Lehensfolge der
Seitenverwandten in altväterlichen Stammlehnen,
von dem Regierungsrathe Bachmann. Ohne
Druckort. 1798. 232 S. und 311 S. Urkunden. 8.

Der

Der Nachtrag selbst zerfällt in zwey Theile; in den historischen und juristischen. Der Zweck dieser Schrift ist, die Erbfolge-Rechte der Hochhausenschen Linie, des Freyherrlich von Helmstattschen Hauses auf das Wormsische Lehen Bischofsheim zu erörtern und zu beweisen. Um den ganzen streitigen Fall zu übersehen, müssen wir unsere Leser auf die gründliche Darstellung eines andern Rec. im 35. B. S. 419 unserer Bibliothek verweisen. Dieser Nachtrag enthält noch mehr geschichtliche Data und rechtliche Grundsätze zur Bestätigung der eben angeführten Successionsansprüche. Als Belege sind hier noch 88 Urkunden beygebracht, die dem Verf. der Schrift nach vollendetem Abdruck der ersten Abhandlung zu Händen gekommen sind.

Es ist zu erwarten, was der Herr Graf Karl von Cowbenhove, laut seiner vorläufigen Erklärung im Intelligenzbl. der allg. Lit. Zeitung gegen die Deduction unsers Verf., der sachkundige Männer das Zeugniß von Gründlichkeit und Gelehrsamkeit, und überhaupt Beyfall ertheilt haben, vorbringen wird. Hr. Bachmann hat dagegen seinen Wunsch nach der baldigen Erscheinung dieser versprochenen Abfertigung auf einem besonders gedruckten Blatte zu erkennen gegeben. Dem Schreiber dieser Anzeige ist weiter nichts davon bekannt geworden, und die Gegenschrift wird vermuthlich erst, der gräfl. Condenhovischen Erklärung zufolge, nach Endigung des Kriegs dem Publikum vorgelegt werden.

Dwk.

Einige Bemerkungen über die Aktenverschickungen in Processen; veranlaßt durch die Abhandlung: Gründe für und wider die gewöhnliche Einrichtung der Advocatur in Deutschland. Ein Brief. 1799. 52 S. 8. 4 H.

Wider die genannte Schrift vertheidigt der Verf., welcher sich als einen hellen Kopf und Mann von Erfahrung zeigt, die Actenverschickungen gründlich und in einer angenehmen Schreibart. Das Wesentliche der Vertheidigung läuft darauf hinaus: Es ist weit entfernt, daß wir uns rühmen könnten, daß unsere Gerichte durchaus mit tüchtigen und rechtschaffenen, unbestechlichen, unpartheyischen Männern besetzt seyen; und wenn je irgend ein höheres Gericht dieses Glück haben sollte: so läßt sich die Dauer desselben nicht verbürgen; aber auch bey den aufs beste besetzten Collegien reißt öfters rich-

richterlicher Despotismus ein, ein Uebel, welches der Verf.
nicht ohne Grund als sehr gefährlich beschreibt, und gegen
welches das heilsamste Mittel in der Actenversendung liegt:
er bezeichnet es durch eine bey dem Bewußtseyn der besten
Grundsätze, und bey dem redlichsten Bestreben nach guten
Zwecken entstandene gewisse Eingenommenheit, Selbstver-
trauen und Dünkel, welches den Mann, der eine Zeitlang
in einem höhern Dicasterium gesessen hat, und einen großen
Wirkungskreis hat, sehr leicht vergessen macht, daß er irren
könne, und ihn leicht zu ungerechten, einseitigen, parthey-
schen Urtheilen und Schritten hinreißt. Auf der andern Seite haben auswärtige Rechtscollegien die Vermuthung für sich,
daß sie größere und vollkommnere Rechtswissenschaft besitzen,
und bey ihnen finden sich die wenigsten Veranlassungen, welche den Richter von richtiger Beurtheilung der Sache, und
von der vollkommensten Unpartheylichkeit abwärts führen können. Den Actenversendungen an einzelne Rechtsgelehrte von
Ruf ist zwar der Verf. nicht so günstig, als jenen an Facultäten, weil sie leicht zu Mißbräuchen Anlaß geben; wenn
vielleicht der Richter an einen Advocaten, welchem er gerne
ein Verdienst zuweist, oder welchen er nach seinen Willen leiten kann, die Acten zuschickt; und doch will er sie als das ge-
ringere Uebel nicht abgeschafft haben. Viel Wahres liegt in
dem Beschlusse, wenn der Verf. schreibt: „Finden Sie, daß
„bey irgend einem Justizcollegium man einen merklichen Wi-
„derwillen gegen die Actenversendung hegt, daß man gar
„ungern daran will, daß man Inrotulationstermine möglichst
„kurz anberahmt, daß man den wegen der Verschickungsko-
„sten zu erlegenden Vorschuß verhältnißmäßig hoch bestimmt,
„daß man auch wohl bloß super admissionis vel rejectionis
„puncto die Verschickung gestattet, u. s. w., dann, Freund,
„ist bey einem solchen Gerichtshofe die Actenverschickung ge-
„wiß ganz unentbehrlich.“

Christian Friedrich Georg Meisters rechtliche Erkenntnisse und Gutachten in peinlichen Fällen, im
Namen der Göttingischen Juristen-Facultät ausgearbeitet. Fünfter Theil. Nebst einem vollständigen Register über das ganze Werk, von
D. Georg Jakob Friedrich Meister herausgege-

ben. Göttingen, bey Vandenhöck und Ruprecht.
1799. 559 — 694 S. (Das Register 20 S.)
8. 1 Rh. 20 Zh.

Der Herausgeber verdient allen Dank, daß er die schätzbare
Sammlung seines Vaters mit diesem Theil ergänzt, und
durch ein gutes Register ihr mehrere Brauchbarkeit verschafft
hat; auch macht es ihm Ehre, daß er nicht, wie kürzlich mit
den Böhmerischen Rechtsfällen geschehen ist, diese Arbeit einem Freunde überlassen hat. Dieser Theil enthält 33 Fälle
p. 119—151, unter welchen sechs Kindermorde, sieben andere
Tödtungen, und neun Diebstäle sich befinden; diese beyde
letzteren Fälle aber, welche einen Streit über die Paternität
des Stuprator, und über Entschädigung wegen durch Ohr-
feigen verursachter Epilepsie betreffen, gehören eigentlich nicht
zu den peinlichen. Wenige Todesstrafen kommen hier vor,
zuweilen wird zugleich in den Urtheln Begnadigung von derselben empfohlen, und damit die auf den Fall der Begnadigung
zu surrogirende Strafe bemerkt; dieß dünkt uns immer unschicklich; theils hat der Richter mit der Begnadigung nichts
zu thun; sie gehört daher nicht in die Urthel, sondern wird
weit schicklicher in der Ausführung erwähnt; theils kann dem
Landesherrn, welcher begnadigen will, nicht in Urthelsform
vorgeschrieben werden, wie er dieses Recht auszuüben habe;
auch wird noch mehrmals auf die Folter erkannt, und Rec.
bekennt es gerne, daß, so lange die Folter nicht durch allgemeine Reichs = oder besondere Gesetze abgeschafft ist, er dieses
weit mehr billiget, als wenn andere Facultäten niemals mehr
darauf erkennen, und als Entscheidungsgrund anführen, daß
dieselbe heut zu Tag außer Gebrauch sey; nur im Falle 129.
würde Rec., weil ihm das Verbrechen nicht wichtig genug
scheint, nicht darauf erkannt haben. Einer der wichtigsten
Fälle ist 127. über eine im Zweykampfe zwischen Personen
vom Adel vorgefallene Tödtung; nach diesem Gutachten findet die ordentliche Strafe vorsätzlicher Tödtungen nicht Statt,
wenn der Zweykampf von solchen Personen zu Vertheidigung
ihrer Ehre unternommen worden. Hart ist es uns aufgefal-
len, daß im 133sten Fall einer Tödtung, wo nach der Ausführung die Absicht zu tödten nicht erwiesen ist, auf sechzig-
jährige Galerenstrafe erkannt wird. Ein elender Streit war
es doch im 136sten Fall über das Recht, bey Zimmerung
eines

eines Hochgerichts, den zweyten Hieb zu thun; dergleichen sollte kein Gericht jemals gestatten.

Cölner Reichsabschied von 1512, oder Kaisers Maximilian des Ersten Ordnung der Notarien. Nach dem Gerstlacherischen Texte mit einer historischen und juristischen Einleitung und erläuternden Anmerkungen versehen von Johann Martin Stärk, der Rechte Doct. zu Frankfurt am Main. Frankfurt am Main, bey Guilhaumann. 1799. 114 S. 8. 8 gr.

Die Bearbeitung einzelner brauchbaren deutschen Reichsgesetze ist gewiß ein sehr nützliches Unternehmen; dieß hat Hr. St. veranlaßt, den R. A. von 1512 vorzunehmen, indem er zwar wußte, daß er schon mehrmals erläutert worden, aber mit allen seinen Vorfahren sehr übel zufrieden ist; doch gesteht er die Vortrefflichkeit der Gerstlacherischen Ausgabe in dem Handbuche der deutschen Reichsgesetze (welche er daher ganz zum Grunde gelegt hat), und der Gerstlacherischen Anmerkungen, welche er daher meistens wörtlich eingerückt hat. Sein Werk weicht nur darin von dem Gerstlacherischen ab, daß er die historischen und allgemeinen juristischen Bemerkungen als eine Einleitung voranschickt, mehrere Varianten, besonders aus der Senkenbergischen Sammlung der R. A. beybringt, auch mehrere Noten, besonders über die Rechtslehre von Testamenten, hat, wo Gerstlacher lediglich auf das Römische Recht verweist. In der Einleitung haben wir zwar keine Unrichtigkeit bemerkt; aber auch durchaus nichts Neues, was sich nicht auch bey Gerstlacher, Lauterbach, Trützschler, Kuppermann und in andern bekannten Schriften findet, und der juristische Theil enthält bloß fragmentarische Sätze ohne Ordnung, anstatt daß die Lehre von Notarien und ihren Urkunden hier in einer systematischen Ordnung hätte abgehandelt werden sollen. Die Anmerkungen enthalten außer denen, welche Gerstlacher schon hat, dessen Citationen z. B. aus Stryk und Carpzov S. 40 und 48 zuweilen vollständig beygebracht werden, und diejenigen ausgenommen, welche die Lehre von Testamenten betreffen, nur wenige eigene, z. B.

S.

S: 39 Npt. 5 über manches Unzweckmäßige im Notariats-
eid; S. 91, daß Juden nicht Notarien seyn können; S.
50 Not. 25 über den Grund, aus welchem dem Notarius
bey dem, was er gesehen und gehört, nicht aber bey dem,
was er durch andre Sinnen erfahren hat, volle Glaubwürdig-
keit zugesprochen wird. S. 56 N. 30 über den Grund, warum selbst mit der Partheyen Einwilligung nichts in einer Urkunde beygesetzt, weggestrichen und abgeändert werden soll.
S. 59 N. 32 über des Notars Verbindlichkeit, so oft er gebeten wird, sein Amt zu thun, und S. 60 Not. 33 über die
Ausnahme hiervon, wenn der Notar Doctor juris ist; Not.
34 über des Notars Belohnung, wo behauptet wird, daß er
den Armen unentgeldlich dienen, auch seine Rechnung der
richterlichen Ermäßigung unterwerfen muß. S. 62 Not. 41
von päpstlichen Notarien, von Cassation der Notarien; Not.
42 S. 63 von ihrem Signat. S. 70 Not. 57 über den
Grund, warum bey nächtlichen Handlungen drey Lichter angezündet werden sollen; der Anlaß dieser Gewohnheit, welche
wahrscheinlich von den Testamenten herzuleiten ist, wird nicht
gedacht. S. 72 Not. 60 wird die Meinung, daß das Testament des Blinden aus einem mündlichen und geschriebenen
zusammengesetzt sey, bestritten. S. 74 Not. 61 will der V.
behaupten, daß es schädlich werden könne, wenn zu einem
Testamente mehr, als die gesetzliche Anzahl Zeugen genommen wird; (was wir bezweifeln) bemerkt aber nicht, daß es
sehr wichtigen Nutzen bringen kann, und daher selbst im Gesetz (S. 80) angerathen wird. Die schwere Stelle vom Testamente der Eltern unter Kinder: da kein ander ihr Testament zuvor gemacht abgethan worden, wird mit
Werner von dem Falle erklärt, wenn Eltern, welche zuvor
allein unter Kinder verordnet haben, nun auch Fremde ein-
mischen wollen.

Emb.

Arzneygelahrheit.

Tabulae anatomicae, quas ad illustrand. corp. hum.
Fabric. collegit et curavit *Just. Chr. Loder.* ——
Fasc. IV. A. Splanchnologiae *Sect.* I. Tab. LII——
LVII.

— LVII. Explicatio tab. A — E. Vinariae, sumpt. Bibliop. Industrie Comptoir dicti. Fol. 1 M. 8 g.

In dieser Lieferung werden die Sinnwerkzeuge vorgestellt und erklärt; wiewohl nicht nach ihrem ganzen Umfange. Denn so wie das, was von Knochen hierher gehört, nachgeholt wird, müssen gewisse welche Theile, die man hier noch vermißt, folgen. Den Sinn des Gefühls erläutern Taf. LII. LIII. Des Geruchs und Gehörs LIV. LV. Des Gesichts und Geschmacks LVI. LVII. nach den bekannten Mustern von Albin, Haller, Zinn, Walter, Scarpa, Hunter u. s. w., die hier freylich vieles und meisterhaft vorgearbeitet haben. Die Nachstiche sind gut gerathen, und hier und da durch Eigenes vermehrt. Unter den letztern verdienen einige alles Lob; indeß doch einige andere den Wunsch noch etwas mehr Ausdruck und Deutlichkeit, zum Theile auch Treue, zulassen. Im Ganzen aber hat man Ursache, mit dieser gewiß sehr nützlichen Sammlung immer zufriedener zu seyn; gesetzt auch, daß es mehreren Käufern, wie dem Rec. ergeht, daß sie nämlich dieselben Nachstiche, die sie vielleicht außer den Originalen schon ein paarmal besitzen, hier noch einmal bekommen? Denn, nach dem Plane des Werkes, kann dieß billigerweise dem Sammler und Herausgeber nicht zur Last gelegt werden, so lange nur seine Nachbildungen den schon vorhandenen nicht nachstehen, und nöthigen Falls durch gute eigene Zeichnungen ergänzt werden!

Tabulae anatomicae, quas — — curavit J. Chr. Loder. Fasc. VI. A. Angiologiae Sect. I. Arteriae. Pars I. Tab. XCI—XCVII. Fol. Weimar, Industrie-Comtoir. Erklärung der Tafeln 9 Bogen. 4 M.

Arterien der ganzen Vorder- und Hinterseite des Körpers, Gesichtsarterien, Caortis und ihre Zweige, Augenarterien, Rückenmarksarterien, nach Haller, zum Theile verkleinert; dann Arterien der festen Hirnhaut — doch nur Zweige der mittlern — Arterien der Basis des Hirns; die Adergeflechte, die oberflächlichen und tiefen Hirnarterien, nach Vicq d'Azyr.

Die

Die Arterien sind — die der festen Hirnhaut ausgenommen —
roth gemahlt, aber ziemlich nachläßig; wenigstens in den
beyden Exemplaren, die Rec. eben vor sich hat. Dieß gilt
hier selbst von ziemlich starken Zweigen. Denn die ganz feinen, wenn sie nicht schon farbig abgedruckt sind, lassen sich
freylich nur sehr mühsam mit dem Pinsel heben! Die Co-
pien selbst sind übrigens gut gearbeitet.

Z.

Anatomische Beschreibung des ganzen menschlichen
Körpers. Von Aloys Michael Mayr, Prosect.
der Anatomie (ein ganz neues Amt!) an der Wiener Universität. Zum Gebrauche seiner öffentl.
Vorlesungen. Wien, bey Camesina et Comp.
1799. 278 S. 8. 20 gr.

Die Worte: Anatomische Beschreibung, haben wenig Grund.
Denn gerade aufs Beschreiben hat sich Hr. M. wenig eingelassen; ob er gleich, bey der vorsätzlichen Uebergehung des Nutzens der Theile, gar wohl hätte Platz finden können, von
manchen Dingen mehr zu sagen, als: sie seyen schon bekannt,
oder: es sey nichts besonderes an ihnen zu bemerken u. d.
Das Buch ist mehr ein leichter Umriß dessen, was man in
der Anatomie zu lernen hat, was nur aber hier nicht mit der
nöthigen Ordnung, Deutlichkeit, Genauigkeit und Vollständigkeit vorgetragen ist. Dazu kommen, außer den Provin-
zialismen, noch eine Menge häßlicher Druck- und anderer
Fehler, die den Anfänger um so leichter irre führen müssen,
da sie noch überdieß mehrentheils wiederholt werden, z. B.
badex, cordia, pilorus, samphosis, hymphisis, epyphi-
sis, kortonische Wasserleitung, Warols-Brücke, Wi-
duanische Schlagader, Viduana, Widnannerven, das
von ein Zweig mit Zweigen vom 6ten Paare den sogenannten
großen Ribbenknochen hervorbringen soll, u. dgl. Alles
stimmt zu dem erbaulichen Troste, den sich der Verf. sehr wohl
in der Vorrede giebt: „Er habe nur für Anfänger geschrieben,
und für diese möge es genug seyn; man könne heut zu Tage nichts
schreiben, ohne von Unberufenen getadelt zu werden; er wisse
aber, wie leicht etwas zu tadeln, und wie schwer es besser
zu

zu machen sey." — — Ja, wohl! Wäre doch Hr. M. denen gefolgt, die wirklich schon längst alles besser gemacht haben, oder hätte er sich lieber dieser Bessern zum Gebrauche seiner öffentlichen Vorlesungen selbst bedient!

Paul Mascagni's — — Neue Theorie der Absonderungen durch unorganische Poren, und dessen Geschichte der Lymphgefäße. Aufs Neue herausgegeben und mit einem zweyten Theile, worin das Daseyn der Gefäße der zweyten Art behauptet, und die Absonderung durch unorganische Poren widerlegt wird, vermehrt von Peter Lupi. — — Aus dem Latein. übersetzt. Leipzig, in der Weidmann. Buchhandl. 1799. Erster Theil 214 S. Zweyter Theil 240 S. 8. 1 Rh. 8 gr.

Bekanntlich hat der berühmte Mascagni in seiner Geschichte und Beschreibung des Saugadersystems, die den ersten Theil dieses Werks ausmacht, die, nur ungefärbte Säfte führenden, feinern Arterien und Venen, oder die oben genannten Gefäße der zweyten Art geläugnet, und behauptet, daß die abgesonderten Säfte nicht aus den feinen Enden der Arterien, sondern aus den Wänden der Gefäße, vermittelst Durchschwitzen durch unorganische Poren, kämen, in Zellchen abgesetzt, aus diesen von Saugadern und Ausführungsgängen aufgenommen würden, u. s. w. Nur diese Theorie ist es, welche Lupi, bey übrigens vollkommener Anerkennung von Mascagni's großen Verdiensten um das Saugadersystem, im zweyten Theile dieses Buchs bestreitet. Er geht alle, sich darauf beziehenden, Punkte aus M's Schrift einzeln durch, und verfährt bey seiner Widerlegung im Ganzen sehr gründlich, so daß man hier mit vieler Vollständigkeit Gründe und Gegengründe über einen wichtigen physiologischen Lehrsatz beysammen findet. Nur ist L. ziemlich einer von den Streitern, die, weil sie ihren Gegner gar nirgends aufkommen lassen wollen, leichtlich auf der andern Seite zu weit gehen, und hier und da selbst wieder Blößen geben. — Doch es ist hier nicht mehr von den schon bekannten Schriften selbst, sondern ihrer Uebersetzung die Rede. Diese hat nun eben keine neuen Vorzüge

züge erhalten, und dürfte in mehreren Stellen reiner, flief-
fender und minder lateinisch seyn.   Auch sagt uns keine Vorrede des Ueberfetzers irgend etwas weder von der Geschichte
der beyder Schriften felbst, noch von den Beweggründen
zur Ueberfetzung.   Indeffen wird biefe immerhin dazu dienen,
jene nach Verdienst in mehr deutsche Hände zu bringen.

R̃h.

Ueber den möglichen Grad der Gewißheit in der
Arzneywiffenfchaft, v. *P. J. G. Cabanis*, a. d.
Franz. überf. von *Aug. Fr. Ayrer.* Göttingen,
1799. 214 S. 8. 12 K.

Cabanis ist besonders feit der Revolution als Arzt und
Freund Mirabeaus bekannt geworden. Dieß erweckt ein
günstiges Vorurtheil für ihn, als denkenden Kopf. Die vor
uns liegende Schrift von ihm verdiente indeß kaum eine Ueberfetzung und Bearbeitung, da fie durchaus nichts Vorzüg-
liches enthält, und Deutschland feit kurzem in diefem Fache
Verfuche befitzt, welche fowohl in Rückficht auf Abftraktion
und Philofophie, als auch in Abficht auf Vortrag und Deutlichkeit den Rang verdienen. Der Verf. holt weit aus, liefert eine flizzirte Dogmengeschichte der A. W., hängt noch
an der alten franzöfifchen Theorie, ist weitfchweifig, deklama-
torifch. Diefe Mängel hat der Ueberf. nicht nur nicht ver-
beffert; fondern manchmal durch eine gewiffe Steifigkeit und
Schwerfälligkeit noch fühlbarer gemacht. Schon der Anfang
fällt auf, und schreckt ab: „Um die A. W. gehörig zu ftudi-
ren und auszuüben, muß man in fie eine Wichtigkeit fe-
tzen, und um ihr eine wahrhafte Wichtigkeit zu geben, muß
man an fie glauben.“ — Die Einwürfe gegen die Gewißheit der A. W. reducirt der Verf. auf folgende: 1) Die
geheimen Triebfedern des Lebens, 2) die Natur und nächften
Urfachen der Krankheiten kennen wir nicht, 3) die Krankheiten find zu veränderlich, 4) die Natur der Heilmittel ist
uns unbekannt, 5) die medicinifchen Erfahrungen find zweifelhaft, 6) die Theorie zu veränderlich, 7) die Ausübung
der A. W. fordert fo viele Wiffenschaft, Klugheit, Aufmerk-
famkeit und moralifche Vollkommenheit, daß fie nur den Fähigkeiten der wenigften Menfchen angemeffen ist. — Hr. A.

macht

macht hier und da gute, mitunter aber auch überflüßige Anmerkungen, z. B. S. 28 das franzisisch seltsame Wort ist der
bekannte Archeus des von Helmont, S. 29 die Kräfte
des Zwerchfelles ist falsch ausgedrückt und abgeleitet. Statt
aller weitern Erörterung der Grundsätze und des Inhaltes
dieser unbedeutenden Schrift wollen wir noch folgendes vom
Leben des Verf. angeben. Pet. Jos. Ge. Cabanis ist geb.
1757 zu Cosne, bey Brives. Sein Vater war Rechtsgelehrter und Freund Turgots. In einer Pension wurde der junge
C. so hart gehalten, daß er sich wegen nicht begangener Fehler anklagen ließ, um daraus wegzukommen. Er gieng im
14. Jahre nach Paris, und wurde Sekretär beym Bischofe
zu Wilna Massalsky, welcher 1794 zu Warschau gehenkt
wurde. Hier blieb er zwey Jahre, und kam im 18ten nach
Paris zurück. Er kam in Verbindung mit dem Dichter Rou-
cher, ward selbst Dichter, übersetzte die Iliade, und studirte
endlich Medicin. Dubreuil war sein Lehrer und Freund;
Turgot, Condillac, Diderot, Franklin, Alembert waren seine
Bekannte. Er nahm durch ein schönes Gedicht Serment d'un
Medecin Abschied von der Poesie, bekleidete nacheinander
verschiedene Posten, ward Administrator der Spitäler zu Paris, Freund von Condorcet, Sieyes ꝛc., Professor und Mitglied der 500. (Bey der neuesten Buonapartischen Revolution ist er unberührt geblieben.) Er hat mehreres, auch gegen die Sömmeringsche Meinung über das Guillotiniren,
geschrieben.

Fp.

Von dem Perkinismus, oder den Metallnadeln des
D. Perkins in Nordamerika, nebst amerikanischen
Zeugnissen und Versuchen Kopenhagener Aerzte.
Herausgegeben von dem Herrn Divisionschirurgus
Herholdt und Assessor Rafn. Aus dem Däni-
schen übersetzt und mit Anmerkungen begleitet von
Dr. J. C. Tode. Mit einem Kupfer. Kopen-
hagen, bey Brümmer. 1798. 108 S. 8. 7 ℛ.
mit den Metallnadeln 1 ℛℓ. 16 ℊ.

Rec.

Rec. verschob diese Anzeige einer Schrift, die ihm zwar ein Aushängeschild eines nordameritanischen Mesmers zu seyn schien,
doch bis er durch die Bekanntwerdung mehrerer Versuche oder
Nachrichten von dem wahren Werth derselben sicherer unterrichtet wurde. Denn er hielt es für ungerecht und unschicklich, über dieß neue Heilmittel sogleich und nach seiner individuellen, vielleicht vorgefaßten Meinung, abzusprechen. Allerdings hat auch jeder, wer irgend eine Erfahrung, so unwahr-
scheinlich, und den bisher angenommenen physischen Prinzipien widersprechend sie auch scheint, öffentlich bekannt macht,
das Recht, zu erwarten und zu verlangen, daß man sie durch
unpartheyische und genaue Versuche prüfen solle, ehe man sie
für Unwahrheit, oder doch für Täuschung erklärt, und als
unnütz oder schädlich verwirft. Sogar die Kunst selbst, zu
deren Ressorts eine solche Erfahrung gehört, verliert dabey,
wenn man bloß mit Worten und aus bisher zwar allgemein
angenommenen, aber darum doch in einer Sphäre, wo täglich noch neues Land entdeckt wird, noch nicht unfehlbaren
Grundsätzen dagegen kämpfen, und sie nicht mit Gegenver-
suchen prüfen oder bestreiten wollte; welche Menge jetzt anerkannter, ehemals allgemein angenommenen Naturgesetzen
widersprechender Wahrheiten würde jetzt noch im Dunkel liegen, wenn man bey der ersten Bekanntmachung derselben
auch so hätte verfahren wollen! Prüfet und das Beste
behaltet, ist die Hauptmaxime zur Vervollkommnung jeder
Kunst und Wissenschaft, und der Menschheit selbst. Auch
die wenigen Versuche, welche Rec. mit den Perkinischen
Nadeln an sie, und andern anstellen konnte, und wodurch
nicht einmal der Erfolg bestätigt wurde, den Abilgaard von
den seinigen in dieser Schrift rühmt, hielt er nicht für hinreichend, den Perkinismus zu verwerfen; denn er wußte,
wie unsicher die Versuche an Menschen sind, wenn sie nicht
in zahlreicher Menge an mehreren Personen und unter mancherley Umständen angestellt werden; überdieß machte ihn der
in der medizinisch-chirurgischen Zeitung 1799 No. 39
u. s. bekannt gemachte Auszug aus der scharfsinnigen Abhandlung des biedern Wienholt über die Lebenssphäre des
menschlichen Körpers geneigt, wenigstens an eine Möglichkeit der Sache zu glauben. Bis jetzt ist indessen die Stimme der Aerzte mehr gegen als für den Perkinismus, und
diese Mehrheit würde ihn wenigstens entschuldigen, wenn er
Perkins Schrift für Kätsch-genni erklärte, und die Sache,

da er nichts anderes dagegen verfügen kann, auf sich beruhen ließ; allein die Versuche mit dem Streichen vermittelst verschiedener metallischer Cylinder, ohngefähr in der Entfernung von einem halben Zoll, also noch innerhalb der Lebenssphäre, welche Wienholt bey seinen Kindern, während des Schlafs derselben, gemacht hatte, scheinen ihm für den Perkinismus doch zu interessant, als daß er diese Schrift so ganz für unbedeutend, und ihren Inhalt für Betrug oder Täuschung erklären möchte. Freylich hat Perkins die Manipulation mit seinen Nadeln nicht gehörig und umständlich bestimmt, ein Vorwurf, den auch der Uebersetzer, der vorsichtige Tode, rügt; die von Perkins beygebrachten Zeugnisse haben allzu sehr das gegen sich, was auch die für die Ailhaudischen Pulver, für Mesmers magnetisches Paquet und für Lenhardts Gesundheitstrank ausgestellten Atteste gegen sich haben; die meisten Versuche der Kopenhagner Aerzte und Wundärzte sind auch entweder nicht beweisend, oder nicht belehrend; was Abilgaard darüber sagt, ist sehr gelehrt und scharfsinnig, aber nicht entscheidend; und Tode's Urtheil ist gar nicht günstig ausgefallen; er hat gegen Perkins Angaben und gegen viele nordamerikanische Zeugnisse wichtige Bedenken und Einwürfe gemacht, und sagt am Ende: „ich halte dafür, daß „man mit diesem Mittel keine Zeit verlieren; sondern die „sonst gewöhnlichen und, mehr oder weniger, bewährten Mit„tel gebrauchen muß; wiewohl ich gar nicht in Abrede seyn „will, daß bey Rheumatismen u. dgl. diese Nadeln, zumal „zur Befriedigung des Patienten, gebraucht werden „können, wenn alle andere Mittel fehlschlagen; doch „bey arthritischen, und zumal podagrischen Fällen würde ich „in dieß Mittel ein Mißtrauen setzen; es sey denn, daß man „dadurch das Podagra wieder nach seinem rechten Orte leiten „könnte. Ich bin übrigens sehr geneigt, die erste (mecha„nische Reiz), und die vierte (Einbildungskraft) Erklärungs„art des Hrn. Herbolds anzunehmen.“ Dieß Urtheil des scharfsinnigen Tode unterschreibt zwar Rec.; aber nur in Rücksicht des Resultates, das man aus der vorliegenden Schrift über den Perkinismus ziehen kann; es ist gerecht, denn von den 51 Versuchen, welche darin angeführt werden, sind nur 16 gelungen, 21 offenbar gescheitert, und die übrigen beweisen nichts! Was Hufeland in seinem Journal B. VI. über den Perkinismus sagt, fällt auch nicht vortheilhaft für ihn aus, er erklärt seine ganze Wirkung für mecha-

nifch, und zieht den Perkins - Nadeln die Molwizifche
Metallbürste vor. Wahr ist es auch, daß der Wucher, den
Perkins mit seinen Nadeln treibt, ihm zur Schande gereicht,
und Verdacht gegen alles erregen muß, was er von der Güte
seiner Heilmethode sagt; auch ist es wohl ohne allem Zwei=
fel, daß eben nicht Perkins, oder andere, diesen nachgemach=
te Nadeln zu dieser Heilart nöthig sind; sondern daß, wenn
der jetzt sogenannte Perkinism, selbst auf eine andere Art
wirkt, als durch mechanischen Reiz oder durch Täuschung der
Einbildungskraft, es nicht eben diese Form und diese Quali=
tät der Nadeln seyn wird, worauf die Kraft beruht, und
daß, wenn ihre Kraft bloß in dem mechanischen Reize sitzt,
den sie machen, bald bessere Werkzeuge zu diesem wohlthäti=
gen Reiz werden aufgefunden werden; ists Täuschung, wo=
durch sie wirken: so wird sie bald vergehen, und mit ihr auch
der ganze Perkinismus. Perkins Nadeln kann man also
getrost das Verdammungsurtheil sprechen. Aber auch dem
Perkinismus? oder vielmehr dem Wesen desselben, welches
dem Rec. darin zu bestehen scheint, daß eine gewisse Mani=
pulation mit Metallen innerhalb eines gewissen, vom mensch=
lichen Körper entfernten Raums, den man vor jetzt noch,
bis wir seine Beschaffenheit näher kennen lernen, Lebenssphä=
re oder Nervenatmosphäre nennt, einen zur Heilung oder
doch Minderung großer Krankheiten anwendbaren Einfluß
auf unsern Körper hat? Das möchte Rec. noch nicht beja=
hen. Möglich wird Perkins Anlaß, daß nach Fowlers,
Hummbolds, Gmelins, Wienholts, u. s. w. diese Ei=
genschaft unsers Organismus von auf eine gewisse Art in sei=
ner Nähe manipulirten Metallen affizirt zu werden, näher
untersuchen, und dem jetzt sogenannten Perkinismus auch
einen gewissen Bestand geben, welchen der Galvanismus
schon erhalten hat, und der thierische Magnetismus
nächstens zu erhalten scheint; sein Wesen hat mit dem erstern
und dem letztern wenigstens viel analoges.

                                                       Ba.

                                                                 Schön

Schöne Wissenschaften und Gedichte.

Gedichte eines guten Sohnes. Herausgegeben zum
Besten seiner armen Mutter. Leipzig, 1799, in
Kommission bey Kramer. XX und 224 S. 8.
Mit einem von Böttger, dem Aeltern, gestoche-
nen Kupferblatte, und farbigen Umschlage. 18 ꝛc.

Wenn löblicher Zweck schlechte Verse zu guten umstempeln
könnte: so wäre der Umlauf vorliegender freylich gesichert,
und von Seiten der Kritik jede Devalvation so gut als unnütz.
Ein braver Sachse ist im Reichskriege gegen Frankreich den
Tod fürs Vaterland gestorben, die Wittwe hülflos hinterlas-
send, und oben ein drey unerzogne Kinder, wovon das älteste nur aus den Knabenjahren heraus war. Eben dieser,
zum Jüngling kaum herangewachsne Sohn bot alle seine Kräfte zu Unterstützung der armen Mutter, aber fruchtlos aufs
bis endlich ihm einfiel, ob der Abdruck jugendlicher Poesien
wohl zum Hülfsmittel werden könnte, das Mitleiden des
Publici rege zu machen, und solchergestalt den frommen
Wunsch geschwinder zu erreichen? Die von dieser Absicht
handelnde Vorrede ist zehn Seiten stark, und also lang genug. Statt uns aber darin durch individuelle Züge aus seiner und der Seinigen Lage, Achtung und Antheil abzunöthi-
gen, was in solch einem Vorbericht doch an der rechten Stelle gewesen wäre, mischt der Ungenannte viel nichts zur Sache Gehörendes ein; beobachtet daraus ein Incognito, das
in diesem Falle zweydeutig und unschicklich ist, und spricht
sogar schon von Lieblosigkeit, Feinden, und verkannter Absicht. Alles Dinge, worüber ein junger Mensch mit großer
Behutsamkeit, und lieber gar nicht, sich äußern muß; am
wenigsten aber auf die geheime Geschichte seines Herzens den Leser verweisen darf; als in welche mit ihm hinab
zusteigen, außer seinen nächsten Verwandten, schwerlich Jemand Lust haben, sondern den Jüngling, wie er ihn vor
sich hat, beurtheilen wird.

Um die Ansprüche desselben auf öffentlichen Beystand sey
es indeß wie es will bewandt; wenn gegenwärtige Anzeige
die Presse wird verlassen haben, muß der Zweck des Unter-

B 2   nehmens

nehmens entweder schon erreicht oder verfehlt seyn; und Rec. braucht daher nichts zu fürchten, durch zu strenge Beurtheilung ihm neue Hindernisse in den Weg geworfen zu haben. Hier also ganz unpartheyisch, daß, so fromm und verdienstlich auch die Absicht gewesen seyn mag, die Verse selbst desto schlechter gerathen sind, und keineswegs der Bekanntmachung werth waren. Das Bündel jugendlicher, oft kindischer Versuche besteht aus mehr als sechszig meist gereimten Stücken, theils religiösen, theils profanen Inhalts. Unter letzter Rubrik finden sich auch Gelegenheitsreimereyen, Verse für Stammbücher, Liebeleyen, und Kleinigkeiten jeder Art; nirgend aber die mindeste Spur von Anlage zur Dichtkunst, oder nur Talent für Metrik; denn überall stößt man auf arge Hiatus, unreinen Endschall, Fehler gegen Grammatik, u. s. w. Daß der Ungenannte Mangel an Talent freywillig eingesteht, macht die Sache um nichts besser, und nur in einem einzigen Gedichte seines Vaters erwähnt zu finden, gar nichts aber über seine übrigen häuslichen Verhältnisse, wird die Zahl der Käufer und Leser auch nicht sonderlich vermehren. Daß ein paar noch erträgliche Stellen nur Reminiscenzen sind, versteht sich von selbst. Was die ganze Sammlung am meisten empfiehlt, ist der saubre, ihr vorangeschickte Kupferstich, eine Familien = Scene darstellend. Vielleicht hätte dieß Blatt, etwas größer ausgeführt, und einzeln feilgeboten, der guten Absicht des guten Sohns noch am geschwindesten und schicklichsten entsprochen.

-Im.

Gottfried August Bürgers sämmtliche Schriften. Herausgegeben von Karl Reinhard. Dritter Band. Vermischte Schriften. Erster Theil. Göttingen, bey Dietrich. 1797. 1 Rc. 4 gr.

Der Herausgeber muß die gegebene Versicherung, die sämmtlichen Schriften Bürgers in 3 Bänden zu fassen, zurücknehmen. Er hatte sich verrechnet; hofft aber mit Recht, das geschmackvolle, die Bürgerischen Manen verehrende, Publikum werde ihm diesen Irrthum nicht nur gern verzeihen; sondern auch sich nicht übel dabey befinden. Dieser 3te Band liefert uns nichts anders, als Bürgers Ideen, Grundsätze
und

und Abhandlungen über eine wahre Verdeutschung des Homers, nebst seinem doppelten Versuche über die Ilias. Bekanntlich hatte Bürger die eine in Jamben, und die andere nachher in Hexametern angefangen. Obgleich, besonders bey der ersten, von einem sehr rühmlichen Beyfall aufgefodert, gab er doch sowohl die erste, als die letzte auf. Mit Recht trug der Herausgeber Bedenken, von Bürgers bekanntlich sehr langsam reifenden Gedichten etwas der Welt mitzutheilen, was der Verf. selbst noch für unreif hielt: macht aber doch eine erlaubte und sehr verzeihliche Ausnahme in Rücksicht auf die Hälfte des 5ten Gesanges in der jambischen, und des 22sten Gesanges in der hexametrischen Uebersetzung, aus dem Grunde, weil das erste Stück für das deutsche Museum, und das zweyte für das Journal von und für Deutschland völlig zugerichtet und bestimmt war. Freunde der Bürgerischen Muse, und wer wäre dieß nicht? werden nicht nur dieß mit Dank annehmen: sondern auch die übrigen, ihnen schon sonst bekannten Ueberreste verehren, wie man einen dichterischen Heiligen zu verehren gewohnt und befugt ist.

Qwb.

Gottfried August Bürgers Gedichte. Herausgegeben von Carl Reinhard. 1. 2. Theil. Göttingen, bey Dieterich, 1796. 1 Rt. 12 K.

Indem wir diese Ausgabe anzeigen, dürfen wir hoffen, daß sie schon in den Händen vieler Liebhaber dieses Dichters seyn werde, welcher gewiß noch lange eben so häufig gelesen werden wird, als er es verdient. Obgleich diese Ausgabe durch das Aeußere sich nicht empfehlen kann: so werden doch die hinzugekommenen Gedichte jedem Freunde der Bürgerischen Muse überaus willkommen seyn, so wie dieser unsterbliche Dichter seinem Herausgeber Dank wissen wird, daß er nicht, wie allzuoft der Fall war, seine Kinderschuhe dem Publikum auftische.

Bb.

Bonaparte und seine Gefährten in Aegypten. Aus authentischen Urkunden und Nachrichten, nebst Be-

Bemerkungen und Anmerkungen des Herausgebers. Mit Bonapartes Bildniß, und Abbildungen des Obelisk der Kleopatra und der Säule des Pompejus. Leipzig, bey Gräff. 1799. VI 310 S. 8. brochirt. 1 Rl. 8 R.

Unsere Leser kennen die Correspondance de l'armée françoise en Egypte, die in Deutschland nachgedruckt und übersetzt zu haben ist; diese nahm der Verf. des obigen Buches mit einem Haufen gedruckter Beschreibungen von Aegypten und Reisen dahin zur Hand, z. B. Maillet, Norden, Millet, Bruce, Pokof, Niebuhr, Thevenot, Dapper, Hasselquist, Savary, u. s. w. Aus diesen Büchern — oder, wie das Titelblatt des oben rubricirten Buches sie zu nennen beliebt: authentischen Urkunden und Nachrichten, lernte der Verf., was für eine Art von Menschen, Sitten, Gebräuchen, was für Denkart u. s. w. in Aegypten zu Hause sey, und vornehmlich aus der Correspondance abstrahirte er sich den vermuthlichen Character Bonaparte's und seiner Gefährten. Nun läßt er seinen Haupthelden vor Alexandria mit den bekannten Worten ans Land springen: „Nun Glück! verlaß mich auch jetzt nicht!“ begleitet ihn, nach Anleitung der Zeitungen, auf seinem Zuge bis zu den Pyramiden, schildert theils wirkliche, theils erdichtete Vorfälle und Begebenheiten, und läßt denn dabey Bonaparten und seine Gefährten so denken, reden und handeln, wie sie nach des Verf. Meinung etwa gedacht, geredet und gehandelt haben werden, oder doch hätten reden und handeln können. Kurz aus dem, was von jenem berüchtigten Zuge nach Aegypten ins Publikum gekommen ist, machte der Verf. eine im neuesten Geschmack verfaßte dialogirte Geschichte, in welcher französische Generale, Sergeanten, Soldaten, Marketender, Gelehrte, Frisöre, Chirurgen mit Aegyptern, Kopten, Kadi's, Maronitischen Priestern, Juden, Griechen, Scheiks, Imans, Agas, Janitscharen, Georgianerinnen und Circassierinnen, Verschnittenen und Derwischen, u. a. m. bunt genug, wie in einer Zauberlaterne, auf und abtreten, und ihren Psalm über die Vorfälle des Tages hersagen, je nachdem es dem Verf. gut dünkte.

Die Bemerkungen und Anmerkungen — ein Pleonasmus des Titelblattes! dienten ihm dazu, seine literarischen

schen Kenntnisse auszukramen, und Nachweisungen zu geben, wo man mehr als bey ihm über Aegypten finden könne. Die Verfertigung eines solchen Buches kann eben kein großes Verdienst seyn, besonders da der Dialog bisweilen ziemlich steif einherhinkt; indessen so lange jene Begebenheiten als Neuigkeiten des Tages interessiren, wird auch dieß Buch sein Interesse haben. Bemerken müssen wir übrigens noch, daß der Verf. die französischen Republikaner eben nicht immer im rosenfarbenen Lichte schildert. Was sie treibt, ist Raub- und Ehrsucht. Bonaparte scheint, dem Verf. zufolge, den Plan gehabt zu haben, sich souverain zu machen. Als das Buch erschien, spielte Bonaparte schon als Consul in Frankreich eine andere Rolle, und hatte keck und dreist gegen einen solchen ihm Schuld gegebenen Plan protestirt. Es wird sich zeigen, wie das große Schauspiel, das der Mann gewährt, sich endigen werde; denn hier darüber zu kannegießern, findet Rec. nicht rathsam.

Tu.

Lebensgeschichte eines Miethpferdes. Nacherzählt von Ambrosius Speckmann, berühmten Pferdeverleiher in Göttingen. Bremen, bey Wilmanns. 1799. 143 S. 8. 12 kr.

Wahrscheinlich das Produkt eines Studenten oder jungen Officiers, das hier und da einige Funken satyrischer Laune enthält; aber doch zu wenige, um sich über das Mittelmäßige zu erheben, und — — mediocribus esse poetis Non homines, non Di, non concessere columnae — sagte Vater Horaz, und er hatte Recht.

Ao.

Zuchtspiegel für Theologen und Kirchenlehrer. Paris. 1799. 200 S. 8. 16 kr.

Aus der kurzen Vorrede des Verlegers sieht man, daß seine Sammlung erbaulicher Gedichte oder Zuchtspiegel für die politischen Vampyrs in fünf Vorstellungen keinen Abgang

ganz gefunden hat, und daß er deswegen ⟨...⟩ über die
Geschichte und Zeichenreihen mit dem neuen ausgezeich-
ter Tuch noch einmal in Umlauf zu bringen sucht. Deswegen
fangt sich deß Fragment auch gleich mit S. 253 an. Rec.
fürchtet, daß deß Manipulation nicht viel helfen wird; denn
es scheint nicht sowohl die Größe der Sammlung Ursach gewesen zu seyn, wie der Verleger glaubt, daß sie keinen Beyfall fand, als vielmehr die Planlosigkeit des Ganzen, und der
Mangel an guter Auswahl. Weil nun beydes auch bey diesem Bruchstück Statt findet: so wird es wohl beym Alten
bleiben. Ein Theil der vorliegenden Gedichte zeichnet sich
aus, worüber die vor Pierül, so wie die Hymnen auf ⟨...⟩
thyr, u. s. w.; allein der größte Theil ist theils in ⟨...⟩ger
Hinsicht sehr anstößig, theils ohne allen poetischen Werth.
Der Sammler ist nicht der Mann, welcher mit Verstand und
Geschmack eine Auswahl von Gedichten zu machen, und dem
Publikum zu bereichern verstünde. Für die Spötter der Religion ist zu wenig da, und für die Gutmeinenden zu viel;
also wird keine Klasse von Lesern damit zufrieden seyn. Wel-
cher Leser von Dichtergeschmack wird z. B. folgendes Gedicht,
S. 311, über den Pastor Schulz zu Gielsdorf von einem
Officiere nur erträglich finden?

> Man straft ihn hart: was er wohl machte?
> Das, was Josephs Sohn ans Kreuz brachte.
> Willt Du das nicht! so laß die Heuchler seyn,
> Und hülle Dich in Tanglos Mantel ein.
> Zwar Moses, Christus, Luther auch
> Verschmähten diesen Hofgebrauch;
> Allein die Welt ist einmal so,
> Wer ehrlich denkt, wird selten froh.
> Wem Lug und Druck und Trug und Nachtwerk nicht
> gefällt,
> Der sage Christus nach: mein Reich ist nicht von dieser
> Welt!

Rec. muß gestehen, daß ihm wenigstens dieses Nachtwerk
nicht gefällt, es mag nun von einem Officiere, oder gar vom
Sammler selbst seyn; denn wem könnten seelenlose Reime
und Gedanken gefallen? Allein Rec. ist auch überzeugt, daß
dieser Dichter auch bey Tage und wachend eben keine bessern
poetischen Produkte liefern wird, in so fern er gar keinen
Beruf

Beruf zum Dichter hat. Wie kann aber ein Mann von
Plan und Geschmack so etwas in eine Sammlung von Gedichten aufnehmen, und wenn er es einmal aufgenommen
hat, Beyfall damit zu gewinnen hoffen?

Af.

Theater.

1. **Die drey Brüder.** (Ein) Ritter - Trauerspiel
in drey Aufzügen mit Gesang. Stettin, bey Leich.
1798. 164 S. 8. 12 Gr.

2. **Bruderbund** (der) und Kampf gegen den Raub
der geweyhten römischen Volksfreyheit. Oder:
Cajus Gracchus. Ein Trauerspiel in drey Akten,
von Christoph Jett. Frankenthal, im 7ten Jahr *).
Auf Kosten eines des Verfassers Freunde. 216
Seit. 8.

Einer von den drey Brüdern ist ein Bösewicht — Conrad
von Dachsburg, der Sohn erster Ehe Leonhards von Dachsburg. Nachdem dieser Bösewicht seine erste Frau vergiftet
hat, um eine gewisse Emilia beyrathen zu können, verliebt
er sich nun auch in seines Stiefbruders Ferdinands Geliebte,
Klara, und thut ihr ungebührliche Anträge, wird abgewiesen, und entschließt sich nun, mit Hülfe eines eben so großen
Bösewichts Ralf, der seinen Knappen vorstellt, seine zweyte
Frau, nebst seinem Bruder Ferdinand zu ermorden, um
zum Besitz Klara's zu kommen. Der Mord wird vollbracht; aber auch verrathen, wer ihn vollzogen habe, und

X 5 der

*) Im 7ten Jahr? Welcher Zeitrechnung? Daß der Ver-
fasser oder Freund, der Herausgeber und Aussteller, wenn
anders nicht beyde, Vater und Gevatter in einer Person
vereiniget sind, die französische Zeitrechnung meinte, sieht
man nun wohl; aber so lange sie noch nicht in Deutschland
allgemein und gesetzmäßig eingeführt ist, mußte sie bestimmt
angegeben werden. Wozu aber hier diese ganze chronologische französische Fanfaronade?

der dritte Bruder, Heinrich, bisher gezwungen, ein Domi-
nicaner zu seyn, mordet seinen Bruder Conrad wieder. Nachdem diese Mordthaten fast vor den Augen des alten Leonhard
geschehen sind, schließt das Stück mit einer Versöhnungs-
Scene zwischen dem alten Leonhard und seinem Sohne Heinrich. Alles Uebrige ist, wie in allen Ritterstücken, in der
Ordnung, d. h. es wird gefochten, geweint, getrunken, ge-
liebelt — cetera quis nescit? Wer also Lust hat, der mag
selbst lesen!

Der undeutsche, steife, tölpichte Titel von No. 1. ist
eben nicht anlockend und berechtigt auch nicht zu großen Erwartungen, und das Trauerspiel widerlegt die Vermuthung
nicht, daß der Verf., wenn er anders schon die Schule verlassen hat, sie gewiß erst seit kurzem verlassen haben werde.
Wie dem auch sey: so hat er sie offenbar zu früh verlassen.
Alles ist an diesem Producte noch so unreif, so schülern und
schülermäßig, daß eine gute Dosis Schulmeisters Geduld dazu erfodert wird, dieses Schülerexercitium nur durchzulesen;
geschweige durch zu corrigiren. Der Verf. versteht nicht einmal eine lesbare Periode zu schreiben, wie könnte er einen
solchen Gegenstand zu einem guten Trauerspiele verarbeiten?
Von der Ausrufungspartikel O! scheint er ein besonderer
Liebhaber zu seyn, sie kommt auf jeder Seite so oft vor, daß
der Verf. gerade in diesem O! das Rührende, das Erschüt-
ternde — kurz das Wesen und den Effect seines Trauerspiels
scheint gefunden zu haben.

Eben so braucht er gern als Redefigur, die Epizeuris,
um ja recht nachdrücklich zu sprechen, auch da, wo gar kein
Nachdruck liegt, auch nie hingebracht werden kann; z. B.
Aber nun — nun bin ich in Rom. — Unwissende Thor,
nur die — — Desgleichen läßt er Perioden unvollendet,
als wenn die redende Person in Leidenschaft spräche, ohne
daß man zuweilen errathen kann, wie der Nachsatz wohl würde gelautet haben.

Wie weit übrigens der liebe Mann noch in der Sprachkenntniß zurück ist, mögen einige Beyspiele zeigen: Die
Menschen denken zu nieder, wie daß sie den wahren Werth
euer Sache schätzen könnten — ihre Gunst hat zu wenig
Werth, wie daß ich mich darum bemühen sollte — wegen
dem Mord — Casus ist zu befürchten f. fürchten —
selbsten

selbsten — der Plan zeugt (von) seinen Schöpfer —
Natur! lerne Eiterbäule brüten — unwohl s. übel —
spreche s. sprich — vergebe es s. vergieb es — die Pflicht
vors Vaterland — flüchtet euch, ihr kalte(n) Zecher des
Olympus, erröthet vor dem Spott dessen, der des Glaubens
Traqpuppe zu Grzen müthe (was heißt dieß?) — der
Wällengeburte schönste ist verschwunden. — Die Erd'
ist mir so öde, nur Amors Fluten wogen bunt (sic!) im
Westhauch auf. — Ist Cajus gefallen, sagt ein römischer
Senator, peitschen wir ihn (den Pöbel Roms) wieder in
Praxin. (Pöbel und Plebejer scheint dem Verf. eines zu
seyn.)

Die Senatoren nennen sich Sie, z. B. „Mit ihren
immerwährenden Kribeleyen! (so spricht ein Senator in einer Senats-Debatte zum andern) lassen sie eine künftige Revolution unsern Nachkommen zu dämpfen übrig — lassen sie
uns nur erst die Hauptsache behandeln." — Auch Cajus
Gracchus, bey seinem barschen Charakter, ist doch galant
wie ein deutscher Petitmâtre: „O stehen Sie auf, stehen
Sie auf — sagt er zu einem römischen Frauenzimmer, das
ihn um Hülfe fußfällig ansieht — welches Bedrängniß führt
Sie hieher?" — Das ungalante Frauenzimmer aber nennt
ihn auf gut römisch Du.

Was der Verf. nicht durch Worte auszudrücken wußte,
dazu hat er wenigstens das Geberdenspiel, die Gesten und
den Ton vorgeschrieben. Ein Drittheil des Stücks ist Pantomime.

Auch artige Decorationen weiß er anzugeben; z. B.
Atalanda allein steht an einem Fenster, dessen große Glasflügel vom Mond bestrahlt in Silber leuchten, man sieht durch das offene Fenster eine schöne
Gegend, so viel es Nacht und Duft duldet. Wenn
gleich das Stück nicht für die Bühne geschrieben seyn mag,
wie es denn wirklich sich dazu ganz und gar nicht eignet: so
sollte doch ein solcher Schriftsteller an Quinctilians Regel
denken, und wenn gleich ultra fidem, doch nicht ultra mo-
dum gehen. Eben diese Atalanda spricht oft wahren Unsinn:
„Ha! mein! o still! still! mein ganzes Wesen empört sich,
mein — mein, doch wie kann ich den Vater nennen; den
Mann Vater, der nach dem Blute meines einzig, meines

wärmst

wärmst Geliebten dürstet! — Ja, der, der mir das Leben
gab, — der will es mir durch des einzig Werthen Tod elend
machen. Hu! Hu! u. s. w." — Der fehlerhaften Orthographie nicht zu gedenken!

Wir wollen die Frage nicht zur Sprache bringen: ob
die römische Staats-Episode der Gracchen sich zu einem
Trauerspiele eigne? Oder, im Fall man eine solche Haupt-
und Staatsaction dramatisiren wollte, von welcher Art und
in welchem Styl ein solches historisches Drama verfaßt werden müßte? Wichtiger scheint uns die Frage: ob der Character des Helden, Cajus Gracchus, wie ihn der Verf. gefaßt hat, der Geschichte gemäß, richtig gefaßt sey? Ohne
den Verf. zu chikaniren, darf man wohl behaupten, daß sein
Blick in die damalige römische Staatsverfassung nicht tief genug gedrungen, nicht umfassend genug gewesen sey. Wer
nicht aus andern Quellen den Gracchischen Revolutionsplan
kennt, wird schwerlich aus diesem Trauerspiele sich eine deutliche Vorstellung dessen machen können, was Gracchus eigentlich beabsichtete? was für Mittel er brauchte? durch welche
Schritte er sich dem Abgrunde näherte, der ihn verschlang?
Man hört und liest hier wohl, daß er gegen den Senat, daß
er fürs Volk gearbeitet habe, aber wie? wodurch? das hätte
mehr detaillirt und in Handlung gesetzt werden müssen. Dadurch würde der Plan des Stücks mehr Consistenz, mehr in
einander greifende Handlung, und natürlicher Weise mehr
Interesse erhalten haben. Jetzt verursachen die ewig langen
Monologen, die das Stück aus einander zerren, dem Leser
Langeweile. Wollte der Verf. die Leser für seinen Helden interessiren, wie er es billig hätte thun sollen: so konnte es ihm
nicht schwer werden, wenn er für die drückenden Staatsübel,
unter welchen der größte Theil der römischen Bürger seufzete,
und laut genug seufzete, — wenn er die schreyenden Gewaltthätigkeiten der römischen Patricier und Adelichen in Handlungen erblicken ließ, ehe er seinen Helden vorführt. Allein
für so etwas hat dieser Tragödienfabrikant keinen Sinn. Er
deklamirt, und läßt in Gemeinsprüchen deklamiren, und damit glaubt er alles gethan zu haben.

Doch Rec. hat sich schon zu lange bey einem Produkt
aufgehalten, das einer motivirten Kritik überall nicht werth
war. Auch würde er es derselben nicht gewürdiget haben,

wenn

wenn nicht dieses Sujet für unser revolutionäres Zeitalter, wo die Ackergesetze und die Trennung der Staatsautoritäten — (gerade dieß nämlich sind die Punkte, die in der Gracchischen Revolution dem denkenden Forscher sich aufdringen) so oft und so blutig zur Sprache gebracht sind, höchst interessant behandelt werden konnten. Er glaubte also nichts Unnützes durch seine Aeußerung über eine mißlungene, oder vielmehr höchst elende Behandlung dieses Gegenstandes geschrieben zu haben.

Tu.

Ueber meinen Aufenthalt in Wien, und meine erbetene Dienst = Entlassung, von A. von Kotzebue. Nebst vier Beylagen. Eine Vernichtung des im Aprilstück (1799) des Berliner Archivs der Zeit gegen mich eingerückten Pasquills. Leipzig, bey Kummer. 1799. 110 S. 8. 10 K.

Nach dem Tode des bey der Regie des Wiener Hoftheaters angestellten Alxinger war bekanntlich Hr. von K. eben dahin berufen, und hauptsächlich von ihm verlangt worden, mit Fertigung eines kritischen Journals sich zu befassen. Dieses sollte, wie natürlich, die Darstellungen der dasigen Bühnen zum Gegenstande haben, und die Direktion versprach (jetzt unvorsichtiger Weise) für Geschmack und Kunst sich davon große Dienste. Bis auf den letzten Augenblick des freylich kaum einjährigen Aufenthalts in Wien hat Hr. von K. das Betragen seiner Obern zu loben gehabt, und die Gnade des Kaisers, der die verlangte Entlassung mit einer Pension von tausend Gulden und der Erlaubniß begleitete, solche zu genießen, wo es ihm belieben würde, läßt über den Umstand: ob seine Vorgesetzten auch mit ihm zufrieden gewesen? keinen Zweifel übrig.

Nur ungern verstand sich Hr. von K. zu Bearbeitung des oben erwähnten Journals; und sein Widerwille nahm zu, da schon nach bloßer, als Beylage B. aufgenommener Ankündigung desselben bitterer Tadel sich hören ließ. Der als Beylage C. hier ganz abgedruckte Brief eines Wiener Ungenannten, worin über die Schwierigkeiten, durch solch eine Zeit=

Zeitschrift den Geschmack der Kaiserstadt umzustimmen, sehr
vernünstig geurtheilt wird, gab der Sache den Ausschlag,
und bewog auch die Vorgesetzten des Kritikers, ihn dieser lästigen Verpflichtung zu entbinden. Statt dessen trug man
ihm auf, für die dasige Hofzeitung Theateranzeigen zu ferti-
gen, Anonymität dabey zu beobachten, und mit Vorsichtig-
keit zu Werke zu gehen. Daß Hr. von K. dieses letzte wirklich und ganz ausgezeichnet erfüllt habe, belegt eine Reihe
solcher Anzeigen, die in der Beylage D. aufgestellt, und fürwahr viel zu schonend abgefaßt sind. Dem ungeachtet erreg-
ten diese Anzeigen einen Lerm, der so arg wurde, daß auch
sie bald eingestellt werden mußten. Nach und nach war indeß dem Hrn. von K. die Regie der Hofbühne selbst übertragen worden; hinc irae, und der Ausbruch des Ungewitters.
Die bisherigen Theater-Ausschüsse kamen dadurch um ihren
Einfluß; einige neue Schauspieler, womit Hr. von K. die
Gesellschaft zu beleben (vielleicht auch die Ankömmlinge zu
unterstützen) für nöthig fand; der Eifer, womit solcher auf
verdoppelte Thätigkeit und Rückkehr alter Ordnung drang;
dieß und dergleichen Vorkehrungen mehr, die seiner Regie
gar keine Schande machen, war so wenig im Geschmacke des
alten Schauspielerbestandes, daß die Erbitterung desselben
immer höher, und bis zu Unarten stieg, die endlich eine vorläufige Untersuchung veranlaßten, um deren Dazwischenkunft
Hr. von K. selber aufs dringendste anhielt. In der Beylage A. finden sich alle in diesem Verhör gegen den Regisseur
erhobne Klagen, wie solche der Oberhof-Theatral-Direction
eingereicht worden, wörtlich copirt, nebst Beantwortung von
Seiten des Beschuldigten. Rec., der auf den Inhalt dieser
Beylage verweisen muß, will aus der ganzen Verhandlung
nur den einzigen Umstand heben, daß von etwa 40 über des
Regisseurs angebliche Despotie verhörte Personen 31 gar nichts
gegen ihn einzuwenden gehabt; die Beschwerden der übrigen
aber für grundlos und unstatthaft von ihren Obern erklärt
wurden. Trotz diesem für den mißvergnügten Theil so un-
günstigen Resultate, ließ dennoch Jemand, und vermuthlich
aus eben der Partey, sich gelüsten, eine mit Uebertreibung
und Unrichtigkeit gefüllte Darstellung des Vorgangs in das
Berliner Archiv der Zeit abzuschicken, das, solche wörtlich
aufzunehmen, unbedachtsam genug war; in der Folge jedoch
sich deßhalb zu entschuldigen versucht hat. Gegen diesen anonymen, dem Hrn. von K. aber, wie es scheint, nicht un-
bekann-

bekannten Briefsteller sind die ersten 17 Seiten seiner Vertheidigung hauptsächlich gerichtet; von hier bis S. 42 folgt die meist bey der Sache bleibende Erzählung der während seines Wiener Aufenthalts ihn betreffender Ereignisse; wobey dann, wo dieser oder jener Umstand es verlangt, der Aufsatz des Berliner Archivs beleuchtet, und die Unvollständigkeit, oft Abgeschmacktheit, desselben bis an seinen Schluß verfolgt wird. Den übrigen Raum des broschirten Hefts füllen die vier, schon in obiger Anzeige kenntlich gemachten, und in der That curiösen Beylagen.

Im Ganzen hat Hr. von K. als ein Mann, der seiner Sache gewiß war, die Rechtfertigung seines Benehmens durchgeführt. Sehr möglich, daß, so viel Kaltblütigkeit und Geduld er auch aufbot, es ihm dennoch an derjenigen Gewandtheit, Umsicht, Schlauheit wohl gar, bisweilen gefehlt habe, ohne die kein zunftmäßiger Verein, und der einer Schauspielertruppe am wenigsten, sich bezähmen und regieren läßt; auch mag er in Begünstigung der von ihm erst herbey gerufenen Mitglieder vielleicht einen Schritt weiter, als rathsam und nöthig war, gegangen seyn. Bey dem allen ergiebt aus vorliegenden Blättern sich nichts, was seiner Denkungsart und seinem Herzen zur Unehre gereichen könnte. Nirgend blicken Schadenfreude, oder ein höherer Grad von Eigenliebe durch, als einem Schriftsteller, der so viel Beyfall sich erworben, gern zu verzeihen ist. In Rücksicht endlich auf den Ton und Vortrag hält jener sich in einer Mäßigung, die sehr zu loben, und dieser in einer prunklosen Darlegung, die eben so empfehlenswerth bleibt. Nur sollte S. 6 Entscheiden thu' ich, aber 2c. nicht stehn; als wo: Entscheiden aber kann oder darf? ich, correcter und edler gewesen wäre.

Rw.

Romane.

Novantiken. Eine Sammlung kleiner Romane, Erzählungen und Anekdoten, vom Verfasser des Siegfried von Lindenberg. Erster Band. Braunschweig, bey Vieweg. 1799. XVI und 680 S. 8. 2 Rß.

Zur

Zur Ueberschrift Novantiken kommt die sauber gedruckte
Sammlung, weil ihr Herausgeber aus halb oder ganz vergeßnen Romanen und periodischen Blättern des Auslands
das vielleicht noch Erhaltenswerthe hervorsuchen, ihm, wo
es nöthig seyn wird, nachhelfen, und in seiner Manier darstellen will. Wer zweifelt daran, daß unter der Hand solch
eines Schichtmeisters die Fundgrube nicht ergiebig genug ausfallen, und manchen Band noch zum Ertrag haben könne?
Außer dergleichen neu belebten Exoticis aber wird sein Pult
auch eigne, wie sich versteht, noch ungedruckte Aufsätze liefern; und bey dieser Gelegenheit wiederholt Hr. Müller die
Anzeige, daß, mit Ausnahme von Recensionen etwa, nichts
aus seiner Feder im Publico erscheinen soll, was den Namen
des Verfassers nicht an der Stirne führen werde.

Gleich in der ersten Erzählung: Vetter Niklas, oder
das glückliche Versehen betitelt, erscheint französisches Gepräge in seiner ganzen Geschliffenheit; und obgleich Hr. M. die
Quelle zu verschweigen für gut fand, zeigt doch sogleich sich,
daß es Franzosen aus den letzten funfzig Jahren vor der Revolution sind, womit man hier zu thun hat. Ein junger,
wackrer, vom Glück aber nicht sonderlich begünstigter Ritter
verliebt sich in ein reizendes Bürgermädchen, das zum Unglück sehr reich ist. Sie selbst hat gegen den artigen Edel-
mann nichts einzuwenden; desto mehr ihre Mutter, als die
gleichfalls nur Gold, und nichts weiter als Gold beym künftigen Schwiegersohne verlangt. Da solche durchaus auf keine
andre Gedanken sich bringen läßt, wird endlich zu dem dra-
stischen Hülfsmittel der Entführung geschritten; durch ein
Qui pro quo aber Mutter statt Tochter in Sicherheit gebracht. Hierbey indeß weiß der Ritter sich so gescheidt zu benehmen, daß die reiche Kaufmannsfrau plötzlich ihren Sinn
ändert, das Töchterchen ihm bewilligt, Alles ein erwünschtes
Ende nimmt, und die Inconsequenz menschlicher Vorkehrungen überaus anschaulich wird. — Das zweyte Stück hat
nicht mehr oder weniger als die Beinkleider des Bischofs
von Tarbes zum Gegenstand. Gerade da dieser französische
Prälat, unter der Regierung Ludwig XV., zu seiner Pfründe
geweiht wurde, platzte mitten in der Feyerlichkeit ihm sein
Hosengurt; ein Vorfall, der bey der Versammlung so gewaltigen Eindruck machte, daß die Geistesgegenwart des Cere-
monienmeisters den Einweihungspomp wieder in's Gleis
brin-

sehr wohl
so
der Nach-

206 gehen die beyden Erzählungen, mit
Nutzanwendungen und humoristischen Sei-
6, wie man sieht, nicht

Predigerssohn und selbst Theologe, wird
schildert, der früh bereits den Entschluß
lichen Amte zu entsagen, und hingegen als unabhängiger
Schriftsteller, (ist bezahlte Autorschaft mit besoldetem Amte
im Grunde nicht einerley?) Aufklärung und Kenntnisse rings
um sich her zu verbreiten. Dieß erreicht er auch zeitig, weiß
alle Hindernisse zu besiegen, und wird so allgemein brauchbar
und berühmt, als man nur werden kann, stirbt aber, kaum
46 Jahr alt, an den Folgen der — Hypochondrie! einer
bittern Frucht seines zu emsigen Fleißes. Uebrigens war seine
kurze Laufbahn auch in Rücksicht auf eheliches Glück sehr be-
neidenswerth gewesen; denn Albertinens Mutter erscheint
hier gleichfalls als Perle ihres Geschlechts; und daß die
Tochter, ihr einziges Kind, nicht aus der Art schlagen würde, ließ sich erwarten. Ihren körperlichen Reizen und Wirth-
schaftskenntnissen unbeschadet, hatte solche noch so viel anderes
gelernt, daß sie bloß mit Uebersetzungen aus alten und neuen
Sprachen ohne Anstrengung, und das etwa 20 Jahre alt,

ihre drey bis vierhundert Thälerchen jährlich verdienen, und
so den Mangel einer Erbschaft an klingender Münze reichlich
ersetzen konnte! Kein Wunder, daß, bey solchen Empfehlungen, sie ein Paar Jahre später einen, nicht schlechter erzo-
nen, oben ein reichen, Baron zum Ehemanne davonträgt.
Vorstehendes sind nur die äußersten Linien des Rahmens.
Das Innere hat der Biograph Gottfrieds, so heißt sein
Held, mit so viel Herzenserleichterungen über Priesterstand
und seine Entbehrlichkeit; über symbolische Bücher und Denk-
freyheit; über Licht und Finsterniß, Bibelerklärung und Dogmatik, Toleranz und Verketzerung; kurz: über die wichtigsten Streitfragen des Tages auszustaffiren gewußt, daß, wer
von der Meinung des Verf. über dergleichen Gegenstände in
einem Roman sich belehren will, hier vollbesetzten Tisch finden wird. Lobes oder Tadels enthält Schreiber dieses sich
wegen des S. 601 u. f. im Text sowohl, als Note gemachten
Ausfalls gegen einen Recensenten. So heftig, bitter und
unmotivirt, wie dieser Ausfall hier steht, (denn wo, wie,
wenn, von wem der Autor beleidiget wurde, läßt solcher ganz
unangezeigt) kann er zu freymüthiger Beurtheilung unmöglich einladen. Selbst alsdann nicht, wenn ihm, dem Beurtheiler, auch eben so viel Platz zu Gebot stände, als der Biograph Gottfrieds an Darstellung seiner eignen Arbeit hat
verwenden können.

Im.

Annalen der Universität zu Schilda, oder Bocksstrei-
    che und Harlekinaden der gelehrten Handwerksin-
    nungen in Deutschland. — Von Fr. Chr. Lauk-
    hard. Zweyter und dritter Theil. 1799. Ohne
    Angabe des Druckorts. II. 204, III. 336 S.
    8. 1 Rl. 16 gr.

Um nichts witziger, klüger, oder wenigstens unterhaltender,
als ihr erster, unlängst angezeigter Theil; das Ganze mit
einem Worte dermaaßen gehaltleer, daß sein Verfasser noch
drey solche Bände hätte zusammenschreiben können, und der
Leser dennoch ohne wesentliche Belehrung das Buch aus der
Hand legen würde. Wer zweifelt daran, daß auf mancher
Univer-

Universität nicht Dinge geschehen, und Mißbräuche eingerissen sind, die für Lehrer und Lernende gleich nachtheilig werden müssen, und daher strenge Rüge verdienen? Diese jedoch mit Erfolg zu übernehmen, kann nur die Sache des feyerlichsten Ernstes seyn; nur der Beruf eines Mannes, der Credit genug sich erwarb; freymüthig sprechen, und auf dankbares Gehör rechnen zu dürfen. Auch solcher Unarten und Abgeschmacktheiten mag es auf Akademien in Menge geben, denen die Waffe satyrischen Spottes am geschwindesten, unstreitig und wirksamsten beykäme; wer aber begreift nicht, wie viel Sachkenntniß, Witz, Neuheit und Scharfsinn zu einer Operation erforderlich sind, die auf dem Wege des Scherzes sehr ernsthaften Zweck erreichen, nicht etwa bloß verwunden, sondern auch heilen soll? Zum Ernst wie zum Scherz ist dieser Possen-Annalist gleich ungeschickt. Nicht einmal Docenten- oder Studentenstreiche genug wußte solcher für seine drey Bände aufzutreiben; denn ohne der Wiederholungen und Seitensprünge zu erwähnen, wovon es hier ebenfalls wimmelt, schaltet er auch ganze Liebesromane ein, die auf Universitätsgebrechen schlechterdings keinen Bezug haben, nur zur Leserey für Müßiggänger geeignet sind, und das leidige Geschreibsel geschwind anfüllen lassen.

Was für weise Vorschläge dieser Cato zu Markt bringt, wenn er hier und da sich in's Emphatische wirft, und der leidenden Menschheit wieder aufhelfen will, mögen diejenigen untersuchen, denen dergleichen Träumerey beherzigenswerth scheint. Nicht einmal so viel ist abzusehn, wer das Buch lesen soll und lesen wird? Nimmermehr haben thätige, den Werth der Zeit kennende Docenten die nöthige Muße, mit solch einem weitschichtigen, oft eckelhaften, Gemengsel sich zu befassen; und fürwahr! weit mehr Ursache noch hat der fleißige Studiosus, mit den meist sehr kärg ihm zugeschnittnen Augenblicken des akademischen Aufenthaltes zu geizen. Wer also bleibt übrig, als solche Leser, die mit ihrer Zeit nichts anzufangen wissen, an Unarten sich ergötzen, wohl gar für Schadenfreude Nahrung suchen, und eben daher einer belehrenden Zurechtweisung schwerlich werth sind? Ungeachtet es an baaren Persönlichkeiten in dem saubern Werke gar nicht fehlt: betheuert der Autor dennoch am Schlusse, niemals Personen, immer nur die Sache in's Auge gefaßt zu haben. Anderwärts gesteht er wieder, Manches sey buchstäblich wahr, von ihm selbst mitgemacht, und Alles nach dem Leben bezeichnet worden. Am wahrscheinlichsten ist die Vermuthung, daß ihm bloß darum zu thun gewesen, drey Bände voll zu schreiben; und so einem Autor bleibt es sehr gleichgültig, wer oder was die Materialien dazu hergiebt.

Xy.

Die seligsten Augenblicke meines Lebens. Leipzig, bey Jacobäer. 1799. 366 S. 8. 1 R. 4 K.

Unter dem Galgen fängt dieser Kreis von Abentheuerlichkeiten sein Spiel an, und endigt solches in einer Apotheke. Nicht etwa daß der irrende Ritter Nieswurz darin gesucht und gefunden, was freylich seinem Hirn am allerzuträglichsten würde gewesen seyn; sondern, weil er hier die alte Bekanntschaft mit einem herrlichen Mädchen erneuert, das ihn endlich zum glücklichsten Ehemann auf dem Erdboden macht. Was es mit den seligsten Augenblicken seines Lebens für Bewandtniß gehabt, läßt nunmehr ohne Mühe sich errathen. Liebeley, und nichts als Liebeley sind die Quintessenz desselben. Aus der Quadrille von Huldgöttinnen, womit Held Adolph anbindet, hat die erste bereits ihre Unschuld verscherzt, und will ihre Verbrechen nicht weiter häufen; die andre hängt sich ihm auf den Hals, und kehrt ihm kurz darauf den Rücken zu; die Sinnlichkeit der dritten hat er selber aufgeregt; bereut es aber in der Folge, und überläßt es ihrem Vater, den Schaden, wo möglich, wieder gut zu machen; die vierte soll der Wollust eines griechischen Kaufmanns Preis gegeben werden; aus diesem Fallstricke jedoch wird solche durch Adolph gerettet, der sie indeß bald aus dem Gesichte verliert, nach ein Paar Jahren erst wiederfindet, und durch ihre Hand am Ende reichlich belohnt wird.

Zu Darstellung dieser, und anderer Sonderbarkeiten mehr, sind die lebhaftesten Farben aufgeboten worden. Was aber hilft blendendes Colorit, wenn der Künstler nichts von der Zeichnung versteht, nichts von Schatten und Licht, und vor allen Dingen nirgend nach der Natur studirt hat? Gänzlicher Mangel an Kenntniß der Welt und des Herzens ist auf jedem Blatte sichtbar; und den Hirngespinnsten eines jugendlichen

lichen, noch im Brausen begriffenen Kopfs, mag dieser so feurig imaginiren als er immer will! diejenige Haltung zu geben, ohne welche das Phantom eben so schnell zerrinnt als entsteht, bleibt eine Aufgabe, die unsre noch haltlosen Romanschreiber nie werden lösen können. Daß es Vorliegendem um nichts besser glückt, wenn er sich in's Nachahmen wirft, und z. B. einem Göthe Feenschlösser und Kraftmenschen nachbildet, versteht sich von selbst; und eben so, daß, wenn es auch Stellen giebt, die für nicht übel geschrieben gelten können, deren noch weit mehr sich finden, wo der Autor gegen Geschmack, Logik und Correctheit arg genug verstößt. Correct übrigens, und sauberer, als nöthig war, sind die Träumereyen des jungen Schriftstellers abgedruckt worden, ein Paar Empfehlungen des Aeußern, worauf Produkte so dürftigen Gehalts fürwahr am wenigsten Anspruch zu machen hätten!

Fk.

Leiden der Familie Bourbon. Drey Bände. Leipzig, bey Jacobäer. 1798 und 99. I. 432, II. 318, III. 351 S. 8. Mit einem (schlechten) Titelkupfer. 2 Rr. 6 gr.

Unstreitig ist die Katastrophe, die Ludwig dem XVI. seiner Gemahlinn und Schwester Thron und Leben kostete, so sehr als irgend eine der Vorwelt, zum Trauerspiel der höchsten Gattung geeignet. Unerbittliches Schicksal und die frömmste Ergebung, himmlischer Edelmuth und höllische Bosheit, Verwicklungen endlich und Momente, wie der Zeitgeist deren nur höchstseltne schuf, bieten Stoff, Contrast und Farben dar, die der Tragiker nicht erst mühsam aufzusuchen, behutsam zu scheiden, und künstlicher zu verschmelzen; sondern nur treu wieder zu geben, schicklich zu stellen, und durch ihr eignes Licht und Schatten wirken zu lassen braucht: ein Drama, das die Seele nicht allein bis in ihr Innerstes erschüttern; sondern auch zu Reinigung der Leidenschaft mächtig beytragen muß. Besonders, wenn die Zeit auch hier zu Hülfe gekommen seyn, und alles in denjenigen Gesichtspunkt gerückt haben wird, woraus Dramatiker dergleichen zu fassen, und ihm gemäß zu behandeln haben. Ausländische Künstler werden

Y 3

ben alsdann mit eben so vielem Erfolg, wie französische, sich um den Preis der Darstellungskraft bewerben, und die, wie man hofft, indeß empfänglicher gewordne Nachwelt durch die erhabensten Züge rühren und belehren können.

Ganz andre Bewandtniß hat es mit diesem tausendfarbigen Ereignisse, wenn solches im historischen Roman, mehrere Bände hindurch, und das für Zeitgenossen schon, soll versponnen werden. Unmöglich kann da ein Fremdling, der Frankreich nicht so genau, wie sein Vaterland, kennen gelernt, nicht jedes Hülfsmittel historischer Kunst völlig in seiner Gewalt hat, auch nur einen Schritt wagen, ohne sogleich beym Zweyten arg anzustoßen, und eben dadurch die ganze Unternehmung schon im Anfange selbst lächerlich zu machen. Wirklich ist dieses der Fall mit vorliegender Arbeit. Ihr Verf. hat zwar zur löblichen Absicht gehabt, die theils schlecht unterrichteten, theils irregeführten Feinde des entthronten Königl. Hauses, auch bey uns Deutschen eines Bessern zu belehren: wird aber höchstens diesen Zweck nur in einem Kreise von Zuhörern erreichen, für den Schriftsteller von Kenntniß und Geschmack die Feder anzusetzen schwerlich der Mühe werth halten. Für Leser dieses Schlags war die Zeitung völlig hinreichend; und nach durchblätterten eilfhundert Seiten des Romans werden ihn solche noch weit ungewisser wie vorhin aus der Hand legen; denn trotz seiner guten Absicht hat der Darsteller doch so viel Pro und Contra's mit eingemischt, so manchen zweydeutigen Charakter präkonisirt, daß Freunde und Feinde des unglücklichen Ludwig dabey ihre Rechnung finden können. Der Leselustige hingegen, dem Frankreichs Verfassung und der Geist dieser inconsequenten, eben daher oft grausamen, Nation etwas besser bekannt sind, wird schon deßhalb keine Viertelstunde die Leserey aushalten; und versteht er sich auf historische Kunst, schon das erste Blatt geschmackwidrig finden. Für wen sind also die drey Bände geschrieben? Daß ihr Fabrikant durch Dialogen und Briefe, Verse sogar und Erdichtungen, Mannichfaltigkeit hervorzubringen versuchte, wie er dessen ausdrücklich im Vorberichte sich rühmt, hat freylich das Machwerk buntschäcig genug, aber auch desto abgeschmackter gemacht; denn gerade dadurch sinkt das Ganze in jene Klasse alter Staats- und Heldenromane wieder zurück, wovon Satyre, Spott und einige Funken wahrer Aufklärung uns kaum erst befreyt hatten. Sich,

laut

lauf eben dieser Vorrede, der Munterkeit im Styl beflissen, und dem leidigen Einschlafen best möglichst vorgebeugt zu haben, ist eine nicht weniger possirliche Selbstempfehlung, und dient zum Schlüssel der im Werke herrschenden Tonarten.

Uebrigens beginnt solches mit der Staatsverwaltung des ungeschickten Prälaten de Brienne, und endigt mit dem Henkertode des abscheulichen Orleans, und der tugendhaften Elisabeth. Gegen das Ende zu wird Alles eilfertiger und fragmentarischer zusammengerafft; vermuthlich, weil der Historiker noch drey andre Bändchen in petto gehabt; von dem unvorsichtigen Sosias aber mitten in seiner Laufbahn war aufgehalten worden. Nach dem so eben gesagten wird schwerlich Jemand von Ausführung einzelner Partien noch umständlichen Bericht erwarten. Das Ganze ist nichts weiter, als dumpfes Echo der öffentlichen Blätter, oder solcher Denkschriften des Tages, die zu Aufhellung des tragischen Dunkels wenig beytrugen, oft solches noch mehr verfinsterten.

Rw.

Mathematik.

Encyklopädie aller mathematischen Wissenschaften(,) ihre Geschichte und Literatur, in alphabetischer Ordnung. Erste Abtheilung. Vierter Band, enthaltend: die reine Mathematik und praktische Geometrie, d. i. Arithmetik, Geometrie, Trigonometrie, Analysis, Feldmeßkunst, Forstgeometrie und Markscheidekunst. Herausgegeben von G. E. Rosenthal, Herzogl. Sachs. Goth. Berg-Comm. u. s. w. E. F. Mit Kupf. Gotha, bey Ettinger. 1796. 535 S. kl. 4. Nebst der vierten Lieferung Kupfertaf. in einem blauen Heft. Tab. XXXVII—XLVIII. Fig. 769—925. quer Fol. 4 Rc.

Auch unter dem Titel:

Encyklopädie der reinen Mathematik und praktischen

Y 4 Geo-

Geometrie, das ist: Arithmetik, Geometrie, Trigonometrie, Analysis, Feldmeßkunst, Forstgeometrie und Markscheidekunst, ihre Geschichte und
Literatur in alphabet. Ordnung. Herausgegeben
u. s. w.

Ungeachtet dieser Band schon längst in den Händen aller
Liebhaber der Mathematik sich befindet: so wollen wir doch die
durch zufällige Ursachen verspätete kritische Anzeige nachholen.

Das Rosenthalsche Werk zeichnet sich durch viele
Brauchbarkeit und Gemeinnützigkeit aus; nur der eigentliche
Mathematiker, der mit dieser Wissenschaft systematisch, theoretisch und praktisch bekannt ist, bedarf es nicht; es sey denn,
daß er es sich in historisch-literarischer Hinsicht anschaffe.
Für eigentliche Dilettanten der Mathematik ist es sehr brauchbar, indem diese gleichsam den Kern aus den Schriften der
vornehmsten Mathematiker des 18ten Jahrhunderts hierin
antreffen. Nur Schade, daß Hr. Berg-Comm. R. fast
nirgend seine eigentlichen Quellen angiebt, aus denen er seine
Hauptartikel, sey es in wissenschaftlich-mathematischer, oder
historisch-literarischer Hinsicht, entlehnte. Dadurch muß
man in Sichtung des Eigenen und Abgeschriebenen behutsam
zu Werke gehen, und hundert und mehrere Schriften zur
Hand haben, worauf Hr. R. theils verweiset, theils, wenn
er aus ihnen abgeschrieben, und sie dann verschwieg
(welches durchgehends der Fall ist), dem Hrn. Verf. desto
sicherer nachgehen zu können. Bey so bewandten Umständen
fällt es der Kritik schwer, das Geschäfft eines Referenten zu
erfüllen. Wenn nun noch hinzukommt, daß Hr. R. bisweis-
len erhebliche Gegenstände, die er billig von seinem Autor
zur Vervollständigung seiner Artikel hätte entlehnen sollen,
völlig wegläßt: so geräth man in doppelte Verlegenheit, aus
der man sich nur mit äußerster Mühe und Anstrengung her-
auswinden kann. Um alle diese gegründete Erinnerungen zu
beweisen, wollen wir einiger Artikel gedenken. Auf eine Ge-
geneinanderstellung des Abgeschriebenen dürfen wir nicht Rücksicht nehmen, da der Raum der N. a. d. Bibl. zu eingeschränkt ist, dergleichen Plagiate anschaulich auszuheben.
Doch zur Sache:

S. 22 fg. Einmaleins, Pythagorische Rechen-tafel, ꝛc. (Im Produkte Lin. 2. ist ein Druckf.) Hr. R. giebt hier Nachricht von dem großen Einmaleins, das im Anfange des 17ten Jahrhunderts herauskam. Es sind die tabulae arithmeticae Προσθαφαιρεσεως universales, aus dem Museo des Chur-Bayerischen Kanzlers Herwart von Hohenburg. Der Titel, die Stärke des Buchs, dessen Einrichtung, Unbequemlichkeit, — kurz alles wird hier mit einer Pünktlichkeit beschrieben, als wenn das Buch, das Rec., der nach dem Zeugniß der ersten Literatoren Deutschlands die größten Seltenheiten im mathematischen Fache besitzt, nur einmal sah, Hr. Berg-Comm. R. vor Augen gehabt habe. Das ist aber nicht so. Alles, was der Verf. von diesem colossalischen Einmaleins sagt, ist aus Scheibels mathemat. Bücherk. XIs St. S. 417 — 420, nur mit dem geringen Unterschiede abgeschrieben, daß die historische Notiz, die sich in den Nachr. von einer Hall. Bibl. 2r Bd. S. 237 fg. von diesem Buche findet, hier ausgelassen worden ist. Da Hr. R. doch einmal seine Encykl. auch für Gesch. und Lit. bearbeitet: so hätte diese Nachricht, wofür S. 23 Platz genug übrig war, ebenfalls angeführt werden sollen. Auch kann die Lit. dieses Art., durch die Bemühungen des Hrn. Prof. Grüson's großes Einmaleins, künftig vermehrt werden. Ein diesem ähnlichen Einmaleins für die Zahlen von 1—4999 ist 1787 zu Memmingen von G. M. Loher im eigenen Verlage des Verf. in 8. herausgekommen. Jede Seite enthält 3 Abtheil. unter einander; jede Abtheilung die Vielfachen von 5 Zahlen bis zum 9fachen, nebst der Zahl selbst. Von diesem Buche, das doch Hr. R. kennen konnte, wird a. a. O. nichts gemeldet. —

Der Art. Elle S. 39—46 enthält eine Vergleichungs-tafel der vornehmsten europ. Handels- und Krämer-Maaße, worin wir manche Abänderung gegen die vollgültigsten Anga-ben bemerken; z. B. bey Coburg, Dresden, Dublin (Yards), England (Leinwands Maaße), Genf u. m. a. O. sind gar nicht angegeben.) Hamm, u. v. a. O. m. — S. 70 fg. wird im Art. Ellipse vermischte Sätze (aus Bra-mers *Apollonius Cattus*) auf Fig. 1324, 1325 fg. verwie-sen. In der gegenwärtigen vierten Lieferung der Kupfer gehet die Zahl nur bis 925 hinauf, und die Stelle im Bra-mer ist nicht angezeigt. Rec. hat zwey Ausgaben von *Bra-*

Y 5

meri

meri Apoll. Catt. vor sich, nach der ersten Ausgabe (Cassel, 1634, 4.) p. 40 fg. Prop. XXI. und XXII. (oder zweyte Ausg. Cass. 1636, 4. p. 41 — 44); ferner: pag. 47 — 50, prop. XXVI und XXVII (der ersten), und p. 50 — 53 (der 2ten Ausg.) die von Hrn. Berg-Comm. K. hieselbst erklärten Figuren dargestellt werden. Im Bramer sind aber unangezeigte Druckfehler, sowohl in den beweglichen, als unbeweglichen Buchstaben der Figuren, die Rec. in seinen Exemplaren verbessert hat, und die, wie es scheint, von Hrn. K. nicht gerügt worden sind. — Bey Ellipsograph S. 77 — 102, so reichhaltig übrigens auch dieser Artikel ist, werden Bramer's Instrumente, die doch bey Beschreibung der Ellipsen gebraucht zu seyn scheinen, nicht erwähnt. S. *Brameri* Apollon. Catt. p. 85 — 87 der 1sten und p. 91 — 93 der 2ten Ausg. — Sanderson's Methode scheint Hr. K. auch nicht zu kennen. — S. 144 — 213 mehrere Methoden Entfernungen zu messen und zu berechnen, nach Lambert und Andern. Rec. hat zu den S. 185 ffg. vorgetragenen Methoden: die Bestimmung eines vierten Orts zu suchen, wenn drey gegebene bekannt sind, eine ganz praktisch-geometrische hinzu zu setzen, wozu nicht der Raum der N. d. B., wohl aber die Schriften des Rec. geeignet sind: sonst trifft man hier gute brauchbare Sachen an. (Die Colummen auf dem Bogen A a sind verdruckt, und stehen ganz durcheinander geworfen.) S. 265 — 275 Literat. der Feldmeßkunst. (Die Geschichte der Erdmessung wird auf den Art. Geometrie verwiesen.) Unter den Schriften über die Feldmessung ist Gutes und Schlechtes durcheinander geworfen. Schade, daß nicht überall das Format und die Stärke des Buchs derjenigen Werke, die Hr. K. sahe, angegeben worden ist. Von den algebraischen bis S. 514 Vieles, das theils von Euler und Tempelhof, größtentheils Kästner entlehnt ist. Von der versprochenen Geschichte kommt in diesem Bande nichts vor; wenigstens weiß Rec. sich nicht zu erinnern, daß ihm etwas aufgestoßen sey: und doch war so oft Veranlassung dazu. Werke, wie das gegenwärtige, sind weniger für den Zusammenhang der Wissenschaften, als für einzelne Züge, die den Umfang derselben darstellen, und für Geschichte und Literatur bestimmt. An letzterer läßt es der Hr. Verf. bisweilen nicht fehlen; aber wir wünschten, bey jedem Hauptartikel, eine kurze Anzeige der vornehmsten Werke in diesem oder jenem Fache der Mathemathematik, nebst einem gedrungenen historischen Umrisse, und dann eine scientivische Darstellung der Sache selbst anzutreffen. — S. 525—533. Eine richtige Erklärung der verschiedenen Fußmaaße in und außerhalb Deutschland. In der Vergleichungstafel S. 525—27 werden gegen andre vollgültige Werke der Art einige bald unmerkliche, bald beträchtlichere Abweichungen angetroffen. S. 533—535. Fußi (ganz aus Kästners Fortf. der Rechenk. S. 330—333, selbst mit den daselbst erfindlichen Druckfehlern, z. B. Gerbolur, Gerbolur statt Gerbelut ec. abgeschrieben, ohne dabey Kästners Namen zu erwähnen. Es hält bisweilen schwer, Hrn. X. in Absicht der gebrauchten Quellen und Hülfsmittel nachzuspüren, da er seine Hauptführer, wie wir schon erinnert haben, gemeiniglich verschweigt. Uebrigens wollen wir das Urtheil des Hrn. Hofr. Kästner über Hrn. X. Verdienste, f. Fortf. der Rechenk. S. 564 fg. §. 68., gern unterschreiben.

Tj.

Anfangsgründe der Mathematik zum Gebrauch auf Schulen und Universitäten, herausgegeben von **Georg Gottlieb Schmidt**, Prof. der Mathem. zu Gießen. Zweyten Theiles Zweyte Abtheilung. Hydraulik und Maschinenlehre. Frankfurt am Main, bey Warrentrapp und Wenner. 1799. 290 S. 8. Kupfertaf. in 4. 1 Rr. 6 ge.

Die Hydraulik fängt mit der Bewegung flüßiger Massen im Allgemeinen an; dann: Ausfluß aus Gefäßen, Bewegung in Röhren und Canälen, wo Buats Theorie gebraucht wird, endigt sich mit Stoß und Widerstande. Die Maschinenlehre giebt allgemeine Begriffe, handelt von bewegenden Kräften und Hebezeugen. Dann von Mühlwerken, Wasserrädern, Mahlmühlen, Schneidemühlen, Stampfmühlen, Windmühlen. Nun: Hydraulische Maschinen, Saugwerke, Druckwerke, beyde bey Feuerspritzen vereinbart, Wasserschöpfwerke, archimedische Wasserschraube, Dampfmaschinen, Uhrwerke. Wie bekannt, ist Hrn. Prof. Schm. Vortrag faßlich, gründlich, und zur Ausübung brauchbar. Bey den Uhrwerken
werden

werden auch die neuesten Arten als: Zeithalter u. b. g. erwähnt. Ueberall ist dienliche Literatur beygebracht.

Ho.

Leichtes Lehrbuch der Geometrie für die ersten Anfänger (,) von Fried. Wilh. Dan. Snell, Prof. der Philos. und Lehr. am Gymnas. zu Gießen. Mit 5 Kupfertaf. Gießen, bey Heyer. 1799. IV und 166 S. 8. 14 gr.

Hr. Prof. S. hat dieß Lehrbuch für den ersten Cursus der Geometrie in Bürgerschulen und Gymnasien bestimmt. Ungeachtet dergleichen Compendien in Menge vorhanden sind: so ist das gegenwärtige keinesweges überflüßig; im Gegentheil enthält diese Elementar-Geometrie manche leichte Methode, welche das Interesse der Lehrlinge für diese gemeinnützige Wissenschaft in vielem Betrachte erhöhet. Der Inhalt dieses faßlichen Lehrbuchs zerfällt in 5 Kapitel. Im ersten S. 1—16 Erklärungen von Linien und Flächen. Das zweyte S. 16—54 handelt von der Gleichheit der Triangel. Das dritte S. 55—78 von Ausmessung der Flächen. Das vierte S. 79—136 von der Aehnlichkeit der Triangel, und das fünfte Kapitel S. 137—166 von den Körpern und ihrer Ausmessung. Der Vortrag und die Sprache sind verständlich ohne Weitschweifigkeit; kurz und bestimmt, wie es die Meßkunst fordert, ohne trocken und dunkel im Ausdruck zu seyn. Um den Anfängern recht deutlich zu werden, und die Gleichheit der Vertikal- und Wechselwinkel anschaulich zu machen, hat der Verf. bisweilen Gegenstände aus der Arithmetik (s. S. 28 Anmerk. 73 u. a. O. m.) gewählt. Ueberhaupt kommt hierin viel Anwendung der Rechenkunst auf Geometrie vor. Daher kommt es auch, daß er die Trigonometrie aus der Lehre von den Chorden entwickelt, und als einen Theil der Geometrie mit aufnimmt. Bey Anwendung der theoretischen Sätze auf Berechnung der Flächen und Körper, Ausnehmung der Felder, u. dgl. herrscht eine zweckmäßige Kürze; nur hätten wir gewünscht: der Hr. Verf. hätte sich S. 49 fg. §. 132. bey Gelegenheit des regulären Fünfecks des Beweises nicht entzogen. Warum ist ein Fünfeck

eck in einem Kreise zu beschreiben, nicht gelehret, und geome-
trisch erwiesen worden? Wir fodern dieses vom Hrn. Verf.
deßwegen, um ihm zu zeigen, wie sehr wir sein Buch schätzen,
und diese und andre Erfodernisse für die lernbegierige Jugend
ergänzt zu sehen gewünscht hätten.

Et.

Handbuch der Algebra, zum Gebrauch für Lehrer und
Lernende, wie auch für Bürgerschulen, von Andreas Wagner, Privatlehrer der Arithmetik.
Leipzig, bey Liebeskind. 1800. IV und 175 S. 4.
1 Rk. 12 K.

Hr. W., der sich durch seine arithmetisch-merkantilische
Schriften, und durch manchen kritischen, auch algebraischen
Aufsatz im Journal f. Fabr., Manuf. und Handl. beym
Publiko verdient gemacht hat, liefert hier ein Handb. der
Algebra, welches für Anfänger der höhern Rechenkunst zu
eigener Uebung bestimmt ist. Wenn aber Hr. W. glaubt,
daß noch wenige Werke vorhanden wären, in welchen,
außer den algebraischen Aufgaben, mit oder ohne Auflösungen, zugleich auch die Wege deutlich gezeigt würden, wie man
ihre Gleichungen finden, und die Reductionen formiren könne; und daher sich aufgefodert glaube, diesen Mangel zu
ersetzen: so irrt er gegen besseres Wissen, indem man mit
Recht voraussetzen kann, daß ihm ein großer Theil der, in
Scheibels mathemat. Bücherkenntniß, und in Mur-
hard's Biblioth. mathemat. — vorkommender Schriften dieser Art bekannt seyn wird. Rec. will damit keinesweges sagen, daß Hrn. W. vorliegendes Handbuch — deßwegen
überflüßig sey: im Gegentheil verdient sein Unternehmen
Aufmunterung, da man die Algebra, in der Art, wie sie
eigentlich systematisch abgehandelt werden soll, meistens
nur in größern mathematischen, oft sehr kostspieligen Werken
antrifft, und auch dann, wenn die Algebra in besondern Lehrbüchern, wie bey Euler, Tempelhof, Lambert, Kar-
sten, Kästner, Michelsen, de la Caille, de la Gran-
ge, d'Arquier, Saunderson, Grüson, und vielen Andern der Fall ist, abgehandelt wird: so sind diese gemeinig-

lich

lich sehr theuer, und nicht jeder Liebhaber der Algebra kann sie sich anschaffen. Allein der Verleger dieses aus 22½ Bogen bestehenden Handbuchs 2c. hat den Preis besselben auch auf 1½ Thaler gesetzt.

Hrn. W. Manier, Algebra vorzutragen, ist gefällig, und, ihrer Deutlichkeit wegen, wirklich unterrichtend. Obgleich man nicht überall die analytische Art, zu schließen, antrifft: so findet man doch hinlängliche Beweise, die dem Anfänger ungleich mehr nützen, als oft die künstlichsten Formeln, die nicht selten, wo nicht verwirren, doch wenigstens die Arbeit erschweren, und die Lust zu calkuliren ermüden. Dadurch giebt der Verf. Anfängern ein Mittel an die Hand, ihre erlernten Regeln durch Aufgaben aller Art zu üben. Zudem hat er der meisten Problemen Auflösung in bloßen Zahlen, auch die allgemeine, mit unbestimmten Größen beygefügt. Diese Methode ist hinlänglich, den mehr geübten Algebraisten auf höhere Gegenstände der analytischen Calkulationen, wie ehedem der berühmte l'Hopital zu arbeiten pflegte, mit desto sichern Hülfsmitteln zu führen. Alle verrechneten Aufgaben sind meist aus dem täglichen Leben, mitunter auch historischen Inhalts. (Letztere sind, nach des Rec. Einsicht, ein treffliches Mittel, die an sich manchen trocken scheinenden algebraischen Berechnungen zu ermuntern, und weniger der Wissenschaft, als des Inhalts der in geschichtliche Vorfälle eingekleideten Aufgaben wegen, sich dem mühsamen Calkul zu unterziehen, und dessen Resultat auszumitteln. In diesem Stücke verdienen die Rechenmeister des 17ten Jahrhunderts Achtung, die verborgensten Gegenstände der höhern Rechenkunst in sinnreiche Aufgaben einzukleiden. Besonders zeichneten sich darin aus: Anton Blierstorp, Joh. Hemmeling, Paul Halke, Heinrich Meisner, Cordt Danxt, Heinrich Cordes, u. a. m.) Wie aber Hr. W. S. 96 sich so unbestimmt auf ein selten gewordenes Buch habe beziehen können, ist nicht abzusehen. Der Hr. Verf. sagt a. a. O.: „Auf diese Art (nämlich die Auflösungs-Methode des Hrn. W.) kann man die(,) in Paul Halken's Sinnen-Confekt Pag. 243 stehende Aufgabe solviren." Rec. schlug benanntes Buch nach, und fand nichts von dem, worauf die Art der Auflösung unsers Verf. paßt. Bekanntlich ist Halken's Sinnen-Conf. nur einmal (Hamb. 1719, 8. 2 Bogen Vorwerk. 382 S. und 4 Kupfert.) aufgelegt.

gelegt. Auf der a. a. O. in Halle angeführten 243ſten S.
ſtehen 5 Aufgaben, nämlich No. 239—243. Ergo quaeri-
tur: welche von dieſen Aufgaben iſt nun gemeint, da keine im
Grunde zu dem Allegat paßt? — S. 143 und S. 343
können es eben ſo wenig, als die holländiſche Ueberſetzung
von dieſem Buche (Mathemat. Zinnen-Confect, of Wis-
kundige uitspanningen ter beoeffeninge van het Verstand.
Uyt het Hoogduitsch vertaald, en met eenige Aantecke-
ningen verreikt, door *Jacob Ooſtwoud*; Tweede Druk.
Te Purmerende by Pier. Jordaan, 1768, XXXI und 525
S. rc. nebſt 4 Kupfert. Schreibp.) ſeyn. Alſo ein Druckfehler, der allerdings berichtigt zu werden verdient. Denn
die beyden Triangular-Probleme im deutſchen Halle No.
241 und 242 können es gar nicht ſeyn, und No. 243 S.
243 ſg. nur im entfernteſten Betrachte auf Hrn. W. Aufgabe a. a. O. angewendet werden. Halle ſagt No. 243: „Eine ſolche Quadratzahl zu finden, wenn man deren
Wurzel, oder eine gegebene Zahl 2 dazu addiret,
daß zwey rational Quadrate kommen: Facit $\frac{4}{4}\frac{9}{8}\frac{5}{4}$.

Halle giebt keine Auflöſung davon; Rec. ſetzt daher die
ſeinige her:

Die geſuchte Quadratzahl ſey xx;

$$\text{ſo iſt } xx + x = xx - 2ax + aa \text{ ein Quadrat}$$

$$x = aa - 2ax$$

$$2a+1 \quad 2ax + x = aa$$

$$x = \frac{aa}{2a+1}$$

$$\text{Alſo: } xx = \frac{a^4}{4aa + 4a + 1}$$

$$\text{Add.} \quad \cdots \quad 2$$

$$xx + 2 = \frac{a^4 + 8aa + 8a + 2}{4aa + 4a + 1} = \square$$

Der Theiler iſt ſchon im Quadrat, daher läßt man ihn
fahren; den Zähler aber vergleicht man gegen eine dazu ge-
ſchickte Quadratzahl, als:

$$z^4 + 8zz + 8z + 2 = z^4 + 8zz + 16$$

$$\text{oder:} \quad 8z = 14$$

$$4z = 7$$

$$\text{d. i.} \quad z = \frac{7}{4}$$

$$\text{Also:} \quad \frac{zz}{zz+1} = \frac{49}{72} = x$$

$$\text{d. i. } xx = \frac{2401}{5184}, \text{ wie Halke verlangt.}$$

Hr. W. wird aus dieser Auflösung abnehmen, wie wenig sein Allegat hieben Anwendung finde; und doch war a. d. O. bey Halke kein einziger Fall anwendbarer als dieser, so wenig er übrigens damit in Verbindung steht.

Der Ausfall, den Hr. W. sich S. 119 und 152 gegen Hrn. Illing erlaubt, beleidigt die Bescheidenheit. Freylich haben mehrere Sachkenner Hrn. Illings Unwissenheit als Schriftsteller bekannt gemacht; auch Rec. hat davon (N. a. d. Bibl. 34r Bd. I. St. S. 5 fg.) Proben gegeben; aber diesen Mann geradezu (S. 152) einfältig zu nennen, ist sehr zu mißbilligen. Wie haben diese aufrichtigen Bemerkungen, die keinesweges den Werth des rühmlichst ausgearbeiteten Handbuchs des Hrn. W. zu schmälern bestimmt sind, deßwegen hier einschalten wollen, um dem fleißigen Verf. zu zeigen, daß wir sein Buch ganz gelesen und geprüft haben.

Ma.

Intelligenzblatt
der
Neuen allgemeinen deutschen
Bibliothek.
No. 28. 1809.

Beförderungen, Dienstveränderungen und Belohnungen.

Der Churf. Sächs. Hausmarschall, Hr. Joseph Friedrich Freyherr von Racknitz, wurde zum Hofmarschall ernannt.

Hr. Ludwig Schneider, Kammer- und Renthsekretär zu Merseburg, zum Rentmeister daselbst.

Der Bergcommissionsrath und Ober-Bergamtsassessor, Hr. Abraham Gottlob Werner, zu Freyberg, zum wirklichen Bergrath.

Hr. M. Gottlieb Jähse, bisher Lehrer am Pädagogium zu Halle, zum Conrector zu Annaberg.

Hr. Conrector Höpfner zu Eisleben, ist wegen seiner Gesundheitsumstände seiner Stelle entlassen, und als Professor bey der Universität Leipzig angestellt worden. Seine Stelle hat der bisherige Subconrector, Hr. M. Siebdrat, erhalten.

Der Pastor Secundarius und Mittagsprediger, Hr. M. Carl Christoph Nestler zu Bautzen, ist zum Pastor Primarius und Inspector der evangelischen Kirchen und Schulen daselbst ernannt.

Hr. Joh. Conrad Wilhelm Petiscus, bisheriger Prediger in Brandenburg, an Wedags Stelle zum deutschen Prediger der reformirten Gemeinde zu Leipzig.

(Ee) Hr.

Hr. M. Philipp Rosenmüller zum Diakonus in Wiehe, Sangerhäuser Inspektion.

Hr. M. C. A. Wille zu Weissenfels, welcher sich bey seiner Verheyrathung mit einer Fräulein von Seebach in den Adelstand erheben ließ, zum Archidiakonat daselbst.

Hr. M. Johann Zacharias Herrmann Hahn, bisheriger Sonnabendsprediger an der Thomaskirche zu Leipzig, zum Diakonus in seiner Vaterstadt Schneeberg.

Auf der Herzoglichen Gesammtakademie Jena ist Hrn. Professor Mereau eine ordentliche Lehrstelle in der juristischen Facultät ertheilt worden. — Der Privatdocent Hr. M. Johann Christian Wilhelm Augusti daselbst, hat eine außerordentliche philosophische Professur erhalten. — Hr. D. Froriep ist zum zweyten Director des Entbindungsinstituts daselbst, an die Stelle des verstorbenen D. von Eckardt ernannt worden.

Hr. Hofrath und Leibarzt Stark, welcher einen auswärtigen Ruf erhielt, wurde durch eine von dem Herzog von Weimar erhaltene Gehaltsverbesserung, und andere Beweise seiner Aufmerksamkeit bewogen, seine jetzige Stelle zu behalten.

Hr. Johann Christian Gerning, bekannt durch seine Theilnahme an den Papillions d'Europe, und durch seine entomologischen Sammlungen, wurde zum Herzogl. Sächsisch-Gothaischen Hofrath ernannt.

Zu Meiningen hat der als Mineralog berühmte Hr. Hof- und Consistorialrath J. C. Heim, die Stelle des Viceconsistorialpräsidenten erhalten.

Der Herzogl. Geheime Hofrath, Hr. Johann Ulrich Röder, zu Hildburghausen, wurde als Consistorialpräsident angestellt.

Hr. Friedrich August Fritsch, Pfarrer beym adelichen Magdalenenstift zu Altenburg, als Adjunct zu Gößnitz.

Hr. Johann Gottfried Börmel, zeitheriger Pfarrer zu Frankendorf im Weimarischen, zum Pfarrer zu Groß-Schwabhausen bey Jena.

Der wirkliche dirigirende Staatsminister, Hr. Karl August von Struensee, in Berlin, Verfasser mehrerer mi-
litä-

litärischen und staatswirthschaftlichen Schriften, hat vom Kö-
nige den rothen Adlerorden erhalten.

Herr Johann Friedrich Unger, Mitglied des Se-
nats der königl. Akad. der Künste und mechanischen Wissenschaften, bekannt durch die von ihm erfundenen und in Stahl
geschnittenen Lettern, ist zum Professor der Holzschneidekunst
ernannt worden.

Zu dem zu Otterndorf im Lande Hadeln erledigten Re-
ctorat ist der zeitherige Adjunct der philosophischen Facultät
zu Kiel, auch Conrector der dasigen Schule, Hr. M. Johann Jacob Meno Valett, berufen worden.

Todesfälle.

Den 10. Jun. 1800 starb in Schwedt der berühmte Ton-
künstler und Dänische Kapellmeister, Johann Abraham Peter Schulz. Seine Gesänge am Klavier, seine Oratorien
und seine theoretischen und kritischen Schriften über die Musik,
bezeichnen seinen großen Werth. Ihm lag die Vervollkommnung der Kunst und die Bildung der Künstler beständig am
Herzen. Er war ein Schüler Kirnbergers, und wurde als
Kapellmeister vom Prinzen Heinrich von Preußen nach Rheinsberg berufen, von da er als kön. dän. Kapellmeister nach Kopenhagen gieng. Er legte sein Amt dort nieder, begab sich
nach Rheinsberg, und behielt bis an sein Ende vom Dänischen
Hofe seine Pension.

In Berlin starb am 24. Apr. 1806 Heinrich Wilhelm Seyfried, privatisirender Gelehrter, geb. in Frankfurt
am Mayn, den 28. Jul. 1755. Er mußte viel ums Brod
schreiben, und eine Zeitlang waren seine Flugschriften bis auf
Strippeknall, der die Thorheiten der Zeitgenossen geißeln sollte, eine nie versiegende Quelle für ihn. Zuletzt aber fand
man keinen Geschmack mehr an denselben. Sie finden sich
nach seiner eignen Angabe im 2. Th. des neuesten gel. Ber-
lins verzeichnet.

Am 28. Jun. starb in Berlin Hr. Ludwig Olivier
von Marconnay, Geh. Legations- und ältester vortragen-

der Rath beym Dep. der auswärtigen Angelegenheiten, und Mitglied des franz. Oberdirektoriums und Oberkonsistoriums. Er war in Berlin am 8. Nov. 1733 gebowen, und hat sich durch mehrere im franz. Sprache, besonders um die Zeit des siebenjährigen Krieges verfaßte Staatsschriften bekannt gemacht.

* * *

Chronik deutscher Universitäten.

Erfurt. 1798. Am 2. März vertheidigte Hr. August Carl Aster aus Ziegenrück an der Saale, immatriculirter Advokat seine Dissertation: de interpretatione legis dubiae, qua valor hypothecarum tacitarum anno hujus seculi trigesimo quarto restitutus est. 4½ Bog. 4.

Der Decan, Hr. Assessor Weißmantel, handelt in dem Anzeigeprogramm: De hypotheca tacita pecuniae in resortionem navis creditae, ex jure romana perperam derivata. Pens. 1. 1½ B. 4.

Am 8. April erschien das Osterprogramm, und liefert part. secundam: De anima morali ejusque ad humanitatem respectu. 1 Bog. 4.

Am 15. May erhielt Hr. Carl Friedr. Meck aus Amsterdam die medicinische Doctorwürde, nach Vertheidigung seiner Dissertation: De febris nervosae natura ac progenie. 3 B. 4.

Den 30. Julius ertheilte die medicinische Facultät dem Hr. Johann Samuel Schulze aus Mügeln in Kursachsen die medicinische Doctorwürde. Seine Dissertation handelt: De hepatis abscessibus, cum adnexis duabus observationibus memoria non indignis. 3½ Bog. 4.

Am 26 Oct. vertheidigte Hr. Philipp Papst aus Erfurt, ohne Präses, seine Dissertation: De frigoris et caloris actione in corpus humanum secundum systema Brunonis. 2 Bog. 4. und erhielt hierauf die medicinische Doctorwürde.

Am 29. Octob. ertheilte die medicinische Facultät Hrn. Andreas Heinrich Ahrens aus Halberstadt die Doctorwürde.

würde. Die Dissertation handelt: De aucta hepatis magnitudine, variorum morborum fonte, cadaverum sectione illustrata. 3 B. 4.

Am 15. Nov. vertheidigte Hr. Friedr. Hierón. Rudolph Ziegler aus Erfurt, ohne Präses, seine Dissertation: De mortis caussa donatario omnium bonorum duplicis portionis deductione a heredibus necessariis non onerando. 4 B. 4. und erhielt von der Juristenfacultät die Doctorwürde. Das Anzeigeprogramm von dem Decan, Hr. Reg. Rath. Dieterich, handelt: De jure majestatico faciendi pacem nomine imperii Rom. germanici, ad art. IV. §. II. Capit. caesareae. 1 Bog. 4.

Am 22. Nov. erhielt Hr. Johann. Rudolph Spörer aus Einbeck im Hannöverschen die medicinische Doctorwürde, Dessen Differt.: De praecipuis momentis, quae arctam chirurgiae et medicinae conjunctionem impediunt, besteht aus zwey Bog. 4.

Den 13. Dec. wurde das Weihnachtsprogramm der Universität: De morum corruptorum et non corruptorum signis, particula I. 1½ Bog. 1798.. 4. vertheilt.

1799. Am 31. Januar vertheidigte Hr. Joh. Wilhelm Heinrich Robst aus Amt Gera im Schwarzburgischen, seine Dissertation: De usu et abusu venaefectionis. 3½ Bog. 4. und erhielt die medicinische Doctorwürde.

Am 23. März wurde das Universitäts-Osterprogramm: De morum corruptorum signis, particula II. 1½ B. 4. vertheilt.

Am 3. April vertheidigte Hr. Joh. Heinrich Hoyer aus Erfurt, seine Dissertation, welche untersucht: Vires vini medicinales cum viribus opii comparatae, additis de vini in febribus usu praeceptis generalioribus. 2¾ B. 4.

Am 8. April erhielt Hr. Georg Christoph Groseffsky aus Kurland, die medicinische Doctorwürde. Dessen Dissertation handelt: De methodo opthalmiam ejusque variae species curandi generaliori, adjunctis quibusdam observationibus. 1½ B. 4.

Den 25. May habilitirte sich zur medicinischen Doctorwürde Hr. Joh. Jacob Röder aus Frankfurt am Mayn,

durch feine Differtation: De paracentafi abdominis eva-
cnantibus internis in ascite anteferenda, et de eandem recte
inftituendi methodo. 2 B. 8.

Den 18. Jun. erhielt diefelbe Würde Hr. Adolph
Bernhard Meinke aus Schweden. Deffen Differtation
handelte: De hydrope pericordii. 3 B. 4.

Den 15. Jul. erhielt Hr. Joh. Chriftoph Georg
Elsmann aus Coburg gleiche Würde: in feiner Differtation
handelt er: De chemiae in medicina ufu nec non de phti-
feos pulmonalis theoria noviffime promulgata. 2 Bog. 4.

Am 26. Septr. vertheidigte Hr. Joh. Jacob Bern-
hardi aus Erfurt, ohne Präfes, feine Differtation: De
uteri natura, und die angehängten Thefes. 3½ B. 8. und
erhielt die medicinifche Doctorwürde.

Am 2. Oct. difputirte unter dem Vorfitz des Hrn. Affeffor Schorch Hr. Franz Jofeph Fütterer aus Stadt-
worbis auf dem Eichsfelde, über feine Differtation: De pri-
vilegio centenariae profcriptionis, quod ecclefiae romanae
tribuitur. 2 B. 4. und erhielt die juriftifche Doctorwürde.
Das vom zeitigen Decan, dem Hrn. Affeffor Schorch, dazu
gefchriebene Programm ift betittelt: Iurium donationis
propter nuptias romanae hiftoriae delineatarum particula
tertia. 1 Bog. 4.

Am 25. Oct. ertheilte die medicinifche Facultät dem Hrn.
Joh. Heinr. Otto aus Hamburg die höchfte Würde der
Chirurgie und Arzneywiffenfchaft, deffen Differtation handelt: De morbis ab intumefcentia et preffione nervorum
per foramina offium egredientium. 2. Bog. 4.

Am 16. Nov. erhielt diefelbe Würde Hr. Carl Ludwig
Mertens aus Berlin nach Vertheidigung feiner Differtation:
Variarum theoriarum circa lithogenefin hiftoria atque re-
cenfio. 3½ B. 4.

Am 24. Dec. Das Univerfitäts-Weynachtsprogramm
liefert die Fortfetzung: De morum corruptorum et non
corruptorum fignis, particula tertia. 1 B. 4.

Schülschriften.

Berlin. Zu der am 23. Apr. veranstalteten Prüfung der Zöglinge des Friedrichwerder- und Friedrichstädtschen Gymnasiums, lud der Dir. desselben, Hr. Plesmann, durch eine Schrift ein, worin mehrere Materien berührt werden. Der erfreulichste Gegenstand unter denselben ist unstreitig die abgedruckte königl. Kabinetsordre, wodurch der Anstalt, welche nach dem Brande des Werderschen Rathhauses keinen eignen gewissen Aufenthalt hatte, sondern in einen Gasthof verlegt worden war, der Ankauf eines Gymnasiengebäudes bestätigt wurde. In demselben erhalten zugleich 4 Lehrer Amtswohnungen. Das königl. Schreiben ist aus den Jahrbüchern der preuß. Monarchie bekannt. — Man wird den Klagen über Currenden und Chöre gewiß beytreten, wenn man genauer damit bekannt ist. Eben so wie die Friedrichwerdersche Currende nicht mehr mit dem Gymnasium in Verbindung steht: so ist es auch mit der Berlinschen und Cöllnschen seit mehrern Jahren. Der verewigte Büsching hat 1791 in seiner Einladungsschrift die Currendaner nach der Natur gezeichnet, und das Bild derselben sollte wohl zur Abschaffung derselben wirken können; besonders da er zweckmäßige Vorschläge thut, die wohlthätige Absicht dennoch befördern zu können. Sollte man, wie Lachmann in seiner mit vieler Sachkenntniß verfaßten Schrift: Ueber die Umschaffung vieler lat. Schulen, in Bürgerschulen, räth, die Currendenkasse zum Schulfonds schlagen, oder sollte darüber, wenn sie ein Legat wäre, der Regent entscheiden: so ist zu besorgen, daß Geschenke und Vermächtnisse für Schulen, die ohnehin jetzt selten genug sind, vielleicht ganz wegfallen, weil man die Sprache genug hört, daß man es jedem verdenken wolle, Lehranstalten etwas zu vermachen, die Vermächtnisse nicht ganz genau nach dem Willen des Gebers verwalteten. Doch vielleicht thut hier die Zeit mehr als alles, da die Zahl der Currendeknaben wegen der geringern Einnahme ohnehin schon eingeschränkt ist und noch mehr abnehmen wird. — Sollen Singechöre, die nach dem Rescr. des Oberkonsistoriums noch unnützer und schädlicher sind, als die Currenden, ferner aus manchen Rücksichten zulässig bleiben: so müssen ihre Mitglieder die Schule besuchen, und auf keinen Fall davon suspendirt werden. — Wie gewöhnlich, ist zuletzt noch von den Lectionen Rechenschaft gegeben, welche die Lehrer der Anstalt im verflossenen Schuljahre übernommen haben. **Kleine**

Kleine Schriften.

Das Confirmationsfeſt mit der evang. lutheriſchen Gemeinde zu Eſſen am 11ten Aug. 1799, gefeyert von B. C. L. Natorp, Predigern der benannten Gemeinde. Dortmundt und Eſſen, bey Blothe und Comp. 50 S. 8.

Der Verf., ein junger talentvoller Mann, der mit zartem Sinne für alles Gemeinnützige, eine raſtloſe Thätigkeit verbindet, redet hier mit einer Würde, und einer Rührung, die gewiß jeden Leſer für ihn gewinnen, und auf ſeine Zuhörer den tiefſten Eindruck gemacht haben muß. Nachher beſchreibt er die Confirmationsfeyerlichkeit ſelbſt, und auch dieſe verdient im Ganzen genommen, Billigung. Zwar iſt es dem kirchlichen Ritus nicht angemeſſen, den Kindern, indem ſie confirmirt werden, das heil. Abendmahl zu reichen, und auf ſolche Art, beyde Handlungen gewiſſermaaßen zu identificiren. Allein, ſofern es der Zweck des Abendmahlsgenuſſes iſt, das Gelübde der treuen Anhänglichkeit an Jeſum und ſeine Religion zu erneuern, läßt ſich auch dieſe Einrichtung rechtfertigen. Ueberhaupt aber dürfte es doch wohl nicht rathſam ſeyn, zu viel Feyerliches in einen beſchränkten Zeitraum zuſammen zu drängen. Man ſollte damit etwas haushälteriſch umgehen, um öftere Gelegenheit zu haben, die ſchlummernden Seelen zu wecken. Auch die Prüfung der Confirmanden, wodurch nicht nur dieſe, ſondern auch die Zuhörer gar leicht zerſtreuet, und aus der gehörigen Gemüthsſtimmung herausgerückt werden können, würde daher beſſer einige Tage vorher angeſtellt; zumal, da ſonſt die Feyerlichkeit zu lange währt, und die Andacht ermüdet. In dieſer Hinſicht, ſo, wie in Anſehung der verſchiedenen bibliſchen Denkſprüche, womit jedes Paar der Confirmanden entlaſſen wird, und die, der Erfahrung zufolge, leicht gemißdeutet werden, und auch wohl nicht immer paſſend ſeyn können, wird der Verf. in Zukunft gewiß eine andere Einrichtung treffen, und man darf ihm dieß um ſo eher zutrauen, da er die rühmlichſte Entſchloſſenheit verräth, ſich nie an vertährte Formen zu binden.

Neue Allgemeine Deutsche Bibliothek.

Drey und funfzigsten Bandes Zweytes Stück.

Sechstes Heft.

Intelligenzblatt, No. 29. 1800.

Chemie und Mineralogie.

Ueber Weine, welche im Handel stark vorkommen, und über Verfälschung derselben, nebst (den) Mitteln solche zu erkennen. Cölln, bey Hammer. 1799. 83 S. 8. (Auf sein Schreibpap.) 8 gr.

Des ungenannten Verf. Absicht ist sehr gut, den einreißenden Weinverfälschungen und Brauereyen, besonders ausländischer Weine, so viel als möglich, durch die vorliegende Schrift entgegen zu arbeiten; dieß ist ein löbliches Unternehmen, — und in der Rücksicht hätte er sowohl seinen eigenen, als den Namen des Verlegers an Ort und Stelle geradezu nennen sollen, ohne sich der Maske: Cölln, u. s. w. zu bedienen. Denn wer das Gute auf eine so anspruchslose, Keinen beleidigende Art zu befördern sich bestrebt, kann mit offener Stirn ins Publikum treten, ohne von Jemand anders, als von Schleichern befeindet zu werden. Doch zur Schrift selbst, die in 45 Sphen eingetheilt ist, wovon die meisten einer besondern Weingattung gewidmet sind. Hier kommen fast alle Sorten Weine vor, die im Handel in und außerhalb Deutschland bekannt sind. Gemeiniglich geht eine kurze geographische Beschreibung des Vaterlandes des Weins und des Handels mit Wein; ferner Erklärungen der chemischen Bestandtheile des Produkts, und der Kennzeichen, die dessen Güte oder Zusatz, seine Aechtheit oder Verfälschung anzeigen, voraus. Der größte und ausführlichste § ist 36, S. 48 —

63, über die von Gaubius erfundene Weinprobe. Ungeachtet der Verf. manche, auf eigene Erfahrungen gegründete Methoden von Entdeckung der Weinverfälschung beybringt; so werden doch viele angetroffen, die von Wiegleb, Hälle, u. and. zwar entlehnt, aber oft berichtiget worden sind. Rec. wundert sich, daß über diesen Gegenstand in unserm Jahrzehend so erstaunlich viel geschrieben worden. Ein großer Theil dieser Art Schriften ist sich in der Behandlung der Weine so ähnlich, wie ein Ey dem andern. Man muß daher billig fragen: Wozu die Legion kleiner Bücher der Art? —

Et.

Handbuch der theoretischen und praktischen Chemie, entworfen von D. J. F. A. Göttling. Jena. 8. Zweyter praktischer Theil. 1799. 5 Bogen weniger als zwey Alphab. 2 Rf.

Dieser Theil ist in neun Abschnitte getheilt; im ersten wird die Lebensluft und ihre Gewinnung (aus Braunstein und am Lichte aus grünen Gewächstheilen), ihre Verbindung mit den Metallen, ihre Zersetzung durch Schwefelleber, ihre Wirkung auf Blut und andere gefärbte Flüßigkeiten, auf Thiere und auf verbrennliche Stoffe, die gemeine Luft, ihre mannichfaltige Zersetzung und ihre Bestandtheile, das Stickgas (nach der bekannten Meinung des V.), und die Darstellung desselben in seiner Reinigkeit, das Wasser und seine Bestandtheile (nach Lavoisier), also seiner Zersetzung und Zusammensetzung, die Wirkungen seines Dampfes, seine auflösende Kraft; im zweyten die Kohlensäure, ihre Darstellung und Verbindung mit andern Körpern, und die Veränderungen, welche ihre Gegenwart oder Abwesenheit in den Körpern hervorbringt, die Mittel, sie zu entdecken, der Kalk und seine mancherley Wirkungen auf andere Körper, das Glas und seine vielerley Arten, die Laugensalze, ihre Gewinnung und Reinigung, die Seife; im dritten die Schwefelsäure, ihre Darstellung, ihre Verbindungen mit andern Körpern, und ihr Uebergang in Schwefel, die Arten des Vitriols, der Gips, der Schwerspat, das Bittersalz, der Alaun, Pyrophor, bologneffscher Leuchtstein; im vierten Salpetersäure, ihre Darstellung

ftellung im freyen Zustande, ihre Reinigung, und die Veränderungen, welche sie durch ihre Einwirkung auf andere
Körper leidet, ihre wahrscheinliche Bestandtheile, der Salpeter, und seine merkwürdige Eigenschaften, das Salpetergas;
im fünften Kochsalz-, Borax- und Flußsäure, deren Grundlage noch nicht bekannt (und wir möchten wohl hinzusetzen,
in welchen die Gegenwart des Lebensluftstoffs noch nicht erwiesen) ist, Kochsalz und seine unterschiedenen Arten, die
Gewinnung einiger derselben, die über Braunstein abgezogene
Kochsalzsäure, der Borax; im sechsten die Darstellung einiger
Theile des Pflanzen- und Thierreichs, ihre einfache Grundstoffe, der flüchtig scharfe, der betäubende Stoff, das ätherische Oel, der Kampfer, die Benzensäure (in manchen Oe-
len), der Balsam, das Harz und seine Anwendung zu Fir-
niß, das fette Oel, die saure Seife, Gummi und Schleim,
Zucker, die Milchsäfte der Pflanzen, die Saamenmilch, die
thierische Milch, das Meel und seine Bestandtheile, das Saz-
meel, Weinstein, Sauerkleesalz, Citronen- und Aepfelsäure,
die Extrakte, die Ameisensäure, das scharfe Harz von Insekten, und die Gallerte; im siebenten die mancherley Gährun-
gen im Pflanzen- und Thierreiche, die Erzeugnisse derselben,
und die Veränderungen, welche sie in den Körpern hervorbringen, der Weingeist, seine Darstellung, Reinigung, auflösende Kraft, und andere Eigenschaften, Aether und Naph-
then, der Essig, die Fäulung, flüchtiges Laugensalz; im
achten die Zersetzung der Körper des Pflanzen- und Thierreichs durch Hülfe des Feuers, Kohle, Asche, Pottasche,
ihre Prüfung und Reinigung, Ruß, das brandichte Oel,
Phosphorsäure, und Phosphor, nebst ihrer Gewinnung, der
Harn, die Blutlauge, das Berliner Blau und deren Säure;
und im neunten Abschnitt die Metalle und die Veränderungen, welchen sie in chemischer Hinsicht ausgesetzt sind, ihr
Probiren, ihr Gutmachen aus den Erzen, ihr verkalken
und verglasen, das Kupelliren der edlen Metalle, die Auflösung und Fällung der Metalle insbesondere, abgehandelt.
Anhangsweise wird noch eine Uebersicht der auflösenden und
gegenwirkenden Mittel, eine Nachricht von Wage und Gewicht und von chemischen Zeichen gegeben.

Z 2   An-

Anfangsgründe der Mineralogie, von Richard Kirwan, Esq. Aus dem Englischen übersetzt, und mit Anmerkungen und einer Vorrede versehen, von D. Lorenz von Crell. Dritter Band. Geologische Versuche über die uranfängliche Entstehung unserer Erdkugel, und ihre nachmaligen Umwälzungen bis zu ihrem jetzigen Zustande. Berlin und Stettin, bey Nicolai. 1799. 8. 1 Rf. 16 x.

In diesem dritten Bande handelt der Hr. Verf. von S. 3 bis 58 von dem ursprünglichen Zustande der Erdkugel und ihren nachfolgenden wichtigen Veränderungen. S. 59 bis 91 von der großen Wasserfluth. S. 92 bis 109 von den nachfolgenden Veränderungen. S. 110 bis 143 von der Bildung der Steine. S. 144 bis 153 von der Zersetzung und Zerfallen der steinigen Substanzen. S. 154 bis 271 von den Gebirgen. S. 272 bis 281 von dem innern Bau der Gebirge. S. 282 bis 339 von den Steinkohlen. S. 340 bis 384 von dem Kochsalze. S. 385 bis 420 von den Erzgruben. S. 421 bis 462 stellt er eine Prüfung der Theorie des Dr. Hutten, über die Bildung der steinigen Substanzen durch das Feuer, auf, und beschließt das Ganze v. S. 463 bis 525 mit einer fortgesetzten Prüfung der Huttonischen Theorie von der Erde. Alle diese Abhandlungen sind ein Schatz von gesammelten Beobachtungen, und verdienen von jedem selbst denkenden Mineralogen und Geologen gelesen und geprüft zu werden.

Eb.

Naturlehre und Naturgeschichte.

Naturgeschichte des Elephanten, nach Büffon, Thunberg und Sparrmann. Nürnberg, in der Felseckerschen Buchhandl. 1799. 8. 85 S. 5 x.

Der Elephant hat schon mehrere Monographien erhalten. Wer Büffons, Thunbergs und Sparmanns Schriften gelesen hat

hat, oder selbst besitzt, der kann diese entbehren; wem aber sonst daran gelegen ist, mit der Naturgeschichte dieses allerdings merkwürdigen Thiers bekannt zu werden, der findet hier das Allgemeine und Besondere davon ziemlich beysammen. Die neuen Bemerkungen von Pennant sind unbenutzt geblieben, und über die wahrscheinliche Verschiedenheit des afrikanischen Elephanten vom ostindischen ist nichts gesagt.

Lacepede, Mitglieds des National-Instituts und Professor an dem Museum der Naturgeschichte zu Paris, Naturgeschichte der Fische, als eine Fortsetzung von Büffons Naturgeschichte. Nach dem Französischen mit einigen Anmerkungen begleitet von Ph. Loos, Mitgl. der Churmaynz. Gesellsch. nützl. Wissenschaften. Berlin, bey Pauli. 1799. gr. 8. 1. Bd. 1. Abtheil. 518 S. 2. Abth. S. 519 bis 992. m. 25 Kupf. 2 Rl. 12 g.

Rec. hat das französische Original nicht zur Hand, und kann also über den Werth oder Unwerth der Uebersetzung nicht urtheilen. Der Uebersetzer sagt in der Vorrede, er habe sich bemüht, den Sinn des Originals mit der möglichsten Treue darzustellen; bey der zuweilen blumichten und dichterischen Schreibart des Verf. aber, dem er, so weit es der Geist der deutschen Sprache erlaubt, zwar gefolgt sey, immer mehr auf richtigen, als auf zierlichen Ausdruck zu sehen. In Ansehung der Nomenclatur sind in dieser Uebersetzung die Blochischen Benennungen beybehalten, einige wenige Fälle ausgenommen, wo wegen der Aehnlichkeit zweyer Individuen ein besonderer Name gegeben werden mußte, der entweder aus der Müllerschen Uebersetzung des Linneischen Natursystems entlehnt, oder bey neuen Gattungen ein dem Original angemessener neuer Ausdruck gewählt wurde. Den Anfang macht eine weitläuftige Abhandlung über die Natur der Fische überhaupt. Dann folgen, S. 209, die Knorpelfische. Aus Pennant's britt. Zool. wird hier angeführt, daß eine Lamprete von 3 Pfund mit ihrem Munde ein Gewicht von 12 Pfund nachgezogen habe. S. 252. Die Rochen (Raia). S. 444. Die Hayfische (Squalus), wo besonders viel neue, bisher unbe-

unbeschriebene Gattungen vorkommen. Die Synonymie bey jeder Gattung ist sehr vollständig, und die Beschreibungen größtentheils ausführlich. Der Kupfertäfeln bey dieser Abtheilung sind 16. Sie sind zum Theil nicht sonderlich; auch, wie z. E. der Querder (petromyzon branchialis Linn.) tab. 2. Fig. 1. gar nicht der Natur getreu. Mehrere Druckfehler, z. B. S. 247 Lamproiois, für Lamproion, S. 253 Walkerroche für Walkerroche, u. a. m. wünschten wir weg.

In der 2ten Abtheilung finden sich zuvörderst die noch übrigen Hayfische. Dann S. 645 der Seeteufel (Lophius). S. 690. Der Hornfisch (Balistes). S. 781. Die See-Raze (Chimaera.) S. 801. Der Blattvielzahn. Der Vf. nennt ihn Polyodon, feuillé, und giebt ihn als die einzige bekannte Fischgattung an, die zu diesem Geschlechte gehört, und das Mittel zwischen den Hayen und Stöhren halten soll. S. 809. Der Stöhr (Acipenser). S. 853. Der Beinfisch (Ostracion). S. 904. Der Stachelbauch (Tetrodon). S. 975. Der Eiförmige (Ovoide). Ebenfalls ein neues Geschlecht, das sich durch den eyförmigen Körper, knochichte vorragende Kinnladen, deren jede in 2 Zähne abgetheilt ist, und den Mangel der Rücken-, Schwanz- und Bauchflossen unterscheidet. S. 980. Die Bauchkieme (Myxine); der bey dieser Abtheilung befindlichen Kupfertafeln sind nicht 16, wie auf dem Titel angegeben wird, sondern nur 9; denn sie gehen von Taf. 17 bis 25.

Ein umständliches Synonymen-Register dürfte am Schlusse des Ganzen wohl nothwendig seyn.

Historiae Amphibiorum naturalis et literariae Fasciculus primus, continens Ranas, Calamitas, Bufones, Salamandras et Hydros in genera et species descriptos notisque suis distinctos. Auctor Joan. Gottlob Schneider. Jenae, sumtibus Frommanni. 1799. 264 S. gr. 8. 1 Rh. 12 g.

Der gelehrte Verf., der sich schon durch mehrere Schriften im naturhistorischen Fache verdient gemacht hat, liefert hier abermals ein Werk, das dem Naturforscher äusserst wichtig und willkommen seyn muß, um so mehr, da es an gründlichen Schriften, besonders in diesem Fache der Naturgesch. noch so sehr fehlt, und es in vieler Hinsicht nicht Jedermanns Sache ist, sich damit zu beschäftigen, oder darin etwas an-

geo

gezeichnetes zu liefern. Er bittet zur Vollführung und Vervollkommnung dieses in seiner Art so erheblichen und einzigen
Werks, um Unterstützung und Beyträge durch Mittheilung
besonderer seltener oder neuer Arten, in dieser Thierklasse;
und es wäre zu wünschen, daß er bey allen, die einer solchen
Unterstützung fähig sind, keine Fehlbitte thun möchte. In
diesem Bande kommen die Salamander (Salamandra),
Frösche (Rana), Baumfrösche (Calamita) und Kröten (Bu-
fo) vor. Von Salamandern, zu deren Geschichte S. 251.
noch ein Nachtrag geliefert wird, werden 9, von Fröschen
19, von Baumfröschen 13, von Kröten 22 Gattungen, worunter mehrere unbestimmte, beschrieben. Den Beschluß
macht ein neues Geschlecht Hydrus (corpus anterius teres,
gracile sensim crassescit, er in caudam ancipitem vel com-
pressam utrinque excurrit), wovon neun Gattungen beschrieben werden. Der Vf. verspricht in der Folge von Zeit zu Zeit
die Fortsetzung dieses Werks, und nicht nur in einem besondern Bande die Zergliederung der Amphibien, und Supple-
mente zu dem vorigen; sondern auch Abbildungen entweder
von neuen oder bis dahin noch nicht genau abgebildeten Gattungen zu liefern, wovon er schon eine beträchtliche Anzahl
theils selbst, theils von geschickten Künstlern entworfener Exemplare vorräthig hat. Wir sehen der ununterbrochenen Fortsetzung dieser schätzbaren Arbeit mit Verlangen entgegen,
können aber den Wunsch nicht bergen, daß es dem Verfasser gefallen haben möchte, jeder Gattung die nöthige Synonymie beyzufügen.

Versuch einer Naturgeschichte der Sinneswerkzeuge
bey den Insecten und Würmern. Von *Franz
Joseph Schelver*, Mitgliede der physikal. Gesellschaft zu Göttingen. Göttingen, bey Dieterich.
1798. 88 S. 8. 5 gr.

Eine kleine, aber für den Naturforscher sehr wichtige und
lesenswürdige Schrift, die den Beobachtungsgeist des Verf.
und seine ausgebreiteten Kenntnisse in der Naturgeschichte
verräth. Eigentlich ist dies die Uebersetzung eines in lateinischer Sprache vorhin geschriebenen Aufsatzes, welchen der
Verf. der med. Facultät zu Göttingen, die diesen Gegenstand
als Preisfrage aufgestellt hatte, eingereicht, und weshalb
er von derselben das Accessit ihres Beyfalls erhalten hat.

Z 4 Nach

Nach einer kurzen Einleitung, wo von den Sinneswerkzeugen überhaupt geredet wird, handelt der Verf. von jedem einzelnen Sinne, und zwar zuförderst im Allgemeinen, und dann in Hinsicht auf Insecten und Gewürme insbesondere, wo er seine eigenen Beobachtungen mit den Beobachtungen eines Reaumur, Lyonnet, Leßer, Schneider, Borkhausen, Comparetti, Rösel, Smellie, Swammerdam, Bonsdorf, Goeze, Blacker, Trembley, u. a. m. verbindet, deren Meinungen er durchgeht und prüft. Ueberall findet man den genauen Beobachter und den Mann von großer Belesenheit im naturhistorischen Fache. Ob man freylich nicht sagen kann, daß diese Materie durch ihn erschöpft, oder auch nur größtentheils aufs Reine gebracht sey: so hat er doch dadurch sehr viel geleistet, daß er mehrere Vorurtheile gründlich bestritten, manche Zweifel aus dem Wege geräumt, über Vieles ein neues Licht verbreitet, und durch Zusammenstellung vieler Meinungen und Auseinandersetzung des Ganzen andern Naturforschern den Weg gezeigt hat, auf welchem sie weiter fortgehen, und von Zeit zu Zeit zu mehrerer Berichtigung der hier noch obwaltenden vielen Schwierigkeiten ihre Kräfte vereinigen können.

Araneologie oder Naturgeschichte der Spinnen nach den neuesten, bis jetzt umbekannten Entdeckungen, vorzüglich in Rücksicht auf die daraus hergeleitete Angabe atmosphärischer Veränderungen, von Quatremere - Disjonval, Mitglied der ehemaligen Pariser Akademie und batavischen Generaladjutanten. Aus dem Französischen der zweyten Ausgabe übersetzt. Frankfurt a. M. 1798, bey Warrentrapp und Wenner. 122 S. 8. 10 gr.

Diese wegen mancherley Beobachtungen und neuen Entdeckungen so merkwürdige Schrift, wovon schon in mehrern periodischen Blättern Auszüge geliefert worden, verdiente allerdings auch in die deutsche Sprache übersetzt zu werden. Aus der Inhaltsanzeige werden unsre Leser, die mit dem französischen Original nicht bekannt sind, sich unterrichten können, was sie hier zu erwarten haben. 1. Cap. Von den Spinnen

an

an und für sich selbst. 2. Cap. Von den Spinnen in Beziehung auf andere Thiere. 3. Cap. Von den Spinnen in Beziehung auf den Menschen. 4. Cap. Von den Spinnen, verglichen mit dem Barometer. 5. Cap. Von den Spinnen, verglichen mit dem Thermometer. 6. Cap. Von den Spinnen, verglichen mit dem Hygrometer. 7. Cap. Von den Spinnen, verglichen mit dem Eudiometer. 8. Kap. von den Spinnen, in Bezug auf den Landbau. 9. Cap. Von den Spinnen, in Bezug auf die Arzneykunst. 10. Cap. Von den Spinnen, in Bezug auf den Landkrieg. 11. Cap. Von den Spinnen in Bezug auf den Seekrieg. 12. Cap. Von den Spinnen, in Beziehung auf die Mondsphasen. — Die letztern Kapitel enthalten mehr Witz als Naturgeschichte; wie denn auch überhaupt die blumenreiche und zu weit ausgedehnte Schreibart des Vf., die in dem ganzen Buche herrscht, demjenigen nicht behaglich seyn kann, dem es mehr um Sachen als um Worte zu thun ist. Den Beschluß von S. 89 bis 116. machen einzelne Anmerkungen, die manches Lesenswürdige enthalten.

Bl.

Botanik.

Katechismus der Obstbaumzucht zunächst für Landleute; aber auch für den Bürger und Baumgärtner zu gebrauchen. Leipzig, bey Böhme. 1798. 114 S. Vorrede XIV S. 8. 6 gr.

Der Verf. dieses Katechismus ist ein Landgeistlicher, der sich die Obstbaumzucht zu seiner Nebenbeschäftigung wählte, und nun, überzeugt von ihrem Nutzen, auch die Einwohner seines Pfarrorts dazu ermuntern, und sie darin unterrichten wollte. Hierzu schien ihm eine gedruckte Anweisung nöthwendig. Christs Baumgärtner auf dem Dorfe war ihm zu theuer, und der aufrichtige Baumgärtner nicht hinlänglich. Er entschloß sich also, diesen Catechismus zum Gebrauch seiner Mitbürger zu verfertigen. Wir verkennen die gute Absicht des Hrn. Verf. nicht, und wünschen, daß auch andere Landgeistliche es sich mehr angelegen seyn ließen, ihre Mitbürger auf einen oder den andern Theil der Landwirthschaft, je nachdem es die Beschaffenheit ihres Orts erfordert, aufmerksamer zu machen,

Z 5

chen, und ihnen durch ihre Kenntniſſe zu Hülfe zu kommen; nur finden wir es überflüßig, für jeden einzelnen Ort ein eigenes Lehrbuch zu ſchreiben. Chriſts Baumgärtner auf dem Dorfe koſtet 12. gr., und vermuthlich, wenn er in großer Parthie gekauft wird, noch weniger; dieſer Katechismus aber koſtet 8 gr. Der Preis iſt alſo nicht ſo ſehr verſchieden. Uebrigens iſt dieſer Katech. beynahe ganz aus Chriſts Baumgärtner auf b. D. abgeſchrieben; wer könnte es H. Pfr. Chriſt verdenken, wenn der Gedanke an Nachdruck ihm in den Sinn käme?

Da Chriſts Unterricht in der Obſtbaumzucht ſchon lange bewährt gefunden iſt: ſo haben wir in dieſer Rückſicht auch hier nichts zu erinnern. Die Katechismusform iſt freylich für den Landmann, weil er von der Schule an daran gewöhnt iſt, die verſtändlichſte, und in ſo fern mag der Hr. Vf. wohl daran gethan haben, ſie auch bey dieſem Unterrichte zu wählen. Daß aber der Hr. Verf. ſagt, wir hätten ſo viele Katechismen, und doch noch keinen K. by Obſtbaumzucht, und dieß habe ihn beſtimmt, in dieſer Form zu ſchreiben, kam uns ſeltſam vor. Muß denn alles nach einer und eben derſelben Form behandelt ſeyn? und iſt nicht der vom V. ausgeſchriebene Baumgärtner auf dem Dorfe auch ein Katechismus?

Ueber die Anlegung einer Obſtorangerie in Scherben, und die Vegetation der Gewächſe, von D. Auguſt Friederich Adrian Diel. Mit drey Kupfern und einem Obſtverzeichniſſe. Frankfurt am Mayn, in der Andräiſchen Buchhandl. 1798. 492 S. 8. 1 Rſſ. 16 gr.

Hr. D. Diel gab 1796, ohne ſich zu nennen, eine Anleitung zu einer Obſtorangerie in Scherben heraus. Schon dieſe erſte Anleitung fand ungemein vielen Beyfall, und viele Freunde der Pomologie befriedigten nach dieſer Anleitung ihre Liebhaberey. Dieſe neue Auflage iſt um ein beträchtliches vollſtändiger, und nicht nur für den Liebhaber der Obſtorangerie, ſondern auch für jeden Baumerzieher ſehr brauchbar. Beſonders iſt die Anweiſung zum Baumſchnitt gründlich und faßlich abgehandelt. Es wäre in der That zu wün-

wünschen, daß man einmal solche gute Anweisungen befolgte, und den alten Schlendrian im Baumschneiden verließe. Bald würden unsere Bäume, sowohl hochstämmige, als Pyramiten und Spaliere, ein besseres Ansehen gewinnen, und wir nicht so oft die Klage hören, daß die Bäume bey aller darauf verwendeten Mühe unfruchtbar bleiben, oder gar absterben. Zwar giebt der Hr. D. D. eigentlich nur Unterricht im Beschneiden der Orangeriebäumchen. Wer aber darauf merken will, wird auch zum Schnitt der Gartenbäume Winke genug finden, die er nirgends besser finden kann.

Wir wissen wohl, daß das Erziehen der Scherbenbäumchen bisher meist als eine Spielerey angesehen wurde, von welcher wenig oder kein Nutzen zu erwarten sey. Es mag seyn, daß sie von manchem ihrer Liebhaber zu nichts Besserem benutzt wurden; aber so wie Hr. D. D. die Sache ansieht, und den Freunden der Pomologie vorlegt, glauben wir überzeugt zu seyn, daß für die Pomologie der größte Vortheil durch ihre Erziehung entstehen müsse, und wünschen, daß sich immer mehrere Männer von Kenntniß damit beschäfftigen möchten. Gewiß würde sich dann bald die in der Pomologie noch herrschende ägyptische Finsterniß aufhellen, und wir nach und nach ins Reine kommen.

Der Inhalt gegenwärtiger Schrift ist:

Von

Von dem Schnitt des Kernobstes.
Von dem Fruchtkuchen, und was derselbe ist.
Unarten der Scherbenbäumchen.
Von dem Schnitt des Steinobstes.

VI. Kap. Von der Größe des Obstes in Scherben.

VII. Kap. Von den Gesetzen und den Quellen der Vege-
    tation.
        Einfache Nahrungsstoffe der Pflanzen: Erde. Luft.
            Sauerstoffgas. Kohlengesäuertes Gas. Wasser-
            stoff. Wasser. Lichtmaterie. Wärmematerie.
        Von dem Lebensprincip der Pflanzen.
        Erklärung der Kupfer.
        Obstverzeichniß.

Kurzer Unterricht zur Obstbaumpflege vor (für) den
    den Landmann, und zu Beförderung mehrerer Ge-
    meinnützigkeit, dem löbl. Schul-Seminario in
    Hildburghausen, gewidmet von Ernst Fride-
    rich Schüler. Hildburghausen, bey Hanisch.
    1799. 62 S. 8. 4 X.

Nach der Aeußerung des Hrn. Verf. in der Vorrede hatte er
bey Herausgabe dieser kleinen Schrift die Absicht, seine Landsleute dadurch zu mehrerer Anpflanzung und besserer Behandlung
der Obstbäume zu ermuntern. Gegen diese in allem Betracht
löbliche Absicht läßt sich freylich nichts einwenden. Die Arbeit ist zu diesem Endzweck ziemlich erträglich, und man bemerkt deutlich, daß Christ und Sickler fleißig benutzt sind.
Die Schreibart ist nicht die beste. Wenn es so fortgeht: so
erhalten wir bald für jede Strecke Lands von einigen Meilen
eine besondere Anweisung zum Anbau der Bäume, und bey
allem dem bleibt es meistens beym Alten.

Oekonomisch-botanisches Garten-Journal, heraus-
    gegeben von Fr. G. Dieterich, Fürstl. Sachsen-
    Weimarscher Hofgärtner, der Forst- und Jagd-
    kunde zu Waltershausen ordentlichem Mitglied.

Zwey-

Zweyten Bandes Erstes Heft. Eisenach, in
der Wittekindischen Hofbuchhandl. 1799., 161
S. gr. 8. 18 ꝛc.

Dieses vor uns liegende Heft enthält folgendes:

I. Oekonomie.
  1) Oekonomische Untersuchung, das Einquellen des Ge-
    traides betreffend, von Franciscus Justus Frenzel,
    Pfarrer zu Oßmannstedt bey Weimar.
  2) Ueber die vegetabilischen Kräfte. Wird fortgesetzt.
  3) Auszug aus: J. Ingenhauß über Ernährung der
    Pflanzen und Fruchtbarkeit des Bodens.
  4) Entwicklung dessen, was man unter Gärtnerbotanik
    zu verstehen hat. Von D. Joh. Sam. Naumburg.

II. Botanik.
  1) Nachricht von botanischen Gärten in England, in
    Rücksicht auf Kultur und Pflanzkunst der Gewächse.
    Fortsetzung von S. 55 des 1. B. 2. H. Wird fort-
    gesetzt.
  2) Verzeichniß einiger Pflanzen, welche im Jahre 1798
    im Herzogl. botanischen Garten zu Weimar geblühet
    haben, nebst einigen Bemerkungen in Rücksicht ihrer
    Behandlung in ästhetischen Pflanzungen, Fortse-
    tzung. Wird fortgesetzt.

III. Gartenkunst. (Gärtnerey.)
  1) Beobachtung über die Pomologie, und den (das)
    Wachsthum in Bäumen und Pflanzen. Fortsetzung
    v. S. 132 des 1. B. 2. H. Wird fortgesetzt.
  2) Beobachtungen und Erfahrungen in Absicht auf Ge-
    müßpflanzkunst. (Gemüßgärtnerey.) Wird fort-
    gesetzt.
  3) Behandlung der Sümpf- und Wasserpflanzen, in
    Absicht ästhetischer Pflanzkunst. Fortsetzung von S.
    151 des 1. B. 2. H.
  4) Botanische Neuigkeiten.
    1. Ankündigung eines neuen botanischen Journals,
      von Hrn. D. Joh. Sam. Naumburg.
    2. Vorschlag und Eröffnung eines botanischen Tausch-
      handels durch ganz Deutschland, von Hrn. D.
      Naumburg in Erfurt.

Da

Da in diesem Hefte größtentheils Fortsetzungen der Abhandlungen der vorhergehenden Hefte und Auszüge aus andern Schriften vorkommen: so berufen wir uns auf das Urtheil über das 1te und 2te Heft. Nur das wollen wir bemerken, daß uns das immerwährende Abbrechen der Materien nicht gefallen will. Wer wird sich von der Erscheinung eines Hefts bis zur Wiedererscheinung eines neuen immer des Gelesenen erinnern; und, wie unangenehm, ja, wie unmöglich ist es oft, das Gelesene wieder nachzulesen!

H. P. Zaubitz Handbuch für Blumenfreunde. Erster Theil. Von der Nelkenzucht. Frankfurt am Mayn, in der Gebhard- und Körberschen Buchhandlung. 1799. 51 S. 8. 5 X.

Der Verf. dieses Handbuchs sagt in der Vorrede: daß er bey Behandlung der Nelke lange jede ihm zu Händen gekommene Vorschrift befolgt habe, ohne Fortschritte in der Cultur dieser Blume machen zu können, bis er endlich Mallets Vorschriften, (Beauté de la Nature ou fleurimanie raisonnée etc. par le Sieur Robert Xavier Mallet, à Paris) erhalten, und durch sie unterstützt mit neuem Muth die Kultur der Nelken betrieben habe. Nun hält es Hr. Z. für Pflicht, diese für ihn so lehrreich gewesene Malletische Vorschriften allgemein bekannt zu machen. Der Hr. Vf. muß in schlechter Bekanntschaft mit der deutschen Gartenliteratur stehen, daß er so weit zurückgieng, um Belehrung über die Behandlungsart der Nelken zu suchen; da er in unsern Tagen die besten Anweisungen über diese Materie ganz in der Nähe hätte haben können. Ob Er die Malletischen Vorschriften bloß übersetzt, oder sie nur zum Grund bey diesem Handbuche gelegt habe, können wir, da wir das Malletische Werk nicht besitzen, nicht entscheiden. Aber mit Grund der Wahrheit können wir behaupten, daß uns seit langer Zeit nichts Schlechteres in diesem Fache vorgekommen ist, als dieses Handbuch. Neben dem, daß der Verf. um 30—50 Jahre zurück ist, schreibt er unverständlich, widerspricht sich öfters, und hat eine äusserst fehlerhafte Sprache. Wir mögen durch Auszüge die edle Zeit und das theure Papier nicht verschwenden, und verweisen auf die Schrift selbst, wo jede Seite unser Urtheil bestätigen wird.

Was

Was das Schlimmſte iſt, ſo droht Hr. J., noch ein
zweytes Bändchen nachfolgen zu laſſen, das die Zwiebeln,
(vermuthlich Zwiebelgewächſe) als auch andre ſchöne Blumen und Staudengewächſe nach der nämlichen Vorſchrift und
Behandlungsart enthalten ſoll. Doch wir hoffen, dem Hrn.
Verleger werde die Luſt vergehen, das zweyte Bändchen ans
Licht kommen zu laſſen. Papier, Druck und Inhalt ſind
übereinſtimmend.

Handbuch über die Obſtbaumzucht und Obſtlehre von
J. L. Chriſt, erſtem Pfarrer zu Kronberg an der
Höhe, der königl. kurfürſtlichen Landwirthſchafts-
Geſellſchaft zu Zelle Mitglied. Mit 10 Kupfer-
tafeln und 1 Tabelle. Zweyte verbeſſerte und ver-
mehrte Ausgabe. Frankfurt am Mayn 1797, im
Verlag der Hermannſchen Buchhandlung. 900 S.
gr. 8. 2 Rk. 16 g.

Schon 1789 erſchien die erſte Ausgabe dieſer nützlichen
Schrift; und wurde in dem XCIII. B. 2. St. S. 515. der
allgem. deutſchen Bibl. angezeigt. Der würdige Hr. Verf.
fand aber bald, daß dieſe von ihm herausgegebene Anweiſung
zu Pflanzung und Wartung der Obſtbäume noch manche
Verbeſſerung und Vermehrung nöthig hätte, und doch wollte
er durch eine neue Auflage die vielen Beſitzer derſelben nicht
in unnöthige Koſten ſetzen. Er ließ alſo die ihm nöthig ſchei-
nenden Verbeſſerungen und Zuſätze als den zweyten Theil
1791 beſonders erſcheinen. Dieſer iſt in dem CLX. B. 1. S.
S. 187. der allgem. d. Bibl. beurtheilt. „Nun aber, ſagt
H. Pfr. Ch. in der Vorrede zu dieſer zweyten Auflage, „da
„die erſte Auflage dieſes Handbuchs der Obſtbaumzucht ꝛc.
„gänzlich vergriffen ſey: ſo habe er ſich um ſo mehr angelegen
„ſeyn laſſen, ſolches bey dieſer zweyten Auflage von ſeinen
„Schlacken zu reinigen; diejenigen Pflanzungsarten, welche
„nicht überall Stich halten wollen, oder langſam zum Ziel
„führen und entbehrlich wären, wegzulaſſen, ſie mit neueren
„erprobten Erfahrungen zu erſetzen, und überhaupt das Buch
„für den Gartenfreund ſo annehmlich und nützlich, als ihm
„dermalen möglich geweſen, zu machen.“

Hr.

Hr. Pfr. Ch. hat auch redlich Wort gehalten, und uns
nun ein Handbuch der Obstbaumzucht ꝛc. geliefert, bey dem
uns nicht viel zu wünschen übrig bleibt. Aus Büchern allein
ohne alle praktische Anweisung wird es freylich immer schwer
halten, die Baumgärtnerey zu erlernen; da es unmöglich
ist, die Handgriffe, auf die doch oft Alles ankommt, so genau
und umständlich zu beschreiben, als sie uns vor dem Baume
selbst gezeigt werden können. Wer sich aber von einem guten Gärtner diese hat lehren lassen, der wird alsdann mit
der in diesem Handbuch gegebenen gründlichen Anweisung
gewiß zu recht kommen und bald ein guter Baumgärtner werden können.

                                                    Ptz.

Bienenschriften.

Der kluge und sorgfältige Bienenfreund, oder gründ-
   licher Unterricht in allen zur Bienenzucht nöthigen
   und nützlichen Stücken, von J. G. Cramer.
   Altona und Leipzig, bey Kaven. 1800. 8 ꝛc.

              Auch unter dem Titel:

Neues vollständiges Bienenbuch von der Pflege und
   Abwartung der Bienen, wie auch vom Honig- und
   Wachsmachen und läutern, von J. G. Cramer.
   Altona und Leipzig, bey Kaven. 1800. 152
   S. in 8.

Warum zwey verschiedene Titel? um es zweymal
zu verkaufen und, zweymal unwissende Käufer anzuführen.
Der zweyte Titel entspricht nicht einmal dem compilirten
Inhalt! denn es ist alles — jedoch ohne es anzuzeigen —
aus Griesingers Bienen-Magazin (man sehe unser
alten Bibl. B. 14. S. 293 das Urtheil über dieses Magazin) ausgeschrieben. Wer sich überzeugen will, und jenes
voluminöse Magazin hat, oder leihen kann: der schlage nur
S. 7, 25, 28, 30, 62, 64, 66, 101, 113, 158, 202,
322 und 337 darinnen nach; es wird finden, daß alles, was
                                                    Cra-

Cramer von Erzeugung der Bienen; vom Bienenbro-
de; vom Aufstellen im Frühjahre, und dem Einstel-
len zum Winter; vom Zusammenkuppeln schwacher
Schwärme; vom Fassen der Schwärme, und von
Raubbienen gesagt hat, wörtlich bey Griesingern befindlich ist. Ein schändliches Plagiat!! Wenn Griesinger
selbst der Compilator wäre: so wäre es doch Eigenthum ins
Kürzere gebracht; denn sein Magazin war zu weitläuftig,
und, wie jene Recension schon sagte: im Organistentone
geschrieben; auch daher mit Noten versehen. Zu bewundern ist es, daß der Compilator nicht auch die Noten und
die Kupfer genutzt hat; wenigstens die vorzüglichsten. Der
Ausschreiber hätte doch alles eher besser — besonders jetzt —
statt schlechter, machen sollen; so aber hat er alle Beobachtungen, die noch einigen Werth hatten, weggelassen, und nur
die veralteten Irrthümer aufgewärmt.

Grundsätze und Handgriffe bey Behandlung der Bienen in Körben. Ein deutlicher und sichrer Unterricht für Bienenfreunde. Nach einer funfzigjäh-
rigen Erfahrung herausgegeben von Heinrich
Ohlendorf, Organisten und Schullehrer zu Ei-
lenstedt, im Halberstädtschen. Mit einer Kupfertafel. Berlin, 1799. 110 S. 8. 8 gr.

Wohl nichts anders als ein unreifer Schluß konnte in dem
Verf. das Verlangen erregen, mit einer Schrift von der Art
hervorzutreten. Eine glückliche Bienenzucht in einer guten
Gegend (denn man denke, in den letztverflossenen zwölf Jahren will der Verf. im Durchschnitt von jedem Stocke gegen
8 Pfund Honig alljährlich geärndtet haben) mochte ihm
den Wahn, alles seiner vorzüglichen Methode zu verdanken
zu haben, einflößen. So wenig sich dawider mag einwenden
lassen, daß der Verf. dieselbe, da sie sich übrigens durch nichts
von der bekannten niedersächsischen Methode unterscheidet, nach seiner Art beschreiben wollte; so sehr hat er doch
darin gefehlt, daß er sich, ohne den mindesten Beruf, als
was man in dem 5 u. fg. St. des Preußischen Volksfreun-
des, 1798, findet, worauf er im 12. St. antwortet, in
physikalische Streitigkeiten über die Bienen einläßt, und

deren aller zufälligen Erscheinungen ungeachtet — die ein neuer Beweis ist, daß der aufmerksame Beobachter von wenig Jahren oft mehr entdecken kann, wie der unaufmerksame in vielen Jahren — gewiß noch übler, als der Blinde von der Farbe redet. Der Verf. hat nichts Geringeres im Sinn, als alle in den neuern Zeiten gut ausgedachte und aufgebaute Systeme über den Haufen zu werfen, und an deren Stelle ein neueres zu setzen. Die Hauptmomente dieses Systems sind: der sogenannte Weiser ist der einzige Mann im Stocke, und kann mithin füglich der Hahn im Korbe heißen; von demselben werden die Arbeitsbienen, als die wahren Weiber, welche alle Eyer legen, befruchtet. Die Drohnen aber sind unvollkommen befruchtete Mißgeburten. Alle diese Bienen entstehen aus Eyern, welche, so lange sie noch außer ihrer eignen Zelle sich befinden, und bis die Maden von dem eigends für zu des Geschlecht bestimmten Futter erwachsen sind, noch kein Geschlecht haben. Einige Maden werden mit Menschenurin aufgezogen, und aus diesen entstehen Weiser; Regenwasser giebt Arbeitsbienen!! und Mistpfütze große Drohnen!!!

Ein jeder wird, wie unser Verf. selbst gehöret hat, jeden Satz dieses seyn sollenden Systems für das halten, was er ist: für einen irrigen Glauben! Da indessen auch dieser seinen zureichenden Grund hat: so wollen wir dem Verf. Gerechtigkeit wiederfahren lassen, und so, wie er es verlangt, die Gründe hören, die ihn zu einem solchen sonderbaren Glauben bewogen haben: ob etwa Jemand, dem Verf. anzuhängen, Lust bekommen möchte. Fürs erste widersteht dem Verf. die Meinung, daß die Königinnen von den Drohnen befruchtet würden, darum, weil auf diese Art die Bienen in Polyandrie lebten, welches doch wider die Naturgeschichte aller organisirten Geschöpfe streitet. — Da aber der Verf., wie er zu erkennen giebt, die Pflanzen nicht von den organisirten Geschöpfen ausschließt: so muß er entweder zugeben, daß die Vielmännerey unter ihnen nicht so unerhört sey, als er glaubt; oder er reiße getrost aus dem Linneischen Pflanzensystem wenigstens die zwölf Klassen, von der Dyandrie bis zur Polyandrie, heraus. Es läßt sich aber fast a priori einsehen, daß die gesellschaftlichen Insekten hierinnen den meisten Pflan-

zen gleichen. Die von den Königinnen allzusehr abweichende
Gestalt, und die kurze Dauer und der Ueberfluß der
Drohnen soll gleichfalls der gewöhnlichen Meinung entgegen
stehen, und die des Verf. unterstützen. — Was das erste
anbelangt: so sehen wir doch am Johanniswürmchen, an
mehreren Schmetterlingen und Fliegen etwas Aehnliches.
Die kurze Dauer und Menge der Drohnen ist auch bey weitem kein so großer Stein des Anstoßes, als wider alle
Aehnlichkeit anzunehmen, daß eine solche Menge Drohnen,
die alljährlich regelmäßig in ganz eigenen Zellen ausgebrü-
tet werden, Mißgeburten seyn sollen, welche die Bienen
ohne verhältnißmäßigen Ersatz, nur zu ihrer Plage
sich erbrüteten. Wenn der Verf. sich in den Schriften eines
Riem u. a., die er zwar nennt, aber wohl nicht genugsam kennt, besonders im 9 bis zum 14ten Theile seiner neu-
en Sammlung, als Beschluß der Bienen-Bibliothek,
deßgleichen in der ersten Lieferung v. J. 1799, umsehen
wollte: so würde er ganz annehmliche Meinungen finden,
die mehr Empfehlendes haben, als die absurde Hypothese von
Monstrosität. Ferner soll die Erfahrung, da die im Frühjahre weiserlos gewordene Stöcke wieder tüchtige Weiser
erzeugen, beweisen: daß die Drohnen zur Zeugung überflüßig seyen. — So wenig diese Erfahrung geleugnet werden
kann, gleichwie auch Ableger, die, ehe Drohnen in Menge (in Menge sagen wir wohlbedächtig, weil sie mit Königinnen zugleich immer auch einzelne Drohnen erbrüten,
die nach geschehener Begattung sterben, und so ungesehen
bleiben; zumal da sie jetzt in kleinen Zellen unter den übrigen, nur etwas erhöhet, erbrütet waren,) erscheinen, gemacht werden, bisweilen gerathen; eben so wenig kann hieraus bewiesen werden: daß der sogenannte Weiser der Hähn-
lin-Körbe sey. Es wird doch dem Verf., wenn er wirklich
ein so alter und starker Bienenwirth ist, wie das Buch
besagt, nicht unbekannt seyn, wie selten allzufrühe Ableger gerathen, und wie häufig die Bienen im Frühjahre
verweiseln. Wie würde dieß geschehen, wenn die Arbeitsbienen zu ihres Gleichen und zu Weisern Eyer legeten,
da doch immer, und vorzüglich im Frühjahre, mehrere da
seyn müßten, die schön befruchtet wären? Wie will sich
der Verf. bey seiner Meinung jene bekannten Erscheinungen
erklären? Diejenigen Stöcke, sagt der Verf. weiter, die
wenige oder gar keine Drohnen zu zeugen in der Art ha-

ben, oder denen diese abgenommen werden, pflegen sich um
so stärker zu vermehren. Die Drohnen können daher kein
Geschäfft um die Zeugung haben. — Dieser Grund verdient
gar keine Rücksicht, da er auf eine vorgegebene Erfahrung
eines Dritten gebauet ist, deren Unzulänglichkeit ein jeder
leicht einsieht. Endlich, meint der Verf., beweise die Ge-
staltähnlichkeit des Weisers und der Arbeitsbienen,
daß beyde für einander sind, und sich miteinander begat-
ten müssen. Die ausgezeichnete Größe des Weisers aber,
und die Anhänglichkeit der Bienen an ihn, bewiesen,
daß er der Hahn im Korbe sey; und daß die Arbeitsbienen dessen Weiber seyen, zeigten ihr Eyerstock, ihre
Geburtsglieder, ihr Eyerlegen und ihre Sorgfalt für
die Brut.

Es wird dem Rec. Niemand zumuthen, sich bey einem
so überschlechten Producte zu verweilen. Wer an diesem
Auszuge noch nicht genug hat, der lese dieß Büchlein selbst,
und er wird gestehen müssen, daß es unter allen über die
Naturgeschichte der Bienen geschriebenen das schlechteste
sey. Bloß des Spaßes wegen mögen noch einige Stellen
Platz finden, welche zeigen, wie der Verf. zu denken gewohnt
sey. So heißt es: „Wenn jene würdige Männer, ein
Schirach, Riem — die Entstehung der Drohnen aus
Bieneneyern (soll wohl heißen: aus Eyern, die von Arbeitsbienen geleget worden?) behaupten; so behaupten sie
auch zugleich eine Befruchtung derselben, folglich eine
Begattung des Weisers mit den Arbeitsbienen." Ferner: „Wenn Einige behaupten, daß es auch unter den
Arbeitsbienen selbst, einige männlichen Geschlechts
gebe, so muß ich dieß aus dem Grunde läugnen, weil
alsdann, ihrer alten Hypothese zufolge, zweyerley Männchen, nämlich Drohnen und männliche Bienen, und
zweyerley Weibchen, nämlich Weiser und weibliche Bienen seyn würden. — Einzelne Bienen haben keine Wärme, weil sie kaltblütige Thiere sind; im Stocke aber erwärmen sie sich durch die Friktion. — Man nehme einem
Bienenstocke den Weiser, so hört alle Zeugung auf; so
fällt Flug, Ordnung, Bau, Muth, Fleiß und Arbeit weg;
so ist Unruh und Verwirrung, und endlich der Verlust und
Untergang des Volks die unmittelbare Folge. Sollte,
dieß alles zusammengenommen, wohl der Fall seyn können,
wenn

wenn der Weiser nicht das Haupt der Familie, der Stamm-
vater seines Volks, der Herr in der Gesellschaft, der
Hahn im Korbe wäre?"

Was für Sätze, und eben so viele sonderbare Folgerungen! daher auch gar nichts weiter vom Physikali-
schen; sein Oekonomisches mag für die Gegenden angenehm seyn, wo die Bienen übermäßig viel schwärmen, und
daher das Tödten der wichtigsten Stöcke, noch einige Rechtfertigung für sich hat. Da dieß Verfahren nur, leider! zu
bekannt ist: so bedarf es keiner Beschreibung, noch Beurtheilung.

Bl.

Anleitung zur Korb-Bienenzucht in den Lüneburgischen Haid-Gegenden, von C. F. Kaiser, Prediger zu Bergen bey Celle. Celle, bey Schulze
d. J. 1798. 154 Seiten Text und 4 S. Vorr.
in 8. 10 gr.

Unser Urtheil vom Ganzen dieses Buches bestehet darin,
daß es allerdings seinen guten Werth habe, so weit als man
daraus von der Lüneburgischen Bienenzucht einen voll-
ständigern und wahrscheinlich auch richtigern Begriff erhält, wie andre Schriften davon geben. Den Gegenden,
für welche dieser Unterricht bestimmt und in denen er anwendbar ist, muß derselbe um so angenehmer seyn, als er
nicht bloß die gewöhnliche Landeszucht, sondern auch einige
bessere Lehren enthält. Nur Schade, daß das Tödten
der Bienen, welches dort gewöhnlich ist, ohne gehörige Einschränkung, der guten sowohl als der schlechten Stöcke,
für sich allein gelehret wird. Die Letztern zu tödten, könnte
man allenfalls noch hingehen lassen, wenn man die Copuli-
rung nicht weiß, oder sie nicht unternehmen will; wenn man
aber daselbst auch die wichtigsten und besten Stöcke umbringt,
so zeigt dieß das Ungereimte dieses Verfahrens hinlänglich.
Was Innländer davon sagen, ist aus Hofrath Kästners
und Doctor Kortums Schriften von der dasigen Bienenzucht bekannt, von Ausländern weniger; man lese daher,
was ein Massak (in Riems neuer Sammlung ökonomi-

Aa 3 scher

scher Schriften z. Th.) und besonders Pastor Gebler (in
den Abhandlungen der ökonomischen Gesellschaft in
Bern) da über schreibt. Besonders sagt letzterer wörtlich:
„Du Thor! nimm die Leiter, steig auf den Baum
und sammle die Früchte. Die schönen Bäume, so du
umreissest, sind hoffnungsvoll; können sie dir nicht
50 Jahre nach einander eben so viel tragen?" Dieß
sollten sich neu auftretende Autoren merken, wenn sie Ehre
ärnten wollen. Dieß gilt in der Schweiz, in Frankreich,
in Deutschland, und selbst in den Haidegegenden. Rec.
weiß Haidegegenden; wo man keine zur Zucht taugliche
Stöcke rödtet, sondern mit ihnen theilet. Der Verf. bleibt
übrigens bloß dabey stehen, daß er einige Vorschläge, deren wir weiter unten gedenken werden, zur Verbesserung
der jetzt üblichen Bienenzucht, am Ende des Buches
giebt. Die innere Oekonomie der Bienen hätte der Verf.
wegen der großen Ungewißheit, in welcher er sich, wie
er selbst gestehet, desfalls befindet, besser gar nicht berührt, noch weniger hätte er da, wo ihm die Erfahrung
ganz — wie in der Anmerk. S. 24. stehet — fehlet, Zweifel zufügen; sondern diese seinem Kollegen, Hrn. Pastor
Büsching übertragen sollen; zumal da dessen Anmerkungen
keine gemeine Kenntnisse von den Bienen verrathen, indem er den Verf. zuweilen im Oekonomischen sowohl, als
auch besonders bey der Geschlechtsart der Bienen, wovon
wir einiges zu sagen Anlaß haben werden, berichtiget. Man
muß wünschen, es möchte dem Hrn. Büsching gefallen haben, etwas mehr, als geschehen ist, über die Magazinbie-
nenzucht, welche er seiner Aeusserung nach kennt, zu sagen
und ihren Werth genauer, nach seiner Ueberzeugung, zu
bestimmen; zumal da er S. 16. in der Anmerk. den Verf.
kurz und gründlich, über das Flugloch richtig widerlegt.
Daß der Verf. im 3ten Anhange S. 151. des Malzsaftes
gedenkt, den sein College schon 1796 bey vier Bienenstöcken,
und 1797 bey dem ganzen Bienenstande anwendete, und
ihn daher als ein ganz unschädliches und sicheres Mittel zum
Futter fürs Frühjahr empfiehlt, macht sein Buch auch für Ausländer von einigem Werthe; weil die angeführten Beyspiele
von solchem Gewichte sind, als schon mehrere, z. B. Rams-
dohr in seiner Schrift vom Magazinbienenstande, und
Riem in seiner ältern und neuern Bienenpflege; so wie in
seiner neuen Sammlung ökonom. Schriften, wo er sogar

gar den Malzsyrup zu machen lehrt, als auch nach diesem
noch Fischer in seiner Schrift: Wilhelm Denkers Erfah=
rungen für Stadt= und Landwirthe (S. 139 — 143.),
dergleichen vortheilhafte Fütterungsarten aufgestellt haben.

Auch sagt der Verf. von der Brut, anstatt: Wurm,
richtiger Made, z. B. S. 49. Dagegen müssen wir desto
mehr eifern, wenn er Provinzialwörter, die nicht allge=
mein verständlich sind, einmischet, und solche nicht auf
der Stelle erklärt; wie er dann z. B. erst S. 97. von Hönn=
chern, die doch schon vorher S. 8. vorkommen, anzeigt, wo
man davon gehandelt fände; nämlich er sagt: „im folgen=
den Kapitel." Es würde aber richtiger gewesen seyn, zu
sagen: S. 115.; oder da er die Seitenzahl im Manuscripte
noch nicht wußte, und doch alles in § abgefaßt ist: so hätte
dieser Absatz, d. i. §. 74. gleich S. 8. angezogen werden kön=
nen und sollen, zumal da es nöthig war, zu wissen, was das
für Hönnchen waren, in die er mehr Male die Stöcke
umquartirte, wovon §. 78. noch einmal das Umjagen
und das Anfüllen mit Schwärmen abgehandelt wird. Ein
Hönnchen ist also ein vom vorigen Jahre todtgeschwe=
felter Stock, der zu leicht zum Ueberwintern war, aber
mit Honig und Wachse aufgehoben wird, um in dem=
selben dann im Frühjahre ein anderes Volk ohne Honig
umzujagen, oder im Sommer einen Schwarm hinein
zu lassen. Es ist dieses aber eine elende Methode! — Noch
giebt es Stellen, die gar nicht erklärt sind: was ist z. B.
ein Grabe? S. 72. 45. 113. und 123.; die Körbe fangen
an zu neuen! Kaum verstehen wirs, geschweige denn ein
gemeiner Leser! Eben so hätte sich der Verf. befleissigen
sollen, die unrichtig ausgedrückten Adjective richtig
zu schreiben, z. B. S. 50. statt: kein eigen Honig, sollte es
heissen: kein eigenes oder eigener Honig; desgleichen S.
116. statt der Tuch, das Tuch.

Ein äusserst falscher Schluß ist S. 17., daß in einem
Korbe, wo die Bienen einmal gut gerathen, sie die mehrste
Zeit gut geriethen, und umgekehrt mißriethen, wo sie einmal
verdorben wären. Wir haben gerade entgegengesetzte Erfah=
rungen, und doch würden wir darauf nicht das Entgegengesetzte
zur Regel aufzuwerfen wagen.

So viel vom Allgemeinen. Nun gehen wir zu

dem

dem über, was von jedem Kapitel insbesondere zu sagen ist.

Cap. I. S. 12. Von den Gattungen der Bienen. Daß der Verf. bey der Geschlechts-art der Bienen statt des alten unschicklichen Namens der Weisel mit dem berichtigenden Anmerkungsmacher sagt: die Weisel, gereicht ihm zur Ehre. Er sollte aber dann auch bey dem männlichen Geschlechte weiter gehen, und statt: die Drohne, mit Spitznern sagen der Drohn. Aber er könnte noch richtiger bey jenen das weibliche Geschlecht durch die Endsylbe ausdrücken, wenn er seine Landsleute belehrte, daß man schreiben müsse: die Weiselinn; wie man schon längst ziemlich allgemein statt: der König, schreibe: die Königinn. Indeß mag die Weisel ein dasiger Provinzialausdruck seyn, weil der Verf., wie oben erwähnt worden, auch: der Tuch, statt das Tuch schrieb. Einiger Maaßen könnte man indeß: die Weisel, statt: die Weiselinn, gelten lassen, weil bey leblosen Gegenständen, als: die Tafel, die Hechel, Regel, Gabel, u. s. m. das l den Endbuchstaben in weiblichen Geschlechtern ausmacht; allein da so gut wie bey unlebloßen Gegenständen sich ebenfalls bey leblosen ein l, z. E. in der Vogel, der Hobel, ꝛc. befindet: so möchte Weisel, Weiselinn; Weiser, Weiserinn, den Vorzug verdienen, sobald man allgemein, wie in den Gegenden, wo König gesprochen worden, jetzt Königin geschrieben wird, es wie billig adoptiren will. Ein gewisser D. L. L. sagte in seiner Schrift: Vollständige Abhandlung über Bienenkenntniß und Bienenzucht S. 4. auch schon die Weisel; allein er fand keinen Beyfall. Vielleicht that ers auch provinzialisch? M. s. Riems neue Sammlung ökonomischer Schriften 9. Th. 1796 S. 279; so wie in unsrer B. B. 23. S. 297. die Unvollständigkeit der ganzen Schrift gegen Röhlings Universalbienengeschichte angezeigt worden; und man nun nicht weiß, ob der Verf. provinzialisch oder neumodisch, die Weisel, geschrieben habe?

S. 5 ist die erste und zweyte Anmerk. 10mal richtiger als der Text; auch berichtigt Hr. Büsching in dieser Note, wie die Eyer zu Drohnen gegen den zu andern Bienen aussehen; d. i. sie sind länglichter und gelber. Unserm Bedünken nach hat die Gestalt dieser Eyer der Herr Pastor Wär-

Waaster noch deutlicher in Riems neuer Sammlung
13. Th. S. 171 — 179. angegeben. Die andere Note beleh-
ret den Verf., warum die Weiselinn den Kopf in die Zelle
stecke, eben so richtig. Von gleicher Schwäche ist der Text,
aber desto größrer Stärke die dazu gehörige Note S. 6. u.
7., wozu der Verf. ebenfalls eine Note zufügte, und die Anmerkung des H. B. dadurch berichtigen wollte. Diese mißlungene Berichtigung ist aber Beweis von der nicht immer
richtigen Erfahrung des Verf. Eben so wird die vielgül-
tige Anmerkung des H. B. S. 9. von H. K. mit einer
Note aus Ramdohr begleitet; da aber in obgedachter neuen
Sammlung 10. Th. S. 234. bereits gezeigt worden, wo
durch H. Ramdohr in diesem Stücke geirrt habe; so behält
H. Büsching dennoch, allem Widerspruch des Hrn. Kaisers
ohngeachtet, durchaus recht. Wie leicht irrt man in der Bie-
nenrepublik nicht? So ist auch hier der Fall bey dem Verf.
und Hr. Ramdohr, dessen übrige Erfahrungen uns gewiß
sehr schätzbar sind.

Wenn der Verf. S. 10. den Drohnen das Brüten auf-
trägt: so denkt er nicht daran, daß diese erfrornen Geschöpfe
sich nur in warme Regionen begeben, um sich zu erwärmen, dagegen die vielen Bienen sich nun vor die Stöcke legen, um der Brut nur nicht zu warm zu machen; daß sie
aber darin fehlen, und abgeschafft werden, wenn Wärme
und Bienen abnehmen. Dieß ist doch schon Fingerzeig genug, daß sie nicht des Brütens wegen da sind; weil sie jetzt
nöthiger, wie zu wärmerer Zeit wären.

Cap. II. S. 12 — 20. Von den Bienenkörben.
Ueber diese wissen wir wenig zu sagen, das nicht allgemein
bekannt wäre; jedoch belehrt Hr. Büsching den Verf. wie
in allem Wichtigen, sogar hier auch in Kleinigkeiten,
z. B. S. 16.; und er urtheilt in Rücksicht der Fluglöcher
scharfsinnig und richtig. Ein Beweis, daß der Verf. selbst
in diesem Stücke nicht weit gekommen seyn müsse.

Ueber die Anmerkung des Verf. S. 19. gilt nichts
weiter als: de gustibus non est disputandum.

Cap. III. S. 21 — 27. Die Lage des Bienenzauns
ist bloß provinzialisch anzusehen. Das Schönste, von einem solchen Stande, ist S. 27 zu finden: daß kein Imker

Aa 5 (Bie-

(Bienenvater) dem andern sich auf 800 Schritte mit seiner Bienenstelle nähern darf. Desto verwerflicher ist des Vf. Note S. 24: Bedenken über die Lage nach Norden zuzufügen, da er doch — wie er sagt — bislang noch keine Erfahrung davon hat.

Cap. IV. S. 18—39. Von den Feinden der Bienen. Daraus ist nichts des Auszeichnens werth, nur die Note des H. B, S. 36, statt der mehligten Grütze, andern seinen Saamen — es können auch Sägspäne seyn — den raubenden Bienen in den Stock zu thun, ist empfehlbar.

Cap. V. S. 40—50. Von der Wartung im Winter bis zum Frühjahre. In diesem Kapitel ist bloß die Anmerkung des H. B. S. 41, die Bienen bey angebrachten Laden nicht einzusperren, allgemein empfehlens-werth. Es ist dieß mit der Note, S. 61, sehr harmonisch; dagegen die des Verf. bis S. 62 desto mehr contrastirt.

S. 42 giebt der Verf. in der Note ein Modell von einem Bienenhause an, das in der Ramdohrschen neuesten Auflage seines Magazins Bienenstandes zu finden sey. Was hilft das Haus, wenn man sie nicht auch Ramdohrisch zu pflegen lehrt? S. 46 taugt wieder bloß die Anmerk. des H. B., und die des H. R. nichts; besser wäre überhaupt gewesen, daß H. B. dieß Buch geschrieben, und H. R. es ganz uns erlassen hätte.

Cap. VI. S. 51—59. Von der Fütterung der Bienen. Der Text ist alltäglich; aber S. 54 f. die Note des H. B. empfehlenswürdig, darauf die angehängte Note des H. R. ohne Belang, und dabey undeutlich. Wie versteht man das: ohne große Schwärme füttern? Vielleicht soll es heißen: ohne große Noth Schwärme füttern. Desto mehr ist die im Anhange gelehrte Malzfütterung — soll wohl Malzsaft- oder Malzsyrupfütterung, weil Bienen kein Malz fressen, heißen — auch des Schwärmens halber zu empfehlen. Die Bienen, bey Anfang der Haideblüthe, zu füttern, ist sehr rathsam; den Futter-Honig aber frey, 15 bis 20 Schritte vor dem Stande, hinzusetzen, kann nur für Stände aelten, die als Gemeinstände, wenigstens so, wie im Lüneburgischen, 800 Schritte von einander entfernt stehen.

Cap.

Cap. VII. S. 60—70. Von Mitteln zur Reinigung der Bienen. Was sind, S. 60: Leberstock-Blät-
ter? Ists Leberkraut, Anemone Hepatica, oder Liebs-
stöckel Ligusticum Levisticum Linnei? S. 65, daß Faulbrut, von ausgebrochenem Honige solcher Stöcke, alle bei
nachbarte Stöcke anstecke, ist eben so irrig, als daß der Nach-
bar solche Immen (Bienen) entfernen müsse. Nur der
mit Faulbrut ausgepreßte Honig ist ansteckend. Das
widersinnig durch einander gemischte Recept, S. 67, taugt
nichts; denn der bloße Honig half mehr, als das zuge-
mischte Pulver, das unter dem Rückbleibsel vom Wachse
(man füttert daselbst den ohnausgelaßnen sammt dem
Wachse eingestampften Tonnenhonig) übrig und immer zurück bleibt.

Cap. VIII. S. 70—74. Von den vornehmsten
Blüthen, die in Haid-Gegenden Nahrung gewähren. Da finden wir unbekannte Blüthen; es wären denn
die, welche aus Provinzialnamen nicht zu erkennen sind.
Was ist z. B. S. 71 Srözer nach dem Linnee? Vermuthlich Faulbaum, Rhamnus Frangula.

Cap. IX. S. 74—120. Von den Schwärmen.
Alles bekannt, selbst der Schwarmbeutel, S. 84, den
andre Schwarmsack, Schwarmfasser nennen. Die weitschweifige Beschreibung desselben war ganz entbehrlich; desto
wichtiger ist des H. B. Anmerkung: damit nicht 2 Stöcke
zugleich abfliegen, soll man den einen alten einsperren, und
geschwind auf einen Büchsenschuß weit wegtragen, daselbst
öffnen, und schwärmen lassen.

Cap. X. S. 121—133. Von Auswahl der besten Zuchtstöcke oder Leib-Immen, Anlage eines
Bienenstandes, und der Versendung in andre Gegenden. Darin ist der Verf. wieder in manchen Stücken
irrig, und widerspricht sich auch; z. B. in der Note, S.
122, will er die Verengerung der Zellen durch die zurückbleibenden Bienenarten nicht zugeben, und behält doch keine
alten Stöcke zu Leibbienen; sondern nur Schwärme, besonders Nachschwärme, die wenig Larven zurückgelegt hatten.
Das Verfahren der Bienen in die Halbe und den Buchweizen hält er nicht für vortheilhaft, und liefert eine Berech-

nungs

nung: übrigens sind bloß die Anmerkungen S. 128, 119
und 132 lehrreich.

Cap. XI. S. 134—145. Von Tödtung der Bienen, Ausbrechung des Honigs, Reinigung der Körbe und Geräthschaften, und dem Wachspreßen. §. 76
ist keinen Pfifferling für die Freunde des Lebens der Bienen, desto mehr für die Tödter derselben werth. Eine elende Vergleichung ist und bleibt es immer: das Schlachten
eines Bienenvolks mit dem einer Huhns, oder einer Taube
zu vergleichen! Denn dergleichen Thiere haben Fett und
Fleisch in ihrem Körper, und sättigen uns; die Bienen
aber haben gar nichts für uns in und außerhalb ihrem Körper
zum Genießen; sondern alle getödtete Bienen werden
weggeworfen, und nur das von den Bienen mit großem
Fleiße eingetragene Honig nehmen die Tödter aus Geiz; statt
daß sie es mit ihnen theilen, und so das Leben der Bienen,
nebst einem gemäßigten Nutzen, dabey aber das Kapital
erhalten sollen. Von Tödtung der schlechten Stöcke, die
des Futters nicht werth sind, wollen wir nichts sagen; nur
von den guten, die Ueberfluß haben, und ihn ohne Noth
abgeben können. Denn wir haben davon schon oben bey der
Betrachtung übers Ganze das Nöthige vorgetragen; aber
die Frage ist wohl noch wichtig hier aufzustellen: giebt es lauter solche gute Jahre, wie S. 36 gesagt wird, daß man
nicht wissen sollte, wohin mit den Bienen, wenn
alle am Leben bleiben sollten? Man muß den Verf.
— wenn er dieß hier im Eifer nicht wissen will — nur an
das erinnern, was sein College, H. Büsching, S. 132.
anzeigte, daß es Jahre gäbe, wo man keinen Honig und
keine Leibbienen erhalte; deßgleichen erwäge man, was
beym Futter mit Malz, S. 158, stehet, daß andre die Hälfte ihrer Stöcke verloren, die nicht Malzsaft hatten. Es muß
also doch Gegenden geben, die nicht so glücklich sind, das
Tödten in Ausübung bringen zu dürfen; und für diese
taugt des Verf. Buch von hier an, bis zum §. 79, nicht:
denn wo man die Hälfte der Bienen verliert, ist's besser, man
hätte sie gar nicht schwärmen laßen; zumal da er selbst von
Zeiten redet, wo ganze Lagden (Anlagen) verloren gingen,
z. B. S. 62, 127 und 128. Vom §. 139 an bis S. 145
wird das Uebrige gelehrt, was in der Ueberschrift dieses
Capitels angezeigt worden.

An

Anhang I. S. 146—149. Berechnung, wie
viel Bienen daselbst in mittelmäßigen Jahren einbringen. Erst eine Berechnung von einer Lage, dann
von Allem. Am Ende sollen doch die Haus-Immen verhältnißmäßig mehr einbringen, wie die versendeten, weil sie
ungleich weniger Unkosten verursachten.

Anhang II. S. 149 und 150. Vorschläge zu
Beförderung der Bienenzucht. Diese sind theils lokal,
theils allgemein. Erstere bestehen in Prämien, z. B. Befreyung von Zehnten für Anfänger; 2) in Anlegung neuer Immenzäune, außer den Haidegegenden auch, im
Calenbergischen; 3) in Unterhaltung gemeinschaftlicher
Bienenstände, wovon die Vortheile H. Pastor Kortüm
in seinen vermischten Aufsätzen auseinander gesetzt hat.

Anhang III. S. 151—154. Von der Malzfütterung. Eine Bestätigung von deren Güte im Großen,
und Lehre der Bereitung. Da wir oben, bey unserm Urtheile über Ganze, dieser Malzfütterung, die vielmehr Malz-
saftfütterung heißen sollte, schon gedachten; so enthalten wir
uns, hier etwas weiter davon zu reden; von Eintheilung der
Kapitel aber müssen wir noch sagen, daß sie etwas unrichtig
geordnet sind. So sollte z. B. das fünfte zuletzt stehen, und
dann sollte ihm entweder eins folgen, oder potangeben,
das von der Wartung vom Frühlinge bis zum Winter gehandelt hätte; da jenes doch die Lehren der Wartung vom
Winter bis zum Frühjahre enthielt.

Sm.

Technologie.

I. Neues Blumen-Zeichenbuch für Damen (,) vorzüglich in Hinsicht auf die Stickerey. Mit IX
Kupfertafeln. Hof, bey Grau, 1800. 64 S.
gr. 4. Mit einem grünen Umschlage. 2 Rk.
Sächs.

Auch unter dem Titel:

Blumenzeichnung und Mahlerey. Eine praktische
An-

Anweisung zum Zeichnen und Mahlen der Blumen,
besonders für Damen, welche diese Kunst auf Stickerey und Mahlerey auf Seide anwenden wollen.
Mit IX (zum Theil) colorirten und schwarzen Kupfertafeln. Hof, u. s. w. wie oben.

II. Blumen und Früchte für Zeichner (,) Blumenfreunde und Stickerinnen nach der Natur entworfen und ausgemalt von Lück (.) I. Theil (,) mit
16 (zur Hälfte schwarzen, zur Hälfte ausgemalten)
Kupfern (.) Pirna, bey Arnold und Pinther.
1799. 26 S. gr. 4. Im blauen Umschlage, mit
latein. Typen auf holl. Median Papier Text und
Kupf. abgedruckt. 3 Rg. 8 xc.

Beyder Schriften Absicht bestimmt deren Titel, und der
Zweck ihrer Erscheinung wird durch die Ausführung hinlänglich befriedigt. Auch mehr als Frauenzimmer können von
der gegebenen Anleitung zum Conturzeichnen und dem Aus-
malen der Blumen ic. einen nützlichen Gebrauch machen.
Aber bey Damen, wofür zunächst diese beyden Schriften bestimmt sind, findet die Kunst zu zeichnen, ihre nächste, nütz-
lichste und gewöhnlichste Anwendung in der Stickerey. Viele
Frauenzimmer befleißigen sich daher der erstern Kunst bloß als
Hülfsmittel zu besserer Erlernung der letztern, zu welcher sie
ihnen in der That unentbehrlich wird. Zwar stehet man seit
einigen Jahren von Messe zu Messe neue Anweisungen zum
Zeichnen und Sticken, fast in eben der Art, wie die vorliegenden Anweisungen, erscheinen; allein durchgängig findet
man doch immer, wenn auch mit minder oder mehrerem Erfolge, verschiedene, von einander abweichende, Desseins, wodurch man bald die Kunst, bald die Natur nachzuahmen sich
bemühet. Letztere, durch jene so vollkommen als möglich zu
copiren, ist beyder Verf. einzige Absicht. Denn der Verf.
von

No. I, welches Stück aus dem sechsten Hefte des
neuen theoretisch-praktischen Zeichenbuchs, nebst dessen Kupfertaf. No. XLV. bis LII. b. besonders abgedruckt
wor-

worden, lehrt nicht nur, wie Blumen am leichtesten zu entwerfen, und Umrisse davon zu machen; sondern wie sie mit Crayons-Tusche und Farben weiter auszuführen sind, welches in der Stickerey besonders nöthig ist, damit man den Effekt der Farben erst auf dem Papiere versuchen könne, und nicht in Gefahr gesetzt werde, durch schlecht gewählte Nüancen die Arbeit zu verderben. Dabey lehrt er den Unterschied zwischen natürlichen Blumen, und denen zur Stickerey. Er erläutert die Anwendung seiner Grundsätze durch mancherley kleine und große Bouquets, welche zum Theil gleich zu wirklichen Stickereyen gebraucht werden können. Daher handelt er I. S. 1—27 von der Blumen-Malerey; demnächst II. S. 48—50 von der Malerey auf Seide. Den Beschluß machen, S. 51—64, einige treffliche Bemerkungen über die zu diesem Hefte gehörigen Kupfertafeln, wovon die Tab. XLVIII—LII fünf colorirte Blätter mit einzelnen Blumen und ganzen Bouquets zur Stickerey bestimmt, auch nach des Rec. Einsicht ganz vorzüglich gerathen sind.

No. II. Erklärt, statt aller vorangehenden Theorie, jede der 16 Kupfertafeln, oder eigentlich 8 Contur und 8 erleuchtete Farbenfiguren, durch eine Beschreibung, welche in jedem Betrachte dem beabsichtigten Endzwecke entspricht. Die technische Beschreibung einer jeden Blume ist eben so deutlich, als die ausgemalten Blumen prächtig. Allenthalben findet man die Natur so glücklich nachgeahmt, daß man bisweilen in die Versuchung geräth, in einiger Entfernung das Bild mit dem Original zu verwechseln. Rec. war Willens, die schönsten Blumen auszuheben, oder darauf aufmerksam zu machen; allein das mannichfaltige Schöne, das man sowohl in der Contur, die äußerst niedlich gezeichnet sind, als in der Illumination in jeder einzelnen Blume antrifft, vereitelte seinen anfänglichen Vorsatz. Man kann in Wahrheit hinzusetzen, daß diese Arbeit an die Seite der besten englischen Stich- und Malereyen der Art gesetzt werden kann. Beyde Schriften empfehlen sich daher von selbst, und wir sehen von No. II. der Fortsetzung vergnügt entgegen.

Et.

G. C. Bocris aufrichtige und gründliche Unterweisung, guten Rauch- und Schnupftabak auf holländ-

ländische Art zu verfertigen.   Mit einem Kupfer.
Zweyte verbesserte Auflage.   Bremen, bey Wilmanns. 1799. 7 Bog. auf feinem dicken Schreibpapier. 8.   8 K.

Die erste Auflage dieser Schrift hat Rec. unter dem Namen
des hier genannten Verf. nie gesehen, und, so viel er sich erinnert, ist sie auch der Kritik der N. a. d. B. entgangen.
Es ist daher jetzt um so mehr unsere Schuldigkeit, diese Bogen anzuzeigen, weil sie unter den zahlreichen Schriften über
diesen Gegenstand Aufmerksamkeit verdient. — Der Verf.
theilt dieß Büchlein in vier Abschnitte. Der erste, S. 3
— 36 enthält eine Anleitung zur Anlegung einer Rauch-
tabaks-Fabrik, die viel praktische Kenntniß vom Tobaks-
handel überhaupt, und der technologischen Einrichtung einer
solchen Fabrik insbesondere verräth.   Doch hätte beym Ein-
kauf des amerikanischen Blättertobaks bemerkt werden sollen,
daß die Fässer mit einer, vom Refactie- oder Keur-Meister
in den Handelsstädten bestimmten Entschädigung für das
Schadhafte (Refactio) am Gewichte, und 8 Procent für
die Stengel gekauft werden.   Die übrigen Handelsbedinge
sind, wie bey andern Artikeln, die nämlichen. — Zweyter Abschnitt, S. 37 — 61.   Anleitung zur Verfertigung des Schnupftobaks.   Mit sachkundiger Einsicht
giebt der Verf. von den nöthigsten Werkzeugen, der Behandlung und Anwendung des zum Schnupftobak erforderlichen
Blättertobaks, des Verfertigens, Fistuliren und Lagern der
Karotten ic. hinlängliche Nachricht.   Im dritten Abschnitt,
S. 62 — 88 wird gezeigt, wie der Kanaster oder Varinas
in Rollen zu machen, oder mittelst unschädlicher Saucen und
Zusammensetzung mehrerer Tobaksgattungen, aller Sorten
zu verfertigen sey.   Gleiche Absicht hat der vierte Abschn.
S. 89 — 107 in Ansehung der Fabrikatur des sogenannten
Salntomer, und mehr andrer Sorten erkünstelter Schnupf-
tobake.   Rec. hat gegen manche, ihm wohl bekannte, Behandlungsart, im Verfertigen dieser oder jener Tobaksforten,
nützliche Abweichungen gefunden; muß aber doch aufrichtig
gestehen, daß alle, selbst die kostspieligste Künstelei des Rauch-
und Schnupftobaks, der natürlichen Güte der Blätter und
dem gewöhnlichen Verfahren mit demselben, zum Vortheil
der menschlichen Gesundheit, bey weitem nachstehen müsse. Tz.

Kur-

Kurzer Begriff aller Künste, Handwerker und Geschäffte des gemeinen Lebens; ein Lesebuch für junge Leute, von Johann Georg Beck, Pfarrer zu Ravensburg. Dritte ganz umgearbeitete und stark vermehrte Ausg. Nördlingen, bey Beck. 1799. XVI und 263 S. 8. 12 kr.

Von der zweyten Ausgabe dieses nützlichen Büchleins haben wir oben (N. a. d. Bibl. 37. Bd. I. St. S. 44—46) Nachricht gegeben, und dieselbe dem Publiko empfohlen. Der eigenthümliche Werth dieser Schrift hat jene Ausgabe in 3 Jahren dergestalt vergriffen, daß der Verf. sich genöthiget sah, diese dritte in dem neuen verbesserten Gewande veranstalten zu lassen. Wie sehr die gegenwärtige gegen die zweyte gewonnen, kann man schon daraus abnehmen, da letztere nur 104 S. 8. stark war. Die vorliegende ist 1½mal stärker als die zweyte Ausgabe geworden.

Hr. B. hat allenthalben nützliche Verbesserungen angebracht, und dazu durchgängig die besten Schriften genutzt; die aber nicht überall zweckmäßig gewählt sind. So findet man z. B. Schumann's Handb. für Kaufleute bey verschiedenen Artikeln gebraucht, wo der Verf. ungleich zuverläßiger Gerhard's und Herrmann's Contoristen-Werke hätte nützen können. Busch's (nicht Büsch's, wie S. VII irrig steht) Versuch eines Handb. der Erfind. — ist auch nicht immer der richtige Führer, der bey Arbeiten dieser Art zu empfehlen ist. Ungleich zweckmäßiger sind: Beckmann, Funke, Walther und Vollbeding, welche unserm Verf. die besten Dienste leisteten. Hätte Herrn B. des verstorbenen Kränitz's ökonom. Encyklop., oder auch nur der Auszug aus derselben, zu Gebote gestanden: so würde mancher Artikel mehr Präcision erhalten haben. Demungeachtet ist dieß Büchlein ein gemeinnütziges Produkt für Bürgerschulen und denjenigen Theil der Volksklasse, die keine eigentliche gelehrte Bildung erhalten. Zwey angehängte Register gereichen dem Gebrauche des Buchs zur Bequemlichkeit, wovon das eine, S. 235—244, die Künste und Handwerker in und außerhalb Deutschland, und das andre, S. 245—263, die einzelnen Sachen und Gewerbe in alphabetischer Ordnung enthält.   Kt.

Geschichte

Historische Unterhaltungen zur Bildung des Geistes
und Herzens, von J. C. Wagenseil. Erster
Band in sechs Heften, mit 9 Kupfern und 2 Landkärtchen, 1tes und 2tes Heft 128 S. 3tes und
4tes Heft 128 S. 5tes und 6tes Heft 128 S.
Zweyter Band, in sechs Heften, mit 10 Kupfern
und 2 Landkärtchen; 1. 2. 3tes Heft 190 Seiten.
4. 5. 6. Heft 192 S. Augsburg, in der Stage-
schen Buchhandl. 1797. 8. 3 Rh. 8 X.

Diese periodische Schrift soll, nach der Absicht des Verf.,
ein nützliches Lesebuch für den unstudirten (?) Bürger und
die reifere Jugend seyn. Sie enthält daher, in einer faßlichen und allgemein verständlichen Schreibart, das Nutzbarste
und Unterhaltendste aus zusammenhängenden historischen Werken; soll sich nach und nach über die Geschichte aller Zeiten
und Völker verbreiten, die wichtigsten Begebenheiten ausheben, das Leben der merkwürdigsten Männer, und den guten
oder schädlichen Einfluß derselben auf ihre Zeitgenossen und
ihr Vaterland erzählen. Zugleich schmeichelt sich der Verf.
durch die gegenwärtige Schrift einige der tausend faden und
sittenverderblichen Romane, und eben so faden und geistlosen
Komödien den Händen seiner Leser zu entwinden, ihren Geschmack für die Geschichte, die einzig sichere Lehrerinn der
Menschheit, zu stimmen, und sie auf die überall in derselben
vorkommende sichtbare Wege der Fürsehung, auf Welt und
Menschen aufmerksamer zu machen. Nach Rec. Ueberzeugung kann der Verf. allerdings durch vorliegendes Werk zur
Bildung des Geistes, und Veredlung des Herzens seiner Leser vieles beytragen. Wenn auch nicht so viel Verdienstliches
auf Hrn. Wagenseils eigne Rechnung selbst kommt, weil er
größtentheils den Compilator macht: so hat er doch das Verdienst, daß er mit Geschmack und Einsicht gewählt, und
durchaus gut vorgetragen hat. Vorzüglich ist es zu loben,
daß er jedesmal die Schriften gewissenhaft anzeigt, aus welchen er seine Geschichte entlehnt hat (welches unsre neuern
für den Geschmack und die Unterhaltung schreibende Geschicht-
schrei-

ſchreiber und Biographen ſo gerne vergeſſen,). Auch die
Wahl der Quellen, unter welchen Robertſons, Schmidts,
Meiners, Schulze und anderer glaubwürdigen Gewährsmän-
ner Schriften vorkommen, iſt glücklich getroffen.

Unbillig würde es freylich ſeyn, in einem ſolchen Buche
neue Aufklärungen für die Geſchichte, oder kritiſche Unterſuchungen ſtreitiger Thatſachen ſuchen zu wollen. Es kommt
hier, wenn das Buch wirklich nützliche und lehrreiche Unterhaltung werden ſoll, alles darauf an, daß eine glückliche Auswahl der Gegenſtände getroffen ſey. Und daß dieſes faſt
durchaus der Fall ſey, wird der Leſer aus der Inhalts-An-
zeige der verſchiedenen Hefte der zwey Bände ſelbſt erſehen
können.

Das erſtre und zweyte Heft erzählen die Geſchichte der
franzöſiſchen Revolution; das dritte enthält eine kurzgefaßte
Geſchichte der Griechen auf 50 Seiten. Ob der Verf. durch
dieſe zuſammenhangende Geſchichte ſeinen Zweck bey dem Bürger erreichen wird, und ob es nicht zweckmäßiger geweſen
ſeyn würde, bloß die wichtigſten Abſchnitte auszuheben; dieß
muß ihm der Rec. zur ſelbſteignen Beherzigung überlaſſen.
Beyfall verdient es, daß er ſich bey Beſchreibungen der Kriege
und der Kriegsgeſchäffte der möglichſten Kürze befliſſen hat.
Das dritte Heft faßt noch das Leben des Solons, und das
vierte die Lebensbeſchreibungen des Pythagoras, Ariſtides,
Themiſtokles und Sokrates in ſich. Auch unter der Feder
des Verf. kommt die Xantippe, wie gewöhnlich, übel weg.
Rec. kann freylich ihre Hitze, ihr Aufbrauſen weder ableug-
nen, noch entſchuldigen; aber doch verzeihen, weil ſie nach
allen vorhandenen Zeugniſſen eine ſparſame, thätige, kluge
Hausfrau war, die ihren Mann und ihre Kinder zärtlich
liebte. Schwerer würde es vielleicht, wenigſtens für den
Rec., werden, den Sokrates, als Gatten und Vater, zu
vertheidigen, da er, wie bekannt, ſo wenig für ſeine Familie
ſorgte, und durch ſeinen unentgeldlich ertheilten Unterricht
eine Uneigennützigkeit affektirte, die er weder vor ſeiner Familie verantworten, noch auch aus den von ihm angegebenen
Gründen rechtfertigen konnte. Wer wird es ihm als Tugend
anrechnen können, daß er zum Nachtheil ſeiner Familie unentgeldlich lehrte, um, nach Xenoph. Memorab. Socrat. I,
6, nicht habſüchtig, wie die Sophiſten, zu ſcheinen, ſich

2) seine Schüler selbst wählen zu können, und 3) nicht einer
Metze, die sich für Geld preißgiebt; sondern der tugendhaf=
ten Schönen ähnlich zu werden, die sich ihren Geliebten zum
Gatten selbst wählt. War das nicht selbst Sonntag?
Den immerwährenden Tadel verdient er, daß er seine Lehren
der Nachwelt nicht selbst mittheilte; sondern diese Mitthei=
lung seinen Schülern überließ, die uns durch das Wenige,
was sie uns von ihm hinterlassen haben, so lüstern nach mehr=
erem machen. Das 5te und 6te Heft enthält die Geschichte
der Römer, von ihrem ersten Entstehen an bis zum Konstan=
tin. Um unsre Leser in den Stand zu setzen, über die Art,
wie der Verf. seinen Gegenstand behandelt, und über sein
ganze Buch selbst zu urtheilen: so wollen wir eine Stelle aus
dem 6ten Hefte, S. 44, ganz mittheilen: „Vielleicht ist
es nicht undienlich,“ sagt der Verf. am Schlusse der ältern
römischen Geschichte, „noch einige wenige Bemerkungen bey=
zufügen. Unter der Regierung der Könige, und in gewissen
„Epochen ihres Freystaats, waren die Römer eine edle, groß=
„müthige, tapfere und patriotisch=denkende Nation, glück=
„lich bey weisen Gesetzen, gefürchtet von ihren Nachbarn, im
„Kriege unüberwindlich, im Frieden mäßig, und genügsam.
„Als sie durch Eroberungen reicher wurden, rissen die Vor=
„nehmern die höchste Gewalt an sich, und der Arme ward
„zum Sklaven. Wenn dieser zuweilen sich zu erheben wagte,
„so zeigte sich die Unmacht der vielköpfigen Herrschaft, und
„sie wurde wieder einem Einzigen zu Theil. So kämpfte
„immer eine Macht gegen die andre, und, sobald der Pöbel
„sich fühlte, zitterte der Senat. Jemehr die Laster und die
„Weichlichkeit überhand nahmen, je größer die Sittenlosig=
„keit wurde, desto tiefer sank der Staat von seiner ehemali=
„gen Höhe herab. Ein Marius und Sylla bezeichneten
„mit Blut und Ungerechtigkeit jeden Schritt zur Erlangung
„ihrer Herrschaft. Ein Katilina fand Mord und Brand
„nicht zu schrecklich, wenn er mit ihrer Hülfe einen Thron
„ersteigen konnte. Ein Antonius, Lepidus und Augu=
„stus würgten Tausende hin, um ihre Ruhm= und Herrsch=
„begierde zu sättigen. Eins waren sie, und jeder bereit, an
„des andern Bubenstücken thätig mitzuwirken, so lange ein
„Vortheil gemeinschaftlich zu erringen war; aber jeder zog
„sein Schwerdt gegen den andern, wenn er es seinem Pri=
„vatnutzen für zuträglicher hielt, und, wer der glücklichere
„war, schritt über die Leichname seiner Nebenbuhler zum Ziel.

„Wenn

„Wenn der nachdenkende Leser nur diese kurze Uebersicht
„betrachten will: so wird es ihm nicht schwer werden, inter-
„essante Vergleichungen zwischen der Geschichte der Römer
„und der Franzosen anzustellen. Auch diese — wer weiß es
„nicht — waren einst in den Augen des ganzen Europa eine
„sehr respektable Nation, gesegnet von der Natur mit tau-
„send Produkten, erfinderisch, witzig, thätig, und durch
„Kunst, Handel und Arbeitsamkeit reich. Sittenlosigkeit und
„Herrschbegierde der vornehmsten Klassen verdarben die ge-
„ringen. Gesetzlosigkeit, Verachtung alles Ehrwürdigen und
„Heiligen, und fanatische Pöbelwuth stürzten den Staat um.
„Der rechtmäßige Regent blutete unter Mörderhänden, und
„nach seinem Tode stritten Wölfe sich um den Raub. Aber
„viele Richter des guten Königs wurden auch gerichtet, der
„eine durch eigene, der andre durch fremde Hand, und viele
„durch eben das Beil, das sie für andre Häupter geschliffen
„hätten. Eine Menge Staaten und Länder verheerte die
„Eroberungssucht der Römer, und ihre bürgerlichen Kriege.
„Tausend Ausländer seufzen unter der Geisel der Franzosen,
„und blutig ist ihr Reich innerlich vom Aufgang bis zum
„Niedergang. Handel, Ackerbau, Künste und Wissenschaf-
„ten liegen darnieder. Gesetze schweigen, Leidenschaften re-
„gieren. Die Robespierre und Consorten wüthen, wie
„einst das zweyte Triumvirat über Rom und seine Staaten
„gewüthet hat. Dahin sind die Marats, die Orleans,
„wie die Antoniusse und andere, erstickt in der Begierde zu
„herrschen!

„Freue dich deines Looses, glücklicher Mittelmann!
„Strebe nicht nach der Erreichung von Planen, die dein und
„andrer Glück stören! freue dich unter einer mäßigen Regie-
„rung; erfülle deine Pflichten getreu, pflege des Wohls der
„Deinigen, und genieße jeden guten Tag unter ihnen mit
„offenem Herzen: o dann wird Kronenglanz dein Auge
„nicht lüstern machen, und nie wird eine Blutschuld dein
„graues Haupt schänden! Nie wird der Gute deines Vater-
„landes über dich seufzen, und dein Ruhm wird nicht blen-
„dend, aber dauerhaft seyn!“ Wenn auch einzelne Theile
dieses Bildes eine Abänderung leiden möchten: so ist doch
das Ganze desselben wahr, und ein Beweis, wie glücklich
der Verf. die Geschichte auf Moralität und Menschenwohl
anzuwenden weiß.

Die zum Theil gut gearbeiteten Kupfer und Landkarten, die dem Werke zur beſondern Empfehlung gereichen, ſtellen folgende Gegenſtände vor: Das Titelkupfer zum 1ten Thl. Ludwig XVI., das Rec. am wenigſten gefallen hat. Nach dieſem folgen 1) die Eroberung der Baſtille; 2) die Bundesfeyer der Franzoſen, den 14. Jul. 1790; 3) Spartaniſche Jugenderziehung; 4) Ariſtides ſchreibt ſeinen Namen zur Verbannung auf; 5) Sokrates; 6) Romulus, der ſeinen Bruder Remus ermordet; 7) Cäſars Ermordung, mit der Unterſchrift: auch Du, mein Sohn! 8) Rom wird von den Gothen geplündert; 9) Karte von Frankreich, und 10) von Griechenland.

Der zweyte Theil, deſſen Inhalt wir, um die Grenzen der Recenſion nicht zu überſchreiten, nur kurz anzeigen müſſen, enthält im 1ten, 2ten und 3ten Hefte die Geſchichte der Deutſchen. Daß Rec. auch dieſen Theil mit Aufmerkſamkeit geleſen habe, hiezu nur eine Bemerkung! Sollte es wohl ganz hiſtoriſch erwieſen ſeyn, daß, nach S. 71, alle Churfürſten für Friedrich den Weiſen von Sachſen zum Kaiſer ſtimmten, und daß Carl V. allein auf den Vorſchlag Friedrichs zum Kaiſer gewählt worden ſey? Wahr iſt es freylich, daß Luther einige Tage nach Haltung des Reichstags zu Worms in die Acht erklärt wurde; aber die Achtserklärung erfolgte erſt am 26ten May, alſo mehrere Wochen nach Luthers Abreiſe. Im 4ten Hefte erzählt der Verf. die Geſchichte der Kreuzzüge; im 5ten ſetzt er die Geſchichte Carls V. und im 6ten die Geſchichte der franzöſiſchen Revolution fort. Die Kupfer dieſes Bandes ſind: 1) Friedrich der Einzige, als Titelkupfer; 2) die Krönung Carls V. zum Kaiſer; 3) die Böhmen vergreifen ſich zu Prag an den königlichen Statthaltern; 4) dem König getreu bis zum Bettelſack; 5) Mein Gott erbarme dich meiner und deines armen Volks; 6) Peter der Einſiedler; 7) der Tod des Großmeiſters der Tempelherren; 8) Carl V., und 9) ſeine nächtliche Flucht aus Innſpruck; 10) die Rettung Cazotte's durch ſeine ſiebzehnjährige Tochter von dem Henkerbeil; und endlich zwey Kärtchen von Deutſchland und Frankreich.

Tabellariſches chronologiſches Taſchenbuch, welches die Thronfolger der Päpſte, Kaiſer und Könige in Euro-

Europa, auch wie ihr Charakter und (ihre) Todesart geweſen, von Chriſti Geburt bis auf unſere Zeiten enthält; zum Nutzen der Schulen und Vergnügen der Geſchichtsliebhaber zuſammengetragen von
Chriſt. Gottl. Schlegel, ꝛ. C. Dresden 1796.
3 Bogen. 8. 8 ℔.

Wem es genügt, zum Ueberblick der Geſchichte in ihrem
Zuſammenhange ein bloßes Namenregiſter der Regenten der
verſchiedenen europäiſchen Reiche in den Händen zu haben,
für den mögen dieſe wenige Bogen ihre gute Dienſte thun.
Das Regiſter der Regenten der von dem Verf. aufgenommenen Staaten iſt vollſtändig, chronologiſch geordnet, und das
Namenverzeichniß jedes Jahrhunderts auf einer Seite ſyno-
chroniſtiſch unter einander geſtellt. Freylich dient dieß alles
zu weiter nichts, als um Namen zu lernen; nicht aber um
die Geſchichte der europäiſchen Staaten in ihrem Zuſammenhange zu ſtudieren, weil da, wo keine Namen figuriren,
auch nichts von den Staaten, nichts von den Niederlanden,
nichts von der Schweiz, wenig oder gar nichts von der all-
mähligen Entſtehung der Staaten in dem Büchlein vorkommt; und die Könige von Ungarn, von Böhmen, von
Sardinien und Neapel ganz vergeſſen worden ſind. Warum
wohl der Verf. die Päpſte Linus, Cletus, Hyginus, Ante-
rus, Damaſus in Linnius, Cletius, Hyginius, Anterius,
Damaſtus, und die letztverſtorbene Catharina II. zur Eliſa-
beth II. umwandelt? Das beygefügte alphabetiſche Namenverzeichniß mit den beygeſetzten Charakterzeichen iſt eine eigne
Idee des Verf., die den Kindern, für welche eigentlich das
Büchelchen geſchrieben zu ſeyn ſcheint, zu einem ſpielenden
Zeitvertreib dienen kann. Erwachſenen Jünglingen aber
möchten wir es nicht zum Schulbuch empfehlen, weil die zu
leicht in Gefahr geſetzt werden könnten, die Hauptſache der
Geſchichtskenntniß in der Kenntniß der Regentennamen zu
ſuchen; zumal, da ſie von der Völkerwanderung, von der
aus derſelben erwachſenen Staatenentſtehung, und der Cultur und dem Wachsthum des Menſchengeſchlechts ſowohl, als
der Wiſſenſchaften nicht ein Wort erblicken.

Di.

Bb 4

Abel

Adel der Menschheit in biographischen Schilderungen
edler Menschen. Herausgegeben von G. F. Palm.
Zwepter Band. Leipzig, bey Sommer. 1799.
304 S. 8. 20 K.

Der Herausgeber ist seitdem gestorben: also nur solcher
Schriftsteller wegen, die in seine Fußtapfen etwa zu treten,
und die Compilation fortzusetzen gesonnen sind, mag der
Wunsch hier wiederholt stehn, daß man bey Büchern dieser
Art doch mit bestimmterm Zweck, besserm Geschmack, und
vor allen Dingen mit lebhafterm Vortrag, als von dem viel
zu eilfertigen Manne größtentheils geschah, zu Werke gehen
möchte! Da er seine Quellen fast nirgend angab, und überall Nutzanwendungen unvermischte: so hieng es ja von seiner
Willkühr ab, auch das Ganze in eine gefälligere Form zu
gießen.   Wer aber auf dieses Kunststück sich nicht versteht,
sollte billig mit dergleichen Darstellung sich gar nicht befassen;
Leser, die von der Geistesgröße eines Newton oder Leibnitz schon Begriff haben, werden sicher auch ihre Zeit besser
verwenden, und schwerlich auf Compilationen, wie vorliegende, je einen Blick werfen. Für wen also fertigte man sie?
Unstreitig für solche, die bey noch sehr eingeschränkter Belesenheit den großen Mann nicht bloß anstaunen; sondern auch
lieben, nicht bloß denken; sondern auch handeln sehen wollen.
Charaktere mithin, die solch einer Behandlung nicht empfänglich sind, müssen ganz beseitigt, und Kenntnisse, die
für die Fassung der Menge noch viel zu hoch sind, nie anders
berührt werden, als wie man mit Kindern von dem Wun-
dergebäude der Sternenwelt spricht, und den, welchen so etwas erschüttert, mit der Hoffnung belebt, daß, wenn er
Astronomie studieren wird, des Erstaunenswerthen noch weit
mehr seiner warte. Bis dahin unterhalte man den gewöhnlichen Leser mit dem, was ihm am nächsten liegt; entledige
sich aber seines Berufs mit immer gleicher Wärme, mit un-
verwandter Hinsicht auf Reinigung des Geschmacks; da sich
der gute Erfolg dann von selbst zeigen, und kein andrer seyn
wird, als daß hierdurch zum Höhern aufgereizte Lehrlinge,
und deren giebt es in jedem Alter, nach weiterer Bereicherung
ihrer Kenntnisse auch unaufgefordert sich umsehen werden;
Der schönste Lohn, den ein populärer Schriftsteller erwarten
kann!

Nur

Nur acht Lebensbeſchreibungen, zum Theil längſt verſtorbner Männer, enthält dieſer zweyte Band. Da ſich in ſolchem die Kunſt des Darſtellers eben ſo wenig, wie im erſten, empfiehlt: ſo ſcheint für unſre Blätter nichts weiter als Impfe Namenliſte nöthig zu ſeyn. Die Reihe hebt mit dem menſchenfreundlichen Grafen Bernſtorf an, Oheime des eben ſo ruhmwürdigen Staatsmannes, den Dännemark unlängſt erſt verlor. Meiſt, wie zu erwarten war, aus der Denkſchrift des beredten Sturz entlehnt: hier aber nicht einmal erwähnt, wie großen Antheil an ſeiner Geiſtesbildung der wackere Keyßler gehabt, deſſen mit dem Grafen gemachte Reiſen auch itzt noch eine ſehr brauchbare Leſerey ſind. — Der 1726 im ſüdlichen Frankreich, nach vielen für deſſen Handel überaus nützlichen Schiffahrten, verſtorbne Ludwig Poivre: ein ächter Kosmopolit! — Thomas Gresham, der berühmte Londoner Kaufmann unter der Regierung Eliſabeths; noch itzt bekannt durch ein von ihm geſtiftetes Collegium, und durch die von ihm erbaute, obſchon im großen Brande gleichfalls verzehrte Börſe. Ein, wie es ſcheint, aus der Biographia Brittanica gezogner Artikel; nicht beſſer, wenigſtens bearbeitet, als die meiſten übrigen jener geſchmackloſen Sammlung. — Unſer unvergeßlicher Leibnitz, deſſen Lebensgeſchichte noch immer auf einen Darſteller wartet, der auch für ſolche, die von dem großen Mann vielleicht zum erſtenmal etwas hören, ſie lehrreich und genießbar zu machen verſtände. — Newton; wo ſtatt eines höchſtunbefriedigenden Bruchſtücks ſeiner Meinungen über Raum und Zeit, die Angabe ſeines Todesjahrs ungleich ſchicklicher geweſen wäre; denn gleichgültig iſt es doch ganz und gar nicht, ob die irdiſche Laufbahn berühmter Leute lang oder kurz geweſen, und ob im hohen Alter noch der Werth ihrer Grundſätze und Handelsweiſe ſich beſtätiget fand. Wie mancher große Kopf endigte ganz anders, als die Fülle ſeiner Jugendkraft und Mannesſtärke verſprachen! — Der Chineſe Confuzius, von dem wir ſo wenig ſicher Beurkundetes wiſſen! Daher auch hier noch des Fabelhaften in Menge, und der Apophthegmen mehr als eins, die ſchwerlich Erzeugniß eines Zeitalters, wie das ſeinige, ſeyn konnten. — Friedr. Conr. Lange; 1790 im 52ſten Lebensjahre als Hauptpaſtor zu Altona geſtorben, mag ein kreuzbraver Mann geweſen ſeyn; deſſen Lebenslauf aber, ſo wie er hier ſteht, durch gar nichts, unter tauſend andern Parentationen, ſich ausnimmt. — Der letzte Auf-

ſatz

ſatz kann aus ſittlich - praktiſchem Geſichtspunkt für den er-
baulichſten gelten. Er betrifft den 1782 zu Eſchenberge im
Gothaiſchen als Landpfarrer 91 Jahr alt geſtorbnen Friedr.
Albr. Auguſti, einen getauften Juden aus Frankfurt an der
Oder, deſſen Jugend ſchon durch merkwürdige Vorfälle ſich
auszeichnete; ſein unverrückt auf Wahrheit und Tugend ge-
richteter Geiſt aber in höchſtmuſterhafter Strebſamkeit bis
in ein ſo ungewöhnliches Alter glücklich ſich zu behaupten
wußte.

Fk.

Kurzgefaßte Biographieen der römiſchen Kaiſer, d. i.
   der eigentlich römiſchen und der römiſch - deutſchen
   Kaiſer, von ihrer Entſtehung an bis auf gegenwärtige Zeiten. Ein Leſebuch für die Jugend überhaupt,
   und für die Liebhaber der Geſchichte in mancherley
   Ständen, von Joh. Adolph Leopold Faſelius.
   Erfurt, bey Keyſer. 1799. 16 Bogen in 8. 10 gr.

Ein Produkt, wovon weder die Kaiſergeſchichte einige Aufklärung, noch die liebe Jugend vielen Gewinn ſich verſprechen
darf. Die ältere Kaiſergeſchichte insbeſondere iſt äußerſt tri-
vial und oberflächlich, und ſammelt mit Uebergehung der Re-
gierungs - und Reichsgeſchichte, im Zopfiſchen Geſchmack,
bloß einige aus allen alten Compendien bekannten Anekdoten
aus ihrem häuslichen Leben, und iſt — wirklich unter aller
Kritik. Vom Cäſar heißt es bloß: ein vornehmer Römer,
hatte eigentlich bereits den Grund zur römiſchen Alleinregierung
gelegt; aber Kaiſer Auguſt vorher ein mächtiger Römer, brachte ſie, freylich durch grauſame Gewaltthätigkeiten, völlig
zu Stande. In dem darauf folgenden Leben des Auguſt erfahren wir doch nicht mit einem Worte, auf welchem Wege
er zur Imperatorwürde gelangt iſt, nichts von ſeiner Adoption,
nichts von ſeinem Triumvirate, Kriege gegen die Mörder des
Cäſars und den Antonius, u. ſ. w.; ſondern bloß, wie gewöhnlich in Büchern dieſes Geiſtes, daß er den Tempel des
Janus geſchloſſen, daß unter ihm Chriſtus geboren, und daß
er auf dieſe Geburt eine Münze habe prägen laſſen —
eine ganz neue Entdeckung. Tiberius ſoll nach ſeines Vaters

Tod

lad, und nachdem ſeine Mutter bereits den Kaiſer Auguſt
geheyrathet hatte, geboren worden ſeyn — wo ihn der Wf. offenbar mit ſeinem Bruder, Druſus Nero, verwechſelt, und den
Tod des Vaters dazu dichtet. Domitian hat den Johannes erſt
in heißem Oele ſieden laſſen, und dann nach Pathmos ver-
wieſen. Doch wir brechen davon ab, und bekennen, daß die
neuere Kaiſergeſchichte etwas beſſer geſchrieben iſt. Ueberhaupt theilt ſie der Verf. in 5 Perioden ein: 1) von Auguſt
bis Romulus Auguſtulus; 2) bis auf Carl den Großen —
welchen Zeitraum die griechiſchen Kaiſer bis zur Irene ausfüllen; 3) bis auf das ſogenannte große Interregnum, oder
Friedrich II.; 4) von Rudolph I. bis Maximilian I.; 5) bis
Franz II. Jede Biographie iſt ſehr ſorgfältig, wieder nach
Zopfiſcher Methode, mit dem Wahlſpruch des Kaiſers verſehen, nicht anders, als wenn ſolche eine hiſtoriſche Wichtigkeit
hätten, oder den Charakter des Mannes ausdrückten. Noch
eine ganz neue hiſtoriſche Entdeckung, die uns eben in die
Augen fällt, müſſen wir unſern Leſern mittheilen, daß nämlich das Interim, das Kaiſer Carl V. 1548 publiciren, und
über deſſen verweigerte Annahme er die Städte Magdeburg und
Coſtnitz in die Acht erklären ließ, 1580 gedruckt, und Con-
cordienformel genannt worden ſey. Ohe, jam ſa-
tis eſt!

Adonis, oder der gute Neger. Eine wahre Anekbote;
aus dem Franzöſiſchen des Piquenard. Gotha, bey
Ettinger, 1799. 15 Bogen in 8. 16 g.

Die Revolution in Frankreich hat durch die verurſachten
häufigen Auswanderungen ſchon ſo manche rührende Geſchichte und Halbromane veranlaßt, daß es zu verwundern wäre,
wenn ein Zweig derſelben, der Negeraufſtand in St. Domingo, nicht auch dergleichen hervorbringen ſollte. Die gegenwärtige Geſchichte beſtätigt dieſe Erwartung. Der Verf.
derſelben betheuert auf das Heiligſte ihre hiſtoriſche Wahrheit,
und will die Materialien darzu aus dem Munde der geretteten Familie ſelbſt in ihrem nachherigen Aſylum gehört haben.
Das Original ſelbſt iſt uns unbekannt, und billig hätte der
Ueberſetzer davon einige Nachricht vorausſchicken ſollen. Die
Freyheit, ſagt der Verf. die größte aller Plagen für die neue
Welt,

Welt, die ſie ſeit der Menſchenmetzelung der Spanier, ihrer
Entdecker, heimgeſucht haben, hatte auf dem nördlichen Thal
der Inſel St. Domingo einen ſchrecklichen Aufſtand veranlaßt, deſſen traurige Folgen über 200000 Menſchen von allen Farben das Leben koſtete. Biaſſou, der furchtbarſte aller Afrikaner, wurde von den empörten Negern zum Oberan-
führer ausgerufen. Er nannte ſich König, führte eine Art
von Hofſtaat, und ſtand an der Spitze von 60000 Schwarzen, die er in der nördlichen Ebene zuſammengezogen hatte,
und die er in einem Raum von 9 franz. Quadratmeilen in
Rotten von 12000 Mann vertheilte, und wurde insgeheim
von dem damaligen Statthalter Blanchelande unterſtützt.
Einen ganzen Monat lang wurde dieſe, noch vor kurzem ſo
reiche, blühende, durch ihre Plantagen, Zuckermühlen (Mei-
ſterſtücke der Kunſt) ihre langen Alleen, ihre Zuckerrohrfel-
der, ihre Magazine und Luſthäuſer, ſo ſchöne Ebene nur von
der Flamme erleuchtet, welche dieſe prächtigen Beſitzungen
verzehrte. Zur Linken dieſer Ebene, 8 franz. Meilen von
der Capſtadt, am Fuße des Vallere-Bergs, der ſonſt zur
Gränze des franz. und ſpaniſchen Gebietes diente, lag eine
kleine Kaffeeplantage, die ein Pariſer, d'Herouville, durch
Erbſchaft übernommen hatte, und ſeit einem Jahr mit einem
jungen, gefühlvollen Weibe und zweyen Kindern bewohnte.
Er war Eigenthümer von 40 Schwarzen, die er mit Sanftmuth behandelte, und unter ihnen wie ein Hausvater im
Schooße ſeiner Familie lebte. Ihr Aufſeher war Adonis,
ein junger, brauchbarer Neger von 28 Jahren. Aber eben
dieſe gelinde Behandlung ſeiner Sklaven erregte den Arg-
wohn ſeiner Nachbarn, und einer derſelben bot ihm 250000
Livres für ſeine Plantage, wovon er in Frankreich glücklich
hätte leben können. Allein nicht nur ſeine und ſeiner Gattin
Grundſätze (er war Willens, noch einige Jahre dieſe Plantage zu nutzen, dann mit ſeinem erſparten Vermögen nach
Frankreich zu gehen, und den Boden unter ſeine treuen Neger zu vertheilen); ſondern auch des Adonis fußfällige Bitte
beſtimmten ihn, dieſen Antrag abzuweiſen, um ſeine Leute
keinem geldſüchtigen, harten Herrn Preis zu geben. So
ſtanden die Sachen, als die Nachricht vom Aufſtand der
Schwarzen Unruhe und Schrecken in d'Herouville's Familie
verbreitete. Frau und Kinder flüchteten nach der Capſtadt;
der Mann aber blieb, in der Erwartung, Böſes verhüten zu
können. Biaſſou rückt an, erſtaunt über die Schönheit der

Anla-

Anlage sowohl, als die Kühnheit des Besitzers, seine Ankunft
zu erwarten. Seine Henker erwarteten schon den Wink des
Wütrichs, um ihn zu ermorden, als alle seine Neger sich
um ihn herumwarfen, um sein Leben mit ihren Leibern zu
schützen. Dieser Anblick bewegt den König, daß er des Mannes freymüthige Rede anhört, und ihn dann in seinem sogenannten Pallaste, bis zu seiner Rückkunft, zu bewachen be-
fiehlt. Beym Wegführen sah er seine Wohnung verbrennen,
und beym Durchgang durch die Allee 300 Köpfe von Weißen,
auf den spitzigen Gitterstangen gespießt. Am dritten Tage
hielt Biassou mit allem Stolze eines Eroberers den Einzug in
seinen Pallast, eine ehemahlige Zuckermühle, itzt den Sam-
melplatz des Raubes. Sogar ein franz. Officier vom Cap-
Regimente, der sich jetzt von den Früchten seiner Verrätherey
ein herrliches Landgut in Mayland gekauft hat; aber daselbst,
in gerechter Verachtung lebt, war im Gefolge des Negerkönigs. Dieser ließ sogleich den Gefangenen vor sich bringen,
und erklärte ihm, daß sein Leben nur von der einzigen Bedingung abhänge, wenn er bey ihm in die Dienste eines Se-
cretairs treten wolle. Dieses that er. Sein einziger Kummer aber ist Trennung von Frau und Kindern. Diesen theilt
und heilt sein treuer Adonis. Er wird, als der schönste Neger, von Zerbinen, der ersten Maitresse des Negerkönigs, geliebt,
die, sobald sie das geheime Anklagen ihres Geliebten entdeckt,
ihren Herrn dahin bringt, daß er dem Adonis zu Abholung
der Familie einen Paß ertheilt, der sie dann mit Lebensgefahr,
auch glücklich bewirkt. Ein heuchlerischer Pater Philemon,
der bey Biassou und seinem Heere für einen Gesandten Gottes galt, verliebte sich in d'Herouville's schöne Frau, und gab
geheime Ordre, den Mann aus dem Wege zu schaffen. Aber
auch dieß entdeckte Zerbine, und rettete ihn. Nun entstand
natürlicher Weise bey allen der Wunsch, sich aus dieser verhaßten Lage durch die Flucht zu retten. Die beyden Eheleute
sammt ihren Kindern wurden durch Adonis und Zerbinens
Veranstaltung, durch ein Decoct vom schwarzen Campeschen-
holz und dem Samen einer wilden Liannengattung, zu Negern gefärbt, und so entkamen sie denn Alle, bey einer anbe-
fohlenen Fouragirung, bey Nachtzeit aus dem Lager, und
erreichten, nach einer höchst mühseligen und gefahrvollen
Reise, oft in Gefahr angehalten und entdeckt zu werden,
endlich die St. Marc-Stadt; wo sie zum Unglück aber kein
französisches Schiff segelfertig fanden, und sich daher aus

Furcht

Furcht vor Steckbriefen, in das nächſte beſte Schiff nach Phi-
ladelphia einſchifften. Ein Kaper von Providence plünderte
das Schiff, und nahm Adonis und Zerbinen mit ſich weg.
Man landete zu Norfolk in Virginien. D'Herouville mußte
dem Capitain die Erzählung ſeiner Unglücksfälle aufſetzen, der
ſie drucken ließ, und in der Stadt und Nachbarſchaft aus-
theilte, und dadurch bey dem Commandanten, Obriſten Wilſon, nicht nur eine Collecte von 15000 Liv. zur Unterſtützung
der Unglücklichen veranlaßte; ſondern auch die Auslieferung
des geraubten Negerpaars, das nunmehr zu unglaublicher
Freude die Geſellſchaft der Unglücksgenoſſen wieder vollſtändig machte. Wilſon kaufte in der Nähe einen artigen Mayer-
hof, mit Feld- und Wirthſchaftsgeräthe und Viehſtand, und
übergab ihn dem Helden der Geſchichte zum Eigenthum, richtete dem gutmüthigen Paar die Hochzeit aus, die hierauf
d'Herouville als Mitbeſitzer ſeines Mayerhofs erklärt, und
mit ihnen im Schooße des Friedens, vor Mangel geſchützt,
durch die Bande der Freundſchaft und Dankbarkeit vereinigt,
ein glückliches Leben führt. Hier will ſie der Verf., als er
ſich vor 4 Jahren in Virginien auf einer Jagdpartie im Walde verirrte, gefunden, und die Geſchichte aus ihrem Munde
gehört haben, und bedauert nur, daß ſie nicht in die Hände
eines geübtern Schriftſtellers, etwa des V. von Paul und
Virginie, oder des Bernardin de St. Pierre, gefallen ſey.
Dieſes hätte nun wohl nichts zu ſagen, da bey einer wahren
Geſchichte treue und kunſtloſe Darſtellung ein Verdienſt iſt;
allein wir können uns nicht entbrechen, zu geſtehen, daß uns
doch manche Wendungen, z. B. die Leichtigkeit, mit der der
Verf. ſchreckende Gefahren vorüber gehen läßt, etwas roman-
haft vorgekommen ſind. Von den Gräuelſcenen, deren im
Buche Erwähnung geſchieht, erlauben wir uns nur eine einzige unſern Leſern mitzutheilen. Der Schauplatz der Martern und Hinrichtungen der Weißen war eine große Ebne,
mit einer Erhöhung eingefaßt, von der die Schwarzen zuſa-
hen. Die Martern, die man ausdachte, waren unzählig
und unmenſchlich. Greiſe, weil ſie, dem Vorgeben nach,
die Neger länger tyranniſirt hatten, wurden mit dem Kinn
an eiſerne, ſpitzige Hacken gehängt, und, damit die Marter
deſto länger dauere, zu wiederholtenmalen abgehoben und
wieder aufgehängt. Und nun zur Erholung auf eine ſolche
Unmenſchlichkeit eine Anekdote, bey der ſich das Herz wohl
befindet. Zwey weiße Kinder, Joſeph und Paulin, ſollten

zum

zum Scheiterhaufen getrieben werden, da ſtürzten ſich vor
der amphitheatriſchen Anhöhe zwey Negerknaben, Zephyr
und Zozo herab, die von weitem ſchon der Kinder Namen
riefen, ihnen um den Hals und dann dem Wüthrich zu Fü-
ſen fielen, und um das Leben dieſer ihrer Milchbrüder ba-
ten. — Der Tyrann vergoß hier die erſte Thräne, hob die Kinder auf ſeine Arme und küßte ſie, und befahl ſie in ſeinen
Pallaſt zu bringen und zu pflegen. So bewirkte hier ein Zug
der Unſchuld und Natur, was Thränen der Eltern nicht bewirken konnten.

Bg.

Allgemeine Geſchichte der berühmteſten Königreiche
und Freyſtaaten in und außerhalb Europa. Zwote
Abtheilung. Die vereinigten nordamerikaniſchen
Provinzen. Zweytes Bändchen. Leipzig, in der
Wolfiſchen Buchhandlung. 1799. 20½ Bogen 1 2.
1 2 K.

In dieſem Bändchen iſt der Reſt der Geſchichte der ehemali-
gen brittiſchen Pflanzſtädte in Nordamerika, ſeit dem Pariſer
Frieden im Jahre 1763 bis auf die neueſten Zeiten, folglich
auch ihr harter Kampf mit dem Mutterlande, das hierdurch
veranlaſſete Entſtehen des großen nordamerikaniſchen Frey-
ſtaates, und die jetzige, auf der im J. 1787 errichteteten
Conſtitution beruhende Verfaſſung deſſelben, in der aus unſrer
Anzeige der vorigen Bändchen bekannten Manier erzählet.
Der Verf. ſagt: „Es ſcheinet eines der abentheuerlichſten
Wageſtücke zu ſeyn, daß es die Kolonien auf die Gewalt der
Waffen ankommen ließen, um ihren Streit mit dem Mutterlande zu entſcheiden.“ Auf den erſten Blick ſcheint das
allerdings ſo; auch war das Unternehmen, wie faſt jedes
Kriegsbeginnen iſt, ein Wageſtück; aber ein ſo gar aben-
theuerliches Wageſtück, wie hier daraus gemacht wird, war
es nicht. Wenn der Mutterſtaat, in Anſehung mancher Dinge, ein unleugbares Uebergewicht über die Kolonien hatte:
ſo beſaßen dieſe dagegen eigenthümliche Vortheile, deren Mangel jenem den Streit merklich erſchweren mußte, wozu haupt-
ſächlich der Gemeingeiſt, die Nähe des Kriegsſchauplatzes,
und

und die genauere Landeskenntniß gehören. Auch fiel ein guter Theil der Schwierigkeiten, welche den Kolonien anfangs
entgegen standen, nicht gar lange nachher weg. Daß die Ko-
lonisten Neulinge im Kriegshandwerke gewesen wären, ist
so allgemein gesagt, ungegründet. Nicht alle beschäfftigten
sich, wie hier behauptet wird, mit Ackerbau, Viehzucht, Manufakturen und Handel, wenigstens nicht hiemit allein und
immer; sie waren ja auch Jäger, hatten ja manchmal krie-
gerische Händel mit den Wilden. — Von der in Kolumbia
angefangenen Stadt Washington sagt der Verf., daß sie
„vielleicht mit der Zeit den schönsten Städten Europens den
Rang streitig machen wird." Das vielleicht steht hier am
rechten Orte; es sieht mit dem so pomphaft ausposaunten
Aufführen dieser Stadt noch weitläuftig aus. Den sämmtlichen vereinigten nordamerikanischen Freystaaten wird ein
Flächeninhalt von 43000, oder, die bisher nicht benützten
Striche Landes mitgerechnet, von wohl gar 90000 Quadratmeilen gegeben; die Zahl ihrer Bewohner soll im J. 1790
betragen haben 3908526 Köpfe, worunter 696695 Sklaven,
und 62973 freye Schwarze und freye Indier waren. Nach
anderen nicht verwerflichen Berichten hatten diese Staaten
im J. 1783: 2389300 Weiße, und 368000 Schwarze, also überhaupt 2757300 Menschen; folglich hätte binnen 7 Jahren (1783 — 1790) die Bevölkerung 1151226 Köpfe, d. i.
im Durchschnitte jährlich 164460$, gewonnen! Ob das
wahr sey, steht dahin. — Die Bestimmung der Größe
der einzelnen Staaten trifft zum Theil mit andern Angaben, die Autorität für sich haben, zu; zum Theil weicht sie
um ein Beträchtliches von ihnen ab. Neujersey, Pensylva-
nien, Virginien sind richtig geschätzt. Wenn aber z. B. für
Neujork 2000, auf Nord- und Süd-Carolina zusammen
2920, auf Georgien 936 Quadratmeilen gerechnet werden;
so möchte dieser Anschlag wohl viel zu gering seyn. Ob der
Zustand der nordamerikanischen Republikaner wirklich so reizend ist, wie er manchem in weiter Form scheint? — „So
leben also," heißt es, „die nordamerikanischen Staatsbürger,
frey von Chikane und Unterdrückung, im frohen Genusse der
Sicherheit ihrer Personen und ihres Eigenthums, und kennen kaum dem Namen nach jene schwere Lasten, welche manchen Europäer so tief zu Boden drücken." Gleichwohl dürfte
eine genaue, im Lande selbst angestellte Untersuchung auch
hier das *c'est tout comme chez nous!* zum Resultat geben.

Der

Der Verf. selbst setzt ja hinzu: „Dennoch sollte kein Deutscher, in der Hoffnung, sein Schicksal in Amerika zu
verbessern, sich gelüsten lassen, dahin zu wandern;
denn außer einer äußerst veränderlichen Witterung, und einem Klima, welches nicht Jedermann ertragen kann, vermißt man dort viele Bequemlichkeiten des Lebens, und Niemand wird in diesen Staaten sein Glück machen, wer sich
nicht entschließen kann, sein Brod entweder als Landmann,
oder als Handwerker im Schweiße seines Angesichtes selbst zu
verdienen." Ein heilsamer Rath, dessen Beherzigung wir
unsern neuerungssüchtigen Landesleuten bestens empfehlen.

Di.

Gelehrtengeschichte.

Monimentorum typographicorum Decas illustravit
et ad Panzeri Annales typogr. accommodavit *Joh.
Gottlob Lunze*, A. A. M. Scholae ad D. Nic.
Conr. Lipsiae, in bibliop. Schäferiano. 1799.
32 S. 8. 3 H.

Statt seinen Glückwunsch wegen erhaltener theol. Doctorwürde an Herrn Encke bis zur mäßigen Redeübung auszudehnen, hat der schon durch andre bibliographische Notizen
dem Literator bekannte Verf. eine Reihe nicht unerheblicher
alter Druckstücke kenntlicher machen, und die so schätzbaren
Panzerischen Annalen damit theils bereichern, theils berichtigen wollen. Für den, der so was zu brauchen versteht, ist
Alles geschehen, was sich erwarten ließ, und wo Rec. Vergleichung anstellen konnte, fand solcher weder Oscitanz,
noch Mißgriff. Zu Empfehlung der auch in gutem Latein
gefertigten Arbeit ihren Inhalt umständlicher darzulegen, erlaubt der Raum unsrer Blätter nicht mehr; hier also nur die
Titel der beschriebnen alten Drucke: Cicero de Oratore, 1470,
folio; wo die Vermuthung Panzers, daß solcher aus Val-
darfers Presse, damals noch zu Venedig, gekommen sey, bestätiget, und zugleich Ernesti's handschriftliche Notiz hinzugefügt wird, daß man darin nichts anders, als den bloßen
Abdruck der Römisch-Schweinheimischen Ausgabe zu suchen

ha-

habe. — Ein Sallustius von 1470 in kleinem Folio, ohne
Anzeige des Druckorts; vermuthlich aber zu Venedig besorgt,
und Panzern unbekannt geblieben. — Ciceronis Oratio-
nes, Venedig, 1471 bey Valdarfer. F. — Servii Com-
mentarius in Virgilium a Guarino, patre, emendatus, a
filio autem in lucem editus (Venedig) bey ebendemselben.
F. — Avicennae Liber tertius Canonum. 1472. F. ohne
Nennung des Orts und Druckers. — Ciceronis Rhetorica
vetus et nova, 1475; wahrscheinlich zu Venedig bey Jenson.
F. (vielleicht auch bey Philipp Condam Petri, der sie wenigstens 1479 unter die Presse nahm, und mit eben solchen
Lettern druckte.) — Terentius, Mailand, 1478, bey Dom.
de Vespolate und Jac. de Marliano, F.; eine in den Pan-
zerschen Annalen nicht beschriebne Ausgabe. — Ciceronis
Epistolae ad familiares, cum commentario Hubertini Cle-
rici, Venedig. F. Ohne Meldung der Offizin. — Cicero de officiis etc. Mailand, bey Pachel und Scinzenzeller,
1480 oder 87. F.; wegen welcher Alternative man die Beschreibung selber nachsehen muß. — Coelius Apicius Cu-
linarius, Mailand, 1498, bey Wilh. de Signerre, in Quart
gedruckt, und unstreitig editio princeps.

Die so eben angezeigten Ausgaben Ciceronischer Schriften befinden sich insgesammt auf der Leipziger Rathsbiblio-
thek; wohin sie aus der Verlassenschaft des unvergeßlichen
Ernesti, mit allem dem gedruckten Apparat erkauft worden,
den der fleißige Mann, die Werke des Römers betreffend,
sein ganzes Leben durch gesammlet hatte. Mehr als eine den
ältern Ausgaben vorgesetzte Notiz seiner Hand kann zum Belege dienen, daß es ihm um Aufspürung der Quellen alter
Lesarten im Cicero, so weit solches durch Vergleichung der
ersten Drucke sich ausmitteln ließ, Ernst genug gewesen. Die
Ausgabe des Apicius von 1498 ist in eben der Leipziger Bibliothek befindlich, und vermuthlich hat es mit den übrigen
Artikeln der Dekade gleiche Bewandniß; weil, wie Rec.
hört, Hr. L. einer der Aufseher dieses Bücherschatzes ist.
Auf Anlaß der oben angeführten Venediger Ausgabe von
1480 der Epp. Ciceronis ad Familiares, will Rec. doch eine
Mailänder eben des Jahres nachholen, als worüber in Panzers Annalen gar keine Auskunft sich finden läßt. Sie hebt,
ohne weitere Liminarstücke, folio recto gleich oben mit der
Aufschrift in Capitallettern: Marci Tullii Ciceronis Episto-
larum

larum familiarium liber primus, und dem Briefe an den
Proconsul Lentulus an. Am Ende: *Mediolani* Anno do-
mini M CCCC LXXX. ad decimum Kl Majas per pru-
dentes opifices Leonardum *packel* er uldericham *scinzen-
celler* alamanos ex civitate Ingelstat summa cum diligentia
impressum (sic) studioseque emendatum. Ziemlich großes
Folioformat, gute römische Lettern, keine Seitenzahl, aber
Signatur in lauter Quaternionen bis g incl. Andre römische
Autoren aus dieser Druckerey empfahlen, bey Vergleichung
mit noch ältern Ausgaben andrer Pressen, sich eben nicht
durch Correctheit oder bessere Lesarten. Ob bey vorliegendem
Produkt Handschriften zu Rath gezogen, oder solches nur
Nachdruck einer frühern Ausgabe sey, muß Rec. diesen Augenblick unentschieden lassen, weil ein Paar Varianten es
allein nicht ausmachen. So viel indeß ergiebt sich aus der
von unsern Landsleuten 1480 zu Mailand gedruckten, und
mit Monatsdatierung versehenen Stücken, daß der oben ange-
zeigte Cicero de officiis gar wohl von eben dem Jahre, und
gegen den August hin gedruckt seyn könne; weil nämlich ihre
übrigen Artikel son. 1480 in andre Zeiträume fallen. Zeichnet besagte Ausgabe sich überdieß durch Fleiß und reinen Druck
aus: so giebt dieser Umstand eine Wahrscheinlichkeit mehr ab;
denn je länger die beyden Ingolstädter in Mailand wohnten,
desto nachläßiger und unsaubrer gieng es in ihrer Officin her.

Rv.

Gelehrtengeschichte der Universität zu Kiel. Erster
Band, von Johann Otto Thieß, der Philosophie
und Theologie Doctor, und der ersteren außeror-
dentlichem Professor. Erster Theil. Auch unter
dem Titel: Biographische und bibliographische
Nachrichten von allen bisherigen Lehrern der Theologie zu Kiel. Ein Beytrag zur Literaturgeschichte der Theologie unsrer Zeit, von D. Johann Otto
Thieß. Erster Theil. Kiel, 1800. Auf des
Verfassers Kosten, in Kommission der neuen akadem. Buchhandl. 32 Bogen in Kl. 8. 1 M. 8 R.

Einer

Einer Gelehrtengeschichte einer Universität, wie die zu Kiel, deren Lehrer beynahe seit anderthalb Jahrhunderten an der Bearbeitung wissenschaftlicher Gegenstände Theil genommen haben, verbunden mit einer Anzeige ihrer Arbeiten und Schriften, und mit Notizen vom Geiste und Werthe derselben, kann es für den Gelehrten, dem die Geschichte seiner Wissenschaft, und der Wissenschaften überhaupt, und die Geschichte der Menschheit, auf deren Zustand der verschiedene Zustand der Wissenschaften so verschiedene Einflüsse hat, wichtig ist, nicht an einem mannichfaltigen Interesse fehlen. Denn man übersieht in derselben gleichsam den abwechselnden Zustand der Wissenschaften, wie sie bearbeitet, was dabey vorzüglich zum Gegenstande gelehrter Bemühungen gewählt wurde; welche Streitigkeiten, und wie dieselben, und worüber sie geführt wurden; und der Geist des Zeitalters spiegelt sich großentheils in dem Charakter der Lehrer auf Universitäten in dem Zeitalter mit seinen Mängeln und seinen Vorzügen. Die schlechteren Lehrer auf Universitäten sind selten von den Mängeln des Zeitengeistes frey. Die besseren, für Wissenschaft mit allen den Mitteln und Kräften, welche das Zeitalter darbeut, und zugleich für Tugend und Menschenwohl, eifrig Arbeitenden vereinigen meistens in sich, wenn nicht jeder einzeln, doch alle zusammen, die edelsten Vorzüge des Lichts des Zeitengeistes, dessen Strahlen sich hier in einem gemeinschaftlichen Mittelpunkte sammeln! So ist es auch mit dieser hier anzuzeigenden Gelehrtengeschichte der Kielischen Universität. Der Verf. derselben zeigt zwar in der Vorrede die Ursachen an, welche ihn nöthigten, den Entwurf einer Geschichte der Kielischen Universität, den er sich gedacht hatte, einzuschränken, weil die Hülfsmittel zu derselben zu dürftig waren. Ein Verzeichniß derselben ist indessen in der Vorrede mitgetheilt. Dagegen hat er zu der Gelehrtengeschichte und zur Literärgeschichte, besonders einen sehr schätzbaren Beytrag zur Literaturgeschichte der Theologie, in diesem Theile geliefert, dem er nur noch einen Theil folgen lassen will, worin er die biographischen und bibliographischen Nachrichten von den bisherigen Lehrern der Theologie auf der Universität zu Kiel endigen wird. Der Verf. hat nämlich bloß die Bearbeitung der Geschichte der Lehrer der Theologie übernommen. Er macht uns aber die Hoffnung, daß auch den Lehrern, die in den übrigen Fächern zu Kiel gelehret haben, von Anderen ein ähnliches Denkmal werde gesetzt werden. Dieser erste Theil giebt

Nach-

Nachricht vom Leben und von den Schriften: 1) D. Peter Musäus, Prof. zu Kiel von 1665 — 1674. 2) D. Christian Kortholt, von 1665 — 1695. 3) D. Paul Sperling, von 1665 — 1679. 4) D. Matthias Wasmuth, von 1667 — 1688. 5) D. Christoph Franck, von 1671 — 1705. 6) D. Johann Friedrich Mayer, von 1687 — 1702. 7) D. Heinrich Opitz, von 1689 — 1712. 8) D. Heinrich Musäus, von 1695 — 1733. 9) Lic. Theodor Dassovius, von 1699 — 1709. 10) M. Georg Pasch, von 1706 — 1707. 11) Albert zum Felde, von 1709 — 1720. 12) Wolfgang Christoph Franck, von 1709 — 1716. 13) D. Martin Friese, von 1719 — 1750. 14) Paul Friedrich Opitz, 1726 — 1747. 15) D. Gustav Christoph Hosmann, von 1730 — 1766. 16) D. Philipp Friedrich Hane, von 1730 — 1774. 17) M. Joachim Oporin, von 1733 — 1735. 18) Ingwer Gottlob Ingwersen, von 1737 — 1741. 19) M. Just Friedrich Zachariä, von 1747 — 1773. 20) D. Georg Joachim Märk, von 1758 — 1774. 21) D. Wilhelm Christian Justus Chrysander, von 1768 — 1788. 22) M. Andreas Weber, von 1770 — 1781. Der übrigen eilf Professoren der Theologie, welche bisher zu Kiel gelehret haben, wird im folgenden Theile erwähnt werden. Bey einem jeden Namen gehen kürzere oder längere biographische Nachrichten voran, zum Theil Auszüge aus einer von dem Verstorbenen hinterlassenen Autobiographie; doch so, daß der Auszug das Charakteristische der Schreib- und Denkart des Verfassers der Autobiographie durchscheinen läßt. Die bibliographischen Nachrichten, welche auf diese biographischen folgen, sind mit einem einleuchtend großen und mühsamen Fleiße gesammelt. Bey den meisten Schriften sind Stellen aus Recensionen und Anzeigen derselben in gleichzeitigen gelehrten Zeitungen und Journalen angeführt, die den Inhalt und Geist der Schrift, und größtentheils auch den Geist des Zeitalters und der Zeitschriften, woraus sie entlehnt wurden, charakterisiren. Man darf nur z. B. den auffallenden Unterschied der Urtheile der allgemeinen deutschen Bibliothek, und der Urtheile anderer Zeitschriften über die Schriften der zuletzt in diesem Theile genannten Theologen vergleichen. In allen übrigen Recensionen war Märk, und Chrysander vorzüglich, sehr gelobt, bis die Bibliothek ihre Schriften in die Klasse derer, die unter aller Kritik seyn, herabsetzte. Hier und da werden auch die Urtheile anderer Gelehrten, vorzüglich com-

petenter

peteuter Richter in ihrem Fache, aber einzelne Schriften und
Personen angeführt. Dieß alles giebt der durch ihren Anblick et
trocken scheinend abschreckenden, sparsam aber doch die Augen
nicht angreifend gedruckten Bibliographie für den theilneh-
menden und sachkundigen Leser viel Unterhaltendes. Man
sieht hier hundert und zwanzig Jahre lang die Bemühungen
der neben und nach einander arbeitenden Kielschen Theologen
auf einer Musterkarte dargestellt. Man wird zurückerinnert
an so manche theologische Fehde, deren Andenken bey manchen
Unarten unsers Zeitalters trösten kann, wenn man sieht, daß
es vorhin noch schlimmer war! Der sanfte Peter Musäus,
der hier an der Spitze steht, und welcher seinem Bruder selbst
nicht eifrig genug gegen die Andersdenkenden zu seiner Zeit war,
erhält unsern Glauben an die Menschheit, daß es zu jeder
Zeit bessere Menschen gebe, deren edler Geist selbst unter Umständen, unter welchen es kaum möglich scheint, wie bey dem
damals so allgemeinen Hange der Theologen zur Streitsucht
und Verdammungssucht, sich vom herrschenden Verderben
rein erhält, und sich anderen für das Gute empfänglichen
jüngeren Zeitgenossen mittheilt, welche, das Salz der Menschheit, sie vor dem gänzlichen Verderben bewahren. Der stür-
mische Johann Friedrich Mayer hingegen läßt uns den Vorzug unserer Zeiten fühlen, in welchen die, die ihm es wohl
gleich thun mögten, doch nicht so verderblich werden können,
als er wurde! Christian Kortholts gründliche Gelehrsamkeit
und wahre Verdienste um die Kirchengeschichte schätzt die gerechte und dankbare Nachwelt noch immer, noch mehr als
hundert Jahren; aber seines Collegen, Matthias Wasmuth,
Bemühungen, mit seinem astrochronologischen System Epoche
zu machen, rechnet eben dieselbe unter die Verirrungen des
Verstandes, die der Mangel der Selbstkenntniß, und die Begierde, Aufsehen zu machen, erzeugt. Die zum Theil mehr
als hundert und zwanzig Schriften und Schriftchen der hier
aufgeführten Verfasser sind mit ihnen vergessen. Aber die
unter ihnen, welche sich durch wahre Vorzüge des Geistes und
Herzens auszeichneten, ehret die unpartheyische Geschichte,
und belohnet ihre Verdienste mit gerechtem Lobe. Hingegen
der akademische Lehrer, der sich des Berufs, den er sich erwählte, unwürdig zeigte, scheue das ernste Gericht, bey welchem einst die Rächerinn ihre Fackel über seinen Unarten
schwingt! In einem andern Amte wären diese doch vielleicht,
so wie er, mit seinem Tod vergessen, und der Hülle der Ver-
                                                              gessen-

gessenheit nicht wieder entrissen. Aber als Mitglied einer
Gesellschaft akademischer Lehrer darf er nicht erwarten, nach
seinem Tode der verdienten Schande zu entgehen, wenn er
auch durch eine Autobiographie dieselbe von sich abzuwenden
sucht! Der Verf. hat sine ira et studio zu schreiben sich
zum Gesetze gemacht, und dieß Gesetz auch beobachtet. Was
er tadeln mußte, tadelte er glimpflich, und führet in den meisten Fällen lieber die Worte Anderer an, wo ein härteres Urtheil gefällt werden mußte. Heinrich Muhlius Streitigkeiten sind in ein hinlängliches Licht gesetzt, und bey Theodor
Dassov lieset man, mit Hochachtung für die dänische Regierung, das Schreiben, welches demselben seine Voreiligkeit,
andre der Ketzerey zu beschuldigen, sanft zwar, aber auch
ernst verweiset. Rec. wünscht den zweyten Theil auch bald
anzeigen zu können, der die neue blühendere Periode der Kielischen Universität unter der Dänischen Regierung umfaßt.
Der Verf. hat diesen ersten Theil den sämmtlichen jetzt lebenden öffentlichen akademischen Lehrern zu Kiel zugeeignet, und
sie um Selbstbiographien gebeten. Da wir also deren mehrere
im zweyten Theile erwarten dürfen: so wird derselbe auch
vielleicht an biographischen interessanten Nachrichten noch reicher werden.

Ad.

Vermischte Schriften.

Archiv guter und böser Einfälle, auch einiger hoch-
ernsthaften Gedanken und Herzensworte. Ein
humanes zeitgeistiges Journal in bunten Umschlage. Herausgegeben von einer Gesellschaft gelehrter Leute durch den gelehrtesten unter ihnen.
Probestück, so gut wie ein Jahrgang. (Danzig,
bey Troschel). 1799. XIV und 130 Seiten 8.
10 H.

Wie man sieht, hat der Titel seinem Fertiger nur wenig
Kopfbrechen gekostet, und tiefer in das Werkchen hinein giebt
es der Spreu, im Verhältniß zum Körnerertrag, gleichfalls
noch viel zu viel. Dennoch will Rec. diesen Humoristen we-

Cc 4 der

der Witz noch Scharfsinn gerade zu absprechen. Was aber
hülft Anlage zu beyden, wenn die von ihm aufgefaßte Aehnlichkeit oder Unähnlichkeit der Dinge nicht allgemeiner Competenz ist, und solche Gegenstände betrifft, die Jedermann
interessiren, der Kopf und Herz auf rechter Stelle hat?
Ein großer Theil seiner Anspielungen ist auf Warschau und
Westpreußen gemünzt, daher für eilf Zwölftel deutscher Leser
so gut als utopisch; und was Bewohnern jener Gegend ganz
witzig scheinen mag, für uns andre nicht viel besser als Räthsel. Daß er an den heillosen Xenien seine Feder versucht,
wäre vor drey Jahren sehr verzeihlich gewesen; allein dieser
Answuchs deutschen Muthwillens ist längst vergessen; und
die Vorrede des Archivs schon im Jahr 98 unterzeichnet zu
sehn, macht die Sache um nichts besser, weil man in jedem
Fall über veraltete Dinge auf neue Art unterhalten seyn
will; oder den Auctor sonst ungelesen läßt. Nicht viel anziehender sieht es hier bey Verhältnissen aus, die von noch
wirklich fortdauerndem Bezuge sind; der französischen Revolution, z. B. Statt über den Figurier-Kitzel, der bey unsern Nachbarn bis zur Wuth gestiegen war, jeden Stand
ergriffen hatte, und noch immer fort sich äußert, seinen Witz
auszulassen, spielt auch dieser Humorist mit dem kläglichen
Behelf: die Verschwendung und der Druck des Hofes sey
Schuld an allen gewesen. Wäre dem also: so müßte die Revolution längst aufgehört haben; denn die Verschwendungen
der Revolutionnairs sind noch tausendmal ärger als die der
ehemaligen Gewalten. — Kommt in diesen Aufsätzen an
die kritische Philosophie die Reihe: so lehrt man mit keiner
andern Bekehrung nach Hause, als der Meister sey hier doch
um ein ziemliches klüger, denn irgend einer seiner Jünger. Schwerlich haben unbefangene Zuschauer dieses je be-
zweifelt.

In nicht weniger als XXI Nummern, deren Ueberschriften oft das Lustigste sind, hat Hr. M—ch die Ergief-
sungen seiner Laune gepreßt; umständlicher Bericht läßt sich
also davon nicht füglich ertheilen. Da der Verf. dem An-
fangsbuchstaben seines Namens auch das Ende desselben bey-
fügt, und obenein noch Bruchstücke aus den Papieren
seiner Frau zum Besten giebt: so wäre nichts leichter, als die
Lücke ganz auszufüllen; weil aber in dem Buche doch mehr
als eine Persönlichkeit mit unterläuft, die der Auctor über-
lang

lang oder kurz wird ungeschrieben wünschen, will man ihm
seine halbe Anonymität lieber unangetastet lassen; und den
Leser dagegen mit ein paar Einfällen entschädigen, die freylich weder witzig noch scharfsinnig, immer aber noch spaßhaft
genug, und daher nicht zu verschmähen sind. — Einem
treuherzigen Spießbürger las sein belletristischer Sohn pathe-
tische Stellen aus Jean Paul vor. Erster hörte mit ent-
blößtem Haupte, und fügte am Ende sein andächtiges Amen,
Ja Amen! hinzu; weil er nämlich in dem unschuldigen Wahne
stand, irgend eine neue Epistel Sanct Pauls sey in unserm
wunderreichen Jahrzehnd zum Vorschein gekommen. —
Eine deutsche Hof-Excellenz, auch durch ihre Schriften und
das mit Recht berühmt, soll es sehr ungeneigt aufnehmen,
und es auf vielerley Art zu verstehen geben, wenn der Sollas
ihr dieses Prädicat vorenthält; selbst in solchen Fällen, wo
keinesweges vom Excelliren; sondern vom Addiren nur und
Subtrahiren die Rede ist. Tanta est penuria mentis Vbique!

Mb.

Literarische Streifzüge nach Tassens, Cyterens
(sic) und Aeskulaps Tempeln. Herausgegeben
von verschiednen Verfassern. Paris 7. (1799 vermuthlich) IV und 226 S. 8. 16 gr.

Glauben die Autoren, oder ihre Sollas, durch Gebrauch
der neuen Aera, und den angeblichen Druckort Paris etwas
Anlockendes ausfindig gemacht zu haben: so irren sich solche
sehr; denn gerade was unter diesen Wahrzeichen zum Vorschein kommt, ist Jedem sogleich verdächtig, der von der jetzigen Pariser Literatur einigen Begriff hat. Daß die Unternehmer des Streifzugs mit voller Tasche nach Hause zu kommen gedachten, erhellet schon aus dem Titelblatt, und noch
mehr aus dem Vorberichte, worin sie zur mannigfaltigsten Unterhaltung sich anheischig machen; im Werke aber selbst so
schlecht Wort halten, daß nichts zu loben übrig bleibt, als
der gute Wille des Verlegers. Dieser hat für schöneres Papier und correctern Abdruck gesorgt, als ihre geschmacklose
Schreiberey zu erwarten berechtigt war. Nur vier Proben erst des Machwerks enthält vorliegendes Bändchen;
dem jedoch mehrere nachfolgen sollen, wenn der Versuch,

Cc 5   quod

quod Dii avertant! Beyfall fände.   Allein gleich der erste
Aufsatz ist von dergestalt eckelhafter Beschaffenheit, daß wer
dem Froh dienste nicht aus Beruf sich unterziehen muß, keine
Zeile weiter lesen wird.   Ein auf der Universität vermuthlich
so eben erst abgeladener Student, stattet darin von den Ungereimtheiten Bericht ab, die bey Aufführung eines Trauerspiels in benachbarter Dorfschenke vorfielen, übertreibt alles
auf's schmutzigste, und giebt zum Nachspiel noch die Ankunft
einer Landjunker-Familie; wogegen alles, was man von
dem Ungeschmack hinterpommerschen Adels ehedem erzählt
hat, für liebenswürdige Naivetät gelten kann. — In darauf folgender Darstellung, Beyspiel zur Warnung für Eltern,
überschrieben, wirft ein anderer Mitarbeiter sich in's Pa-
thetische, und erzählt das Unglück eines von dem einquartier-
ten Offizier gemißbrauchten Bürgermädchens, mit so aufge-
blasner Backe, als wenn von unerhörtem Ereigniß die Rede
wäre; braucht aber hierzu so verblichne Farben, und dermaß-
sen abgenutzte Maschinerien, daß wenn dieser Darsteller jemals einen lesbaren Roman schreibe, er vorher den ganzen
Wust erst muß vergessen haben, womit ihm für jetzt der Kopf
vollgepackt ist.

     Um wenig erbaulicher sieht es in der dritten Unterhal-
tung aus, die vom Scheintode, und den Kennzeichen des
wahren handeln soll.   Hier hat der Schüler Aeskulap's, wohl
gar nur ein Latenbruder in Hygienens Vorhalle, nichts weiter gethan, als ein halbes Schock längst bekannter Histör-
chen aufgerafft, über Tod und Leben die Wahrnehmungen berühmter Physiologen und Aerzte eingestickt; darum aber sich
wenig bekümmert, seiner Compilation Zusammenhang und
Rundung zu verschaffen.   Wem darum zu thun ist, mehr
von der Sache zu wissen, dem wird am Ende des Aufsatzes
ein halbes Dutzend andrer Schriften nahmhaft gemacht, und
damit Holla!   Vermuthlich war Bruhier, oder sonst ein
Franzose, die Hauptquelle; weil er, der Compilator, ganz
treuherzig unsern Landsleuten Sennert, Geastel, Welsch,
u. s. w. die Endsylben us und ius läßt, womit die Franzosen
bekanntlich gegen deutsche Schriftsteller so freygebig sind.
Den engl chen Namen Scot, biegt er im Genitiv: Sco-
tens.   Dafür steigt er bey Anlaß des Worts Manen, bis
in die älteste Weisheit Aegyptens zurück, und erzählt uns,
wenn nicht wunderbare, doch sehr wunderliche Dinge.

Selbst

Erklärt das Neue Testament nach seiner Gelehrtheit ge)
halten, und die Krankheit der Besessenen läßt sich, meint
er, überaus leicht dadurch erklären, daß solches Tollhäus-
ler gewesen, die sich eingebildet in Dämone verwandelt zu
seyn. Ein rasender deutscher Magister — absit omen! —
den Moritz in seinem Magazin aufführt, liefere hierzu den
Beleg, als der sich gleichfalls für das Thier in der Offenbarung gehalten habe.

Die vierte Carricatur dieses Quodlibets, das Bekenntniß nämlich eines Hagestolzen, macht so plump und frech aus-
gemalter, mit wo möglich noch schlechtern Versen durch-
flochter Sudeleyen sich schuldig, daß Rec. auf das so eben gesagte sich beschränken, und die Quisquiliensammler damit entlassen würde, gäb' es an den Bekenntnissen, die jedoch ohne
Spur von Reue sind, nicht eine Seite noch, die gar zu auffallend ist, um nicht besonders gerügt zu werden. Welchen
Schriftsteller, meint man wohl, dieser gefühllose Karrenschie-
ber nachzuahmen sich erkühnt hat? ob er gleich nicht wage,
auch dieses Bekenntniß den übrigen beyzufügen. Niemand
andern, als den witzigen und geistvollen Verfasser der Reisen im mittäglichen Frankreich! Versuchte dieser Humorist
sich auch an äußerst kitzlichen Darstellungen, so entzog er
doch nie der Sittlichkeit ihren letzten Schleyer, und wußte
durch so kräftige Gegenmittel das Zartgefühl des Lesers immer noch zu beruhigen, daß nur ein längst schon verdorbnes
Herz dieses verlieren, und aus jenen noch Gift saugen konnte.
Einen so brutalen Zuschauer hat man hier vor sich. Schon
der beillosen Nachäffer wegen, welch ein undankbares Ge-
schäft, den Gaumen des übersetzerten oder übersättigten Publikums durch Nachtische neuer Erfindung reizen zu wollen!

R.

Die Zauberlaterne oder der Wanderer aus der Hölle,
Schlußstück zu Hans Kiek in die Welt Reisen
und zu Ludwig Waghals. Mit 6 Kupfern. (Es
sind eingedruckte Vignetten.) Leipzig und Gera,
bey Heinsius. 1799. 296 S. 8. 1 Rß. 8 x.

Dies

Dieses Buch hat mehrere Eigen- und Sonderbarkeiten.
Das Titelblatt ist — die Worte: Schlußstück u. s. w. ausgenommen — nicht, wie gewöhnlich mit Lettern gedruckt,
sondern besteht aus einer in Kupfer gestochenen Hieroglyphe,
einer Laterna Magica — eben so emblematisch hieroglyphisch
sind die übrigen Kupfer, und die Sprache des Verf. ist so
bilderreich, daß füglich ganze Bogen durch lauter in Kupfer
gestochene Hieroglyphen hätten dargestellt werden können, und
vielleicht eben so verständlich, als sie es jetzt sind. Eine weiter getriebene Bildersprache ist dem Rec. in langer Zeit nicht
vorgekommen, als etwa in den grönländischen Prozessen oder
satirischen Skizzen, die in den 80ger Jahren erschienen. Ob
diese Form die Nutzbarkeit des Buches erhöhet, möchte Rec.
eher bezweifeln als bestimmt bejahen, weil jede Ueberladung,
es sey, worin es wolle, etwas unnatürliches und unbehagliches
mit sich führt. So viel aber ist gewiß, dieß Buch zeigt von
einer glühenden Phantasie seines Verf. Der Gegenstand ist
indessen wichtig genug; es sind genialisch humoristisch satirische
Herzenserleichterungen über Menschen- und Staatenwohl,
Regierungskunst, Revolutioniren, über Hofleute und Hofnw
u. dgl. Bald kleidet der Verf. seine Gedanken in Briefe an
einen Kardinal Rapsoda di Bastia, bald legt er sie dem Em-
pedocles, bald dem Teufel in den Mund. Abgesehen nun von
den genialischen Sprüngen, die der Verf. thut, ist nicht zu
läugnen, daß man nicht bloß starke, sondern auch viele gut
gesagte Stellen findet, z. B. aus einer Standrede des
Teufels der Menschheit an der Erde gehalten. „Erbärmliche Träumer, ihr werdet ewig bleiben, was ihr seyd.
Tyrannen und Bonzen werden euer Experiment der Vervollkommnung verderben. Blut wird ewig fließen; bloß zur
Veränderung werdet ihr euch morden, weil ihr euch ewig nach
Wechsel sehnet, und mit innerer Lust, die ihr euch selbst nicht
gestehet, an Tod eurer Freunde, an Unglück, Zerstörung und
Revolution denkt. Die Hüttensassen werden Revolution
wünschen, damit was neues an die Tagesordnung komme, und
weil vielleicht einiges armseliges Gerede im allgemeinen Tu-
mult zu kapern seyn möchte; Eure Thronsassen werden sie
ewig wünschen, um größer zu werden. Sie werden sich er-
drosseln, vergiften, zusammentreten, und einen Dritten ab und
in Pension setzen, Republiken aus den Erdkarten ausstreichen,
und ihre Namen und (ihr) Wappen darüber setzen. Mag
eine halbe Tonne Goldes von Menschen darüber an den Klip-

pen

sen ihres Thrones zerschellt werden oder in Sümpfen versau-
en, das ist das wenigste, was sie kümmert. Nur Volksre-
volution ist's, was sie hassen; gegen Thronrevolutionen haben
sie nichts. Nur das Volk soll sich's nicht herausnehmen, mit
diesen Würfeln zu spielen, und das Recht Barrieren, Pfliers
und Ketten um ihre Paläste und Throne zu ziehen, wollen
sie allein behalten. Hazardspiele verbieten sie dem Volke;
aber sie spielen selbst ein's, wo die Prisen Völker, wie einst
vor einem Hof, Juwelen waren. Nicht das Volk soll sich unter einander pressen, sie wollen allein die Thränen aus der gesammten Masse keltern, und dieses Verzapfsrecht für sich aus-
schließlich behalten. Ja, Menschenblut mag fließen, das ist
ihnen nicht der Rede werth, wenn sie nur obenauf schwimmen, und sie fliehen aus dem Lande, das sie gebar, und ziehen die Schleusen auf, daß eine allgemeine See entstehe,
und das königliche Wrack, daß sie auf der Klippe sitzen ließen,
flott werde — oder sie stoßen es gar damit um. Ja das
Blut ist spezifisch schwerer, als alle Meere, und trägt viel,
das wäre schon gut; aber es wird kein Span von den königs-
lichen Kriegs- und Bombardier-Schiffe davon kommen, und
neue Pharaonen werden sich in dieses Blutmeer stürzen und
darin untergehen."

Nun auch eine Stelle aus einem Briefe an den Cardinal Rapsoda. "Wer der Lustigkeit zum Frohsinn nöthig hat,
ist dem Brantweintrinker und Opiumfresser gleich, die ohne
beides nicht ausdauern können, weder froh noch traurig und
geradezu nichts sind. Wie noch die Ehre hatte, Sie in Frankreich persönlich zu sprechen, (der Kardinal wird nämlich als
Emigrant vorgestellt) sagten mir dieselben öfters; wie Sie
ohne aufschneiden zu wollen — weil die lange Weile das Py-
rometer der höhern Hofgunst ist — versichern könnten, sich
am Hofe erbärmlich ennuyiert zu haben, aus Mangel an Beschäfftigung, nach der Sie sich gesehnt, wobey Sie doch immer hätten aus thun müssen, als würden Sie des Teufels vor
Freuden. So hat man bey uns — in Nürnberg werden viele
gemacht, und es werden Ihnen, bester Freund, schon welche
vorgekommen seyn — hölzerne Hofzwerge als Nußknacker,
die mit aller Freundlichkeit harte Nüsse aufbeißen müssen,
weil ihre obere Physiognomie eine stehende Gardine ist, und
nur die untere Hälfte am Steis durch ein Druckwerk regiert
wird, so daß die erstere lacht, während die letztere knirscht. —"

Sie

Sehr wahr ist auch folgende Stelle: „Das Traurigste ist bey der Französischen Revolution, daß die Franzosen nicht haben erwarten können, bis ihre Revolution fertig geworden ist, wie ein junger Flüchtling lieber schlechter nähen läßt, um den Rock zu bekommen, oder wie man englische Anlagen forcirt und übereilt, Pavillons, Spitzsäulen, Gothische Kirchen aus Holz zusammen klebt und wie massiv anstreicht, es mag halten, so lang es will, um alles nur gleich auf einmal anzubringen, und die Ansicht und den Eindruck des Ganzen zu haben. Da sind die Deutschen, die modelliren am neuen Bau so lang, bis das alte Staatsgebäude von selbst einstürzt, und aus künstlichen Ruinen, die sie zu bauen vorgehabt, natürliche werden. Das Einreißen erfordert gleiche Muße, will man aber aus Ausbessern gar nicht gehen: so reißt sichs freylich von selbst ein; aber es werden, wie gesagt, Ruinen. Die Vorsicht, die Ramessus beym Einrichten seiner Spitzsäule brauchte, muß in Staaten beym Einreißen gebraucht werden, sonst erschmeißt der Thron im Umstürzen das halbe Volk, wie die Statue Heinrichs des IV. beym Einreißen beynahe die Umstehenden alle erschlagen hätte. Der Wein und eine Konstitution verzehren sich, wenn sie alt werden. Ein und dasselbe Jahr (48) hat den Deutschen einen guten Wein und eine gute Konstitution gegeben; aber es ist von beiden nicht viel mehr da. Wie können sie auch ewig nachhalten? Beide gehen jung leicht in Gährung über, älter verzehren sie sich selbst. Das ist freylich jämmerlich. Wenn aber junger Wein auf alten gelegt wird, wird er selbst alt, das heiße gut, und so ist mit der Konstitution zu verfahren.“

Diese ausgezogenen Stellen können zugleich zum Beweis dienen, daß es bey allen humoristischen und epigrammatischen Witze, dem Stile des Verf. doch noch an einer gewissen Gelenkigkeit und Geschmeidigkeit fehlt, und daß er bey aller bildereichen Schreibart doch nicht einmal rein, viel weniger zierlich schreibe.

Fh.

Michael Montaignes Gedanken und Meinungen über allerley Gegenstände. Ins Deutsche übersetzt von Bode. Siebenter Band. Enthaltend das

das Real - und Nominal - Register des ganzen
Werks. Bearbeitet von Immanuel Fritze.
Berlin, bey Lagarde. 1799. 579 Seiten gr. 8.
20 kr.

Wie bekannt, gehört M. ganz und gar nicht unter die
Schriftsteller, die mit unverwandtem Blick sich an ihren
Gegenstand halten; oft genug vielmehr wird er gerade am
anziehendsten, wenn es ihm einfällt, links oder rechts abzu-
schweifen. Ein mit Sorgfalt und Umsicht gefertigtes Register muß daher allen willkommen seyn, denen das Buch des
witzigen Franzosen, wenn auch nur übersetzt, zur Lieblings-
lectüre geworden ist; und bis jetzt hat es so warme Freunde
noch immer behalten. Dem die Sprache des Originals ver-
stehenden wird freylich höheres Vergnügen zu Theil; denn
auch einen Ausdruck wußte M. sich zu bilden, der seiner
Ansicht der Dinge meist sehr glücklich entspricht. Für solche
erst indeß, die nur in der Uebersetzung ihn benutzen können,
und denen eben deßhalb manche andre Kenntniß fremd geblieben ist, muß ein dergleichen Register, das ihre Ideen sammeln und festhalten hilft, doppelt brauchbar werden.

Zwar in dem kurzen Vorberichte des Registrators erklärt solcher sich dahin: überall dem Buchstaben der Verdeutschung treu geblieben zu seyn, und nirgend etwas eingeschaltet zu haben, was einer Verbesserung oder Erklärung ähnlich sähe;
weil dieß nach seiner Meinung die Sache eines andern sey; ---
des Interpreten vermuthlich oder Commentator's. Aber
auch so schon, wie die Gegenstände hier zusammengestellt sind,
wird ihre Uebersicht allen, denen es um gesunde Verdauung
mancherley Genusses zu thun ist, erwünschten Dienst leisten. Diejenigen Register, womit mehrere Ausgaben des
Originals, besonders die sehr gute Pariser von 1725 in drey
Quartbänden, versehen sind, scheint Hr. F. nicht gekannt
oder wenigstens nicht befragt zu haben. In so eben erwähnter
weiset der Herausgeber Coste den Autor über seine Fehltritte
noch bisweilen zu recht; wofür jeder cordate Leser jenem gewiß Dank wissen wird; und ohne Zweifel würde C. dieß
noch öfter gethan haben, hätten die Pariser Coster, denen
die Unverletzbarkeit des Textes gleichfalls am Herzen lag,
über diesen Punkt ihn nicht zu sehr eingeschränkt. Es sey mit

der

der Zulässigkeit solcher Berichtigungen wie es will bewandt; offenbare Verstöße des Uebersetzers, in Namen wenigstens, erwartet man in einem guten Register doch gehoben zu sehn. Nur einen zum Beleg: und dieses deshalb, weil schon der 22te Band unsrer N. allg. d. Bibl. bey Anzeige des 5ten Theils der Verdeutschung seiner erwähnt hätte. Opere in longo vom Schlaf überwältigt, oder weil in dergleichen Fällen es dem wackern Manne wirklich an Schulkenntnissen gefehlt, waren die Argyraspiden für einen Feldherrn Argyraspides von ihm angesehen worden; ein Irrthum, der in vorliegendem Register sich treulich beybehalten findet. Ob mehr dergleichen Qui pro Quo's darin enthalten sind, hält Rec. zu untersuchen für unnöthig. Darüber aber, glaubt er, sey Hr. F. lobenswerth, bey einem Werke dieser Art, die auf dem Titelblatt versprochenen Indices nicht jeden für sich aufgestellt zu haben; weil bey solcher Manipulation die Mühe des Nachschlagens oft verdoppelt, und eben so oft das Ineinanderspringen beyder Register unvermeidlich wird. In Coste's Ausgabe führt jeder Band sein besonderes; was allerdings seine guten, aber auch eben so viel mißliche Seiten hat. — Nach wiederholtem Wunsche, daß der nunmehr beendigte Abdruck des im Ganzen so gut übersetzten Montaigne, recht viel zur Verdrängung geistloser Novitäten beytragen möge, glaubt Rec. noch beyläufig der neuen Ausgabe des Originals erwähnen zu müssen, die Hr. Bastide zu Berlin veranstaltet. Schon die große Mühe, womit dieser Gelehrte jeder Ausgabe des M. habhaft zu werden sucht, so wie der Umfang seiner Sprachkenntniß, und sein guter Geschmack, versprechen der Lesewelt, daß die von ihm unternommene Diaskevase zur befriedigendsten von allen gedeihen werde.

R.

Intelligenzblatt

der

neuen allgemeinen deutschen

Bibliothek.

No. 29.   1800.

Todesfälle.

1800.

Am 4. März starb zu Neustadt an der Aisch Hr. J. F. Dörfler, gräflich Castellischen Hofrath und Leibmedicus, ¿ Jahre alt, Vf. verschiedener medicinischer Aufsätze in Journalen.

Am 15. März zu Meissen der Rector der dasigen Stadtschule, Hr. Friedrich August Bürger, 78 Jahre alt, Vf. verschiedener Programme.

Am 25. März zu Gießen der Studiosus juris, Hr. Johann Christoph Fischer, aus Schliz gebürtig, Vf. einer kurzgefaßten Deduction der Rechtmäßigkeit des Büchernachdrucks gegen die Behauptung des Hrn. Kant.

Am 7. April zu Wittenberg, Hr. D. Carl August Schlockwerder, der juristischen Facultät ordentlicher Assessor und des Stadtraths Syndicus, 59 Jahre alt. Er hat außer seiner Inauguraldissertation und einigen Programmen nichts edirt. Seine Sammlung Dissertationen von 395 Bän-

(Ff)   den,

den, hat er dem Rathscollegium vermacht und 100 Rthlr. zu ihrer Vermehrung ausgesetzt.

Am 11. April zu Leipzig, Hr. M. Johann Gottlieb Riedel, Privatlehrer der Mathematik daselbst, 65 Jahre alt.

Am 20. April zu Berlin, Hr. Heinrich Wilhelm Seyfried, privatisirender Gelehrter, vormals Schauspieler, 45 Jahre alt.

Am 25. April zu Freiberg der Schichtmeister und Lehrer an der Bergschule daselbst, Hr. Erler, 41 Jahre alt, Vf. der ausführlichen Beschreibung des Pferdegöpels auf der Grube Neuer Morgenstern.

In eben diesem Monate zu Minden, Hr. Rudolph Carl Friedrich Opitz, Doctor der Arzneywissenschaft und Stadt- und Landphysikus, wie auch Königlich Preußischer Hofrath zu Minden.

* * *

Gelehrte Gesellschaften.

Die Gesellschaft zur Beförderung vaterländischer Industrie in Nürnberg hat kürzlich bekannt gemacht, daß auf die Frage:

Wie können Arme männlichen und weiblichen Geschlechts, besonders, wenn sie Professionisten sind, solche, die durch Krieg, Verbote u. dgl. Ursachen um ihren Handverdienst und um ihre Arbeit gekommen sind, in großen Städten, und vorzüglich in Nürnberg, bis zur Wiederauflebung ihres darniederliegenden Gewerbes am leichtesten Beschäftigung zur Erlangung eines nothdürftigen Unterhalts erhalten?

außer einer Piece, die den Namen einer Preisschrift in keiner Rücksicht verdient, nur eine Abhandlung eingelaufen sey, die zwar viele gute, aber nicht ganz locale Bemerkungen enthält, und daß sie daher die Frage zurücknehme; dagegen bleibt die im vorigen Jahre ausgeschriebene Aufgabe, die Erfindung eines vollkommenen Kochgeschirrs betreffend, von solchem Material, welches nach der Untersuchung des sel. Prof. Wetter

in

in Hinsicht auf Holzersparniß und Gesundheit die erforderlichen Eigenschaften besitzt, bis zum 1. März 1801 ausgesetzt.

Preisschrift.

Die von der Gesellschaft der Freunde der Humanität in Berlin gekrönte Preisschrift (vergl. Intelligenzbl. Nr. 13. S. 105) des Herrn Pred. Karl Ludw. Friedr. Lachmann, in Braunschweig, über die Umschaffung vieler unzweckmäßiger lateinischer Schulen in zweckmäßig eingerichtete Bürgerschulen, und über die Vereinigung der Militärschulen mit den Bürgerschulen, ist in der Ostermesse erschienen. Sie giebt einen Beweis ab, daß der Verfasser seinen Gegenstand genau kennt. Sachverständige werden gewiß den mehresten darin enthaltenen Ideen ihre Beystimmung nicht versagen, und dem Verf. der Schrift, der als ein geborner Preuße sich auf eine so gründliche Art der Jugendbildung und Verbesserung der Schulen seines Vaterlandes annimmt, für ihre Mittheilung danken. Eine große Aufmunterung erhielt derselbe durch folgendes Kabinetsschreiben des Königs von Preußen:

„Ich habe aus Ihrem Schreiben vom 20. v. M. und der „demselben beygefügten Schrift mit Vergnügen ersehen, mit „welcher Theilnahme Sie zur Verbesserung des Schulwe„sens mitzuwirken suchen; auch finde ich Ihre Ideen und „Vorschläge über diesen Gegenstand der nähern Prüfung „so werth, daß ich Ihre Schrift, für deren Mittheilung „ich Ihnen danke, dem Staatsminister von Massow dato „des Endes übersandt habe, um solche zu dem vorgesetzten „Zweck so viel als möglich mit zu benutzen, welches Ich „Ihnen hierdurch nachrichtlich bekannt mache, als Ihr „gnädiger

Charlottenburg,   Friedrich Wilhelm.
den 14ten Jun. 1800.

Schulschriften.

Hr. Oberkonsistorialrath Hecker lud zu der am 14 Apr. 1800 angestellten Prüfung des Friedrich Wilhelms-Gymna-

siums mit einer Schrift ein, die ein Verzeichniß der auf
dem Modellensaale der königl. Realschulen befindlichen Instrumente, Maschinen und Modellen enthält.
Die Anlage zu dieser Sammlung rührt von J. Hecker, dem
Stifter der Realschule, her. Sie wurde unter seinen Nach-
folgern vermehrt, bis sie zu dem Vorrath anwuchs, den das
Verzeichniß namhaft macht. Es gehören in diese Sammlung geometrische, mechanische, physikalische, optische, hydraulische und hydrostatische Instrumente, Körper, Modelle und
Maschinen zur Oekonomie, zur Lehre von der Elektricität und
vom Magnetismus gehörig, Werkzeuge und Abbildungen
zur Astronomie und Geographie, Modelle von Maschinen für
Fabriken, zur Baukunst, Numismatik, Physiologie und Archäologie gehörige Sachen. Einige der wichtigsten Instrumente und Maschinen sind zuletzt in Beziehung auf ihren Nutzen und Gebrauch beschrieben worden. Am Schlusse werden
die Lehrgegenstände aufgeführt, die im Gymnasium im verflossenen Schuljahre getrieben worden sind, welchen eine Beurtheilung der abgegangenen Mitglieder der ersten Klasse angehängt ist.

* * *

Bücherverbote zu Wien. November und December 1799.

Bücher in deutscher Sprache.

Ammon, D. Chr. F. Abhandlung zur Erläuterung der wissenschaftlichen praktischen Theologie, 1n Bandes, 2s
Stück, von den Wundern. Göttingen. 1799.

Antihypochondriacus der Jüngere, 7s Portiönchen. Linden-
stadt. 1799. 8.

Afträa, eine Zeitschrift, 1s Theil. Mainz. 1799. 8.

Aeußerungen, freymüthige, über die Bibel und ihren Werth,
als Religions- und Sittenbuch für alle Zeiten. Berlin.
1792. 8.

Begebenheiten, merkwürdige, Charakterzüge und Anekdoten
aus dem Leben berühmter und berüchtigter Menschen, 1s
Bd. Lpz. 1799. 8.

Bemerkungen über die Wielandischen Gespräche unter vier
Augen im 2. 3. 4. 5. 7. Stücke des n. d. Merkurs v.
Jahr 1798. Lpz. 1799. 8.

Berger,

Berger, J. Einleitung ins alte Testament, ar Theil. Leipz. 1800. 8.

Berlin, eine Zeitschrift für Freunde der schönen Künste, 3s Heft. Berlin. 1799. 8.

Beschreibung des jetzigen Krieges mit den Franzosen, von Baron O = Cahill, ar Theil. Frankfurt und Leipzig. 1799. 8.

Beyer, J. S. G., Museum für Prediger, zn Bandes 1s St. Leipzig. 1799. 8.

Bürgheim, D. J. H. S. Ankündigung seines Buches, Anweisung, wie man die sämmtlichen venerischen Krankheiten heilen könne? 8.

Deß. kurze theoretisch = praktische Anweisung, wie man die sämmtlichen venerischen Krankheiten, ꝛc. an sich selbst heilen könne? 5te Aufl. Lpz. 1799. 8.

Canons, 6 deutsche, ohne Begleitung von J. M. Haydn, 1r Heft. Salzburg. 4.

Denkmäler aus dem Mittelalter. Leipz. 1799. 8.

Diogenes Laterne. Leipzig. 1799. 8.

Entwürfe zu Casualpredigten und Reden bey Begräbnissen, Trauungen und Confirmationen, ar und letzter Theil. Leipz. 1800. 8.

Entwurf zu einer Exercier= und Dienstvorschrift für Scharfschützen. Rothweil. 1799. 8.

Eroberung, die, Jerusalems durch die Kreuzfahrer im Jahr 1799, ein Gegenstück zu Buonapartes Eroberungen 1799. Leipz. 1799. 8.

Europens Götter, im Fleische, ein Gemälde aus der politischen Welt, vom Vf. der Miranda und des Sauls, 2 Theile. Paris und Leipz. 1799. 8.

Fragmente über Italien, aus dem Tagebuche eines jungen Deutschen, 4s Bändchen. 1799. 8.

Frankreich im Jahr 1799, 96 108 St. Altona 8.

Fünstel = Saft und Apologie der Fichtischen Appellation. 1799. 8.

Fürst, der, des neunzehnten Jahrhunderts, 2 Thl. St. Petersburg. 1799. 8.

Galletti, J. G. A., kleine Weltgeschichte zum Unterricht und zur Unterhaltung, 6r Theil. Gotha. 1799. 8.

Gefangene, der, in Spanien, aus dem Franz. des Messias. Zürich und Leipz. 1799. 8.

Genius der Zeit. 1799. September.

(F) 2

Gllmpf-

Glimpf- und Schimpfreden des Momus. Winterthur.
1799. 8.

Cyprianus, Theodor, philosophische Abhandlungen über
die jetzige Irreligiosität, und eine vernünftige religiöse Erziehung, 1r Band. Zerbst. 1800. 8.

Hennig, D., Theorie der sämmtlichen Religionsarten des
Fetischmus, des Monotheismus und des moralischen Theis-
mus oder Christianismus, verdeutlicht in aller Kürze. Leipzig. 1799. 8.

Ebend. abgepreßte Erklärung an die Philosophen und Kriti-
ker in der Weltberühmten Wissenschaftsstadt Jena, die
angegriffene Kantische Philosophie entweder zu vertheidigen
oder als ungültig zu verdammen. Berlin. 1799. 8.

Henke, D. H. P. C., neues Magazin für Religionsphiloso-
phie, Exegese und Kirchengeschichte, 3r B. 16 St. Helmstädt. 1799. 8.

Historienschreiber, der lustige und possierliche, zum Drucke befördert von H. S. Frankf. und Lpz. 8.

Jakobi an Fichte. Hamb. 1799. 8.

Jesus, wie er lebte und lehrte, nach den Berichten der Evangelisten. Eine Beylage zu Niemeyers Charakteristik der Bibel. Halle. 1799. 8.

Journal, neues theol., von Gabler, 1s Bds 16 Stück.
Nürnberg. 1799. 8.

Ist es für die römisch-katholische Kirche nützlich, daß Pius
dem VI. ein Nachfolger gegeben werde? Valence. 1799. 8.

Klostermeyer, Mathias, oder der sogenannte Bayerische Hin-
sel, dramatisch bearbeitet, 1r Theil. Leipzig. 1800.

Knigge, Ph. E., Lebensregeln aus den besten ältern und
neuern Schriftstellern gesammelt, 1s Bändchen. Leipz.
1800. 12.

Kriegsbegebenheiten. Nr. I. Hamburg. 1799. 8.

Lauckhard, Fr., Wolfstein oder das Leben eines dummen
Teufels, 1r Bd. Lpz. 1799. 8.

Leiden der Familie Bourbon, 2r Thl., Lpz. 1799. 8.

Mangelsdorfs Hausbedarf aus der allgemeinen Geschichte
neuerer Zeit. Ein Buch zur Belehrung und Unterhaltung,
1r Bd. Halle und Leipzig. 1800. 8.

Ebendess. Versuch einer kurzen Darstellung der deutschen
Geschichte für gebildete Leser, 2r Theil. Leipzig und Jena.
1799. 8.

Mei-

Meiners, C., Geschichte des weiblichen Geschlechts, 3 Thle. Hannover. 1800. 8.

Mellin Encyklopädisches Wörterbuch, 2n Bd. 2e Abth. Jena und Leipzig. 1799. 8.

Michaelis, Chr. Fr., philosophische Rechtslehre, 1r und letzter Thl. Leipzig. 1799. 8.

Moses und Christus, oder über den innern Werth und die wahrscheinlichen Folgen des Sendschreibens einiger Hausväter jüdischer Religion an Hrn. Probst Teller, und dessen darauf erhaltene Antwort. 8.

Musenalmanach für 1800, von J. H. Voß. Neustrelitz. 12.

.....vantiken. Eine Sammlung kleiner Romane, Erzählungen und Anekdoten vom Verf. des Siegfrieds von Lindenberg, 1r B. Braunschweig. 1799. 8.

.....ffenbarung, über, und Mythologie, als Nachtrag zur Religion innerhalb der Grenzen der reinen Vernunft. Berlin. 1799. 8.

.....aalzow, die Juden, nebst einigen Bemerkungen über das Sendschreiben an Hrn. Probst Teller. Berlin. 1799. 8.

.....row, J. G., Grundriß der Vernunftreligion zum Gebrauch bey seinen Vorlesungen entworfen, 2te Lieferung. Berlin, 1799. 8.

.....lgrim, der, mit dem grünen Schnappsacke. Germanien. 1799. 8.

.....den, philosophisch-christliche, und Betrachtungen bey dem Schlusse des 18ten und Anfange des 19ten Jahrhunderts, 1r und 2r Theil. Düsseldorf, 1799. 8.

.....isen, neue empfindsame, von Bernes aus Genf, 16 Bdch. Pirna. 1799. 8.

.....ligion, über die, Reden an die Gebildeten unter ihren Verächtern. Berlin. 1799. 8.

.....manenfreund, der, Nr. 2, 3. und 4. Berlin. 1800. 8.

.....nkunkel, Fräulein, und Baron Sturmdrang. Eine possirliche Geschichte unserer Zeit, vom Vf. des Erasmus Schleicher. Lpz. 1800. 8.

.....ladin, Egyptens Beherrscher am Ende des 12ten Jahrunderts. Leipzig. 1800. 8.

.....atsarchiv, 13s und 14s Heft. Braunschweig. 1799. 8.

.....E, L., romantische Dichtungen, 1r Thl. Jena. 1799. 8.

.....ftrunk, J. H., die Religion der Mündigen, 1r Bd. Berlin. 1800. 8.

Versuch

Versuch einer natürlichen Verfassung aus die Formen des Deutschen, Kirche, entwickelt. Berlin. 1799. 8.

Voß, D. C. D., Versuch über die Erziehung für den Staat, 1r Thl. Halle. 1799. 8.

Voß, D. C. D.; das Jahrhundert der Aufklärung, 2r Th. Wien. 1799. 8.

oder:

Schvers, J. H.; neues Jahrhundert, ein Handbuch der neuern Geschichte, fortgesetzt von Voß, 7r Thl.

Beispruch, das, auch ein Rest unter den Reform. Eine Quartalschrift, 15 Heft. Darmstadt. 1799. 8.

Wiesenthal, Friedrich von Hanstein oder Wunderlist mit Pfefferung: Thüringer Ritter- und Geistergeschichte, aus den Zeiten der Behmgerichte. Wien und Hamburg. 1800. 8.

Wimpfen, des Freiherrn von, neueste Reisen nach St. Domingo. Aus dem Französischen, 2 Theile. Erfurt. 1799. 8.

Wolf, P. Ph., Vorschlag zu einer Reformation der katholischen Kirche. Leipzig und Luzern. 1800. 8.

Neue Allgemeine
Deutsche Bibliothek.

Drey und funfzigsten Bandes Zweytes Stück.

Siebentes Heft.

Protestantische Gottesgelahrheit.

Keinen neuen Katechismus mehr! Keinen alten
länger. Ein Sendschreiben an den Königl. Pr.
Justizminister von Massow, Chef des geistlichen
Departements. Unter dem angebl. Druckort.
Mainz, bey dem Bürger Volmer. VII 8½ Bog.
gr. 8. 10 gr.

Der Verf. behandelt in dieser Schrift die einsichtsvollsten
und achtungswerthesten Männer, welche dem ganzen Publikum als solche bekannt sind, auf eine sehr unanständige
leidenschaftliche Art. Er macht dem Minister von Massow,
dem Oberkonsistorium, und namentlich den Räthen Teller
und Zöllner die bittersten Vorwürfe, daß sie, nachdem die
letztern vormals der Einführung eines Landeskatechismus entgegen waren, nun doch selbst einen einführen wollen, und
schon vorläufig Veranstaltungen dazu treffen. Allein, so
scheinbar diese Vorwürfe auch dem ersten Ansehn nach sind:
so würde er sie doch vielleicht selbst beschämt zurück nehmen,
wenn er von der Absicht des berlinischen Oberkonsistoriums,
und von der Art wie dieser neue Landeskatechismus abgefaßt,
eingeführt, und gebraucht werden soll, gehörig unterrichtet
wäre. Da das nun aber nicht ist, und der Verf. sich von
der ganzen Sache eine beynah durchaus falsche Vorstellung
macht: so verräth es sehr viel Kurzsichtigkeit, Uebereilung
und Leidenschaft, daß er öffentlich so entscheidend und so hart
urtheilt, und Männer beleidiget, und in ein nachtheiliges

Licht stellt, gegen welche man sich dergleichen harte Aeußerungen, und ungebührliche Vermuthungen, gerade am wenigsten erlauben sollte.

Wenn das Berl. Oberkonsistorium die Absicht hätte, einen Landeskatechismus in allen Städten und Dörfern bey
allen Gemeinen ohne Ausnahme einzuführen, welcher in
Fragen und Antworten abgefaßt sey, und welchen die Kinder schon von dem fünften Jahre an von Wort zu Wort auswendig lernen sollten; wenn es dabey dem Lehrer zur Zwangs-
pflicht machte, dieses und kein anderes Religionslehrbuch bey
ihrem Unterricht zu gebrauchen (denn das ist der höchst sonderbare Begriff, den sich der Verf. von einem Landeskatechismus macht)! so würde es allerdings den strengsten, aber
gerechtesten Tadel eines jeden einsichtsvollen und gutdenken-
den Menschen verdienen. Denn gesetzt ein solches Buch wäre
auch das beste in seiner Art: so würde es doch nicht überall
gleich nützlich und gleich brauchbar, und dem Zustande der
Geistesfähigkeit, und Geistesbildung einer jeden Provinz,
und einer jeden Gemeine nicht gleich angemessen seyn. Der
Prediger muß die Umstände seines Orts und seiner Gemeine
am besten kennen, und am besten wissen, wie hoch oder wie
niedrig das Thermometer der Aufklärung und der Geistesbildung in seiner Gemeine stehet. Es muß ihm also auch frey
stehen, unter allen Katechismen oder Religionslehrbüchern
dasjenige zu wählen, welches er seinen Einsichten nach, für
das beste hält, es mag nun Landeskatechismus heißen oder
nicht. Traut man ihm diese Einsichten nicht zu: so ist es
sehr unrecht, daß man ihn zum Prediger bestellt hat; denn
er verdient es nicht zu seyn. Alsdann würde das Auswendiglernen auch der zweckmäßigsten bestimmtesten Fragen und
Antworten nichts anders, als ein leerer, den Verstand der
Kinder verkrüppelnder Mechanismus seyn, der, wenn es
darauf abgesehen wäre, den gemeinen Mann in der Unwissenheit und Unverständigkeit zu erhalten, freylich seine Wirkung
schwerlich verfehlen dürfte. Ob die Kinder orthodoxe oder
heterodoxe Fragen und Antworten auswendig lernen, ist
ebenfalls gleich viel, weil sie für diese eben so wenig wie jene
verstehen. In so fern nun der Verf. gegen einen solchen
Landeskatechismus, wie er zuvor angegeben worden, und gegen eine solche Art seiner Abfassung, seiner Einführung und
seines Gebrauchs streit, hat er allerdings recht. Aber im

Grün-

Grunde eifert er ja nun nicht gegen die Sache, sondern gegen seine eigene falsche Vorstellung davon.

Sollte es denn nicht möglich seyn, einen Landeskatechismus zu schreiben oder herauszugeben, der nicht in Fragen und Antworten abgefaßt ist, nicht auswendig gelernt werden soll, und nicht (mit Zwang) überall eingeführt werden muß? Ist es nicht für den Lehrer bequem, wenn er sich eines solchen gut geschriebenen Lehrbuchs als eines Leitfadens bey seinem Unterrichte bedient? Und ist es nicht für die Kinder nützlich, wenn sie bey dem Unterrichte ein solches Buch in der Hand haben, damit ihre Gedanken nicht umher schwärmen, sondern durch das Vehikel der gedruckten Worte, ihre Aufmerksamkeit festgehalten, und auf die Sache geheftet wird? Vergessen gewöhnlich Kinder (zumal wenn man sich mit ihnen von Sachen unterhält, welche nicht in die Sinne fallen) nicht leicht, wovon die Rede ist, und können sie es wohl so leicht vergessen, wenn sie im Lehrbuche das Wort oder den Ausdruck vor sich haben, welchen der Lehrer erklärt? Ist es nicht nützlich, daß das Kind, wenn der Unterricht vorüber ist, nun im Buche den Hauptinhalt desselben übersehen, und sich um so leichter dessen, was der Lehrer gesagt hat, erinnern kann?

Wie nun ein solches Lehrbuch, es sey nun für das Landvolk oder für die Bewohner der Städte bestimmt, abgefaßt seyn müsse, ist eine ganz andre Frage. Der Verf. sagt, er habe sich bey seinem Religionsunterrichte der Geschichtserzählung eines Evangelisten, und der Parabeln der übrigen mit Nutzen bedienet, und will nun daraus beweisen, daß ein jeder Katechismus unnütz sey. Allein, da er selbst gestehet, daß er das Zweckmäßigste aus den Evangelisten ausgewählt habe; so könnte doch vielleicht einer auf den Einfall kommen, das, was der Verf. gewählt hat, zum Unterricht der Kinder besonders abdrucken zu lassen. Und wäre nun dieser Geschichtskatechismus nicht auch ein Katechismus? Wie ist es also möglich, daß er behaupten kann, der neue Landeskatechismus möge beschaffen seyn, wie er wolle, so werde er doch in keinem Fall etwas taugen? Ein solches unüberlegtes Geschwätz ist dem Rec. kaum vorgekommen.

Gegen das Ende dieser Schrift scheint dem Verf. das Blut etwas kälter geworden zu seyn; oder er stellt sich wenigstens so, als ob er es fühle, daß er oben erwähnten verdienten

Män-

Männern zu hart gefallen sey. Er will es also wieder gut machen, und entschuldiget sich mit seinem großen Unwillen über die (schlechten) Katechismen, mit seiner Eil, der Einführung des neuen Landeskatechismus zuvor zu kommen, und giebt den Rath, nicht auf die Form, sondern auf die Realitäten oder Materialien seiner Schrift zu sehen, die freylich ein anderer vielleicht weit besser würde bearbeitet haben. Welche kahle Entschuldigungen!

Aj.

Ueber die beste Art, die Jugend in der christlichen Religion zu unterrichten, von Carl Ludwig Droysen, Präpositus in Bergen, auf der Insel Rügen. Erster Theil, Zweyte wohlfeile Ausgabe. Leipzig, bey Gräff. 1799. XX und 256 Seiten in 8. 12 gr.

Die im 11ten Bande unserer Bibliothek S. 225 ff. nach Würden bereits empfohlene Schrift in einem unveränderten Abdrucke; so daß die Besitzer der alten Ausgabe nur das Wort — Erster Theil und einige Groschen bey dem höhern Preise der ersten Ausgabe einbüßen. Letzteres ist bey einem solchen Buche kein Verlust, und Ersteres steht da, wenn etwa noch die Erläuterungen und gehäufteren Beyspiele, die noch allenfalls hinzugesetzt werden könnten, von mehreren verlangt würden, die alsdann als ein zweyter Theil angesehen werden könnten. Sollte der würdige Verfasser einen Augenblick daran zweifeln können, daß man sie mit Dank aufnehmen werde? Auch hält Rec. den Verfasser bey dem hier nur so halb und halb gegebenen Worte, daß er, wo nicht ein religiöses Elementarbuch, doch ein Hülfsbuch beym Unterrichte nach einem Katechismus geben wolle, welches denselben durch kurze anpassende Beyspiele und Gleichnisse erläuterte. Das würde von diesem Verfasser gewiß sehr brauchbar werden müssen.

Gtz.

Reli-

Religion, eine Angelegenheit des Menschen. Von J. J. Spalding. Dritte Auflage mit neuen Zusätzen. Berlin, bey Voß. 1799. 1 Alph. 1 Bogen Vorrede kl. 8. 20 gr.

Wenn es irgend eine Schrift verdient, in den Zeiten, darin wir leben, und worin die wahre und scheinbare Gleichgültigkeit gegen alles das, was Religion, Christenthum und Frömmigkeit heißt, sich so weit auszubreiten anfängt, in jedermanns Händen zu seyn, und ihr erwärmendes wohlthätiges Licht auf die höhern und niedern Stände zu verbreiten: so ist es gewiß die gegenwärtige. Sie erscheint hier schon zum drittenmale aufgelegt, und das ist doch wohl ein unläugbarer Beweis, daß es unter dem lesenden Publikum noch sehr viele giebt, welche den Werth der wahren Religion, und der rechten Religiosität, die auch immer wahre Moralität ist, zu schätzen wissen, zumal wenn sie von einem verehrungswürdigen Spalding mit der ihm eigenthümlichen Bündigkeit, Würde und Herzlichkeit vertheidiget und empfohlen wird, wie hier der Fall ist. Uebrigens ist diese dritte Auflage keineswegs ein bloßer Abdruck der zweyten. Es sind hier noch verschiedene Zusätze hinzugekommen, um die Wahrheit theils mehr zu begründen, theils in ein helleres Licht zu stellen, wo es dem verehrungswerthen Greise nöthig zu seyn schien. Man wird auch diese nicht unbedeutende Zusätze nicht ohne Interesse lesen, und sie sind ein neuer Beweis von seiner Geistesthätigkeit, Wahrheitsliebe, von seinem Scharfblick, und von seiner rühmlichen Begierde, so viel es ihm in einem so hohen Alter noch möglich ist, der Welt nützlich zu werden.

Du.

Warum blieb das Christenthum nicht in seiner Reinheit und Einfalt? Nach J. A. Turretins Anleitung untersucht von C. A. Behr. Leipzig und Gera, bey Illgen. 1799. 17½ B. nebst Vorrede und Inhaltsanzeige. 18 gr.

Der Verf. sagt in der Vorrede, daß wir in Zeiten leben, welchen mancher denkende und ehrliche Mann nur darum

gegen das Christenthum eingenommen ist, weil er es mit dem
Papstthum verwechselt, und Zusätze von reiner Christuslehre
nicht zu unterscheiden weiß; daß man beynahe überall über
Verfälschung des Christenthums klagt, und daß sich die Theologen deshalb Mühe geben, das Gold von den Schlaken zu
reinigen. Er glaubt also, daß eine Schrift von der Verfälschung des Christenthums und ihren Ursachen sowohl für den
Religionslehrer, der mit der Kirchengeschichte nicht gehörig
bekannt ist, als auch für den denkenden Christen ein Interesse
haben müsse. Das hat ihn auf den Gedanken gebracht, die
Rede, welche Turretin schon im Jahre 1711 in lateinischer
Sprache gehalten, ins Deutsche zu übersetzen, und ohne sich
so genau an die Ordnung derselben zu binden, sie als einen
Leitfaden zu gebrauchen, ein Wort zu seiner Zeit zu reden,
und, da sie nur kurz ist, hier einen Commentar darüber zu
liefern.

Rec. ist nun zwar der Meinung, daß es zu unserer Zeit
wohl schwerlich einen in der Religion auch nur mittelmäßig
unterrichteten Protestanten geben kann, der das Christenthum
nicht von dem Papstthum zu unterscheiden wüßte, und daß
derjenige Prediger oder Religionslehrer nicht verdiente Prediger oder Religionslehrer zu seyn, der von der Kirchengeschichte nicht einmal so viel wüßte, oder auch nur von der Universität her behalten hätte, daß er sich bey den vom Turretin
angegebenen Ursachen der Verfälschung des Christenthums
nicht so mancher dahin gehörigen Beyspiele erinnerte. Indeß glaubt er dennoch, daß diese Schrift einem Nichttheolo-
gen, der mit der Kirchengeschichte wenig oder gar nicht bekannt ist, und der doch über die Sache, davon hier die Rede
ist, selbst urtheilen will, allerdings nützlich seyn kann.

Der erste Abschnitt: von dem was reines Christenthum
ist, ist ganz von dem Verf. Er zeigt darin aus verschiedenen
Schriften alter und neuer Theologen, daß einige mehr, andere
weniger dazu rechnen. Ob nun das gleich nur unvollständig
geschiehet, indem die Meinungen darüber so sehr verschieden
sind, daß beynahe ein jeder denkender Theologe hierin etwas
anders denkt als der andere: so bekommt doch der Nichttheo-
loge dadurch einen richtigen Begriff von der Sache. Auch
thut der Verf. sehr wohl, daß er selbst nicht entscheidet, sondern bloß bey der allgemeinen Behauptung bleibt, daß man
überall von den Lehren Jesu abgewichen sey. In den übrigen

gen Abschnitten hält sich der Verf. ziemlich genau an Turretin, den er gut erklärt, und die Beyspiele dazu aus alten und
neuen Schriften zusammengesucht hat. Indeß fürchtet Rec.
noch sehr, daß diese Beyspiele größtentheils dem Layen nicht
ganz verständlich seyn möchten. Uebrigens hat schon Turretin
in seiner Rede eine Ordnung beobachtet, welche wohl nichts
weniger als logisch oder philosophisch ist, indem offenbar eine
besondere Ursache der Verfälschung des Christenthums unter
andere allgemeinere gehört. Dem Vf. wäre es leicht gewesen,
und es würde auch dadurch die Uebersicht des Ganzen beque-
mer gemacht haben, wenn er von dieser Ordnung des Turretin ganz abgewichen wäre, und die Materien, welche zu-
sammengehören, auch zusammengestellt hätte. Er hat aber
die vorige Ordnung, die in der That eine Unordnung ist,
nicht nur beybehalten, sondern auch durch seine Einschaltungen
noch vermehrt.

Az.

4. Carl Victor Hauff, Professor (s) und Prediger (s)
im Kloster Bebenhausen, Bemerkungen über die
Lehrart Jesu mit Rücksicht auf jüdische Sprach-
und Denkart. — Ein Beytrag zur richtigen Beurtheilung dessen, was Lehre Jesu ist. — Zweyte
Auflage. Offenbach, bey Brede. 1798. 22 Bogen mit der Vorrede 8. 18 gr.

Mit dem Motto auf dem Titelblatte aus Bengel: Docto-
ris non est docere, quae ipse scit, sed quae auditoribus
ingruunt. — Die erste Auflage dieser nützlichen Schrift
erschien im J. 1788, und fällt also außer dem Zeitraume
der neuen allg. deutschen Bibliothek. Wir müssen bey der stets
wachsenden Menge von Schriften alle Wiederholungen möglichst vermeiden, und also die Leser, was die genauere Beurtheilung ihres Inhalts betrifft, auf die alte Bibliothek und
andere damalige Journale verweisen. Sie ist immer noch
ein sehr wichtiger und zumal für junge Theologen sehr nützlicher Beytrag zur Kenntniß und richtigen Beurtheilung der
darin abgehandelten Materie. Rec. hat die ältere Auflage
nicht vor sich, um sie mit dieser vergleichen zu können; und
der Vf. hat auch, durch andere Arbeiten abgehalten, wie er

Dd 4

in der neuen Vorrede sagt, keine Umarbeitung vorgenommen, die eine Vergleichung nöthig machen würde. Seine seit der ersten Ausgabe gemachten Bemerkungen verspricht er in einem zweyten Theile, oder in einem besondern Bändchen zu liefern. Wir müssen dieses Verfahren um soviel mehr loben, da viele, auch berühmte Schriftsteller bey neuen Auflagen ihrer Schriften so unbillig gegen ihre Landsleute handeln, daß sie nicht nur ihre Aenderungen und Zusätze alle gleich in den neuen Text einweben, welches an sich niemanden zu verübeln ist; sondern auch nicht dafür sorgen, daß sie, wenn es sich auch recht gut thun ließe, zum Besten der Besitzer früherer Ausgaben allein abgedruckt und verkauft werden. Viele Gelehrte, die dergleichen Schriften etwan gebrauchen müssen, und oft das Geld nicht überflüßig haben, sind dann gezwungen, ein Buch oft zwey oder dreymal zu kaufen. Rec. hat diese Erinnerung absichtlich hier gemacht, um Aufmerksamkeit zu erregen, und im Namen vieler zu bitten, daß man sie doch, zumal in jetzigen Büchertheuern Zeiten, befolgen möge, wo es sich irgend thun läßt. Herrn Hauff's zweytem Theile sehen wir mit Verlangen entgegen, da seit einigen Jahren so manches über seine Materie geschrieben, auch mit unter gefaselt ist, daß sie wohl eine fernere Untersuchung verdient.

Sa.

Arzneygelährheit.

Philosophische Nosographie oder Anwendung der analitischen Methode in der Arzneykunde. Von Philipp Pinel, Professor der Arzneyschule zu Paris, übersetzt, und mit Anmerkungen versehen von J. Alex. Ecker, Professor zu Freyburg. Erster Theil. Tübingen, in der Cottaschen Buchhandlung. 1799. 8. 1 Rf. 4 Ħ.

Ueber die anerkannte Nothwendigkeit, so wie in allen Wissenschaften, auch in der Arzneykunde die zu behandelnden Gegenstände genau und treu zu kennen, ist nur eine Stimme. Schon Baglivi, überzeugt, daß die genaue Beschreibung aller und jeder Krankheiten, oder eine vollständige Nosographie
die

...te Kräfte, und vielleicht die Lebensdauer eines einzelnen über-
schreiten würde, wünschte, daß eine ganze Gesellschaft oder
Akademie diesem großen Geschäffte sich unterziehen möchte:
Pinel, der in der Einleitung S. 34 mit französischer Freymüthigkeit sein eigenes Eloge freygebig schreibt, will sich vor
en Rieß stellen, und, indem er aller vorangehenden Nosologen
Arbeiten verwirft, eine der Natur getreue Schilderung der
Krankheiten entwerfen, und sie zugleich als Nosologe auf ihre
natürliche Einfachheit zurückzubringen, und ordnen. Noso-
raphie wird hier mit Nosologie verwechselt — der Nosograph
st nicht nothwendig Nosolog, noch dieser nothwendig Noso-
raph. Noch in der Einleitung eifert der Verf. über Schul-
meinungen, über Galenismus, Humoristen u. s. w., was
llerdings in Frankreich, wo auch unter Nichtärzten immer
on humours die Rede ist, zwiefach nothwendig seyn mag.
Ob und wie nun der Verf. der von ihm selbst gemachten For-
erungen Genüge geleistet habe, lehrt die Ansicht des Werks
elbst. In diesem ersten Theile werden Fieber, Entzündungen
nd thätige Blutflüsse abgehandelt. Er setzt sechs Fieberord-
nungen fest, die angisteriques, die meningo-gastriques,
ie adéro-meningées, die adynamiques, die ataxiques,
nd die adéro-nerveuses. Der Herausgeber, welcher noch
manche beleuchtende Note beygefügt hat, kann sich nicht ent-
alten, diese Benennungen zu critisiren, welche freylich einen
och ungeübten Nosologen, und einen der griechischen Termi-
ologie nicht sehr kundigen Gelehrten verrathen. Aber die
Eintheilung selbst ist weder so wie aus der Natur geschöpft,
och nach der angeblichen analytischen Methode, die mitun-
r, wie S. 46 mit der synthetischen verwechselt wird, aus-
ehoben. Die zweyte und dritte Fieberordnung kann in mehr
ls einer Rücksicht der ersten untergeordnet werden; die drey
tzten dürften leicht in eine Ordnung zusammenfallen; und
o sollen wir die hektische Fieber suchen? Ueberdieß hängt der
Verf. allzu sehr an den Typen der Fieber, und legt ihnen für
Bestimmung der Arten und Gattungen einen unverdienten
Werth bey. Scheint es doch Schicksal der Zeit und des Lan-
s zu seyn, ein Gebäude umzustoßen, ohne etwas Besseres
agegen aufzubauen; oft ist es auch nur Maske, als ob man
eu schaffe, alles aus sich selbst schöpfe. — So sind hier die
Beschreibungen der Fieber, aller Invektiven gegen ältere
Schriftsteller unerachtet, wenn nicht entlehnt, doch den von
lesen gegebenen so ähnlich, daß wenigstens nichts neues dar-

aus

ans erlernt wird, so sehr und so oft auch der Verf. von seiner
Tribune herab me voilà! rufen mag, und so viele Mühe er
sich giebt, dem beybehaltenen Alten einen Anstrich von Neuheit zu geben. Bey Gelegenheit des gutartigen dreytägigen
Fiebers rügt er den Brownianismus hart; versichert, daß er
ohne viel Stärkmittel es gehoben habe, und glaubt, daß diese
Thatsachen das Brownische System von der leidenden Erregbarkeit in die Klasse der medicinischen Romane versetzen.
Wenn er übrigens von Beobachtern beschriebene Fieber als
Paradigmen annimmt, wie z. B. das von Vogler (und Rö-
derer) geschilderte Schleimfieber; so wird selten, wie auch in
eben diesem nicht, der einfache Charakter desselben erhascht
werden; was doch nach der hier so genannten Analyse seyn
müßte. In Anführung der Heilmittel ist er sehr kurz; strebt
aber deutlich nach einer edlen Einfachheit. In dem sogenannten Faulfieber rühmt er vorzüglich den Wein. Der Typhus,
den er adynamisches Fieber nennet, ist allerdings so mannichfaltig in seinen Erscheinungen, daß er sehr schwer als einfach
dargestellt werden kann; und vielleicht giebt es in der Natur
keine einfache Urform von ihm, auf welche alle, mit Abschnei-
dung ihrer Complicationen, reducirt werden könnten; auch
hier wird Wein vorzüglich empfohlen. Die zweyte Klasse begreift die Entzündungen. Nach abermalen vorangeschickter
Deklamation gegen alles, was vor ihm gesagt wurde, sagt er
selbst nichts neues; denn, daß Reizung die Hauptsache ausmache, läugnet niemand; so ist auch nicht unbekannt, daß die
verschiedene Beschaffenheit der afficirten Theile eine Verschiedenheit in den Erscheinungen verursache. Nach letzterer Betrachtung ordnet er die Entzündungen in die der Schleim-
häute — der durchsichtigen Häute — des Zellengewebes, der
Drüsen des Parenchyms der Eingeweide — der Muskeln —
der Haut. Schon bey der ersten und zweyten Ordnung kommen die Gedärme, folglich zweymal, vor, und die Entzündungen des Zellengewebes hätten wohl nicht mit dem des Parenchyms der Eingeweide in eine Ordnung gesetzt werden sollen. Geschlechter, Arten und Gattungen, in deren Festsetzung
und Unterscheidung so großer nosologischer und praktischer
Werth liegt, unterscheidet er gar nicht; ja, er läßt seine sogenannte Gattungen numerweise durch alle Klassen fortlaufen,
wie man ehedessen die Krankheiten nach Kapiteln fortzählte,
so daß der erste Blutfluß, das Nasenbluten, hier die acht und
dreyßigste Gattung ist. Die detaillirte Beschreibung einzelner
Entzün-

ungskrankheiten, in welche wir uns des Raums wegen nicht
einlassen können, ist der bey den Fiebern beobachteten ähnlich.
Ein gleiches gilt von den zuletzt abgehandelten activen Blut-
flüssen. Als Anhang ist der von Vicq d'Azyr bearbeitete
Artikel: Aiguillon, aus der methodischen Encyclopädie beygefügt.

*Medicinische Fragmente, aus meiner Erfahrung ge-
zogen. Von D. J. G. F. Henning. Zerbst, bey
Füchsel. 1799. 8. 1 Rh. 4 gr.*

Aus dem ganzen Gebiete der Arzneykunde werden hier gemischte Bemerkungen gegeben, welche im Ganzen gut, nur
etwas weitschweifig vorgetragen sind. Die erste: Nicht immer sind gerichtliche Leichenöffnungen das einzige Mittel, die
wahre Ursache des Todes auszumitteln. Als Beleg hiezu
führt der Verf. verschiedene Beyspiele, sonderlich von uner-
kannt gebliebenen Vergiftungen, an. — Wird das Menschengeschlecht mit jeder Generation schwächlicher, oder ist diese
Erscheinung anderswo zu suchen? Diese etwas undeutlich und
unbestimmt dargelegte Frage beantwortet der Verf. mit Reflexionen über die physische Erziehung, und will, daß man hierinnen auch auf die moralische Seite und die individuelle Con-
stitution achte: vornehmlich eifert er gegen das unbedingte
Aussetzen der Kälte. — Das dritte Fragment begreift die
Frage: Warum sind anjetzt die Schwindsuchten so häufig?
In ihrer Beantwortung geht er die meisten diätetischen Momente durch, wobey mancher modische Mißbrauch gerügt wird,
sonders das unmäßige Tanzen, und die häufigen Anlässe
zur Erkältung. Im Catarrh zeigte sich der Moschus wirk-
sam. Gegen den Mißbrauch der Mineralwasser, und das
lustige Anordnen derselben ohne bestimmte Indicationen,
auch gegen die oft grundlos und pedantisch vorgeschriebene
Diät dabey, ist das fünfte Fragment gerichtet. Da der Verf.
ferner auch beym Menschen das sogenannte Durchkreuzen der
Racen für nützlich hält, und vom Gegentheil Ausartung,
Trägheit und moralische Verderbnisse fürchtet: so glaubt er,
daß es dem Staate nicht gleichgültig seyn könne und dürfe,
daß sich zu nahe Verwandte unter einander verheirathen. In
Auflösung der Frage: woher jetzt so häufig die Erscheinung
der Hämorrhoidalkrankheiten kommen, rügt er abermalen ver-

schie-

aus erlerne wird, in seb
Tribüne herab me voil
sich giebt, dem beybehal
heit zu geben. Bey G
Fiebers rühat er den Bro
ohne viele Stärkmittel es
Thatsachen das Brownis
barkeit in die Klosse d
Wenn er theyeys von
Paradigmen annimmt,
deren) geschilderte Schle
den diesem nicht, der
werden, was doch nach
müssen. In Anführung
oder deutlich nach einer edl
am Faulfieber rühmte er v
den er adynamisches Fiebe
sich in seinen Erscheinu
dargestellt werden kann;
seine einfache Urform von j
sung ihrer Complicationen
hier wird Wein vorzüglich
greift die Entzündungen.
Deklamation gegen alles,
sagt nichts neues; denn,
weche, läugnet niemand; s

ung und Cur des Schar
lung des gelben Fiebers,
eumatismus, der Ruhe
e wird in diesen wenig
, als sich in manchen db
e antreffen läßt. Mich
ge Begriff, welcher die
Englischen, Schriftsteller
unpartheylichste schilder-
en, Einrichtungen ähnli-
ne jedoch die Mängel zu
mit großer Sachkenntniß
eits, welche seit der Er-
in Hamburg gebracht
ers, bey der beschleunig-
Menschenelend zu lin-
ur, hatte eben diese Absi-
och einem vorher ange-
tzen zusammengetragen
weiligen Folgen, daß we-
d des Ganzen, noch auf
derliche Fleiß verwendet
trag, nicht selten dunkel,
mehrern Stellen dermaß-
er läßt den Sinn des
en ist indessen in der Ue-
e aus dem Grunde nicht
l selbst behauptet, und
durchgängigen Treue, als
grüblichen Sach- und
rühmlichsten Beweise dav

Medicin — zu Paris —
latur, und Behandlung
mit Anmerkungen von G.
nover. Erster Band.
10 R.

Portal

schiedene Mißbräuche in der Lebensart, vornehmlich den des
Kaffee. Ueber das halbseitige (einseitige) Kopfweh aus Ner-
venschwäche theilt er einige schätzbare Bemerkungen mit, und
zeigt, daß in den meisten Fällen stärkende diätetische und andere Hülfsmittel Nutzen schaffen. Oefters sey es arthritischer
Natur. In der Krankheitsgeschichte einer Lungensüchtigen
ist besonders die Section merkwürdig, wodurch eine mit einer
kallsteinähnlichen Masse angefüllte Lunge, und im hintern
Ventrikel des Herzens eine halbe Theetasse voll weißen Eiters
entdeckt wurde. Eine Amputation des Unterfußes eines mit
Grind behafteten Menschen endete sich mit dem Tode, da ein
Scharlachfieber hinzuzutreten schien. In den Bemerkungen
über den Keichhusten und dessen Heilmethode sagt der Verf.,
daß er ihn auch bey Erwachsenen gefunden habe, und daß sich
äusserliche Reizungen des Epigastriums, z. B. durch Meerret-
tig, und kleine Dosen der Ipecacuanha am wirksamsten bewiesen haben. Geschichte einer blasigten — und einer einge-
schlossenen Nachgeburt — der Eviſceration eines Kopfs, und
endlich die einer Bauchwassersucht machen den Beschluß. Die
Section der Leiche von letzterer ist allerdings merkwürdig.
Mehr als 52 Maaß Wasser waren in der Bauchhöhle enthalten; die Mutter und die Eyerstöcke waren ganz degenerirt.
Hie und da ist der Vortrag etwas undeutsch. — Einigemal
steht Senegalwurzel, statt Senega.

Zg.

Medicina nautica, ein Versuch über die Krankheiten
der Seeleute von Th. Trotter. Aus dem Englischen übersetzt von D. Ehrh. Werner, und mit
einer Vorrede von Hrn. Hofr. D. Hufeland. Erstes Bändchen. Erfurt, in
Buchhandlung. 1798. 235 S. 8. 16 K.

Dieses classische Werk zeichnet sich vor vielen andern Producten der neuen Englischen medicinischen Literatur, selbst vor
der frühern Abhandlung des Verf. über den Skorbut, sehr vortheilhaft aus. Es enthält ungleich weniger Theorien, dagegen einen desto reichern Vorrath von reinpraktischen Bemerkungen, die jedem wißbegierigen Arzte wichtig seyn werden,
wenn er gleich mit dem Seedienste nicht in unmittelbarer
Ver-

Berbindung ftebt. Ueber die Vermeidung und Cur des Scor=
uts, über die zweckmäßigfte Behandlung des gelben Fiebers,
es Typhus, des Katarrhs, des Rheumatismus, der Ruhr
nd anderer Krankheiten der Seeleute wird er in diesen weni=
en Blättern mehr Lehrreiches finden, als fich in manchen di=
en Bänden über diese Gegenstände antreffen läßt. Nicht
eniger wichtig ift der fehr vollftändige Begriff, welcher hier
on dem gegenwärtigen Zuftande der Englischen Schiffsmedi=
n gegeben wird. Mit ftrenger Unpartheylichkeit fchildert
r Verf. die Vorzüge derfelben vor den Einrichtungen ähnli=
er Art bey andern Seemächten; ohne jedoch die Mängel zu
rfchweigen, zu deren Abhelfung er mit reifer Sachkenntniß
orfchläge mittheilt, von welchen bereits mehrere feit der Er=
einung diefer Schrift, wie wir hören, in Ausübung gebracht
orden find. Der Hauptzweck des Verf. bey der befchleunig=
n Herausgabe feiner Beobachtungen, Menfchenelend zu lin=
rn, ift dem nach nicht verfehlt. Nur hatte eben diese Eile,
it welcher die gelegentlich und nicht nach einem vorher ange=
dneten Plan niedergefchriebenen Notizen zufammengetragen
arden, für das Werk felbft die nachtheiligen Folgen, daß we=
r auf die zweckmäßigfte Anordnung des Ganzen, noch auf
: Ausfeilung des Styls der erforderliche Fleiß verwendet
rden konnte. Daher ift der Vortrag nicht felten dunkel,
wankend und verworren, auch an mehrern Stellen dermaf=
: fehlerhaft, daß es äußerft fchwer hält, den Sinn des
rf. zu enträthfeln. Diefen Fehlern ift indeffen in der Ue=
fetzung vollkommen abgeholfen, die aus dem Grunde nicht
inge Vorzüge vor dem Original felbft behauptet, und
erhaupt in Hinficht fowohl der durchgängigen Treue, als
: reinen Schreibart von der fehr gründlichen Sach= und
prachkunde des Hrn. D. W. die rühmlichften Beweife dar=
thet.

nton Portal's, Prof. der Medicin — zu Paris —
Beobachtungen über die Natur, und Behandlung
der Lungenfchwindfucht, mit Anmerkungen von G.
F. Mühry — in Hannover. Erfter Band.
Hannover. 1799. 8. 10 X.

Portal ist ein Veteran, der aus der Fülle eigener Erfahrung schreibt; nur klebt er als ein braver Humorist seinem System zu sehr an, und verordnet auch in diesem Sinne häufig seine eröffnenden, schmelzenden, auflösenden Mittel, mit welchen er gerne Zugpflaster und ähnliche Hautreizungen, auch Bäder verbindet. In soferne geht er meistens antiphlogistisch zu Werke. Vornehmlich ist der Versuch, die verschiedenen Arten der Lungenschwindsucht darzustellen, zu würdigen. In jedem Abschnitte schickt der Verf. Leichenöffnungen voran, und er hält dann einige gelungene Heilungen von dergleichen Gattung; dieß lehrt allerdings einen Weg zu nosologischer Anordnung. Gleichwohl scheint es nicht, daß er hierinnen ganz glücklich gewesen sey. Einerseits ist seine Eintheilung nicht ganz erschöpfend, und auf der andern Seite ist der wahre pathologisch nosologische Gesichtspunct manchmal verfehlt, um welchen gleichwohl sich der ganze Nutzen nosologischer Darstellungen drehet. Als die erste Art (Gattung) setzt er die angeborne und scrophulöse. Es giebt weit mehrere Gattungen häreditärer Schwindsüchten als bloß die scrophulöse S. 29 steht statt Dimensionen, Diversionen. An die absorbierende Kraft dieser Krankheit will der Verf. nicht recht glauben. Nun folgen: Lungensucht aus Vollblütigkeit, wobei vieles vom Blutspeyen gesagt wird; — die auf exanthematische Fieber und andere Hautausschläge folgende, die sich zu Metastasen gesellenden; — oder vielmehr, die aus diesen sich bildende — die catarrhalische — die auf Brustentzündungen

...ton Portal's — zu Paris — Unterricht über die
Behandlungsart der Erstickten, der Ertrunkenen,
des Scheintodes bey Neugebornen, der von einem
wüthigen Thiere Gebissenen und Vergifteten, und
der Erfrornen, nebst Bemerkungen über die Zeichen des Todes. Uebersetzt und mit Zusätzen —
von J. G. Hämpel zu Freyburg. Wien, bey
Camesina. 1799. 8. 16 g.

...ekanntlich haben wir schon im Deutschen von Portal den
...richt über die mephitischen Dämpfe u. s. w., worinnen be-
...s manche der hier wieder vorgetragnen Ideen befindlich
...). In der vorliegenden Schrift, welche der Uebersetzer hie
... da abgekürzt hat, fängt der erste Abschnitt mit Leichen-
...ungen an, von solchen, die durch das Einathmen an
...ickluft gestorben sind. Aus der bemerkten Erscheinung
...ießt er, daß die Kohlensäure, welche bey Erstickungen auf
...n Wege des kleinen Blutumlaufes durch die Lungen zu dem
...zen gelangt, seine Reizbarkeit zerstöre und lähme, vielleicht
... auch die Stickluft das Hirn seiner Empfindlichkeit beraube.
...e angegebenen Hülfsmittel bestehen in frischer, auch sal-
...ter Luft, in Essig, äußerlich und innerlich angebracht,
...te, Aderlässen, Einblasen frischer Luft; hingegen seyen
...echmittel und Rauchklystire schädlich. Nun folgen einige
...robachtungen über die Zeichen des Todes. Er will die
...ulniß abgewartet wissen. Ueber die Ursachen des Todes
... Ertrunkenen, und die Mittel, welche man anwendet,
... sie zum Leben zu bringen. Der Verf. nimmt das Ein-
...ngen des Wassers in die Luftwege an, erklärt aber dennoch
... Todesart für apoplectisch. Unerachtet des angenommenen
...ndringens des Wassers will er dennoch alles vorwärts- und
...tersich-beugen des Körpers vermieden wissen, was denn
...ch hier nicht unzweckmäßig seyn dürfte. Gegen die neuern
...innerungen läßt er sogleich zum Reiben schreiten; hier nimmt
...obiges Verbot, den Körper und Kopf abwärts zu beugen,
...wissermaaßen zurück, und gestattet es eine Zeitlang — Ein-
...asen atmosphärischer Luft durch die Nase — Reizung aller
...t, der Nase, des Halses, der Gedärme, Erwärmung,
...erläße jedoch mit Einschränkung, in systematischer Ordnung
...gebracht, machen die übrigen Hülfsmittel aus. Gegen

den

den Scheintod neugeborner Kinder wird vorerst das Lufteinblasen empfohlen, dann die Reizung der Nase, und das Ansprüzen kalten Wassers in das Gesicht — etwas dürftig. In dem Abschnitte: Beobachtung über die Natur und die Behandlungsart der Wuth, ist nichts enthalten, was nicht allgemein bekannt wäre. — Eben so in dem Abschnitte von den Giften — die Wolverley steht wohl mit Unrecht in der Reihe der Gifte, auch von den vegetabilischen Säuren wird zuviel Böses gesagt. — Alles übrige ist bekannt, und bey andern Schriftstellern vollständiger zu finden. Selbst die Auswahl der Gegenmittel hätte zweckmäßiger ausfallen können, zumal bey der Bleyeplik. Gegen den Scheintod aus Kälte wird die bekannte successive Erwärmung angegeben. — Auf den Zustand der Lungen nach gelungenem Wiedererwecken hätte vornehmlich Rücksicht genommen werden sollen.

Vorschlag und Aufmunterung an die Bewohner der größern Städte, sich von dem durch Krankheiten erfolgten Scheintode auf die zuverläßigste und sicherste Art zu retten. Von N. in K. Wien, bey Rötzel. 1798. 8. 3 H.

Der Verf. hält die Anstalt der Leichenhäuser für unzureichend, um alle curam mortuorum zu erschöpfen. Er will, daß man mit allen, wahr oder vermeintlich Verstorbenen die bekannten, jeder möglichen Todesart angemessenen Rettungsmittel versuchen soll. — Ein pium desiderium.

Zg.

Romane.

Neue empfindsame Reisen in Frankreich, von Vernes aus Genf. Erstes Bändchen. Pirna, bey Arnold und Pinther. 1799. XII und 276 S. 8. Mit einem von Brummer gestochenen Titelkupfer. — 21 H.

Schon

Schon mehr als einmal ist von diesem Ausländer in unsern Blättern die Rede gewesen; denn welches fremde Product, gleichviel ob der Mühe werth oder nicht, entgienge dem Falkenauge deutscher Uebersetzer? Noch sehr jung beschäfftigte Herr V. die Pressen; und da er es nicht ohne Witz, Geschmack, lebhaften Vortrag, mit einem Wort, nicht ohne Anlagen that, ließ von dereinstiger Reise noch ungleich Besseres sich erwarten. Seit zehn Jahren indeß hat seine Sach- und Menschenkenntniß nicht bis auf den Grad zugenommen, der ihn berechtigte, zum Nacheiferer Yorik's sich aufzuwerfen; und wenn seine Werkchen dennoch unter Franzosen ihre Liebhaber fanden, beweist dieser Beyfall kaum etwas mehr, als daß ihre Sprache wenig vorzüglicheres aus diesem Fache besitzt, und sie schon damit zufrieden sind, wenn jemand über französische Sitten und Anomalien humorisirt, ohne sich an Nationaleitelkeit eben zu vergreifen.

Plan und Ausführung haben dem Verfasser auch nicht viel gekostet. Eine Reise von der Schweizergränze über Lyon und Chalons ist der Name des Ganzen. Kaum betritt er französischen Boden, als schon eine in Emigration begriffene Familie ihm in den Wurf kommt, die noch zu rechter Zeit vor Aufpassern gewarnt, und in der Folge von ihm begleitet wird. Daß unter den Auswanderern ein bildschönes Frauenzimmer ist, versteht sich von selbst; und eben so, daß der sentimentale Genfer zwar Feuer fängt, weil aber die Reise einmal empfindsam seyn soll, sich noch so ziemlich in den Gränzen der Mäßigung hält. Wie es in die Länge hin damit abgelaufen wäre, läßt sich nicht bestimmen; denn eben diese Aristokratenfamilie trifft sehr unerwartet bey Chalons eine andere an, die ihren vorigen Rang vergessend, da incognito das Land baut; und was noch unerwarteter, den vom Fräulein als todt beweinten Bräutigam in ihrer Mitte hat. Was für ein Jubel nun ausbricht, kann man sich vorstellen, und nicht weniger, daß Herr V. keineswegs versäumte, sich die Nebenumstände der vorhergegangenen Trennung erzählen zu lassen. Allerdings geben diese Ereignisse zu pathetischen Momenten Anlaß, so wie ein halb Dutzend anderer Geschichtchen; wozu unterwegs sich Stoff findet, der meist aus Revolutionsgräueln entlehnt ist, und bald mit feyerlichem Ernst, bald in Helldunkel, bald scherzweise behandelt wird. Schade nur, daß von den 35 Capiteln, worin alle diese Episoden verstreut liegen, kaum ein

Drittel für baares Original gelten kann; die andern sind insgesammt aus Fäden gesponnen, die bereits von mehr Humo-
ristikern Frankreichs, und das gar nicht ungeschickt, verbraucht
waren. Bloß die Ueberschriften der Abschnitte, die so allgemein sind, daß man den Inhalt schwerlich erräth, scheinen
ihm eigenthümlich anzugehören; diese leidige Originalität
aber hat er mit dem erbärmlichsten unsrer Romansudler gemein, als die den kleinen Kunstgriff gleichfalls bis zum Eckel
wiederholen. Wie es um die Weltkenntniß des Genfers steht,
kann man schon daraus abnehmen, daß er die Preußen für
eine ganz andere Nation als die Deutschen hält, und diesem
Unterschiede gemäß seinen Witz spielen läßt. In Hinsicht
auf Sittlichkeit der Darstellungen ist solche bey ihm rein philosophisch, und mit nichts christlichem vermengt; daß er es
also hierin noch weiter gebracht hat, als sein witziger Vater
(Vernes; nicht etwa Vernet), dem es in seinem Katechismus daran genügte, alle Christenparteyen glücklich unter einen
Hut zu bringen.

Diesen, noch dazu sehr zweydeutigen Umstand ausgenommen, war es wirklich ein wenig übereilt, wenn der Uebersetzer Herrn V. für einen viel zu originellen Schriftsteller
hielt, als daß solcher nicht eine treue Uebersetzung verdienet
sollte. Sauer genug hat unser Landsmann sich's werden lassen, wie man offenbar sieht; denn auch die eingestreuten Ge-
dichtchen nachzuversifizieren ließ er sich angelegen seyn. Ob
überall mit gleichem Glück, muß unerörtert bleiben; weil Rec.
die Verdeutschung nicht gegen das Original halten konnte.
Schon vor zehn Jahren indeß war zu befürchten, daß der
Genfer Schöngeist in einen gar zu verkünstelten Vortrag aus-
gleiten würde. Hier ein Pröbchen, daß diese Befürchtung
nicht ohne Grund gewesen: „Edle Geister, die ihr über das
„Glück der Menschen waltet! — Der Strohm jener
„Lebensflüssigkeit, die ihr über die Menschheit ausgießt, um
„ihre Zweige zu beleben, giebt nur von Ferne zu Ferne, wenn
„es mir erlaubt ist mich dieses Ausdrucks zu bedienen, einige
„Tropfen Fünftelsaft. (Quintessence vermuthlich) — Die
„Tugend und alle gute und edle Gesinnungen machen seine
„Bestandtheile aus, oder mischen sich mit ihnen aufs innigste.
„Lina's Seele war einer jener Tropfen“ — Mag im
Original stehn, was da will; was für Concetti! welch ein
Galimathias! Uebrigens kündigten vier verschiedne Federn
die

die Uebertragung des Vernes'schen Meisterwerks an. Wie
viel davon zum Vorschein gekommen sind, weiß Rec. diesen
Augenblick nicht anzugeben; wohl aber, daß sie alle vier zu
entbehren waren.

36.

Die Schicksale Fornbrans, () Ein Roman auf
unsre Zeiten berechnet. Erstes Bändchen. X
und 176 S. Zweytes Bändchen. Frankf. und
Leipzig, 1799. 200 S. 8. 1 Rk. 8 x.

Wir geben dem Herausgeber in seiner Vorerinnerung vollkommen Recht, "daß Romane Gemälde der Menschen und
des Ganges ihrer Begebenheiten seyn sollten;" obgleich, bey
Lichte besehn, nach dieser etwas unbestimmten Definition die
Welt des Historikers mit der des Romanendichters vermischt
wird. Auch die Citate, welche der Verf. zur Bekräftigung
seines Satzes anführt, und die Klagen, daß die Deutschen
als Romandichter die Stufe, worauf Fielding, Goldsmith,
Richardson u. a. stehen, noch nicht erreichten, haben ihre völ-
lige Richtigkeit. Da er nun diese Sache so dringend und
laut zu Herzen nimmt; so hätten wir von ihm billig erwarten
sollen, daß er jenen großen Männern bey der Schöpfung seines Romans nachgeeifert haben würde. Allein wir haben
so etwas in dem vor uns liegenden Werkchen nicht entdecken
können; so ungezwungen und natürlich auch die hier aufgestellten Charaktere und auf einander folgenden Begebenheiten gezeichnet sind. Zweyerley Absichten haben den Verf. bey seiner Arbeit geleitet: 1). Die selbstsüchtige (aber sehr verzeihliche) sein Gefühl und die herben Empfindungen von manchen
Verfolgungen und schreyenden Ungerechtigkeiten abzustumpfen,
1) seinen Roman der Natur möglichst zu nähern, und ihn
als ein Gegenstück aller andern aufzustellen. Aller andern?
Dieß ist ein unverzeihlicher stolzer Ausdruck. Wir besitzen
eine Menge vortreffliche Romane, worin die Natur auf die
treueste und zugleich edelste Art dargestellt wird, und mit
welchen sich der gegenwärtige nicht messen kann. Es wird
darin wenig gehandelt; aber desto mehr raisonnirt, und zum
Lobe des Letztern sey es gesagt, daß in den freymüthigen
Urtheilen des Verf. viel Wahres und Gutes über schlechte

Schul-

Schulanstalten, schlechte Universitäten, schlechte Staatsverfassungen und Regenten und andere dergleichen Gegenstände des individuellen und politischen Menschenlebens enthalten ist.

Su.

Das Geheimniß glücklich zu werden, oder Geschichte eines Philosophen, der das Glück sucht. Von dem Verfasser des französischen Abentheurers. Gera, bey Haller und Sohn. 1799. X und 268 Seiten. 8. 16 ℔.

Die Ueberschrift, wie man sieht, läßt es zweifelhaft, ob Original oder Uebersetzung dem Käufer hier angeboten wird; denn auch deutsche Scribler mögen einen französischen Abentheurer ausgeheckt haben. Nicht bessern Aufschluß gewährt der Vorbericht, als dessen Fertiger eben so gut ein Cis-Rhenaner seyn kann. Nur wenig Blätter indeß braucht man weiter zu lesen, um den aufs Figuriren ausgehenden Franzosen, wie er lebt und webt, leibhaft und in voller Glorie vor sich zu sehen. Daß seit der sein Vaterland noch immer fort zerrüttenden Erschütterung, es mit dem Wörtchen Glück zweydeutiger als je daselbst aussehen müsse, läßt sich begreifen; und dieß um so leichter, weil ein Cituyen schon von großem Glück zu sagen hat, der aus dieser politischen Wiedertaufe mit heiler Haut noch davon kam. Dergleichen nackt und bloß aus dem Schiffbruch sich rettenden auf die Beine zu helfen, ist indeß ganz und gar nicht die Absicht des angeblichen Philosophen; und wenn er auch zuweilen Ci-Devants oder andre Schlachtopfer der Revolution vorführt: so geschieht dieses nur, um sich über sie lustig zu machen, oder seinem Gemälde den Reiz der Neuheit zu geben; weil nämlich, wie die Sachen jetzt stehen, sehr wenig Franzosen damit gedient seyn mag, von anter revolutionairer Glückseligkeit sich vorschwatzen zu lassen. Sein ganzes Buch ist weiter nichts als eine Reihe in beynahe 80 Kapitel zerschnittener, und mit abgeschmackten Aufschriften versehener Abentheuer, wo man eine Menge Menschen der Befriedigung ihrer Leidenschaft, oft Grillen nachjagen, das Glück aber nirgend finden sieht. Von dieser Seite hat er nichts unter den zehntausend Romanschreibern voraus, die dergleichen längst schon rein abgedroschen haben; was sein

Buch

Buch aber anziehend genug macht, ist der unbeschreibliche
Eigendünkel, womit Er, der Autor, sich als den Mittelpunkt
aller dieser Glücksjäger fingirt; theils ihr Glück unmittelbar
schafft, theils ihnen neue Aussichten zum Genuß öffnet; überall aber mit einer Periautologie zu Werke geht, die deutlich
darthut, daß ihm weit näher am Herzen lag, seiner eignen
werthen Person, wie er sie am glänzendsten sich dachte, den
möglichst hervorragenden Standpunkt zu sichern. Nichts also
als Schein, Sophisterey, und ein Vorurtheil gegen des andres Freygebigkeit, offne Tafel, witzige Zweydeutigkeiten,
Procedes von der feinsten Sorte, netter Anzug, guter Ton;
Alles mit einem Wort, was ins Ohr und Auge fällt; nirgends hingegen Kenntniß seiner selbst, Prüfung seiner Empfänglichkeit und Kräfte; nichts kurz und gut von Allem,
was zum wahren Glück den Weg bahnen könnte. Wen es
daher interessirt, einen ächten Franzosen von altem Schlage,
der auch mitten unter Sansculotism sein blinkendes Gepräge
nicht einbüßte, handeln zu sehen und sprechen zu hören, wird
von diesem Kosmopoliten comme il faut sehr erbaut Abschied
nehmen, und in der Gallerie der von ihm dargestellten Charaktere doch wenigstens einen nach dem Leben getroffen finden; den nämlich des Autors selbst; was in Ermangelung
eines bessern doch immer alles Dankes werth bleibt.

Uebrigens scheint das Original leicht und lebhaft genug
geschrieben; denn auch in der Uebersetzung hat sich der Wie-
derschein davon erhalten, und für wenigstens lesbar kann die
Kleinigkeit gelten. Rec. ist weit davon entfernt, unsre Muttersprache für unwiderruflich fixirt, und jede ausländische
Wendung für Einschwärzung oder Verbrechen zu halten. Wo
also der Deutlichkeit unbeschadet, und der Bündigkeit zum
Vortheil dergleichen Neoterismen auch in vorliegender Verdeutschung ihm etwan aufstießen, ließ er ganz gern sich solche
gefallen. Die Stelle z. B. indeß: „Unsre Gesellschaft zu
vieren machte sich öfters und immer mit demselben Vergnügen“ — schien ihm das vermuthlich im Original stehende:
Notre partie à quatre se fit souvent etc. doch ein wenig
plump auszudrücken. — Am Schlusse des Romans findet
sich, daß der Pariser Philosoph nicht nur zu repräsentiren,
sondern auch zu studiren versteht. Die Reize des letztern
will er in einem andern Werkchen entwickeln und fühlbar machen. Rec. freut sich darauf, weil es an unerwarteten An-

sichten

fchen, darin gewiß nicht fehlen wird; und eben so wenig an rüstigen Uebersetzern, mit diesen köstlichen Etudes uns auf der Stelle zu beglücken.

Xy.

Fata eines Klosterbruders, oder Leben, Meinungen, Geniestreiche, Glücks- und Unglücksfälle des Bruders Agatange. Leipzig, bey Köhler; 1800. 358 S. 8. 1 Rf. 4 R.

Als ob es an einheimischer Romanenfluth noch nicht genug wäre, auch die gehaltloseste Schreiberey des Auslands muß zur Ueberschwemmung beytragen, und den besser gewordnen Geschmack wieder ersticken helfen! Daß vorliegender Roman französisches Machwerk sey, wird auf dem Titelblatte zwar ungebührlicher Weise verschwiegen; von Anfang aber bis Ende des unnützen Products blickt gallischer Leichtsinn, National-eitelkeit und Vorurtheil dermaßen durch, daß über den Boden des Erzeugnisses nicht der mindeste Zweifel übrig bleibt. Auch durch seinen Vortrag kann das Original sich nicht empfehlen; weil nämlich in der Verdeutschung keine Spur von Leben oder Bewegung sich erhalten hat, und doch selbst die plumpste Faust dergleichen nicht ganz hätte verwischen können. Vielmehr giebt es darin so lange Perioden, und eine so ermüdende Gedehntheit, daß wenn solche dem Ungeschmack des Uebersetzers beyzumessen sind, dieser den Vorwurf verdient, das Original vollends ungenießbar gemacht zu haben.

Ein leichtfertiger Bursch, der auffer unverschämten Weibern niemand Antheil abzugewinnen versteht, muß wider seinen Willen in's Kloster, wo er Possen und Streiche begeht, deren unartige Schulknaben aller Länder sich schuldig machen, ohne für Aufzeichnung derselben sich hinterher von geschmacklosen Sottern bezahlen zu lassen. Wie natürlich, entsagt ein solcher Gesell dem Klosterleben zeitig genug; wird darauf Kaufmann, Soldat zu Wasser und zu Lande, Schauspieler, und wer weiß was Alles noch. Auch die löbliche Klerisey wird seiner wieder habhaft, und sperrt ihn ein, wo weder Sonne noch Mond ihm leuchten; hieraus jedoch wird er durch die eben losgebrochene Revolution befreyt. In die Schweiz

Schweiz kommt er, man weiß nicht wie, und noch weniger
warum? daß sein Roman also gerade so läppisch endigt, wie
er begonnen hatte. An Liebeshändeln, versteht sich von
selbst, ist kein Mangel; diese sind aber insgesammt um kein
Haar anziehender, als jene, womit die weiland Robinson's
uns heimsuchten; die zu Lande nämlich; denn auf wüste Inseln verschlagen mußten doch wenigstens etwas Erfindungs-
geist mitbringen. — Uebrigens hat der Verleger, was bey
schlechten Producten sonst am häufigsten geschieht, das Papier gar nicht sparsam bedrucken lassen; in vorliegendem Fall
aber doch eben dadurch das Buch nur noch langweiliger gemacht.
Durch lange, mit Wörtern vollgepfropfte, und doch sinnarme
Blattseiten sich winden zu sollen, kann für nichts weniger als
einladend gelten, und scheucht unter zehn Lesern gewiß ihrer
neun gleich bey'm ersten Anlaufe zurück. Wollte der Himmel
alle Geist und Sitten verderbende Romane würden auf eine
so wenig anlockende Weise abgedruckt! denn auch das an
Monsieur Agatange verwendete Papier entspricht der Pöbelhaftigkeit des Textes vollkommen.

Mb.

Erscheinungen. Zweyter Theil. Die Lilie. Leipz.
1800. 160 S. 8. 12 gr.

Der erste Theil dieses Büchleins nannte sich; die Entdeckungen; wir haben unser Urtheil darüber gefällt. Dieser zweyte
Theil ist bereits von seinem Verleger — natürlicher Weise,
rühmlich recensirt worden; allein wir haben nicht viel mehr,
als den gewöhnlichen Gang einer — übrigens gut geschriebenen Liebesgeschichte darin gefunden, die den Unhold der langen
Weile auf ein Stündchen verscheuchen kann, und die guten
Sitten nicht beleidigt. Bisweilen athmet sich die Lunge des
Verf. in zu langen und schwülstigen Perioden aus, wie S.
33 — 34. Der Anfang und Beschluß des Romans, den,
wie man will, der Leser auch für eine wahre Geschichte halten kann, spielt in Frankreich, wo das geliebte Mädchen
nach vielen Leiden ihren Düportail in einem Revolutionskerker
wiederfindet. Das Zeichen einer Lilie, das man auf seiner
Brieftasche gefunden; das aber nur eine Beziehung auf die
erste Bekanntschaft beyder Liebenden war, hatte den Staats-

Ee 4 räubern

räubern zum Vorwande gedient, — Düportails Vermögen
an sich zu ziehen. Allein die Endigung der Schreckensregie-
rung befreyt ihn aus dem Kerker, und Ameens Wunsch, mit
ihm zu sterben, bleibt — unerfüllt. Beyde Geliebten flüchten
nun nach Deutschland, finden dort Ameens harten royalisti-
schen Vater in einem kläglichen Zustande wieder, zeugen Kinder, — und warten auf die — vorgespiegelte Zurückberufung
der Emigrirten nach Frankreich!

Su.

1. Fräulein Runkunkel und Baron Sturmdrang.
Eine possierliche Geschichte unsrer Zeit. Vom
Verfasser des Erasmus Schleicher. Leipzig, bey
Fleischer. 1800. 278 S. 8. 22 X.

2. Ysopiana. Als Anhang und Nachtrag zu dem
Leben Paul Ysops, eines reducirten Hofnarren, von
Carl Gottlob Cramer. Leipzig, bey Fleischer.
1799. 238 S. 8. 18 X.

3. Das Harfenmädchen. Vom Verfasser des Jä-
germädchens. (C. G. Cramer.) Rudolstadt,
bey Langbein und Klüger. 1799. 368 S. 8.

Bey Nr. 1. kann sich Rec. des Unwillens nicht enthalten,
daß ein Mann, wie Herr Cramer (im Vorbeygehen sey's
gesagt! wozu die Harletinade, sich auf dem Titelblatte, so wie
auch bey Nr. 3 zu verschleyern, da der Name des Verf. allgemein bekannt und selbst unter der — nichts sagenden Vorrede mit allen Buchstaben ausgedrückt ist?) — der durch einige
seiner Produkte Beweise von Originalität und schöpferischer
Einbildungskraft gegeben hat, sich durch das Räucherwerk des
zahlreichen Lesepöbels bethören läßt, bis zum Alltagsscribler
herabzusinken, und die Achtung, die er dem vernünftigen
Theile des Publikums schuldig ist, so ganz aus dem Auge zu
setzen, wie in diesem unter Nr. 1 fabricirtem Buche geschehen
ist. Zwar hat Rec. schon einigemale in dieser Bibliothek Gelegenheit gefunden, (s. N. A. D. B. 50. B. S. 171
fg.) sein Glaubensbekenntniß über die neuern Cramerschen
Ro-

Romane abzulegen, und so mißfällig es auch Herrn Cr. und seinem Lesehaufen mag gewesen seyn, so herzlich gut war es damit gemeint, und so gewiß ist Rec. überzeugt, daß der bessere Theil des Publikums mit in jenes Glaubensbekenntniß einstimmt: aber, etwas erbärmlicheres, platteres, als dieses neueste Product von der Hand und Feder des Verf. ist dem Rec. noch nicht vorgekommen. Wirklich sind der Armseligkeiten in diesem Romane so viele, der schaalen, trivialen Einfälle, der Vernachläßigung des Styls eine so große Menge, daß sich Rec. aus guter Meinung genöthigt sieht, dem Verfasser zuzurufen — Solve senescentem mature sanus equum, ne Peccet ad extremum ridendus et ilia ducat. Denn es scheint nicht bloß, sondern es springt jedem unparteyischen Leser in die Augen, daß sich Hr. Cramer ausgeschrieben und erschöpft hat — so sehr erschöpft hat, daß Rec. ohne die geringste Uebertreibung versichern kann, daß jedes Blatt dieses schaalsten und uncorrectesten aller schaalen und uncorrecten Romane Beweise dazu liefert.

Nr. 2. Die Psoplana haben wenigstens mehr Correctheit, und enthalten manche gute Regel und Moral des Lebens. Sie bestehen 1) aus Fragmenten, d. h. aus fragmentarischen Betrachtungen über dieses und jenes in der Welt, dergleichen ein Mann, der nicht ohne Kopf den Weg des Lebens zurückzulegen gewohnt ist, und also auch Hr. Cr. leicht zu Dutzenden mit der Feder in der Hand machen kann. Ja des denkenden Mannes Schreibtisch wird dergleichen enthalten. Muß denn aber alles gedruckt werden, was auf einem Schreibtische liegt? 2) Erzählungen und Dialogen — ohne großen Werth und Interesse. 3) Fabeln. — Der Verf. hätte hinzusetzen sollen — und Allegorien. Denn nicht alles, was unter dieser Rubrik steht, paßt unter den Titel Fabeln. Aber auch diese Fabeln sind nicht alle Herrn Cr. Eigenthum und Erfindung. Er hat sich sogar erlaubt, sehr bekannte Aesopische Fabeln hier mit anzuwärmen, z. B. das Weib und die Henne. Nur Schade, daß Hr. Cr. Moralen, die er immer in Versen abgefaßt hat, wenn gleich die Fabel in Prosa ist, nicht immer zur Fabel passen. Das ist gerade der Fall auch bey der eben genannten äsopischen Fabel. Die Moral, die Hr. Cr. aus ihr zieht, ist:

omane abzulegen, und so mißfällig es auch Herrn Cr. und
lnem Lesehaufen mag gewesen seyn, so herzlich gut war es da-
lt gemeint, und so gewiß ist Rec. überzeugt, daß der bessere
heil des Publikums mit in jenes Glaubensbekenntniß ein-
mmt; aber, etwas erbärmlicheres, platteres, als dieses
uste Product von der Hand und Feder des Verf. ist dem
ec. noch nicht vorgekommen. Wirklich sind der Armseligkei-
n in diesem Romane so viele, der schalen, trivialen Einfälle,
r Vernachläßigung des Styls eine so große Menge, daß
b Rec. aus guter Meinung genöthigt sieht, dem Verfasser
zurufen — Solve senescentem mature sanus equum, ᛘ
ecet ad extremum ridendus et ilia ducat. Denn ᛖ
eint nicht bloß, sondern es springt jedem unparteyischen ᛞ
in die Augen, daß sich Hr. Cramer ausgeschrieben
hat — so sehr erschöpft hat, daß Rec. ohne di-
berbierbung versichern kann, daß jedes Blatt di-
n und unterrichteten aller schaalen und uncerr
eweise dazu liefert.

Nr. a. Die Mystien haben
dt, und enthalten manche gute Regel u
ns. Sie bestehen 1) aus Fragmenten
entarischen Betrachtungen über dieses u
rgtrichen ein Mann, der nicht ohne
ns zurückzulegen gewohnt ist, und a
Dutzenden mit der Feder in der Ha
s denkenden Mannes Schreibtisch
n. Muß denn aber alles gedr
chreibtische liegt? 2) Erzäh
ne großen Werth und In
etf. hätte hinzusetzen sollen
es, nter dieser M
auch dies
ung

els
hon
ebenn
wenn
icht bes
lich des
ont, sehr
Frau von
en so weit
nur bis an
t der Ueber-
anhebt, und
Tropfen mehr
Dieß draff
Unglückliche wie
n Tugend zweifelt,
en mit Erfolg ver-
wo der Uebersetzer,
Charatter der
ng ihr in den
Mund

> So schadet auch der Luxus —
> Der würklich sie
> Zuweilen scheint zu fördern,
> Der Industrie.

Ungleich natürlicher und richtiger hat Aesops Fabel ihr ὁ μύ-
θος δηλοι so gefaßt: ὁτι ὁι διὰ πλεονεξιαν των πλειονων
ἐπιθυμουντες και τα παροντα ἀποβαλλουσι. 3) Rapsodien
(schreibe Rhapsodien) — darunter ist auch ein Göttergespräch,
aber freylich nicht in Lucians und Wielands Manier. 5)
Definitionen, z. B. die letzte heißt: Phantasie ist ein
Steckenpferd, welches sehr viele Menschen reiten. —
Laßt sie reiten. Rec. setzt hinzu: Immerhin mögen sie
es reiten, wenn sie nur alle es zu reiten verständen! Unglück-
licherweise aber ist dieses Steckenpferd zuweilen steif und bug-
lahm, oder hat den Koller, und gehet mit dem unerfahrnen
Reiter durch Hecken und Gräben, und richtet Unheil an. Dann
ist es Menschen- und Christenpflicht — und folglich auch Recen-
sentenpflicht zu rufen: Foenum habet in cornu — longe
fuge.

Nr. 3. Das Harfenmädchen hebt sich wenigstens durch
eine Art von Plan und Composition, und durch eine etwas
correctere Diction über Fräulein Runkunkel. Das ist freylich wenig genug; aber immer doch etwas. Man kann jedoch mit gutem Gewissen wahrlich auch nicht mehr davon
rühmen; denn der platten niedrigen Ausdrücke, die Hr. Cr.
bald für Witz und Laune, bald für Naivete verkauft, sind
noch so viele, daß sie jedem, auch nur mittelmäßig gebildeten
Leser, noch mehr, jedem Menschen von gereinigtem Geschmacke
die Lektüre verleiden. Auch wird der Verf. keinem Menschen,
der in der wirklichen Welt und nicht bloß in der Romanenwelt zu Hause ist, überreden, daß seine Zeichnungen und Gemälde der Natur gemäß sind, und daß die wirkliche Welt
solche Menschen, besonders solche Fürsten habe, wie seine
Romanenwelt sie aufstellt.

Th.

Der gefährliche Umgang. Eine Geschichte in einer
Reihe von Briefen, u. s. w. Aus dem Französischen des Herrn de la Clos; frey bearbeitet und
mit

mit einer Nachschrift begleitet. Zweyter (und letzter) Theil. Frankfurt an der Oder, in der akademischen Buchhandlung. 1799. 546 Seiten, gr. 8. 1 Rh. 8 G.

Was es mit dem Buche selbst, seiner frühern Uebersetzung, und dieser neuesten für Bewandniß habe, ist im XLVIIsten Bande der N. A. D. Bibl. angezeigt worden. Ungeachtet das Original vor beynah zwanzig Jahren schon in Paris erschien, bleibt es selbst jetzt noch der Aufmerksamkeit nicht unwerth; weil es nämlich zum Belege dient, auf welchen Grad der Ueberverfeinerung, auch im Punkte der Sittlichkeit und gesellschaftlichen Verhältnisse, die Franzosen kurz vor Ausbruch der Revolution es gebracht hatten. Freylich ist seit dieser Erschütterung ihre Moralität noch viel schlechter geworden; so viel indeß lernt man aus dem Romane doch, wie es zugieng, daß ein solcher Schwindel die Nation ergreifen, und den heillosesten Grundsätzen Anhänger in allen Klassen verschaffen konnte.

So weit übrigens Rec. im vorliegenden Bande sich umsah, fand er den Fleiß des Uebersetzers nirgend oder höchstselten nur verringert, und was die auf dem Titelblatte schon versprochne Nachschrift betrifft, hat unser Landsmann ebenfalls Wort gehalten, größtentheils wenigstens; denn wenn auch der eigentliche Werth des ganzen Buchs darin nicht bestimmt wird, ist doch eine der Hauptrollen, die nämlich des bis zum schaamlosen Egoisten herabsinkenden Valmont, sehr befriedigend entwickelt. Eine der Mitspielerinnen, Frau von Merteuil, die in methodischer Unsittlichkeit es eben so weit gebracht; von dem Verfasser des Originals aber nur bis an den Rand des Abgrunds war geführt worden, läßt der Uebersetzer in besagter Nachschrift (die von S. 459 anhebt, und die Fiction nicht ungeschickt fortspinnt) einige Tropfen mehr aus dem Kelche ihrer Verschuldigungen kosten. Dieß drastische Mittel schlägt jedoch so gut an, daß die Unglückliche wieder zur Besinnung kommt, nicht länger an Tugend zweifelt, und den Rest ihres Lebens besser zu brauchen mit Erfolg versucht. Bey dieser Gelegenheit ist es denn, wo der Uebersetzer, oder Fortsetzer, manchen Aufschluß über den Charakter der übrigen Mitspieler und seine Verschlimmerung ihr in den Mund

Grund legt, auch wohl zu den Quellen der reinen Sittlichkeit selbst sie zurückgehen, und so praktische Folgerungen ziehen läßt, als man am Schlusse einer Romanentwicklung nur selten wird angetroffen haben. Vor allen fand Rec. diejenigen Blätter der Nachschrift lehrreich, wo über Verstand und Willen bey Anwendung des Sittengesetzes raisonnirt, und die schreckliche Lage solcher Egoisten dargestellt wird, die verleitet, früh schon verwöhnt, und hauptsächlich durch modische Erziehung genißleitet, die ganze Gesellschaft für eben so verdorben wie sich selbst halten; als im Vertheidigungsstande sich befindend, nur Gleiches mit Gleichem zu vergelten meinen, und damit endigen, gar keine Tugend mehr in der Welt zu glauben. Welche Fortschritte diese verkehrte Sinnesart mache, lehrt leider! die Geschichte des Tages. Daß ein schlecht angebauter Verstand sehr oft die nächste Ursache so groben Irrthums seyn könne, läugnet der Ungenannte keinesweges; da indeß Leute von anerkannter Geisteskraft eben dieser Verkehrtheit oft genug, und wohl häufiger noch sich schuldig machen, verdoppelt er seinen Angriff auf den grundböse gewordnen, Alles in den Schlund der Selbstsucht mit sich fortreissenden Willen: eine Ansicht der Dinge, worüber er gegen unsre neuesten Ethiker sich rechtfertigen mag!

Fk.

Geschichte.

Allgemeine Sammlung historischer Memoires vom zwölften Jahrhundert bis auf die neuesten Zeiten, durch mehrere Verfasser übersetzt, mit den nöthigen Anmerkungen versehen, und jedesmal mit einer universalhistorischen Uebersicht begleitet, herausgegeben von Friedrich Schiller, Hofrath und Professor der Philosophie in Jena. Zweyte Abtheilung. Siebzehnter Band. Mit einem Kupfer. Jena, bey Mauke. 1799. LXX und 378 Seiten. 1 Rh. 9 K.

Die Denkwürdigkeiten des Grafen von Brienne werden in diesem Bande mit dem dritten Theile geschlossen. Dann folgen

en die Denkwürdigkeiten des Herzogs von Orleans Gaston
on Frankreich, nach der Ausgabe von Amsterdam 1685.
1 12. 232 S., deren Verfasser zwar unbekannt ist; der aber
inge in dem engsten Vertrauen des Herzogs gestanden hat,
sohl unterrichtet war, und für die Geschichte von 1608 bis
636 als ein vortrefflicher Führer dient. Am Schlusse sind
r Schilderung der Königinn Anna von Oesterreich noch
nige abgekürzte Auszüge aus der Md. de *Motteville* Mé-
noires pour servir à l'histoire d'Anne d'Autriche, T. I.
hinzugefügt worden. Zur Einleitung dient eine vortreffliche
Betrachtung über Richelieus Staatsmaximen.

Ofg.

Helvetiens berühmte Männer in (92) Bildnissen von
Heinrich Pfenninger, Maler. Nebst kurzen biographischen Nachrichten von Leonard Meister. Zweyte
Auflage, besorgt von J. C. Fäsi. Erster Band.
299 S. Zweyter Band. 344 Seiten. Zürich,
im Verlage von H. Pfenninger, Maler. 1799. 8.

Die erste Auflage dieses mit Fleiß gesammelten biographi-
sen Werks erschien in den Jahren 1782 und 1786, und ist
1 69sten und 84sten Bande der D. Bibl. angezeigt worden.
Die gegenwärtige 2te Auflage hat keine Veränderungen von
Bedeutung erhalten. Verschiedene Zusätze, welche mehrere
r hier nur sehr kurz gelieferten Biographien bedürfen, und
e Lebensbeschreibungen mehrerer ältern und neuern Helvetier,
erden, wie der Herausgeber verspricht, in einem dritten
Bande nachfolgen, und dieser wird zugleich ein genaues Regi-
r enthalten, welches bey einem Werke dieser Art zum Nach-
lagen höchst nöthig ist.

Geschichte der wichtigsten Revolutionen in der römischen Republik von ihrer ersten Gründung an bis
auf die neuesten Zeiten. Mit beständiger Rücksicht auf die neuesten Revolutionen. Zweytes
Bändchen. Weißenfels und Leipzig, bey Severin und Comp. 1798. 224 S. 8. 14 K.

Die

Die in diesem Bande geliesetten zwölf historischen Darstellungen enthalten: 1. Tribun Apulejus Saturninus. 2. Bundesgenossenkrieg, oder zwey Republiken in Italien. 3. Bürgerkrieg zwischen Sylla und Marius. 4. Charakter und Geschichte des edlen und unglücklichen Quintus Sartorius. 5. Verschwörung des Catilina. 6. Zweykampf zwischen Clodius und Milo, oder Beweis der Anarchie in Rom. 7. Triumvirat und Bürgerkrieg zwischen Pompejus, Cäsar und Crassus. 8. Brutus und Cassius, oder die Ermordung Cäsars. — Fast in jeder dieser Darstellungen finden sich auffallende Vergleichungspunkte zwischen der Vergangenheit und Gegenwart, um aufs neue den in unserer Zeit der gewaltsamen Staatserschütterungen oft vergeßnen Salomonischen Satz: Nil novi sub sole, zu bestätigen.

VI.

Geschichte der wichtigsten Revolutionen in der römischen Republik, von ihrer ersten Gründung an, bis auf die neuesten Zeiten. Mit beständiger Rücksicht auf die neuesten Revolutionen. Drittes und letztes Bändchen. Weißenfels und Leipzig, bey Severin und Comp. 1799. XIV und 250 S. 8. 16 gr.

Dieser Band enthält die Geschichte des Zustandes von Rom unmittelbar nach Cäsars Ermordung, die des Triumvirats und Bürgerkrieges zwischen Octavius und Antonius, bis zur Errichtung der Monarchie durch Augustus. Als eine Zugabe, wie sie der Herausgeber nennt, folgen dann einzelne Züge aus der alt- und neurömischen Geschichte, die unbedeutenden Versuche betreffend, welche unter den Kaisern und selbst noch unter den päpstlichen Regierungen zur Wiederherstellung der Republik gemacht wurden. — Die zweyte Hälfte dieses Bandes enthält die Geschichte der nun wieder verschwundenen ephemerischen Erscheinung der neurömischen Republik, aus den öffentlich bekannt gewordenen Nachrichten ohne sonderliche Wahl compilirt, und mit mehr Pomp erzählt, als, die Aktenstücke ausgenommen, in der That diese armselige, abgeborgte, und ganz und allein durch fremde Einwirkung und durch den eigensinnigen Einfall des

damao

amaligen franzöſiſchen Directoriums und ihrer militäriſchen
genten hervorgebrachte Erſcheinung verdient. Man findet
ine Entwicklung der geheimen und ſeitdem bekannt genug
worbenen Urſachen und eigentlichen Wirkungen dieſes repu-
ikaniſchen Poſſenſpiels, keine Charakteriſtik der handelnden
auptperſonen, keine freymüthige Darſtellung der von Fran-
ſen und Römern gemeinſchaftlich verübten Räubereyen und
rauſamkeiten; beſonders derer, die an den Perſonen und
ütern der in Rom gebliebenen Kardinäle ſchändlicher Weiſe
gangen wurden, u. ſ. w. Ueber dieſes Alles enthält kein in
eſer Zeit erſchienenes Werk mehr Aufſchlüſſe, als die Mé-
oires hiſtoriques et philoſophiques ſur Pie VI, und be-
nders die mit Anmerkungen und Zuſätzen des Ueberſetzers
Dr. Meyer in Hamburg) herausgegebene Verdeutſchung
eſes höchſt intereſſanten Werks. — Lächerlich genug iſt die
dee des Verf. am Schluſſe des gegenwärtigen (mit dieſem
ande geſchloſſenen) Werks, daß es doch auch möglich ſey,
ch, auſſer den von den Franzoſen damals ſchon entführten
erke der Malerei und Bildhauerkunſt, auch die größern
hitektoniſchen Werke, z. B. die Obelisken, Siegesſäulen
ajans und Antonius, ja ſelbſt (man denke!) die Triumph-
gen des Septimius, Veſpaſianus und Conſtantins, u. ſ. w.
n Rom nach Paris zu verſetzen — weil alle dieſe Gee-
ſtände der Kunſt „auseinander genommen, und, ſo
e ſie in Rom ſtanden, wieder zuſammengefügt wer-
n können.“ — Dabey fiel dem Rec. die tolle Idee eines
gländers ein, der einſt den Sibyllentempel zu Tivoli kau-
wollte, um ihn nach England zu transportiren. Aber die
sführung dieſes whim's unterblieb, wie ſich leicht denken
t.

Kl.

nkwürdigkeiten des Cardinals von Retz, verflochten
mit den wichtigſten Begebenheiten der erſten Jahre
ludwigs XIV. Zweyter Theil. Jena, bey
Mauke. 1799. 430 S. gr. 8. 1 R. 3 R.

as über das bis jetzt noch unüberſetzt gebliebene Buch in
Kürze ſich ſagen ließ, hat man im XLIV. Bande der N.
. Bibl. bey Anzeige des erſten Theils der Verdeutſchung
naͤ-

nachzusehen. Auch in vorliegendem zweyten ist die Anstrengung des ungenannten Uebersetzers noch nicht erschlafft; und Rec., der gleichfalls mit Aufmerksamkeit mehrere Bogen vor Anfang, Mittel und Ende dieser Abtheilung, das Original in der Hand, durchlas, stieß auf nichts von Belang, wo verkehrter Sinn oder Nachläßigkeiten ihn gestört hätten. Der auch im Alter noch lebhafte Cardinal schrieb nicht überall klar und correct; und eine Menge Aeusserungen, wovon er selbst einige für Galimathias erklärt, hätten offenbar wiederholter Durchsicht nöthig gehabt, um ganz ohne Zweydeutigkeit und Anstoß zu seyn; die Verdeutschung seiner Denkschriften war daher in der That keine Arbeit für gewöhnliche Uebersetzerfabrik, und als glücklichen Zufall hat man es anzusehen, daß solche, wie schon gesagt, in so gute Hände gerieth. Höchstens, hauptsächlich was Namen betrifft, sind es Druckfehler, deren Abwesenheit zu wünschen wäre. Wer die Geschichte jener Zeit kennt, wird freylich dergleichen Mißgriff auf der Stelle zu berichtigen wissen; für solche Leser indeß fertigt man nicht eigentlich Uebersetzungen; denn wer auch nur mäßig Französisch versteht, wird doch allemal lieber nach der Urschrift sich umsehn; die überdieß gar nicht selten, sondern in oft wiederholten Auflagen überall zu haben ist. Einen possierlichen Druckfehler des Originals selbst, der auch den Uebersetzer irre geführt hat, will Rec. doch ausheben. S. 32 steht nämlich: „Dieser Mann, der le (nicht la) Roux hieß, und Vater des „Charbreux war, von dem Sie gehört haben werden" u. s. w. — Nicht Charbreur, sondern Chartreux muß man hier lesen: Vater also des bekannten Carthäusers, u. s. w.; denn von einem Charbreux weiß die Geschichte jener Tage ganz und gar nichts.

Kleinigkeiten sind es, daß der Uebersetzer z. B. précipitation nicht immer durch Eilfertigkeit, indisposition durch Erbitterung, Pal..is durch Pallast hätte geben, sondern Uebereilung, Abgeneigtheit, Parlament oder Parlamentshaus u. s. w. bisweilen brauchen sollen. Nur eine ganz übersprungne Stelle hat Rec. gefunden. S. 343 nämlich der Uebersetzung, wo die Königinn-Mutter dem Herzoge von Orleans, Oheim des Königs, vorwirst, sie nur schwach vertheidigt zu haben, und das Original noch hinzufügt: et tout de même, me dir-elle, que si elle avoit eû l'epée à la main. Entweder wollte sie damit schlechthin sagen, daß sie selbst den Degen

nicht

t kraftloſer gefühlt haben könnte; oder: daß der Herzog,
in er gegen ihre Perſon den Degen zu ziehen gehabt, ſich
t ſchwächer und furchtſamer hätte benehmen können; —
n, troh aller damals herrſchenden Partheywuth, blieb die
furcht fürs königliche Haus den Herzen der Nation doch
ner tief eingewurzelt; und nur dem Zeitraume ſich aus
Taumel der Ueberverfeinerung in Barbarey ſtürzender
nzoſen war ein ſolches Attentat vorbehalten. — Die Er-
ſſe zweyer Jahre, zwiſchen 1649 und 51 nämlich, ſind
Inhalt vorliegenden Theiles. Die Erzählung derſelben
t, ohne den mindeſten Abſchnitt in Kapitel, ohne Margi-
en oder dergleichen, und mit keinem andern Ruhepunkte
, als wo Zwiſchenvorfall, oder irgend was Neues die
e abzubrechen erlaubten. Zwar haben die franzöſiſchen
gaben, ſo viel Rec. deren geſehen, auch keine andern
rkzeichen, als die am Rande fortlaufende Jahreszahl;
is indeß iſt doch beſſer als gar nichts; und welch ein Ag-
at unzählich kleiner Thatſachen und Bemerkungen darüber
Buch des Cardinals auch ſeyn mag: zur Ueberſicht des
zen wären gleichwohl einige Hauptabſchnitte auszumit-
geweſen, wofür der Leſer, der nunmehr nirgend weiß, wo
usruhen darf, gewiß dem Ueberſetzer gedankt hätte. Für
uemlichkeit der Leſewelt bey Schriften dieſer Art zu ſorden,
t um ſo mehr die Mühe, da ein verdoppelter Geſchmack
Buche ſelbſt, die nächſte Wirkung dieſer Dienſtbefliſſenheit
würde.

R.

jebuch der Helvetiſchen Republik. Zweyter Band,
erſtes bis ſechſtes Heft.) Zweyte Abtheilung.
Vom 12ten May bis 12ten Juny. Zürich, bey
Orell, Füßli und Comp. 1798. 919 Seiten, 8.
RG. 12 K.

der Ausführlichkeit der commentirten Verhandlungen der
ativen und geſetzgebenden Gewalten, und in Vollſtändig-
der Urkunden bleibt dieſe Fortſetzung des Tagebuchs ſich
h. — In den erſten findet man einige Züge der Ener-
einzelner Mitglieder der Räthe, mit welchen ſie ſich be-
ers über die mit ewiger Infamie gebrandmarkten Bedrü-

ckungen der tyrannischen, sogenannten Befreyer der Schweiz
und ihrer bübischen Bezire auflehnten, ohne jedoch dadurch
etwas anders als höhnenden Spott dieser insolenten Usurpatoren
und herrische Nichtbeachtung der Stimme des ächten Bür-
gersinns zu bewirken, womit sie ungestraft ihre Räubereyen
forttreiben. Uebrigens zeigt sich, wenn man die Mittelmäs-
sigkeit übergeht, unter diesen schweizerischen Gesetzgebern nur
höchst selten ein Redner von vorzüglichem Talent, oder ein
Kopf, der in den Debatten durch philosophischen Blick
und Bestimmtheit in den Uebersichten, durch Klarheit und
Kraft in den Darstellungen und Entwickelungen der politischen
Gegenstände sich besonders auszeichnete, und sich einen vorzüglichen Rang unter den Männern der Zeit erwürbe; wie wir
deren so viele in allen gesetzgebenden Versammlungen in Frankreich sahen.

VI.

Taschenbuch für die neueste Geschichte. Herausgegeben von D. Ernst Ludwig Posselt. Fünfter
Jahrgang. Feldzug 1796. Mit Küfnerischen
Kupfern. Nürnberg, in der Bauer und Manni-
schen Buchhandlung. 1799. 413 S. 12. 1 Rl.
8 K.

Dieser Feldzug ist einer der thatenvollsten und nach seinem
Gange auf dem festen Lande der erstaunenswürdigste im ganzen Kriege. Wer wird also nicht gerne den Verf., dessen vortreffliche Darstellungsgabe bekannt ist, hier mit Vergnügen erzählen hören, zumal da er weder zu sehr ins mili-
tärische Detail hineingeht, noch, wie ehedem, durch leere Declamationen zu ermüdend wird? Die Kriegsgeschichte wird
auf der einen Seite bis zur Eroberung der Festung Mantua
am 2. Febr. 1797, und auf der andern Seite bis zur Kapitu-
lation der Brückenschanzen vor Hüningen am 1. Febr. 1797
fortgesetzt. Auch die Geschichte des Seekrieges in diesem
Jahre hat ihren eigenen Abschnitt. Auf die Kriegsgeschichte
folgt der Codex diplomaticus zu derselben; welcher die vielen Waffenstillstande und Friedensschlüsse, die in diesem Jahr
gemacht worden sind, enthält. Eine kurze Schilderung Buo-
naparte's, 2 Gedichte an den Eroberer von Mantua und
Malta,

Malta, so wie eine chronologische Tafel über die wichtigsten Begebenheiten dieses Zeitraums, welche Bezug auf den Krieg haben, beschließen diesen Jahrgang.

D. H. Stövers Unser Jahrhundert. Oder Darstellung der interessantesten Merkwürdigkeiten und Begebenheiten und der größten Männer desselben. Ein Handbuch der neuen Geschichte, fortgesetzt von C. D. Voß. Sechster Theil. Altona, bey Hammerich. 1798. 570 S. 8.

Auch unter dem Titel:

Das Jahrhundert der Aufklärung. Eine Gallerie historischer Gemälde von C. D. Voß. Dritter Theil. 1 Rh. 12 K.

Es war ein glücklicher Einfall, auf die Geschichte des Spanischen Successionskrieges nun das Leben und die Ministergewalt der beyden mächtigen Minister Alberoni in Spanien und Fleuri in Frankreich, welche auf die nächsten Begebenheiten nach dem Spanischen Erbfolgekrieg den größten Einfluß hatten; oder sie gar bewirkten und leiteten, folgen zu lassen; und eben so auch in der Marquise von Pompadour die Gewalt zu zeigen, welche oft Maitressen bey Beherrschung eines Reichs haben. Der Verf. hat die Quellen gut benutzt, und ein treues Gemälde dargestellt. Seine Manier ist bekannt, und zu loben ists, daß sein Styl sich immer mehr dem ächten historischen Style nähert. In einem Nachtrage zu Frankens frommer Wirksamkeit für die Menschheit giebt er eine kurze Nachricht von einigen durch ihn entstandenen und unterstützten Instituten; zur Verbreitung einer reinern und wirksamern Religionskenntniß, als dem Seminario ministerii ecclesiastici und dem Seminario elegantioris literaturæ, welche beide Pflanzschulen für künftige Kirchen- und Schullehrer 1714 zu Stande kamen, und eine Zeitlang bestanden.

Eh.

Die Vorzeit Lieflands. Ein Denkmal des Pfaffen- und Rittergeistes. Von G. Merkel. Zweyter Band.

Ff 2

Band. Berlin, In der Voßischen Buchhandlung
1799. 492 S. 8. 1 Rh. 18 K.

Dieser zweyte Band enthält die Geschichte Lieflands vom
Tode des Bischoffs Alberts bis zur Auflösung des Ritter-
standes. In gedrängter Kürze werden die merkwürdigsten
und interessantesten Begebenheiten erzählt, ihre Veranlassungen aus der Geschichte der benachbarten Staaten entwickelt,
und hie und da wichtige Begebenheiten eingewebt. Ein
kurze Geschichte der Eroberung Preußens, die Schicksale des
deutschen Ordens daselbst, und die Entstehung des Herzogthums Preußens hat der Verf. zu erzählen für nöthig geachtet, weil der Schwerdtbrüderorden dem deutschen
Orden einverleibt wurde. Seltener stößt man in diesem
Bande auf leere Declamationen; wenn gleich der Verf. sich der
bittern Ausfälle auf die Geistlichkeit und den Orden nicht ganz
enthalten kann. Der Styl nähert sich hier auch schon mehr dem
ächten historischen Style. Ueber die Darstellung einzelner
Geschichtsfakten will Rec. mit dem Verf. nicht rechten, da
derselbe so manche aus einem ganz andern Gesichtspunkte betrachtet hat.

Gsg.

Erdbeschreibung, Reisebeschreibung und Statistik.

P. S. Pallas, Russisch-kaiserlichen Staatsraths
und Ritters d. S. W., Bemerkungen auf einer
Reise in die südlichen Statthalterschaften des Russischen Reichs in den Jahren 1793 und 1794.
Erster Band. Mit colorirten Kupfern. Leipzig,
bey Martini. 1799. XXXII und 516 S. gr. 4.
20 Rh.

Diese Reise unternahm der Staatsrath Pallas mit kaiserli-
cher Erlaubniß, theils zur Erholung seiner wankenden Gesundheit, theils zur Ergänzung seiner Sammlung von Pflan-
zenzeichnungen, für welche er einen geschickten Zeichner, Geiß-
ler

ler aus Leipzig, mitnahm, und überhaupt, um nützliche
Beobachtungen anzustellen. Von einem Pallas kann man
sich schon zum voraus die lehrreichste und angenehmste Unterhaltung versprechen, und niemand wird sich auch hier getäuscht
finden. Da er auch diesmal durch mehrere Provinzen, die er
schon besucht hatte, reisen mußte: so fand er Gelegenheit, einiges in seinen vorigen Reisen zu ergänzen, und den neuen
veränderten Zustand einiger Gegenden anzuzeigen; eben dieß
geschieht auch in Ansehung der Provinzen, welche von andern
Reisenden bereiset worden sind; aber auch noch ganz unbereis-
sete Provinzen hat er besucht, und auch von diesen das Merk-
würdigste aufgezeichnet. Der Verf. schränkt seine Bemerkungen nicht auf eine gewisse Art des Wissenswürdigen ein; sondern sein Blick war auf alles gerichtet: Geschichte, Geographie,
Statistik, Völkerkunde, Naturgeschichte, Technologie, kurz,
für viele Wissenschaften ist hier Gewinn und Erweiterung.
Die Reise gieng am 1sten Febr. 1793 von Petersburg zuerst
nach der südlichen Wolga, um dort den Frühling zu genießen.
Auf den Waldaischen Hügeln fallen im Winter, wenn alles
mit Schnee bedeckt ist, die alten Grabhügel mehr als sonst in
die Augen. Alle Grabhügel sind hier auf den höchsten Rücken der Hügel gelegen, von welchen die freyeste und schönste
Aussicht ist; so wie auch in Sibirien die alten Grabstätten
jederzeit die beste und angenehmste Lage haben. Es wäre für
die Russische Alterthumskunde zu wünschen, daß sie genauer
untersucht würden. Die seit 1768 in dieser Gegend entdeckten kohlenartigen Flötze gewähren Hoffnung für die Zukunft,
dem immer zunehmenden Holzmangel abzuhelfen. In Twer
kann man lebendige Sterlette, die man aus der Wolga her-
aufbringt, und in Fischbehältern immer vorräthig hat, kaufen.
In der Stadt Moskau hat der Luxus unendlich zugenommen, und die Vertheurung aller Lebensbedürfnisse war eben
so auffallend, als der Ueberfluß an allen Leckereyen; besonders
hat die in wenigen Jahren auf einen hohen Gipfel vermehrte
Gartencultur alle Arten von Gemüsen und Früchten über-
schwenglich häufig gemacht. Mitten im Winter kann man
die allergrösten durch Mistgräben getriebenen Spargel in
Menge haben, die auch nach Petersburg versendet werden;
frühe getriebene Früchte sind keine Seltenheit; auch Ananas
kann man billig kaufen. Zur schnellen Aufnahme dieses Nah-
rungszweiges hat der verstorbene Staatsrath Demidof durch
sein Beyspiel, durch kostspielige Einführung ausländischer

Fruchtarten und freygebige Mittheilung feiner Gartenfchäz-
viel beygetragen; fo wie ihm auch das innere Rußland die
Einführung einiger nüßlicher Getraideforten fchuldig ift. Auch
Trüffeln find um Moßkau entdeckt worden, und werden um
einen fehr billigen Preis verkauft. Die Paläfte der Großen
befonders find zum Theil riefenmäßige, von mehrern Hunder-
ten leibeigener Bedienten bevölkerte Gebäude. In der
neugeftifteten adelichen Verfammlung erfcheinen im Winter
wenigftens taufend Perfonen beyderley Gefchlechts im beften
Schmucke auf den Bällen. In Kirsharfch, einem nur
zur Stadt gemachten Dorfe, und in Bunkowaga haben einige Bauern, die in Moßkowifchen Seidenfabriken als Arbeiter gedient haben, feit mehrern Jahren felbft Stühle angelegt, und ihre Kunft mehrern mitgetheilt, fo daß jezt an beyden Orten eine ziemliche Menge feidener Tücher, zwar nicht
von vorzüglicher Größe und Güte, aber zu geringen Preifen
auf mancherley Mufter fabricirt werden. Aus diefen freywilligen Anlagen fieht man, wie leicht man nüßliche Manufakturen felbft unter dem Rußifchen Landvolke zur Verminde-
rung der Einfuhre errichten könnte. Die bey der Stadt Ar-
famas angelegten Pottafchenfabriken find wegen des geringen
Vortheils, den die Krone dabey gefunden, feit mehrern Jahren wieder eingegangen. Der Verf. klagt fehr über die Ver-
wüftung der Eichenforften; zu den Thorwegen des allerelen-
deften Bauerhofes müffen allemal 2 der dickeften und gerade-
ften Stämme dienen, und aus einem Stamme werden nur
2 breite Bohlen, womit alle Stuben in den Städten gedielt
werden, gefpalten. In Penfa und den meiften Dorffchaften
derfelben Gegend haben fich die kleinen Afiatifchen Schaben
von der Wolga her in großer Menge eingefchlichen; fie ver-
treiben die großen Schaben (blatta orientalis) überall vor fich
her, und vertilgen fie. Penfa wird jezt regelmäßig gebaut,
und alle Häufer, die eingehen, müffen künftig nach der Vor-
fchrift regulär von Ziegeln oder Holz nur mit fteinernen Grund-
lagen erbaut werden. Handel und Gewerbe fangen hier mehr
und mehr an zu blühen, der Adel, der fich hieher gezogen hat,
trägt zur Wohlhabenheit viel bey, macht den Ort lebhaft, und
verbreitet Gefelligkeit und Artigkeit. Auch hier verfammelt
fich ein adelicher Club alle Sonnabend zum Ball, bey dem
aber die ungleich größere Zahl der Damen gegen die Manns-
perfonen noch mehr als in Moßkau auffiel, weil ein großer
Theil der leztern in Kriegs- und Civildienften von ihren Familien

milien abwesend war; auch vielleicht, weil die Zahl des männlichen Adels durch die von Pugatschef in diesen Gegenden ausgeübte Grausamkeit verringert worden. Die Statthalterschaft Pensa ist nebst der Nishagorodschen, Simlirskischen und Saratoffchen der wahre Kornboden der Kaiserlichen Residenzstädte. Schade nur, daß die Bauern in dieser Gegend unter die schlechtesten Landleute des Reichs gehören, und für die Ausfuhr des Getraides noch nicht genug durch die auf der Sura und Moksha leicht zu verbessernde Wassergemeinschaft gesorgt ist. Ein beträchtlicher Theil der Bevölkerung dieser Statthalterschaft besteht aus Mordvanern vom Mokschanischen Stamme, und es scheint diese Statthalterschaft vormals der Hauptsitz dieses Volkes gewesen zu seyn. Die Leichtigkeit der Wassercommunication, die wohlfeilen Getraidepreise und der noch hinlängliche Holzvorrath in einigen Gegenden haben zur Anlage vieler und großer Brantweinbrennereyen, mehrerer Glas und Eisenhütten, Seifen- und Pottaschsiedereyen und Lohgerbereyen Anlaß gegeben; auch giebt es einige Lacken- und besonders 6 Segeltuchfabriken, welche letztern nahe an 300 Arbeiter beschäfftigen. Im Winter werden hier viele Tausend Stieglitzen gefangen und zum Verkaufe nach Moskau gebracht. Der Holzmangel nimmt zu, jemehr man gegen Süden fortgeht. An dem Bache Sakura in einem starken fürstlichen Golizynschen Kirchdorfe desselben Namens haben sich gegen 600 Malorossianer, die sich mehrentheils von Fuhren ernähren, nach und nach freywillig angesiedelt. Diese wohnen weit reinlicher als die Bauern in den andern Dörfern, sind gutartiger, wohlhabend, und haben an Hornvieh, langschwänzigen Schafen und Federvieh aller Art Ueberfluß, auch muthige Pferde. Die Stadt Saratof hat an Gebäuden, Regularität und Nahrung zugenommen, und die Lebensbedürfnisse sind noch fast in denselben wohlfeilen Preisen wie 1773; der Luxus hat hier aber auch noch nicht überhand genommen. Die Deutschen Colonien an der Wolga haben seit 20 Jahren an Wohlstand und Volksmenge beträchtlich zugenommen; man rechnet der Colonisten jetzt 33,000 Seelen beyderley Geschlechts, die sich vollkommen glücklich und zufrieden schätzen, und keinen andern Wunsch haben, als durch Obere, die der Deutschen Sprache kundig sind, dirigirt zu werden, da viele der Russischen nicht mächtig sind. Es scheint als wenn die meisten Deutschen Colonien, besonders die über die Wolga gelegenen,

Ff 4 sich

sich zur Mährischen Brüdergemeine wenden werden, wozu
der Verdienst, den die Fabriken zu Sarepta durch Baumwollenspinnen geben, und der daraus entstehende Verkehr mit
ihnen viel beyträgt. In dieser Gegend hat man seit 1788
beym gänzlichen Mangel an Feuerung angefangen, auf den
Rath eines aus der Insel Rügen gebürtigen Colonisten Fr.
Risch in Ust-Salicha einen künstlichen Torf aus Mist und
Stroh zu verfertigen; denn Dünger ist auf dem hiesigen leichten schwarzen Acker nicht nöthig, und daher wird dem Viehe
fleißig Stroh untergestreut. Zarizyn wurde im Sommer
des J. 1793 größtentheils eingeäschert. Die Regierung ist
auf Bevölkerung der Astrachanischen Steppe bedacht gewesen; es sind an mehrern Orten Dörfer angelegt worden,
die größtentheils von Russen, einige auch von Tataren,
Tschuwaschen und dergleichen bewohnt sind. Der Ackerbau
ist am Abhange des hohen Landes fruchtbar genug; nur kommen hin und wieder salzige Stellen vor, wo die Saat vergeht, welche aber leicht verbessert werden können. In Otrada, einem schönen Dorfe, hat man zuerst in Rußland angefangen, den weißen Senf im Großen zu bauen, Oel davon
zu schlagen, und das gepreßte Mehl wie engl. Senf zu behandeln.
Der Senf vermehrt sich 60fältig. Sarepta ist im zunehmenden Flor; auch Weingärten sind hier angelegt worden,
und von einigen wird auch ein guter Wein dort gepreßt. Im Brüderhause werden halbseidne Tücher, Strümpfe und Kasakische
bunte Weiberschlafmützen aus Baumwolle auf 17 — 18 Stühen verfertigt, ferner Manchester, Velveret und baumwollene
Serge. Von Sarepta unternahm der Verf. eine Frühlingsreise nach Astrachan. Im Jenataufka traf er noch Kalmücken an, welche in dieser Gegend gerne und häufiger überwintern. Der Ueberrest dieses Volks besteht jetzt nach Abgang eines großen Haufens der Derbeten, welche sich zu den
Donischen Kasaken gesellt haben, aus 8229 Kylitten oder Gezelte, zu welchen noch ungefähr 200 in und um Astrachan
wohnende gekaufte freye Kalmücken kommen. In Astrachan
hielt er sich jetzt nur eine kurze Zeit auf, und eilte in die
Steppe jenseit der Wolga, um die seltenen Frühlingspflanzen nicht zu versäumen. Die Stadt Krasnoigar war unter
der Regierung des Zaren Alexei Michailowitsch angelegt,
um die auf den Busen in die Caspische See auslaufenden
Raubparteyen der Kasaken im Zaun zu halten, und als eine
Vormauer von Astrachan gegen die Kalmücken zu dienen;
beson-

befonders im Winter, wenn man über das Eis von allen
Seiten nach Aftrachan ftreifen kann. Wegen der Kirgi-
fchen, die fich im Winter mit ihren Heerden bis an die
Wolga längft des Cafpifchen Meeres und in die Sand-
wüfte Naryn ausbreiten, und fich nicht felten kleiner Räubereyen fchuldig machen, ift zur Sicherheit für die Fifchereyen
und die zerftreut liegenden Meuereyen ein Cordon errichtet
worden. Auf jedem Cordonpoften ftehen 8 — 10 Kafaken
mit einem Defätnik, und im Winter 10 — 12 Kalmücken.
Hier giebt es viele Salzfeen. In diefer Steppe fuchte er eine
bergige Gegend Arfagar auf, welche nicht nur wegen ihrer
fonderbaren Befchaffenheit merkwürdig, fondern wo auch allerley Gipsarten und ein befonderes Steinfalz zu finden ift.
Die Kundurau-Tataren werden befchrieben — ihre Anzahl
im Krasnoigarskifchten Kreife wird auf 1630 männliche
Seelen gerechnet, fie ziehen längft der Achtuba von Kras-
noigarsk bis in die Gegend von Saffikol herum und find
reich an Schaafen, befonders Rindvieh, welches ihnen hauptfächlich zum Zug- und Laftvieh dient, weil fie noch keine Ka-
mele haben; an Pferden, die aber nicht die beften find, haben
fie keinen Mangel. An der Achtuba ift zwar fchon unter der Kaiferinn Elifabeth mit dem Seidenbau der Anfang
gemacht, und unter Katharina II. wurden die nachdrücklich-
ften Anftalten gemacht, diefe Gewerbe emporzubringen; aber die
Ruffifchen Bauern find zu diefem Gewerbe fchlechterdings nicht
zu bewegen, und feit 1784 denkt keiner mehr an den Seidenbau, ja
fie vertilgen fogar die Maulbeerbäume. Der Verf. thut fehr
gute Vorfchläge, wie der Seidenbau zu heben wäre. Die
Niedrigung Zarewy Pody und die zwifchen der Achtuba
und Wolga gelegene Gegend Manttochai von Zarizyn bis
Tfchernoijarsk ift ftets der vorzüglichfte Herbftaufenthalt
des Hoflagers der Kalmückifchen Chane wegen der vorzüglichen
Weide; eben diefe Gegend fcheint aber auch vormals zur Zeit
der goldenen Horde hauptfächlich ihren Fürften und Vornehmen zum Aufenthalt gewidmet gewefen zu feyn; der Winterfitz
ihres Hoflagers aber war weiter füdlich. Nach feiner Rückkehr
von Sarepta gieng der Weg von neuem über Aftrachan
nach dem Caucafus; diefen Weg zog er dem durch die Ku-
manifche Steppe gerade nach der Georgenfeftung am Caucafus vor, theils weil er ihn der ganzen Länge nach auf dem
alten Grunde der Cafpifchen See führte, theils verfprach er
fich auch dort eine reiche Erndte der feltenften Salzpflanzen,

Ff 5 Die

die im Herbste ihre rechte Vollkommenheit erreichen. Sein neuer Aufenthalt in Astrachan vom 7 — 26 Aug. hat ihm zu mancherley nützlichen Bemerkungen und Einsammlung interessanter Nachrichten Gelegenheit verschafft. Diese Stadt hat an schönen steinernen Häusern und öffentlichen Gebäuden ansehnlich gewonnen. Wegen der Theurung des Bauholzes werden alle neue Gebäude von Ziegeln und den oberhalb Sarizyn an der Wolga brechenden Sandsteinen gebaut. Die Holzpreise sind von 1786 bis 1792 weit über die Hälfte gestiegen, und besonders im Jahre 1793 noch mehr; dieß ist aber mehr eigennützigen Speculationen zuzuschreiben, als dem Holzmangel und der Vergrößerung der Transportkosten. Die Astrachanischen Fischereyen sind außerordentlich ergiebig und für den Staat vortheilhaft; fast der ganze Europäische Theil des Russischen Reichs und die volkreichen Residenzen werden in den Fasten der griechischen Kirche, die mit den wöchentlichen Fasttagen ⅓ des Jahres ausmachen, hauptsächlich durch diese Fischereyen ernährt, und viele tausend Menschen werden theils durch den Fang selbst, theils durch die Transporten auf Schlitten und Fahrzeugen, theils durch den Vertrieb beschäftigt und im Wohlstande erhalten. Hieher gehört der Belugen- oder Hausenfang 103,500 Stück, welcher 340,535 Rubeln beträgt, der Störfang 302,000 St. Gewinn 524,135 R. Seeruwenfang 1,445,000 St. 983,810 R. zusammen bloß an Störfischen 1,868,480 R. nach dortigen Preisen; außer diesen kann das Produkt der hiesigen Fischereyen an geringern Sorten, als Karpfen, Sandarten, Welsen noch wohl auf ¼ Million theils für die Fische selbst, theils für das daraus gesottene Fett gerechnet werden. Auch der Robbenschlag in dem Caspischen See ist wichtig. Das edelste und theuerste Produkt der Störfischereyen ist die bereitete Hausenblase oder der Fischleim, von welchem die Engländer eine große Menge in ihren Bier- und Porterbrauereyen und die Spanier, Portugiesen, Holländer und Franzosen zum Abklären der Weine gebrauchen. Die Englische Faktorey in Petersburg hat im J. 1788 schon 6850 Pud Hausenblase in Englischen Schiffen ausgeführt, und die Ausfuhr nach andern Ländern hat in den letzten Jahren auch über 1000 Pud betragen. Caviar wurde bis 1781 in Englischen Schiffen gar nicht ausgeführt, 1782 fieng sich diese Ausfuhr mit 26 Pud an, und 1792 wurden 3781 Pud ausgeführt. Die Ausfuhr nach Italien hat in den letzten Jahren auch über 10,000 Pud betragen, außer etwan

etwan 3000 Pud, die nach andern Ländern gehen. Dagegen aber läßt sich von Astrachans auswärtigem, besonders dem Persischen Handel nicht viel vortheilhaftes sagen. Einen schweren Tribut bezahlen die Russen jährlich an Persien für die Seide, die in den Fabriken verarbeitet wird, und die man in den südlichen Provinzen in großer Menge selbst ziehen könnte; jährlich werden bis 8000 Pud eingeführt; für diese Waare geht das meiste baare Geld aus dem Lande. Eben so verzehrend ist die Einfuhr der rohen und gesponnenen Baumwolle und der Färberröthe. Jährlich kommen bis 200,000 Pud größtentheils gesponnene Baumwolle aus der Bucharey ein; Färberröthe etwa Seewärts 10—15,000 P. und noch über Kislar 10000 P., Galläpfel über 3000 P., die übrige Einfuhr aus Persien an Fabrikaten und andern vermischten Waaren jährlich für 100,000 R. Die Ausfuhr nach Persien ist dagegen gering, und überdies erhalten die Russen diese Waaren mehrentheils von den Ausländern. Der beträchtlichste Artikel ist Cochenille, jährlich gehen bis 1000 P. von Astrachan aus, den Pud zu 300 Rubeln gerechnet. Ausländischer Sammet, Atlas, ausländische Laken, Plüsch, Leinewand verschiedener Art, für etwan 200,000 R., Juchten für 10—15,000 R. Zucker für mehr als 20,000. Die Marine des caspischen Meeres bestand 1792 aus 2 Fregatten von 12 Kanonen, 2 Boten und einem Transport-Fahrzeuge, aus 55 Kauffahrteyschiffen, und außerdem noch zu der Seefischerey, dem Robbenschlage und dem Mangischlakischen Handel mit den Truchmenern und Bucharen 138 Roschiwen oder platten Fahrzeugen; doch ist nachmals bey dem neuerlichen Kriege gegen Persien, die Kriegesescadre ansehnlich vermehrt worden. Von der Orientalischen Grappfärberey giebt der Verf. eine umständliche Nachricht. Der seit Kaiser Peter dem Großen in Astrachan gestiftete Weinbau, nimmt, ungeachtet die Gegend und der Boden dazu nicht sehr günstig sind, immer mehr zu. Die Früchte werden in besondern auf Ketten hängenden Kasten in kleinen Tonnen mit roher Hirse eingepackt und verführt, auch zum Weinkeltern gebaut. Mehrentheils werden weiße Weine gemacht. Der Verf. beschreibt auch den Götzendienst der auf dem sogenannten Indianischen Hofe beysammen wohnenden Kaufleute aus Multanistan. Interessant sind die historischen Nachrichten über Persien, die vorgefallenen Begebenheiten und Veränderungen in Persien seit Kerim-Chans Tode; diese schließen sich an die

ältern

ältern historischen Nachrichten, welche in des jüngern Gmelins Reisen mitgetheilt sind. Auch wird die Geschichte des großen Diamants im Russisch-Kaiserlichen Reichszepter erzählt. Jetzt beschreibt der Verf. seine Reise von Astrachan bis an die Kaucasische Linie und erklärt die Entstehung der Landseen; er findet es wahrscheinlich, daß die Niedrigungen von Ulagan-Terin, Alabuga und Bielomsero, durch welche die caspische See bey Anwachs des Wassers durch Seestürme sich so gern und weit Landwärts ergießt, das alte Bette der Meerenge sey, die vormals nach seiner im dritten Theile seiner Reise ausgeführten Hypothese das Caspische und Asowsche Meer mit einander verband. Darauf beschreibt er die Truchmenen, welche als Russische Unterthanen in die Kislarische Steppe versetzt worden sind. Seit 1781 sind in den Gegenden am Kaukasus viele Colonien errichtet worden, und alle Dörfer wegen der Streifereien, die sie von den Gebirgsvölkern zu besorgen haben, mit kleinen Verschanzungen und oft mit spanischen Reitern umgeben. Roggen, Waizen, Gerste, Hirse, Haber, Buchwaizen, Erbsen wurden hinreichend zum Unterhalt der an der Grenze stehenden Truppen gebauet. Die Festung Georgiefsk hat außer dem Gouverneur-Hause kaum ein einziges anständiges und im Winter haltbares Wohngebäude; zum Glück ist hier der Winter sehr gelinde. Von hieraus hat man die prächtigste Aussicht nach dem Kaukasischen Gebirge, welches man in seiner ganzen Länge vom caspischen Meer an bis an das schwarze übersehen kann; die Gegend um diese Stadt ist mit vortrefflichem Ackerlande, Heuschlägen, Weiden, Brennholz und Wild überflüßig gesegnet, und von hier bis an das Gebirge gegen den Kulan und Kalaus zur Bevölkerung sehr erwünscht. Von hier unternahm der Verf. eine Reise nach der Festung Constantinogorsk, theils um den Baschtau nahe zu sehen, theils um das nahe daran quellende warme Schwefelbad und den vortrefflichen Sauerbrunnen außerhalb der Linie, bey den Abassischen Dörfern der Familie Osbentemir zu besuchen; von allen diesen ist hier eine gründliche Beschreibung zu finden. Auch den Berg Matschuka mit seinem tufartigen Vorgebirge und darauf quellenden Schwefelbade besuchte er. Damals war es im Werke die Tscherkassischen Fürsten zu einer freywilligen Wahl von ordentlichen Richtern unter sich zu vermögen, um ihren endlosen Fehden ein Ende zu machen; es sollten 2 Stammgerichte für die Fürsten und 2 Adels-

gerichte

gerichte für die Usdens oder Edeln eingerichtet werden, deren Mitgliedern vom Kaiserlichen Hofe Pensionen ausgesetzt werden. Am 15. und 16. Sept. 1793 kam die Wahl glücklich zu Stande. Die Installirung dieser Gerichte, welche am Bakßan ihre Sitzungen halten sollten, wo jetzt das Lager stand, bewegte den Verf., eine kleine Reise bis zu dem Lager zu thun. Jetzt folgen ausführliche Nachrichten von den Völkern des Kaukasus, besonders den Tscherkassen; die Geographie und Völkerkunde gewinnt dadurch nicht wenig. Endlich folgen die Merkwürdigkeiten der Reise von Georgiefsk nach Tscherkask, Taganrog und Perekop. Auf Grabhügeln findet man an mehrern Orten grobausgehauene Bildsäulen, die dem Kostum und der Gesichtsbildung nach zu urtheilen, alle von einer dem Mongolischen Stammvolke verwandten Nation herkommen müssen, die einst in dieser Gegend gewohnt hat. Alle sind mit dem Gesichte gegen Osten gerichtet. Vielleicht könnte man diese Denkmäler den Hunnen zueignen. Ammianus Marcellinus erwähnt schon diese Steinbilder um die Ufer des Pontus und vergleicht die Gesichtsbilder der Hunnen mit denselben. Die Hauptstadt der Donischen Kasaken Tscherkask ist seit den letzten 20 Jahren sehr erweitert und mit vielen schönen Privathäusern mehrerer mit Rang und Ordenszeichen begnadigten Kasakenofficieren geziert worden. Die Sittlichkeit der Einwohner beyderley Geschlechts ist nicht zu empfehlen; beständiges Wohlleben, Müssiggang und Völlerey — Folgen des Ueberflusses, den die vortrefflichen Besitzungen dieser freyen Miliz hervorbringen, haben die Sitten äußerst verderbt, und Luxus hat die alte Einfalt verdrängt. Die Aermern werden unterdrückt und alle Last des Kriegsdienstes fällt auf sie, denen die Befehlshaber noch oft dazu das Schuldige vorenthalten. So wird nach und nach dieses als leichte Truppen bisher Rußland so nützliche und sonst gutartige Volk in seiner freyen Verfassung durch den Aristokratismus seiner Obern immer mehr beeinträchtigt und zum Dienste unwilliger gemacht. Der Weinbau hat sich hier sehr vermehrt, und ist auf einen bessern Fuß gebracht worden, weil er den Lüsten der Reichen schmeichelt. Es wird ein guter Wein gepreßt. Tscherkask besteht aus 11 Kasakenstanizen, deren das ganze Volk der Donischen Kasaken 100 ausmacht. Durch den Seehandel hat die Stadt viele Nahrung. Nachtschiwan ist die erste ganze Armenische Stadt, welche unter Catharina II. angelegt

legt worden und am meisten verspricht, weil die Industrie
der Armenier in Fabriken, Handwerken und Handelsgewer-
ben außerordentlich groß ist. Sie wanderten nach dem Frieden von Kutschuk Kainardschi aus der damaligen Krimm.
Die Festung Taganrog wurde von Peter dem Großen
angelegt auf dem höchsten Gipfel einer Landzunge, und ist
von der Seeseite durch das steil abgestürzte mehr als 15 Faden hohe Ufer unersteiglich; sie hat jetzt ungefähr 6000 Einwohner. Im letztern Kriege mit der Ottomannischen Pforte sahe
man ein, wie nothwendig der Hafen wäre, da man Masten,
Eisen und andere Bau- und Schiffsmaterialien für die Flotte
oft nicht anders als von hier zum dringenden Nothfalle erhalten konnte. Wegen der innern Communikation und der
Menge von Landesprodukten aus benachbarten Statthalterschaften ist der Hafen nicht nur für die Marine des schwarzen
Meeres nützlich; sondern fast unentbehrlich, und in Ansehung
des auswärtigen Seehandels nach den Türkischen Staaten
und dem ganzen Mittelländischen Meere ist er für das ganze
Russische Reich ein vortheilhafter Ort; im J. 1792 waren
60 Schiffe dort angekommen, und 1793 bis zum 10. Oct.
schon 80. Seit Wiedereröffnung des Handels ist hier der
Umschlag jährlich zwischen einer halben und ganzen Million
gewesen, wovon die Exportation bey weitem den größeren
Theil betragen hat. Die Hauptartikel der Ausfuhr sind
Eisen, Weitzen, Butter, Talg, Stricken und Tauwerk, Se-
geltuch, Hanf, Russische Leinwand, gesalzener und gepreßter
Caviar, Salpeter, Juchte, rohe Häute als Contrebande ausgeführt, Schweinborsten, Haasen und andere Peltereyen.
Die Einfuhr besteht hauptsächlich in Weitzen, Archipelagischen,
Italiänischen, auch wohl Spanischen ausgetrockneten Früchten, gekochten Fruchtmußen, Anadolischen Nußen, Gall-
äpfeln, besonders für die Saffiangerber in Nachtschivan, einigen Türkischen Zeugen von Seide und Baumwolle, frischen
Citronen und Apfelsinen, auch Citronensaft und Rum. Das
Land um Taganrog ist sehr fruchtbar; nördlich von der Stadt
giebt es Steinkohlenflöße und am nördlichen Ufer des As-
sowschen Meeres Kalkflöße, das Assowsche Meer ist hier
ziemlich fischreich. Die von dem Berda bis zur Moloschna
herumziehenden Nogaier, ein sehr kleiner Theil des sonst
zahlreichen, zuletzt unter dem Namen der Kubantatarn bekannten Volks, sind erst seit 2 Jahren wieder aus der Gegend um den Kuban auf diese schönen Weideplätze versetzt
wor-

worden; auch iſt dieß ſonſt nomadiſirende Volk durch Austheilung von Saatkorn zum Fleiße im Ackerbau ermuntert
worden.

Der zweyte Theil wird die Beſchreibung der Tauriſchen
Halbinſel enthalten, welche, obgleich der Verſ. ſchon eine
kurze Ueberſicht dieſes Landes in franzöſiſcher Sprache hat
drucken laſſen, nicht überflüſſig ſeyn, und aus der man die
natürliche Beſchaffenheit, Vorzüge und Merkwürdigkeiten
dieſer zwar kleinen, aber von jeher berühmten Halbinſel ge-
nugſam kennen lernen wird. Dieſer erſte Theil iſt mit vielen
Kupfern und Vignetten geziert.

**Phyſikaliſch-topographiſches Gemälde von Taurien,
von P. S. Pallas. St. Petersburg, bey Lo-
gau. 1796, 194 S. Kl. 8. 30 K.**

Dieſe wichtigen Reſultate der Bemerkungen, welche der
Ritter Pallas auf ſeiner Reiſe durch Taurien gemacht, und
von denen er im zweyten Theile ſeiner Reiſebeſchreibung ausführlicher reden wird, müſſen allerdings die Aufmerkſamkeit
auf dieſen Theil des großen Ruſſiſchen Reichs rege machen.
Dieſe Halbinſel iſt in Rückſicht auf die phyſikaliſche Geographie und Mineralogie eines der ſonderbarſten Länder. Ihre
mehr als 1200 Fuß hohen Berge ſind längſt der ganzen ſüdlichen Küſte, an welcher das Meer ſehr tief iſt, faſt ſenkrecht
abgeſchnitten, fallen gegen Norden ſtufenweiſe und zuletzt
unmerklich ab, und verlieren ſich in ſanften Abhängen in die
große Ebene, welche nur wenig über den Spiegel des Meeres erhoben iſt, und den größten Theil der Oberfläche dieſes
Landes einnimmt. Man findet hier weder uranfängliche
Granitberge als Mittelpunkte der Erhöhung, noch Schiefer-
berge; ſondern an der Seeſeite ſieht man nichts als zweyte
Flötzlager, deren Geſenke mit dem Horizont einen 45 Grad
bald mehr bald weniger nahe kommenden Winkel macht, und
die faſt alle mehr oder weniger parallel eine zwiſchen Südweſt
und Nordweſt abweichende Richtung haben. Dieſe Lager
bieten dem Naturforſcher einen Codex dar, in dem er viele
Dinge leſen wird, die zur Aufklärung des Baues der Erde
und der Bildung ihrer äußern Rinde beytragen können. Der
Verſ. beſchreibt die Gebirge genauer, und begleitet alles mit
frucht-

fruchtbaren Anmerkungen. Die Salzseen werden angezeigt,
und über die schlammigen Auswürfe aus der Halbinsel Kertsch
und der Insel Taman wahrscheinliche Vermuthungen geäussert; darauf kommt der Verf. auf die Granitfelder der Mo-
gaischen Steppe. In Rücksicht auf Botanik und Ökono-
mie muß das Land in Taurien in Ebene, Kalkland und in
Gebirgsland eingetheilt werden; was da gebauet wird und
noch gebauet werden kann, wird kurz berührt. An wilden
vierfüßigen Thieren ist Taurien nicht reich, weder an Gattungen, noch an Zahl derselben, der Haase allein ist in gros-
ser Menge, und das Reh und der Fuchs ziemlich gemein.
Wildes Geflügel ist häufiger; das gemeinste sind die grauen
Rebhühner und zur Streichzeit die Wachteln. Die sehr schnellen, steinigten und gewöhnlich seichten Flüsse führen nur wenige Fische, ausgenommen Forellen, kleine Barsche und Ul-
ley; die Seeküsten aber sind ziemlich fischreich und nähren eine
große Mannigfaltigkeit von Fischen. Die Amphibien Tau-
riens schränken sich auf wenige Gattungen ein; auch bringt
das Land nicht sehr mannichfaltige Insekten, besonders von
Schmetterlingen hervor, ob es gleich eine sehr große Mannigfaltigkeit von Pflanzen besitzt. An den felsigten Küsten des
schwarzen Meeres fängt man verschiedene Gattungen von
sehr wohlschmeckenden Krabben und Seekrebsen, und die Au-
sternbänke liefern Austern von ausnehmendem Geschmack.
Von zahmen Thieren kommen in Taurien das zweybucklichte
Kameel, das Pferd, die Ziege und das Schaaf am besten
fort. Man hält in großer Menge Ziegen, die auch zu den
Saffianfabriken unentbehrlich sind; man könnte aber auch
von dem Winterflaum, welchen die Ziegen im Frühjahr verlieren, großen Nutzen ziehen. Dieser Flaum, welcher an
Feinheit und Elasticität die allerfeinste Wolle übertrifft, ist
eine der ersten Materien zu den so geschätzten Kaschemiri-
schen und Tiletanischen Schawls. Zuletzt noch ein über
2 Bogen starkes Verzeichniß der in Taurien wildwachsenden
Pflanzen. Diese interessante Schrift befindet sich auch in dem
dritten Bande der neuesten nordischen Beyträge von S.
371 — 438.

Taurische Reise der Kaiserinn von Rußland Katha-
    rina II. Aus dem Englischen übersetzt. Koblenz.
    1799. 111 S. gr. 8. 16 g.

                                  Die

Der Zusatz — aus dem Englischen übersetzt — gehört wohl mit zum Aushängeschild. Wem es um eine genaue Kenntniß von dieser merkwürdigen Reise der Kaiserinn, wie sie von Station zu Station zu Land und zu Wasser fortgerückt, wie sie aufgenommen, bewirthet, geehrt, aber auch — wie sie getäuscht, ein glückliches Voik, ein blühendes Land ihr nur vorgespiegelt worden ist, und welche Summen auf Vorbereitung zu dieser Reise verschwendet, welche Ehren = und Gnadenbezeugungen ausgetheilt worden sind, wem es um ein Detail von allem diesem zu thun ist, findet hier eine reichliche Sättigung. Doch erwarte man nicht eine trockene Erzählung von allem diesem; der Verf. hat auch Städte, Gegenden und Menschen beschrieben, und so manche interessante Anekdote eingewebt, daß ein jeder hier eine unterhaltende Lektüre finden wird. In den meisten Stücken stimmt diese Beschreibung mit der kürzern Reisebeschreibung von dem Schilderer des Tauriers Potemkins in der Minerva (May 1798) überein; einiges ist aber doch in der letztern weitläufiger erzählt worden, z. B. was von der Zusammenkunft des Königs von Pohlen mit der Kaiserinn gesagt wird. Nach des Verf. Anzeige soll diese Reise dem Cabinette 10 Millionen Rubel, und eben so viel dem Lande gekostet haben; wenigstens könnte man sicher 14 Millionen rechnen, welche so verreiset worden wären, ohne den Nachtheil für Handel und Ackerbau in Erwägung zu ziehen, und ohne in Anschlag zu bringen, wieviel der Krone bey den so häufigen Avancements und erhöhten Gagen und Pensionen an Ausgaben zugewachsen sey. Wenn gleich der Verf. in Herabsetzung des Zustandes des Landes bisweilen ungerecht zu seyn scheint: so stimmen doch seine Schilderungen auch sehr häufig mit den Bemerkungen des Ritters Pallas in seiner neuesten Reisebeschreibung überein.

Züge zu einem Gemälde des Russischen Reichs unter der Regierung von Catharina II., gesammelt bey einem vieljährigen Aufenthalte in demselben. In vertrauten Briefen. 1798. XVI und 304 S. 8. Zweyte Sammlung. 1799. X und 294 S. 1 Rl. 16 R.

Wenn Männer, mit einem richtigen Beobachtungsgeiste be-
gabt und von Wahrheitsliebe beseelt, nach einem vieljährigen
Aufenthalte in einem Lande ihre Bemerkungen und Erfahrungen mittheilen: so ist man allerdings berechtigt, eine genauere
und zuverläßigere Kenntniß von dem Lande und dessen Bewohnern zu erwarten. Der ruhige, bescheidene Ton, fern
von allen Anmaßungen und von der Sucht etwas Auffallen-
des zu sagen, und grelle Farben in den Gemälden anzubringen, und die angeführten für ihre Wahrheit selbst redenden
Thatsachen, gewinnen dem Verf. des Lesers Zutrauen ab. Der
Verf. bemüht sich in diesen Briefen nicht nur manche herrschende Meinung überhaupt; sondern auch mehrere Stellen
rühmlich bekannter Schriften zu berichtigen. Zuerst redet er
von der Gefahr der Freymüthigkeit im Reden und Schreiben,
und von den Mißbräuchen bey der Post im Erbrechen der
Briefe. Dieß giebt ihm die Veranlassung, über die Einrichtung des Postwesens und das Briefporto selbst Bemerkungen
zu machen, und die Ungerechtigkeit der Forderungen der Reisenden und der Posthalter zu rügen. Der zweyte und dritte
Brief betrifft die Geldmasse in Silber, Kupfer und Bankno-
ten, den Geldmangel und Reichthum des Staats mitten in
der Armuth. Dann kommt er im 4 und 5ten Briefe auf die
wirkliche und mögliche Größe der Armee und auf die Vortheile der Lage des gemeinen Soldaten bey allen Mühseligkei-
ten in Vergleichung mit andern Ländern; stellt die Lage der
Officiere, die Einkünfte, das Benehmen und die Gewalt der
Obersten vor, und zeigt die Mißbrauche bey dem Avancement
durch die Garden und auf andern Schleichwegen. Die 3 letzten Briefe der, ersten Sammlung stellen kurz die Vortheile
vor, welche die neue Statthalterschafts-Regierung gewährt,
die Mängel derselben und die zu große Gewalt der General-
Souverneure. Besonders betreffen seine Bemerkungen die
Russische Regierung in Liefland, und das Mißvergnügen daselbst über die neue Ordnung der Dinge. Auch die zweyte
Sammlung verbreitet sich über mehrere interessante Materien,
als über die Gründung und den Geist der neuen Volksschulen
in Rußland, über die Veränderungen in der äußern Verfassung der Petri-Schule zu Petersburg, über die Verwandlung eines Theils des Lyceums und der Domschule zu
Riga in Volksschulen, über das Landcadetten-Corps zu Petersburg, die Universität zu Moskau, Größe und Güte
des Waisenhauses daselbst, über Privatlehrer in Rußland,

aber

über die Lage der Erzieher und Lehrer daselbst. Dann zeigt der Verf. den Zustand der Leibeigenen und die Verschiedenheit desselben bey den ehemaligen Polen, Letten, Esthen und Russen; hier wird der Leser eine richtigere Kenntniß davon erhalten, als aus Merkels schöngeisterischen Declamationen. Der 12te Brief betrifft die günstige und ungünstige Darstellung des Charakters der Russen, und rettet diese Nation von manchen ungegründeten allgemeinen Vorwürfen, als der Trägheit, des knechtischen Sinnes, der Feigheit, der groben Sinnlichkeit und Eigennützigkeit; der Verf. bemüht sich, diese ihnen beygelegte Charakterzüge in ihr eigentliches Licht zu setzen und richtig zu würdigen. Der letzte Brief handelt von den Hindernissen der Cultur in höhern Ständen und denen der allgemeinen Cultur, von der Denkungsart der Russischen Geistlichkeit, von der Toleranz und Intoleranz der herrschenden Religion; auch hier wird über manches ein richtigeres Licht verbreitet. Es ist zu wünschen, daß der Verf. fortfahre, über mehrere wichtige und interessante Materien seine Bemerkungen auf eben diese Weise mitzutheilen.

Gsg.

Biblische, hebräische, griechische und überhaupt orientalische Philologie.

Biblische Encyklopädie oder exegetisches Realwörterbuch über die sämmtlichen Hülfswissenschaften des Auslegers, nach den Bedürfnissen jetziger Zeit. Durch eine Gesellschaft von Gelehrten. Vierter Band. S bis Z. Gotha, bey Ettinger. 1798. 693 S. gr. 4. 4 Rf.

Dieser Band ist nicht um einen Deut besser, als die vorhergehenden. Die Compilationen tragen das nämliche Gepräge der Eile, des Mangels an Einheit des Plans und der Vernachläßigung der schuldigen Achtung gegen das Publikum an sich, so wie es bey der Anzeige der vorigen Bände kenntlich gemacht wurde. Fand der Zusammenschreiber eine gute Quelle, nun — so trifft man natürlich etwas Gutes an; stieß er aber

Gg 2 auf

auf faule Sümpfe: so schöpfte er mit derselben Begierde, um seine großen und weiten Schläuche schnell zu füllen, und lagen die Cisternen nicht nahe am Wege, so gab er sich nicht die Mühe, etwas darnach zu geben. Dieser Mangel eines bestimmten Plans, der nothwendigen Einheit der Theile, und einer gewissenhaften Sorgfalt, wie sie besonders solche kostspielige Werke durchaus heischen, vermindert die Nutzbarkeit des mancherley Guten, welches dieses Werk enthält, gar sehr. Einige Beyspiele mögen das Gesagte beweisen. Der Artikel Susanna kommt zweymal vor, einmal von dem Vf., der sich mit L* unterzeichnet, und einmal von einem Andern, der sich R* unterschreibt. Beide liefern verschiedene Stücke auf einerley Art, weil sie beyde Eichhorns Einl. in die apokr. Schr. des A. T. S. 447 ff. fast wörtlich abschrieben; welche sie aber dießmal doch citiren. Schonte Rec. nicht den Raum: so würde er in drey Kolumnen das, was L*, R* und Eichhorn über dieses Buch sagen, hieher setzen. Der ganze Unterschied ist, daß L* etwas mehr als R* abschreibt, und daß sich R* genau an die Eichhornschen Worte und Perioden bindet; L* aber dieselben etwas ändert. Eben so findet man den Artikel (hebräische) Zahlbuchstaben doppelt bearbeitet, von L* und von R*, so daß man erstaunt, wie einerley Sachen, die sich mehr für die hebräische Grammatik als für ein exegetisches Realwörterbuch eignen, zweymal auf einerley Art in einem Buche abgedruckt werden konnten. Dergleichen Nachläßigkeiten sind unverzeihlich. Auch die Artikel Wüste und Tod sind doppelt vorhanden, weil vermuthlich der Redacteur des Werks von dem Grundsatze ausgieng: repetitio est mater studiorum. Der Artikel Stunde hebt so an: „Die Eintheilung der Zeit in Tage (?), Stunden u. s. w. scheint in der ältesten Welt gänzlich unbekannt gewesen zu seyn.“ In demselben Artikel sollten die Stellen aus dem Daniel citirt worden seyn, welche, nach dem Vf. die Stundeneintheilung als damals bekannt voraussetzen. Vermuthlich ist es das chaldäische Schaah Dan. 4., 6. 30. 5., 5. u. a. wobey auf die bedeutenden Zweifel, die man dagegen gemacht hat, Rücksicht genommen werden mußte. Wenn man auf einer Seite zu viel findet: so vermißt man auf der andern mancherley, was der wißbegierige angehende Exeget hier zu suchen berechtiget ist. Man sehe nur die Artikel Sur, Schur, (worauf doch schon bey Pelusium verwiesen wurde) Schaimbrode, Spelt, Schuhriemen u. s. w. Bey dem hier äußerst ma-

gern

gern Artikel Thapanches werden die Stellen 2 Kön. 23,
29 — 33. 34, 7. citirt, die gar nicht hierher gehören; dagegen fehlen alle hierher gehörigen Stellen bis auf eine einzige.
Dabey wird auf Tafne verwiesen, welches der Leser aber hier
vergeblich sucht. Theben fehlt, obgleich bey dem sehr ver-
wirrt vorgetragenen Artikel No, der einen magern Auszug
aus Michaelis Supplem. ad lex. liefert, darauf verwiesen
wird. September und andere Monate sind hieher gesetzt,
obgleich oben der December ausgeschlossen wurde. Von
den Formen, durch welche im Hebräischen der Superlativus
gemacht wird, (welches in die Grammatik gehört,) hat sich
auch ein Artikel hieher verlaufen (S. 239), da man doch nichts
vom Comparativo, der mit gleichem Fug hier eine Stelle
erhalten könnte, antrifft. S. 299 steht folgender Artikel:
„Tartsche. Ein kleiner Schild, 1 Kön. 10, 17. Jer. 46,
3. s. Schild." Sucht man Schild auf, so ist da bloß von
den verschiedenen hebräischen Namen der Schilde die Rede;
aber nichts, was das eben so unbekannte Tartsche erläutert.
Hier hätte mit zwey Worten bemerkt werden sollen, daß die
Tartsche ein veraltetes Wort sey, einen halbrunden Schild
bedeute, und in den beyden gedachten und in noch 6 andern
Stellen der Lutherschen Uebersetzung vorkomme. Bey dem
Artikel Schildlein wird man auf Amtsschildlein verwiesen; schlägt man nach, so fehlt es unter diesen Namen. Bey
Capsacus steht: siehe Thiphsach, welches ebenfalls fehlt.
Auch mit den Citaten ist hier mancher Unfug getrieben worden. Bey vielen guten Artikeln, die ganz wörtlich abgeschrieben wurden, fehlen die Nachweisungen z. E. Sandelholz
ist aus Fabers Archäologie S. 56 f. An andern Stellen dieses Werks, wo die Compilatoren weniger aus einem Buche
abschreiben, sondern mehrere benutzen, auch wohl etwas von
dem ihrigen beyfügten, führen sie einzelne Quellen an. Auch
fehlt es nicht an Druckfehlern, besonders in den citirten biblischen Stellen, die oft gar nicht zu dem passen, was sie beweisen sollen. Z. E. S. 236. Joh. 9, 9. statt Job. 11, 9.
S. 251. Nehem. 4, 21. statt 4, 15. u. a. m. Ebend. ist
wegen der Eintheilung des Tages in 12 Stunden Hezels
Bibel bey Matth. 27, 45 citirt, schlägt man im Hezelschen
Bibelwerke nach, so steht daselbst nichts davon, sondern man
wird auf Matth. 20, 3 s. 6. verwiesen, wo diese Sache nur
kurz und oberflächlich berühret wird. Auch die große Ungleichheit, mit der die Namen angeführt werden, wird dem, der
Gg 3 sich

sich dieses Werk zum Handgebrauch wählen wollte, nicht ge=
fallen. Bald ist der hebräische, bald der hebr. und griechische,
meist bloß der deutsche Name genannt. Das mittlere hat,
nach Rec. Bedünken, aus mehrerer Rücksicht den Vorzug.
Eben so sonderbar ist die Vermischung der Artikel, die sich mit
J und K anfangen, welches im Deutschen doch zwey ganz ver=
schiedene Buchstaben sind. So sehr der Witz einem großen
Theile des Publikums gefällt: so zweifelt Rec. dennoch ob
die Manier, in der er hier verfährt, Beyfall findet.
Besonders trifft man in den Artikeln, die mit K*. und H*=k.
unterzeichnet sind, überangebrachte Scherze an, wobey man
den andern erst schelm möchte, wenn er lachen sollte. Z. E.
der Artikel Teufel beginnt also: „Von Ihro schwarzen Ma=
„jestät hohen Preise trifft und Dero häßliches (m) Gefolg (e)
„ist zu merken, daß Höchstdieselben ihre Existenz unter den
„Juden vornämlich dem babylonischen Exil zu danken haben;
„wiewohl Sie auch vorher schon, nur noch nicht ganz in der
„vollendet häßlichen Gestalt, in den Köpfen der Israeliten
„vorhanden gewesen seyn mögen u. s. w." — Einen etwas
ähnlichen Ton findet man in dem Artikel Salböhl S. 25,
wobey Rec. beyläufig bemerkt, daß das biblische Steinsalben
in dem Artikel Salben fehle. Zu den gut bearbeiteten Arti=
keln dieses Bandes rechnet Rec. unter andern Samuel, Saul,
samaritische Sprache, sprische Spr., Text, Wein, Wunder
u. s. w. Ungeachtet des Guten, das Rec. gar nicht verkennt,
und besonders den liberalen Ton, wie er es verdient, rühmet,
bleibt das Ganze ein buntscheckigtes und confus unter ein=
ander gemengtes Fabriken=Machwerk, das dem öffentlich ge=
nannten Redacteur (S. z. E. Allg. Reverter. der Lit. 791—95.
Theol. Bog. C.) Hrn. Prof. J. G. F. Leun, nicht viel Ehre
einbringen kann. Etwas Aehnliches scheint der Verf. des
gut bearbeiteten Artikels „Text", der sich mit L* unterzeich=
net, selbst einzugestehen. Er sagt nämlich gleich zu Anfang:
„Unter mehrern Artikeln dieses Werks wird von der ursprüng=
„lichen Beschaffenheit des Textes des A. und N. Test., des=
„gleichen von den Veränderungen, die er in mehrern Perioden
„erlitten hat, gehandelt; allein, da dieses theils zu zerstreut
„stehet, theils auch nicht alles dahin Gehörige unter dem ge=
„dachten Titel vorkommt: so mag die Geschichte des Textes
„hier besonders stehen." Derselbe L* verweißt auch die Leser,
die doch nach der ersten Ankündigung dieses Werks etwas
Vollständiges erhalten sollten, unter Zeboim S. 664 auf
Artk.

Artikel, die in einem folgenden Supplementbande vorkommen sollen, welches Folge der unüberlegten Eilfertigkeit ist.

I.

Ueber die Ideale weiblicher Schönheit bey den Mor-
genländern. Ein Versuch von Anton Theodor
Hartmann. Nebst einem Anhang von einigen
literarischen, historischen und kritischen Bemerkungen über einzelne angeführte Schriftsteller. Düsseldorf, bey Schreiner. 1798. 315 S. 8. 1 Rt.
12 Gr.

Unter diesem Titel sammelt der in morgenländischen Dichtern belesene Verf. die Züge von weiblicher Schönheit, welche
in hebräischen, arabischen, persischen und indischen Dichtern
gefunden werden, und vereinigt sie zu Einem Gemälde. So
angenehm es ist, in einer Uebersicht beysammen zu haben,
was die Dichter an jedem Theil des weiblichen Körpers für
reizend ansehn, womit sie ihn vergleichen und schmücken: so
möchte man doch wünschen, daß allenthalben, wie bey den
Hebräern geschehen ist, die Nationen genau wären unterschieden worden, damit das Eigenthümliche einer jeden in ihren
Vorstellungen in die Augen leuchten möchte.

Von dieser Seite abgesehen hat das Buch sein Verdienst.
Voraus geht die Erklärung des Titelkupfers, das eine von
Baurenfeind gezeichnete Araberinn in ihrem vollständigen Putz
aus Niebuhrs Reisebeschreibung darstellt; sie dient für den
Dilettanten allerdings zur Vorbereitung auf das Folgende,
und zur Erweckung einiger Begriffe, die man zu den Schilderungen der Dichter mitbringen muß. Darauf folgt eine
Einleitung, die größtentheils in Bemerkungen bestehe, welche
zur Einleitung in die Lecture arabischer Dichter überhaupt
dienen könnten. Die Beschreibungen weiblicher Schönheit
wollen wir nicht ausheben, um der Aufmerksamkeit auf dieses
kleine Buch selbst nichts zu entziehen. Die Stellen, welche
der Recens. mit dem Original hat vergleichen können, hat er
zwar richtig, nur hie und da nicht so geschmeidig übersetzt gefunden, als es vielleicht möglich war. Dem Verf. kam es
auch hauptsächlich auf Treue in der Darstellung an.

Einen

Einen großen Theil nehmen Idiotismatchen und die Ausgüße aus arabischen und persischen Werken ein, deren auf dem Titel erwähnt ist. Sie zeugen von der Belesenheit des Verf., die alle mögliche Aufmunterung verdient.

Ew.

Anfangsgründe der hebräischen Sprache, nebst Tabellen und einer Chrestomathie. Zum Gebrauch bey Vorlesungen. Von Joh. Melchior Hartmann, Doct. und Prof. der Philos. und oriental. Sprachen zu Marburg. Marburg, in der neuen akademischen Buchhandl. 1798. XXVIII und 294 S. 8. 37 S. Paradigmen 4. und 44 S. Chrestomathie 8. 1 Rk.

Diese Grammatik, Paradigmen und Chrestomathie zeichnen sich durch ihre ihnen eigenthümliche Einrichtung von andern ähnlichen Büchern aus, und geben in sofern von den Kenntnissen des Vfs. einen rühmlichen Beweis; dem ungeachtet kann sie Rec. wegen mancher Mängel, mehrern Unvollkommenheiten und der unbequemen typographischen Einrichtung nicht empfehlen. — In der Vorrede macht der Verf. einige allgemeine Bemerkungen, besonders über die Nothwendigkeit einer gründlichen Kenntniß der hebr. Sprache für den Theologen, und liefert viele Verbesserungen und Zusätze zur Grammatik, deren erster Theil, wie der Vf. S. XV sagt, fast zwey Jahre abgedruckt lag, ehe der übrige, weil die bestellten neuen Lettern ausblieben, vollendet werden konnte. Dieses ist die erste Quelle einer großen Unbequemlichkeit beym Gebrauche dieses Buchs. Die Einleitung S. 1—26 giebt mancherley Bemerkungen über den Namen, das Alter, die Bildung und die Schicksale der hebr. Sprache, ferner über verschiedene ältere und neuere Bearbeiter derselben, wobey ein Verzeichniß der Grammatikenschreiber angehänat ist, in welchem aber gerade die neuern Bearbeiter seit Michaelis und Schröder gänzlich fehlen. Statt so vieler hier genannten ganz schlechten Producte verdienten mit weit mehr Recht die Sprachlehren von Biedermann, Hezel, Pfeifer, Schmid, Hasse, Jahne, Wetzel, Weckherlin, Vater u. a. angeführet

führet und nach ihren Eigenthümlichkeiten mit wenigen Worten kenntlich gemacht zu werden. — Erster Theil. Vom
Lesen, wie gewöhnlich: 1) von den Consonanten. Das
hebr. Thau ist hier oft ein T, da es doch die Griechen durch
ihr Θ, Th. ausdrücken, und also Th. seyn muß. S. 47
sollten die Serviles namentlich und bestimmter als S. 116
angeführt werden. 2) Von den Vocalen und Lesezeichen.
Den Laut des Sägol giebt der Verf. durch ein E., gleich dem
Zere, da es doch A'' ist. Der Nutzen, den man von der genauen Befolgung des anerkannten Unterschiedes hat, ist unverkennbar, weil man dem mit deutschen Buchstaben geschriebenen hebräischen Worte sogleich seine richtige Schreibart im
Originale ansieht. Eine Ungleichheit des Buchs besteht auch
darinne, daß, da die hebr. Namen der Consonanten mit den
hebr. Buchstaben ausgeschrieben sind, welches zu rühmen ist,
die Namen der Vocale, der Accente u. s. w. bloß deutsch angegeben werden, welche der Anfänger, der alles gründlich lernen soll, ungern vermissen wird. 3) Von der Sylbe. 4)
Vom Ton und den Tonzeichen. Das Accentuationssystem
nennt der Verf. S. 94 albern, welches Rec. am wenigsten
in einer Grammatik erwartete, da die Kenntniß desselben
zur gelehrten Einsicht der hebr. Denkmäler, so wie wir sie jetzt
haben, durchaus gehört, und der Nutzen dieser Kenntniß
nicht zu verkennen ist, indem es uns lehrt, wie die Masorethen
den Sinn dieser alten Schriften faßten. Uebrigens ist auch
dieser Abschnitt von der hebr. Accentuation äußerst dürftig,
unvollständig und fehlerhaft. Die Theorie, nach welcher man
sie in der Bibel gesetzt findet, fehlt ganz, welche doch der
gelehrte Kenner dieser Sprache, so wie sie jetzt mit all ihrer
Bürde vorhanden ist, billig wissen muß. Wenn der wißbegierige Jüngling die summarischen Grundsätze dieser Lehren
nicht in solchen größern Sprachlehren findet, wo soll er sich
sonst Raths erholen? Da der Verf. S. 93 selbst sagt:
„Wie man ehemals glauben konnte, die Verf. der biblischen
„Bücher haben die Accente selbst beygeschrieben, ist, sobald
man nur die Procedur dabey weiß, fast unbegreiflich";
so hätte er um so mehr diese Procedur kurz und gründlich lehren sollen. Schon in den bloß den Namen nach S. 91 und
96 angeführten Accenten sind mehrere Versehen, die dem
Anfänger irre führen. Z. E. statt des Athnach steht hier ein
Jerach, Sarka ist verkehrt, im Thir fehlt der Punkt. Die
von dem Verf. gerühmten und in der Chrestomathie aufgenom-
Gg 5 menen

menen deutschen Unterscheidungszeichen statt der hebräischen
sind eben so erbärmliche als schädliche Erleichterungen, falls
man sie in unsern hebräischen Bibeln einführen wollte. Wer
bey der Erlernung der hebr. Spr. bis auf die wenigen ihr eigenthümlichen Interpunctionszeichen gekommen ist, dem ist
die Dispensation von der Erlernung derselben eine unbedeutende Erleichterung; und wer sich durch den Silluk, Athnach
u. s. w. von der Erlernung der hebr. Spr. abhalten läßt, ist
erbarmungswürdig. Wollte man die hier angebrachte Weise
bey einer Bibel anwenden: so würde dadurch so viel und noch
mehr geschadet, als durch die bestimmte Versabtheilung im
N. T., und der freyen Behandlung des Textes würden unmerklich sehr unleidliche Schranken und Hindernisse in den
Weg gesetzt werden. — Zweyter Theil. Von den Redetheilen: 1) Von den Präfixen. 2) Von den Prono-
minibus. Zu den Pronom. demonstrativis rechnet der Vf.
wieder auf die alte fehlerhafte Manier das He articuli, da
doch der Artikel kein demonstratives Pronom ist. 3) Von
dem Verbo. Es würde die Conjugation so wie die Dekli-
nation und die Uebersichten beyder sehr erleichtert haben, wenn
in vier Columnen das Pronomen personale, die Afformativa
Präteritorum, die Präformativa Futurorum und die Suffixa
possessiva neben einander gestellt worden wären. Uebrigens
ist in diesem Abschnitte eine Haupteigenheit dieser Grammatik zu finden. Der Verf. hat nämlich außer dem Paradigma
Katal die übrigen Zeitwörter, die als Paradigmen abgedruckt
sind, nicht durch alle Personen und Tempora durchgeführt;
sondern er hat sie, z. E. beym Präterito Sing. so gesetzt:
Chabal, halkah, abartha, arabth, haragtht u. s. w. also immer bloß Wörter, die in der Bibel wirklich vorkommen. Dabey hat sich der Verf. sehr viele Mühe gegeben, bey jeder Form
durch Zahlen anzuzeigen, wie vielmal sie in der Bibel nach
Buxtorfii Concordanz. gefunden werde. Für den Kenner
sind diese Resultate angenehm und oft überraschend. Daher
kann man nun sagen, die Punktation Katlah קטלה kommt
von 20 Verbis vor, und so geht der Verf. alle Formen durch,
welches ihm unstreitig viel Arbeit gemacht hat, welche nur
der beurtheilen kann, der mit Burtorfs hebr. Concordanz vertraut ist. Der Verf. verdient hier besonders den Dank der
gelehrtern Forscher. Dagegen vermißt man genugthuende
Entwickelung der Bedeutungen des hebr. Zeitworts, dessen
Temporum, und besonders des Participii Paul. — 4) Vom
Nomen.

Nomen. 5) Von den Partikeln. 6) Von den Suffixen. Daß diese von dem Nomen getrennt werden, will Rec. nicht rügen; wiederholt aber die Bemerkung, daß eine kombinatorische Tabelle, auf welcher aus dem Pronomine personali die Verbal- und Nominalbeugungen abgeleitet werden, die Sache ungemein erleichtert, wie Rec. aus vieljähriger Erfahrung weiß. Die Paradigmen der Nominum substantivorum Tab. VIII sind so gestellt, daß die Uebersicht derselben erschwert wird. Der Vf. läßt sie so auf einander folgen: Máslich, Gal, Bajlth, Maváth, Pthi, Sephár, Mezah, Kodásch, Chof, Dor u. s. w. Weit erleichternder ist es, wenn man sie nach der Folge der Vokalen ordnet, z. E. zuerst kommen die Nomina mit zwey Kamáz, dann Kamáz und Zere, Kamáz und Chiráf, Kamáz und Cholem u. s. w. Hierauf wird auf eine ähnliche Art mit den Formen, die ein Zere vorn haben, angefangen und so durch alle Vokale durchgeführt. Der Mangel jeder Art von Erleichterung, um in diesem Buche etwas schnell zu finden, als der Mangel an Columnentiteln, Paragraphenüberschriften, einer allgemeinen tabellarischen Inhaltsanzeige und eines Registers erschweren den Gebrauch desselben, und machen es im eigentlichen Verstande unbehülflich; welches Grammatiken am allerwenigsten seyn dürfen. Endlich die hebr. Chrestomathie ist in Rücksicht auf die Wahl der Stücke sehr artig; aber, da sie sämtlich unpunctirt sind, für Anfänger nicht brauchbar. Sie liefert dreyerley: 1) 60 Sprüchwörter aus Buxtorfs Florilegio hebraico von 1648; 2) einen kurzen Auszug aus der römischen Geschichte, im Chronikenton von Rabbi Abrah. Ben Dior, der diese Geschichte 1161 nach Chr. schrieb, und die zu Mantua im Druck erschienen ist. Der Hr. Prof. Hartmann hat mancherley erläuternde Anmerkungen hinzugefügt. 3) Ein Excerpt aus Benjamins (aus Tudela) Reisebeschreibung, Italien betreffend, nach der Elzevirschen Ausgabe von 1633. Eine Sonderbarkeit kann Rec. nicht übergehen. In den Anmerkungen zur Chrestomathie sind die Stammworte punktirt gesetzt, und im Texte ist, wie schon bemerkt wurde, alles unpunktirt. Heißt das nicht das Leichte erleichtern, und das Schwere erschweren?

Elementarbuch der hebräischen Sprache. Erster Theil, hebräische Sprachlehre. Von Johann Jahn, Doct.

Doct. der Philos. und Theol. L-L. Prof. der rc.
Exe., der Einleitung ins A. T., d. bibl. Archäol
und d. Dogmat. auf der Universität zu Ein.
Zweyte ganz umgearbeitete Ausgabe. Wien, bey
Wappler. 1794. XXXIV und 180 S. gr. 8.

Zweyter Theil, hebräisches Wörterbuch rc. s. w.
Ebend. 1799. 453 S. Beyde Theile 2 Rl.
12 X.

Die erste Ausgabe der Sprachlehre von 1791 ist im achten
Bande dieser N. A. D. B. S. 101 f. angezeigt. Das
Wörterbuch erscheint zum erstenmal. Das dort gefällte
Urtheil über die Sprachlehre gilt auch von dieser Ausgabe,
die der Verf. bey seiner Gelehrsamkeit und mit seinem bekannten Fleiße sehr verbessert und vermehrt hat. Die dort gemachten Bemerkungen braucht Rec. nicht zu wiederholen, weil einiges nach demselben hier abgeändert worden ist; dagegen
muß er über verschiedene Eigenheiten einige andere Bemerkungen machen. In der alten Ausgabe handelt der Vf. in
fünf Kapiteln von den Elementen der Sprache, Fürwörtern, Nennwörtern, von dem Zeitworte und Syntax. Hier
hat der Vf. den Syntax, welcher in der vorigen Ausgabe das
letzte Kap. einnahm, bey jedem Theile der Rede sogleich eingeschaltet, weil er glaubte, daß es hier leichter aufzusuchen
und wegen der Abwechselung auch angenehmer zu lesen wäre.
In dieser Ausg. theilt der Vf. die abgehandelten Gegenstände
in folgende fünf Kapitel: vom Lesen, von den Fürwörtern, Nennwörtern, Zeitwörtern und Partikeln, durch
welche Anordnung er diese hebr. Grammatik seiner aramäi-
schen und arabischen ähnlichformiger machte. S. 7 nimmt der
Verf. die in der ersten Ausgabe angegebene Aussprache des
Ajin wie des französischen gn mit Recht zurück. Die Gründe, weshalb der Verf. S. 10 außer dem Chirek (hier heißt
es immer Chirik) auch das Zere, Segol, Schaerk und Kub-
buz ancipites nennt, hat er nicht angegeben. Die Eintheilung der Mitlauter (bey dem Vf. Hülfslauter) nach den Sprach-
werkzeugen S. 15 geschieht nicht um der einzigen von dem
Vf. angeführten Regel der Verwechselung mit einander; sondern weil sich mehrere andere Regeln darauf gründen, z. E.
die

die Kehlbuchstaben vertragen kein Dagesch, kein einf. Schvä und keinen dunkeln Vokal; die Lippenbuchstaben machen, daß das Vau praefixum statt des Schva ein Schürek bekommt; die Zahnbuchstaben (Resch ausgenommen, das eigentlich gar nicht dazu gehört, an dessen Stelle eher Sin gesetzt werden sollte) wegen der Versetzung derselben in Hithpael. S. 19 behauptet der Vf., daß in den Buchstaben ר ה א gar keine Aspiration möglich sey. Das hebr. G. mit dem Hauch klingt wie das G in den deutschen Sylben Ge, Gi, und ohne Hauch wie in Ga, Go, Gu, wenn man es nämlich richtig ausspricht, und nicht wie in Leipzig u. a. O. wie; Ja, Jo, Ju, klingen läßt. Das hebr. B mit und ohne Aspiration ist gewissermaßen in dem deutschen Worte Beben hörbar; in der ersten Sylbe ohne, und in der zweyten mit der Aspiration. Beym Daleth ist der Unterschied fürs Auge nicht auszudrücken. Ungeachtet Rec. bey seinem zu ertheilenden Unterrichte auch eben nicht sehr auf dergleichen Dinge dringt: so kann er nur den Unterschied nicht für unmöglich erklären, weil er bey den Masorethen wirklich statt fand. Der Vf. ist besonders deshalb darwider, um die von ihm beliebte Aussprache des hebr. Pe, welches ihm überall wie Ph oder F lautet, zu unterstützen. Die hebr. Accentuation, die doch gewiß zur gelehrten Kenntniß der Sprache und in eine solche ziemlich ausführliche Gramatik gehört, hat der Verf. S. 22 mit sieben Zeilen abgefertigt. In dem Kap. von den Fürwörtern kömmt manche unwahrscheinliche Vermuthung vor, weil der Vf. gern alles erklären will. Z. E. das weibliche Pronomen personale der zweyten Person אתי (gewöhnlicher את) soll soviel seyn als את הוא, das wär: du sie. Dergleichen Spitzfindigkeiten sind an sich leer, und erleichtern nichts; über die nämlichen Dinge findet man in dem Hezelschen krit. Wört. S. 202 ähnl. Vermuthungen; S. 47 wird auf Simonis Arcanum formar. 1735 verwiesen, warum nicht auch auf die Hezelsche Formenlehre, Halle 1793? S. 77 die hier beobachtete Stellung der Grundzahlen, besonders derer über zehen, ist nicht die beste. Leichter wird es dem Lehrling, wenn sie in der gewöhnlichen Ordnung, in einigen Columnen, (männliche, weibliche und zehner) neben und unter einander stehen. In der Eintheilung der Zeitwörter geht der Verf. von der vorhergehenden Ausgabe am meisten ab. Er hat S. 97 folgende sieben Conjugationen aufgenommen; 1) Kal, 2) Kittel und Kuttal; 3) Kötel und Kutal, 4) Hiktil und Hoktal, 5) Hith-

5) Hichkattel und Hothkattal, 6) Hichkotel und Hithkotal, 7) Nittal. Der Verf. that es um diese hebr. Gram. seiner arabischen ähnlich zu machen. Nach Rec. Dafürhalten that man nicht wohl, wenn man um einiger Abweichungen, die recht gut unter die gewöhnlich angenommenen vier Conjugationen gebracht werden, die Zahl derselben so vermehrt. Das ähnliche Hezelsche Unternehmen, wodurch die hebr. Conjugationen den arabischen noch gleicher gemacht wurden, hat keinen Beyfall und keine Nachahmung von Kennern gefunden. Der Vf. ist in Rücksicht des Präteritums und Futurums, die er den ersten und zweyten Aoristus nennt, weil er die ledem bestimmten Bedeutungen der vergangenen und künftigen Zeit abspricht, bey den Aeußerungen der alten Ausgabe geblieben, daß beydes nur verschiedene Formen wären, und einerley bedeuteten. Wollte man auch dem Vf. zugeben, daß ursprünglich, da die Sprache von den Menschen erfunden wurde, die Zeitbestimmung des Prät. und Futur. keine fixe Gränzen hatte; so ist es doch bey der Sprache, wie wir sie jetzt in der Bibel haben, etwas ganz anders. In tausend gegen zehn Fällen beobachten die biblischen Schriftsteller den Unterschied, daß sie, wenn sie von der zukünftigen Zeit reden, den vom Vf. so genannten zweyten Aorist (oder den ersten Aor. mit dem Vau conversivo Praeteriti) und wenn sie von der vergangenen Zeit reden, den vom Vf. sogenannten ersten Aorist (oder den zweyten Aor. mit dem Vau conver. Futuri) setzen. Warum will man nun das nicht Präter. und Futur. nennen? Einige wenige Beyspiele fürs Gegentheil heben die Regel nicht auf. Indessen hat es der Vf. wider seinen Willen S. 116 selbst zugestanden, daß der zweyte Aorist ein Futurum sey, weil er ausdrücklich sagt: „statt des Imperativs wird gewöhnlich der 2te Aorist gesetzt." Da nun der Imperativ seiner Natur nach auf künftige Handlungen deutet, und in sofern zum Futur gehört: so ist jene Bemerkung des Vfs. zugleich Geständniß, daß sein zweyter Aorist (nicht aber der erste) auf diese künftigen Handlungen ziele. Man darf das Futur (des Vfs. 2ten Aor.) nur nicht bloß durch werden, sondern oft durch wollen, sollen u. s. w. übersetzen. Z. E.: Lo thirzach, morde nicht, eigentlich du sollst nicht morden, u. s. w. Einigen andern von dem Verf. angeführten Stellen giebt die von ihm übersehene Bemerkung, daß durch das Futurum der Optativus ausgedrückt werde, die richtigere Bedeutung. Ja, in den meisten Stellen, die der

Vf.

Vf. überſetzt z. E. S. 118, 120, 121, 123, 124 u. ſ. w.
beobachtet er genau den Unterſchied, daß er ſeinen 1. Aor. als
Präter. und ſeinen 2. Aor. als Futur. überſetzt. Was der
Vf. S. 116 ſo im Vorbeygehen gegen die Exiſtenz eines Vau
converſivi Praeteritorum bemerkt, und dabey ſich wundert,
daß es Eichhorn anerkenne, hält ebenfalls keinen Stich. Un-
zählige Stellen, in welchen zwey Verba verbunden ſind, davon das erſte ein Praeterit. mit dem Vau und Schva, und das
zweyte ein Futur iſt, beweiſen es. Nämlich alle die Stellen
von der Art, wie והרגו אתי ואתך יחיו „mich werden ſie um-
bringen, dich aber leben laſſen.“ Wer ſieht nicht auf jeder
Seite der Bibel dergl. Stellen? Und ſo muß man behaupten, daß die Punktatoren ein doppeltes Vau converſivum
anerkannten. Eben ſo vermißte Rec. die nöthige Bemerkung,
daß die pronomina perſonalia das verbum ſubſtantivum:
„ich bin, du biſt“ u. ſ. w. bilden, und daß vermittelſt deſſelben
und des Participii gewöhnlich das Präſens ausgedrückt werde.
Doch dieſe Bemerkungen ſollen dem Werthe, den das Buch
wirklich hat, keinen Abbruch thun; ſondern Rec. glaubte,
er dürfe, eben weil es ein ſchätzbares Buch iſt, ſeine Bemerkungen nicht zurückhalten. Vorzüglich haben die Vergleichungen mit den verwandten Dialekten und die oft ganz kleinen Fingerzeige auf das Griechiſche dem Rec. ſehr wohl gefallen.

Das kurze hebräiſch-deutſche Wörterbuch, welches
den zweyten Theil ausmacht, iſt recht brav ausgearbeitet.
Der Verf. wollte, daß es wohlfeiler als ſelbſt das Moſerſche
Wörterbuch möchte verkauft werden, deshalb ſteckte er ſich die
Gränzen ſo enge, daß es eigentlich nur ein Vocabularium iſt.
Deshalb wird man keine großen neuen Aufſchlüſſe erwarten.
Zwar machte der Verf., wie er ſagt, keinen bloßen Auszug
aus Caſtelli, den Michaeliſchen Supplementen, Eichhornſchen
Simonis, und Schulziſchen Coccejus; ſondern unterſuchte,
prüfte und beurtheilte mehrere Artikel. So viel Rec. dieſes
Wörterbuch mit den vier gedachten Lexicis verglich, fand er,
daß der Vf. dem Eichhornſchen Simonis am meiſten folgte.
Bey ſolchen guten Vorarbeiten wird man nichts ſchlechtes von
einem ſolchen einſichtsvollen und fleißigen Gelehrten, wie der
Vf. iſt, erwarten. Wo der Vf. die Bedeutung zweifelhaft
hielt, ſetzte er ein Fragzeichen hinzu. Bibliſche Stellen führt
er nur bey denjenigen Worten an, welche nur ein- oder zweymal

mal in der Bibel vorkommen, um auch diese Worte dem Anfänger bemerkbar zu machen. Ueberall aber hat er auf die
verwandten Mundarten durch Beysetzung einiger der Sylben
(Syr. Ar. Chald. Sam.) zurückgewiesen. Daß der Unter-
richtete manches anders wünschen wird, ist bey einem solchen
Buche natürlich. So hat der Vf. wie Michaelis und Eichhorn מכון übersetzt; „die drey Steine, auf welche die
Beduinen ihre Töpfe und Kochkesseln (סֵּל) über
das Feuer setzen." Was das für einen seltsamen Sinn
in den beyden Stellen gebe, wo diese Form vorkommt 1 Sam.
2, 8. und Ps. 113, 7. fällt sogleich in die Augen, wenn man
sich die Sache deutlich zu machen sucht. Wörtlich übersetzt
hieße es also dort; „der den Armen vom Staube und den
Dürftigen vom Kochdreyfuß aufstehen heißt." Michaelis, und
nach ihm andere, machten dabey die Bemerkung, das Bild
sey von dem Beduinen und Hirten genommen; dieser sitze
auf seinem steinernen Kochdreyfuß oder den drey aufgerichtem
Steinen, auf welche er seinen Kochsessel oder Topf setze. Allein diese Sitte ist erdichtet, und ein solcher Sitz auf drey
solchen Steinen, die von Ruß und Asche schmutzig, oder vom
Feuer heiß sind, so unschicklich und unbequem, daß der Be-
duine sich gewiß eher auf den Erdboden setzt, da er sonst keinen
stuhlartigen Sitz kennt. Das angeführte arab. Wort hat zufällig Aehnlichkeit mit dem hebr., und kann der Sache wegen
hier nicht angewendet werden. Rec. leitet es von נור und
hält es für ein prosthetisches Aleph. Im Arab. ist اِلَّا
Staub, und also der Erde im ersten Gliede des Verses entsprechend. So kurz hier alles abgethan wird, so vollständig
ist es, da es sogar die Namen der Städte u. s. w. enthält.
Doch fehlt מְשׁוֹרָה. Aber eben bey der Kürze kann man keinen Beweis fordern, sondern muß aufs Wort glauben. Deshalb räth der Vf. seinen Zuhörern, ihr Exemplar durchschieß-
en zu lassen, und dann selbst nach und nach das übrige bey-
zuschreiben. Für Anfänger ist auch die Einrichtung gut, daß
die Nomina ab initio aucta und andere in Rücksicht des
Stammworts unkenntlich gewordene Wörter nicht bloß unter
ihrem Stammworte angeführt, sondern auch alphabetisch ein-
gereihet worden sind, wodurch es zu gleicher Zeit ein etymo-
logisches und alphabetisches Wörterbuch geworden ist.

M.

Selecta

Selecta quaedam Arabum adagia, e Meidanensis Proverbiorum Syntagmate nunc primum Arabice edi-
ta, latine versa atque illustrata a *Ern. Fried. Car.
Rosenmüller.* Lipsiae, ex typographia Breitkopfii
et Hertelii. 1796. 28 S. 4.

Was ein Antrittsprogramm eigentlich bey der Uebernehmung einer Universitätsprofessur immer seyn sollte, Probe,
daß man dem erhaltenen Amte gewachsen, und im Stande
sy, nicht bloß Altes zu wiederholen, sondern auch Neues zu
geben, und zur Erweiterung und Vervollkommnung der Wissenschaft, die man lehren soll, das Seinige beyzutragen —
das ist dieses Programm wirklich: eine Probe der arabischen
Sprachkunde des Verf., der schon durch frühere Arbeiten sich
einen rühmlichen Namen unter den orientalisch-gelehrten
Männern von Deutschland gemacht hatte.

Zu einer Schrift, die man einmal auf seine eigenen Kosten
drucken lassen muß, nimmt man am schicklichsten etwas, was
keine currente Waare im Buchhandel seyn, und keinen Verleger zur Uebernehmung des Verlags reizen würde. Auch von
dieser Seite muß man die Wahl der Materie zu diesem Programm loben.

Die letzte Hoffnung, die ganze Sprüchwörtersammlung
des Meidani zu erhalten, ist wahrscheinlich so gut wie ganz
verschwunden. Im vorigen Jahrhundert hatten Erpenius,
Golius und Pocock sich mit ihr beschäfftiget, und letzterer sogar dieselbe ganz mit ihren arabischen Scholien ins Lateinische
übersetzt; in unserm Jahrhundert hat Reiske sie bearbeitet,
und sich darüber einen großen Apparat zusammengeschrieben,
den die Curatoren der Harderwyker Universität gekauft haben. Die Arbeiten aller dieser arabisch-gelehrten Männer
verschaffte sich Heinrich Albert Schultens, und machte den
Anfang, das große Werk mit einem kurzen Commentar auf
eine glücklich gelungene Subscription drucken zu lassen; aber
leider starb er darüber, und man gab nach seinem Tode was
fertig war unter dem Titel: Pars Meidanii Proverbiorum
Arabicorum (Leyden 1795. 4.) heraus, ohne daß weitere
Hoffnung zur Fortsetzung ist. Freylich könnte vielleicht für
das Ganze der Wissenschaften nützlicher derselbe Fleiß auf einen arabischen Geschichtschreiber oder Geographen gewendet

werden, weil bey Meidani der Hauptgewinn bloß für Sprachkunde: bey solchen Schriftstellern aber für Sprachkunde und
Sachen wäre. Indessen wäre auch Meidani nicht zu verach-
ten und gewiß zu manchen Zwecken nützlich gewesen, wäre
er nur vollständig erschienen.

Wenn es nun besser ist, im Einzelnen zu geben, was
man nicht im Ganzen hat erhalten können, als gar nichts
zu geben: so wird jeder das Verdienst dieses Programms gehörig schätzen. Es enthält 17 ungedruckte Sprüchwörter
mit den nöthigen Erläuterungen aus der Abschrift, welche
Krüger von dem von Reiske zu Leyden geschriebenen Coder
des Meidani gemacht hat. Der Verf. ist weiter gegangen,
als man bey der Erläuterung eines arabischen Textes eigentlich
zu gehen hätte: er hat überall bemerkt, wie die edirte Stelle
oder ihr Inhalt für das Alte Testament gebraucht werden
könne, wofür ihm die Exegeten Dank haben werden.

Noch ließe sich über einzelne Stellen, deren Sinn, und
die von ihnen gegebene Uebersetzung mit dem Verf. ein Wort
wechseln. Da wir aber nicht wissen, ob in der Druckerey,
welche die N. A. D. B. druckt, arabische Schriften vorräthig
sind, und es mit dem arabischen Druck, wenn man nicht selbst
die Correctur hat, eine üble Sache ist: so mögen diese Bemerkungen wegbleiben.

Ew.

Erziehungsschriften.

Ueber die Einrichtung der Schulen in Rücksicht auf
die körperliche Gesundheit der Jugend, von M. C.
C. F. Weckherlin, Präceptor auf dem Gymnas.
zu Stuttgard. Stuttgard, bey Löflund. 1799.
220 S. 8. 14 gr.

Eine vortreffliche Abhandlung über diesen Gegenstand, die
mit vieler Sachkenntniß und mit vieler Wärme in einem angenehmen und correcten Styl geschrieben ist. Rec. hat diese
Abhandlung mit vielem Vergnügen gelesen, und versichert, daß
ein jeder, der über die Einrichtungen, die wohl in den öffentlichen

hen Schulen gemacht werden müßten, um die Gesundheit
r Schuljugend zu erhalten und zu befördern, gern etwas
lssen möchte, darüber völlig belehrt und unterrichtet seyn
ird, wenn er diese Abhandlung lieset. Der Herr Verf. hat
les darin gesammelt, was schon andere über diesen Gegen-
und vorgeschlagen haben, und auch zugleich seine eigene Er-
hrungen und die Resultate seines Nachdenkens über densel-
n zusammengetragen. Und so findet man hier alles bey-
mmen, was zur Einrichtung und Verbesserung einer solchen
chule nöthig ist, worin die Kinder nicht nur an der Seele,
ndern auch am Leibe gesund werden und bleiben sollen. Um
sere Leser mit dem Geiste dieses guten Buchs einigermaaßen be-
nnt zu machen, wollen wir eins und das andere daraus an-
hren. S. 10 sagt der Verf.: „Wenn Gesundheit und
ildung des jugendlichen Körpers so nothwendig sind, um die
estimmung des Menschen erfüllen zu können; und wenn der
weck unserer öffentlichen Schulen kein anderer seyn kann und
ll, als die Erreichung der menschlichen Bestimmung zu er-
ichtern und zu befördern; so ist es gewiß ein wesentlicher
ehler unserer mehresten Schulen, daß man für die körperliche
esundheit und Bildung der Jugend in denselben nicht nur
icht sorgt, sondern über dem Bestreben die Seele zu bilden
nd ihr Kenntnisse beyzubringen, den Körper ganz vernach-
äsiget und ihn offenbar an seiner Gesundheit und Festigkeit
Schaden nehmen lässet; daß man bey der Errichtung der
Schulen es mehrentheils vergißt, daß der Körper gesund
yn muß, wenn die Seele gesund und einer glücklichen Bil-
ung fähig seyn soll; und daß man so, durch Schwächung des
Gesundheit Leib und Seele zugleich schwäche. Der Hr. Verf.
lebt auch die Hindernisse an, die der Verbesserung dieses Feh-
rs bisher im Wege gestanden haben. Er klagt über die
roße Sparsamkeit, die man bey den öffentlichen Erziehungs-
nstalten noch immer zeigt, da doch keine nützliche Einrichtung
le man macht, den Aufwand, den man darauf verwendet,
s reichlich einträgt, und einen größern Einfluß auf die ganze
Menschheit hat, als sie. Man wendet zur Erbauung eines
Rathhauses 20000 Rthl. und eines Archivs 14000 Rthl.
nd zur bessern Einrichtung der Schule nicht 100 Gulden an.
Man sorgt für öffentliche Spaziergänge, für gute Weideplätze
ürs Vieh; aber nicht für gut eingerichtete Spielplätze für
die Jugend. Er zeigt den großen Einfluß des Körpers auf
die Stärke des Geistes auch an dem Beyspiel der Griechen

Hh 2   und

und Römer, und wirft die Frage auf: Woher es komme, daß Schwindsucht, Nervenkrankheiten und Krankheiten im Unterleibe gegenwärtig gewöhnlicher sind als sonst. Wenn überhaupt und besonders in den Schulen mehr Rücksicht auf die körperliche Gesundheit der jungen Leute genommen würde: so würde man, wie er glaubt, nicht so oft den zu frühzeitigen Tod verdienter Männer bedauren dürfen. Im Wirtembergischen wären in den Jahren 1793 — 97 von 300 Geistlichen 30 Männer von 30 — 50 Jahren gestorben. Es sollte daher billig eine recht angelegentliche Sorge eines jeden Menschenfreundes und besonders des Staats seyn, für die Gesundheitserhaltung der Jugend überhaupt, und besonders der Studierenden alles zu thun, was in seinen Kräften steht; besonders da die mehresten Studierenden in ihren erwachsenen Jahren öffentliche Personen werden, von deren regelmäßigen Gesinnung, Empfindung und Thätigkeit die allgemeine Ordnung der bürgerlichen Gesellschaft und das Wohl so vieler Menschen abhängt. Der Bürger giebt seine Abgaben unter dem stillen Vertrage, daß für seine Wohlfahrt gesorgt werde, und darauf am mehresten Rücksicht genommen werde, was sein Wohl am meisten befördert. Da nun nichts einen so wohlthätigen Einfluß auf denselben hat, als gute Schuleinrichtungen, und kein größeres Gut ist als die Gesundheit: so wäre es also Pflicht derer, denen die Anwendung der Abgaben anvertraut ist, daß sie da nicht sparsam wären, wo es auf Schuleinrichtungen ankommt, in welchen an Leib und Seele gesunde Staatsbürger erzogen werden könnten. Die Obrigkeit soll thun, wie ein Vater seiner Familie, was zum Nutzen des Publikums gereicht, und da sie nicht alles thun kann, doch immer das Mehr und Minder bey der Nützlichkeit in Betracht ziehen, und daher die Ausgabe zur Schulverbesserung zu den allernöthigsten Ausgaben zählen; welches man aber gemeiniglich nicht thut.

Zu den Verbesserungen der Schulen, wodurch man die Gesundheit der Jugend befördert, rechnet er theils solche innere und äußere Einrichtungen der Schule, wobey man alles vermeidet, was der Gesundheit nachtheilig ist; theils solche, welche zur Erhaltung und Befestigung derselben dienen. Der Gesundheit der Schulkinder ist schädlich: 1) zu frühe Anstrengung beym Lernen, welches mit Stellen aus Tissot, Frank, Hufeland und Kayser bewiesen wird. 2) Zu anhaltende An-

streng-

strengungen der Knaben über 7 Jahre. Die gar zu vielen Unterrichtsstunden schaden dem Knaben an seiner Gesundheit, und bringen ihm den moralischen Schaden, daß er, nachdem der Zwang vorbey ist, desto größern Muthwillen und Unfug treibt. 3) Unterrichtsstunden bey Lichte. Die Gesundheit der Kinder wird befördert, wenn ihnen Unterricht ertheilt wird, wie die Gesundheit erhalten und gestärkt werden kann, wie der menschliche Körper beschaffen ist, was für Gifte es giebt, die der Gesundheit schädlich werden können. Eben so hat der Verf. auch bey der äußern Einrichtung der Schule auf so viele Dinge aufmerksam gemacht, sowohl die der Gesundheit der Kinder nachtheilig werden, als auch die auf die Befestigung ihrer Gesundheit großen Einfluß haben können. Wir empfehlen dieß gute Buch vorzüglich allen denen, die über Schuleinrichtungen zu sagen haben, und denen eine frohe und gesunde Schuljugend etwas werth ist. Sie werden daraus sehr viel Gutes lernen können.

Bh.

Kinderalmanach auf das Jahr 1800. Von G. C. Claudius. Leipzig, im Magazin f. Literatur. 140 S. brochirt. 18 gr.

Das Büchlein hat zwey Abtheilungen, erstlich: den gewöhnlichen Kalender, der außer den Monatstagen auch eine leere Columne mit der Ueberschrift hat: Wissenschaftliche Fortschritte, Moralisches Betragen, und noch zwey Columnen für Einnahme und Ausgabe. Die zweyte Abtheilung enthält kleine Geschichten unter dem Titel: Erste Bildung der Kinder für den geselligen Umgang. Der Verf. will durch das Vehikel dieser theils wahren, theils von ihm erdichteten Geschichten folgende wichtige Moralen und Lebensregeln den Kindern sinnlich darstellen: Sey noch so vornehm, so mußt du dich zur Nachgiebigkeit und artigen Betragen auch gegen die Geringern gewöhnen. — Man kann sogar überhöflich seyn. (Hier scheint uns Fritz das überhöfliche Kind zu sehr Carricatur zu seyn.) — Auch gegen die Bedienten des Hauses müssen Kinder artig seyn. — Ein wohlgearteter junger Mensch darf sich nicht überweise dünken. — Man vergiebt es Kindern nie, wenn sie voreilig über größere Leute

urthei-

urtheilen. — (Das Wiedergeben liegt nicht in der erzählten
Geschichte; auch würde es unrecht seyn, so etwas wie zu vergeben.) — Kinder müssen nicht dazwischen reden, wenn
ältere, verständigere Menschen mit einander sprechen. (Enthält mehr Räsonnement, als Geschichte.) — Die kleine lustige Gesellschaft. (Viel Räsonnement, und wohl nicht ganz
im Kinderton.) — Bleibe nicht in einem fremden Zimmer,
wenn du dich allein darinnen befindest. (Sehr gut dargestellt.) Im Ganzen, enthält das Büchlein viel Gutes; nur
sprechen die Kinder oft zu altklug.

Ao.

Ueber die Nachtheile des gewöhnlichen Schulschillings
(Schulgeldes) in den Landschulen; nebst einigen
Vorschlägen, den Abgang desselben zu ersehen.
Mit besonderer Rücksicht auf das Amt Reinbek
in Holstein, von G. Niemann, Adjunctus Ministerii in Altona. Hamburg, bey Bohn. 1799.
104 S. 8 X.

Der Herr Verf. dieser kleinen Schrift hat den rechten Weg
gezeigt, den man einschlagen muß, wenn die Landschulen verbessert werden sollen. Er urtheilt sehr vernünftig, daß alle
die Vorschläge zur Verbesserung der Landschulen, die auf eine
ganze Provinz anwendbar seyn sollen, nichts taugen; daß
vielmehr die Vorschläge jedem Amte, ja jedem Dorfe angemessen seyn, sich auf die Zahl der Einwohner, auf ihre guten
oder schlechten Umstände, auf ihre Vorurtheile und auf die Beschaffenheit des Schullehrers sich gründen müssen. Er giebt
Nachricht, daß man von Seiten seiner Regierung auf diesem
allein richtigen Wege eine Verbesserung des Landschulwesens habe
zu Stande bringen wollen; daß man Berichte von einem jedem Orte gefordert habe über die Beschaffenheit einer jeden
Schule, um den Gehalt der Schullehrer und dadurch dann
mit der Zeit die ganze Schule zu verbessern. Die Sache be-
traf doch mehr hauptsächlich die Abschaffung des Schulschillings
oder des Schulgeldes. Und eben dazu ist diese Schrift bestimmt, die Schädlichkeit desselben in den Landschulen zu zeigen. Alles was hier von der Schädlichkeit des Schulgeldes

in dem dortigen Amte Neuveck, in welchem der Herr Verf. einer Schule als Katechet vorgestanden, gesagt wird, ist auch in Absicht der meisten Dörfer in der Churmark wahr. Das Schulgeld ist den Eltern schädlich, denn viele Eltern haben kaum selbst Brod im Hause, und sollen für 3 — 4 Kinder Schulgeld geben. Darum wird ihnen der Schulunterricht verhaßt, und sie verkürzen ihn, so viel sie nur immer können. Der Hr. Verf. redet hier von einer Verordnung bey den dortigen Landschulen, daß die Kinder bis zu einem bestimmten Alter in der Schule bleiben müssen. In der Mark weiß man von einer solchen so höchst nöthigen Verordnung nichts. Der Bauer schickt seine Kinder in die Schule wenn er will, und nimmt sie heraus, sie mögen alt oder jung seyn, etwas gelernt haben oder nicht. Eine sonderbare, aber wahre und auf Erfahrung sich gründende Bemerkung finden wir in dieser Schrift, nämlich, daß der Bauer den Werth der Sachen nach ihren Preisen beurtheilt, und daher den Schulmeister, den er mit 6 Pf. wöchentlich abspeisen kann, weit weniger achtet als seinen Knecht und seine Viehmagd, denen er weit mehr geben muß. Es wird also der Vorschlag gethan: man solle den Bauern dadurch Achtung für den Schulmeister und das ganze Schulwesen beybringen, daß man den Preis des Schulunterrichts erhöhete. — Das Schulgeld ist ferner schädlich für die Kinder. Sie lernen nichts mehr als höchstens zur Nothdurft lesen, weil, wenn sie auch Schreiben und Rechnen lernen sollen, dafür mehr Schulgeld, nämlich 1 Gr. wöchentl. geben müssen. Das Schulgeld erstickt auch bey den Kindern das Ehrgefühl, weil der Schullehrer das Kind um das Schulgeld mahnen muß, und das Kind kann es doch oft von seinen Vater nicht erhalten, wenn es dasselbe auch gern brächte: dadurch wird aber das Kind beschämt. Das Schulgeld ist auch nachtheilig für den Lehrer. Die unangenehmen Auftritte beym Einfordern desselben demüthigen ihn, und machen ihn endlich gefühllos. Er kann, wenn er das Schulgeld nicht erhält, nicht leben, kann kein Buch kaufen, keine Frau ernähren. Er muß ein Handwerk dabey treiben, welches der Hr. Verf. auch um mancherley Ursachen willen nicht für gut hält. Wir setzen folgende Stelle zur Beherzigung her: „Soll das wichtige Erziehungsgeschäfft auf dem Lande nicht mehr Schaden als Vortheil stiften: so muß es aus den Händen der Leute genommen werden, in denen es in den mehresten Dörfern noch jetzt ist. Der Aberglaube, Vorurtheile, Dumm-

Hf 4 heit

heit und Unsterblichkeit stützen die ewigen Ursachen, warum
mehrere unserer Bauern mit ihrer Bestimmung nicht bekannt
wird, sich werden, und gleich unvernünftiger Geschöpfe sten
ben und verfallen, zur Erkennen und zur Verehrung würdi-
ger Menschen, ihren Werth als Christen und als Menschen
sie erkennen und schätzen lernen.

Der Schulgeld kann nach der Meinung des Hrn. Verf.
in der Gegend, wovon er spricht, dadurch abgeschafft werden,
wenn die Bauern vor Ende des Schuljahres die Frühr nach
Marckt bringen, wenn er nicht handschickt, aber vor das
mehr auch. Naturalien an Korn, Buchweizen. Wer vor den
Bauern erhält, und zwar vor allen, so mögen Kinder in der
Schule haben oder nicht. Wer keinen Acker hat, soll eine
nach der Kompanien sich zu vereinbaren Verbindung geben. Sein
Feuerung soll vom Könige gegeben werden. Der Schullehrer
soll auch einen Platz zur Baumschule haben. Die Schulhäu-
ser sollen alle neu gebauet werden, weil die einer keiner Verbesserung mehr fähig sind. Der König soll das Bauholz geben, und die Einwohner durch eine freywillige Beisteuer die
Baukosten tragen. Zwey Dörfer sollen mit einander verbunden, und das Schulhaus an Weg zwischen beyden Dörfern
gebauet werden.

Wir lassen es dahin gestellt seyn, ob diese Vorschläge des
Hrn. Verf. in den Detail, wovon er redet, ausführbar sind.
Aber darin hat er gewiß recht, daß man für jede einzelne Gegend besondere Vorschläge zur Verbesserung thun müsse, deren Ausführung dort möglich ist. Allgemeine Vorschläge zur
Verbesserung des ganzen Landschulwesens können zu nichts
nützen, weil sie nicht allenthalben ausführbar sind. Er sagt:
Vielleicht ist das eine Ursache, warum durch die oft wiederholten Vorschläge für die Verbesserung unserer Volksschulen
noch so wenig gewirkt werden, weil man zu wenig sich auf
das Einzelne eingelassen und den Schulen mehrerer Landschaf-
ten und ganzer Provinzen ohne vorherige Kunde ihrer Oert-
lichkeiten nach zu allgemeinen Planen hat aufhelfen wollen.
Dieß ist denn auch vielleicht die Schuld, warum es mit der
Schulverbesserung in der Churmark nicht fortwill. Wenn
man da auch die Einkünfte eines jeden Schuldienstes von dem
Prediger angeben, und nach der örtlichen Beschaffenheit auf
eben die Art, wie der Verf. thut, Vorschläge zur Verbesserung
desselben thun ließe; so würden die Einkünfte der Schullehrer

an

den meisten Orten, wenn es sonst den Obrigkeiten damit
ein Ernst wäre, ohne großen Druck der Einwohner, ansehnlich verbessert werden können. Und dann könnte auch der
Unterricht dadurch verbessert werden, weil man denn mehr
Kenntnisse und Geschicklichkeiten, mehr Fähigkeit und äußere
Bildung von den Lehrern fordern könnte. Die Schrift
verdient von allen, denen die Sorge für das Schulwesen ob-
liegt, gelesen und beherzigt zu werden.

Katechetische Anleitung zu den ersten Denkübungen der
Jugend von M. Johann Christian Dolz. Leipzig, bey Barth. 1799. 139 S. 8. 8 kr.

Das Katechisiren ist eine schwere Kunst, die niemand aus-
lernen wird, der nicht von den Sätzen, worüber er katechisiren will, selbst ganz deutliche Begriffe hat, sie in ihre
einzelnen Bestandtheile zergliedern kann, und dabey so richtig
und ordentlich denket, daß er sich nicht verwirret, die Zergliederung nicht an einem unrechten Orte anfängt, darin auch
nicht zu weit gehet, und die einzelnen Bestandtheile nachher
auch wieder geschickt zu einem Ganzen verbinden kann. Der
Herr Verf. zeigt in diesem Büchlein alle diese Eigenschaften, und
die hier gelieferten Katechisationen können um deßwillen vielen Lehrern eine gute Anweisung seyn, wie sie gut und zweckmäßig katechisiren müssen. Besonders versteht er die Kunst,
gute Erklärungen von einzelnen Worten und Sachen zu geben, wovon man gemeiniglich nur klare Begriffe hat, so daß
man sie zwar gleich versteht, wenn man sie hört; aber die einzelnen Merkmale nicht angeben, und also die Worte nicht
mit andern verwechseln kann. Und diese Kunst ist ein
Haupterforderniß bey einem Lehrer, der ein guter Katechet
seyn will. Wir führen unter andern solchen Worten aus diesem Büchlein nur einige zum Beyspiel an, die uns sogleich in
die Augen fallen; z. E. verstehen, betrügen, lieben, öffentliche
Oerter u. s. w. Wer von solchen Worten und Begriffen nicht
kurze bestimmte Erklärungen geben kann, die nicht zu viel,
aber auch nicht zu wenig enthalten, sondern den ganzen Begriff erschöpfen, der wird nie ein guter Katechet werden.
Diese Schrift enthält schöne Proben von zweckmäßigen Katechisationen über kurze Sätze, z. E. die Rose ist eine schöne
Blume, über Sprüchwörter und moralische Sätze. Wir wünschen

Hh 5

schen, daß dieß kleine Buch von allen Lehrern in niedern Schulen fleißig möge gebraucht und beherzigt werden, um daraus
das Katechisiren zu lernen, wodurch man allein die Verstan-
deskräfte eines Kindes erwecken, und es vernünftig denken
lehren kann.

Hausbedarf für Bürger- und Landschulen. Erste
Abtheilung, Naturgeschichte, von M. Wilh. Lud.
Steinbrenner, Prediger in Grosbobungen. Leipzig, bey Heinsius. 1799. zusammen 198 S. 8.
20 K.

Ist eine Sammlung aus andern Büchern über die Naturgeschichte. Es sind freylich viel nützliche Sachen darin; allein
die Wahl darin hätte besser seyn sollen. Wozu soll die Jugend
in unsern Bürger- und Landschulen so viele ausländische Thiere
kennen lernen, die sie doch überdem aus allen diesen Beschreibungen nie kennen lernen werden, wenn sie dieselben nicht selbst
sehen? Dafür sollten die Kinder lieber mit allen einländischen
Thieren recht bekannt gemacht worden seyn, die um ihnen sind,
und die ihnen vor Augen kommen können. In der ersten
Abtheilung von den Vögeln finden wir S. 38 eine Nachricht
von dem Straus; welche aber wohl auf einem Druckfehler beruht. Der Straus, heißt es, wiegt einen Centner d. i. 100
Pfund. In der zweyten Abtheilung von den Amphibien hat
S. 2 der Hr. Verf. wohl vergessen, daß er gemeine Bürger
und Bauerkinder vor sich hat, wenn er fragt: Was ist von
den Amphibien merkwürdig? und darauf antwortet: Sie
halten lange in fixer und phlogistischer Luft aus. Was S.
42 von den Baarschen gesagt wird ist wenigstens von dem
Fische, der in der Mittelmark ein Baatsch heißt, und der alle
die beschriebenen Kennzeichen hat, grundfalsch. Es soll nach
dem Verf. aus diesem Fische Thran gebrannt, und mit dem,
was übrig bleibt, sollen Schweine und Enten gefüttert; es
soll auch zum Dünger verbraucht werden. In der Mittelmark aber ist dieser Baorsch ein delikater Fisch mit wenigen
Gräten, der sehr gesucht und von Menschen mit vielem Wohl-
behagen verspeißt wird. — Die dritte Abtheilung beschreibt
die Säugthiere. S. 8 findet Rec. etwas ganz Neues. Es
wird gefragt: Was giebt uns die Kuh? Antw. Milch.
Fr.

F. was wird daraus gemacht? Antw. Butter und Käse. Fr. Wozu braucht man denn das? (soll doch wohl heißen die Butter und den Käse) Ant. In Zuckersiedereyen und Salzsiedereyen, um Zucker und Salz zum Schäumen zu bringen. Haben unsere Leser schon so etwas gehört? wo mag der Verf. dieß gesehen haben? S. 20 leitet der Verf. das Aengstlichwerden und Ohnmächtigwerden mancher Menschen, wenn sie eine Katze sehen daher, weil die Katze electrisch sey. Rec. leitet es aber mit weit mehrern Gründen aus der übel gewöhnten Einbildungskraft solcher Menschen her. Denn wenn sie nur die Katze nicht sehen, oder ihre Gegenwart im Zimmer vermuthen können, so fällt alle Aengstlichkeit und Ohnmacht hinweg. Das ganze Buch hätte nicht in Frag und Antwort abgefaßt werden sollen. Ueberhaupt taugt dieß auch bey einem Catechismus nichts, und es ist besser, dem Lehrer zu überlassen, die Fragen selbst zu machen. Das Buch hätte auch denn weit kürzer seyn können; und überdem sind die Fragen oft ganz wunderlich gestellt, und fallen zuweilen ins Lächerliche. S. 11 fängt die 32ste Lektion an: Wie heißt ein andres Thier? Darauf läßt sich viel antworten. Der Verf. antwortet: Ein Ameisenbär. — Nach der Vorrede will der Verf. eine Reihe von Catechismen herausgeben: über die Naturgeschichte, welchen wir schon vor uns haben, über Technologie, Oekonomie, Geschichte, Erdbeschreibung und Religion; weil er glaubt, daß die Catechismen in den Landschulen so verwerflich nicht sind, als die Herren in der Stadt glauben. Wir lassen dieß dahin gestellt seyn. Er will auch, die Kinder sollen diesen Catechismen auswendig lernen. O weh! o weh! da möchte Rec. bey dem Verf. nicht in die Schule gehen.

Kleines Gebet- und Gesangbuch für Kinder. Zum Gebrauch in Schulen und für die häusliche Andacht. Erster Theil, welcher das Gebetbuch enthält 106 S. Zweyter Theil, welcher das Gesangbuch enthält. Offenbach, bey Breda. 1799. 214 S. 8.

Gute Gebete für Kinder sind immer schwer zu verfertigen; und ein jeder, der sich die Mühe nimmt, dergleichen zu liefern, verdient daher alle Nachsicht. Die vorliegenden sind

nicht

nicht übel gerathen, und können wenigstens manche andere unnütze Gebete aus der Schule verdrängen. Es sind in dieser
Sammlung auch Fürbitten für einen kranken Mitschüler und
für andere. Fürbitten sind nun nichts weiter als der Wunsch,
daß es andern Menschen wohlgehe. Gott kann dergleichen
Wünsche und Gebete nicht erhören, wenn sie mit seinem Plane
nicht übereinstimmen; sie sind aber alsdann schon erhört, wenn
der Betende dadurch im Vertrauen und in der Ergebung in
seinen Willen gestärkt und zu liebevollen Gesinnungen gegen
andere erweckt wird. S. 68 steht nun aber: Du, o Gott,
hast uns versprochen, unser Gebet zu erhören, wenn es ernstlich
ist. Durch solche Stellen werden Kinder gemeiniglich verleitet, zu erwarten, daß sie mit ihrem Gebete die unveränderliche
Einrichtung Gottes in der Welt umändern können, und wenn
nun das nicht geschiehet, wenn sie nicht erhalten, was sie verlangten, so glauben sie, ihr Gebet sey nicht erhört. Diese
Vorstellung muß man daher Kindern ganz aus dem Sinne
bringen, weil sie dabey den wahren Nutzen des Gebets nicht
kennen lernen. Was sollen überhaupt alle die hier gelieferten
Fürbitten für Kranke und Sterbende in der Schule nützen?
Da hat man wohl etwas nöthigeres zu thun, als lange Fürbitten zu halten für Sterbende. Diese Fürbitten lasse man
doch, wenn es seyn muß, in der Kirche. Das Lied am Tage
der Confirmation hat uns sehr gefallen. Die Materie desselben ist richtig und gut gewählt und die Form ist leicht. Die
Lieder überhaupt, womit die Gebete untermischt sind, sind
sehr gut und nützlich zum Auswendiglernen für Kinder und
Erwachsene.

Das Gesangbuch hat die Einrichtung, daß über einem
jeden Gesange eine Ueberschrift steht, worin der Inhalt des
Gesanges ausgedrückt ist, welches Rec. sehr gut findet. Die
Lieder sind überhaupt zum Singen und Lernen in der Schule
gar sehr zu empfehlen, weil sie kurz sind, sich über alle einzelne
Lehren und Vorschriften der christlichen Religion erstrecken,
und richtige Religionsbegriffe in einem guten Ausdrucke enthalten: Die Wahl ist aus unsern neuesten Liederdichtern sehr
gut getroffen worden. Der Verf. würde sehr gut gethan haben, wenn er in der letzten Rubrik der Lieder bey verschiedenen Gelegenheiten, die nach seiner Anweisung in eigenen
Melodien gesungen werden sollen, die Melodien beygesetzt hätte, da er von vielen dieser Lieder, da wo er sie sammlete,

auch

ch wahrscheinlich die Melodien fand. Dadurch würde er sich
1 großes Verdienst um die Jugend in den Stadt- und Land-
ulen erworben haben, da die Lieder übrigens vortrefflich
id. Zu solchen Liedern, die einen muntern Inhalt haben,
ssen sich die Kirchenmelodien nicht gut, wenn sie auch gleich
m Theil nach denselben gesungen werden können. Vielleicht
ebt er, wenn sein Buch wieder aufgelegt wird, zu allen sol-
en Liedern, die einen etwas muntern Ton haben, dergleichen
i beyden Theilen viele sind, auch die Melodien, oder läßt sie
zu verfertigen; alsdann wird das Buch noch brauchbarer
erden. Es fehlt noch gar zu sehr an guten muntern Liedern
r junge Leute auf dem Lande, wodurch die schlechten unmo-
lischen Lieder, welche sie gewöhnlich in den Spinnstuben sin-
en, verdrängt werden könnten, die so sehr zu ihrer Verwilde-
ing beytragen.

Bh.

Moralisches Lesebuch für Kinder, aus der Bibel und
aus neuern Gedichten gesammelt und in ein System
gebracht von U. A. T. L. S. U. H. Leipzig,
im Schwickertschen Verlage. 1799. XVIII und
109 S. 8. 6 g.

Rec. war lange schon der Meinung, daß in niedern Schu-
en statt der Katechismen, welche eigentlich bloß für die Lehrer
u ihrem eigenen Unterricht und zur Anweisung, was und
vie sie lehren sollen, seyn sollten, solche Bücher, wie das anzeigte, den Kindern als Lese- und Lernbüchern in die Hände
zegeben werden müssen. Der Verf. hat nämlich nach folgenden
Rubriken: 1) Ermunterungsgründe zur Tugend; 2) Tugend-
bung nebst den Mitteln zur Tugend zu gelangen; 3) Pflich-
en gegen uns selbst; 4) Pflichten gegen unsere Nebenmen-
chen; das wichtigste des Religionsunterrichts für gemeine
Kinder, so abgehandelt, daß er für jede Rubrik und ihre
Unterabtheilungen Sprüche aus der Bibel und ausgesuchte
Liederverse, ohne alle weitere Erklärung, aufstellte. Daran
können auch die Kinder zum Auswendiglernen vollkommen
genug haben. Wenn ihnen der Schullehrer die einzelnen
Wahrheiten und Pflichten deutlich erklärt und wichtig gemacht
hat: so läßt er die dazu gehörigen Sprüche und Liederverse lernen,

und

und daran-haben die Kinder auf ihre ganze Lebenszeit heil-
same Erinnerungsmittel. Es bedarf also nur einer zweckmäßigen Erweiterung dieses Lesebuchs, damit es den ganzen Umfang des Religionsunterrichtes enthalte: so ist es zu dem oben
angeführten Zweck sehr brauchbar.

A.

Der Landschullehrer. Herausgegeben von Christoph
Ferdinand Moser, Pfarrer zu Herbrechtingen,
und M. Christian Friedrich Wittich, Pfarrer zu
Wittershausen, im Wirtembergischen. Zweyten
Bandes erstes Stück. Ulm, in der Wohlerschen
Buchhandlung. 1799. 7 B. 8. 4 K. Zwey-
ten Bandes zweytes Stück. 4½ B. 8. 4 K.

Der Landschullehrer geht rasch seinen Weg fort, ohne den
vorgesetzten Zweck jemals aus dem Auge zu verlieren. Auch
die vor uns liegenden zwey Stücke drängen uns den Wunsch
ab, daß diese Schrift immer mehr von derjenigen Klasse von
Lesern, für welche sie zunächst bestimmt ist, gehörig benutzt
werden möge. Ob wir gleich dabey den Wunsch nicht unterdrücken können, daß auch alle diejenigen, welchen die nächste
oder entferntere Aufsicht über das Wohl der deutschen Schulen
anvertraut ist, sich aus dieser so zweckmäßigen Schrift über
das Einzelne der deutschen Schulanstalten, welches ihnen
öfters verborgen bleibt, und jedesmal einen mehr oder minder
nachtheiligen Einfluß auf ihre Anwendungen haben muß, belehren mögen.

Das erste Stück dieses Bandes enthält folgendes: 1)
Vermischte Bemerkungen, Erfahrungen und Vorschläge das
deutsche Schulwesen betreffend von Ph. Jak. Völter. Vorgelesen und geprüft in der den 20 September 1798 zu Herbrechtingen im Wirtembergischen gehaltenen ersten Schulcon-
ferenz. Der V. giebt selbst folgende Entstehungsart dieser
Abhandlung an, die wir hier, weil sie Nachahmung verdient,
mittheilen. „Seit einem halben Jahr bin ich gewohnt, dasjenige, was mir in meinem Fache vorzüglich bemerkenswerth
scheint, nur mit einem Paar Worten aufzuzeichnen, gelegentlich
weiter

weiter darüber nachzudenken, und es sodann an Vakanztagen ins Reine zu bringen. Nachstehende Paragraphen enthalten dergleichen zufällige Gedanken und Bemerkungen; von denen ich jedoch nicht angeben kann, ob sie alle mein Eigenthum, oder ob sie halb oder ganz bloß vom Lesen oder Hören schon länger in meinem Gedächtnisse gelegen seyen." 2) Kurze Beantwortung einiger von Seiner Hochwürden, dem Hrn. Spezial in Blaubeuren, M. Cläß, den sämmtlichen Schullehrern in der Diöcese vorgelegten Fragen. Aufgesetzt und vorgelegt von W. i. im Hornung 1798. Die Fragen sind folgende: a) Sind Erziehung und Unterricht ein und eben dasselbe Geschäfft von gleichem Umfang, und tragen sie den Personen, die damit beschäfftiget sind, gleiche Pflichten auf? b) Wenn eine Verschiedenheit zwischen beyden statt findet, worin besteht dieselbe? c) Welches ist also das eigentliche Geschäfft, das der Unterrichter oder Lehrer sich zu seinem Zweck zu machen hat? d) Wenn der Unterricht es nicht so wohl mit den körperlichen Fähigkeiten und Vermögen des Menschen, sondern vielmehr mit den geistigen desselben zu thun hat, wie hat sich der Lehrer in Absicht auf diese ihrer Natur nach verschiedene Fähigkeiten und Vermögen seiner Zöglinge zu verhalten? Wie gegen ihren Verstand und Vernunft? gegen ihr Gedächtniß, Einbildungskraft, Begehrungsvermögen? gegen ihre sittliche Freyheit? 3) Etwas über Industrieschulen. Ein Schreiben an den Herausg. Pfr. Moser. 4) Beantwortung der pädagogischen Frage: Welches sind die Vortheile und Regeln, die man bey dem Lociren oder Certiren der Schüler anzuwenden hat, damit nicht mehr Schaden als Nutzen daraus erwachse? Der Herausg. bemerkt mit Recht, daß dieser Aufsatz gewiß recht vielen Lesern, hauptsächlich aber Schullehrern willkommen seyn werde, da er so ganz praktisch geschrieben ist, und Winke und Lehren enthält, die, wenn sie überall befolgt würden, sehr vieles zur Verbesserung des Schulunterrichts, ja selbst zur Widerlegung der, oft nur auf den Credit anderer angenommenen Vorurtheile gegen das Lociren beytragen müssen. 5) Etwas über D. Luthers Katechismus, aus D. Henke Eusebia, II. Bds. 3tes St. Seite 432 folg. Der Herausg. bemerkt hiebey, daß er, nicht um Lücken zu füllen, denn an guten Materialien und zweckmäßigen Beyträgen habe es ihm bisher nicht gefehlt; sondern um interessante Stücke bekannt zu machen, welche in Büchern stehen, die

selten

selten in die Hände der deutschen Schullehrer kommen, zuweilen solche Auszüge mittheilen werde. 6) Historische Nachrichten und Anekdoten. 7) Bücheranzeigen.

Das zweyte Stück enthält folgendes: 1) Kurzer Auszug aus einigen Protokollen, welche in den Jahren 1796, 97, und 98 bey denen von dem Pfr. M. Wittich, in Hundersingen, Münsinger Oberamts, veranstalteten Schullehrerconferenzen geführt wurden. 2) Vermischte Bemerkungen, Erfahrungen und Vorschläge, das deutsche Schulwesen betreffend, von Ph. Jak. Völter. Fortsetzung. 3) Von Verstandes- und Gedächtnißübungen. Aus Hrn. C. P. Funke's, Inspektors des fürstl. Schullehrerseminariums zu Dessau, allgemeinem Lehrbuche für Bürgerschulen, 1ster Bd. Seite 80 — 91. 4) Die Geschichte der Verbesserung des Briefschreibens in meiner Schule. 5) Die zwey Spieler. Ein Gespräch.

De.

Neue Allgemeine
Deutsche Bibliothek.

Drey und funfzigsten Bandes Zweytes Stück.

Achtes Heft.

Intelligenzblatt, No. 90. 1800.

Arzneygelahrheit.

Johann Carl Gehler's, der A. W. Doctors und weil. öffentl. ordentl. Professors auf der Universität zu Leipzig, ꝛc. kleine Schriften, die Entbindungskunst betreffend. Aus dem Lateinischen. Mit einigen Zusätzen von Carl Gottlob Kühn, der A. W. Doctorn und öffentl. ausserordentl. Lehrer auf der Universität zu Leipzig, der med. Fakultät Beysitzern, ꝛc. Mit Kupfern. Leipzig in der Schäferischen Buchhandl. 1798. Erster Theil. 416 S. 8. 1 Rß. 6 ℳ.

Der sel. Gehler übertrug kurz vor seinem Tode Herrn K. die Herausgabe dieser Schriften, die er selbst revidiren wollte; welches aber nicht geschehen konnte. Herr Dr. Blödermann zu Freyberg übersetzte und ordnete dieselben, und Herr K. machte die Zusätze. Rec. will den Inhalt kurz anzeigen. I. Von den Hülfsmitteln der natürlichen Geburt. Erster Abschnitt. Den Unterschied unter wahren und falschen, so wie unter vorhersagenden, wahren und erschütternden, verwirft der Verfasser. Die Aderlässe und eine bequeme Lage zieht er den übrigen beruhigenden Mitteln in der Geburtsarbeit vor. II. Von den Hülfsmitteln der natürlichen Geburt. Zweyter Abschnitt. Für unsere Zeiten nicht ganz mehr passend. III. Von der schick-

lichen Lage der Gebärenden zur Niederkunft. Erste
Abhandlung. IV. Zweyte Abhandlung. Gut ein-
richtete Geburtsstühle ziehet der Verf. jeder andern vorgeschlagenen oder gewöhnlichen Lage vor. V. Von den Quellen des Blutflusses bey der Geburt. Eine für die Zeit,
wo sie geschrieben war, (1759), ziemlich vollständige und
schulgerechte Abhandlung. VI. Von dem sehr zweifel-
haften Nutzen des Zimmts bey der Geburt. Für die
gewöhnlichen Fälle wird das Watten empfohlen, und jedes
hitzige Mittel verworfen. VII. Von den Zuckungen der
Gebärenden, einer zwar schweren, doch nicht immer
tödtlichen Krankheit. Erste Abhandlung. Als eine
akademische Schrift konnte sie zu ihrer Zeit wohl Nutzen haben. Hier und jetzt konnte sie wegbleiben. VIII. Zweyte
Abhandlung. Bey einer Frau dauerten die Zuckungen fünf
Tage lang nach der durch die Zange geschehenen Entbindung
fort, bis ein Eitergeschwür in der Gebärmutter platzte. Bey
einer andern wichen sie unter den nämlichen Umständen, und
am nämlichen Tage, als der blasenartige Pemphigus hervor-
kam. IX. Von der Herausschaffung der Nachgeburt
durch die Gebärmutter. Erster theoretischer Abschnitt. (1765.) Die Knoten in der Nabelschnur wurden
erst in der Geburt zugezogen. Der Verf. sah einen Mut-
terkuchen erst nach 15 Wochen nach der Geburt unter Wehen
glücklich abgehen. X. Zweyter praktischer Abschnitt.
	7.) Selbst bey Zwillingsgeburten, unterband der
Verf. durch wiederholte Erfahrung belehrt, den mütterlichen
Theil der Nabelschnur nie, und sahe nie einen Blutfluß folgen. Nach einem Unrichtiggehen beobachtete er einen Mut-
terblutfluß, der täglich drey bis viermal gelind erschien, und
nach einem Abführungsmittel aus einem Scrupel Rhabarber
und Salpeter so stark wurde, daß die Kranke unter Ohnmachten und Zuckungen starb. Der Muttermund war fest
geschlossen und konnte nicht erweitert werden. XI. Von der
Lage der Frucht in der Gebärmutter. (1791.) Der
Verf. tritt der Meinung derjenigen bey, welche die Lage des
Kopfs nach unten, als die ursprüngliche annehmen. XII.
Von der schweren Geburt wegen Wassersucht der
Frucht. Nach des Verf. Meinung entsteht der äußere
Wasserkopf erst während der Geburt, wenn der Kopf so ge-
drückt wird, daß das Blut durch die Vene nicht wieder zu-
rück

rückgehen kann! Unter den Mitteln zur Geburt, empfiehlt er unter andern die dreyblättrige Zange.

Joh. Carl Geblers kleine Schriften, ec. Zweyter Theil. I. Von den Ursachen des Erstickens der Kinder. (1787.) Unter 464 Geburten, die Herr G. theils mit der Hand, theils mit Werkzeugen vollendete, bemerkte er, 14 natürliche; 49 die er mit Kopfbohrern; 183 die er mit der Zange; und 218 die er durch die Wendung vollendete. Von erstern kamen 135 lebendig, und 48 todt; von den durch die Wendung gebornen, 121 lebendig, und 94 todt. II. Von den Mitteln, das Leben der Frucht bey der künstlichen Geburt sicher zu stellen. (1788.) Zum Theil unzureichend, zum Theil einer Verbesserung benöthigt. III. Von der schicklichen Lösung des bey der Geburt schief liegenden Kopfs. (1792.) Erste Abtheilung. Das Einrichten mit der Hand, als unzureichend, wird verworfen, und dafür die Wendung, und wenn der Kopf schon weiter herunter getreten ist, die Zange empfohlen. IV. Zweyte Abtheilung. (1792.) Eine Widerlegung des Baudelocque, vermöge welcher es nicht möglich ist, (worin auch Rec. für die allermeisten Fälle einstimmt) dem schiefstehenden Kopfe mit den Händen eine andere Lage zu geben. V. Dritte Abtheilung. (1792.) Gegen Hrn. Stark gerichtet, der die Zangen in diesem Falle nicht zulassen will. VI. Vierte Abtheilung. (1793.) Herr Stein wird getadelt, daß er der Levretischen Zange zu viele Vorzüge vor den übrigen zu unbedingt ertheile; daß die Friedische und die Johnsonsche diesen Tadel nicht verdienten, und daß der Verf. aus zwanzigjähriger Erfahrung urtheilen könne, daß die letztere hoch genug reiche, und den Damm nicht beschädige. VII. Von den Vorzügen der Johnsonschen Zange vor der Levretschen und Smellinschen. (1790.) Der Verf. ziehet nicht nur die Stiele, sondern auch das Schloß und die Krümmung der Löffel diesen Theilen der Levretschen Zange vor. VIII. Von Vermeidung der Zerreißung des Dammes bey der Niederkunft. (1781.) Enthält nichts Neues. IX. Von der Zerreißung der Gebärmutter unter der Niederkunft. (1783.) Der vorhergehenden gleich. X. Von der Heilart bey drohender Zerreißung der Gebärmutter unter der Niederkunft. (1781.) XI. Von der Heilart der unter der Nieder-

kunft

kunst zerriſſenen Gebärmutter. (1784.) Beyde Abhandlungen enthalten wohl Zeichenlehre; aber wenig von der
Heilart. XII. Von dem Abfluſſe des Kindespechs unter der Niederkunft, als einem zweydeutigen Zeichen
einer todten Frucht. (1790.) Wenn bey eingetretenem
Kopfe die Waſſer aus den zerriſſenen Häuten ſchwarzgrün gefärbt ausflieſſen: ſo iſt das Kind todt, oder ſehr ſchwach.
Sind die Häute ſchon längſt zerriſſen, und der Kindskopf
lange im Becken eingeklemmt: ſo iſt das nämliche zu befürchten. Ein dickes zähes, aus dem After des mit den
Hinterbacken eingetretenen Kindes herausgepreßtes Kindespech, iſt nicht bedenklich. Das in groſſer Menge herauskom-
mende Kindespech zeigt gemeiniglich an, daß die Frucht
noch ſehr bey Kräften ſey; ſo wie eine geringe Menge eine
ſchwache, wo nicht todte Frucht anzeigt. XIII. Daß der
Abfluß des Kindespechs für das Leben eines neugebornen Kindes nichts beweiſe. (1790.) Betrifft ein
der Leipziger mediciniſchen Fakultät vorgelegtes viſum reper-
tum über ein vom Arzte für ermordet angenommenes Kind.
Die Fakultät verwarf das V. R., weil keine Section angeſtellt worden war. XIV. Von der Unterbindung der
Nabelſchnur. (1784.) Der Verf. will ſie jederzeit un-
terbunden wiſſen, ohnerachtet er die Gründe für die Unter-
laſſung des Unterbindens wohl kennt. XV. Von der rechten Zeit die Nabelſchnur zu unterbinden. (1784.)
Hinlänglich bekannte Vorſchriften. XVI. Von der nöthigen Vorſicht bey dem Gebrauche der Binden bey
Wöchnerinnen. (1785.) Der Verf. geſtehet den Binden
keinen groſſen Nutzen zu, indem die Faſern nur dann durch
ſie geſtärkt würden, wenn man ſie, wie bey Fußgeſchwüren,
an einen harten Körper andrücken könnte. XVII. Von
dem Schaden der Binden im Wochenbette. (1785.)
Gut, aber nichts Eigenes. — Zuſätze von Herrn Kühn
hat Rec. nicht gefunden, und die wären doch, ſollten dieſe
Schriften, zumal die ältern unter denſelben, herausgegeben
werden, ſehr nöthig geweſen. Die Ueberſetzung, welche Rec.
mit den Originalien nicht vergleichen kann, lautet zum Theil
etwas lateiniſch deutſch, und iſt in techniſchen Ausdrücken
von Provincialismen nicht frey.

Gu.

Novas

vae Sellae aegrotantium, adiuncta capsa pro pe-
de fracto pendula, descriptio. Auctore *Gerhard Frid. Thaden*, Med. et Chir. Doctore, Soc.
botan. Ratisbon. Sodali. Cum tabulis aeneis.
Erlangae, in bibliopolio Waltheriano. 1798.
40 S. 8. 8 H.

1 dieser Inauguralschrift beschreibt und beurtheilt der Verf.
ıʒ kurz einige der bekanntesten Krankenbetten, und giebt
auf auf 5 Tafeln eine Abbildung und Beschreibung seiner
ʒschine, die als gemeines Bett, als Sesselstuhl mit Ar-
ı, als Geburtsstuhl und Geburtsbett, als Canape ode
fa, und zulezt als Gliederschwebe für einen zerbrochenen
ʒ, dienen soll. Daß sie für so viele Fälle bestimmt, sehr
ırmmengesetzt seyn müsse, versteht sich. Die nähere Be-
eibung und Beurtheilung muß Rec. andern Journalen
r Zeitungen überlassen.

We.

ebicinisch - praktisches Handbuch auf Brownische
Grundsäße und Erfahrung gegründet, von M.
A. Weikard. — Dritter und lezter Theil.
Heilbronn am Neckar, und Rothenburg ob der
Tauber, bey Claß. 1797. VI und 472 Seit. 8.
1 Rf. 18 H.

Auch unter dem Titel:

. A. Weikard's — praktische Anweisung zu
Heilung örtlicher Krankheiten. Heilbronn ıc.

s ist schon bekannt, daß die Lhre von den örtlichen Krank-
en für das Brownische System und die Anhänger des-
en, die Meerenge mit Scylla und Charybdis ist; und
Browns Grundsäße selbst insgemein hier unwiederbring-
scheitern: so verdient Weikard keine Vorwürfe, wenn
h er an diesen Klippen verunglückt. Brown hat zwi-
en allgemeinen und örtlichen Krankheiten eine zu große

Kluft

Kluft befestiget; er dachte nicht daran, oder stellte es sich nicht lebhaft genug vor, daß der lebende Körper ein organisches Ganze ist, dessen einzelne Theile, den Gesetzen des Organismus gemäß, alle in einander greifen, so daß keiner in seinen Verrichtungen gestöhrt oder gehemmt werden kann, ohne daß das Ganze zugleich auch dabey leide; freylich haben einige Theile nähern und deutlichern Einfluß auf das Ganze; aber selbst auch der entfernteste Theil leidet nicht, ohne daß das Ganze mehr oder weniger dabey zur Mitleidenschaft gezogen werde. Die Stöhrung welche durch das Leiden eines einzelnen Theils im Ganzen veranlaßt wird, hat dann, nach dem Maaß ihrer Größe, ihres Umfangs und ihrer Dauer, wieder Einfluß auf den schon angegriffnen einzeln Theil; natürlich daß Browns Hauptaxiom in der Therapie der örtlichen Krankheiten: man müsse allen Lokalaffektionen nie durch allgemeine, sondern durch örtliche Mittel heilen, in der Praxis eine solche Menge von Ausnahmen und Widersprüchen erfährt; daß jeder unbefangene Beobachter daraus den natürlichen Schluß machen muß, daß die Heilart der örtlichen Krankheiten durch das Brownische System noch weniger gewonnen hat, als die Therapie der allgemeinen, und daß folglich dieß System, so viel Ehre es auch dem spekulativen Genie seines Erfinders machen mag, weder aus der Praxis hergeleitet ist, noch darauf zurück führt. Die Schwierigkeit, die Lehre von den örtlichen Krankheiten nach Browns Grundsätzen zu bearbeiten, ist wohl Ursache, daß, so viel wir auch von den Anhängern derselben Schriften über die allgemeinen Krankheiten haben, es uns doch an Brownischen Lehrbüchern über die Lokalaffektionen fehlt; Weikard verdient also Dank für seine Arbeit, und Entschuldigung und Nachsicht bey seinen Fehltritten. Wäre Rec. ein Freund der Brownischen Lehre, so würde er hier, zum Besten derselben eine genaue und umständliche Kritik der Weikardischen Arbeit liefern; alsdann würde seine Recension auch dem Raum angemessen bleiben, der ihr hier vergönnt werden darf; aber da er die Grundsätze nicht annehmen kann, worauf W. seine Arbeit gründet; sondern sie zu widerlegen oder zu berichtigen suchen müßte: so würde eine solche Kritik hier zu umständlich und zu blätterreich werden; auch scheint sie dem Recensent bey dieser Weikardischen Schrift nicht an ihrer Stelle zu seyn; sondern einem Werk zu gebühren, dessen Hauptzweck es ist, Browns Lehre vorzutragen und zu bestätigen. Rec. wird

also

also die Brownischen Grundsätze hier auf sich beruhen lassen, und nur bemerken wo W. ihnen zu widersprechen scheint,
oder wo sie augenscheinlich durch die Praxis widerlegt werden; hingegen wird er einige Weikardischen Erfahrungen
und Gedanken ausheben, von welchen er für die Praxis
Nutzen hofft. I. Charakter und Bestimmung der örtlichen
Krankheiten. Oertliche Krankheiten schränken sich auf einen einzelnen Theil ein, afficiren zwar auch die Erregbarkeit
des einzelnen Theils, aber nie ursprünglich die allgemeine
des lebendigen Organismus; es geht ihnen keine Krankheitsanlage (eine schon vorhandene allgemeine Diathesis, schon
halbe, noch verborgene Krankheit) voraus, zuweilen aber
Prädisposition, und ihre Heilart schränkt sich bloß auf den
leidenden Theil ein. W. sagt: Brown habe zu wenig Rücksicht auf die partielle Erregbarkeit genommen, weil eine Afficirung partieller Erregbarkeit sich nicht ganz zu seiner Lehre
passe, denn nach derselben müsse jede Afficirung der Erregbarkeit, die nie eins und unzertrennlich seyn soll, ein allgemeines Leiden hervorbringen; zwar habe auch Brown schon
bey örtlichen oder organischen Krankheiten in sehr empfindlichen oder mit vieler Erregbarkeit begabten innern oder äußern
Theilen die Aeußerung einer partiellen Erregbarkeit zugestanden, die sich über den ganzen Körper verbreiten und Zufälle
veranlassen könne, welche jenen ähnlich sind, die sonst in allgemeinen Krankheiten beobachtet werden; aber man müsse
auch bey weniger empfindlichen Theilen eine dunkle Theilnahme der allgemeinen Erregbarkeit an der Afficirung der partiellen gelten lassen; (ein ziemlicher Schritt zu der Lehre der
Nicht-Brownianer: daß kein Lokalübel ohne ins Ganze
mehr oder weniger Einfluß zu haben, statt finden könne)
W. gesteht bey örtlichen Krankheiten auch eine krankhafte örtliche Erregung zu. Dadurch macht er wieder einen Riß in
seines Meisters Lehrgebäude, der die Einheit und Untheilbar-
keit der Erregbarkeit festgesetzt hat. Auch nimmt W. an, die
örtliche Erregbarkeit sey denselben Gesetzen unterworfen, welchen die allgemeine gehorcht; nach B. ist es aber ein Gesetz
der allgemeinen, daß sie von der gesunden Erregung langsam und nach und nach zur kranken übergeht; diesen Uebergang oder die Zwischenzeit, binnen welcher die gesunde Erregung sich in eine kranke verwandelt, nennt B. Anlage (op-
portunitas); haben also nach W. beyde Erregungen einerley
Gesetze; so muß auch bey örtlichen Krankheiten eine Anlage,

Jl 4 wie

wie bey ben allgemeinen statt finden; die aber B. und W. erstern, in ihrer Definition derselben, absprechen. W. ist also auch hier im Widerspruch mit Browns Lehrsätzen. II. Verschiedenheit und Ausgang des örtlichen Leidens. III. Etwas von der Heilung der örtlichen Krankheiten überhaupt. W. sagt: je mehr das allgemeine System bey örtlichen Krankheiten in Mitleidenschaft gekommen sey, desto mehr werde auch die allgemeine Schwächungs= methode erforderlich; wieder eine Abweichung von des Mei= sters Lehre, zufolge welcher die örtlichen Krankheiten auch nur mit örtlichen Mitteln geheilt werden sollen. Auch will W. bey örtlichen sthenischen Krankheiten, (Entzündungen) wenn die reizende Ursache weggenommen worden, die angewachsene Erregung abspannen; B. nimmt aber in diesen Fällen keine Erhöhung der Erregung an, sondern behauptet, örtliche Ent= zündungen wirkten nur schwächend auf das übrige System! W. sagt: es gebe auch einen Kunstgriff manchen örtlichen Schmerz zu lindern, wenn man anderwärts die Erregbarkeit stark abzunutzen suche, z. B. durch Zugmittel; B. hingegen nimmt gar keinen Ableitungs= oder Gegenreiz an, und will auch niemals eine Sthenie und indirekte Schwäche abgeän= dert wissen. IV. Klassifikation der örtlichen Krankhei= ten. W. sagt in der Vorrede, er habe eine andere Einthei= lung örtlicher Krankheiten gewählt, als sie Brown vorge= tragen; er zweifle auch nicht, daß man mit der Zeit noch eine bessere treffen werde. Cl. I. Organische Krankhei= ten, welche von örtlicher Disposition entstehen, ohne daß weder die allgemeine Erregbarkeit des Körpers noch die partielle eines Theils afficiret ist. Hier= her rechnet W. Geschwülste, uneingekerkerte Brüche, Vorfälle, Gewächse, Auswüchse, Ausschläge, Flecken, Ansatz fremder oder stockender Materie, Mißgestalten, und auch die ähnlichen, in= nerlichen örtlichen Fehler. Cl. II. Organische Krankheiten von örtlicher kränklicher Disposition des Theils nebst partieller oder allgemeiner Afficirung der Erreg= barkeit; nämlich mit allgemeiner oder partieller Sthenie oder Asthenie, z. B. Schielen, Ohrenweh, Taubheit, Zahn= weh, Hämorrhoidalknoten, Fisteln, Krebs, eingekerkerte Brüche, Scropheln, Grindkopf, Milchschurf, Blasenrose, Pemphigis, Fleischgeschwüre, Blutgeschwüre, grauen und schwarzen Staar, (der aber in der detaillirten Behandlung dieser Klasse nicht vorkommt), Flechten, Schwämmchen, Verhärtungen der Le=

ber

ber und anderer Eingewelde, große Pulsadergeschwülste, innre
Geschwüre, Ansammlungen von Wasser und andern Feuch-
tigkeiten u. dergl. Cl. III. Krankheiten, wo die partielle Erregbarkeit eines Theils durch irgend eine
schädliche Potenz ergriffen, die örtliche Erregung vermehrt oder vermindert hat, ohne eine allgemeine
Diathesis. Hierher gehören Beinbrüche, Verrenkungen,
Quetschungen, Wunden, Verbrennungen, Frostbeulen, Bisse, Zerreißungen und Abschärfen der Haut. Cl. IV. Organische Krankheiten, welche in sehr empfindlichen mit
vieler Erregbarkeit begabten innern oder äußern Theilen ihren Sitz haben, und sich durch den ganzen Körper verbreiten, und Ursache einer allgemeinen Sthenie oder Asthenie werden. Z. B. Entzündungen des
Magens, der Gedärme, der Gebärmutter, Verblutungen,
Mißfall, schwere Geburt. Cl. V. Oertliche Krankheiten, deren Ursprung von allgemeiner Afficirung der
Erregbarkeit herrührt, wo insgemein ein von vermehrter oder verminderter Erregung abhangender
Zufall einer allgemeinen Krankheit zu einer solchen
Höhe steigt, daß der Theil endlich fernerer Erregung
unfähig, und sein auf Mäßigung der allgemeinen Erregung wirkendes Hülfsmittel nicht thätig werden
will. Hierher zählt W. Eiterblattern, Eitergeschwülste,
Brandbeulen, Leistengeschwulst (babo), Carbunkel, heißer
und kalter Brand, scrophulöse Geschwüre, Lungengeschwüre,
Weichselzopf und Geschwüre (ulcera), offne Schäden. Cl.
VI. Gifte oder Ansteckungen, welche örtliche Afficirun-
gen der Theile mit sich bringen, wobey die Erregung
entweder bloß auf einem Theile, oder im Allgemeinen vermehrt oder vermindert wird. Hierher gehören
die Vergiftungen aller Art. Der Biß wüthiger Thiere, Ansteckung, z. B. die Lustseuche. Nun will Rec. diese Anzeige mit einigen Proben von dem beschließen, was er für das
Interessanteste und Wichtigste des ganzen Buchs hält, d. h.
mit einigen Gedanken und Erfahrungen des Verf., eines Arz-
tes, der, wenn er auch auffallende Eigenheiten oder Sonderbarkeiten hat, doch gewiß unserer Kunst Ehre macht, und
für die Mittheilung seiner Meinungen und Erfahrungen Ruhm
und Dank verdient. Von vielen am ganzen Körper entstandenen Lupien befreyte sich ein junger Mann durch die bekannten Weikardischen Gallenpillen. Gegen den Frosch-

Jl 5   ge-

geschwulst räth der Verf. 2 bis 3 Scrupel Lap. caust. in
2 Pf. Wasser aufgelöst oft im Mund zu halten; auch hat er
Knoten oder Geschwülste an der Zunge damit aufgelöst.
Gegen Scirrhen empfiehlt der Verf. den Gebrauch der
Bleymittel; auch von D. Jänisch in Moskau saturirten Bley-
mitteln, deren Bereitungsart hier angegeben wird, saß W.
mehrmals gute Wirkung. Mit sehr erwünschtem Erfolg, rieth
der Verf. bey ein oder zwey Jahre alten Brüchen täglich einigemal die Stelle mit Branntewein zu waschen, auch mehrmals eine mit Branntewein angefeuchtete Compresse mit dem
Bruchband aufzulegen. Gegen Schwielen, selbst gegen
Knochenauswüchse wird die Auflösung des Lap. caust.
oder Bäden in gelinder Lauge empfohlen; dieselbe Auflösung
räth er auch gegen Sommer- und Leberflecken und Weinstein an den Zähnen. W. ist sehr geneigt, den kleinen
flachen Busen der meisten Engländerinnen der Kälte, kühler
Kleidung, und überhaupt dem kühlen Verhalten zuzuschreiben; einige haben ihm selbst erzählt, daß sie als Mädchen
von solchem kühlen Verhalten äußerste Schwäche und oft
Anwandlungen von Ohnmachten erlitten hätten. In Rücksicht der Hämorrhoidalknoten ist ihm der Kaffee ein sehr
verdächtiges Getränke, nicht wegen einer erhitzenden Eigenschaft desselben; sondern wegen einer besondern Afficirung des
Nerven- oder des Adersystems; er kannte ein sonst gesundes
Kind von 2 Jahren, das viel Kaffee, aber auch Hämorrhoiden-
zucken bekam, die meistens ab- und zunahmen, so wie mit
dem Kaffee angehalten oder abgebrochen wurde. Rec. kennt
Gegenerfahrungen. Gegen Fisteln wird der Pideritische
Umschlag: Sapon. venet. unc. jjj solv. in aq. calc. viv.
libr. jj ad Spir. vin. unc. V. fief alb. Rhaq. unc. sem.
empfohlen. Die Sage, daß so manche Menschen an der Heilung alter Fisteln gestorben, erklärt W. durch die Vernachlässigung der vorläufigen Heilung der allgemeinen Asthenie.
„Eine allgemeine Asthenie, sagt er, welche bisher vorzüglich
sich auf einem Theil, dem fistulösen zu erkennen gab, kann
ja wohl nachher auch das Hirn oder die Lungen stärker afficiren, und Schlagfluß oder Lungensucht verursachen; die partielle Asthenie an der fistulösen Stelle kann vielleicht durch
die bey der Operation, oder durch Anwendung der Heilmittel verursachte Reitzung zu größerer Erregung und Stärke
kommen, hierauf kann ja wohl ein zweyter an Schwäche näch-
folgender Theil am vorzüglichsten von der Wirkung der Asthenie

sie afficirt werden, und dem Scheine nach eine andere Gattung von Krankheit darstellen." (Metastase, nur anders und der Brandisischen Hypothese etwas analog vorgestellt!) Es gebe kein Scrophelgift; Geschwür, Beinfraß, offne Scrophel, Krebsgeschwür sey im Grunde einerley Krankheit, deren Verschiedenheit nur in der Verschiedenheit des Sitzes, des Grades der Kränklichkeit und der geänderten Bewegungen und Grundstoffe zu suchen sey. Auch gegen Scropheln wird das Baden erst in gelinder Lauge und der äußerliche Gebrauch der Auflösung des Lap. caust. und nachher das Waschen des ganzen Körpers mit warmen Wasser und Weingeist, oder mit einem aromatischen Kräuterwein gerathen. Umständlich sucht der Verf. S. 179—187 Wichmann zu widerlegen, der in seiner Diagnostik II. S. 181 ein anhaltendes Erbrechen von einer ungeheuren Magenerweiterung herleitet. Es sey wahrscheinlich, daß eine von beyden Magenöffnungen sich fest verschließen müsse, wenn die im Magen vorräthige Masse durch die andere ausgeleert werden solle; vielleicht sey ein weiter Pförtner Schuld, daß manche Personen so leicht zum Purgieren und so schwer zum Brechen zu bringen sind. Bey innern Pulsadergeschwülsten werde durch die schwächende Methode, Aderlassen, Abführen, kühles Verhalten nichts Gutes gestiftet; es sey allerdings örtliche und vielmohl allgemeine Asthenie gewesen, wenn eine Pulsadergeschwulst ohne offenbare Gewaltthätigkeit entstand, und selbst in diesem Fall werde der nun afficirte Theil in eine örtliche Asthenie versetzt. Gegen eingeklemmte Rothbrüche wird Rhabarbertinktur mit Mandelöl, zuweilen auch mit etwas Kreuzdornsyrup versetzt, vor andern gerühmt. Frank glaube mit Unrecht, daß bey Kindern der unmäßige Milchgenuß eine gewöhnliche Ursache des Grindkopfs sey; öfter entstehe die Krankheit von Reizung und vermehrter Erregung am Kopf, von der (vorzüglich durch Pelzmützen oder andere warme Hauben, Reiz der Ofenwärme rc.) vermehrten Wärme. Bey reiner Luft, Bewegung, Reinlichkeit, wahrhafter Diät, vorzüglich nach überstandener Zahnarbeit verlieren sich die Milchborken von selbst. Beym Kopfgrind räth der Verf. Seifenleder, Fleischnahrung, Eyergelb, reine Luft und das Waschen und Bähen des Kopfs mit Kalkwasser, eine Auflösung des Lap. caust. oder aus Lauge. Bey Flechten sagt der Verf. möge die Süßholzwurz wohl den das leisten, was von dem Bittersüß gerühmt wird,

wird, nämlich keins von beyden viel Sonderliches. Auch
die üblen Folgen von Heilung der Flechten schreibt unser Vf.
der Vernachläſſigung der nöthigen Rückſicht auf die allgemeine Aſthenie, zu. Schwämmchen ſeyen aſthenisch, und ent-
ſtänden größtentheils von der Schwächung der Neugebornen
durch die übertriebne Sorge um Ausleerung des Kindpechs.
Bey Apoſtemen ſcheint unſerm Vßf. die Erregbarkeit der
Muſkel oder arteriöſer Faſern und bey Blutſchwüren (fu-
runculi) die Erregbarkeit in nervöſen häutigen Theilen, in
Drüſen ⸗ oder Waſſergefäßen überſpanut zu ſeyn. Die gelehrte Entdeckung einer Blaſenſteinſäure nutze beynahe ſo
viel, als wenn ſie nicht gemacht wäre. Rec. lernte aus dieſem
Buch ein neues Mittel gegen den Stein kennen, nämlich einen
Thee von der peruvianiſchen Doradilla, von welcher der Vf.
erzählt: ſpaniſche und franzöſiſche Seigneurs rühmten ſie in
meiner Gegenwart in Spaa, als etwas ſehr Zuverläſſiges,
und ließen ſie für einen Steinpatienten aus Spanien kommen; vielmal fährt der Verf. fort, beſteht die ganze Wirk-
ſamkeit ſolcher gerühmten Tränke bloß im warmen Waſſer,
das ſehr ſchmerzlindernd iſt, wenn es ſo heiß als möglich getrunken wird: S. 261 erklärt ſich der Verf. gegen die Meinung, daß Verengerung des Schlundes, des Pfört-
ners ꝛc. vom Mißbrauch geiſtiger Getränke entſtehe. Bey
einem Knochenbruch ſey die örtliche Erregung vermehrt,
alles könne alſo da nachtheilig werden, was erhitzend oder
reizend iſt; Opium, welches bey Krämpfen und bey heran-
naheudem Brande, ſo heilſam ſey, könne hier ſchaden, hier
ſey alſo der Fall für kalte Umſchläge, kühles Verhalten. In
gewöhnlichen Fällen ſowohl bey Verrenkungen als Bein-
brüchen möge halb Eſſig und halb Branntwein ſchicklich
zum Verband oder Bähung ſeyn; die nun, nachdem ein größerer oder geringerer Grad der Erregung zugegen oder zu
fürchten iſt, reizender oder ſchwächer gemacht wird. Bitter
und ernſtlich erklärt ſich der Verf. gegen die Erweiterung
und das Sondiren einfacher Wunden. Die Magenentzündung komme weit häufiger auf Katbedern, als in der
Natur vor, und Brown habe ſie mit Recht unter die örtlichen Krankheiten gezählt, weil die Magenentzündung vom örtlichen Reiz, von Gift oder örtlicher Verletzung bey weitem
die häufigſte, beträchtlichſte und heftigſte iſt, alſo a potio-
ri etc. Eben ſo glaubt W., daß ein außer der Geburt und
ohne Gewaltthätigkeit entzündeter Uterus eine Seltenheit,
vie-

vielleicht gar ein Unding sey, also unter die örtlichen Krankheiten gehöre; es herrsche hier eigentlich nur örtliche Sthenie, und die dabey sich endlich einfindenden, allgemeinen sthenischen Bewegungen, dürften im Grunde nur als sympathisch angesehen werden; daher, daß man auch bey einer solchen Entzündung nicht so wie in einer andern allgemeinen, viel Blut vergleßen müsse; im dringenden Fall Blutigel an den Unterleib oder an die Schenkel möge hinreichende Schwächung seyn. Mißgebähren sey Folge direkter Schwäche, natürlich daß Aderlassen, Abführen und magere Nahrung es eher befördere als hebe. Zur Verhüthung haben sich ihm stärkende Nahrung, stärkendes Getränke, warme mineralische Bäder, Stahlarzneyen, äußerlich stärkende Pflaster, aromatisches Vitriolelixir, Zimmttinktur, und dabey reine Luft und gemäßigte Bewegung allemal hülfreich bewiesen. Sobald ein Abortus auf dem Wege ist, wird der Körper niedrig oder die Schenkel höher als der Kopf, und ein Zugpflaster (empl. de galban. p. ij empl. vesicator p. j) auf den Unterleib gelegt, zuerst Vitriolgeist, und darzwischen Opium gebraucht, und hernach Zimmttinktur. Der Verf. verwirft ernstlich und strenge das unselige Scarificiren beym Brand; auch vom innerlichen Gebrauch der bloßen Chinarinde, hofft er nicht viel mehr als von Aether, versüßten Salzgeist, Moschus, Hirschhornsalz, Wein, Zimmt u. dergl. Der erste Ausbruch aller Epidemien komme von der ärmern Volksklasse, und stifte auch dort die größte Verwüstung; zur Erzeugung der Volkskrankheiten und des hieraus entstehenden auch für die Reichen und Vornehmen gefährlichen Ansteckungsgiftes sey vorzüglich die Dürftigkeit behülflich, welche eine Menge der dazu erforderlichen schwächenden Ursachen in sich begreift. Unser Verf. wurde einstens um Vorbeugsmittel für das Volk wegen einer eingerissenen Epidemie befragt, und er sagte die goldnen wahren Worte, welche Rec. für den Inbegriff der ganzen Medicinalpolicey gegen Entstehung von Epidemien hält: „Haltet auf Reinlichkeit, gebet jedem Einwohner täglich eine Portion Fleisch und Wein, so wird die Epidemie nicht weiter greifen.“ Die Krankheit, wodurch Ansteckungsgift soll erzeugt werden, muß erst in ein Nervenfieber ausarten, bloß gastrische Fieber stecken nicht an. Wenn Quecksilber die Wasserscheu verhüten soll, so müsse es bis zur Salivation gegeben werden, es werde alsdann eine kränkliche Thätigkeit in den Halsgefäßen verursacht.

sacht, wodurch jene, welche das Ansteckungsgift bewerkstel-
ligt, vielleicht nicht Platz finden könne. Wenigstens müsse
man eine andere Art von örtlicher Afficirung annehmen, wo
Tripper und eine andere wo Schanker und Lustseuche entsteht, wenn Tripper- und Lustseuchengift Eins seyn solle. Der
Verf. vertheidigt die in seinen Fragmenten &c. vorgeschlagene Trippersprütze mit Recht; in der Entzündungsperiode
braucht er kühle Umschläge von Goulardischem Wasser, spritzt
mit seiner runden Spritze schleimichte, erweichende, lau,
aber nicht warme Flüssigkeiten ein, und wendet auf allen
Seiten die kühlende Heilmethode an; in ärgern Fällen setzt
er Blutigel an die Ruthe und an das Mittelfleisch, oder er
öffnet gar eine Ader; so wie die Entzündungszufälle abnehmen, wird auch das kühle Verfahren wieder in ein stärkendes abgeändert. Wer dieß versäumt, und immer fortfährt
Wein und Fleisch zu meiden, sey Ursache, daß ein Tripper
hartnäckig einwurzelt. In der Erschlaffungsperiode braucht
der Verf. innerlich Kampfer, Opium, Eisenmittel, Copaiva
und Perubalsam, Zimmttinktur, Chinarinde u. dergl., dabey läßt er täglich die Ruthe und den Hodensack mit Branntwein waschen, und spritzt Wasser mit Branntwein, täglich
3—4 mal ein, erst macht er das Verhältniß des Brannt-
weins gering, z. B. zwölf Theile Wasser zu einem Theil
Branntwein; steigt aber allmälg bis endlich zu gleichen
Theilen. Der Schwererde ist der Verf. gar nicht günstig.
Der Verf. versichert in seinem ganzen Leben kaum zweymal
Schierlingsextrakt verordnet zu haben. Die zum Beschluß des Werks angehängten 29 Arzneyformeln verdienen gewiß den Vorwurf der Unwirksamkeit nicht; aber auch
nicht das Lob einer reinen Receptirkunst, was soll z. B. in
dem Liniment Nr. 3 Spir. corn. cervi, Spir. sal. arom. ā ā
da beyde gleichwirkend, also einer schon genug ist? was sollen
die zwey Gran Borax und fünf Grane Färberröthe in folgendem Pulver ℞ cort. cinarron. drachm. sem. myct. gr.
Vjjj rab. tinctur. castor. gr. V. borac. croc. ā ā. gr. jj m.
d. j auf einmal zu nehmen? auch fallen die Salben: Vng.
de styrace unc. j antim. crod. dr. j gegen böse Geschwüre mit
Weinstraß und ung. balisic. unc. j antimon. crod. drachm. ß
zu Schließung der Wunden nach bösen Geschwären, auf; wird
hier hinter dem Spießglanz mehr gesucht, als hinter Gallmey-
stein? Hätte doch der Verf. mit mehr Ordnung geschrieben, die

Feile

Feile fleißiger gebraucht, und die Späße wie S. 87. 108.
266. u. dergl. weggelassen.

Bo.

Medicinisch-praktisches Handbuch auf Brownsche
Grundsätze und Erfahrungen gegründet, von M.
A. Weikard, Rußisch-Kaiserl. Etats-Rath.
Erster und zweyter Theil, von allgemeinen Krankheiten. Zweyte, viel vermehrte Auflage. Heilbronn am Neckar, bey Cläß. 1798. 541 S. 8.
1 Rt. 16 g.

Wörtlich hat Rec. diese neue Auflage freylich nicht mit der
alten verglichen, weil es sein Wille nicht seyn durfte, hier
die Stellen anzuführen, welche neu hinzugekommen, und
welche umständlicher oder näher erläutert und bestimmt worden; er kann aber mit Wahrheit versichern, daß der Verf.
sich viele Mühe gegeben hat, in dieser zweyten Auflage die
Grundsätze des Brownianismus besser auseinander zu setzen,
und umständlicher zu rechtfertigen, als in der ersten, welche
im B. XL. St. 2 der A. A. D. Bibl. angezeigt worden,
geschehen ist. Die reichliche Vermehrung dieser zweyten Auflage zeigt auch der Augenschein; ihr erster Theil füllt 204 Seiten, in der ersten nahm er nur 132 Seiten ein, und der
zweyte Theil enthält hier 100 Seiten mehr als in der ersten;
doch hat Rec. kein ganz neues Kapitel bemerkt, als das Kap.
XL. im Th. II., welches im zweyten Theil eingeschaltet, und
die Brownische Theorie der Fieber überhaupt erklärt. Vorzüge vor der ersten Auflage hat diese zweyte also gewiß; einer
der angenehmsten war dem Rec. die Ausmerzung unartiger
Ausfälle auf anders denkende Schriftsteller. Die Anhänger
der Brownischen Lehre haben also durch diese Auflage etwas
gewonnen. Die Nicht-Brownianer werden für sich nichts
darin finden, was sie nicht auch schon in der ersten gefunden haben.

Ebh.

Gelehr-

Gelehrtengeschichte.

Christoph von Stadion Bischof von Augsburg. Eine Geschichte aus den Zeiten der Reformation vom Geheimen Rath Zapf. Zürich, bey Orell, Füßli und Comp. 1799. 256 S. 8. 1 Rß.

Rec. kennt schon längst den Herrn Chur-Mainzischen Geheimen-Rath Zapf als einen sehr fleißigen und erfahrnen Literator, dem wir manche literarische Entdeckungen zu danken haben, wovon er uns in dem angeführten Werke neue Beweise giebt, womit er das Andenken des Bischofs Christoph von Stadion, eines wahrhaft verdienten Mannes von neuem anfrischt. Er rühmt die Freundschaft einiger Gelehrten, welche ihm Beyträge von Nachrichten verschafft haben. Er hebt von der Herkunft, den Vermählungen, den Aemtern und Würden der alten verehrungswürdigen Familie der Grafen von Stadion an, und bahnt sich so den Weg auf den Bischof Christoph Stadion von Augsburg, einen so hoch verdienten Mann. Christoph B. von Augsburg, ward geboren im J. 1478 von Nicolaus von Stadion und Agatha von Gültlingen; bezog in seinem zwölften Jahr die Universität Tübingen, erhielt 1491 das Baccalaureat allda, und verließ die Universität etwa 18 Jahre alt, und brachte hierauf 6 Jahre in Bologna zu, und kehrte im J. 1500 mit rechtlichen Kenntnissen und wissenschaftlicher Gelehrsamkeit bereichert nach Deutschland zurück, wo er 1515 Domdechant in Augsburg wurde, und hierauf Coadjutor von Augsburg, und nach dem Tode des Bischofs Heinrichs von Lichtenau Bischof von Augsburg, wozu er den 14ten May 1517 gewählt wurde. Weil aber Verdienste und Gelehrsamkeit noch nicht hinreichten, wenn man zu hohen Würden gelangen wollte; sondern unter Leo X. Bißthümer und die einträglichsten Plätze im bekannten Fuggerischen verpachteten Diensthandel verkauft wurden: so mußte auch Christoph Stadion sich zu diesem Diensthandel verstehen, und durch die Fugger sein Bißthum erkaufen; hierüber drückte sich selbst Luther bündig aus, und die weiteren schriftlichen Beweise hiervon werden aus den glaubwürdigsten Quellen von unserm Verf. angeführt. Stadions Eifer für das Gute und das geistliche Wohl seiner Geistlichen hat sich durch mehrere Beweise hervorgethan, wovon

seine

seine schöne Synodalrede durch die Bemühungen des Herrn
Colbore durch zween junge Grafen von Stadion auf unsere
Zeiten gekommen ist. S. 14 Vielleicht würde auch unser Bischof
Stadion nie so streng gegen Luthers Anhänger geworden
seyn, wenn er nicht durch boshafte Zeloten aufgehetzt worden
wäre. S. 14 Der Bischof Stadion verbot Luthers Schriften und die Priester-Ehe. Der Pfarrer Aquila gehört unter die vom Bischof wegen Luthers Lehre hart verfolgten lutherischen Prediger, den Maria Carls V. Schwester vom Tode
rettete. S. 16.

Nach dem Domprediger Johann Oecolampad, den er
auf mehrmals wiederholte Vorstellungen entließ, berief er
den Urbanus Regius, Augspurgs ersten Reformator, einen
gelehrten Mann an die Stelle Oecolampads als Domprediger.
Dieser, der ein Schüler des berüchtigten Fechters Joh. Eck
war, nahm den Ruf 1520 an; obgleich er schon vorher in
dem Karmeliten-Kloster zu St. Anna in Augspurg in seiner Kutte gut evangelisch predigte. Eben derselbe predigte
aber auch hernach eben so eifrig in der Domkirche wider die
Mißbräuche der Kirche und das ehelose Leben der Geistlichen. Weil er aber hierdurch sich keineswegs bey der katholischen Geistlichkeit empfahl: so blieb Regius nicht lang bey
einer Stelle als Domprediger; sondern gieng 1521 nach
Hall im Thal, wurde aber 1522 wieder nach Augspurg berufen, predigte bey St. Anna, und ward vom Rath ordentlich besoldet. Christoph Stadion, dem die Wissenschaften
und Schulen eine wahre Angelegenheit waren, setzte den geschickten Mathematiker Johann Vögleln von Heilbronn als
Lehrer der Domschule. Sein Schüler allda war Xystus Be-
tulejus oder Birk, der nachher Rektor am Gymnasium zu
St. Anna wurde. Als Regius seine Stelle niedergelegt hatte: so berief der Bischof Christoph Stadion den Vögelln als
Domprediger an dessen Stelle. Er blieb es aber auch nicht
lang; denn da ihm der Zwiespalt in der Religion nicht gefallen wollte: so gieng er nach einem Jahre wieder davon,
und zog nach Wien, wo er Lehrer der Mathematik wurde,
und über den Euclid las. Eck hingegen, wußte sich bey dem
B. Stadion immer mehr einzuschmeicheln, und brachte es
bey ihm dahin, daß er die Bannbulle wider den Luther durch
ein besonderes Mandat bekannt machen ließ. Und so mußte
unser sonst so gelehrte, edle und rechtschaffne Stadion sich der

Absetzung von seiner bischöflichen Würde von Leo X. aus setzen, wenn er nicht nach Ecks Sinne und den Winken des Leo handeln wollte. Zur Zeit des Bauernkriegs litt auch der Bischof Stadion viel an seinen Gütern, Gerechtsamen und Herrschaften. Uebrigens aber benahm er sich hierbey sehr klug, und gebrauchte alle Vorsicht, um den Bauern keinen Anlaß zu weitern Ausschweifungen zu geben. Er duldete vieles mit Gelassenheit und Sanftmuth; verfiel aber auch bald wieder in seine vorige Hitze gegen Luthers Anhänger. Er besuchte mehrere Reichstage in Person, hieng dem Wormser Edikt mit Eifer an, und hielt es also im Grunde mit der katholischen Partey der Bischöfe: und dieß war die ganz natürliche Maaßregel, die er als katholischer Bischof nehmen mußte. Wir finden hier manche brauchbare Nachrichten von der Reformation der Reichsstädte Memmingen, Nördlingen, Costnitz, so wie auch von den Reformatoren, Zwick, Schappeler, Blaurer, u. a. m. Nach Ablesung der Augspurgischen Confession zeigte Stadion einen sehr geänderten Sinn. Er bekannte öffentlich und ohne Scheu, es sey alles was abgelesen worden, die lautere und unläugbare Wahrheit, und er habe in der Versammlung zum Rath der Strenge und Schärfe seine Stimme nicht gegeben. Melanchthon selbst sagt in einem Schreiben an Luthern, daß der Churfürst in Mainz und der Bischof Stadion für die Protestanten seyn; aber der Eifer sey nicht gar stark, welches freylich nicht so öffentlich geschehen könne. Der Verf. sagt es nicht ohne Grund von den meisten Bischöfen, ihre fette Präbenden hätten ihnen keine solche Reformation erlaubt, und so sey es auch selbst dem Stadion ergangen. Die feyerlichste Sinnesänderung aber äußerte er gegen den Erzbischof Matthäus Lang von Salzburg, S. 74. Noch immer hoffte und erwartete der sonst sanfte Bischof von Augspurg eine allgemeine Veränderung in der Religion; er würde es aber, wenn er annoch lebte, in manchen Stücken noch ärger finden, als es damals zu seiner Zeit war. Inzwischen zeigen seine spätern Handlungen, daß er von der Hoffnung des Friedens und der Einigkeit der Kirche in der Lehre und im Glauben noch stets belebt wurde.

Am Ende des §. 39 führt der Verf. noch einige merkwürdige Umstände und Begebenheiten an, welche zur Erläuterung der Geschichte des Bischofs Stadion dienen können.

Dahin

Dahin gehört die Aufklärung der Geschichte der Markgrafschaft Burgau, welche von Oesterreich Pfandweise an das Bisthum Augspurg kam. Bey vielen Angelegenheiten wurde Stadion als Schiedsrichter gebraucht, und legte überall seine Liebe zum Frieden zu Tage. Er legte die Streitigkeiten zwischen Herzog Ulrich von Würtemberg mit den Herzogen Wilhelm und Ludwig von Baiern im J. 1541 zu Laugingen gütlich bey. Auch werden mehrere milde Stiftungen von Stadion angeführt. Sein letztes Geschäfft war der Reichstag von Nürnberg 1543, wo er an einem Schlage starb, in einem Alter von 65 Jahren, nach einer bischöflichen Regierung von 26 Jahren und 3 Tagen. Am Ende wird noch sein edler Charakter, seine Gelehrsamkeit, Rechtschaffenheit, seine Sanftmuth gegen Luther und dessen Anhänger nach Würde gerühmt; auch werden seine Schriften und seine bekannte Synodalrede angeführt. Hierauf folgen des Herrn B. Anmerkungen und sehr schätzbare Beylagen, von welchen er ein Verzeichniß vorausschickt, das bis auf 48 Stücke reicht. Den Beschluß macht ein sehr brauchbares Register.

Ak.

Biblische, hebräische, griechische und überhaupt orientalische Philologie.

Die Psalmen metrisch übersetzt und mit Anmerkungen (begleitet) von Christ. Gottl. Kühnöl, Prof. der Philosophie zu Leipzig. Leipzig, bey Köhler. 1799. 378 S. 8. 1 Rf.

Um den wahren Gesichtspunkt zu fassen, aus dem diese Uebersetzung nur beurtheilt werden darf, muß man die Erklärung des Verf. darüber in der Vorrede nicht übersehen. Sie ist zunächst zum Gebrauch seiner Vorlesungen bestimmt, und da glaubt Rec., daß ein jeder Docent das unbestreitbare Recht hat, zur Erleichterung und Nützlichkeit seines mündlichen Vortrags alles das drucken zu lassen, was dazu dienen kann,

Kf 2

wenn

wenn es auch weiter keinen besondern Werth für das große
gelehrte Publikum haben sollte. Allein Herr K. wünschte
doch zugleich einigermaßen (wie sich seine Bescheidenheit
ausdrückt) auch denen nützlich zu werden, die in gleicher Lage mit seinen Zuhörern sind, und sich seines mündlichen Unterrichts nicht bedienen können: Daher begleitete er diese
Uebersetzung mit Anmerkungen doppelter Art. Die Anmerkungen unter der Uebersetzung beschäftigen sich mit der nähern
Entwickelung des Sinnes schwieriger Stellen und der Dich-
terbilder; wogegen die am Ende des Buchs angehängten
größtentheils kritischen Inhalts sind, und die verschiedenen
Lesarten angeben, denen er gefolgt ist. Auch dieser doppelte
Zweck läßt sich wohl erreichen, und ist vom Verf. wirklich
erreicht; wenn sich gleich bey dem zweyten noch fragen ließe:
ob es grade desselben bedurft hätte, da wir so viele, und darunter recht gute Arbeiten über die Psalme zu diesem Ende
schon besitzen? Doch Rec. will nicht darüber mit dem Verf.
rechten; sondern lieber, was er nun ein Mal als vorhanden
vor Augen hat, beurtheilen. Das Ganze zeugt von einer
vorsichtigen und ächten Exegese, welche sich nicht von der
Neuerungssucht zu Unrichtigkeiten und Seltsamkeiten fort-
reißen läßt; sondern auf der richtigen Bahn, welche die ein-
sichtsvollesten Erklärer des A. T. in der zweyten Hälfte unsers Jahrhunderts betreten und geebnet haben, fortwandelt,
und mit Geschmack das Beste auswählt, welches am meisten
schlüssige Gründe für sich zu haben scheint. (Grade des letz-
ren wegen weicht auch Rec. in seiner Erklärung der Psalme
häufig von dem Verf. ab; allein dieß kann der Natur der
Sache nach nicht wohl anders seyn, und es ist hinreichend
für Sachverständige, wenn sie nur im Ganzen übereinstimmen, welches hier der Fall ist. Um aber doch ein paar Proben von solchen Abweichungen zu geben, bemerkt Rec., daß
er Ps. 22, 9 בל beybehalten, und es für den Infinitiv (für
בלה) erkläre haben würde, wobey die volle Redensart heissen müßte בלל בלה volvendo volvit, vergl. 2. Mos. 20, 8
ובל :c. הלכת Jos. 2, 15. 5. Mos. 1, 16. 4. Mos. 4, 2. 22.
Jer. 10, 5. Vollständig finden sich dieselben Redensarten
5. Mos. 7, 18. 3. 22. 6, 17. Hos. 1, 6. 3. Mos. 2, 6.
4. Mos. 25, 17. Auch ist dieselbe Konstruction mit dem Infinitiv bey griechischen Dichtern nicht ungewöhnlich, wo man
χρη oder δει zu suppliren hat. Obss. S. 408, wie es dem
Verf. bekannt genug ist. Eben so würde Rec. Ps. 22, 17.

die

die gewöhnliche Bedeutung von כלבים wonach es Hunde
heißt, der Erklärung des Verf., welcher es durch wüthen-
de (كلب rabiosus fuit) giebt, vorziehn: denn abgerechnet, daß das Verbum כלב erst von dem Substantiv
כלב Hund abgeleitet ist: so liegt nach dem Geist des Alterthums nichts Anstößiges oder Ueberhartes in der Wendung,
daß der Dichter seine Feinde Hunde nennt. Ja, ja die Helden in der Iliade sich sehr oft mit solchen Titeln von Hunden
hergenommen beehren, wenn sie sich Vorwürfe machen, um
vorzüglich die Unverschämtheit auszudrücken. Hier ist aber
der Sinn: meine grausamen Feinde zerfleischen mich oder
mattern mich zu Tode, wie die Hunde! — Was nun die
Uebersetzung selbst betrifft, welche hier die Hauptsache ist: so
bleibt sie immer sehr fließend, verständlich, rein und metrisch;
wenn gleich der uneigentliche, und den Sinn darstellende Ausdruck dem wörtlichen zu sehr vorgezogen ist. Dadurch ist das
Original zu sehr verwischt, das Rauhe und Kraftvolle der
Naturpoesie zu sehr zur kultivirten Sprache unserer Zeit herabge-
zogen, und durch die häufig eingeschobenen Participien zu
prosaisch geworden. Einen hohen poetischen Werth kann ihr
also Rec. nicht beylegen, wenn sie gleich metrisch ist, und die
Uebersetzung von Jakobi in Jamben, welche dem Verf. gewiß nicht unbekannt geblieben seyn wird, würde Rec. als
Nachbildung des Originals immer vorziehen, wenn sie gleich
in Hinsicht des Sinnes sehr ausschweift, da ihr Verf. häufig
so seltsamen Erklärungen gefolgt ist, denen kein ächter Sprach-
kenner beypflichten kann. Freylich gesteht Rec., daß es sehr
schwer ist, alle Psalmen poetisch zu übersetzen, da in vielen
der Mangel an Poesie nur zu fühlbar ist, in sofern sie sich
in elegische Gebete oder prosaische Geschichterzählung auflösen.
Was also im Original selbst matt und prosaisch ist, das kann
auch in der Uebersetzung nicht anders werden, wenn sie treu
seyn soll. Allein desto mehr muß sich ein metrischer Uebersetzer bemühen, wahre poetische Stücke auch so poetisch als
möglich wiederzugeben. Dieß ist aber dem Verf. nicht gelungen, und seine Uebersetzung ist im Ganzen zu schwach und
zu prosaisch. Man höre z. B. die Uebersetzung des schönen
Zionsliedes, Ps. 24.

Mehrere Chöre. Jehovens ist die Erde,
Und das, was sie enthält;
Sein ist die Welt,

Und all' die sie bewohnen.
Er hat auf Meere sie gegründet,
Auf Ströme sie erbaut.

Erster Chor.   Wer darf Jehovens-Berg besteigen?
Betreten den geweihten Ort?

Zweyter Chor.   Der, der reine Hände hat,
Reines Herzens ist,
Der nicht Täuschung liebt,
Keinen Meineid schwört;
Der empfängt Jehovas Segen,
Und gerechten Lohn,
Von dem Schöpfer seines Glücks.

Dritter Chor.   Dieses Volk will ihn verehren,
Will sein Antlitz schauen,
Es ist Jakobs Volk!

Alle Chöre.   Erhebet ihr Thore das Haupt!
Erhöht euch ewige Pforten!
Es kommt der majestätische König!

Erster Chor.   Wer ist der majestätische König?

Zweyter Chor.   Jehovah, mächtig und stark,
Jehovah, Sieger im Streite, u. s. w.

Rec., der kein Dichter ist, glaubt dennoch, daß dieser
Psalm mit einigen kleinen Abweichungen von der Erklärung
des Verf. auf folgende Weise dichterischer übersetzt werden
könnte, ohne dem Originale auf irgend eine Art Gewalt an-
zuthun.

Alle.   Dem Herrn gehört die Erde an,
und was sie füllt,
Der Erde Kreis mit dem, was
ihn bewohnt!
Er ist's der sie am Meere gründete;
An Strömen sie befestigte!

Erster Chor.   Wer darf Jehovahs Berg besteigen?

Wer

Wer nahen sich dem ihm gewelh-
ten Ort?

Zweyter Chor. Der reiner Hände, reines Her-
zens ist;
Der nie sein Leben hoch vermißt
zum Trug;
Der keinen Meineyd schwört —
Der wird sein Glück empfangen
von dem Herrn;
Gerechten Lohn von seinem Helfer
Gott!

Chor des Volks. Seht hier das Volk, das ihn ver-
ehrt:
Nach seinem Gnadenblick sich sehnt;
Die Jakobiten sehet hier!

Alle. Erhebt ihr Thore euer Haupt!
Hebt euch, ihr Thore alter Zeit!
Es ziehet ein des Königs Majestät!

Erster Chor. Wer ist des Königs Majestät?

Zweyter Chor. Jehovah — er, der Mächtige der
Held!
Jehovah — er, der Kriegesheld,
u. s. w.

Rec. überläßt das Urtheil über diese Uebersetzung dem Leser, und bemerkt bloß, daß sie sich in der That genauer an das Original hält, als die des Verf. mit allen ihren prosaischen Hülfswörtern. Eine weitere Ausstellung und Induktion durch Beyspiele für das oben gefällte Urtheil würde nur überflüssig seyn. Wenn nun aber auch dieser Uebersetzung der poetische Werth fehlt: so hat sie dennoch ihre Vorzüge, wie schon oben bemerkt ist, und wird immer mit Nutzen gebraucht werden. Sie wird auch besonders noch zum Muster dienen, den vorsichtigen und bescheidenen Gang in der Exegese des A. T. zu beobachten, und sich nicht durch sprachwidrige Kün-
steleyen irre leiten zu lassen.

Handbuch für die literatur der biblischen Kritik und
Exegese, von E. Fr. K. Rosenmüller, Prof. zu
Leipzig. Göttingen, bey Ruprecht. 1798. Zwey-
ter Band. 474 S. 8. 1 Rt. 4 H.

Um eine Idee von der Reichhaltigkeit dieses Theils zu geben,
hält es Rec. für seine Pflicht, einen kurzen Abriß davon nach
dem vorgesetzten Inhaltsverzeichnisse mitzutheilen. Dieser
zweyte Theil setzt die Rubrik Kritik des Original-
textes fort, und hebt mit dem fünften Stück des zweyten Abschnittes an, welches die Schriften über die hebräischen Handschriften überhaupt umfaßt. Das sechste
Stück handelt von den Nachrichten und Beschreibungen der Mspt. des A. T., und das siebente von den
Variantensammlungen des A. T. Ein Anhang nimmt
die vermischten, in die Kritik des A. T. einschlagenden Schriften und Abhandlungen mit: 1) über die Varianten des A. T.
und deren Sammlung überhaupt; 2) über den vorsichtigen
Gebrauch der kritischen Hülfsmittel, besonders der Varianten; 3) über die Frage: ob der hebr. Text von den Juden
verfälscht sey? 4) über das Variantensammeln aus Talmu-
dischen und rabbinischen Schriften; 5) über die Abtheilungen und Eintheilungen der biblischen Bücher; 6) über die
Fehler in den gedruckten Ausgaben des A. T. Der dritte
Abschnitt liefert die Schriften über die Kritik der einzelnen Bücher des A. T. in fünf Stücken. Die zweyte Abtheilung enthält die Schriften über die Kritik des N. T.:
der erste Abschnitt die allgemeinen Untersuchungen über
die Kritik des N. T.; der zweyte über die Mspt. des N. T.
in zwey Stücken; der dritte über die Variantensammlungen des N. T. in zwey Stücken; der vierte über die Konjekturen zum N. T., und der fünfte über die Interpunkta-
tion und Abtheilung des N. T. in Kapitel und Verse.
Darauf folgt eine neue Rubrik: Alte Uebersetzungen des A. T. Die erste Abtheilung beschäfftigt sich
mit der Literatur der griechischen Uebersetzungen, und zwar
der erste Abschnitt ganz mit den mannichfaltigen Schriften über die alexandrinische Version, ihren Ausgaben im Ganzen und in einzelnen Stücken, ihrem Ursprung und Geschichte, Kritik darüber, ihre Mspt., gegenwärtige Beschaffenheit des Textes und Mittel zur Verbesserung, Varianten-
samm-

sammlungen und kritischen Bemerkungen darüber; ihr Verhältniß zum hebräischen Texte, Konkordanzen und Lexika
darüber, so wie endlich über den Gebrauch derselben für Kritik und Exegese. Der zweyte Abschnitt geht über die Fragmente der übrigen griechischen Uebersetzungen in den Hexa-
plen, und über die jüngere griechische Version auf der St.
Markusbibliothek in Venedig, womit sich dieser zweyte Theil
schließt. Die innere Einrichtung ist dieselbe geblieben, wie
sie schon bey der Anzeige des ersten Theils vom Rec. charakterisirt, wenn gleich nicht ganz gebilligt wurde. Mühe, Fleiß
und Vollständigkeit sind unverkennbar, und man wird nicht
leicht eine bedeutende Schrift vermissen, die der Belesenheit
des Verf. entgangen wäre; allein Rec., der immer den Vortheil und die Gemeinnützigkeit der theologischen Literatur im
Ganzen vor Augen behält, kann sich nicht von der Zweckmäß-
sigkeit der Aufführung ganzer Seiten aus berühmten kritischen
Journalen, oder aus den Schriften berühmter Sachkenner
überzeugen, da unstreitig die Weitläuftigkeit dieses schätzbaren
Werkes dadurch vergrößert, und zugleich die Gemeinnützigkeit desselben verringert wird. Aus eben diesem Grunde
möchte er auch die deutschen Uebersetzungen englischer Titel
wegwünschen, da auf der einen Seite doch nicht alle englische Titel übersetzt sind, und auf der andern Seite eine unnöthige Vergrößerung des Werks daraus entsteht. Wer in
dem Falle ist, dieses Werk benutzen zu wollen, und doch nicht
so viel von der englischen Sprache gelernt hat, daß er die
leichten Büchertitel verstehen kann, dem ist nicht weiter zu
helfen; denn der Literator kann sich unmöglich so weit zu der
Trägheit und Unwissenheit herablassen, daß er alle Titel aus
fremden Sprachen in die Muttersprache übersetzt, wenn er
nicht seine Arbeiten ins Unendliche vergrößern, und ihren
größern Umlauf verhindern will. Endlich hätte auch noch
viel Raum erspart werden können, wenn eine größere Oekonomie des Drucks beliebt wäre. Solche Seiten, wie 34*
und 47 lassen sich hiernach auf eine halbe Seite bringen, ohne daß das Auge durch das Zusammenrücken des Drucks be-
lästigt wird. Der gelehrte Verf. wird sich leicht überzeugen, daß Rec. diese Bemerkungen bloß für die Gemeinnützigkeit seines brauchbaren Werkes gemacht hat, welche ihm nicht
minder am Herzen liegen wird. Diese wird aber gewiß dadurch bewirkt, wenn bey solchen Handbüchern die Zahl der
Bände so gering als möglich ist. — Was ferner die Ord-

nung

nung der Materien betrifft: so wird man sich schon aus der
Angabe des Inhalts überzeugen, daß diese logisch genug ist;
allein Rec. hätte dennoch die Materienordnung in manchen
Stücken noch enger mit der Zeitordnung verwebt gewünscht.
Wenn z. B. eine deutliche und faßliche Uebersicht des Ursprungs und Fortgangs der Kritik und Exegese gegeben werden soll: so ist es besser, die wichtigen und vorzüglichen
Schriften in diesen Fächern nicht so zu sondern, wie es hier
häufig geschehen ist, daß sie voran gehen, die unwichtigern
und kleinern aber nachfolgen; sondern vielmehr nach der an-
gegebnen Rubrik oder Materie (dem logisch angeordneten
Fachwerk) eine strenge Zeitordnung zu befolgen, und die
wichtigern von den unwichtigern entweder durch größern Druck,
oder durch einige hinzu gefügte Bemerkungen zu unterscheiden. Auf diese Weise wird die Uebersicht sehr lehrreich; denn
der Leser kann nun wahrnehmen, wie man allmählig von
kleinen Anfängen zu großen Resultaten fortgeschritten ist; wie
sich wieder Rückfälle ergeben haben, die aber doch überwunden wurden, und wieviel man überhaupt der Zeit verdankt.
Das letzte zu bemerken, hat ein ganz eignes Interesse in der
Literatur; denn oft hat ein Gelehrter eine Meinung in einer
kleinen sonst unbedeutenden Schrift geäussert, welche erst
nach vielen Jahren von großen Folgen war, während daß
mehrere große Schriften über denselben Gegenstand erschienen, die sie nicht zu würdigen verstanden. — Der gelehrte
Verf. hat zwar ferner an mehreren Stellen praktische Bemerkungen und schätzbare Winke zu den Schriften hinzugefügt, die Rec. mit Vergnügen las; allein er würde sich noch
verdienter gemacht haben, wenn er mit diesen Bemerkungen
etwas freygebiger gewesen wäre; denn oft läßt sich mit wenig
Worten viel sagen. So würde z. B. Rec. bey den Schriften, welche die Konjekturen über das N. T. enthalten, das
kurze Urtheil nicht haben unterdrücken können, daß nur äusserst wenig davon annehmlich sey, weil der größte Theil der
Muthmaaßungen von klassischen Philologen herrührt, die mit
dem hellenistischen Sprachgebrauch zu wenig bekannt waren,
also auch klassisch verbesserten, wo die ungriechischen und harten Ausdrücke oder Konstruktionen grade die ächten sind. Dagegen verräth sich der gute moralische Charakter und sittliche
Anstand des Verf. sehr schön in den mißbilligenden Anmerkungen über den niedrigen Ton mancher Streitschriften, und
die hämischen Aufdeckungen des Privatlebens eines Schrift-
stel-

ners, die gar nichts über seinen schriftstellerischen Charak-
: entscheiden können, und gewöhnlich nur Verläumdungen
d, weil sich die Nachrichten davon auf unbewiesene Ge-
chte gründen. Hierher gehören z. B. Oudin, der dem
ngländer Grabe die Neigung zum Trunk vorwirft, um
mit dessen Meinung von dem hohen Alter des alexandrini-
en Kodex zu widerlegen; Stange in der Antikritik, wel-
er mit einer eben so gehäßigen Beschuldigung gegen die Kon-
kturen und Verbesserungen des Ritters Michaelis zu Felde
ht, so wie auch andre verdiente Gelehrte auf eine veräcut-
he Weise behandelt; Hassenkamp in seinen Streitschriften
gen den Hofr. Tychsen u. d. m. — Ueber die fabelhafte
rzählung des Pseudo-Aristeas von dem Ursprunge der
exandrinischen Version hat sich Hr. Rosenm. sehr weitläuftig
rbreitet, und vielleicht weitläuftiger, als es grade hier der
teraturzweck erlaubte; denn eine kritische Sichtung der Sa-
e selbst mit Aufführung des doppelten Textes von unserm
risteas und der Stelle des Josephus hätte vielleicht in ein
ideres Buch, in eine Einleitung u. s. w. gehört; allein
ian wird an und für sich diese Kritik sehr gern lesen. Wenn
ber Herr R. S. 376 glaubt, es lasse sich nicht ausmachen:
b Josephus und Epiphanius unsre Schrift des Aristeas vor
lugen gehabt hätten oder nicht? so ist Rec. der Meinung,
aß sich diese Frage schon aus der Verschiedenheit des Na-
iens verneinen lasse. Der Mann heißt nach dem Josephus
ind Epiphanius Aristäus; (Αρισαιος) nach unserer Schrift
ber Aristeas (Αριςεας) welches schon ein beträchtlicher
Interschied ist. Hiernach kann auch die Orthographie dieses
Namens berichtigt werden, die man sehr verschieden findet,
entweder Aristäus oder Aristeas, nicht aber Aristäas
i. s. w. Uebrigens wünscht Rec. diesem Werke sehr viele
!eser; denn es läßt sich in der That recht viel daraus lernen,
ind wer keine große Bibliothek hat, kann schon hieraus den
Hauptinhalt mancher Schrift kennen lernen, deren er ent-
ehren muß.

Sammlung der merkwürdigsten Reisen in den
   Orient. Herausgegeben von H. E. G. Paulus,
   Prof. der Theol. zu Jena. Jena. 1798. Vier-
   ter Theil. 397 S. 8. 1 Rß. 4 g.

Die

Dieser Theil hat nicht ganz das Interesse, welches den vorigen eigen war; denn der größte Theil der Auszüge in demselben ist aus Missionsberichten genommen, und der Missionär war ehedem auf der einen Seite selten mit den gehörigen Kenntnissen ausgerüstet, um etwas Bedeutendes sagen zu können, auf der andern Seite aber zu wenig unbefangener Beobachter, um einen unparteyischen Gesichtspunkt zu fassen, und eine richtige Beobachtung zu liefern. Es machte zwar hin und wieder wohl einmal Jemand eine Ausnahme wie Sicard; allein es trat doch Niemand mit der Unbefangenheit und Gelehrsamkeit auf, wie in den neuesten Zeiten der indische Missionär Paulino v. St. Bartholomäo. Indessen hat der verdienstvolle Herausgeber dafür zu sorgen gewußt, daß die eigentlichen Missionsauswüchse so viel als möglich weggeschnitten, und nur solche Stellen aufgenommen sind, die einen bleibenden Werth haben, wenn er sich auch bloß auf die Kenntniß der Lage der Sachen zur damaligen Zeit der Mission beschränken sollte. Auf diese Weise läßt sich doch auch aus den unbedeutendsten frühern Missionsberichten, wenn man sie mit den neuern Reisebeschreibungen des Orients vergleicht, wenigstens so viel gewinnen, daß man die Fortdauer oder Veränderung der Lage der Sachen daraus abnehmen kann. Außerdem zeichnen sich die Missionäre du Bernat und Sicard in diesem Theile rühmlich aus, und es findet sich auch noch etwas von Belon darin, welches zusammen gegen das Uebrige entschädigen kann. Der Inhalt ist nämlich folgender: 1) Schreiben eines für Griechenland bestimmten Missionärs von der Gesellschaft Jesu an den P. Fleuriau. Diese Reise geht von Marseille über Maltha und einige Inseln des adriatischen Meeres und des griechischen Archipelagus bis Smyrna, wahrscheinlich nicht viel vor dem Jahr 1725 gemacht. 2) Belon's Reise auf den Amanus, nach Adena, über den Taurus, nach Heraklea, Ikonium und Achara. Eine Fortsetzung der im 2ten Bande dieser Sammlung abgebrochenen Reisebeobachtungen dieses Verf., immer interessant genug wegen der Seltenheit der Reisebeschreibungen von diesen Gegenden. 3) Denkwürdigkeiten der Stadt Aleppo und ihrer Gegend, von einem ungenannten Missionär, und nicht bestimmten Jahre, welches das Uebelste ist. Dasselbe gilt auch von der folgenden Nummer 4) Denkwürdigkeiten der Stadt Damaskus und ihrer Gegend. Beyde Stücke sind

sSo nicht zuverlässig genug, und wenigstens der Herausgeber manches berichtigt hat; so ist doch noch manches übrig
geblieben, was einer Berichtigung verdiente. J. B. in dem
letzten Stücke die Stelle S. 75: „Man kann übrigens diesen Grotten (bey Antura am Hundsflusse) nicht nahe kommen, ohne von einer Menge kleiner Spiesse bestürmt zu werden, welche die Stachelschweine von allen Seiten herabwer-
fen." Zum mindesten ist doch dieses missionarisch übertrie-
ben; denn die Zahl der Stachelschweine müßte ungeheuer
seyn, die einen solchen Stachelregen verursachen könnte; und
dennoch ist von der großen Zahl der Stachelschweine an diesem Orte nichts gesagt. 5) Schreiben des P. Naret
Missionärs von der Gesellschaft Jesu in Syrien an den
P. Fleuriau über Palästina. Das Jahr fehlt abermals,
und das Ganze beschäftigt sich vorzüglich mit der Wallfahrt
zum heiligen Grabe und an den Jordan. Dagegen wird
man wieder entschädigt durch 6) Belos's Reise von Rho-
dus nach Kairo, aus dem zweyten Buche seiner Observa-
tions des plusieurs singularités trouvées en Egypte, Ara-
bie etc. Rec. hat hiebey bemerkt, daß auch die Uebersetzung
nach Art der Franzosen Bosphorus für Bosporus beybehalten hat, wie z. B. S. 136 da wir uns doch wohl mehr nach
der griechischen Schreibart richten sollten, welche wir sonst
beobachten, wonach Bosporus (Βοσπορος) geschrieben werden muß. S. 214 ist noch ein Schreiben des D. Shaw
an D. Sherrard angehängt aus dem Gentleman's Magazin January 1796, welches bis dahin noch ungedruckt war,
und ein Pflanzenverzeichniß aus dem wüsten Arabien enthält. Die hier verzeichneten Pflanzen finden sich theils in
Shaw's Reisen nicht, theils nicht mit den Bemerkungen,
wie hier. 7) Brief des P. du Bernat, Missionärs
von der Gesellschaft Jesu in Aegypten, an den P. Fleuriau. Ein Bericht (aber leider wieder ohne Jahrszahl)
über die Religion der Kopten und ihren Ritus, der sehr interessante Nachrichten enthält, und immer neben Vansleb
(Histoire de l'Eglise d'Alexandrie) gelesen zu werden verdient. Der Herausgeber bemerkt ganz richtig, daß die Kopten eigentlich ihren Namen von der Beschneidung haben, welche sie um so eher von den Muhammedanern annahmen, als
sie alte Landessitte war, und daher κοπτοι genannt wurden.
Aus Schaam darüber vor den übrigen Christen, leiteten sie
ihren Namen aber lieber von der Stadt Koptos ab. 8)

Nach-

Nachrichten vom P. Sicard, besonders von seinen ge=
lehrten Arbeiten über das alte und neue Aegypten.
Hiermit beginnen die Auszüge aus den Schriften dieses ge=
lehrten Missionärs, und in diesem Stücke wird zuerst (nach
einer sehr guten Ordnung des Herausgebers) von seiner Ge=
schichte und Leben selbst gehandelt. Er kam im December
1706 in Syrien, und starb als ein wohlthätiger Menschen=
freund an der Pest in Kairo, indem er unbekümmert um
sein eignes Leben unaufhörlich bemüht war, den Pestkranken
Dienste zu leisten. Man kann zwar nicht wohl eigentlich
von ihm sagen, daß er ein Opfer seiner Pflicht wurde; denn
diese erstreckte sich nicht so weit, daß er grade Pestwärter zu
werden brauchte, wobey der Tod kaum vermeidlich ist; allein
es erregt doch eine erhabene Idee von der Großmuth dieses
Mannes, womit er die sichtbare Gefahr verachtete, und von
seinem Pflichteifer, womit er die Warnungen der andern
Missionäre von sich wies. Sein Todestag ist nach der Anga=
be der 12te April; allein sein Todesjahr ist wieder nicht an=
gegeben. Indessen muß er vor dem Jahre 1727 gestorben
seyn, wo dieser Brief, der die Nachrichten von seinem
Leben und Tode als Missionär giebt, schon abgedruckt
wurde. Darauf folgt endlich 9) Sicard's Entwurf
von Aegypten, der sich vor andern Missionararbeiten
sehr auszeichnet, und der ganze folgende Band wird noch
Auszüge aus den gelehrten Arbeiten dieses Mannes liefern.
— Wenn gleich eine genaue Chronologie bey diesen Missions=
berichten fehlt, welches sehr zu bedauren ist, und den P.
Fleurian, oder wer der Herausgeber der Nou. Memoir. des
Miss. d. l. C. d. Iesu dans le Levant ist, als einen sehr
unhistorischen Kopf darstellt: so glaubt Rec. doch annehmen
zu können, daß sie alle in den Anfang des 18ten Jahrhun=
derts fallen, und nicht über das erste Viertel desselben hin=
ausgehen, welches zur Vergleichung mit den neuesten Reise=
beschreibungen zu wissen nöthig ist. Vielleicht äußert sich
Herr D. Paulus hierüber noch genauer, ehe er diese Samm=
lung schließt. Außer den Anmerkungen desselben sind das
Wichtigste in diesem Bande die Nachrichten von Belon und
Sicard, die Beschreibung der Religion und Gebräuche der
Kopten von du Bernat, und in den Anmerkungen S. 364
fg. eine sehr schätzbare Nachricht des Herrn Pastor Worbs
zu Priebus über den dritten Drusenkatechismus, der schon
ins Französische übersetzt steht in dem Essai sur l'histoire du

Sabeismo

folume par M. le B. *de Bock*, première Partie, à Metz et à Paris. 1788. Der Baron versichert in der Vorrede, er habe ihn von dem Direktor des Naturalienkabinets des Herz. von Zweybrücken, Herrn Hollandre, erhalten, und dieser erklärt wieder in einer Note die Art, wie der Pascha von Aegypten dazu gekommen ist; hält aber die Art, wie er selbst dazu gekommen ist, für zu unbedeutend für das Publikum (!?). Herr Worbs zeigt aber mit hoher Wahrscheinlichkeit, daß er von dem französischen Dollmetscher Michel an Hollandre gekommen ist, und daß auch von diesem wahrscheinlich die französische Uebersetzung herrührt, u. s. w. Uebrigens enthält dieser Katechismus 75 Fragen, und kommt mit dem von Eichhorn übersetzten sehr überein; weicht aber doch auf der andern Seite auch wieder sehr ab. Zugleich erfährt man, daß Herr Worbs eine vollständige Drusengeschichte ausgearbeitet hat; worüber er aber kalt geworden ist. Rec. vereinigt seine Bitte mit dem Wunsch, des Herrn D. Paulus, daß Herr W. seine gelehrte Arbeit dem Publikum nicht vorenthalten wolle, welche sie gewiß mit Dank aufnehmen wird, da sich der Verf. schon durch diesen einzigen hier eingerückten Brief als einen Sachkenner verrathen hat. Die Anmerkungen des Herausgebers sind sehr schätzbar; wenn sich gleich gegen einige noch manches erinnern liesse, welches den Rec. aber zu weit führen würde. Er bemerkt also bloß des Beyspiels wegen, daß er der Erklärung des Plinischen Ausdrucks diviso acu (H. N. 13, 2 fin.) S. 382, wonach Plinius das אחו die Schilfstaude gemeint haben soll, nicht beytreten kann; denn wäre acu hier ein fremdes Wort; so würde Plinius sich anders ausgedrückt haben, z. B. diviso isto acu oder diviso τῳ acu, e. s p. Eher kann man annehmen, daß er unrichtig übersetze, oder falsch epitomirt hat.

Af.

Klasse

Klassische, griech. und lat. Philologie, nebst den dahin gehörigen Alterthümern.

Phaedri Augusti Liberti Fabulae Aesopiae. Mit Anmerkungen und einem vollständigen Register, (einem lateinisch deutschen Wortregister oder Wörterbuche zum Phädrus) worin alle vorkommenden Wörter erklärt werden. Für Schulen herausgegeben von Ludwig Heinrich Jacob. Von neuem bearbeitet, und mit einem kritischen Versuche vermehrt von M. Wilhelm Lange, Lehrer am luther. Gymnasio in Halle. Halle, bey Hemmerde und Schwetschke. 1799. 12½ Bog. Vorrede und krit. Versuch 2¼ Bog. 8. 8 gr.

Der neue Bearbeiter der Jacobschen Ausgabe des Phädrus dachte sich bey dieser neuen Auflage solche Leser, „die nicht ganz Anfänger in der Sprache sind, und den Phädrus nicht als den ersten klassischen Schriftsteller in die Hände bekommen." Dieser Gesichtspunkt ist sehr bestimmt und richtig, wenn er gleich von der Meinung des Herrn Prof. Jacob abweicht, der S. VI. der Vorrede der ersten Ausgabe den Phädrus für den schicklichsten klassischen Schriftsteller erklärt, wenn mit einem Auctor classicus angefangen werden soll. Aber Herr Lange hat recht: Phädrus sollte allerdings nicht der erste klassische Schriftsteller für die Jugend seyn; obgleich er hier und da dazu gemißbraucht wird. Denn erstlich ist ein Dichter schon als Dichter nicht zur ersten Lecture eines Anfängers geeignet, und dann ist Phädrus keinesweges ein ganz leichter Dichter. Der Herausgeber bestimmt ihn zum ersten klassischen Dichter, der gelesen werden soll. Die Schwierigkeiten, die er hat, sucht man dadurch zu überwinden, daß man den Schriftsteller mit Anmerkungen ausstattet, und mit einem erklärenden Wortregister versieht. Allein man kann wohl billig fragen, ob ein so ausstaffirter Dichter dennoch für Anfänger tauge? Ja! man kann überhaupt fragen, ob es für den Schulgebrauch zweckmäßig sey, die klassischen Schriftsteller so mit Anmerkungen auszustuern, daß dem Schüler

Schüler die eigene Arbeit gar zu leicht gemacht wird? Mich dünkt, unser Zeitalter ist dem Extreme sehr nahe, dem jungen Studirenden alles vorzukauen, ihm alles eigene Nachdenken, alle Anstrengung zu sparen. Wozu soll dieß? Wird das Kind besser laufen lernen, das man ewig am Gängelbande führt? wird es besser verdauen, wenn die Amme ihm alle Speisen vorkauet? Ich zweifle sehr, und bin der Meinung, die ich jedoch cum grano salis zu interpretiren bitte, daß man dem Anfänger das Studiren zwar nicht zu schwer, aber auch nicht allzuleicht machen dürfe; denn es hat starken Einfluß auf den künftigen Jüngling und Mann, ob er früh gewöhnt ist, selbst zu denken, und mit einiger Anstrengung zu arbeiten oder nicht. Jene laxe Pädagogik hat — experto credite! — manchen jungen Menschen, der wohl mehr hätte leisten können, gleich vom Anfang bey den Elementen verdorben, und ihm sein künftiges Geschäfftsleben, wo er der anstrengenden Arbeit nicht immer ausweichen konnte, und wo es keine erklärenden Anmerkungen und keine erklärenden Wortregister gab, um so schwerer und drückender gemacht. Sehr richtig sagt Quinctilian: Nemo exspectet, ut alieno tantum labore sit disertus. Vigilandum ducat, iterum enitendum, pallendum.

Ja! sagt man, aber auch mancher wird dadurch, daß man ihm den Anfang des Studirens nicht so viel möglich erleichtert, ganz davon abgeschreckt. — Ich antworte: Desto besser! Die Welt wird drum um nichts schlechter ihren Gang gehen. Ein Kopf, der sich durch solche Schwierigkeiten vom Studiren abschrecken läßt, ist kein Verlust. Valeat! Der Studirenden sind noch überall zu viel. Wer sich aber durch die Schwierigkeiten, die ihm etwa eine anstrengende Vorbereitung auf die Lectüre eines klassischen Schriftstellers nicht abschrecken läßt, wird auch künftig ceteris paribus mehr leisten, als ein anderer.

Ueberhaupt rechnet man, um auf die Aussteuer der klassischen Autoren zurück zu kommen, zu wenig auf den Nutzen, den es für jeden jungen Menschen hat, wenn er früh lernt, seine schön erworbenen Fertigkeiten zu üben und zu gebrauchen. Es ist durchaus nöthig, ihm theils das Vergnügen zu lassen, selbst auf richtige Erklärungen gekommen zu seyn, theils dem Lehrer Gelegenheit und Raum zu lassen, manchen, wenn auch guten, doch vielleicht zu viel sich trauenden Kopf, dadurch zur nöthigen Selbsterkenntniß zurück zu führen, daß er ihn fühlen lassen kann, wie wenig zureichend noch seine Kräfte sind; wenn er ihm zeigen kann, daß er trotz seiner angewendeten Mühe, vielleicht auch Wahns, doch seinen Autor entweder gar nicht oder nicht recht verstanden habe. Ein vernünftiger Schullehrer wird dergleichen Gelegenheiten zum Besten seiner Schüler wohl zu benutzen verstehen, daher es Rec., der selbst Schullehrer ist, schon oft bedauert hat, wenn er den Wirkungskreis und die Thätigkeit der Schullehrer sowohl als der Schüler durch die vielen Vorarbeiten und Hülfsmittel, die man ihnen in die Hände liefert, gar zu sehr beengt und hemmt, so, daß ihnen oft wenig oder nichts mehr zu thun übrig bleibt, als bloß zu lesen und lesen zu lassen.

Ohne gerade diese Betrachtungen auf die vor uns liegende Ausgabe des Phädrus anwenden zu wollen, werden sie unsere Leser hoffentlich auch nicht zur Unzeit gesagt halten, und dem Rec. diese Herzenserleichterung wohl verzeihen. Wir kommen zu unserm Schriftsteller zurück. Der Herausgeber erklärt sich hinlänglich und größtentheils auch zur Befriedigung des Rec. in der Vorrede über die Absicht seiner Ausgabe, über die Einrichtung, den Text, die Noten und das Wortregister. In Ansehung des letzten Punkts sucht er überhaupt die Wortregister über einzelne Schriftsteller zu vertheidigen; worin ihm aber Rec. nicht geradezu beystimmen kann. Da jedoch über diese Sache schon öfterer in kritischen Blättern debattirt worden ist: so übergehen wir jetzt diesen Punkt. Wenn jedoch etwas darüber auch hier gesagt werden soll: so sey es dieß, daß aller Nutzen, den solche Wortregister haben sollen, sich doch wohl am Ende mit Grunde nur auf den einzigen einschränken wird, daß durch die Ausarbeitung derselben über einzelne Schriftsteller die größern Wörterbücher bereichert und vervollkommt werden können; daß aber ein Wortregister bey dieser Ausgabe des Phädrus um so eher zu entbehren war, da man schon das Oertelsche darüber hat.

Der Herausgeber erzählt ferner die vornehmsten Lebensumstände des Phädrus, aus ihm selbst entwickelt, nicht übel, und giebt eine kurze Nachricht von den ältern Bearbeitern des Phädrus, die jedoch, besonders in Ansehung der deutschen Uebersetzungen, noch nicht vollständig ist. Es folgt dann ein kritischer Versuch vom Herausgeber über einige Stellen im Phädrus,

hädrus, wodurch sich der Verf. als einen in der Kritik
ch ungeübten, und zugleich mit Mäßigung kritisirenden Ge-
lrten zeigt, wenn gleich Rec. nicht alle seine Urtheile un-
schreibt, z. B. nicht seine Vertheidigung des Phädrus ge-
n Leßings Tadel der 11ten Fabel, obgleich er sehr deutlich
s Unstatthafte der durch seinen Vorgänger Jacob veränder-
1 Lesart (für insueta zu lesen in specu und frutice durch fruti-
1us zu erklären) gezeigt hat. Auch in dieser Stelle wird,
e bey so mancher andern, Phädrus von einer begangenen
schicklichkeit wohl nicht zu retten seyn.

Um unsern Lesern einen deutlichen Begriff von der Bear-
tung der Fabeln selbst geben zu können, setzen wir von
b. I. 1 die Anmerkungen in Vergleichung mit der ältern
cobschen Ausgabe her.

2. *Superior*, fonti propior, der Quelle näher, oben:
1 ihr entfernter, unten. (Herr Jacob hat auch siti com-
lis erklärt durch mehr als sitientes. Der Bewegungs-
ind, warum sie an den Bach kamen, liege darin, und
1ge soll des Lammes Unschuld klar machen.)

3. *fauce improba*, (kürzer und deutlicher als bey Ja-
b) gehört nach der bessern Erklärung zu incitatus, von
ersättlicher Freßbegierde gereißt, nicht zu intulit. Impro-
s ist ein Lieblingswort des Phädrus, und hat bey ihm
ncherley Bedeutungen (S. d. Vorrede des Verf.). Für
ice zu lesen face oder fame (zu incitatus gezogen) oder
:e (zu intulit) ist unnöthig.

4. *latro*, heißt der Wolf, weil er allen Thieren nach-
lt, weßwegen er auch raptor genannt wird. (Herr Ja-
hat diese Anmerkung, die auch wohl entbehrlich war, nicht,
egen erklärt er incitatus durch incitato impetu, hastig,
fahrend.)

6. *istam*. (Der Herausgeber verweißt auf die Vorrede
r seinen kritischen Versuch, und hat recht gut die vermeint-
en Schwierigkeiten, die in diesem Worte liegen, auseinan-
gesetzt, und gegen Burmann und Schwabe erwiesen, daß
auf den Ort gehen müsse, wo der Wolf getrunken hat.
vermuthet, daß der Dichter das unbestimmte Wort istam,
s sowohl auf den nähern als entferntern Ort gehen könne, ab-
tlich für den Wolf gewählt habe. *laniger contra*, suppl. re-

spon-

ſpondit. (Herr Jacob findet noch in B. 6 — 8 in jedem
Worte den ſanften furchtſamen Charakter des Schafes.)

10. *hos*, entweder pleonaſtiſch oder: gerade vor 6 Monaten. (Rec. glaubt an keinen Pleonaſmum, und zieht alſo
die zweyte Erklärung vor. Es ſoll eine genaue Beſtimmung
des verfloſſenen Zeitraums ſeyn.) *Male* gehört zu *dixiſti.*
(Herr Jacob bemerkt noch, daß dieß Wort durch eine Dia-
cope oder Tmeſis von dixiſti getrennt ſey, und verweiſt auf
Langens Grammatik. Zum 12. V. macht Herr Jacob die
hier ausgelaſſene Anmerkung: *Hercule.* Der Wolf ſieht,
daß er mit Gründen nicht durchkommt — er ſagt noch etwas — ſchwört und wartet keine Antwort ab. Recht wie
die mächtigen Großen.)

13. *iniuſta nece* — ita ut iniuſte periret. Einige
Ausleger glauben, daß Phädrus unter dem Lamm ſich, und
unter dem Wolfe den Sejan (S. Prol. III. 40) verſtan-
den habe. Gegen dieſe Meinung iſt aber die eigene Verſicherung des Dichters. 1. c. 49. Bergl. mit dieſer Fabel Scho-
webr. IV. 13. (Herr Jacob hat dieſe ganze Anmerkung
nicht, dagegen ein Langes und Breites über correptum lace-
rat, und daß man das Particip. Praet. Paſſ. hier durch das
Imperf. überſetzen müſſe — ergriff's und zerriß es.)

In der Folge, beſonders im Appendix der Fabeln, iſt
Herr Lange, ſo wie auch ſein Vorgänger mit Anmerkungen
etwas unverhältnißmäßig ſparſam. Freylich läßt ſich wohl
vorausſetzen, daß der junge Leſer ſich nun ſchon beſſer in ſeinen Schriftſteller einſtudi.t haben werde, und zurecht finden
könne; aber Rec. fürchtet doch, daß er ſich oft hier nach
Hülfe umſehen werde, ohne etwas zu finden.

Im Ganzen genommen, hat Herr L. ein feineres kriti-
ſches und Interpretations-Gefühl mit zu ſeiner Arbeit gebracht, als Herr J. gezeigt hat. Billigen können wir aber
nicht, daß er gerade das Beſte der Jacobſchen Ausgabe, nämlich die deutſchen Fabeln, die Jacob zur Vergleichung der
Leſſingſchen Erfindungen mit denen des Römers, unter den
Text hier und da ſetzte, zur Erſparung des Raums weggelaſſen hat. Hätte etwas weggelaſſen werden ſollen: ſo hätten wir lieber das Wortregiſter verabſchiedet, und mehr noch,
als vorhin geſchehen war, deutſche und phädriſche Fabeln mit
ein-

ander verglichen. Daß Herr L. ſo wie Herr I. auf deut-
ſ Fabelbücher verweiſe, iſt nicht hinlänglich. Dergleichen
ſcher ſind nicht ſo häufig in der Schüler Händen, daß ih-
n mit einer bloßen Citation, wo ſie etwas Aehnliches fin-
t könnten, geholfen ſeyn kann. Rec. würde die ähnlichen
tſchen Fabeln hingeſetzt, und eine förmliche Vergleichung
geſtellt haben, überzeugt, dadurch etwas Beſſeres und
ſtlicheres zu liefern, als durch ein Wortregiſter geſchehen
nnte. Den Werth oder Unwerth des hier gelieferten Wort-
ziſters muß übrigens Rec. auf ſich beruhen laſſen. Voll-
ndigkeit iſt bey ſolchen Regiſtern eine Hauptſache, und die
nu man erſt durch den Gebrauch erproben.

Ao.

Materialien zur Uebung in der guten lateiniſchen
Schreibart, aus den oratoriſchen Werken des
Cicero und Quintilian (?) mit erläuternden Zu-
ſätzen, aus den neuern rhetoriſchen Schriften, von
Friedrich Wilhelm Hagen. Erlangen, bey
Palm. 1799. Zweyter Band. Erſte Samm-
lung, welche Abſchnitte aus Quintilian enthält.
176 S. 8. 10 X.

Ueber die allgemeine Abſicht und Einrichtung dieſer Anlei-
ung zu Styl Uebungen iſt der Leſer durch das, was wir,
ey der Anzeige der vorhergehenden Sammlungen, geſagt,
aben, hinreichend belehrt worden. In dieſer erſten Samm-
ing des zweyten Bandes ſind die Materialien aus dem
Quintilian genommen, und werden übrigens eben ſo, wie
orhin die aus dem Cicero behandelt. Abwechſelnd hat der
Berf. bisweilen den lateiniſchen Originaltext, bisweilen die
ehlerhafte lateiniſche Ueberſetzung aus dem Deutſchen, weg-
elaſſen; von welcher Veränderung wir den Grund nicht
inſehen.

Eins ſcheint dieſem Stücke eigen zu ſeyn: daß es näm-
lch, nach des Verf. Plan, zugleich die Stelle einer kurzen
Theorie der Beredſamkeit, oder einer Rhetorik aus dem Quin-
Ll 3 tilian

tilian vertreten ſoll, nach welcher auf Schulen Unterricht gegeben werden kann. Nach dieſer Abſicht ſind die Stücke aus
dem Quintilian gewählt. Auch hat der Verf. theils eigene
Anmerkungen beygefügt, welche dahin zwecken, und über
einzelne Gegenſtände der Rhetorik weitere Erläuterungen geben; theils Stellen aus Sulzers und Schotts Theorie der
ſchönen Wiſſenſchaften, aus Adelung u. a. eingeſchaltet. Alles wird darauf ankommen, ob der Lehrer, welcher ſich dieſes Stücks zum rhetoriſchen Unterricht bedienet, es recht zu
gebrauchen weiß.

Hu.

Nachtrag zu der Literatur der deutſchen Ueberſetzungen der Römer, von Johann Friedrich Degen.
Erlangen, in der Waltherſchen Buchhandl. 1795.
Zweyte Abtheilung. 10 Bog. 8. mit fortlaufen-
den Seitenzahlen, von 159 — 310. 12 Kr.

Die erſte Abtheilung dieſes Nachtrags war unvollendet aus-
gegeben worden. Der Reſt dazu, nämlich der fortlaufende
Artikel Hygin und Juvenal, (S. 159 — 164), wird jetzt
geliefert; mit S. 165 fängt die zweyte Abtheilung an, wozu ein beſonderes Titelblatt beygelegt iſt; ſie führt die Revi-
ſion des Werkes ganz durch bis zum Artikel Vitruvius.
Der Inhalt beſteht erſtlich aus Verbeſſerungen mangelhafter
und falſcher Notizen, wie z. B. zum Curtius, wo die angebliche Kritzingerſche deutſche Ueberſetzung nun durchſtrichen
wird, weil der Verf. belehrt worden iſt, Kritzinger habe keine deutſche Ueberſetzung; ſondern eine neue Ausgabe der franzöſiſchen Ueberſetzung von Vaugelas herausgegeben. Es kommen in andern Artikeln mehrere ähnliche Fälle vor, wie im
Artikel Catull. S. 168 Ovid, S. 181 Claudian, S. 173
und anderwärts. So wie der Verf. oft die Notizen zuſammen leſen mußte, mußten ſich nothwendig einzelne Fehler
einſchleichen, und durften nicht befremden. Es mögen ſelbſt
in den Nachträgen ſolche nicht ganz vermieden werden können. Manche Anzeigen ſind nämlich dem Verf. von auswärtigen Freunden mitgetheilt worden; manche hat er auch
jetzt bloß aus Bücherverzeichniſſen z. B. dem Dähnertſchen

von

der Bibliothek zu Greifswalde, dem Schabelokischen re.
le S. 180. 219 genommen; aus eigener Einsicht konnte
nicht alle Uebersetzungen und deren Ausgaben kennen: wer
irf sich wundern, wenn der Verf. unter solchen Umständen
cht alle Fehler vermieden hat? Es bleibt im Gegentheile
ihmlich, daß er die eigeschlichenen Fehler selbst aufsucht und
rbessert. Ein anderer, und zwar der größte Theil des In-
alts sind Zusätze; theils nachgeholte ältere, theils neue deut-
ye Uebersetzungen, theils vorläufige Anzeigen und Proben
n Uebersetzungen, die noch erscheinen sollen, wie z. B. von
r Schlüterschen angerühmten meisterhaften Uebersetzung des
gricola vom Tacitus. Bisweilen belebt er seine Anzeigen
ich durch Anekdoten, z. B. von dem Obristen von Calx
um, dem Uebersetzer des Sallusts (Brem. 1629) aus
ndschriftlichen Nachrichten, S. 259; von einer durch über-
renge Moralisten zum Feuer verurtheilten vortrefflichen Ue-
ersetzung des Petronius (Berlin, bey Unger. 1796), davon
n geretteter Aushängebogen dem Verf. zugekommen ist, den
: als Probe abdrucken lassen. Die Erzählung ist freylich
nit etwas spielendem Witz durchwebet. Die stärksten Arti-
el sind Ovid, Petronius, Phädrus von Sattler und vom
tischler Pracht; Sallust, Valerius Maximus und Vitruv.
lls das höchste Meisterstück wird Voß Uebersetzung der Ver-
oandlungen Ovids aufgestellt, welcher auch ein Verzeichniß
er übersetzten einzelnen Verwandlungen nach den Büchern
5. 183 — 185 beygefügt ist.

Im Ausdrucke des Verf. bleibt uns immer noch das
Wort übertragen, die Uebertragung, welches häufig an-
tatt übersetzen, Uebersetzung, vorkommt, anstößig. Ob
ch von dem in der mehrern Zahl gebräuchlichen Worte die
Trümmer auch die Singular-Form, der Trümmer,
echtfertigen lasse? zweifeln wir. Der Verf. sagt S. 207:
auch noch in meiner Hand, strebte, wie es schien, der Dä-
non, welcher das Ganze barbarisch vertilgt hatte, dem über
o Meilen zu mir geretteten Trümmer (dem oben er-
vähnten Aushängebogen einer durch Feuer vernichteten Ue-
ersetzung des Petronius) nach dem Leben. S. 199 muß
richt für nichts stehen; das Werk selbst ist wenig oder nicht
rkannt. S. 239 ist ohnfehlbar durch einen Druckfehler das
Wort: Schrift ausgelassen worden:" Ist eine Gelegenheit (Gelegenheits-Schrift) des verdienten Verfassers. In

Ll 4 einem

einem Werke, das hauptsächlich auch das Studium der deutschen Sprache zur Absicht hatte, durften wir dergleichen Kleinigkeiten nicht unerinnert lassen.

So wie übrigens das Buch abgefaßt ist, leistet es insonderheit nur das, was der Titel ankündigt: nämlich Literatur deutscher Uebersetzungen. Sollten hingegen durch dasselbe zugleich alle die großen Vortheile erreicht werden, welche der Verf. in der Vorrede oder Einleitung zu dem ganzen Werke angepriesen hatte: so mußten aus den Uebersetzungen selbst, für Sprache, Kenntnisse und Geschmack der Deutschen, ganz andere Bemerkungen, als wir hier finden, gemacht werden.

B.

De Diis Laribus disserit *Tobias Hempelius* (.) Consul Zwiccaviensis. Zwiccaviae, typis Hoeferianis, 1797. 47 S. 8. Mit einer in Kupfer gestochenen Vignette auf dem Titelblatte. Schreibpapier. Auf Kosten des Verfassers.

Die Materie von den Laren der Römer, ist von Alterthumsforschern, Commentatoren und gelehrten Lexicographen, (unter letztern insbesondere mit vorzüglichem Fleiße von Aegidius *Forcellini* in dem trefflichen „*Lexicon totius Latinitatis*“ (Patavii, 1771 in vier Folianten) im zweyten Bande) in der Kürze und in verschiedener Hinsicht zwar nicht selten behandelt; auch die Dunkelheiten und Widersprüche derselben von neuern Auslegern, wie z. B. von Heyne über den Tibull (S. 86 der zweyten Ausgabe), nicht verschwiegen; ausführlicher aber und in besondern Tractaten schon weniger erörtert worden. Um ein gut Theil mehr Licht, Bestimmung und Genauigkeit dürften die von jeher darüber geführten Untersuchungen höchst wahrscheinlich gewonnen haben, wofern uns, außer andern verlornen Schriften den religiösen Kultus der Römer betreffend, wenigstens des Publius *Nigidius Figulus* Bücher „*de Diis*“ zugänglich geblieben wären. So viel man, um nur dieses Einzige zu erwähnen, aus den christlichen Apologeten der lateinischen Kirche

Kirche in den ersten Jahrhunderten des Christenthums zu steht, war dieses dogmatisch = liturgisch = philosophische Werk um jene Zeiten wahrscheinlich noch vorhanden, und in demselbigen die Verehrung der Laren keinesweges mit Stillschweigen übergangen; die gelehrte Betriebsamkeit späterer Zeitalter aber würde vermuthlich auch in dieser Hinsicht einen freyern und umsichtsvollern Gebrauch von einem so schätzbaren Ueberbleibsel des Alterthums zu machen gewußt haben, als der eingeschränkte, bald sophistische, bald höhnende Eifer jener oft einseitig zu Werke gehenden Sachwalter des Christenthums. — —

Es scheint nicht der Vorsatz des Verf. der anzuzeigenden Diatribe gewesen zu seyn, so tief in dieses Stück des religiösen Kultus der Römer einzudringen, als uns, auch nach dem Verlust des namhaft gemachten Werks, durch die Zurathziehung und philosophisch = kritische Behandlung einiger bedeutenden Fragmente desselben, mit etwas literarischer Gewandtheit vielleicht noch immer möglich ist; empfehlungswerth aber bleibt nichts desto weniger dieser Versuch, dessen Hauptentzweck kein andrer ist, als Alles dasjenige, was über die Benennung, den Ursprung, die Verrichtungen und die religiöse Verehrung der Laren bey den römischen Schriftstellern vorkommt, zu sammeln, und durch diese Anordnung zu einem Ganzen unter einen bequemern Gesichtspunkt zu bringen. Das Vergnügen und die Zufriedenheit des Rec. wurde noch durch den Umstand vermehrt, daß der Verf. ein verdienter Geschäfftsmann, und, wovon in unsern Tagen die Beyspiele immer seltener werden, nach einer vieljährigen Führung zerstreuender Amtsgeschäffte, dem Studium der Alten ergeben geblieben, ja selbst, wie man aus einer Stelle des Eingangs abnimmt, für die Aufnahme einer, was wir beynahe fürchten, merklich gesunkenen Schule mit Rath und That geschäftig ist. Selbst die Veranlassung zu dieser schriftstellerischen Arbeit erwuchs dem Verf. ungesucht aus seinen über den Livius privatim gehaltenen Vorlesungen, und auch das: „disserit" der Aufschrift kündigt nur die, bey einer Schulfeyerlichkeit gehaltene Eingangsrede an. Zu Auszügen für die N. A. D. B. ist demnach das Ganze nicht geeignet; vielmehr benutzen wir den noch übrigen Raum zu einigen Erinnerungen über einzelne Stellen, denen wir noch etwas über die Behandlung der Materie überhaupt hinzufü-

gen

gen werden. Um der Vergleichung willen aber sey es uns erlaubt, vorher noch auf den fleißig gearbeiteten Artikel „Laren" im fünf und sechzigsten Bande der Krünitzischen Encyclopädie (von S. 94—103) zu verweisen.

S. XXIII. ist die Benennung „Lares grundiles erklärt: „quod iis *interdum* fus immolabatur;" statt dieses schwankenden „*interdum*" aber hätte die nähere Bestimmung, wann dieses Thier geopfert wurde, aus Heynens Anmerkung zum Tibull (Lib. I. Eleg. 10. v. 16) hergenommen werden können; nämlich, wie dort gut erinnert ist, bey sacris solennioribus. Mit Unrecht behauptet demnach Dionysius *Lambinus* (über die Aulularia des *Plautus*), es sey eine ausgemachte Sache, daß man den Laren kein lebendes Wesen zum Opfer dargebracht habe, (wogegen selbst eine Stelle aus dem Rudens streitet, mehrere Stellen aus Horazius Oden und Sermonen zu geschweigen.) Auch hat jene irrige Behauptung längst der ältere Ianus *Dousa* in einem schätzbaren, aber jetzt seltenen Büchlein: (*In novam Q. Horatii Flacci editionem Commentariolus*, Antverpiae, ex officina Christophori Plantini. cIↃ. IↃ. LXXX. 12.) im VII. Kapitel von S. 44 u. fg. widerlegt; an welchem Orte übrigens, wie wir hier absichtlich erinnern wollen, noch einige gute Bemerkungen über die Verehrung der Laren, besonders im Augusteischen Zeitalter beygebracht sind, woraus selbst die, von unserm Verf. S. XL. aus dem *Suetonius* bemerkten Nachrichten noch mehr ins Licht zu setzen gewesen wären. Deutlich ergiebt sich auch, um noch dieses hinzuzufügen, aus der Zusammenhaltung mehrerer Stellen der ältern, mittlern und spätern klassischen Schriftsteller Roms, besonders aus den Scriptoribus rei agrariae, deren Zurathziehung der Verf. fast zu sehr verabsäumt hat; und sonst durchgängig die Zeiten nicht genugsam zu unterscheiden bemühet gewesen ist, daß, wie es wohl bey jedem religiösen Volkskultus aller Nationen nicht anders erwartet werden kann, mit dem veränderten Geist und Ton des Zeitalters, auch in dem öffentlichen und häuslichen Kultus der Laren Verschiedenheiten, Nüancen und Modifikationen statt gefunden haben, in deren Bestimmung und Auseinandersetzung auf die successiven Abänderungen in der Denkart, der Nationalsitten und der bürgerlichen Regierungsform, besonders

krs unter der despotischen, obgleich immer veränderlichen
Verfassung der Cäsaren, die sorgfältigsten Rücksichten zu nehmen gewesen wären. Was läßt z. B., um nur dieses Einzige beyzubringen, Horazens ernsthaft-komisches

„Ante larem gustet, *venerabilior lare, dives*"

zusammengehalten mit den gewissenhaft-altväterisch-frommen
Hinweisungen eines Cato (de re rustica) auf die strengste
Verehrung der Laren, für ein literarisches Spürauge nicht
schon durchschimmern? Doch die umständlichere Ausführung
dieser, beym Lesen der Alten dem Recensenten nur zu oft be-
stätigten Winken liegt zu sehr außerhalb den Gränzen einer
Anzeige, um hier mehrere Beyspiele zu häufen. —

S. XXIV. Die Benennung: „parvi penates" wie
Virgil die lares privatos nennt, ist, wie die entgegengesetzte, „magni dii," von den laribus publicis gebraucht,
wohl nur amplificirende Umschreibung des Dichters,
ohne allgemeine Volksbenennung gewesen zu seyn. So
nennt Horaz auch die erstern „parvos deos, III. 23, 15
der Oden.

S. XXV. und XXVI. ist der larium *compitalium* gedacht, und die Stelle aus den Fastis des Ovid (V, 137)
erwähnt, in welcher uns die Auslegung des Dichters

„*compita grata Deo*" etc.

an eine corrupt gelesene Stelle im Tertullian, erinnert, dessen Verbesserung hier nicht am unrechten Orte gewesen wäre,
wenn der Verf. auf kritische Excursionen, die seiner Materie
ohnstreitig mehr Mannichfaltigkeit und dem Ganzen überhaupt ein stärkeres Interesse ertheilt haben würden, hätte
ausgehen wollen. Eine, im römischen Circus gefundene Ara
nämlich soll, nach Tertullians Vorgeben, die Aufschrift gehabt haben:

„Consus consilio, Mars duello, *Lares comitio*
potentes."

Mit Recht fragt Salmasius, der (in den *Exercitatio-
nibus Plinianis* Tom. II. p. 641. F. G. der Utrechter Ausgabe von 1689) die Lesart dieser Inscription zum Gegenstande seiner Kritik gemacht: „Quis fando audivit vel le-
gendo reperit, Lares . . . . *Comitio prae-
fuisse?*"

gen werden. Um der Vergleichung willen aber
erlaubt, vorher noch auf den fleißig gearb
„Laren“ im fünf und ſechzigſten Ba
nitziſchen Encyclopädie (von S. 96
weiſen.

S. XXIII. iſt die Benennung
klärt: „quod iis *interdum* ſus imm
ſchwankenden „*interdum*“ aber h
nung, wann dieſes Thier geopfert
Anmerkung zum Tibull (Lib.
nommen werden können; nämli
bey ſacris ſolennioribus. M
Dionyſius *Lambinus* (
tus), es ſey eine ausgema
kein lebendes Weſen zum O
ſelbſt eine Stelle aus dem
aus Horazius Oden un
hat jene irrige Behaupt
in einem ſchätzbaren,
vam Q. Horatii Fla
verpiae, ex officin
12.) im VII. Kap
chem Orte übriger
len, noch einige
Laren, beſon
beygebracht ſir
XL. aus dem
ins Licht z
auch, um
tung meh
klaſſiſchen
ribus
zu ſeh
nicht
rie
Na
ver

ibart des Verf. finden wir, in
ner und fehlerfreyer, als man ſ
u einer ſo beſchäfftigten Lage
eſſionsmäßige Humaniſten mit Barbariſm
warten berechtigt iſt; einiger minder gewöh
menſetzungen und Wendungen, und ein paar w
Wörter und Formen ausgenommen, wie „ridicu
ſtatt ridiculus; „*zelotypa*, ſtatt aemula, und der
en mehr, worüber wir keine kleinliche Rüge anſtellen
gen. Nur eine einzige Stelle dieſer Art ſtehe noch hier!
A. XLVI. in den Worten: „nec noſtrum eſt, hanc libelli
materiam *integram dimittere*,“ ſoll wohl der Gedanke ſeyn,
die

nd ganz vorbey zulassen: in dieser
nteger wider die römische Eleganz und
dimittere“ ist gleichfalls nicht das
anderes ist dimittere concionem,
Horaz, Epist. I, 10, 45 u.
ller aber, um den Gedanken,
cken, würde vielmehr ge-
mittere.

wenig an römische Prä-
Eingange, das Ge-
ung der „Anna-
bendes die Form
weck des Ge-
ondern ein
ter den
anführt,

e Titelvignette
diese Abbildung
zeigt; wir vermuthen
igen Schatzischen
gebühre. Gute Abbildun-
d eben nicht häufig, um desto
n man sich an die ersten besten ge-
d Dairval in dem bekannten Werke
ges hat im zweyten Bande von den
ehandelt, die in dem Lararium aufbehal-
nd irren wir nicht, (denn das Buch ist uns
gleich zur Hand), ebenfalls Abbildungen von
geliefert.*) Täuschend hingegen auch für den Rec.
nen anderweitigen Untersuchungen über diesen Gegen-
nd ist der Titel eines neuerlich erschienenen italiänischen
Buches von *Olivieri* gewesen, mit der Aufschrift: *Delle*
Figline Pesaresi e di un Lario puerile trovato
u Pesaro. In Pesaro, MDCCLXXX. auf XXII Seiten
in Großquarto, als worin von Seite XIX u. fg. von nichts
mehr als einigem kleinen Altargeräthe jugendlicher Spieles-
reyen gehandelt ist, und nur ein paar unbedeutende Vorstellungen desselben in schlechten Abbildungen hinzugefügt sind.

Ein,

*) Allerdings, im ersten Bande, S. 201 f.   Anm. eines
andern Recensenten.

fuisse." Aber die antike Emendation, die es nach
Maasgabe beygebrachter Varianten, „coiiso" und „coiillo,"
statt des fehlerhaften „comitio" darbietet, nämlich „lares
colio potentes, so daß „colium," von colere, incolere, archaisch, so viel als domus, habitatio sey, wird, wohl
schwerlich Jemandes Beyfall reizen. Nichts ist, unsers Dafürhaltens, natürlicher und passender, als die „lares comitio potentes" in lares compito potentes (ein,
aus der Abbreviatur von compito sehr leicht zu entziffernder
Wort) zu verwandeln; obgleich Salmasius seinen Einfall „emendationem egregiam et pretii quantivis ac momenti" zu nennen beliebt hat.

Ein von dem Verf. unbemerkt gelassener Umstand, den
wir aber, so wie einige andere minder wichtige, auch bey seinen Vorgängern übersehen gefunden haben, ist folgender, daß
der Schweiß oder das Schwitzen der Laren zu den
bedeutungsvollen Anzeigen großer, Rom betreffender, besonders unglücklicher Ereignisse gerechnet worden. Von den
Bildsäulen der höhern Götter ist dieses zwar eine gewöhnliche
Bemerkung; ungewöhnlicher und seltener kommt sie von den
Laren vor. Den vielleicht einzigen Beweis indeß bietet
Lucanus in der Stelle I, 556 und 557 dar:

— — — — — „vrbisque laborem"
„Testatos sudore Lares," — —

ein Beyspiel, das auch Freinsheimen in der langen gelehrten Anmerkung zum Florus (II, 8, 3) entgangen
ist. — —

Die lateinische Schreibart des Verf. finden wir, im
Ganzen genommen, reiner und fehlerfreyer, als man sie
von einem Manne in einer so beschäfftigten Lage heut zu Tage, wo selbst professionsmäßige Humanisten mit Barbarismen
handeln, zu erwarten berechtigt ist; einiger minder gewöhnliche Zusammensetzungen und Wendungen, und ein paar verwerfliche Wörter und Formen ausgenommen, wie „ridiculosus" statt ridiculus; „zelotypa, statt aemula, und dergleichen mehr, worüber wir keine kleinliche Rüge anstellen
mögen. Nur eine einzige Stelle dieser Art stehe noch hier!
S. XLVI. in den Worten: „nec nostrum est, hanc libelli
materiam integram dimittere," soll wohl der Gedanke seyn,
die

dieſen Gegenſtand ganz vorbey zulaſſen: in dieſer
Bedeutung aber iſt *integer* wider die römiſche Eleganz und
germaniſirend, und „*dimittere*“ iſt gleichfalls nicht das
rechte Wort; (denn ein anderes iſt dimittere *concionem*,
dimittere *incaſtigatum* bey Horaz, Epiſt. I, 10, 45 u.
dergl.) ein römiſcher Schriftſteller aber, um den Gedanken,
gänzlich übergehen, auszudrücken, würde vielmehr geſagt haben *plane intaĉłam praetermittere.*

Nicht billigen können es eben ſo wenig an römiſche Prä-
ciſion gewöhnte Leſer, wenn, gleich im Eingange, das Ge-
ſchichtswerk des Livius mit der Benennung der „*Anna-
lium*“ belegt iſt; eine Charakteriſirung, der, beydes die Form
des Werks, als der ausdrücklich beſtimmte Zweck des Geſchichtſchreibers, der uns keineswegs Annalen; ſondern ein
hiſtoriſches Kunſtwerk hinterließ, jene aber unter den
Quellen ſeiner Geſchichte immer mit Unterſcheidung anführt,
widerſprechen. — —

Nun noch ein paar Worte über die in der Titelvignette
gebrauchte Vorſtellung der Laren. Woher dieſe Abbildung
entlehnt ſey, iſt nirgend beſonders angezeigt: wir vermuthen
aber, daß ſie dem nicht ſehr zuverläſſigen Schazischen
Auszuge aus Montfaucon gebühre. Gute Abbildun-
gen dieſer kleinen Gottheiten ſind eben nicht häufig, um deſto
eher iſt es zu verzeihen, wenn man ſich an die erſten beſten gehalten hat. *Baudelot de Dairval* in dem bekannten Werke
de l'utilité des voyages hat im zweyten Bande von den
kleinen Figuren gehandelt, die in dem Lararium aufbehal-
ten wurden, und irren wir nicht, (denn das Buch iſt uns
jetzt nicht ſogleich zur Hand), ebenfalls Abbildungen von
denſelben geliefert.*) Täuſchend hingegen auch für den Rec.
bey ſeinen anderweitigen Unterſuchungen über dieſen Gegenſtand iſt der Titel eines neuerlich erſchienenen italiäniſchen
Buches von *Olivieri* geweſen, mit der Aufſchrift: *Delle
Figlie Peſareſi e di un Larario puerile trovato
in Peſaro.* In Peſaro, MDCCLXXX. auf XXII Seiten
in Großquarto, als worin von Seite XIX u. fg. von nichts
mehr als einigem kleinen Altargeräthe jugendlicher Spiele-
reyen gehandelt iſt, und nur ein paar unbedeutende Vor-
ſtellungen deſſelben in ſchlechten Abbildungen hinzugefügt ſind.

Ein

Ein, gleichfalls in der gewählten Vignette, am obern Theil der Mauer über den beyden Laren seitwärts angebrachter Kopf mit dem Schnurrbarte übrigens gleicht, nach des Rec. Gefühl, eher der kroatischen Physiognomie eines kaiserlichen Rothmantels, als einem ehrwürdigen Ahnherrn der in regula gut gebildeten *Romuli nepotum!*

Gs.

Deutsche und andere lebende Sprachen.

1. Elementarunterricht im Lesen und Denken. Zum Besten der Schneeberger Almosenkinder. Schneeberg, in Commission bey dem Herrn Gerichtsschreiber Beck. (Ohne Jahrszahl. Die Vorrede ist von 1797.) Erster Theil. 112 S. 8.

2) Taschenbuch über die Richtigkeit der deutschen Sprache im Sprechen und Schreiben, von S. Danielsen, dem ersten Lehrer der Kielschen Stadtschule, und Prof. Hon. Kiel und Schleswig, bey den Gebrüd. Schmidt. 1799. Erster und zweyter Theil. Zweyte verbesserte Auflage. 237 S. 8. 14 R.

Nr. 1 ist eigentlich eine Fibel, die laut der Vorrede einen dreyfachen Zweck hat. Sie soll für einen wohlfeilen Preis, Materialien zum Lesenlernen liefern — zum richtigen Denken leiten — und den Schneeberger Almosen Kindern Gelegenheit und Unterstützung zum nöthigen Schulunterricht verschaffen. Alle drey Zwecke sind edel und gut, und der dritte würde alle Kritik verstummen machen, wenn auch die beyden ersten weniger gut bearbeitet wären, als sie es doch sind. Wir haben bekanntlich eine große Anzahl ähnlicher Bücher; aber demungeachtet hat dem Rec. diese Fibel nicht mißfallen. Sie liefert wirklich so viele und so mancherley Materialien zum Lesenlernen, und leitet so zweckmäßig zum richtigen

en Denken, daß er den Druck des Buches, besonders in
Rücksicht des dritten Zwecks nicht mißbilligen kann. Aber
Papier und Lettern sind eben nicht sehr angenehm fürs Au-
ie, vermuthlich weil das Buch wohlfeil seyn sollte. Der
Verf. hat übrigens sehr geschickt die Mittelstraße zwischen
en alten und neuen Fibeln in Ansehung der Ausarbeitung
ieser Materialien zu halten gewußt, und manches Neue
nd Gute, was er bey andern fand, seinem Buche mit ein-
erleibt. — S. 87 ist Canape geschrieben ohne Accentuation;
ie wenn das Kind den Ton auf die vorletzte Sylbe setzt?
!bendaselbst ist Küchengeschürr wohl ein Druckfehler; der
ber das Kind irre machen kann, da kurz vorher Geschirr
edruckt steht.

Der Verf. von Nr. 2 fängt den ersten Theil seines Ta-
henbuches mit dem „Nothwendigsten der deutschen Sprache"
n, erklärt die verschiedenen Redetheile der Sprache, läßt
ecliniren und conjugiren, und erläutert alles mit Beyspie-
n, womit zugleich eine Anweisung zum richtigen Gebrauch
r Abtheilungszeichen verbunden ist. Der zweyte Theil
igt die Verbindungsarten der Wörter und ganzer Sätze,
d erläutert die Abweichungen von den gegebenen allgemei-
n Regeln.

Das Buch enthält manches Gute und Nützliche; Neues
nnte man wohl nicht erwarten. Doch hat Rec. auch in
r Art der Darstellung des Bekannten nichts Hervorste-
endes gefunden. Das Bestreben recht deutlich und faßlich
werden, hat den Verf. hier und da etwas zu redselig ge-
acht, und so hat er vielleicht für Manchen durch eine Flut
n Worten wieder weggeschwemmt, was kürzer und ge-
änger gesagt, hängen geblieben wäre. Ueberhaupt aber
nkt uns, fehle es dem zweyten Theile an gehöriger Anord-
ing. Daß auch fehlerhafte Beyspiele aufgestellt, und in
r zweyten Columme verbessert und berichtiget sind, ist zu
en.

Tu.

ouveau Dictionnaire de poche françois-allemand
et allemand françois, enrichi des expressions
nouvel-

nouvellement créés en France. Deuxième édition, entièrement refondue et augmentée de plusieurs milliers de nouveaux mots. On y a joint des tables des verbes irréguliers et des nouvelles mesures, poids et monnoies de la république françoise. En deux Parties I. François-allemand. II. Allemand-françois. A Leipzig, chez Rabenhorst, libraire; et se vend à Paris, chez Pongens, libraire; rue Thomyda-Louvre, No 246. 1798. 246 und 214 S. gr. 12. 2 Rh.

Die erste Auflage dieses in aller Weise empfehlungswerthen Taschenwörterbuchs, erschien im Jahre 1796, in zwey kleinen Bänden in Oktav. Sie ist von uns im ersten Stück des dreyßigsten Bandes der N. A. D. Bibl. von S. 67—71 angezeigt, und diese Anzeige mit einigen Erinnerungen und Nachträgen begleitet worden, auf welche, wie wir mit Vergnügen wahrnehmen, bey dem wiederholten Drucke, die sorgfältigste Rücksicht genommen ist. Die Hauptveränderungen der neuen Auflage giebt übrigens schon der Zusatz auf dem Titelblatte mit Wahrheit an; nur das ausnehmend gefällige Format, und die kleine vortreffliche Letter, der nur etwas mehr Schwärze zu wünschen wäre, kann ein an vernünftige typographische Schönheit gewöhntes Auge am Besten beurtheilen. Ungeachtet einiger Blässe aber, nehmen sich doch die Abdrücke auf Schweitzerpapier, die Rec. vor sich hat, so vortheilhaft aus, und strengen selbst ein blödes Auge so wenig an, daß man auf den dreyfachen Columnen jeder Blattseite mit Wohlgefallen verweilet, und das regelmäßigste Erzeugniß französischer oder englischer Pressen vor sich zu haben glaubt. Die innere Oekonomie der neuen Auflage und die mit selbiger vorgenommenen Verbesserungen betreffend, führen wir aus der neu hinzugekommenen kürzen Vorrede nur Folgendes an: „Außer mehrern Tausenden hinzugekommener Wörter,“ heißt es daselbst, „findet man nun alle Bedeutungen genau und richtig aufgeführt, die einzelnen Fälle, worauf ein Wort allein anwendbar ist; angegeben, und die Verbindungen der Zeit- und anderer Wörter mit den Haupt- und Fürwörtern jedesmal, wo es wegen Abreichung beyder Sprachen von einander nöthig war, in beyden Theilen mit gewöhnlichen Abkürzungen bezeichnet." —

Zu abermaligen Zusätzen und Erinnerungen, auch bey dieser neuen Auflage veranlaßt uns übrigens auch dießmal die Bereitwilligkeit, die wir dem fleißigen, und für die Vollständigkeit und Feile seines Werks besorgten Verf. bey der Mittheilung der frühern zutraueten. Nur lassen sich zu sämmtlichen Buchstaben des Alphabets höchstens einzelne Beyspiele geben.

Bey „*Amadouement*," „Schmeicheln, Liebkosen" steht *fa.*, die zur Bezeichnung eines gemeinen Worts gebrauchte Abbreviatur (familier). Es scheint uns aber vielmehr, wenn wir nicht irren, ein peraltertes Wort zu seyn, das größtentheils nur noch in altfranzösischen Büchern aus dem vorigen Jahrhundert gelesen wird.

Unter „*Attrape*," „Schlinge, Falle," wollen wir noch die Bedeutung aus Mercier hinzufügen, nach dessen Tableau de Paris, Chapitre 431, *Attrapes* die Neckereyen des Pöbels bedeutet, die er in der Carnevals Zeit den Devoten spielt.

Unter „*Bourre*," „Füllhaare" u. s. w. dürfte sich schwerlich eine deutsche Bedeutung finden, die derjenigen entspräche, wenn ein Herr zu einem steifen, ungelenkigen Bedienten sagt: *il y a de la bourre dans votre action.* Die Stelle ist dem Rec. noch aus dem Gil-Blas im Gedächtniß; aber nicht ausdrücklich von ihm angemerkt. Unsere deutsche Redensart „wie ausgestopft seyn," führt auf etwas ganz Anders, nämlich auf eine wohlbehagliche Corpulenz, die aber gerade nicht zum Vorwurf gereichen soll.

„*Branchetta*," „Aestchen." *Branchettes* heissen auch in französischen Kunstbüchern eine gewisse schlechte Gattung Korallen, die keinen Stamm oder Fuß haben.

„*Brillant*," „glänzend," figürlich „lebhaft," wir würden noch hinzufügen, aufgeräumt, wenn man in Gesellschaft an Munterkeit, glücklichen Einfällen und Geistesgegenwart andern es zuvorthut.

„*Cagou*," „Mensch, der leutscheu ist." Nicht genug: so nennt man auch jeden lichtscheuen Betrüger.

Gauner und Herumstreicher. Bey dieser Gelegenheit zeigen wir doch ein seltenes französisches Büchlein an: *La vie généreuse des Mattois, Gueux, Bohémiens et Cagoux*, par Monsieur *Pechon de Ruby*, à Paris, 1622. 8.; ein erbauliches Exempelbuch für Gauner und Landstreicher.

Unter „*Camper*," v. a., „etwas fest hinstellen," tragen wir noch die Bedeutung nach, camper quelqu'un, einen sitzen lassen. Man sehe Lettres de Sophie, I, 74.

Nach „*Canot*," „ein kleines Boot" fehlt das Subst. masc. *Canotier*, der ein solches Kahn führte. S. Voyage de Courtanvaux, p. 73.

Nach „*Carrosse*," fehlt das Derivatum *Carrossée*, ein Wagen voll.

Unter „*Carte*," „*Carte de sureté*," Paß, fehlt noch *carte du diner*, der Küchenzeddel. S. La vie de Mariane, II. p. 39.

Zu „*Comprimer*," „zusammenpassen," fehlt noch die Bedeutung beklemmen, z. B. das Herz, von Thränen u. dergl.

„*Contérie*," sind auf Fäden gezogene Glasperlen.

„*Corne*," Cornes heißen auch die Fühlfaden bey Konchylien.

„*Dessale*," „verschmitzter Mensch," ist fast mehr dem deutschen, durchtrieben, entsprechend.

„*Douve*," „Faßdaube." So heißt auch die Herba Nummularia, die dem Schaafvieh gefährlich seyn soll.

Nach „*Eclaircir*" vermissen wir das Substantiv. mascul. *Eclairci. Eclairci dans le bois*, ein freyer Platz im Walde, wo Holz und Bäume ausgeschlagen sind.

„*Encaissement*," „Einpacken in Kisten." Wir finden es auch von dem engen Passe eines Stroms zwischen nahe stehenden Gebirgen gebraucht: „dans un encaissement profond formé par les montagnes."

Zu dem Verbo activo „*Encenser*," sey „loben, schmeicheln," würden wir noch die Bedeutung gesetzt haben

den anpreisen. Von einem abergläubischen Religionsgebrau-
che sagt ein neuerer französischer Schriftsteller: "il fut *encensé*
publiquement par les prêtres. Doch wohl? wurde öffentlich
angepriesen.

Nach "*Fardeau*" fehlt, das obwohl veraltete
Fardelet, Bündel. Den ins französische übersetzten
Fasciculum rerum expetendarum, ein historisches Werk,
nennt der alte französische Uebersetzer vom J. 1495: "*La
Fardelet historial.*"

"*Flottement*," "wellenförmige Bewegung
(beym Marschiren)." Insbesondere, wenn Truppen in
der Schlachtordnung zum Weichen gebracht werden.
Man vergleiche den Traité des Legions, p. 59.

"*Flûte*," "eine Art Schiffe." Bestimmter, ein
Transportschiff von nicht über 40 Kanonen.

"*Fraise*," "Erdbeeren." Auch eine kleine Warze,
in Gestalt einer Erdbeere.

"*Généralifer*," "allgemeinmachen." Auch, aufs
Ganze übertragen, anwenden, z. B. Gebrechen einzelner Menschen auf einen ganzen Staat, u. dergl.

"*Grippe*," "herrschende närrische Neigung zu
etwas." La grippe nennt man auch im südlichen Frankreich eine Herbstkrankheit, die sich mit Husten und Schnu-
pfen äußert. S. Sulzers Tagebuch einer Reise in
die Provence, S. 116 der Leipziger Ausgabe.

"*Hêtre*," "Buche." Hêtre ist eigentlich die Roth-
buche, im Gegensatz von *Charme*, der Weißbuche.

"*Jarre*," "grobe harte Wolle." Nicht schlechthin
dieses. Jarre ist eigentlich ein Kunstwort der französischen
Fabrikanten zur Bezeichnung der Güte der Schaaffelle. Es
giebt daher auch ein *jarre fin*, welches die fünfte Wolle
ist. *Le jarre moyen* ist die sechste, und erst *le grosse
jarre*, die siebente oder schlechteste Gattung.

"*Laborieux*," "arbeitsam, mühsam." Auch
in der Bedeutung mühselig kömmt das Wort vor.

"*Mécanique*," "mechanisch." Warum fehlen alle
nützliche Bedeutungen dieses Worts, z. B. armselig, ge-

ringfügig, wie in der Redensart un diner assez *mécani-*
que, ein armseliges Traktament?

„*Muguet*,“ „Jungfernknecht.“ Auch nur Liebhaber.

„*Mysticité*,“ „tiefes Nachforschen in dem geheimen Verstande der Schrift.“ Im familiären Ausdruck auch Geheimnißkrämerey, z. B. im Doyen de Kil-
lerine, tome V. p. 132: „ces *mysticités*, qui me ren-
dent l'esprit sombre, et qui me glacent le sang.

„*Nichée*,“ „Nestvoll.“ Auch in der Bedeutung, wie
das deutsche Brut, Gezüchte.

„*Ouaille*,“ Fig. „Beichtkind.“ Auch nur Kirch-
kind.

Nach „*Parqueter*,“ „einen Fußboden täfeln,“
fehlt das Substantiv *Parqueterie*, Täfelwerke. S.
des Pere *Truchet* mémoire sur les combinaisons,
p. 39.

„*Pensée*,“ „Gedanken, Begriff.“ „Vorhaben,
Meinung.“ „Bedenken, Einfall.“ Auch zuweilen Vermuthung, z. B. in einer Stelle der *Oeuvres mêlées*
par Mr. *le Temple*, Tom. II. p. 240: les circonstances
le confirmèrent dans sa *pensée*.

„*Quolibet*,“ „abgeschmackter Scherz.“ Man
findet es auch orthographirt *Colibet*, z. B. „des *Colibets*
peu sages“ im *Théatre de l'Univers*, p. 5.

Nach „*Raccrocher*“ fehlt das Substantiv feminin
Raccrocheuse, gemeines Wort zur Bezeichnung einer
feilen Gassendirne.

„*Rapprochement*,“ „Wiederannäherung, Zu-
sammennehmung, Zusammenbringung.“ Wir vermissen noch das schicklichste Zusammenstellung, weil *rapprochement* von der Zusammenstellung mehrerer Dinge gebraucht
wird, aus denen ein Resultat gezogen werden soll.

„*Sagesse*,“ „Weisheit, Klugheit.“ Zu wenig
von diesem vielbedeutenden Worte. Wir setzen, aus Mangel
am Raume, nur eine einzige Bedeutung hinzu, wo es von
weiblicher Eingezogenheit gesagt wird, z. B. „femme
d'une

"une *sagesse* équivoque" in den *Recreations historiques*
ar Mr. *D. D. A.* Tom. I. p. 221.

"*Tantième,*" der, die, das so vielste." Als
Substantiv Feminin gebraucht, heißt es die Besoldung der
Sollbedienten.

Mehr läßt sich zu diesen drey reichhaltigen Buchstaben
es Alphabets, aus Mangel am Raume, nicht suppliren.

Den deutsch = französischen Theil, obgleich an Ver
nlassung zu einigen Erinnerungen es nicht fehlte, müssen wir
anz mit Stillschweigen übergehen.

Wh.

Neue Dänische Grammatik für Deutsche, von D.
Johann Clemens Tode. Kopenhagen und Leipzig, bey Brummer. 1797. 350 S. 8. 20 gr.

Herr Hofmedicus und Professor Tode hat hier eine sehr
brauchbare Schrift für diejenigen geliefert, welche die dänische
Sprache zu lernen wünschen. Da er den größten Theil sei
es Lebens in Dänemark gelebt hat, und nach dem Zeugnisse
vollgültiger Richter unter den Dänen selbst, zu den besten
dänischen Schriftstellern gehöret: so kann man nicht zweifeln,
daß er die Sprache studirt hat. Die Ordnung, in welcher
diese Grammatik abgefaßt ist, hat uns recht wohl gefallen,
so daß wir können unsern Lesern die Versicherung geben, daß
sie bloß durch eigenes Studium dieses Buches sich in den
Stand setzen können, dänische Schriften zu lesen und zu ver
stehen.

Hb.

Spanisch = deutsche Gespräche über Gegenstände des
gemeinen Lebens, der Politik, und der Handlung. Dresden, bey Gerlach. 1799. 100 Seiten. 8.

Nach

Nach der Nachricht, die der Verleger in einer kurzen Vorrede giebt, ist der Verf. dieser Gespräche kein Sprachmeister; sondern er schrieb dieselben während seines Aufenthalts in Spanien zu seinem Vergnügen. Der Verleger, welcher sie bey ihm zu sehen bekam, schlug ihm vor, sie zum Besten der Anfänger bekannt zu machen, und sie wurden ihm freundschaftlich überlassen. Er hat nur wenige Bogen gewagt, weil er nicht weiß, wie groß oder klein das Publikum ist, das an dergleichen Arbeiten Theil nehmen kann und will; er wird aber den Verf. zu einer größern Arbeit dieser Art zu bewegen suchen, sobald ihn die Freunde der spanischen Sprache unterstützen.

Rec. glaubt nicht ohne Grund, Herr Fischer, den man aus seiner Spanischen Reise kennt, für den Verf. dieser Gespräche annehmen zu können. Er mag sie vielleicht für zu unbedeutend gehalten haben, um seinen Namen vorzusetzen; aber sie sind nichts desto weniger, besonders Anfängern, recht sehr zu empfehlen, da sie noch von einem geschickten Spanier vor dem Drucke durchgesehen worden sind.

Von wesentlichen Druckfehlern hat Rec. folgende bemerkt: Jo steht häufig statt Yo. — S. 62. Z. 4 muß sino a, wohl sino de seyn. S. 39. Z. 3 steht der merkantilische Ausdruck inna vegabilidad; hierbey hätte in einer Note bemerkt werden können, daß er nicht rein castilianisch ist; dann würde es heißen: por la imposibilidad de navegar. Eben so S. 99. Z. 27 das merkantilische por fortuna de mar heißt im reinspanichen por casualidad de la mar, und noch einige andere dergleichen. Indessen wer die Schwierigkeiten kennt, von deutschen unkundigen Setzern in ausländischen Sprachen arbeiten zu lassen, der wird dem vermuthlich vom Druckorte entfernten Verf. diese Unrichtigkeiten nicht zurechnen. — Aber das Druckfehlerverzeichniß ist wahrscheinlich bey dem Exemplare des Rec. verloren gegangen.

Dw.

Staatswissenschaft.

Uebersicht der neuen Armenpflege in der Stadt Kiel,
auf Sr. Königl. Hoheit des Kronprinzen Befehl
vorgelegt von der Gesellschaft freywilliger Armen-
freunde; in Auftrag derselben abgefaßt von ihrem
Wortführer, Professor Niemann. Altona, bey
Kaven. 1798. 112 S. gr. 8. 10 ℔.

Die Gelegenheit zur Entstehung dieser Schrift giebt der Titel an. Der Abdruck derselben muß allen denen, welche die
Wichtigkeit einer guten Armenpflege erkennen und schätzen,
überaus willkommen seyn. Denn die hier beschriebene Einrichtung in Kiel kann ein Muster für alle Städte seyn, deren
Bürger Vaterlands- und Menschenliebe genug haben, um
selbst an der Ausführung eines Werkes zu arbeiten, das nicht
nur ihren armen Mitbürgern, sondern, durch seine wohlthätigen Folgen, auch ihnen selbst und der Nachwelt nützlich
wird. Aber freylich wird schon kein geringer Grad von Ge-
meinsinn erfordert, um eine solche Einrichtung, die ohne allen Zweifel bey weitem die vorzüglichste ist, zu Stande zu
bringen. Es gereicht daher diese Anstalt den Einwohnern
der Stadt Kiel zu nicht geringer Ehre. Da diese Anstalt,
soviel Rec. weiß, in Ansehung ihrer ganzen Einrichtung, keine ihres Gleichen hat: so halten wir uns verpflichtet, unsern
Lesern in der Kürze, nach Anleitung der vor uns liegenden
Schrift, einen Begriff davon zu geben: und dieß um so
mehr, da Schriften dieser Art so leicht unter der Menge unserer Meßprodukte erdrückt werden.

Der Zustand des Armenwesens in Kiel war vormals eben
wie er noch jetzt in den meisten Städten ist, wo die Vorsorge
für dasselbe noch keine nach richtigen Grundsätzen eingerichtete
Armenpflege hervorgebracht hat. Auf allen Straßen und
Spaziergängen, in allen Häusern wurde gebettelt, und Niemand nahm sich der verwahrloseten Jugend an. Die erste
weise Hülfe reichte 1785 das klinische Institut dar; und
1787 ließ der Stifter desselben eine Aufforderung zur Errichtung eines Arbeitshauses und einer Arbeitsschule ergehen.
Aber sie blieb ohne Erfolg; indessen war doch dadurch die

Sache zur Sprache gebracht, und man fieng an, mehr darüber nachzudenken. Um diese Zeit gab Hamburg das große
Beyspiel einer zweckmäßig eingerichteten und wohlgelungenen
Armenpflege. Nun folgten in Kiel mehrere öffentliche Auf-
forderungen zur Nachahmung dieses Beyspiels, und ein vorzüglich thätiger Menschenfreund vereinigte sechs Männer,
welche sich im Junius 1792 erboten, Hand ans Werk zu
legen. Ihre Zahl war am Ende des Jahres schon auf 65
gestiegen, und diese Gesellschaft freywilliger Armen-
freunde, wie sie sich nannte, brachte nun die hier beschriebene Anstalt zu Stande. Die Grundsätze, auf welche sie
ihre Arbeiten gründete, waren folgende: Die Armenpflege
darf kein bloßes Geschäffte der Policey seyn; sondern sie muß,
als eine bürgerliche Angelegenheit anerkannt und besorgt werden. Es müssen sich daher viele Mitbürger, ohne Unterschied des Standes, freywillig und ohne einen Lohn für ihre
Arbeiten zu verlangen, zur Besorgung dieses Geschäffts vereinigen. Das Ganze muß nach seinem Zusammenhange geordnet, nach seinen Haupttheilen abgesondert, und die Arbeiten müssen so vertheilt werden, daß sie sich in einen Mittelpunkt vereinigen, und aus diesem übersehen lassen. Die
Verwaltung muß sich durch die vollständigste Publicität Zutrauen, und durch das zweckmäßige und würdige Verhalten
ihrer Geschäfftsführer Achtung erwerben. Theilnahme daran
muß durch alle in der Natur der Sache und der Menschen
sich darbietende Mittel unterhalten, und die bürgerliche Gewalt muß so wenig als möglich eingemischt werden. — Nach
diesen Grundsätzen fieng man nun die Vorarbeiten an. Man
untersuchte den Zustand aller Armen und Hülfesuchenden, nach
vorgeschriebenen gedruckten Fragen. Man theilte die Stadt
und Vorstadt in vier Hauptbezirke, diese in Pflegebezirke,
und jeden Pflegebezirk in drey Pflegen. Man wählte für
jeden Hauptbezirk zwey Vorsteher, und für jede der 42 Pflegen einen Pfleger. Man ließ hierauf durch die letztern die
Umstände der Armen nochmals näher untersuchen, wozu
gleichfalls gedruckte Bitten und Fragen die Anleitung gaben.
Man befriedigte die größte Noth vorläufig durch milde Beyträge, welche die Mitglieder der Gesellschaft zusammenbrach-
ten. Man untersuchte die vorhandenen Armenfonds, den
Bestand der Armenkasse, und suchte neue Hülfsquellen aufzufinden. Man ließ eine vorläufige Nachricht von dem ganzen Vorhaben drucken und vertheilen, und forderte dabey die
Ein-

Einwohner zu einer freywilligen Unterzeichnung milder Beyträge für ein Jahr auf. Für die, welche nicht unterzeichneten, wurden wöchentliche Büchsensammlungen verordnet, welche von den Mitgliedern der Gesellschaft geschehen sollten. Endlich nahm man zur Beförderung der nöthigen Bestellungen Boten an. In Ansehung der Ordnung, Absonderung, Vertheilung und Wiedervereinigung der Hauptgeschäffte der Armenpflege, ward folgende Einrichtung bestimmt. Die vier Hauptgegenstände der Armenpflege: Versorgung, Krankenpflege, Beschäfftigung, und Erziehung und Unterricht, wurden vier beständigen Commissionen angewiesen. Diese müssen monatlich einmal in eine vereinigte Commission zusammentreten, und einen Auszug aus ihrem Protocolle in der nächsten Versammlung der Gesellschaft vorlegen. Als darauf im May 1793 von dem Könige ein neues Armendirektorium ernannt war, worin aus jeder Klasse der Einwohner der Stadt ein Mitglied, und zwey von der Gesellschaft aus den Bezirksvorstehern erwählte Mitglieder sitzen: so ward den 3ten Jun. 1793 die Anstalt selbst eröffnet. Das Armendirektorium hat die allgemeine Aufsicht; ist bey den öffentlichen Versammlungen der Gesellschaft, deren zwey in jedem Jahre, zur Feyer des Stiftungstages, und zur Ablegung der öffentlichen Rechenschaft von dem verflossenen Jahre, gehalten werden, gegenwärtig; quittirt die Rechnungen, nach vorgängiger Revision; bestätiget und verpflichtet die von der Gesellschaft gewählten Lehrer und Officianten; und hilft die Rechts- und Policeypflege besorgen. Die Verwaltung der gesammten Armenpflege aber besorgt die ganze Gesellschaft. Sie empfängt und vertheilt die öffentlichen Allmosen und milden Beyträge; sie ist dafür verantwortlich. Jedes ihrer Mitglieder ist ihr nach ihren Gesetzen, die er unterschrieben hat, verpflichtet, und handelt nach ihrem Auftrage und nach ihrer Vorschrift. Jedes Mitglied giebt zu allen Aufträgen und Vorschriften seinen Rath und seine Stimme; und die Mehrheit der Stimmen ist das für Alle verbindende Gesetz. Diese entscheidet auch über die Aufnahme eines neuen Mitgliedes; jedoch haben die Garnison und die Studirenden das Recht, von ihnen selbstgewählte deputirte Mitglieder, deren Zahl bestimmt ist, für die Gesellschaft zu ernennen, und sich durch diese repräsentiren zu lassen. Doch kann jede Militärperson und jeder Studirende auch außerdem zum Mitglied aufgenommen werden. Jeder Geschäftsführer der Gesellschaft. Jede Commission wird durch Wahl bestellt. Jeder handelt nach dem ihm gegebenen Auftrage: Einige nach schriftlichen Instruktionen. Jeder ist der Gesellschaft Berichte und Rechenschaft schuldig. Jeder verwaltet sein Amt bestimmte Jahre; die Vorsteher und Commissionsmitglieder vier, die Pfleger drey Jahre. Die Gesellschaft hat zwey Wortführer, drey Protocollisten, zwey beständige Archivare, und zwey beständige Casseführer. Monatlich hält die Gesellschaft ihre ordentlichen, und, wenn es erfordert wird, ausserordentliche Versammlungen. Bey besondern Veranlassungen werden ausserordentliche Commissionen gewählt. Zur schnellern Ausführung der Beschlüsse der Gesellschaft ist neuerlich eine Ausführungscommission bestellt worden. Halbjährig müssen die Pfleger, und jährlich die Commissionen und die Casseführer Bericht abstatten. Die jährliche Versammlung zur Abstattung dieser Berichte ist öffentlich. Alle Berichte werden von einer Untersuchungscommission, die jedes Mal neu gewählt wird, geprüft, und die Erinnerungen derselben, nachdem die Beykommenden darauf geantwortet haben, von der Gesellschaft entschieden. Am Stiftungstage wird jährlich in der Kirche, und sodann in dem Freyschulhause ein Dankfest gefeyert. Bey dieser öffentlichen Versammlung werden auch alle neugewählte Geschäftsführer für das nächste Jahr feyerlich in Pflicht genommen.

Nach dieser allgemeinen Uebersicht der ganzen Einrichtung folgt nun eine nähere Nachricht von den vornehmsten Theilen der Armenpflege. I. Versorgungscommission. Sie hat die Entscheidung über die Aufnahme neuer Armen, nachdem die drey Pfleger des Pflegebezirks, worin der Arme wohnt, den Zustand und die Bedürfnisse desselben untersucht, und ihr Gutachten darüber abgegeben haben. Sind diese Pfleger mit der Entscheidung der Commission unzufrieden: so geht die Sache zur endlichen Bestimmung an die Gesellschaft. Die Commission versammelt sich jeden Montag. Die Vorsteher erhalten da die Wochengelder für die Armen ihres Bezirks aus der Hauptkasse, und zahlen sie am Dienstage an die Pfleger aus; welche sodann die Austheilung an die Armen, nach den von ihnen an die Vorsteher eingelieferten Wochenrechnungen, besorgen. Eine Taxe ist gleich Anfangs, als Maaßstab der Versorgung, zum Grunde gelegt. Die Kinder sind, der Regel nach, bey den Aeltern, und werden die-

diesen nur dann genommen, wenn es zu ihrem Besten nöthig ist. Die Hausmiethe wird wöchentlich von den Almosen zurückbehalten, und von den Pflegern monatlich an die Hauswirthe bezahlt. Im Winter wird den Armen Feuerung in natura wöchentlich gereicht. Kleidungsstücke können die Armen aus dem Bekleidungsmagazin erhalten; doch wird ihnen der Regel nach, der Werth des Empfangenen nach und nach von dem Almosen abgezogen. Den größten Theil des Aufwandes in Krankheiten trägt die Krankenanstalt, welche für sich besteht; und nur das, was diese nicht leisten kann, fällt der Armenanstalt anheim. Die Versorgungscommission erhält an jedem Montage die Krankenliste von der Krankencommission. Die Beerdigung der Armen wird nöthigenfalls von dem beykommenden Vorsteher und Pfleger besorgt. Eine Tabelle über die in den ersten vier Jahren der Anstalt versorgten Armen, und des Aufwandes, der dazu erforderlich war, ist beygefügt. — II. **Krankencommission.** Jeder Hülfsbedürftige erhält, wenn er auch nicht zu den eingezeichneten Armen gehört, in Krankheitsfällen Beystand und Unterstützung. Die Kranken werden, der Regel nach, in ihren Wohnungen, besorgt; und nur, wenn es nöthig ist, auf das Krankenhaus gebracht. Die Gesellschaft besoldet einen Chirurgus und einen Krankenboten. Der Direktor der Krankenanstalt steht auch an der Spitze der Krankencommission. Die Zahl der Kranken und der durch sie verursachten Kosten ist von den vier ersten Jahren angegeben. III. **Arbeitscommission.** Sie giebt den Erwachsenen, denen es an Erwerbsmitteln fehlt, Arbeit, und besorgt den Unterricht der Kinder in der Arbeitsschule. Sie versammelt sich jeden Freytag, und von ihren Mitgliedern haben wöchentlich 2 die Aufsicht über die Arbeitsschule. Erwachsene arbeiten zu Hause. Eine Zwangsanstalt für Faule und Liederliche hat bisher, aus Mangel an Gelde, nicht eingerichtet werden können. Die Arbeiten für Erwachsene sind Wollekratzen, Wolle, Flachs und Hedespinnen, Stricken, Haar- und Wergpflücken. Der neuaufgenommene Arbeitsfähige Arme wird hier geprüft, und darnach wird sein Almosen bestimmt. Die Kinder erhalten Unterricht im Spinnen, Stricken und Nähen; auch müssen sie ihre eigenen Kleidungsstücke ausbessern. Jeden Sonnabend werden die Kinder von den Mitgliedern der Arbeits- und Schulcommission, welche die wöchentliche Aufsicht geführt haben, und solche für die nächste Woche be-

kom-

kommen, gemustert, belohnt und bestraft. IV. Schul
commission. Sie ordnet den Unterricht in der Lehrschule
und eins ihrer Mitglieder führt wöchentlich die Aufsicht
über. Alle Arme sind verpflichtet, ihre Kinder, wenn
das schulfähige Alter erreicht haben, in die Lehr- und
beitsschule zu schicken. In der Lehrschule werden sie in
Religion, im Lesen, Rechnen, Schreiben, Singen,
andern gemeinnützigen Kenntnissen unterwiesen. Für
Leute, besonders für solche, welche aus der Freischule
lassen sind, ist, zu ihrer weitern Ausbildung, eine
tagsschule eingerichtet. V. Verhütung der
Zu dem Ende ist eine Spar- und Leichenkasse errichtet,
von einer besondern Commission verwaltet wird. VI.
verwaltung. Hier werden die sämmtlichen Einkünfte
Ausgaben von den vier ersten Jahren berechnet. Die
quelle der erstern sind die milden Gaben, welche theils durch
jährliche Subscription, theils durch die Büchsensammlungen
Armenblöcke, gelegentliche Geschenke bey Hochzeiten und an
dern feyerlichen Gelegenheiten, zusammenkommen. Diese
betrugen in vier Jahren 58,161 Mark. Die gesammte
nahme in diesen Jahren war 102,578 Mark, und die
sammten Ausgaben 96,313 Mark. — Am Schluß
der Verf. noch einige angenehme Nachrichten über das
geramt, die Armenpolicey, die uneingeschränkte Publicität
der ganzen Verwaltung, und die guten Folgen der Anstalt
bey. — Die Beylagen liefern erhebliche Aktenstücke.
letzte Beylage, welche das Personal der Armenanstalt
fünften Jahre verzeichnet, war uns besonders merkwürdig.
Sie beweiset, daß die Gesellschaft aus allen Ständen
mischt ist. Staabs- und andere Officiere, Räthe, Profess
soren, Doctoren, Prediger, Kaufleute, städtische Beamte,
Künstler und Handwerker aller Art finden sich hier zu einem
edeln Zwecke vereinigt, und man freuet sich, hier manche
auch in der gelehrten Welt berühmte Namen auch in diesem
Verzeichnisse braver und menschenfreundlicher Patrioten zu
sehen.

Wir schliessen diese Anzeige mit den Worten des Verf.
am Schlusse der Vorrede: „Mögte auch diese kleine Schrift
dazu beytragen, daß die Pflicht der Fürsorge gegen unsern
dürftigen Mitbürger allgemeiner anerkannt, und zugleich
zweckmäßiger und wohlthätiger für diese und die bürgerliche
Gesell-

Gesellschaft gehbt werde!" Möchte besonders in unsern Ta=
gen, in welchen bey den großen Ereignissen in der Ferne so
nicht was nahe liegt und Noth ist, als geringfügig verabsäumt
wird, wenigstens in Ländern, die sich der innern Ruhe und
es äußern Friedens erfreuen, eine Einrichtung mehr und
mehr vervollkommnet werden, die als eine der ersten und we=
sentlichsten Bedingungen; und als wirksames Beförderungs=
mittel bürgerlicher Geselligkeit, nicht nur wegen ihrer unmit=
telbaren Vortheile für Sicherheit und Wohlbefinden; sondern
gewiß nicht minder wegen ihres Einflusses auf die eigne Ver=
edlung Aller, die sie im Geiste und in der Wahrheit beför=
dern, der Theilnahme und Mitwirkung der Menschen wie
es Bürgers so vorzüglich werth ist!"

Egb.

Handlungswissenschaft.

2. Johann Heinrich Jung's (,) churpfälz. Hof=
raths und ordentl. Prof. der Staatswirthschaft
zu (in) Marburg, gemeinnütziges Lehrbuch der
Handlungswissenschaft für alle Klassen von Kauf=
leuten und Handlungsstudirenden. Neueste (ei=
gentlich zweyte) durchgängig verbesserte und ver=
mehrte Ausgabe. Leipzig, in der Weygandschen
Buchhandlung. 1799. 1¼ Bogen Vorreden und
Inhaltsanzeigen. 468 Seiten. gr. 8. 1 Rt.
16 K.

Die erste Auflage dieses in der That recht gemeinnützigen
Lehrbuchs, das in eben dieser Verlagshandlung 1785, auf
174 S. gr. 8. in 931 §. erschien, ist von mehreren kriti=
schen Zeitschriften, auch von einem andern Rec. in der allg.
deutsch. Bibl. Anh. zum LIII — LXXXVI. Bande, 5te
Abtheil. S. 2562 f. mit dem ihm gebührenden, fast unge=
theilten Beyfalle angezeigt worden. Der Herr Hofrath hat
im Texte und in der §. Zahl, so viel wir durch sorgfältige
Vergleichung beyder Ausgaben entdecken können, durchaus
keine

keine Veränderungen gemacht; dagegen sind die Verbesserungen in der vorliegenden neuen Auflage, da wo es dem Verf. nöthig zu seyn schien, geradezu unter den §. angebracht. Diese Einrichtung ist, nach unserm Gefühl die beste; man kann sonach das wirklich Neue, welches eine vermehrte Ausgabe enthält, genauer übersehen, ohne nöthig zu haben, die eingeschalteten Verbesserungen mit Sorgfalt aufzusuchen. Da nun die systematische Form und Beschaffenheit des Jungschen Lehrbuchs als bekannt vorausgesetzt werden darf: so können wir uns diesmal nur mit den neuen Zusätzen beschäftigen, und davon unsern Lesern Nachricht geben.

Fast unter jedem §. findet man kurze zweckmäßige Notizen, die entweder die Erweiterung der mannichfaltigen Zweige der Handelskunde, oder die in der Handelswissenschaft entstandene Veränderungen, oder historische und Staats-Policeyliche Data zum Gegenstande haben. Herr Hofrath J. wird es aber nicht übel deuten, wenn wir einige dieser Verbesserungen berichtigen, und andern geradezu widersprechen. Dieß geschieht aber nicht, ihn oder seine Arbeit deßwegen zu tadeln: im Gegentheil berechtigt dazu der Verf. in seiner Vorrede zur neuen Ausgabe, und es sind die aufrichtigsten Beweise der Achtung und Aufmerksamkeit, die wir seinem Werke schuldig sind.

S. 5 zu Ende §. 9 ist die Wortforschung von Kaufmann nicht ganz richtig, auch nicht vollständig. Denn das Wort Kaufmann, wird im Plural durch Kaufleute ausgedrückt, und kommt in dieser Bedeutung schon beym Ottfried als Konfman, beym Stricker aber Choufman vor. Allerdings ist der Begriff Kaufmann von dem Nahrungsgeschäffte kaufen und verkaufen entlehnt, wie auch du Fresne meint (s. Gloss. man. lat. Tom. IV. p. 644 sq.); allein der Name Kaufmann scheint erst im 8ten Jahrhund. eingeführt worden zu seyn, worüber Berghaus Encyklop. der Handlungswissensch. 1r Bd. S. 11 eine belehrende Erklärung ertheilt. — Die Empfehlung S. 17 in der Note zu §. 35 hätte der Herr Verf. aus dem allgem. Preuß. Landr. und aus der Samml. österr. Verordn. in Rücksicht der Kaufleute und Bankiere beym Zimmerl. (Wien, 1798. gr. 8.) ergänzen können. S. 18. Note §. 36 könnte durch häufige Beyspiele in England und Polen, daß der Adel sich

dem

dem Commercio wibmet, bestätiget werden. Die Gebrüder
von Romberg in Brüssel, die Joseph II., und die Gebrüder von der Leyen, welche Friedrich der Große in
den Adelstand erhob, waren und blieben dieß nicht Kaufleute? — Die S. 29. Note §. 58 erzählte Geschichte vom
blinden Kaufmann Moll in Lennep ist wahr; Rec. hat den
Moll sehr gut gekannt, und oft sich über die Art seiner Geschäffte mit demselben unterredet. — S. 42. Note §. 86
widerspricht der häufigen Erfahrung. Das deutsche Sprüch-
wort: Was ein guter Hacken geben soll, muß frühzeitig
krümmen, — findet hier in aller Absicht Anwendung. Die
Bemerkung S. 44 zu §. 89 ist gewiß ein Wort zu seiner
Zeit. Das Beyspiel einiger Handelsstädte im nördlichen
Deutschlande, kann in unsern Tagen davon einen sprechen-
den Beweis liefern. S. 52. zu §. 105 wollen wir hoffen,
daß die vorgeschlagene Neuerung nicht realisirt werden möge.
Schon der Name Commissär hat durch diesen französischen
Krieg einen allzuschändlichen Nebenbegriff erhalten, als daß
man ihn mit Mäkler zu vertauschen, die entfernteste Ursache haben sollte. S. 72. Lin. 3. v. unten ein Druckfehler,
er nicht angezeigt ist; man lese statt (Belweg — Hel-
weg (die Ländereyen an der Heerstraße im nördlichen Theil
der Grafschaft Mark, von Bochum nach Soest.) S. 121 fg.
kommt, wie doch erwarten ließ, nichts vom französ. Maaß-
system vor. Wenigstens hätte doch deßhalb auf Nelkenbre-
chers Taschenbuch, die Ausg. Rücksicht genommen werden
sollen. S. 150. Lin. 6 v. o. steht das Currentgeld in der
angeführten Stelle des hebräischen Grundtextes keineswegs.
Wer anders als Herr Hofr. J. setzt S. 155 Lin. 5 v. o.
das alte Ophir an die afrikanische Küste? — Wenn S.
185. Lin. 6 v. u. das griechische Φραχτος, welches eingeschlossen, beschützt, bevestigt, bedeckt heißt, auf den
Baarentransport angewandt werden kann: so dürfte das
deutsche Fracht griechischen Ursprungs seyn. S. 292. zu
§. 587 eine unglückliche Conjunctur des Worts Mauth. Man
sollte doch Adelung's Verdienst für die deutsche Sprache nicht
compromittiren. — Zu den S. 294 vorfindlichen Noten
hätte der Herr Verf. Berghaus Gesch. der Schiffahrts-
kunde brauchen sollen. Gehört S. 367. Lin. 9 v. o. der
nedle Ausdruck: Sacklappen, auch in die elegante Bü-
chersprache? — Hätte Herr J. S. 384 zu §. 765 Büsch's
uß. zur Darstell. des Handl. und von Martens hist. Entw.

des

des Wechselrechts benutzt; so würde die Sage vom Ursprunge der Wechsel weggefallen seyn. Mehr dürfen wir nicht ausheben, weil uns der Raum mangelt. Indessen entsprechen die meisten Noten dem Ganzen vollkommen, und geben der neuen Ausgabe ein volles Recht, zur wirklichen Verbesserung, die jedem Leser angenehm und nützlich seyn wird.

Mo.

Vermischte Schriften.

Morgenstunden eines Einsiedlers. Zwey Bände. Nürnberg, bey Grattenauer. 1799. I. 326. II. 338 S. 8. 1 Rg. 16 x.

Practica est multiplex. Wochenblätter scheinen auf lange Zeit hin aus der Mode gekommen zu seyn, und nicht Jedermann hat Kredit genug Monatschriften anzulegen, wo er seiner Laune nach allen Richtungen freyen Lauf lassen kann. Unsre Scribenten halfen sich daher eine Weile mit Vermischten Schriften, wo es gemeiniglich mehr als zu bunt aussah. Weil aber auch hier der Markt bald überladen ward, und man nicht leicht mehr nach dergleichen greift, ohne vorläufig den Koch zu kennen: so mußten statt eines empfehlenden Autornamens, der, wie bekannt, manchem Buche forthilft, anziehende Titel wenigstens hervorgesucht werden. Aber auch damit fängt es schwierig auszusehen an; von der Ceder bis auf den Ysop ist, bereits Alles so ziemlich durchgeklopft, und mancher Schriftsteller hat gewiß schon mehr als ein Alphabet vollgepackt, eh er noch so glücklich gewesen, ein anlockendes Aushängeschild zu erkünsteln.

Derjenige Sittenmaler und Sittenrichter, der in vorliegender Herzenserleichterung sich Luft macht, fand eben so wenig rathsam seinen Namen auf's Spiel zu setzen; hofft aber Käufer und Leser dadurch herbeyzuziehn, daß er sich hinter die ziemlich verbrauchte Larve eines siebzigjährigen Greises steckt, der auf's Land gegangen, und von seinem einsamen Winkel aus nach Herzenslust nunmehr moralisirt und philosophirt.

Als

Als Laudator temporis acti, wie von dem eißgrauen Kopf
wohl zu erwarten wäre, zeigt er indeß sich sehr selten nur;
vielmehr ist er mit seinem Zeitalter muthig fortgeschritten; zu
ungestüm beynah; denn Rec. will zehn gegen eins wetten:
der Mann, der Alles dieß niederschrieb, zählt keine dreyßig
Jahre. Selbst wenn er seine Parainesen durch Erscheinungen des Tages erläutert oder aufstutzt, ist es meist unsre
neueste Literatur, die ihnen Kleid und Farbe giebt. Wider
den Vortrag des angeblichen Greises ist nichts von Belang
zu erinnern, ein paar Provincialisme etwan ausgenommen.
Abwesenheit von Fehlern aber kann noch nicht für Tugend
gelten; und wenn auch hinreißende Beredtsamkeit aus nicht
mehr junger Feder weder zu erwarten, noch zu verlangen
war: so mußte sie dieß nicht bloß durch Redseligkeit; sondern
durch Herzlichkeit, Sachreichthum, und einen Schatz individueller Erfahrung ersetzen, der uns die Form gleichgültig
machte. Nur höchstselten bekommt man hier dergleichen zu
lesen; desto öfter hingegen solche Maximen, Anschauungen
und Postulate, die ein nicht schlecht organisirter Kopf, schon
im zwanzigsten Lebensjahre wissen kann und muß, ohne deßhalb im geringsten vorzeitig klug zu seyn. Wechsel der Jahr-
und Tageszeiten, ländliche Ansichten, Rückblick in längst
verstrichne Decennien sind es übrigens, die unserm weib- und
kinderlos gewordnem Patriarchen den ersten Anstoß zu frommer Betrachtung, Vergleichung, Nutzanwendung geben;
und dann, wie sich's versteht, auch in unsern Wochenblät-
tern praktizirt wurde, wieder zu Nebengängen in verwandte
Materien sittlichen oder geschichtlichen Inhalts einladen, als
da sind: Einsamkeit, Müßiggang, Freundschaft, Geist
des Jahrhunderts, Natur und Mensch, Geduld, Umgang
mit sich selbst, Neid, Verläumdung, Werth der Einbildungskraft, der Gelehrsamkeit; und hundert andre Gegenstände, worüber man so viel gutes und schlechtes uns schon
gesagt hat, daß wer dergleichen nochmals und das außerhalb Canzel und Katheder behandeln will, schlechterdings neue
Wendungen ausfindig machen, oder auf nur kleinen, noch
dürftig unterrichteten Leserkreis sich gefaßt halten muß. Aber
auch diesem anziehend zu bleiben, wieviel Geschicklichkeit ist,
selbst zu Erreichung eines so bescheidnen Zweckes, noch immer
erforderlich!

Und damit man obige Rubriken des ersten Bandes
nicht bloß aus dem Inhaltsverzeichniß abgeschrieben glaube,

dient

dient hiermit zur Nachricht, das keiner der beyden Theile ein
dergleichen enthält; sondern bloß im Text die Ueberschriften
von ein paar Dutzend Kapiteln, wovon manche noch dazu
die sehr unschickliche Aufschrift Fortsetzung an der Stirne führen; das Ganze mithin einer Lotterie gleicht, wo man auf
gut Glück zugreifen muß, und nicht selten für die Stimmung
des Augenblicks wenig besser als mit Nieten bedient seyn
wird. Daß unsre Autoren doch so schlecht für Bequemlichkeit des Lesers zu sorgen wissen: selbst da, wo sie es ausdrücklich darauf anlegen, ihr ein Polster unterzuschieben:
denn unter solche für Anstrengung gar nicht bestimmte Schriften muß man vorliegende doch rechnen. — Uebrigens be-
scheidet Rec. sich sehr gern, daß, wer diesen Morgenstunden
Geduld und Muße widmen will, beydes ungleich nützlicher,
als zum Durchblättern unsrer geistleeren Romane, erfah-
rungslosen Novatoren, und superklugen Politiker verwenden
werde. Leider, nur kann ein Vorzug, der aus solcher Vergleichung erwächst, nicht sonderlich hervorragend seyn!

Zb.

Erholungsstunden in Ostindien, von E. P. H.
Stegmann, königl. Dän. Prediger bey der
Zionskirche in Trankebar. Kopenhagen und
Leipzig, bey Schubothe. 1799. 17 Bogen. 8.
18 gr.

Wir glauben gar wohl, daß ein Prediger in Trankebar
Erholungsstunden nöthig habe, und auch wohl Lust bekommen mag, zu seiner Erholung Schriftsteller zu werden. Ob
aber die gegenwärtigen Erholungsstunden es durch die Lektüre
auch seinen deutschen Landsleuten seyn werden, möchten wir
fast bezweifeln. Hätte er, wie er nach der Vorrede Willens
ist, keine Reisebeschreibungen, oder Beobachtungen über die
Sitten, Gebräuche und Gewohnheiten des Landes und der
Nation, unter der er lebt, unter diesem Titel geliefert: so
würde er vielleicht mehr Dank verdient haben. So enthalten aber diese Erholungsstunden: 1) Karl und Amanda.
Eine wahre Geschichte. Amanda, eine Vater- und Mut-
terlose Wayse, aber von großem Vermögen, lebt auf dem
Lande

Lande in stiller Eingezogenheit. Karl Graf von W. ein An-
verwandter von ihr, kommt während der Winterquartiere
am Rhein in ihre Nachbarschaft, und besucht sie. Beyde
empfinden sofort die innigste gegenseitige Liebe, und beschlies-
sen ihre Verbindung gleich nach dem Frieden, den man damals erwartete. Der Krieg bricht aber aufs neue aus, und
Karl meldet ihr seine tödliche Verwundung, nimm auch
nachher, gleichsam vom Rande des Grabes, schriftlich von
ihr Abschied. Zuletzt kommt gar die Nachricht seines Todes
von der Hand eines Verwandten, worüber sich Amanda gar
sonderbar geberdet, und sich zuletzt — mit einem Brodmes-
ser ersticht — doch die Wunde ist nicht tödlich; sie wird wieder hergestellt, und zuletzt durch eine gar witzig ausgeson-
nene Ueberraschung ihres Karl beruhigt und glücklich gemacht.
Wer hier bey Schilderung der Liebe, des Schmerzens und
der Freude den Pinsel eines la Fontaine erwartet, betrügt
sich sehr. 2) Eine Vision — soll eine Allegorie seyn, von
dem Weg zum Tempel der Tugend, und den Nebenwegen,
die von demselben abführen. 3) Franz Wilson, ein Wort
über die Eigenliebe an Aeltern und Erzieher — Eigenliebe
ist ihm hier eine vernünftige Selbstschätzung, im Gegensatz
einer kriechenden Demuth, und des Mißtrauens gegen sich
selbst: und der Verf. will beweisen, daß ein Mensch ohne
Eigenliebe, weder zu guten noch zu großen Handlungen jemals aufgelegt seyn könne, und belegt dieses mit einem Brief
des bekannten Engländers, der durch eine fehlerhafte Erziehung, und besonders durch Vernachlässigung seiner Eigenliebe
unglücklich geworden sey. 4) Glaubensbekenntniß eines
Engländers — ein Beytrag zur Kunde der sogenannten starken Geister — so erdichtet, daß es Niemand, auch der er-
klärteste Ungläubige nicht, zu seinem Glaubensbekenntniß
machen wird. Es heißt z. B. „ich glaube keine Offenbarung; ich glaube an die Tradition, ich glaube an den Tal-
mud, an den Alkoran; aber nicht an die Bibel. Ich glaube
an Sokrates, an Confucius, an Sanconlathon, an Maho-
med; aber ich glaube nicht an Christum.“ 5) Der Liebe
Ursprung — sie soll eine Tochter der Armuth seyn, am Ge-
burtsfest der Schönheit im Garten Jupiters, mit dem Gott
des Reichthums gezeugt — wie sinnreich. 6) Elegie an Laura.
7) Gedanken eines unglücklich Betrogenen am Meeres-Stran-
de — wahrer Gallmathias! 8) Der Menschenhasser, Franz
Waller, der seinen ehemaligen Freund, in den Armen seiner

von ihm verführten Weibes, ermordet. — In dieser etwas
lang gedehnten Geschichte, kommt eine Scene vor, die Studenten Gesellschaft überschrieben, die im eigentlichsten Verstande unausstehlich ist.

Unterhaltungen. im traulichen Zirkel von Christian
Schulz. Vnde habeas, quaerit nemo; sed opor-
tet habere. Iuuen. Leipzig, bey Hilscher. 1799.
12½ Bog. 8. 16 gr.

Unter diesem vieldeutigen Titel liefert der Herausgeber eine
Sammlung von 102 kurzen Geschichten und Anekdoten aus
dem Leben merkwürdiger Personen der alten, mittlern und
neuern Zeit, zwey der letzten Aufsätze ausgenommen, von
der Perle und dem Erfrieren der Bäume, die aus der Naturgeschichte entlehnt sind. Sie sind größtentheils recht gut
gewählt; viele sind auch aus ähnlichen Sammlungen schon
bekannt. Und wenn wir auch ihre Authenticität nicht bezweifeln wollen; so wäre es doch besser gewesen, der Sammler
hätte jedesmal die Quelle angegeben, woraus er seine Anekdoten genommen hat; wir wollen nicht hoffen, daß er sich
wegen Unterlassung dieser Pflicht, mit seinem Motto schützen
wolle: vnde habeas, nemo quaerit. Sammlungen dieser Art können darzu dienen, das Lesebedürfniß der lesenden
Menschenklasse zu befriedigen, ohne daß sie zu faden Ritter-
Feen- und Liebesgeschichten ihre Zuflucht zu nehmen braucht;
daß sie aber auch zu Unterhaltungen im traulichen Zirkel dienen sollten, möchte wohl der Fall so oft nicht seyn.

Bg.

Historisches, statistisches und geographisches Taschenbuch für die Preußisch-Brandenburgischen Staaten. Erstes Regierungsjahr Friedrich Wilhelms
III. 1798. Stettin, bey Kaffle. 1799. 207
S. 8. 16 gr.

Diese Schrift enthält Stellen aus Kabinetsschreiben, und
Verordnungen des genannten Monarchen. Sie sind unter
gewiß

gewiffen Rubriken zufammengeftellt, und gewähren dadurch
eine gedrängte Ueberficht der neuern Verfügungen und Einrichtungen im Preußifchen Staat.   Einem fehr wichtigen
und allen Theilen des Pr. Reichs intereffirenden Ereigniß,
der Wiederaufhebung der am Ende der vorigen Regierung
aufs neue eingerichteten königl. Adminiftration des Tabaks,
ift hier der größte Raum gewidmet, da der Herausgeber die
Gefchichte des Tabakshandels und die verfchiedenen Veränderungen mit diefem Handlungszweige unter den vorigen Regenten ausführlich erörtert.   Man weiß, daß diefer Gegen-
ftand lebhafte Difcuffionen veranlaßte, und bey diefer Gelegenheit mehrere Brofchüren erzeugte, die jedem, der fich um
die Pr. Staatswirthfchaft bekümmert, noch im Andenken
find.   (In einer diefer kleinen Schriften unter dem Titel:
Freyes Tabaksgewerbe und Tabaksregal in Hinficht
auf Staatspolicey und Finanzintereff: betrachtet, (von
Prof. Borowsky in Frankfurt an der Oder) findet man
ebenfalls eine gedrängte hiftorifche Ueberficht diefes Gewerbes
in den Pr. Staaten.) — Mehreremal werden über Verordnungen Urtheile und Bemerkungen geliefert, z. B. über
die Verordnung wegen Beftrafung der Exceffe begehenden
Studirenden auf Univerfitäten v. 23ften Jul. 1798. (Auch
diefe Verordnung hat Difcuffionen zuwege gebracht, und es
haben über den Inhalt derfelben, theils in Journalen, theils
in eigenen Schriften, einige Schriftfteller ihr Gutachten ab-
gelegt.   Eben fo ift über die Ferien auf Univerfitäten, die
nunmehr 8 Tage vor Oftern und Michaelis anfangen, und
14 Tage nachher fich endigen follen, geurtheilt.   Der Verf.
findet diefe Einrichtungen fehr zweckmäffig; fo wie er überhaupt überall feinen ungetheilten Beyfall zu erkennen giebt.

Uebrigens find die Gegenftände, Kabinetsordern und
Verordnungen, die hier theilweife abgedruckt find, allgemein
bekannt, und durch mehrere Zeitungen und Zeitfchriften, befonders durch die Jahrbücher der Pr. Monarchie verbreitet worden.   Die hier gelieferten Stücke find gerade die
bekannteften.   Wenn der Verf. die Gefchichte des Tabaksge-
werbes mehr eingefchränkt hätte: fo würde dafür Raum für
andere Edikte und Declarationen, die ebenfalls die Preuß.
Staaten betreffen, gewonnen worden feyn.   Wir rechnen
dahin einige Inftruktionen, befonders für Süd- und Neu-
Oftpreußen, u. f. w. —   Der geographifche Antheil der
Schrift

Schrift beziehet sich auf eine am Schluffe befindliche Beschreibung der auf der linken Rheinseite liegenden, und an die franz. Republ. abgetretenen Preuß. Länder.

Drk.

Bildungsschule für das weibliche Geschlecht. Schwerin und Wismar, im Verlag der Bödnerischen Buchhandlung. 1799. Erster Band. 5 Hefte 79 S. 8. 1r Bd in 6 Heften. 3 Rl.

Rec. kann diese verlangten Hefte als ein nützliches, gut geschriebenes, periodisches Produkt empfehlen, und seine Fortsetzung wird dem schönen Geschlechte nicht unwillkommen seyn, indem darin nicht nur für die Verfeinerung des weiblichen Geistes; sondern auch für die Verbesserung und Veredlung des Haushalts gesorgt wird. Den Anfang jedes Hefts macht eine moralische Abhandlung. Der erste beginnt mit dem Einflusse des Weibes auf die Tugend des Mannes; der zweyte mit dem Berufe des Weibes zur Häuslichkeit und den vorzüglichsten Tugenden, deren Ausübung die Führung des Haushaltes im Allgemeinen erfordert; der dritte mit Betrachtungen über Schönheit und Putz; der vierte mit einem kleinen Aufsatz über Sanftmuth und Geduld, und der fünfte mit einer Abhandlung von einigen Fehlern in der weiblichen Erziehung. Die mancherley ökonomischen Anweisungen und Recepte für Keller, Küche, Waschhaus u. dergl. überlassen wir der Prüfung unsrer Leserinnen, und merken nur noch an, daß von dieser Schrift monatl. ein Heft von 6 Bogen erscheinen, und 6 solcher Hefte einen Band ausmachen sollen.

Su.

Intelligenzblatt

der

Neuen allgemeinen deutschen

Bibliothek.

No. 30. 1800.

Beförderungen, Dienstveränderungen und literarische Ehrenbezeigungen.

Zu Bamberg wurde Hr. Domcapitular, Kammerpräsident und beständiger Rector Magnicus der Universität Bamberg, Graf von Waldersdorf, zum Präsidenten der Schulcommission und Oberpfarrer zu U. L Frauen befördrt. — Hr. Hofrath, Professor und Universitätsfiscal Weber hat Sitz und Stimme bey der Schulcommission erhalten. — Hr. Hofrath und Professor Dorn ist zum Physicus der Residenzstadt Bamberg, und Hr. Professor D. Döllinger zum Landphysikus ernannt. — Der geistliche Rath, Director des Gymnasium und Professor der Moraltheologie, Hr. Gallus Ignaz Limmer, zum Regens im Ern stinischen Priesterseminarium. — Der Subregens des eben genannten Seminars, Hr. Joh. Friedrich Batz, zum wirklichen geistlichen Rathe, Professor der Moraltheologie und Director des philosophischen Gymnasiums, dann der lateinischen Trivialschulen.

Hr. D. Burkard zu Wirzburg, zeitheriger Fastenprediger, ist von dem Dom-Kapitel zum Sonntagsprediger ernannt worden.

Zu Nürnberg hat Hr. Joh. Carl Siegmund Kiefhaber, Substitut des Amts St. Klara, die Stelle als Aufseher der Willisch-Norischen Bibliothek erhalten. — Hr.

(Gg)

Hr. M. Johann Friedrich Wurm, bisher Pfarrer zu Grübthorn im Würtembergischen, ist zum Klosterprofessor zu Blaubeuern ernannt worden, und der bisherige Pfarrer zu Pfäffingen bey Tübingen, Hr. M. Joh. Wilhelm Camerer, zum Diakonus an der St. Leonhardskirche zu Stuttgardt ernannt worden.

Hr. Carl Nack, Dechant des Benediktiner Reichsstifts Neresheim, zum Kammerdirector und Großkeller das.

Der Kaiserlich Königliche Oberchirurgus, Hr. Wilhelm Schmitt, öffentlicher ordentlicher Lehrer der josephinisch-medicinischen chirurgischen Akademie, zum Kaiserlich Königlichen Staabsarzt.

Hr. Weiler, Professor der Moralphilosophie und der pädagogischen Wissenschaften zu Ingolstadt zum Studiendirector, und Hr. Prof. Lorenz Westenrieder zum Director aller lateinischen Schulen.

Der fürstlich Salzburgische Kammerdirector, Hr. Carl Ehrenbert Freyherr von Moll, zum wirklichen Geheimen Rathe mit einer Besoldungszulage von 400 Gulden.

Der Professor und Director des Königlichen Pädagogiums zu Kloster Bergen, Hr. Gurlitt, wurde von der Königlichen Akademie der Künste und mechanischen Wissenschaften zu Berlin zum Ehrenmitgliede aufgenommen.

Hr. Professor und Bergrath Scherer zu Halle ist zum Mitgliede der batavischen Gesellschaft zu Harlem, und zum Mitgliede der mineralogischen Societät zu Jena ernannt worden.

Hr. Hofrath Voigt zu Jena wurde gleichfalls zum Mitgliede der batavischen Gesellschaft zu Harlem aufgenommen.

Todesfälle
1806.

Am 10. May starb zu Altöttingen der Dekan am Collegiatstifte daselbst, auch Vicepropst, Hr. Joseph Melchior Danzer, vormals öffentlicher Lehrer zu Straubing und dann zu München.

Am

Am 12. May zu Marburg, Hr. Leonhard Johann Carl Justi, D. d. Philosophie, ordentlicher Professor der Theologie und alten Literatur, Consistorialrath, Superintendent, Oberpfarrer, Definitor des Ministerium und Director des Predigerseminariums, 47 Jahre alt.

Am 27. May zu Hannover, der Geheime Kanzley- und Depeschensecretair, Hr. Ernst Ludwig Parz, 78 Jahre alt.

Am 30. May zu Meiningen, Hr. Johann Georg Wilhelm Volkhart, Generalsuperintendent, Consistorialrath und Oberhofprediger, 69 Jahre alt.

An eben diesem Tage zu Braunschweig, Hr. D. Johann Bernhard Martini, herzoglich Braunschweigischer Hofrath und Decan des Obersanitätscollegium, 80 Jahre alt.

Am 5. August zu Hamburg der berühmte Schriftsteller, Hr. Johann Georg Büsch, Professor der Mathematik an dem Gymnasium zu Hamburg, und Director der Handlungsakademie daselbst, 73 Jahre alt.

Am 6. Junius zu Wirzburg, Hr. Johann Baptist Depisch, fürstlich Wirzburgisch geistlicher Rath, Vorsteher und Pfarrer des Juliushospitals bf. 53 Jahre alt.

Am 7. Junius zu Bischofgrün im Fürstenthume Bayreuth der dasige Pfarrer, Hr. Adolph Christian Weise, 68 Jahre alt.

Am 10. Junius zu Schwedt Hr. Johann Abraham Peter Schulze, königlich Dänischer pensionirter Capellmeister.

Am 13. Junius zu Dresden die verwittwete Frau Obristlieutenantinn Dorothee Henriette von Runkel, geb. Rother, 76 Jahre alt.

Am 29. Junius zu Gera, Hr. Johann Samuel Gottlob Gräf, gräflich Reußischer Consistorialassessor und Archidiakonus, 64 Jahre alt.

In eben diesem Monate Hr. Ernst Georg Heinrich Leopold, Pastor zu Roßdorf in der Inspection Minden.

Chro-

Chronik deutscher Universitäten.

Leipzig.

Den 18. Julius, 1799 hielt der Stud. jur., Johann Friedrich Seyffart, aus Zeitz, zum Andenken des Stifters des Kregelischen Stipendii eine Rede: de civilis societatis commodis, und Hr. Domherr und Ordinarius Dr. Heinr. Gottfr. Bauer machte dieses in einem Programm bekannt, welches Responsorum juris CI. auf 8 S. enthält.

Den 10. August vertheidigte Hr. M. Joh. Daniel Schulze, mit seinem Respondenten, Hrn. Heinr. Gottl. Tzschirner, aus Mittweida, seine Dissertation, unter dem Titel: Deus Mosis et Homeri comparatus, 24 S. 4. wodurch ersterer das Recht erlangte, philosophische Vorlesungen zu halten.

Den 17. August hielt Hr. M. Carl Friedr. Richter, aus Freyberg, zum Antritte seiner außerordentlichen philosophischen Professur eine Rede: de causis literarum ebraicarum nostris temporibus neglectarum, und ließ ein Programm: de aetate libri Iobi definienda, auf 14 S. drucken.

Den 21. August disputirte der an des verstorbenen Borz Stelle ernannte Professor der Mathematik, Hr. Moriz von Prasse, um Sitz und Stimme in der philosophischen Facultät zu erlangen, und vertheidigte mit seinem Respondenten, Hrn. Toussaint de Charpentier, seine expositionem quarundam formularum de centro gravitatis, 26 S. nebst einer Kupfertafel. 4.

Den 24. August hielt derselbe zum Antritte seiner ordentlichen Professur eine Rede: de tollendis impedimentis, quibus studia mathematum obnoxia sunt, welches er vorher durch ein Programm: de reticulis cryptographicis, auf 14 S. nebst einer Tafel, bekannt machte.

Den 28. August vertheidigte Hr. M. Johann Christian August Clarus, Med. Baccal., aus dem Coburgischen, mit seinem Respondenten, Hrn. Carl August Peißel, Med. Baccal., aus Bautzen, seine Dissertation: Scholae methodicae et Brunonianae consensus. Commentatio I. 29 S. und erhielt dadurch das Recht, öffentliche philosophische Vorlesungen zu halten.

Bey